NOUUM TESTAMENTUM
GRAECE

NOUUM TESTAMENTUM

GRAECE

SECUNDUM TEXTUM WESTCOTTO-HORTIANUM

———

EUANGELIUM SECUNDUM MARCUM

CUM APPARATU CRITICO NOUO PLENISSIMO, LECTIONIBUS
CODICUM NUPER REPERTORUM ADDITIS, EDITIONIBUS
VERSIONUM ANTIQUARUM ET PATRUM ECCLESIASTI-
CORUM DENUO INUESTIGATIS EDIDIT

S. C. E. LEGG, A.M.

OXONII

E TYPOGRAPHEO CLARENDONIANO

M CM XXXV

LONDINI ET NOUI EBORACI

APUD HUMPHREDUM MILFORD

PRINTED IN GREAT BRITAIN

PROLOGUS

Ex quo Nouum Testamentum Graecum Erasmus Editorque Complutensis publici iuris fecerunt, operam strenue nauarunt philologi plurimi regionibus diuersis oriundi, ut uerba auctorum ipsorum quam uerissime restituerent. Quorum uix est cur ullos nominemus praeter Bentleium, Wetstenium, Lachmannum, Tregellesium, Scrivenerium, Westcottum, Hortium, de Soden, Gregorium. Sed inter omnes qui uitam labori huic impenderunt, nomen Constantini TISCHENDORF elucet, siue itinera multa codicum reperiendorum inspiciendorumque causa suscepta, siue testimonia ignota primitiui textus in lucem protracta, siue labores in repertis edendis respicimus. Longa uero operum eius series quam enumerauit Gregorius discipulus, rem praeclare demonstrat. Inter lucubrationes eius eminet Graeci Testamenti editio octaua, annis 1869–1872 uolgata, quae per hos LX annos studiosis omnibus comes certus semper aderat. Etenim diligentia et copia rerum quas praebet longe prioribus antecedit, et longa aetas per quam nulli secunda permansit, satis probat quam magnificum eius opus sit.

At dies diem docet. Nunc quidem denuo nobis colligenda est materia, praesertim cum editio Sodeniana, et si haut spernendos progressus in huius rei scientia fecit, desideriis nostris non plene respondeat. Per hos autem LX annos multa reppererunt uiri docti neque minore cura labores suos persecuti sunt. Exemplaria uncialia antea ignota textus quidem inusitati ad notitiam nostram peruenerunt, quorum praecipue nominanda sunt Washingtoniense, Koridethianum atque cartae Chester-Beattianae saeculo tertio scriptae, ceteris omnibus antiquitate praestantiores. Codicum quoque minusculorum qui a typo communi maxime abhorrent diligenter excussi atque in classes digesti sunt. Mirifice laborarunt in interpretationibus antiquis edendis Syriaca Vetere F. C. Burkitt, Syriaca Vulgata (Peshitta) Pusey et Gwilliam, Copticis Horner, Vulgata Latina Wordsworth et White, Georgiana (Caucasi) Blake, Latina Vetere permulti. Neque pauciores in operibus Patrum multo meliore forma edendis desudarunt. Hodie Noui Instrumenti studiosus totam hanc materiam in uno opere clare accurateque repraesentatam iure poscet.

Huius operis perficiendi caussa paucorum societas facta est, quorum nomina sunt haec: Episcopus Gloucestriensis (Praeses), Episcopus Oxoniensis, Fridericus Kenyon, eques, eo tempore Musei Britannici Bybliothecarius Principalis, Henricus Iulianus White, tunc Aedis Christi apud Oxonienses Decanus, Alexander Nairne, SS. Theologiae ex-Professore Regio Cantabrigiensi, Alexander Souter, Litterarum Linguaeque Latinae Aberdoniae Professor Regius, Franciscus Crawford Burkitt, Cantabrigiae SS. Theologiae Professor Norrisianus, Burnett Hillman Streeter, ex-socio, nunc Praepositus Collegii Reginensis apud Oxonienses. Ex his H. I. White, qui thesaurari partes agebat, praeter omnes se strenuom propositi nostri fautorem praebebat, eiusque mortem recentem summo dolore commemoramus, quem amicum eruditissimum, moribus Christianis eximie praeditum, aeque diligebamus et uenerabamur.

PROLOGUS

Felicissime nobis contigit ut Editoris partibus fungeretur uir reuerendus S. C. E. LEGG. Laborem quidem studiosum quem in hoc opere perficiendo sine intermissione exhibuit, non possumus quin summis laudibus prosequamur.

Nec minus feliciter accidit ut nobiscum doctrinam suam communicare consentirent studiorum horum peritissimi cognitores Germani et Americani. Germani uero ipsi Testamenti Noui Graeci editionem nouam praeparare in animo habuerant, sed consilio suo maxima comitate omisso opus nostrum se labore sociato esse promoturos polliciti sunt. Quibus ob amicissimum consortium gratias maximas agimus, et quidem praecipue Professori Ernesto de Dobschütz, cuius ex epistulis multa didicimus. Conlegis quoque Americanis multa accepta referimus, neque tacendum est quantum morte I. H. Ropes, SS. Theologiae Professoris Hollisiani in Uniuersitate Haruardiensi et doctrinae et amicitiae perdiderimus. Opus totum tandem ad finem perductum tali uariarum gentium beniuolentia haut indignum fore speramus.

De rebus sane maximi momenti erat deliberandum, difficultates multae subeundae. Preli uero Clarendoniani Curatores opere suscepto impresso edito magnam sollicitudinem de re pecuniaria sustulerunt. Nos ita adiutos oportet maximas eis gratias agere, et quidem eiusdem Preli operis ipsis, quod munus magnum et difficile tam sedulo sustinuerunt. Atque Preli Lectorum peritia diligentiaque longe lateque notae semper liberalissime Editori praesto erant.

Etiam nobis pecunia opus erat quae edendo, conlationibus faciendis, materiae diuersae inspiciendae sufficeret, et omnibus qui sumptus nobis suppeditauerunt gratias debitas agimus, ante omnes Academiae Britannicae, Societati Bibliophilorum Britannicae et Externae, multis conlegiis Oxoniensibus Cantabrigiensibusque.

Inter multa consilia quae capienda erant praecipue decernere debuimus qui textus adparatui nostro praeponeretur. Erant qui, caussis quas hic commemorare supersedemus adfecti, textum crederent quem uocant receptum fore commodissimum, sed plerique, praesertim Germani, textum rationibus uere criticis stabilitum imprimendum censuerunt, et Macmillanis sociisque et Westcotti et Horti heredibus acceptum referimus quod textum sine dubio optimum post hominum memoriam constructum nobis utendum permiserunt.

Restat ut rationes quibus editio haec nitatur breuiter exponamus. Ad codices quidem indicandos seriem Gregori in prolegomenis siue Latine siue Germane scriptis, quae editioni Tischendorfianae adnexuit, maximam partem secuti sumus. Nec sine caussa; nam haec nomina codicum inlustrium, quae multis milibus studiosorum per saecula recentia innotuerant, consensu fere omnium eruditorum quotquot in hac re auctoritatem maximam per orbem terrarum consecuti erant, tandem uictoriam reportauerunt.

Omnes maioris momenti codices unciales, numero XXVIIII, plene citati sunt, itidemque ea uncialia fragmenta quae minime neglegenda esse uidentur. Qua in re Musei Britannici Curatoribus praecipuae agendae sunt gratiae qui nobis in usum fragmenta Chester-Beattiana ante quam publici iuris facta sunt concesserunt et totum opus multimodis facilius reddiderunt.

Duarumque quoque minusculorum classium notissimarum quae ex uncialibus

deperditis manauerunt lectiones plene communicantur, quo modo etiam alii
minusculi XI, inter quos locum insignem tenet codex S. Sabae Hierosolymitanus.
Omnia uero uerba quae ex interpretationibus et Patribus sumpta sunt, ex edi-
tionibus recentissimis pendent et ei loci qui apud Patres maximi momenti sunt,
plenissime citati sunt.

    Cum aliquamdiu de huius editionis consilio deliberassemus, tandem constitui-
mus ut simul atque editio Euangelii secundum S. Marcum confecta esset, is
fasciculus separatim lectorum in manus traderetur. Magno enim opere re fert ea
quae ad textum huius Euangelii componendum reperiri potuerint inuestigare et
oculis doctorum subicere : nobis etiam uisum est ut qui incepto nostro fauerint
non nihil fructus ex auxilio suo quam primum percipiant. Hoc autem fasciculo
edito occasio offertur ea iudicia pronuntiandi quae partibus sequentibus prodesse
possint. Prima itaque operis pars emissa demonstrabit id uere coeptum esse,
exemplum earum rationum quas excogitauimus, pignus eorum quae perficere in
animo habemus. Nunc studiosorum in manibus liber est : ii quantam industriam
ab Editore efflagitauerit protinus uidebunt : ab eis beniuolentiam iudiciumque
petimus, beniuolentiam qua humani generis fragilitatem confiteantur, iudicium
quo partes futurae meliores sint : postulamus denique eorum patrocinium in eis
fasciculis qui postea edentur.

A. C. GLOUCESTER:
ALEXANDER SOUTER.

ELENCHUS SIGLORUM IN APPARATU CRITICO ADHIBITORUM

CODICES

(a) *Unciales* :—

ℵ Sinaiticus. Saec. IV *euangelium integrum*

A Alexandrinus. Saec. V *euangelium integrum*

B Vaticanus. Saec. IV *euangelium integrum*

C Ephraemi Syri rescriptus. Saec. V *continet* i. 17 υμας ... vi. 31. viii. 5 -πον επτα ... εστιν xii. 29. xiii. 18 γαρ αι ... xvi. 20.

D Bezae. Saec. VI *euangelium integrum*

E Basileensis. Saec. VIII *euangelium integrum*

F Boreeli. Saec. IX *desunt* i. 43–ii. 8. ii. 23–iii. 5. xi. 6–26. xiv. 54–xv. 5. xv. 39–xvi. 19.

G Wolfii A. Saec. IX *uel* X *desunt* i. 1–13. xiv. 19–25.

H Wolfii B. Saec. IX *uel* X *desunt* i. 32 ... οπου ην ii. 4. xv. 44 ... αυτων και xvi. 14.

K Cyprius. Saec. IX *euangelium integrum*

L Regius. Saec. VIII *desunt* x. 16 τας χειρας ... τω αιωνι x. 30. xv. 2 και επηρωτησεν ... τα ιδια xv. 20.

M Campianus. Saec. IX *euangelium integrum*

N Purpureus Petropolitanus *etc.* Saec. VI *continet* v. 20 οσα ... επι την vi. 53 (Petropol.). vi. 53 γην ... κρατειν vii. 4 (Patmiensis). vii. 20 εκπορευομενον ... λογον viii. 32 (Patmiensis). ix. 1 αμην ... αλλος x. 43 (Patmiensis). xi. 7 αυτω ... αδελφος *pr.* xii. 19 (Patmiensis). xiv. 25 λεγω υμιν ... εδιδουν αυ- xv. 23 (Patmiensis). xv. 33 ενατης ... γενομενης xv. 42 (Petropol.).

P Guelpherbytanus A. Saec. VI *continet* i. 2 ως γεγραπται ... αγαπητος εν σοι i. 11. iii. 5 επι τη ... του Ιακωβου iii. 17. xiv. 13 αυτοις υπαγετε ... εκχυννομενον xiv. 24. xiv. 48 συλλαβειν ... επηρωτα xiv. 61. xv. 12 Ιουδαιων ... εξεπνευσεν xv. 37.

S Vaticanus 354. Saec. X *euangelium integrum*

U Nanianus. Saec. IX *uel* X *euangelium integrum*

V Mosquensis. Saec. IX *euangelium integrum*

W Washington. Saec. V *deest* xv. 13 οι δε παλιν ... εις δυο xv. 38.

X Monacensis. Saec. IX *continet* vi. 47–xvi. 20 (*sed* xiv. 61–64, 72–xv. 4, 33–xv. 6 *periit nonnihil litterarum uerborumque, atque deest* xvi. 6 -θη ουκ εστιν ... γαρ αυτας xvi. 8).

Y Macedonianus. Saec. IX *euangelium integrum*

Γ Tischendorfianus IV. Saec. IX *uel* X *deest* iii. 34 -κλω τους ... ευκαιρους vi. 21.

Δ Sangalliensis. Saec. IX-X *euangelium integrum*

Θ Koridethi. Saec. VII-IX? *euangelium integrum*

Π Petropolitanus II. Saec. IX *deest* xvi. 18 εξουσιν ... αμην xvi. 20.

Σ Rossanensis. Saec. V *deest* xvi. 14 -των και σκληροκαρδιαν ... xvi. 20.

Φ Beratinus. Saec. VI *deest* xiv. 62 ειπεν εγω ... xvi. 40.

Ψ Athos, Laura. Saec. VIII *uel* IX *continet* ix. 5 και μωση μιαν ... xvi. 20.

Ω Athos, Dionysius. Saec. VIII *uel* IX *euangelium integrum*

047 Athos, Andreas. Saec. IX *uel* X *desunt* v. 41 ... ηρωδη vi. 18. viii. 35 την ψυχην αυτου ενεκεν ... απιστος ix. 19.

𝔰 = *consensus codicum* EFGHKMSUVYΩ.

Praeterea fragmenta sequentia citata sunt, quorum nonnihil litterarum uerborumque periit:

059 (olim Tᵘ) Vindobonae. Saec. IV xv. (29)–(38).

067 (olim Iᵇ) Petropol. Saec. V ix. 14-22. xiv. 58-70.

069 (olim Tᵍ) Chicago. Saec. V *uel* VI x. 50, 51. xi. 11, 12.

072 Damascus.　Saec. V *uel* VI　ii. 23–iii. 5.

074 (olim T^{10}) Sinai.　Saec. V　i. 11–22.　ii. 21–iii. 3.　iii. 27 iv. 4.　v. 9–20.

080 (olim N^a) Petropol.　Saec. VI　ix. 14–22.　x. 23, 24, 29.

090 (olim Θ^b) Petropol.　Saec. VI　i. 34–ii. 12.

092 (olim T^{11}) Sinai.　Saec. VI　xii. 32–37.

099 (olim T^l) Paris.　Saec. VII *uel* VIII　xvi. 6–8.

0103 (olim W^l) Paris.　Saec. VII　xiii. 34–xiv. 29.

0104 (olim W^m) Paris.　Saec. VII *uel* VIII　i. 27–41.

0107 (olim Θ^b) Petropol.　Saec. VII　iv. 24–35.　v. 14–23.

0112 (olim T^{12}) Sinai.　Saec. VII　xiv. 29–45.　xv. 27–43.　xv. 45–xvi. 10.

0116 (olim W^b) Neapol.　Saec. VIII *uel* IX　xii. 21–xiv. 67.

0126 Damascus.　Saec. VI　v. 34–vi. 1.

0130 (olim W^c) Sangallensis.　Saec. IX　ii. 8–16.

0131 (olim W^d) Cantab. Angl. Trin. Coll.　Saec. IX　vii. 3, 4, 6–8, 30–viii. 16.　ix. 2, 7–9.

0132 (olim W^b) Oxon. Angl. Aed. Christi.　Saec. IX　v. 16–40.

0133 (olim W^g) Lond. Mus. Brit.　Saec. IX　i. 1–42.　ii. 21–v. 1.　v. 29–vi. 22.　x. 51–xi. 13.

0134 (olim W^h) Oxon. Bodl.　Saec. IX　iii. 15–32.　v. 16–31.

0135 (olim W^o) Mediol. Ambros.　Saec. IX　i. 12–24.　ii. 26–iii. 10.

0143 Oxon. Bodl.　Saec. V　viii. 17–19, 27, 28.

0144 Damascus.　Saec. VII　vi. 47–56.　vii. 1, 3–11, 13, 14.

0149 Heidelberg.　Saec. VI　vi. 30–42.

0153 (ostraka graeca) Cairae.　Saec. VII　v. 40–2.　ix. 17 (18).　xv. 21.

0154 Damascus.　Saec. IX　x. 35–8, 44–xi. 26.

0184 Vindob.　Saec. V　xv. 36–41.

0188 Berolini Mus. Aegyp.　Saec. VII　xi. (11), 12–17.

*l*1353 (olim T^d) Rom. Propag.　Saec. VII　i. 3–8.　xii. 35–7.

Papyrus

𝔓^{45} Chester-Beatty.　Saec. III　*fragmenta sequentia quorum nonnihil litterarum uerborumque periit*:—

iv. 36–40.　v. 16–26, 38–43.　vi. 1, 2, 16–24, 36–50.　vii. 3–15, 25–37.　viii. 11–26, 34–38.　ix. 1–8, 18–31.　xi. 27–32.　xii. 13–16.

(b) *Minusculi.*　fam.^{1} = 1 Basileensis, 118 Oxon. Bodl., 131 Vaticanus (*conlatio plena post fin.* Cap. V *desinit*), 209 Veneti; *praeterea add.* 22 Paris, 1582 Athos Batopedi.

fam.^{13} = 13 Paris (*deest* i. 20–45), 69 Leicest., 124 Vind., 346 Mediolanus; *praeterea add.* 543 Michigan (*deest* viii. 4–8).

28 Paris.　33 Paris (*litteris et uerbis omissis et mutilatis. Desunt* ix. 31–xi. 11.　xiii. 11–14, 59). 157 Vatican Urb.　565 Petropol.　579 Paris.　700 Lond. Mus. Brit. 892 Lond. Mus. Brit.　1071 Athos, Laura.　1342 Hierosol. Saba.

Praeterea permulti codices minusc. citati sunt qui lectiones notabiles adhibent: e.g. 71. 472. 482. *l*184 *etc. ex conlationibus* Scriveneri; 238. 245. 251. *l*48 *etc. ex conlat.* Matthaei; 330. 569. 575 *etc. ex conlat.* Muralti, *et al. plur. ex conlat. et edition.* Wetstein, Griesbach, Birch, Scholz, Tregelles, Tischendorf, von Soden, *etc.*

Omnes hi codices (duabus familiis 1 *et* 13 *exceptis) ordinatim numerati sunt.*

N.B.—Explicatio plena codicum uncial. et minusc. plerumque inueniri potest Gregory Prolegom. (1894) *et* Textkritik N.T. (1900–9).

Lectionaria *uel* Euangelistaria *habent lit. l praem.* e.g. *l*48. *l*184 *etc.*

VERSIONES

(1) Latinae :—

(a) *it.* = vetus Latina.

　　a = Vercellensis.　*desunt* i. 22–34.　iv. 17–24, 26–v. 19.　xv. 15–xvi. 20.

　　b = Veronensis.　*euangelium integrum*

　　c = Colbertinus.　*euangelium integrum*

d = Bezae. *euangelium integrum*
e = Palatinus. *continet* i. 20–iv. 8. iv. 19–vi. 9. xii. 37–40. xiii. 2, 3, 24–7, 33–36.
f = Brixianus. *desunt* xii. 5–xiii. 32. xiv. 70–xvi. 20.
ff = Corbeiensis. *euangelium integrum*
g[1] = Sangermanensis I *euangelium integrum*
g[2] = Sangermanensis II *euangelium integrum*
i = Vindobonensis. *continet* ii. 17–iii. 29. iv. 4–x. 1. x. 33–xiv. 36. xv. 33–40.
k = Bobbiensis. *continet* viii. 8–11, 14–16. viii. 19–xvi. 9.
l = Rehdigeranus. *euangelium integrum*
m = Speculum. *nil nisi* xi. 25, 26.
n = Fragmenta Sangallensia. vii. 13–31. viii. 32–ix. 10. xiii. 2–20. xv. 22–xvi. 13.
o = Fragmentum Sangallense. xvi. 14–20.
q = Monacensis. *desunt* i. 7–22. xv. 5–36.
r[1] = Usserianus I *nonnihil litterarum uerborumque periit, atque deest* xiv. 58–xv. 4.
r[2] = Usserianus II *desunt* iii. 24–iv. 19. v. 31–vi. 13. xv. 17–41.
t = Fragmenta Bernensia palimpsesta. i. 2–23. ii. 22–7. iii. 11–18.
δ = Sangallensis. *euangelium integrum*
aur. = Codex Aureus. *euangelium integrum*

(b) *vg.* = Vulgata Latina.

WW = 'Nouum Testamentum . . . secundum editionem Sancti Hieronymi *etc.*' ed. Iohan. Wordsworth et H. I. White.

(2) Syriacae :—

Sy.[s.] = Sinaiticus. *continet* i. 12–44. ii. 21–iv. 17. iv. 41–v. 26. vi. 5–xvi. 8.
Sy.[c] = Curetonianus. *nil nisi* xvi. 17–20.
Sy.[pesh.] = Peshitta. *euangelium integrum*
Sy.[hl.] = Philoxeniana Harcleensis. *euangelium integrum*
Sy.[hier.] = Hierosolymitanum Euangeliarium. *continet* i. 1–8. i. 9–11. i. 35–44. ii. 1–12. ii. 14–17. ii. 23–iii. 5. v. 24–34. vi. 1–5. vi. 14–30. vii. 24–37. viii. 27–31. viii. 34–39. ix. 16–30. ix. 32–40. x. 32–45. xi. 22–25. xii. 28–37. xii. 38–44. xv. 16–32. xv. 43–47. xv. 43–xvi. 8. xvi. 9–20.

(3) Aegyptiacae *uel* Copticae :—

Cop.[sa.] = Sahidica. Aegypti superioris uersio.
Cop.[bo.] = Bohairica. Aegypti inferioris uersio.
ex editione G. W. Horner. Oxon. 1911.

(4) Georgianae :—

Geo.[1] cod. Adysh.
Geo.[2 (A et B)] A = Athos, Iveron. B = Leningrad.
ex editione R. P. Blake.

(5) Aethiopicae :—

Aeth. *ex edd.* Rom. *et* polygl. *et* T. P. Platt.

(6) Armeniacae :—

Arm. *ex edd.* Zohrab *et* Texte Armenien *etc.* par F. Macler 1919.

SCRIPTORES ECCLESIASTICI

Adamant.	= Adamantius (dialogus)	*Saec.* III
Amb. (Ambr.)	= Ambrosius Mediolaniensis	*Saec.* IV
Aphr.	= Aphraates	*Saec.* IV
Aug.	= Augustinus Hipponiensis	*Saec.* IV–V
Bas.	= Basilius Caesareensis (Cappadociae)	*Saec.* IV
Cat. (Caten.)	= Catenae (Mosquensis, Oxoniensis, Possini)	
Clem. (Clem. Alex.)	= Clemens Alexandrinus	*Saec.* II–III
Const. Apost.	= Constitutiones Apostolicae	*Saec.* IV (?)

ELENCHUS SIGLORUM

Cyp. (Cypr.)	= Cyprianus Carthaginiensis	*Saec.* III
Cyr. Alex.	= Cyrillus Alexandrinus	*Saec.* IV–V
Cyr.hr.	= Cyrillus Hierosolymitanus	*Saec.* IV
Ephr.	= Ephraemus Edessenus	*Saec.* IV
Epiph.	= Epiphanius	*Saec.* IV
Eugip. (Eug.)	= Eugippius	*Saec.* IV–V
Eus.	= Eusebius Caesareensis (Palestinae)	*Saec.* III–IV
Faust.	= Faustus Reiensis	*Saec.* IV–V
Gelas.	= Gelasius	*Saec.* V
Hegemon.	= Hegemonius, Acta Archelai	*Saec.* III–IV ?
Hieron. (Hier.)	= Hieronymus	*Saec.* IV–V
Hil.	= Hilarius	*Saec.* IV
Hip.	= Hippolytus Romanus	*Saec.* III
Iac. Nisib.	= Iacobus Nisibenus	*Saec.* III–IV
Iren.	= Irenaeus Lugudunensis	*Saec.* II
Iren.*int.*	= interpretatio latina Irenaei	*Saec.* IV
Iust.	= Iustinus Martyr	*Saec.* II
Opt.	= Optatus Mileuitanus	*Saec.* IV
Or. (Orig.)	= Origenes Alexandrinus	*Saec.* III
Orig.*int.*	= interpretationes latinae Origenis	*Saec.* IV–V
Paulin. Nola	= Paulinus Nolanus	*Saec.* IV–V
Philostorg.	= Philostorgius	*Saec.* IV–V
Ruf.	= Rufinus Aquiliensis	*Saec.* IV–V
Sed. (Sedul.)	= Sedulius	*Saec.* V
Severian.	= Severianus	*Saec.* IV–V
Tat.diat.	= Diatessaron Tatiani	*Saec.* II
Tert.	= Tertullianus Carthaginiensis	*Saec.* II–III
Tit.manich.	= Titus Bostrensis	*Saec.* IV
Tyc. (Tycon.)	= Tyconius	*Saec.* IV
Vict.Ant.	= Victor Antiochenus	*Saec.* V
Victorin.	= Victorinus Petauionensis	*Saec.* III–IV

Alia compendia per se clara erunt.

Patres ecclesiastici ex editionibus monachorum ordinis Benedictini *et ex multis editionibus recentioribus* e.g. Berolini, Vindobonae *etc. citantur.*

ΚΑΤΑ ΜΑΡΚΟΝ

I

¹ Ἀρχὴ τοῦ εὐαγγελίου Ἰησοῦ Χριστοῦ.　　² καθὼς γέγραπται ἐν τῷ Ἠσαΐᾳ τῷ προφήτῃ (α/β)

Inscriptio

κατα μαρκον אBF, *item* l (*add. man. uet.*), *cf.* incipit secundum marcum g¹ r¹ *vg.* (2 MSS): *uers.* 1-13 *absunt. sed add. recent. litt. minusc. inscrip.* το κατα μαρκον G ; ευαγγελιον κατα μαρκον ACDE HKLM[P]UWYΓΔΘΠΦ (*praem.* ϼ *ante* ευαγ.) 1. 131. 22. fam.¹³ (*exc.* 69) 28 (*praem.* το *ante* ευαγ.) 33. 71. 157. 565. 700. 892 al. plur., *item* euangelium secundum marcum c Cop.ˢᵃ· (aliq.) bo. (plur.) ; incipit euangel. sec. marcum a b ff *vg.* (plur.) ; ευαγγελεια κατα μαρκον 258 ; ευαγγελιον το κατα μαρκον 473 ; εκ του κατα μαρκον αγιου (*om.* 69) ευαγγελιου (69). 178 ; το κατα μαρκον αγιου (*om.* 482) ευαγγελιον 80. 89. 128. 241. 246. 247. 251. 252. 479. 480. (482). 1278 al. plur. ; ευαγγελιον αγιον κατα μαρκον 478 Cop.ᵇᵒ· (plur.) ; = euangelium sanctum praedicatio (*om.* Sy.ʰˡ·) marci (+ euangelistae Sy.ᵖᵉˢʰ· 1 MS) Sy.ᵖᵉˢʰ· (ʰˡ·) ; = euangelium marci Geo. ; *null.* inscrip. *hab.* 118. *vg.* (6 MSS) Cop.ˢᵃ· (1 MS) bo. (aliq.).

1. αρχη του ευαγγελιου: *nil nisi* euangelium Sy.ʰⁱᵉʳ· | Ιησου Χριστου *sine add.* א*Θ 28 (*om.* χριστου*) 255. 1555* Sy.ʰⁱᵉʳ· (= *praem.* domini) Geo.¹ Arm. (9 MSS), *item cf.* Iren. Orig. Epiph. Bas.ʰʳ· Tit. Serap. Victorin. Hieron., *cf. etiam* Scholia *in* Minuscs. 237. 238. 259: + υιου θεου אᵃBDLW ; + υιου του θεου ΑΓΔΠΣΦϼ Minusc. rell.,

item + filii dei *it. vg.* (*etiam praem.* domini nostri *vg.* 3 MSS) Sy.ᵖᵉˢʰ· ʰˡ· Cop.ˢᵃ· ᵇᵒ· Geo.² Arm. (*ed. cum* 3 MSS *optim.*) Aeth., *item cf.* Iren. Orig.ⁱⁿᵗ· Aug. Amb. Hier. *al.* ; *om. etiam* Ιησ. Χριστ. Iren. *semel* Epiph. *uid. infra.*

2. καθως אBKLΔΠ*Θ 1. 209. 22. 33. 255. 474. 565. 700. 1071, *item* sicut *it. vg.* Cop.ˢᵃ· ᵇᵒ· Geo., *similiter* Sy.ᵖᵉˢʰ· ʰˡ· ʰⁱᵉʳ·, *cf.* Orig. Bas. Tit. Severian. Victorin. Hieron.: ως ΑDPWΓΠ²ΣΦ (*exc.* K) 118. 131. fam.¹³ 543. 28. 157. 579 al. pler., *item cf.* Iren. Orig. *semel* Epiph. Caten.ᵒˣᵒⁿ· ᵉᵗ ᵖᵒˢˢ· | εν τω (*om.* DΘ fam.¹ 22. 255. 700. 1071. Iren. Orig. Epiph. Bas.ʰʳ Tit. Severian.) ησαια τω προφητη אBDLΔΘ fam.¹ (*exc.* 118) 22. 33. 253. 255. 330. 565. 700. 892. 1071, *item* in Esaia propheta *it.* (*exc.* a² in Esaiam prophetam) *vg.* Sy.ᵖᵉˢʰ· ʰˡ· ᵐᵍ· ʰⁱᵉʳ· Cop.ˢᵃ· ᵇᵒ· (pler.) Geo. Arm. (4 MSS) : + et in Malachi propheta Sy.ʰˡ· ᵐᵍ· (aliq. MSS) ; εν τοις προφηταις ΑW ΓΠΣΦϼ 118 fam ¹³ 543. 28. 157. 579 al. pler. *vg.* (1 MS*) Sy.ʰˡ· ᵗˣᵗ· Cop.ᵇᵒ· (1 MS) Arm. (aliq.) Aeth. ; *om. vg.* (tol.*) ; *mutil. sic*—aie et in prophetis r¹, *cf. testimonia* Caten. *et* Patr. Graec. *et* Lat. *ad uers.* 1 *et infra.* | ιδου *sine add.* BDΘ 28. 565. *it. vg.* (WW *et* pler.) Cop.ˢᵃ· ᵇᵒ· (pler.) Geo.¹ Iren.: + εγω אALPWΓΔΠΣΦϼ Minusc. rell. *vg.* (1 MS) Sy.ᵖᵉˢʰ·

---

1. Iren. III. xi. 8. Μαρκος δε απο του προφητικου πνευματος, του εξ υψους επιοντος τοις ανθρωποις, την αρχην εποιησατο λεγων· Αρχη του ευαγγελιου Ιησου Χριστου ως γεγραπται εν Ησαια τω προφητη·

id. Marcus uero a prophetico spiritu ex alto adueniente hominibus initium fecit: Initium, dicens, euangelii quemadmodum scriptum est in Esaia propheta. *item* scholia Cdd. 237. 238. 259.

id. III. xvi. 3. Propter hoc et Marcus ait : Initium euangelii Iesu Christi Filii Dei, quemadmodum scriptum est in prophetis.

id. III. x. 6. Quapropter et Marcus, interpres et sectator Petri, initium euangelicae conscriptionis fecit sic : Initium euangelii Iesu Christi Filii Dei, quemadmodum scriptum est in prophetis : Ecce mitto angelum meum ante faciem tuam, qui praeparabit uiam tuam. Uox clamantis in deserto : Parate uiam Domini, rectas facite semitas ante Deum nostrum.

Orig. ¹· ³⁸⁹· αλλα εις των ευαγγελιστων ο μαρκος φησιν· αρχη του ευαγγελ. ημων Ιησου Χριστου· ως γεγραπται εν ησαια τω προφητη κτλ.

id. ⁴· ¹⁵ ᵇⁱˢ· φησι γαρ ο αυτος μαρκος· αρχη του ευαγγελ. ι̅υ̅ χ̅υ̅, καθως γεγραπται εν ησαια τω προφητη κτλ. (*om.* εμπροσθεν σου). *id.* 4. 125.

Orig. ⁱⁿᵗ· ⁴· ⁴⁶⁴· Marcus euangelista scribit : Initium euangelii Iesu Christi, sicut scriptum est in Esaia propheta. Uerum quoniam Christus uerbum est, et in principio erat uerbum et uerbum erat apud deum et deus erat uerbum unum atque idem est dici euangelium dei et euangelium Christi, uel quia ipse dominus dicit—ergo et euangelium patris euangelium filii est.

Epiph. ᵖᵃⁿᵃʳ· ⁵¹· αρχη του ευαγγελιου ως γεγραπται εν ησαια τω προφητη. φωνη βοωντος εν τη ερημω.

Bas. adv. Eunom. II. 15. ο δε μαρκος αρχην του ευαγγ. το ιωαννου πεποιηκε κηρυγμα, ειπων· αρχη του ευαγγελιου Ιησου Χριστου, καθως γεγραπται εν ησαια τω προφητη φωνη βοωντος κτλ.

3208·1　　　　　　　　　　　　　　　　B

(β/a) Ἰδοὺ ἀποστέλλω τὸν ἄγγελόν μου πρὸ προσώπου σου, ὃς κατασκευάσει τὴν ὁδόν σου· ³ φωνὴ
βοῶντος ἐν τῇ ἐρήμῳ Ἑτοιμάσατε τὴν ὁδὸν Κυρίου εὐθείας ποιεῖτε τὰς τρίβους αὐτοῦ,
(γ/ς) ⁴ ἐγένετο Ἰωάνης ὁ βαπτίζων ἐν τῇ ἐρήμῳ κηρύσσων βάπτισμα μετανοίας εἰς ἄφεσιν
ἁμαρτιῶν. ⁵ καὶ ἐξεπορεύετο πρὸς αὐτὸν πᾶσα ἡ Ἰουδαία χώρα καὶ οἱ Ἱεροσολυμεῖται

hl. hier. Cop.bo. (1 MS) Geo.² Arm. Aeth. Eus.dem. Orig. Hieron. | αποστελλω: αποστελω אΘ l47 Cop.sa. bo., item Paulin. Nol. Epist. | μου: σου 69* | την οδον σου sine add. אBDKLPWΘΠ*Φ 36. 700. a b c l q r t vg. (aliq. et WW) Sy.pesh. hier. Cop.bo. (aliq.) Aeth. Iren. Orig. Hieron. Aug.: + εμπροσθεν σου (μου 478) ΑΓΔΠ²Σ⅁ (exc. K) Minusc. rell. f ff vg. (plur. sed non WW) Sy.hl. Cop.sa. bo. (plur.) Geo. (= uias tuas ante faciem tuam Geo.²) Arm. Eus.dem. Orig. semel Severian. Hieron. semel.

3. βοωντος: = clamoris Geo. | κυριου: praem. του 435. 483. 484 ; = + et Sy.pesh. Cop.sa. bo. Geo. | αυτου Uncs. pler. Minusc. pler. VSS pler., item Orig. Hieron. Aug.cons.: του θεου υμων D 34mg., cf. dei nostri a b c f ff g² t vg. (2 MSS sed non WW) Sy.hl. mg. (2 MSS), cf. Iren. Aug.; add (post αυτου) πασα φαραγξ πληρωθησεται και παν ορος και βουνος ταπινωθησεται και εσται παντα τα σκολια εις ευθειαν και η τραχεια εις πεδιον και οφθησεται η δοξα κυριου και οψεται πασα σαρξ το σωτηριον του θεου (= dei nostri c) οτι κυριος ελαλησεν φωνη λεγοντος βοησον και ειπα τι βοησω οτι (om. c) πασα σαρξ χορτος και πασα η δοξα αυτης (om. c) ως ανθος χορτου εξηρανθη ο χορτος και ο ανθος εξεπεσεν το δε ρημα κυριου μενει εις τον αιωνα Wc. cf. Luc. iii. 5, 6.

4. εγενετο: praem. και א*W; = + δε Sy.hier. Cop.sa. bo. (ed.) Geo.¹ | Ιωανης B: Ιωαννης Uncs. rell. Minusc. omn. | ο βαπτιζων אBLΔ l1353. 33. 892*, item Cop.bo. Geo.¹: om. ο ADPWΓΘΠΣΦ⅁ fam.¹ 22 fam.¹³ 543. 28. 157. 565. 579. 700. 1071 al. pler. ; pon. βαπτιζων post εν τη ερημω DΘ 28. 700., item a b c ff l q r t vg. Sy.pesh. Eus.dem. Aug.cons. Cyr.hr. ; om. ο βαπτιζων Geo.² | εν τη ερημω: + της Ιουδαιας 157 | κηρυσσων tant. B 33. 73. 579. 892 Cop.sa. bo. (aliq.): praem. και Uncs. rell. Minusc. rell. VSS rell. | εις αφεσιν: = in remissione a c r¹ t vg. (1 MS) |

5. εξεπορευετο (ενεπορ. 69) אABDKMPUWΔΘ ΠΣ fam.¹ fam.¹³ (exc. 124) 543. 28. 33. 565. 579. 700. 892. 1071. l1353. al. plur. a c (ueniebat et vg. 1 MS) f ff g² l vg. (plur. et WW) Sy.hl. hier. Cop.sa. bo. (aliq.) Geo. Eus.dem. Orig.: εξεπορευοντο EFHLSV ΥΓΩ 22. 124. 71. 157. 239. 242. 473. l184 al. plur b q r t vg. (5 MSS) Cop.bo. (aliq.) | η: om. HMΘ 122*. 472. 543. 1278*. l47. l183 | Ιουδαιων 472. | οι:

Tit.manich. 3. ει δε μαρκος λεγει· αρχη του ευαγγελιου Ιησου Χριστου, καθως γεγραπται εν ησαια τω προφητη.

Cyr.hr. 42. αρχη γαρ του ευαγγελιου Ιησου Χριστου, φησι, και τα εξης, εγενετο Ιωαννης εν τη ερημω βαπτιζων.

Victorin.apoc. Marcus itaque euangelista sic incipiens: Initium euangelii Iesu Christi, sicut scriptum est in Esaia propheta. Uox clamantis in deserto &c.

Hier.malach. 3. 1. Marcus quoque euangelista ita exorsus est: Initium euangel. Iesu Christi, sicut scriptum est in Esaia propheta.

id.ad Pammach. 101. Marcus ita suum orditur euangelium: Principium euangelii Iesus Christi, sicut scriptum est in Esaia propheta, &c.

cf. Severian.sigill. 566. παλιν ο μακαριος μαρκος, καθεις εαυτον εις το ευαγγελιον και θαρσησας τοις προγεγυμνασμενοις λεγει μεν υιον θεου, αλλ ευθεως συνεστειλε τον λογον και εκολοβωσε την εννοιαν—λεγων· αρχη του ευαγγελιου Ιησου Χριστου, καθως γεγραπται εν ησ. τω προφ. κτλ.

Hieron.ad Matt. 3. 3. Porphyrius istum locum Marci Euangelistae principio comparat in quo scriptum est: Initium euangelii Iesu Christi filii dei, sicut scriptum est in Isaia propheta &c.

Aug.cons. Initium euangelii iesu christi filii dei.

2. Orig. 4. 126. οτι ο μαρκος δυο προφητειας εν διαφοροις ειρημενας τοποις υπο δυο προφητων εις εν συναγων πεποιηκε· καθως γεγραπται εν τω ησαια τω προφητη· ιδου εγω ... οδον σου (om. εμπροσθεν σου). id. 4. 125 sed hic habet εμπροσθεν σου.

Caten.oxon. (item scholia codd. 253. 255. 256 al.) τουτο δε το προφητικον μαλαχιου εστιν, ουχ ησαια. σφαλμα δε εστι γραφεως. ως φησιν ευσεβιος ο καισαρειας εν τω προς μαρινον περι της δοκουσης εν τοις ευαγγελιοις περι της αναστασεως διαφωνιας.

Euseb.dem. ιδου εγω αποστελλω τον αγγελον μου προ προσωπου σου, ος κατασκευασει την οδον σου εμπροσθεν σου.

Paulin. Nola. Epist. Ecce mittam angelum ante faciem tuam.

Aug.cons. Sicut scriptum est in esaia propheta ecce mitto angelum meum ante faciem tuam qui praeparabit uiam tuam.

item Aug. quaest.

3. Iren.int. III. x. 6. bis. rectas facite semitas ante Deum nostrum.

Aug.quaest. 104. 3. parate uiam domino rectas facite semitas dei nostri.

πάντες, καὶ ἐβαπτίζοντο ὑπ’ αὐτοῦ ἐν τῷ Ἰορδάνῃ ποταμῷ ἐξομολογούμενοι τὰς ἁμαρτίας αὐτῶν. ⁶ καὶ ἦν ὁ Ἰωάνης ἐνδεδυμένος τρίχας καμήλου καὶ ζώνην δερματίνην περὶ τὴν ὀσφὺν αὐτοῦ, καὶ ἔσθων ἀκρίδας καὶ μέλι ἄγριον. ⁷ καὶ ἐκήρυσσεν λέγων Ἔρχεται ὁ (δ/α) ἰσχυρότερός μου ὀπίσω μου, οὗ οὐκ εἰμὶ ἱκανὸς κύψας λῦσαι τὸν ἱμάντα τῶν ὑποδημάτων αὐτοῦ. ⁸ ἐγὼ ἐβάπτισα ὑμᾶς ὕδατι, αὐτὸς δὲ βαπτίσει ὑμᾶς πνεύματι ἁγίῳ. ⁹ καὶ ἐγένετο (ε/α)

om. 245. 248. 472. l47. l54. | Ιεροσολυμειται (∼ηται ΓΘ 579; ∼ειτε ℵ*D)(ℵ) AB*(D)WΔ fam.¹³ 543. 565. : Ιεροσολυμιται B²LΠΣΦⱶ fam.¹ 22. 157. 700. 892. 1071. l1353 al. pler. | παντες και (om. ℵ* 69. a.) εβαπτιζοντο (ℵ)BDLΔ 28. 33. 579. 892. 1071. l1353 it. (pler.) vg. Cop.ᵇᵒ· Arm. Eus.ᵈᵉᵐ· Orig. : >και εβαπτιζοντο παντες ΑΡWΓΠΣⱶ fam.¹ 22. 157. 700 al. pler. Sy.ʰˡ· Aeth. ; >και παντες εβαπτιζοντο fam.¹³ (exc. 69) 543. 565. 837. Geo. ; παντες pon. ante Ιεροσολ. c ff Sy.ᵖᵉˢʰ· ʰⁱᵉʳ· ; om. παντες ΘΦ 69. 11. 32. 108. 126. f Cop.ˢᵃ· | υπ αυτου εν τω Ιορδανη ποταμω (ποδαμω l1353) ℵBL 33. 892. l1353. f l r² vg. (pler.) Sy.ʰⁱᵉʳ· Cop.ˢᵃ· ᵇᵒ· Geo. Arm. Orig. semel : om. ποταμω c q vg. (1 MS) Eus.ᵈᵉᵐ· Orig. semel, item ab illo (uel εο b) in iordanem b ff r¹ t; εν τω (om. D) Ιορδανη ποταμω (om. DWΘ 700 a) υπ αυτου (om. υπ αυτ. 472) A(D)P(W)ΓΔ(Θ)ΠΣΦⱶ fam.¹ 22 fam.¹³ 543. 157. 579. (700). 1071. al. pler. (a) Sy.ʰˡ· ; εις τον Ιορδανην υπ αυτου 28. 565 d | εξομολογουμενοι : = et confitentes Sy.ʰⁱᵉʳ· ; = et confitebantur Geo.

6. και ην ℵBL 33. 565ᵐᵍ· 892. l1353 b d l q r¹· ²· t vg. (pler. et WW) Sy.ʰⁱᵉʳ· Cop.ᵇᵒ· (aliq·) : ην δε ΑΡWΓΔΘΠΣΦⱶ fam.¹ 22. fam.¹³ 543. 157. 565ᵗˣᵗ· 579. 700. 1071 al. pler. a c f ff vg. (1 MS) Sy.ᵖᵉˢʰ· ʰˡ· Cop.ˢᵃ· ᵇᵒ· (aliq·) Geo. Arm. Aeth. | ο ℵBLPSYΓΘ ΣΩ fam.¹ 22. 69. 565. 579. 700. 892. 1278 al. pler. Sy.ᵖᵉˢʰ· ʰˡ· : om. ADWΔΠΦⱶ (exc. ΣΩ) fam.¹³ (exc. 69) 543. 33. 157. 1071. Sy.ʰⁱᵉʳ· Cop.ˢᵃ· ᵇᵒ· | Ιωανης (Ιαννης 475. 480) cf. uers. 4 | τριχας : δερρην sic D, cf. pellem a, uestem de pilis r¹ | καμηλου : καμιλου 346. 28. 157ᵘⁱᵈ· 474. 1278*. l183. l184 ; καμελου D*Θ | και ζωνην usque ad οσφυν (οφυν 209) αυτου : om. D a b d ff r¹ t vg. (1 MS) | εσθων ℵ*BL*Δ 33 : εσθιων (ην αισθιων W) ADL²ΡΓΘΠΣΦⱶ Minusc. omn. (exc. 33) | μελει 28 ; μελλι 209 | tot. uers. pon. post uers. 8 a |

7. και : qui c ff ; hic b t | εκηρυσσεν λεγων : εκεκραγεν Γ ; ελεγεν αυτοις D a r¹ | ερχεται usque ad fin. uers. 8 : >εγω μεν υμας βαπτιζω (baptizaui a) εν υδατι (in aquam ff ; +inpaenitentiam a) ερχεται (ueniet ff) δε οπισω μου (om. δε οπισ. μου ff) ο ισχυ-

ροτερος μου ου ουκ ειμι ικανος λυσαι τον ιμαντα των υποδηματων αυτου και (om. a ff) αυτος υμας βαπτιζει (baptizauit a ff) εν πνευματι αγιω D a ff | ερχεται (ερχετε Θ 28): praem. οτι 28. 565. b g¹ q t Geo.¹ (= quomodo); +autem a f r¹ ; +γαρ l183 ; = + ecce Sy.ᵖᵉˢʰ· Geo.² | ο ισχυροτερος (ισχυρος A 837, l183) μου : om. l184 ; οπισω μου (om. B) : om. Δ ; =pon. ante ο ισχυρ. D a Sy.ᵖᵉˢʰ· ʰˡ· Cop.ˢᵃ· ᵇᵒ· | κυψας (κυμψας 472) : om. DΘ 28ᵗˣᵗ· (add. in mg.) 256. 565 a b c ff g¹ r¹ t d vg. (1 MS) Clem. Bas. | των υποδηματων : του υποδηματος LW 892 Sy.ʰˡ· ʰⁱᵉʳ· Cop.ˢᵃ· ᵇᵒ· Clem.ᴬˡᵉˣ· Bas. Aug. bis Ruf. | αυτου : om. 245.

8. εγω εβαπτ. υμ. υδατι : transp. ante ερχεται (uers. 7) D a ff | εγω sine add. ℵBL 69. 124. 33. 565. 579. b c t r² d vg. (pler. et WW) Sy.ᵖᵉˢʰ· ʰˡ· Cop.ᵇᵒ· Geo. Arm. Orig. Aug. : +μεν ADPWΓΔΘ (post υμας) ΠΣΦⱶ fam.¹ 22. 13. 346. 543. 28. 157. 700. 892. 1071 al. pler. a f ff l r¹ vg. (1 MS) Sy.ʰˡ· Cop.ˢᵃ· Aeth. (= autem) | εβαπτισα υμας Uncs. omn. (exc. D) Minusc. pler. VSS pler. Orig. : βαπτιζω υμας 5, item baptizo uos b c ff g¹ l r¹ t vg. al. Cop.ˢᵃ· Geo. Aeth. Arm. ; >υμας εβαπτισα fam.¹³ 543. 487. a ; >υμας βαπτιζω D 837 ; υμας βαπτισω 565 | υδατι ℵBHΔΘ 16. 33. 56. 58. 258. 892.* vg. (pler. et WW) Geo. Orig. Aug. : praem. εν ADLPWΓΠΣΦⱶ (exc. H) fam.¹ 22. fam.¹³ 543. 28. 157. 565. 579. 700. 892ᵐᵍ 1071 al. pler. it. (in aquam ff g¹*) vg. (aliq.) Sy.ᵖᵉˢʰ· ʰˡ· ʰⁱᵉʳ· Cop.ˢᵃ· ᵇᵒ· Aeth. Arm. ; + εις μετανοιαν 483*. 484, item a | αυτος δε (και αυτος D): om. δε fam.¹³ 543. 28. 565. 837. a ff vg. (1 MS) | βαπτισει (∼η WΦ) υμας (om. ℵ* 6. 106.) Uncs. pler. Minusc. pler., item r¹ t vg. (pler. et WW) Orig. : baptizauit uos c f l vg. (aliq.); >υμας βαπτισει (∼ιζει D) (D)Θ fam.¹³ 543. 28. 565. 837 ; >uos (om. b r²) baptizauit (a b d ff r²); | πνευματι αγιω BL b vg. Geo. Aug. : praem. εν Uncs. rell. Minusc. omn. it. rell. vg. (1 MS*) Sy.ᵖᵉˢʰ· ʰˡ· ʰⁱᵉʳ· Cop.ˢᵃ· ᵇᵒ· Aeth. Arm. ; om. vg. (1 MS) ; +και πυρι ΡΦ 47. 54. 56. 58. 259. 488. 827. 1187. 1241. l44** Sy.ʰˡ·*.

9. και (om. B. 472) εγενετο (om. Θ Aeth.) Uncs. pler. Minusc. omn. VSS pler. : εγενετο δε W ff vg.

---

7. Clem. ουκ ειμι αξιος τον ιμαντα του υποδηματος λυσαι κυριου.
Bas. de bapt. I. 2. 4. ουκ ειμι ικανος λυσαι τον ιμαντα του υποδηματος.
Aug.ˢᵉʳᵐ· ²⁸⁸· non sum dignus ... corrigiam calceamenti eius soluere.
Aug.ᶜᵒⁿˢ· ˢᵉᵐᵉˡ· corrigiam calceamenti eius soluere.
Ruf. 128. 13. quid autem est corrigia calceamenti quam soluere non est dignus ille qui baptizat iesum.
8. Orig. IV. εγω εβαπτισα υμας υδατι, αυτος δε βαπτισει υμας εν πνευματι αγιω.
Aug.ᶜᵒⁿˢ· Ego baptizaui uos aqua·ille uero baptizabit uos spiritu sancto.

ἐν ἐκείναις ταῖς ἡμέραις ἦλθεν Ἰησοῦς ἀπὸ Ναζαρὲτ τῆς Γαλιλαίας καὶ ἐβαπτίσθη εἰς τὸν Ἰορδάνην ὑπὸ Ἰωάνου. ¹⁰ καὶ εὐθὺς ἀναβαίνων ἐκ τοῦ ὕδατος εἶδεν σχιζομένους τοὺς οὐρανοὺς καὶ τὸ πνεῦμα ὡς περιστερὰν καταβαῖνον εἰς αὐτόν· ¹¹ καὶ φωνὴ ἐγένετο ἐκ τῶν (ς/β) οὐρανῶν Σὺ εἶ ὁ υἱός μου ὁ ἀγαπητός, ἐν σοὶ εὐδόκησα. ¹² καὶ εὐθὺς τὸ πνεῦμα αὐτὸν ἐκβάλλει εἰς τὴν ἔρημον. ¹³ καὶ ἦν ἐν τῇ ἐρήμῳ τεσσεράκοντα ἡμέρας πειραζόμενος ὑπὸ

(1 MS) Cop.ˢᵃ· ⁽ᵇᵒ· ᵃˡⁱᵠ·⁾ | εν εκειναις ταις ημεραις ℵABLPWΓΘΠΦ⸕ Minusc. pler. a c d ff r² vg. (2 MSS) Sy.ʰˡ· ʰⁱᵉʳ· Cop.ˢᵃ· ᵇᵒ· Geo. (= illis in diebus) Aeth.: >εν ταις ημεραις εκειναις DΔΣ 892. 1071. 1241. l48. b f l r¹ tvg. (pler. et WW) Sy.ᵖᵉˢʰ· Arm. | ηλθεν Ιησους: ελθειν τον Ιησουν 892. | ηλθεν: praem. και W. | Ιησους ℵABLPWΠ⸕ (exc. M) fam.¹ 22. 33. 700. 892. 1071 al. plur.: praem. ο DMΓΔΘΣΦ fam.¹³ 543. 28. 157. 565. 579. 1241. al. plur. | απο: εις F. | ναζαρετ ℵBLΓΔΦ 118. 209. 22. 69.* 28. 33. 565. 700. 892. 1071 al. plur. a b c f vg. (pler. et WW) Cop.ˢᵃ· Geo. (cf. ναζαρατ APΣ similiter Sy.ᵖᵉˢʰ· ʰˡ· ʰⁱᵉʳ·): ναζαρεθ DWYΘΠ⸕ 1. 131. fam.¹³ (exc. 69*) 543. 258. 579. 837. l48. ff l r¹· ²· t Cop.ᵇᵒ· | της γαλιλαιας: praem. εκ l31; εις την γαλιλαιαν 485. l44. l47. l50. l54. l55. l183. l184. | εις τον (την D*) Ιορδανην (+ ποταμον 837) υπο Ιωανου (∼αννον MSS omn. exc. B) ℵBDLΘΦ fam.¹³ 543. 33. 349. 565. 579. 700. 837. 892. l47. l49. l50. l183 a b ff g¹· ²· t: εν τω Ιορδανη υπ Ιωανν. 1. 131. 209. 28. r¹· ²· vg. (pler. et WW) Sy.ᵖᵉˢʰ· ʰⁱᵉʳ· (praem. flumine ante Ιορδ.) Cop.ˢᵃ· ᵇᵒ· (1 MS flumine ante Ιορδ.) Geo.¹; υπο Ιωανν. εις τον Ιορδανην APWΓΔΠΣ⸕ 118. 22. 157. 1071 al. pler.; = υπο Ιωανν. εν τω Ιορδανη c f δ Sy.ʰˡ· Geo.² Aeth. Arm.; in Iordanne tant. l; om. εις τον Ιορδανην 255.

10. και: om. r¹; autem r¹; autem (post ascendens) b g¹ t vg. (1 MS): =autem (post statim) Cop.ˢᵃ· | ευθυς ℵBLΔ 33. 579: ευθεως APWΓΘΠΣΦ⸕ Minusc. rell.; om. D a b g¹ tvg. (1 MS) Cop.ᵇᵒ· (2 MSS) | αναβαινων (∼ον 118): καταβαινων l53; εκ ℵBDLWΘ fam.¹³ 543. 28. 33. 75. 273. 372. 565. 579. 837. 892. l20. l44. l47. l49: απο APΓΔΠΣΦ⸕ fam.¹ 22. 157. 700. 1071 al. pler. | ειδεν (praem. και 131) ℵBDWΓΠ⸕ (exc. V) Minusc. pler.: ιδεν ALPVΔΘΣΦ 13. 124. 28. 565; ιδε 69. 346. 543 | σχιζομενους (∼ωμενους Θ): ηνυιγμενους D it. vg. Sy.ʰⁱᵉʳ· Cop.ˢᵃ· Geo. | πνευμα + του θεου 330. 476. 700. l251. vg. (1 MS) Orig.ⁱⁿᵗ·; spiritum sanctum vg. (plur. MSS sed non WW) | ως ℵABDLYΓΔΘΠ⸕ (exc. M) 22. 579. 700. 892. 1071 al. plur.: ωσει MPWΣΦ fam.¹ fam.¹³ 543. 33. 157. 565. al. plur., item tanquam (uel tamquam) it. vg. | καταβαινον (∼ων D* 346. 543. 28. 579. l184; ∼παινων Ω) sine add. ABDLPΓΔ (sed spat. relict.

ante επ αυτον) ΘΣΦ⸕ Minusc. pler. a c f r¹ Sy.ᵖᵉˢʰ· ʰˡ· ʰⁱᵉʳ· Cop.ˢᵃ· ᵇᵒ· ⁽ᵃˡⁱᵠ·⁾ Geo. Arm.: pon. ante ωσει περιστεραν W (+ απο του ουρανου) 157; + και μενον ℵW 10. 27. 33. 71. 86. 106. 164. 262. 569. l253, item b ff l t r² vg. Cop.ᵇᵒ· ⁽ᵃˡⁱᵠ·⁾ Aeth. | εις αυτον BD fam.¹³ 543. 837, item in eum a, in ipsum d g¹ t: επ αυτον ℵALPWΓΔΘΠΣΦ⸕ Minusc. pler., item super illum c ff vg. (1 MS), super eum f, cf. super se Orig.ⁱⁿᵗ·; επ αυτω 569. l253, cf. in ipso l r² δ vg. (pler. et WW), in eo b.

11. εγενετο (facta est c l r² δ vg. pler., et pon. post ουρανων b; uenit a et pon. ante uox, item uenit f): om. ℵ*DΘ 28. 565. ff g¹ tvg. (1 MS) Sy.ʰⁱᵉʳ· Geo.¹, sed post ουρανων add ηκουσθη Θ 28. 565, audita est g¹ Geo.¹, = dixit Sy.ʰⁱᵉʳ·; +ad eum vg. (2 MSS) | των ουρανων: του ουρανου W l184 vg. (1 MS); + λεγουσα 64. 273, item + dicens c f l vg. (2 MSS) | συ ει (om. 346): ουτος εστιν 75**. 471. l47. l183. l184 Epiph. | εν σοι ℵBD*KLMUΘΠΦΩ 074 fam.¹ 22. fam.¹³ (exc. 124) 543. 28. 33. 700. 565. 892. al pler. a c ff l t r² vg. Sy.ᵖᵉˢʰ· ʰˡ· ᵗˣᵗ· ʰⁱᵉʳ· Cop.ˢᵃ· ᵇᵒ· ⁽ᵃˡⁱᵠ·⁾ Geo. Aeth. Arm. Ambr.: εν ω AWΓΠΦ⸕ 124. 157. 487. 579. 1071. 1278. l49. l184. al., item in quo b d (in quem cf. Epiph.) g¹ Hieron., cf. qui mihi bene complacuisti (pro εν σοι ευδοκησα) ff. | ευδοκησα ℵABD*KLMUΘΠΦΩ 074. 1. 131. fam.¹³ 543. 33. 565. 700. 892. 1071 al.: ηυδοκησα D²EFHVWΓΔΣ 118. 209. 22. 28. 157. 248. 579. l184 al. plur. Epiph.

12. ευθυς ℵBLWΓΔΠᵐᵍ·ΣΦ⸕ (exc. E*KMᵐᵍ·) 22 fam.¹³ 543. 28. 33. 157. 565. 579. 892. 1071: ευθεως ADE*KMᵐᵍ·Π*Θ fam.¹ 700. 1241 al. pler. | το πνευμα (+ το αγιον D): pon. post αυτον 124. 349. 517. Sy.ˢ· ᵖᵉˢʰ· | αυτον εκβαλλει (εκβαλει 157) ℵABLW ΓΠΣΦ⸕ fam.¹ 22. 28. 157. 565. 700. 1071 al. pler. Epiph.: > εκβαλλει αυτον DAΘ fam.¹³ 543. 33. 238. 579. 837. 892, item expellit eum r² vg. (plur. et WW), cf. expulit eum (illum b t vg. 2 MSS) b c l t δ vg. (plur.), eduxit eum f, item Sy.ˢ· ᵖᵉˢʰ· Cop.ˢᵃ· ᵇᵒ· Geo., duxit illum a, tulit eum ff, eiecit eum d | εις την ερημον: in deserto a b d ff g¹ t (in desertu) vg. (2 MSS).

13. και ην εν τη ερημω ℵABDLΘ 13. 346. 543. 33. 579. 837. 892. b c ff l t vg. (pler. et WW)

10. Orig.ⁱⁿᵗ· (Genes.) Uidit caelos diuisos et spiritum dei in columbae specie uenientem super se.

11. Epiph.ᴾᵃⁿᵃʳ· ⁵¹· ουτος εστιν ο υιος μου ο αγαπητος, εφ ον ηυδοκησα.

Hieron.ᴱᵖⁱˢᵗ· tu es filius meus dilectus in quo mihi complacui.

Ambr.ᴱˣᵖ· ᴾˢᵃˡ· filius meus tu es in te complacui.

12. Epiph.ᴬⁿᶜᵒʳ· το πνευμα αυτον εκβαλλει εις την ερημον.

13. Eus.ᵈᵉᵐ· ᴵˣ· ⁷· και ην εν τη ερημω τεσσαρακοντα ημερας και τεσσαρακοντα νυκτας πειραζομενος υπο του Σατανα, και ην, ως ο ευαγγελιστης μαρτυρει, μετα των θηριων.

τοῦ Σατανᾶ, καὶ ἦν μετὰ τῶν θηρίων, καὶ οἱ ἄγγελοι διηκόνουν αὐτῷ.   ¹⁴ καὶ μετὰ τὸ (ζ/ς)
παραδοθῆναι τὸν Ἰωάνην ἦλθεν ὁ Ἰησοῦς εἰς τὴν Γαλιλαίαν κηρύσσων τὸ εὐαγγέλιον (η/δ)
τοῦ θεοῦ ¹⁵ καὶ λέγων ὅτι πεπλήρωται ὁ καιρὸς καὶ ἤγγικεν ἡ βασιλεία τοῦ θεοῦ· μετα- (θ/ς)
νοεῖτε καὶ πιστεύετε ἐν τῷ εὐαγγελίῳ.   ¹⁶ καὶ παράγων παρὰ τὴν θάλασσαν τῆς Γαλιλαίας
εἶδεν Σίμωνα καὶ Ἀνδρέαν τὸν ἀδελφὸν Σίμωνος ἀμφιβάλλοντας ἐν τῇ θαλάσσῃ, ἦσαν

Cop.^{sa. bo.} Aeth. Eus. Orig. : *om.* a g¹ *vg.* (1 MS);
+εκει *post* ην WΓΔΠ²ΣΦ♭ (*exc.* K) 118. 22. 28.²
157. 1071 al. pler. Sy.^{pesh. hl.} ; και ην εκει KΠ*
fam.¹ (*exc.* 118) 69. 124. 28*. 253. 349. 474. 517.
565. 700 *vg.* (1 MS) Sy.^{s.} Arm. | τεσσερακοντα
AB*LΔΠ²Σ : τεσσαρακοντα B²ΓΘΠ*Φ♭ Minusc.
omn. | τεσσ. ημερας ℵBLW 33. 349. 517. 579.
892 a (per LX dies *sic*) b d f t g² r² *vg.* (*exc.* 1 MS)
Cop.^{sa. bo.} Geo. Aeth. Orig. : > ημερας τεσσ. ADΓ
ΔΘΠΣΦ♭ fam.¹ 22. fam.¹³ 543. 28. 157. 565. 700.
1071 al. pler. c ff l r¹ *vg.* (1 MS). Sy.^{s. pesh. hl.}
Arm. ; +και τεσσ. νυκτας L 13. 346. 543. 33. 579.
837. 892. 1241 r² *vg.* Cop.^{bo.} Aeth. Eus.^{dem.} ;
> + και νυκτας τεσσ. M 472. 488. c l r¹ Sy.^{hl. mg.} *cf.*
Aug. | πειραζομενος : *praem.* και D, *item* et tempta-
batur (*uel* tentabatur) *it. vg.* | Σατανα : διαβολου Θ
892 | και : *om.* Cop.^{sa.} | οι αγγελοι : *om.* οι AMΣ
074. 7. 21. 31. 33. 157. 238. 349. 435. 472. 473. 517.
579. 1241. *l*34. *l*48. *l*184.

14. και μετα BD a ff Sy.^{s.} Cop.^{bo. (aliq.)} Geo.²,
item et factum est postquam c *vg.* 1 MS : μετα δε
Uncs. rell. Minusc. omn. Sy.^{pesh. hl.} Cop.^{sa. bo. (ed.)}
Geo.¹ Aeth. Arm. Euseb. Aug., *item* postquam autem
f g² r² *vg.* (pler. *et* WW), sed postquam b d g¹ r¹ t;
postquam *tant.* l *vg.* (1 MS) | παραδωθηναι *sic* 346
| τον Ιωανην (ιωανν. Uncs. *et* Minusc. omn. *exc.* B)
ℵBDG²KLMWΔΠΣΦ 074 fam.¹ fam.¹³ 543. 28. 33.
157. 565. 579. 700. 892. 1071 al. pler. : *om.* τον
AEFG*HSUVΓΘ 0133. 22. 71. 248. 251. 255. 258.
300. 471. 477. 476. 481. 1278*. *l*48. *l*49. *l*184 al.
plur. ; + in carcerem *vg.* (1 MS) | ο Ιησους ℵBDGL
ΔΣΦ fam.¹ fam.¹³ 543. 28. 33. 157. 565. 579. 892.
1071 al. plur. : *om.* V* 26. 481. 482 ; *om.* ο AV²W
ΥΓΘΠ♭ (*exc.* GV*) 22. 239. 242. 248. 251. 255.
256. 258. 471. 475. 476. 481. *l*49. *l*184 al. plur. | κη-
ρυσσων : *praem.* διδασκων και L ; = et praedicabat
Sy.^{s. pesh.} Geo.² Aeth. (= et praedicauit) | το ευαγ-
γελιον του θεου ℵBLΘ 1. 209. 69. 28^{txt.} 33. 565.
579. 892 b ff t *vg.* (1 MS) Sy.^{s. hl.} Cop.^{sa. bo. (ed.)}
Geo. Arm. Orig. : το ευαγγ. της βασιλειας του θεου

(των ουρανων *pro* του θεου 435) ADWΓΔΠΣΦ♭ 118.
131. 22. fam.¹³ (*exc.* 69) 543. 28^{mg.} 157. 700. 1071
al. pler. a c fl r¹·². *vg.* (pler. *et* WW) Sy.^{pesh.}
Cop.^{bo. (ed.)} Aeth. ; το ευαγγ. της βασιλειας 32. 259.
vg. (2 MSS).

15. και λεγων BKLMWΔΘΠΦ Minusc. pler. g²
l r² *vg.* (pler. *et* WW) Sy.^{pesh. hl.} Cop.^{bo.} Geo. : *om.*
ℵ* c *vg.* (1 MS) Sy.^{s.} Orig. ; *om.* και ℵ^aADEFGH
SUVΓΣΩ 074. 0133. 118. 245. 253. 258. 471. 475.
481. 482. *l*34 al. plur. a b ff g¹ r¹ Cop.^{sa. bo. (1 MS)}
| οτι πεπληρωται *usque ad* του θεου : *om.* 2. 3. 73
| οτι : *om.* fam.¹ (*exc.* 118) 238 Sy.^{pesh.} Cop.^{sa. bo.}
| πεπληρωται (πεπληρωκεν 433) ο καιρος : *om.* ο καιρος
238 ; πεπληρωνται οι καιροι D a b c ff l r t *vg.* (2 MSS)
| ηγγικεν : ηγγικεν ℵW 28 | του θεου : των ουρανων
W | πιστευετε : πιστευσατε 74. 89. 90*. 234. 239.
483. 484 | εν τω ευαγγελιω (*item* in euangelio a l t
vg. 2 MSS, in euangelium ff) : *om.* εν 481. *l*36
Cop.^{sa. bo. (aliq.)} Geo. Orig., *item* euangelium dei
c, euangelio b f g² r² *vg.* (pler. *et* WW).

16. και παραγων ℵBDL fam.¹³ 543. 4. 33. 372.
837. 892, *item* et praeteriens (transiens a) *it. vg.*
Cop.^{bo. (aliq.)} Geo. Aeth. Arm. : παραγων δε 28. 565.
700. Sy.^{hl. mg.} Cop.^{sa. bo. (ed.)} ; περιπατων δε AWΓΔ
ΘΠΣΦ 074 ♭ fam.¹ 22. 153 (+ ο Ιησους) 157. 579.
1071 al. pler. Sy.^{hl. txt.} *sed* = et ambulans Sy.^{s. pesh.}
| παρα : περι 2. 248 | ειδεν : ιδεν (*uel* ιδε) ℵ^cKLMVW
ΘΠ*ΣΦ fam.¹³ (*exc.* 69) 543. 28. 565. *l*48 | σιμωνα
(σιμωναν 474. 700?) : *praem.* τον D fam.¹³ 543. 28.
837. + τον λεγομενον Πετρον 488 | σιμωνος ℵBLM
565 (σιμονος) 700. 892, *item* Simonis a r² Cop.^{sa. bo.}
Geo. Arm. : *praem.* του AE²Δ fam.¹ (*exc.* 131) fam.¹³
543. 9. 15. 31. 237. 259. 837. 1241. *l*48 al. pauc. ;
praem. αυτου του (*om.* 131) E*FHKSUVΥΠΣΦΩ
074. 0133. 131. 22. 157. 349. 1071 al. pler. Sy.^{hl.} ;
αυτου *tant.* DGWΓΘ *it.* (*exc.* a r¹) Sy.^{s. pesh.} Aeth.
| αμφιβαλλοντας (∼τες A*Θ ; ∼λοντας K) *sine add.*
ℵBL 074. 0133. 33 : +αμφιβληστρον AWΔΠΣΦ♭
(*exc.* E²M) 22. 565 ^{mg.} ; +τα δικτυα fam.¹³ 543. 28.
565*. 837 ; βαλλοντας αμφιβληστρον (∼ρα 470) E²M

Orig.^{Comm. Iohan. X.} και ην εν τη ερημω τεσσαρακοντα ημερας πειραζομενος υπο του Σατανα και ην μετα
των θηριων και οι αγγελοι διηκονουν αυτω.

Aug.^{cons. xvi.} Marcus autem adtestatur quidem eum in deserto a diabolo esse temtatum quadraginta
diebus et noctibus.

14. Orig.^{Comment. Iohan. X.} μετα δε το παραδοθηναι τον Ιωαννην ηλθεν ο Ιησους εις την Γαλιλαιαν κηρυσσων
το ευαγγελιον του θεου.

Eus.^{H. E. 3. 24. 10.} μετα δε το παραδοθηναι—φησιν—Ιωαννην ηλθεν Ιησους εις την Γαλιλαιαν.

Aug.^{Cons.} posteaquam autem traditus est . . . Iohannes &c.

15. Orig.^{Comment. Iohan. X.} οτι πεπληρωται ο καιρος και ηγγικεν η βασιλεια του θεου μετανοειτε και πιστευετε
τω ευαγγελιω.

(ι/β) γὰρ ἁλεεῖς.　^{17} καὶ εἶπεν αὐτοῖς ὁ Ἰησοῦς Δεῦτε ὀπίσω μου, καὶ ποιήσω ὑμᾶς γενέσθαι ἁλεεῖς ἀνθρώπων.　^{18} καὶ εὐθὺς ἀφέντες τὰ δίκτυα ἠκολούθησαν αὐτῷ.　^{19} καὶ προβὰς (ια/ϛ) ὀλίγον εἶδεν Ἰάκωβον τὸν τοῦ Ζεβεδαίου καὶ Ἰωάνην τὸν ἀδελφὸν αὐτοῦ, καὶ αὐτοὺς ἐν τῷ πλοίῳ καταρτίζοντας τὰ δίκτυα, ^{20} καὶ εὐθὺς ἐκάλεσεν αὐτούς.　καὶ ἀφέντες τὸν πατέρα (ιβ/η) αὐτῶν Ζεβεδαῖον ἐν τῷ πλοίῳ μετὰ τῶν μισθωτῶν ἀπῆλθον ὀπίσω αὐτοῦ.　^{21} καὶ εἰσπορεύονται εἰς Καφαρναούμ.　Καὶ εὐθὺς τοῖς σάββασιν εἰσελθὼν εἰς τὴν συναγωγὴν ἐδίδα- (ιγ/β) σκεν.　^{22} καὶ ἐξεπλήσσοντο ἐπὶ τῇ διδαχῇ αὐτοῦ, ἦν γὰρ διδάσκων αὐτοὺς ὡς ἐξουσιαν

ΓΠ² 157. 470. 579. 892. 1071 al. pler.; > αμφιβληστρον (∼ρα fam.¹) βαλλοντας fam.¹ 700, item cf. mittentes (iactantes ff) retia (retias a d; retiam b ff t) it. vg. | εν τη θαλασση : εις την θαλασσαν (∼η K*) K* 248. 349. 472. 517. 837. Cop.ˢᵃ·ᵇᵒ·, = super mare illud Geo.² | αλεεις AB*Lᶜᵒʳ·Δ : αλιεις (ἁλιεις 13. 69. 346 ; αλεεις DL*²) Uncs. rell. Minusc. omn.

17. και ειπεν : dixit autem Cop.ˢᵃ· ; et ait b ; dicit ergo c | αυτοις : om. r² vg. (1 MS) | γενεσθαι (pon. post ανθρωπων 157) : om. fam.¹ 13. 69. 28. 48. 108. 115. 127. 258. 274. 517. 579. 700. 1071. b r¹ Sy.ˢ·ᵖᵉˢʰ·Cop.ˢᵃ·ᵇᵒ·(ᵉᵈ·)Geo.²Aeth. | αλεεις 八AB*CLΔ : αλιεις (ἁλ. 69) Uncs. rell. Minusc. omn.

18. και ευθ. : illi uero c | ευθυς 八LΘ 33. 565. 579. 892 : ευθεως Uncs. rell. Minusc. rell. ; pon. post ηκολουθ. Cop.ᵇᵒ· ; om. 474 c | αφεντες τα δικτυα 八BCLWΘ fam.¹³ (exc. 124) 543. 28 txt. 33. 349. 517. 565. 579. 837. 892 Cop.ᵇᵒ·(ᵉᵈ·) Geo.¹ Arm., item relictis retibus t r² vg. : + αυτων ΑΓΔΠΣΦ𝕭 fam.¹ 22. 124. 28ᵐᵍ· 157. 1071 al. pler. f g¹ l Sy.ˢ·ᵖᵉˢʰ· ʰˡ· Cop.ˢᵃ·ᵇᵒ·(ᵃˡⁱᑫ·) Geo.² Aeth. ; αφεντες τα λινα 700 ; αφεντες παντα D, item relictis omnibus a b c ff r¹ | ηκολουθησαν : ηκολουθουν B.

19. προβας (προσβας D) sine add. BDLWΘ fam.¹ 124. 28. 349. 517. 565. 579. 892 a b ff g¹ t r¹ Sy.ˢ·ᵖᵉˢʰ· Cop.ˢᵃ·ᵇᵒ· Geo. : + εκειθεν 八ΑΓΔΠΣΦ𝕭 22 fam.¹³ (exc. 124) 543. 33 (post ολιγον) 157. 700. 1071 al. pler. c f g² r² vg. Sy.ʰˡ·Aeth. Arm.) | ολιγον (ολιγων 28) : om. 八* (add. sup. lin.)Σ | ειδεν BDEFGHU WΓΠ*Ω Minusc. pler. : ιδεν 八ACKLMVΔΘΠ²ΣΦ 074 fam.¹³ 543. 28. 565. | ζεβεδεου 八L ; ζεβεδδαιου Γ | Ιωανην B : Ιωαννην Uncs. rell. Minusc. omn. | καταρτιζοντας : κατασκευαζοντας 28. 124 | τα (om. 122*) δικτυα sine add. 八ABC*DLWΔΘΠ²ΣΦ𝕭 (exc. KM) Minusc. pler. Sy.ʰˡ·ᶜᵒʳ· Geo.¹, item retia c l r¹·²·vg. (pler.), retias a b, retiam d ff t : + αυτων C²KMΓΠ* 074. II. 20. 122*. 157. 248. 271. 300. 472. 473. 488. 1071. 1241. l48 al. plur. vg. (2 MSS) Sy.ˢ·ᵖᵉˢʰ·ʰˡ·* Geo.² Aeth.

20. και ευθ. εκαλ. αυτους : om. 565 | ευθυς 八BL 33. 565. 579. 892 : ευθεως Uncs. rell. Minusc. rell. ; om. WΔΘ 124. 700. b c ff t Sy.ᵖᵉˢʰ· Geo.² | αφεντες :

praem. ευθυς fam.¹³ (exc. 124) 543. 565. 837 ; praem. ευθεως WΔΘ 124. 472. 700, item praem. statim c ff Sy.ᵖᵉˢʰ· Geo. | τον πατερα αυτων (om. r¹) : praem. τα δικτυα και Θ ; pon. post ζεβεδ. Sy.ˢ· ᵖᵉˢʰ· | ζεβεδαιον (∼δεον 八L ; ∼βαιδεον D ; ∼δδαιον Γ) : om. 237 | > μετα των μισθ. εν τ. πλοιω W Sy.ˢ· | μισθωτων (∼θοτων ΓΣ 13. 346. 543) : μισθιων fam.¹ (exc. 131. 1582 ; μισθ et spat. relict. 118) | απηλθον (ηλθον Θ) οπισω αυτου : ηκολουθησαν αυτω DW, item secuti sunt eum it. vg.

21. και εισπορ. εις Καφ. : om. Sy.ˢ· | εισπορευονται (+ μετ αυτου 517 al.) Uncs. pler. Minusc. pler., item ingrediuntur d ff r¹·²· t vg. (pler.), ingrediens c : + μετ αυτου 349 ; εισπορευεται fam.¹ 22. 6. 71*. 245. 292 ; εισεπορευοντο D 33. 61 (διεπορευοντο), cf. ingressi sunt a f l, introierunt b | Καφαρναουμ 八B DWΔΘ fam.¹³ (exc. 346) 543. 33. 565. 700. it. vg. Cop.ᵇᵒ· : καπερναουμ ACLΓΠΣΦ𝕭 fam.¹ 22. 346. 28. 157. 579. 892 al. pler. Geo. | ευθυς 八L fam.¹ 28. 33. 565. 579. 700. 892. 1071 Orig. semel : ευθεως Uncs. rell. Minusc. rell. Orig. semel ; om. c Aeth. | τοις σαββασιν 八ABDLWΓΔΘΠΣΦ𝕭 (exc. GΩ) Minusc. pler. Orig., item sabbatis a c e ff l r² vg., cf. sabbato b d r¹ t, sabbatum g¹ : om. g² ; praem. εν CGΩ 265. 433. 892. l48 | εισελθων : om. 八CLΔ fam.¹³ (sed add. post εδιδασ. 124) 543. 28. 565. 837. 892 | εδιδασκεν (+ αυτους DΘ 700 it. pler. vg. Aug., + populum c) hoc loco post συναγωγην (+ αυτων Δ 892 Sy.ᵖᵉˢʰ· Cop.ˢᵃ·ᵇᵒ· Geo.²) Uncs. pler. fam.¹ 22. 157. 579. 700. 1071 al. pler. a b e f ff q r¹·²· t vg. Sy.ʰˡ· Geo.² (etiam praem. και ante εδιδασκεν 349 a e Geo.² ; praem. Iesus ante docebat f) : pon. post ευθεως C, post σαββασιν 八L fam.¹³ 543. 28. 33. 565. 837. 892 Orig.ᵇⁱˢ; cf. = in die Sabbathorum et (om. Geo.ᴬ) ingressus est in Synagogas eorum et docebat eos Geo.² ; = docebat statim (om. Cop.ᵇᵒ·) in sabbatis in Synagogis Sy.ᵖᵉˢʰ·Cop.ᵇᵒ· ; = docebat in Sabbato in Synagoga Sy.ˢ· ; = in Sabbathis docebat in Synagogis Geo.¹.

22. και pr. : om. Cop.ˢᵃ· | εξεπλησσοντο : + παντες 237. 259. 472. l48 c | επι : εν 565, item Tert. | ην γαρ usque ad εχων : = > ως γαρ εξουσ. εχων διδασκων

21. Orig.ᶜᵒᵐᵐᵉⁿᵗ·ᴵᵒʰᵃⁿ· εισπορευονται εις Καφαρναουμ και ευθυς τοις σαββασιν εδιδασκεν εις την συναγωγην και εξεπλησσοντο επι τη διδαχη αυτου.

Orig.ⁱᵈ· και εισπορευομενος εις Καφαρναουμ και ευθεως τοις σαββασιν εδιδασκεν εις την συναγωγην.

Aug.ᶜᵒⁿˢ· Marcus interposuit alia quia docebat eos in synagoga et stupebant super doctrinam eius.

22. Tert. adv. Marcion. in uigore obstupescebant in doctrina eius : erat enim docens tanquam uirtutem habens.

ἔχων καὶ οὐχ ὡς οἱ γραμματεῖς.   ²³ καὶ εὐθὺς ἦν ἐν τῇ συναγωγῇ αὐτῶν ἄνθρωπος ἐν (ιδ/η)
πνεύματι ἀκαθάρτῳ, καὶ ἀνέκραξεν ²⁴ λέγων Τί ἡμῖν καὶ σοί, Ἰησοῦ Ναζαρηνέ ; ἦλθες
ἀπολέσαι ἡμᾶς ; οἶδά σε τίς εἶ, ὁ ἅγιος τοῦ θεοῦ.   ²⁵ καὶ ἐπετίμησεν αὐτῷ ὁ Ἰησοῦς λέγων
φιμώθητι καὶ ἔξελθε ἐξ αὐτοῦ.   ²⁶ καὶ σπαράξαν αὐτὸν τὸ πνεῦμα τὸ ἀκάθαρτον καὶ

ην (om. αυτους) Sy.ˢ· | αυτους: αυτοις E* | και sec.:
om. DΘ bceff | γραμματεις: + αυτων CMΔΣ 16. 33.
106. 238. 247. 257. 472. 488. 579. 1241. l48 al. cfg²
Sy.ˢ· pesh. hl· Cop.ˢᵃ· bo. (aliq.) Geo. ; + et farisei
(phar. g²) eg².

23. και: om. vg. (2 MSS) ; = autem (post erat)
bcff Cop.ˢᵃ· (= statim autem) | ευθυς אBL fam.¹
(exc. 118) 33. 579. Cop.ˢᵃ· bo· Orig. : om. ACDW
ΓΔΘΠΣΦϧ 118. 22. fam.¹³ 543. 28. 157, 565. 700.
892. 1071 al. pler. it. vg. Sy.ˢ· pesh· hl· Geo. Aeth.
Arm. | ην : > post αυτων C, item Orig. | αυτων
Uncs. pler. Minusc. pler. fg²q r² vg. Sy.ˢ· pesh· hl·
Cop.bo· (aliq.) Geo. Arm. Orig. : om. DL 72. 579.
bceffg¹lt ; των Ιουδαιων l8. l9. l10. l12. vg. (1 MS)
| ανθρωπος: > pon. ante εν τη συναγ. ff. vg. (1 MS)
| ανεκραξεν : ενεκραξεν D ; ανεκραξε 237; εκραξε 255.
472, cf. exclamauit cdefffl r² vg., clamauit q δ;
clamabat b.

24. λεγων sine add. א*BDWΘ 28*. 157. 565 it.
vg. Sy.ˢ· pesh· Geo.ᴮ Cop.bo· Aeth. : + εα אᶜACL
ΓΔΠΣΦϧ fam.¹ 22. fam.¹³ 543. 28². 33. 579. 700.
892. 1071 al. pler. Sy.hl· Geo.¹ (= sine nos) Geo.ᴬ
(= Aha) Arm. Eus.ᵗᵉʳ Orig. Cyr.ᴬˡᵉˣ· | σοι: συ AB

WΓΔ 474. 837 | ναζαρηνε: ναζαρινε fam.¹³ (exc. 69)
543. 474. 837. l184 ; ναζωρινε 69. 246; ναζοριναι 472,
cf. = Nazaraee (uel Nazorae) Sy.ˢ· pesh· hl· Geo.
| ηλθες: uenisti huc c ; cf. + προ καιρου Eus. Aug.
Caten.ᴼˣᵒⁿ· | απολεσαι ημας: > ημας απολεσαι (+ ωδε
W) CW Caten.ᴼˣᵒⁿ· | οιδα ABCDWΓΘΠΣΦϧ fam.¹
22. fam.¹³ 543. 28. 33. 157. 565. 579. 700. 1071 al.
pler. it. (exc. g²) vg. Sed Caten.ᴼˣᵒⁿ·: οιδαμεν אLΔ
892 Iren. Orig. Eus. Bas. Cyr.ᴬˡᵉˣ· Tert. Aug.
Paulinᴬᵐᵇʳ· Eug. | σε: om. cdl r² vg. | τις ει: cf.
qui es q vg. (aliq.), quis es vg. (aliq.), quia sis vg.
(aliq.) r², qui sis bcdefff | cf. scitote qui sis
sanctus dei es g², cf. Patr. Graec. et Lat. infra.

25. ο Ιησους: om. DW 142* b g¹ | λεγων אᵃA²B
CDLΓΔΘΠΣΦϧ Minusc. omn. fffl q r² vg. Sy.hl·
Cop.bo· Orig. : om. א*A*; και ειπεν W, item et
dixit bc (dixitque) e. Sy.ˢ· pesh· Geo. | εξ αυτου
(αυτων 1071) אABCΓΔΠΦϧ Minusc. pler.
Sy.ˢ· pesh· hl· Cop.bo· Geo. Orig. : απ αυτου HLΣ 9.
26. 33. 72. 237. 238. 248. 262. 349. 433. 472. 485.
488. 517. 565 txt. 579. 700. l48 al. pauc., item ab
eo f Orig. ; εκ (απο Θ 330. 565ᵐᵍ·) του ανθρωπου
(+ το Θ 330. 565 mg.) πνευμα (+ το Θ 330. 565 mg.)

23. Orig.ᶜᵒᵐᵐᵉⁿᵗ· Ioʰᵃⁿ· ευθυς γαρ εν τη συναγωγη αυτων ην ανθρωπος εν πνευματι ακαθαρτω και ανεκραξε.
24. Iren.ᴵⁿᵗ· ⁱᵛ· ⁶·⁶·   Sed et daemones uidentes Filium dicebant : Scimus te qui es, Sanctus Dei.
Orig.ᶜᵒᵐᵐᵉⁿᵗ· Ioʰᵃⁿ· λεγων Εα Τι ημιν και σοι Ιησου Ναζαρηνε ; ηλθες απολεσαι ημας ; οιδαμεν σε τις ει ο
υιος του θεου.
Orig.ⁱᵈ· οιδαμεν σε τις ει ο αγιος του θεου.
Eus.ᵈᵉᵐ· βοωντες εα Τι ημιν και σοι υιε του θεου ; ηλθες προ καιρου βασανισαι ημας οιδαμεν σε τις ει ο αγιος
του θεου.
Eus.ᵖˢ· οι δαιμονες εν τοις ευαγγ.—εβοων λεγοντες εα Τι ημιν και σοι Ιησου ναζαρηνε ; οιδαμεν σε τις ει, ο
αγιος του θεου.
Eus.ᵖˢ· εα τι ημιν και σοι υιε του θεου ; οιδαμεν σε τις ει, ο αγιος του θεου.
Cyr.ᴬˡᵉˣ· ᵃᵈᵒʳ· εα Τι ημιν και σοι Ιησου Ναζαρηνε ; ηλθες απολεσαι ημας. οιδαμεν σε τις ει, ο αγιος του
θεου.
Caten.ᴼˣᵒⁿ· και εκραξη φωνη μεγαλη λεγων· Τι ημιν και σοι ηλθες προ καιρου, και τα εξης.
Caten.ᴼˣᵒⁿ· διατι δε φησιν ηλθες ημας απολεσαι . . . οιδα σε τις ει ο αγιος του θεου.
Bas.ᵃᵈᵘ· ᴱᵘⁿᵒᵐ· ⁱⁱ· ³¹· οιδαμεν σε τις ει, ο αγιος του θεου.
Tert.ᵃᵈᵘ· ᴾʳᵃˣ· Scimus qui sis filius dei.
Hilar.ˢᵘᵖᵉʳ ᵖˢᵃˡ· Scimus quia tu sanctus dei es.
Hilar.ⁱᵈ· Scimus qui sis sanctus dei.
Aug.ⁱᵒᵇ· quid uenisti ante tempus perdere nos.
Aug.ᵈᵉ ᶜⁱᵘⁱᵗ· quid nobis et tibi iesu nazarene uenisti perdere nos.
Aug.ᵃᵈᵘ· ᶠᵘˡᵍ· quid nobis et tibi iesu fili dei uenisti perdere nos.
Aug.ᶜᵒⁿᵗʳ· ᶜʳᵉˢᶜ· quid nobis et tibi est fili dei.
Aug.ᵈᵉ ᵇᵃᵖᵗ· quid nobis et tibi est fili dei scimus qui sis.
Aug.ⁱᵈ· ᵉᵗ ˢᵉʳᵐ· scimus qui sis filius dei.
Sedul. quid nobis et tibi iesu nazarene uenisti perdere nos scio qui sis sanctus dei.
Eugip. quid nobis et tibi est fili dei scimus qui sis.
Paulin.ᵘⁱᵗ· ᴬᵐᵇʳ· dixerunt daemones ad Dominum Iesum Scimus te, quia sis Dei filius.
Hegemon.ᴬᶜᵗᵃ ᴬʳᶜʰ· Scimus te qui sis sanctus dei.

φωνῆσαν φωνῇ μεγάλῃ ἐξῆλθεν ἐξ αὐτοῦ. ²⁷ καὶ ἐθαμβήθησαν ἅπαντες, ὥστε συνζητεῖν αὐτοὺς λέγοντας Τί ἐστιν τοῦτο ; διδαχὴ καινή· κατ᾽ ἐξουσίαν καὶ τοῖς πνεύμασι τοῖς ἀκαθάρτοις ἐπιτάσσει, καὶ ὑπακούουσιν αὐτῷ. ²⁸ καὶ ἐξῆλθεν ἡ ἀκοὴ αὐτοῦ εὐθὺς πανταχοῦ (ιε/β) εἰς ὅλην τὴν περίχωρον τῆς Γαλιλαίας. ²⁹ καὶ εὐθὺς ἐκ τῆς συναγωγῆς ἐξελθόντες ἦλθαν

ακαθαρτον DWΘ 330. 565^mg· item de homine spiritus (spirite b d) immunde b d e ff g² q r¹ vg. (2 MSS), ab homine spiritus immunde c g¹; de (ab vg. 2 MSS) homine tant. l r² vg. (pler. et WW).

26. και σπαραξαν αυτον: et concussit eum b; = et deiecit eum Sy.^s· pesh·; = et quum discerpsisset eum Sy.^hl·; = et discerpsit eum Geo.¹; = et percussit eum Geo.² | και σπαραξαν αυτον το πνευμα (om. το πνευμα B) το ακαθαρτον: και εξηλθεν το πνευμα το ακαθαρτον (om. το ακαθ. W) σπαραξας (∼αν W) αυτον DW, item et exiit spiritus discerpens eum e, et exiit discerpens spiritus immundus ff cf. Orig.; pon. post φωνη μεγαλη c | και φωνησαν (∼σας 1071) ΝBL 33. 579. 892. (1071). Orig.: και κραξαν (∼ας D 225) AC(D)ΓΔΘΠΣΦ⁵ fam.¹ 22. fam.¹³ 543. 28. 157. 565. 700. 837 (+αυτον) al. pler.; και ανεκραγεν W, cf. et exclamans f ff l r² vg. (pler.) cf. Aug., et exclamauit c e vg. (3 MSS), et clamans b d (r¹) | φωνη μεγαλη: φωνην μεγαλην 248 | εξηλθεν: και απηλθεν W, item cf. discessit d f r¹ | εξ ΝABLΠΦ⁵ (exc. M) fam.¹ 22. fam.¹³ 543. 28. 157. 565. 579. 700. 892. 1071 al. pler.: απ CDMWΔΘΣ 6. 33. 37. 75. 142. 225. 245. 276 al. pauc., cf. ab it. vg.

27. | εθαμβηθησαν (εξεθαμ. l48; εθαμβησαν D): εθαυμασθησαν 579; εθαυμαζον W, item mirabantur b d; mirati sunt it. (pler.) vg.; extimuerant e, item Cop.^bo· | απαντες ΝBL 157. 433. 579. 892. 1071 Orig.: παντες ACDWΓΔΘΠΣΦ⁵ fam.¹ 22. fam.¹³ 543. 28. 33. 565. 700 al. pler. | ωστε συνζη-τειν (sic ΝAB*CDGLΔΘΣ 28. 33. 579; συζητειν B²ΓΠΦ⁵ exc. G Minusc. rell.) Uncs. omn. (exc. W) Minusc. omn., item ut conquirerent f (l) r² vg. (+eum 1 MS); = usque ad quaerendum Geo.²: και συνεζη-τουν W, item et conquirebant b c d ff, et exquirebant e, = et (om. Geo.¹) quaerebant Sy.^pesh· Geo.¹; om. Sy.^s· | αυτους ΝB: προς εαυτους (αυτους GSΩ 892 al.) ACDWΥΓΔΘΠΣΦ⁵ fam.¹ 22 fam.¹³ 543. 28. 33. 157. 565*. 565*. 579. 700. 837. 892. 1071 al. pler.; προς αυτον 565^mg·, cf. inter se c d f r² vg.; = unus cum altero Sy.^pesh· Sy.^s· (post dicebant); om. b e ff; | λεγοντας ΝBDLΓΔ*ΠΣΦ⁵ (exc. E*M) fam.¹ 22 fam.¹³ (exc. 346) 28. 565. 579. 700. 892. 1071 al. plur.: λεγοντες ACE*MWΔ²Θ 2. 5. 16. 33. 115. 157. 238. 242. 251. 483. 484. 485. 543. 837 al. mu.; = et dicebant Sy.^s· pesh· Geo. | τι εστι τουτο : om.

DW 19. 36. l49. b c e ff q Sy.^s· Geo. Aeth. Arm. | διδαχη καινη (>καιν. διδ. 700 Cop.^bo·; +αυτη fam.¹ 565*. 579. Cop.^bo·; +αυτη οτι Θ) κατ εξουσιαν και (om. Θ) ΝBLΘ fam.¹ 33. 565*. 579. 700. Cop.^bo·: τις (praem. ει 1071) η (om. 28*) διδαχη (διδασκαλια 248) η (om. 28*) καινη αυτη (>αυτη η καινη 238) οτι (om. 28*) κατ εξουσιαν και CΓΔΠΣΦ⁵ 22. 28. 157. 238. 892. 1071 al. pler., item cf. Sy.^pesh· hl·; τις η καινη (+η 837) διδαχη αυτη (>αυτη διδ. A) οτι κατ εξουσιαν και A fam.¹³ 543. 837 l48; τις η διδαχη εκεινη (η κενη αυτη W) η καινη αυτη (om. καιν. αυτ. W) η εξουσια (εξουσιαστικη αυτου W) οτι και (>και οτι W) DW, cf. quaenam est doctrina ista noua haec potestas quia et d; cf. quae esset (om. fl r² vg.) doctrina haec (ista b) noua (om. b) quia (om. b q; praem. est g² r² vg. 4 MSS) cum (in g² r² vg.) potestate (+est vg. 1 MS) et (+quia b; +uirtute et vg. 1 MS) b f g² l q r² vg.; quaenam esset doctrina haec (>haec doct. cff) potestatis (in potestate c; inpotentabilis e) et quoniam (quia r¹; quam c) c e ff r¹; = quidnam (om. Geo.²) est haec doctrina noua quia per potestatem Geo. | αυτω: αυτου 5. 237. 251.

28. και εξηλ. ΝBCDLMWΔΘΣ 33. 349. 579. 700. 892. l48. l49. l184 it. (exc. f) vg. Sy.^s· pesh· Geo. Aeth.: εξηλ. δε AΓΠΦ⁵ (exc. M) fam.¹ 22 fam.¹³ 543. 28. 157. 565. 1071 al. pler. f Sy.^hl· Arm. | η ακοη αυτου: η ακο. αυτη Θ, item rumor hic b, rumor iste c d, fama haec e; om. g¹ | ευθυς πανταχου (∼χη ΝL) Ν^c mg· BCL fam.¹³ 543. 837. 892: om. Ν*Θ fam.¹ 28. 33. 349. 474. 517. 565. 700. c ff Sy.^s· Cop.^bo· Geo.² Arm.; om. πανταχου ADΓΔΠΣΦ⁵ 22. 157. 1071. 1241 al. pler. f g² l vg. Sy.^pesh· hl·; om. ευθυς W 579. b e q Geo.¹ Aeth.; cf. iterum tant. g¹, = circa tant. Geo.¹ | εις ολην περιχωρον : circa regiones b | της γαλιλαιας: της Ιουδαιας Ν*; του Ιορδανου 28; εκεινην 485*; add. = et multi ibant post eum Sy.^s·.

29. ευθυς ΝBLΔΣ fam.¹ (exc. 118) fam.¹³ (exc. 124) 543. 28. 33. 565. 579. 837. 892: ευθεως ACΓΘΠΦ⁵ 22. 118. 124. 157. 700. 1071 al. pler.; om. DW Sy.^s· pesh· Geo.² (= statim Geo.¹* erasa) Aeth. | εκ της συναγ. εξελθοντες (ελθοντες 73) ηλθαν (L, sed ∼ον Uncs. rell. Minusc. omn.; εισηλθον FΔ 74. 89. 90. 239. 483*. 484) ΝACLΓΔΠΦ⁵ 118*. 28. 33. 157. 892. 1071 al. pler. Sy.^hl·: >εξελθοντες εκ τ. συναγ.

---

25. Orig.^Comment. Iohan· και επετιμησεν αυτω ο Ιησους λεγων φιμωθητι και εξελθε εξ αυτου.
Orig.^int. Num· obmutesce et exi ab eo.
26. Orig.^Comment. Iohan· και εξηλθε εξ αυτου οτε εσπαραξεν αυτον το πνευμα το ακαθαρτον και φωνησαν φωνη μεγαλη εξηλθεν εξ αυτου.
Aug.^Cons· et discerpens eum . . . spiritus immundus exclamans uoce magna exiit ab eo.
27. Orig.^Comment. Iohan· και εθαμβηθησαν απαντες.

εἰς τὴν οἰκίαν Σίμωνος καὶ Ἀνδρέου μετὰ Ἰακώβου καὶ Ἰωάνου. ³⁰ἡ δὲ πενθερὰ Σίμωνος κατέκειτο πυρέσσουσα, καὶ εὐθὺς λέγουσιν αὐτῷ περὶ αὐτῆς. ³¹καὶ προσελθὼν ἤγειρεν αὐτὴν κρατήσας τῆς χειρός· καὶ ἀφῆκεν αὐτὴν ὁ πυρετός, καὶ διηκόνει αὐτοῖς. ³²Ὀψίας δὲ γενομένης, ὅτε ἔδυσεν ὁ ἥλιος, ἔφερον πρὸς αὐτὸν πάντας τοὺς κακῶς ἔχοντας καὶ τοὺς δαιμονιζομένους· ³³καὶ ἦν ὅλη ἡ πόλις ἐπισυνηγμένη πρὸς τὴν θύραν. ³⁴καὶ ἐθεράπευσεν πολλοὺς κακῶς ἔχοντας ποικίλαις νόσοις, καὶ δαιμόνια πολλὰ ἐξέβαλεν, καὶ οὐκ ἤφιεν λαλεῖν τὰ δαιμόνια, ὅτι ᾔδεισαν αὐτὸν Χριστὸν εἶναι. (ις/η)

ηλθον 31. 435. *r²* vg. (pler. *et* WW) Sy.ᵖᵉˢʰ· Cop.ᵇᵒ· Geo.¹ (= exierunt ab hinc e synagoga et uenerunt); εκ τ. συναγ. εξελθων ηλθεν (+ ο Ιησους 75. al.) B fam.¹ (exc. 118*) 22. fam.¹³ 543. 565. 579. 700. 837. 1278 al. pauc.; ⟩εξελθων (+ δε DW *b e ff r¹*; + autem inde *c*) εκ τ. συναγ. ηλθεν (+ Iesus *c ff*) D W Θ 349. 517. *b c f ff l q r¹* vg. (4 MSS), *sed add.* continuo *ante* de synagoga *b, add.* et protinus *ante* egrediens *b l*; και εξελθων ευθυς εκ τ. συναγ. ηλθεν Σ; = exiit e Synagoga et uenerunt Sy.ˢ·; = abhinc e Synagoga exiit et uenerunt Geo.ᴮ; = exiit abhinc e Synagoga et uenerunt Geo.ᴬ | μετα: και 579 *c* | ιακωβ και ιωαν.: ⟩ιωαν. και ιακωβ 131 | ιωανου B D: ιωαννου Uncs. rell. Minusc. omn.

30. η δε πενθερα σιμωνος (*praem.* του LMΔ fam.¹ fam.¹³ 543. 237. 238. 246. 252. 259. 472. 479. 480. 565. 700. 1241. al. pauc.; *του* πετρου 837) κατεκειτο: ⟩κατεκειτο δε η πενθερα σιμωνος DW *it.* (*exc.* f) vg. | ευθυς ℵBDL fam.¹³ 543. 28. 33. 579. 892: ευθεως ACΓΔΘΠΣΦᵇ fam.¹ 22. 157. 565. 700. 1071 al. pler.; *om.* W *b c ff g¹ r¹* Sy.ˢ·ᵖᵉˢʰ· Geo.² Aeth. | λεγουσι: retulerunt *c f r¹, item* = dixerunt Sy.ˢ·ᵖᵉˢʰ· Cop.ˢᵃ·ᵇᵒ· Geo.; dicit vg. (1 MS*), *cf.* = dixit Sy.ᵖᵉˢʰ· (1 MS.)

31. και προσελθων: ille autem uenit et *b q*; ille uero ueniens *c* | ηγειρεν αυτην κρατησας της χειρος: εκτεινας την χειρα κρατησας ηγειρεν αυτην D; εκτινας την χειρα και επιλαβομενος ηγειρεν αυτην W, *cf.* extendens manum adprehendit eam et leuauit *b q*, extensa manu adpraehensam eleuauit eam *r¹* | κρατησας (*praem.* και fam.¹³ 837) της (*om.* *l*184 χειρος *sine add.* ℵBL Geo.¹ *et* ᴬ: *om.* Sy.ˢ·; + αυτης ACΓΔΘΠΣΦᵇ Minusc. omn. *c e ff l r²* vg. Sy.ᵖᵉˢʰ·ʰˡ· Cop.ˢᵃ·ᵇᵒ· Geo.ᴮ | ο πυρετος *sine add.* ℵBCLWΘ fam.¹ 28. 33. 253. 517. 565. 579. 700. 892 *e* Cop.ˢᵃ·ᵇᵒ· Geo. : + ευθεως (*ante* αφηκεν DΣ *c f ff l r¹·²·* vg.) AD ΓΔΠΣΦᵇ Minusc. pler. *it.* vg. Sy.ʰˡ· Aeth.; *praem.* statim *b q* | διηκονει (⌐νη 346): *praem.* et surrexit *c e* (et surgens) Sy.ˢ·ʰˡ· Cop.ˢᵃ· (= *om.* et) ᵇᵒ· (aliq.) Geo.² (*om.* et); *praem.* ευθεως 253 | αυτοις: αυτω W 579 *d e* Geo.ᴮ

32. οψιας δε γενομ.: *om.* *b e q* Sy.ˢ | οτε εδυσεν ο ηλιος: = et sol occidebat Geo.² | εδυσεν BD 28. 349. 517: εδυ ℵACLWΓΔΘΠΣΦᵇ Minusc. rell. | εφερον (⌐ροσαν D): προσεφερον 579; + παντες fam.¹³ 543. 565 837. | προς αυτον παντας: ⟩παντ. πρ. αυτον 28. 256; = *om.* προς αυτον Sy.ˢ·; *om.*

παντας *ff* | κακως εχοντας: + νοσοις ποικιλαις D *b c e ff g¹ q r¹* vg. (2 MSS.) Sy.ˢ (seueris infirmatibus) | και τους (*om.* 472. 700) δαιμονιζομενους (δαιμωνηζ. Θ): *om.* W. *r¹* vg. (2 MSS) Sy.ˢ·; + et eiciebat daemonia ab eis *b*, + et eiciebat illa ab illis *e*, + et curabat *r¹* (*mutil. text.*) | και τους δαιμ. *usque ad* ποικιλαις νοσοις *uers.* 34: *om.* ℵ* (*suppl.* ℵᶜ *ad ped. pag.*)

33. ην ολη (*om.* 579. *l*184) η πολις (πολη *sic* 349) επισυνηγ. ℵᶜBCDLΘ 7. 33. 349. 517. (579). 892. 1071. *l*36. *l*48. (*l*184) *l*185 *b e l q* vg. (*exc.* 1 MS.): ην η πολις ολη επισυν. Σ *l*49; η πολις ολη επισυνηγμενη (συνηγμενη 28. 700; επισυναγμενη Δ*) ην (*om.* ΓU *g¹*) AW(Γ)ΔΠΦᵇ fam.¹ 22. 28. 157. 700. al. pler., *item* omnis ciuitas conueniebat (conuenierat *f*) *c (f) ff r¹*, omnis ciuitas congregata erat *r²*, *item* Sy.ˢ· ᵖᵉˢʰ· ʰˡ· Cop.ˢᵃ· ᵇᵒ· Geo. Aeth. Arm. ; η πολις ολη ην συνηγμενη (⌐οι 543) fam.¹³ 543. 565. *g²* | προς την θυραν: + αυτου D *c ff g¹ q*; προς τας θυρας W 124. 28. 565. 700. Geo.; προς τη θυρα U 482.

34. *Tot. uers.*: και εθεραπευσεν αυτους και τους δαιμονια εχοντας εξεβαλεν αυτα απ αυτων και ουκ ηφιεν αυτα λαλειν οτι ηδισαν αυτον και εθεραπευσεν πολλους κακως εχοντας ποικιλαις νοσοις και δαιμονια πολλα εξεβαλεν D, *item d* | εθεραπευσεν (curauit *a e l q r²* vg., sanauit *b f*): curabat *c ff g²* | πολλους: + τους *l*48; παντας 229**; παντας τους 349. 472 | κακως εχοντας ποικιλαις (⌐οις 69. 346. 543) νοσοις: *om.* Sy.ˢ·; *om.* ποικ. νοσ. ℵ*L 892 | δαιμονια πολλα (⟩πολλ. δαιμ. 471): qui daemonia habebant *ff g¹, item cf. d* | εξεβαλεν (⌐βαλλεν ℵ 9. 275. 471. 472, *item* eiiciebat *a d f l q r²* vg. Sy.ˢ· pon. ante δαιμ.): + απ αυτων WD (*uid. supra*) *ff* (illa ab eis) | και ουκ ηφιεν (ηφιει 157. 485) λαλειν τα δαιμονια: = neque potestatem habuerunt loquendi diaboli illi Geo.¹ | λαλειν τα δαιμονια (⟩τα δαιμ. λαλειν B, *item* Sy.ᵖᵉˢʰ· ʰˡ· Cop.ᵇᵒ· Geo.²): αυτα λαλειν ΘD (*uid. supra*), *item* ea (illa *e*, eis *g²*) loqui (⟩loqui ea *l* vg. plur. *et* WW) *it* (*exc. f*) vg. Sy.ˢ· Aeth. | ηδεισαν αυτον (+ τον ℵᶜGM fam.¹³ 543. 33. 239. 472. 484. 700) χριστον ειναι ℵᶜBGLMWΘΣ fam.¹ 22 fam.¹³ 543. 28. 33. 349. 565. 700 al. plur.: ηδεισ. τον χριστον αυτον ειναι C 517. 892. 1241, *item g¹ l* vg. (2 MSS.) Sy.ʰˡ·* Cop.ᵇᵒ· Geo. Aeth. Arm. ; *om.* χριστ. ειναι ℵ*AD (*uid. supra*) ΓΔΠΦ 090 ᵇ (*exc.* GM) 157. 579. 1071 al. plur. *a b c d e f ff q r²* vg. (pler. *et* WW) Sy.ˢ· ᵖᵉˢʰ·

(ιζ/η) [35] καὶ πρωὶ ἔννυχα λίαν ἀναστὰς ἐξῆλθεν καὶ ἀπῆλθεν εἰς ἔρημον τόπον κἀκεῖ προσηύ-
χετο. [36] καὶ κατεδίωξεν αὐτὸν Σίμων καὶ οἱ μετ' αὐτοῦ, [37] καὶ εὗρον αὐτὸν καὶ λέγου-
σιν αὐτῷ ὅτι Πάντες ζητοῦσίν σε. [38] καὶ λέγει αὐτοῖς Ἄγωμεν ἀλλαχοῦ εἰς τὰς
ἐχομένας κωμοπόλεις, ἵνα καὶ ἐκεῖ κηρύξω, εἰς τοῦτο γὰρ ἐξῆλθον. [39] καὶ ἦλθεν κηρύσσων
(ιη/β) εἰς τὰς συναγωγὰς αὐτῶν εἰς ὅλην τὴν Γαλιλαίαν καὶ τὰ δαιμόνια ἐκβάλλων. [40] Καὶ
ἔρχεται πρὸς αὐτὸν λεπρὸς παρακαλῶν αὐτὸν καὶ γονυπετῶν λέγων αὐτῷ ὅτι Ἐὰν θέλῃς

35. πρωι: om. W | εννυχα ℵBCDLWΘ 090 fam.[1] (exc. 118*) 28. 33. 892. l49. l184: εννυχον (~χιον 238. 579) 118. 22 fam.[13] 543. 157. 565. 700. 1071 al. pler. | λιαν: om. W 34. 39. 240. 244. 251. 301 a b c d e ff g[1] | αναστας (praem. και 69. 346. 543; + δε 157): om. D 226 a c Sy[s] | εξηλθεν και: om. W 1071 b d e ff q vg. (2 MSS.) Sy.[pesh]; = egressus est illinc et Geo.[2] | και απηλθεν (+ο Ιησους C[3]FGVΩ 6. 22. 27. 1071 al. pauc. vg. 1 MS): om. B 28* 56. 235. 565 Cop.[bo] | ερημον: praem. τον D | τοπον: om. 255 | κακει ℵBCLΓΔΘΠΣΦ 090 ⅃ Minusc. pler.: και εκει ADW l47 | προσηυχετο: προσηυξετο D.
36. κατεδιωξεν ℵBMSUΘ 15. 28. 40. 53. 236. 239. 252. 259. 273. 433. 700. l53. l184 g[2] l r[2] vg. (plur. et WW) Geo.[1] (= sequebatur): κατεδιωξαν ACDEFGKLVWΓΔΠΣΦ 090 fam.[1] 22 fam.[13] 543. 33. 157. 579. 892. 1071 al. pler. a b c e f ff q r[1] Sy.[hl] vg. (plur.) Geo.[2] (= sequebantur), item cf. = quaerebant Sy.[s. pesh.] | Σιμων tant. ℵBLWΦ 20. 33. 300. 579. 892. l48: praem. ο ΑCΓΔΣ 090 ⅃ (exc. K) 22. 157. 700 al. pler.; praem. ο τε ΚΘΠ fam.[1] fam.[13] 543. 11. 28. 50. 68. 72. 122**. 265. 349. 433. 473. 474. 482. 517. 565. 1071; praem. τε D* (τοτε D[2]) | οι (om. B*) μετ αυτου: +ησαν Δ, item qui cum illo (uel eo) erant it. vg.; οι μαθηται αυτου 349. 517.
37. και ευρον αυτον και λεγουσιν ℵBL 892 e Cop.[bo. (3 MSS)] Aeth.: και οτε ευρον αυτον (om. q r[2]) λεγουσιν (dixerunt a f ff l r[2] vg. Cop.[sa] Geo.[1] Arm.) D a ff l q r[1.2.] vg. Sy.[s. pesh. hl.] Cop.[sa] Geo.[1] Arm.; και ευροντες αυτον λεγουσιν (λεγοντες l184; ειπον Σ, item dixerunt δ) ΑCΓΔΘΠΣΦ 090 ⅃ Minusc. omn. (exc. 892) δ Cop.[bo. (aliq. et ed.)]; λεγοντες tant. W b c | οτι: om. W c e | παντες (= multi Sy.[s]) ζητουσιν σε ℵBCDLΔΘΣ fam.[1] (exc. 131) 28. 33. 89. 252. 472. 481. 579. 700. l19. l184 al. plur. ff l q r[1.2.] vg.; παντ. σε ζητουσι ΑΥΓΠΘ 090 ⅃ 131. 22 fam.[13] (exc. om. δε 69) 543. 157. 517. 565. 892. 1071 al. pler. a e f; ζητουσι σε παντες W b c (quaerebant te omnes) e.
38. και: om. 700 Sy.[s. pesh.] | λεγει: dixit a | αυτοις: +ο Ιησους Δ 517 g[2] vg. (4 MSS) αγωμεν: αγομεν ℵ 346. l48; = ite Sy.[pesh. hl.]; = ite eamus Sy.[s] | αλλαχου ℵBC*L 33. 579 Cop.[sa. bo.] Geo.[1] (= circum) Aeth. Arm.: om. ΑC[3]DWΓΔΘΠΣΦ 090 ⅃ Minusc. rell. it. vg. Sy.[s. pesh. hl.] Geo.[2] | εχο-

μενας (ερχομ. 69): εγγυς D | κωμοπολεις: πολεις 69; κωμο και πολεις Δ; κωμας και εις τας πολεις D, item castella et ciuitates a b e, uicos et ciuitates c f ff l q r[1.2.] vg. Sy.[s.] pesh. Cop.[sa.] | και εκει ΑBCY ΓΔΘΠΣ⅃ fam.[1] 22. fam.[13] 543. 349. 700. 157 al. plur.: κακει: ℵDLΦ 090. 33. 28. 565. 579. 892. 1071 al. plur. | ινα (om. r[2] Sy.[s.]) κακει: om. W b c e ff g[1] q r[1] | κηρυξω: κηρυξωμεν M*; κηρυσσιν W, item praedicare b c e, ad praedicandum ff g[1] q r[1] | γαρ +και C, cf. et hoc enim r[2] vg. (1 MS) | εξηλθον ℵBCLΘ 33. 579, item Sy.[hl. txt.] Cop.[sa. bo. (aliq.)]: εξεληλυθα ΑDΓΠΣΦ[1] (exc. Ω) fam.[1] 22. 157. 700. 1071 al. pler.; εληλυθα ΔWΩ 090 (ελεληλυθα) fam.[13] 543. 28. 40. 71. 239. 262. 349. 473. 479. 565. 892. l47. l49 al. plur., item ueni it. vg. Sy.[s. pesh. hl. mg.] Cop.[bo. (ed.)] Geo. Arm.
39. ηλθεν ℵBLΘ 892 Cop.[sa. bo.] Aeth.: ην ACD WΓΔΠΣΦ 090 ⅃ Minusc. rell. it. vg. Sy.[s. pesh. hl.] Arm.; om. Geo. | κηρυσσων: κηρυσσιν ℵ*, item = praedicare Cop.[bo. (1 MS)]; = praedicabat Geo. | εις (εν Φ) τας συναγωγας αυτων ℵABCDKLWΔ ΘΠ(Φ) 090 fam.[1] fam.[13] 543. 28. 157. 238. 349. 435. 517. 565. 579. 892 al.: εν ταις συναγωγαις αυτων (om. Geo.) ΓΣ⅃ (exc. K) 22. 700. 1071 al. pler. it. (exc. c) vg. Sy.[hl.] (Geo.[2]); in omnibus synagogis (+ eorum Sy.[pesh.]) e Sy.[s. (pesh.)]; in synagoga c Geo.[1]; + et ff l r[2] vg. | εις ολην την Γαλιλαιαν: totam Galileam g[1]; in tota (omni l r[1] Geo.) e l r[1] vg. (aliq.) Geo.; omni Galilaea r[2] vg. (plur. et WW); omnis Galilaea c; Galileae q Sy.[s.] | και τα δαιμο-νια εκβαλλων (εκβαλων G l183): om. W; και δεμωνι (sic) εκβαλλων Θ.
40. παρακαλων: ερωτων D | αυτου sec.: om. 69. 543. 16. 75**. l184 | και γονυπετων ℵLΘ fam.[1] (exc. 131) 565. 579. 892. e f l q r[2] vg. (plur. et WW) Sy.[hl.] Cop.[bo.] Geo. (= genuflexo) Arm. Aug.: + αυτον ACDΠΣΦ 090 ⅃ (exc. G) 131. 22. fam.[13] (exc. 124) 543. 28. 33. 157. 1071 al. pler.; + αυτω 27. 34. 39. 77. 475 al. pauc.; = ad pedes eius Sy.[s. pesh.] (pon. ante παρακαλων); om. BDGWΓ 124. 235. 255. 263. 271. 273. l26 a b c ff g[1] r[1] Cop.[sa.] | λεγων ℵ*B 69* q: praem. και Uncs. rell. Minusc. rell. a b c ff r[1]; = dixit f l vg. (pler. et WW) Aug.; = loquebatur Geo. | αυτω: om. DWΓ 579. 700 a b c f ff q vg. (exc. 1 MS) Cop.[sa.] Geo. Aug. | οτι ℵΑΓΔΠΦ 090 ⅃ Minusc. pler. a

---

40. Aug.[cons.] et uenit ad eum leprosus deprecans eum et genu flexo dixit si uis potes me mundare.

δύνασαί με καθαρίσαι. ⁴¹ καὶ σπλαγχνισθεὶς ἐκτείνας τὴν χεῖρα αὐτοῦ ἥψατο καὶ
λέγει αὐτῷ Θέλω, καθαρίσθητι. ⁴² καὶ εὐθὺς ἀπῆλθεν ἀπ᾽ αὐτοῦ ἡ λέπρα, καὶ ἐκαθε-
ρίσθη. ⁴³ καὶ ἐμβριμησάμενος αὐτῷ εὐθὺς ἐξέβαλεν αὐτόν, ⁴⁴ καὶ λέγει αὐτῷ Ὅρα
μηδενὶ μηδὲν εἴπῃς, ἀλλὰ ὕπαγε σεαυτὸν δεῖξον τῷ ἱερεῖ καὶ προσένεγκε περὶ τοῦ
καθαρισμοῦ σου ἃ προσέταξεν Μωυσῆς εἰς μαρτύριον αὐτοῖς. ⁴⁵ ὁ δὲ ἐξελθὼν (ιθ/ι)
ἤρξατο κηρύσσειν πολλὰ καὶ διαφημίζειν τὸν λόγον, ὥστε μηκέτι αὐτὸν δύνασθαι

Sy.ˢ· ᵖᵉˢʰ· (aliq.) ʰˡ· Cop.ᵇᵒ· (aliq.) Geo.¹: praem. κυριε
B ; κυριε (pro οτι CLWΘΣ 579. 700. 892 c eff vg.
plur.); om. D 238 bfgˡ·²· lvg. (plur. et WW)
Sy.ᵖᵉˢʰ· (plur.) Aug. | θελης: θελεις DΠ* uid. 131 ;
θελησης 565 ; + κυριε Φ 090 124. 28 | δυνασαι:
δυνη B.

41. και אBD 892 a b e ffr¹ Cop.ˢᵃ· ᵇᵒ·: ο δε Ιησους
ΑCWΓΔΘΠΣΦ 090 ♭ Minusc. rell., item Iesus
autem cflr² vg. Sy.ˢ· ᵖᵉˢʰ· ʰˡ· Geo. Arm., similiter
δε ο Ιησους post σπλαγχ. L q | σπλαγχνισθεις:
misertus est c g², + eius cfl vg. ; οργισθεις D, item
iratus affr¹* cf. Tat. Ephr. ; om. b g¹ | εκτεινας:
praem. και 472 c q r¹ vg. (1 MS*) ; extendit dfr² vg.
(exc. 1 MS) | χειρα (χειραν Δ*): + αυτου D it.
(exc. b) vg. | αυτου ηψατο אBL 435. 892: > ηψατο
αυτου ΑCDWΓΔΘΠΣΦ 090 ♭ Minusc. rell., item cf.
et tetigit eum (illum d) def, et tangens eum
(illum a b c) a b cfflq r¹·²· vg. | και λεγει αυτω AB
CDLΓΔΘΠΣΦ 090 ♭ 118. 28. 33. 157. 579. 700.
892. 1071 al. pler., cf. et dixit illi (eif) ef, ei dixit b,
ait illi a l q r¹·²· vg. (exc. om. illi 1 MS): om. αυτω
א fam.¹ (exc. 118) 22, cf. dixit cff ; λεγων (praem.
και 346) αυτω (om. W) W fam.¹³ 543. 565.

42. Tot. uers. : om. in txt, sed add. in mg. prim.
man. M | και pr. sine add. אBDLW 69*. 543. 16.
565. 892 a b c e ff g¹ r¹ Sy.ˢ· ᵖᵉˢʰ· Cop.ˢᵃ· ᵇᵒ· : + ειπον-
τος αυτου ΑCΓΔΘΠΣΦ 090 ♭ fam.¹ 22 fam.¹³ (exc.
69*) 28. 33. 157. 349. 579. 700. 1071 al. pler., item
cum (+ haec f) dixisset fl r² vg. Sy.ʰˡ· Geo. (= cum
dixit illi hoc) Aeth. Arm., item cum diceret q
| ευθυς אBLΘ 33. 164: ευθεως ΑCDWΓΔΠΣΦ 090 ♭
Minusc. rell. | απηλθεν απ αυτου η λεπρα אBDL
WΓΘΣ♭ (exc. K) fam.¹ 22 fam.¹³ 543. 28. 33. 700.
al. pler. it. vg. Geo. : απηλθεν η λεπρα (+ αυτου 235
Sy.ᵖᵉˢʰ· Cop.ˢᵃ· Aeth.) απ (om. Δ 1071) αυτου ΑΚΔ
ΠΦ 090. 9. 11. 16. 20. 122. 157. 300. 470. 473·
474. 565. 1071 Sy.ᵖᵉˢʰ· ʰˡ· Cop.ˢᵃ· ᵇᵒ· ; η λεπρα απηλ-
θεν απ αυτου C 517. 579. 892. 1241 | και (= om.
vg. 1 MS. Cop.ˢᵃ· ᵇᵒ· 1 MS.) εκαθερισθη: om. W b c
r¹ Sy.ˢ· ; + απ αυτου 346 | εκαθερ.: AB*CGLΔΠ*Σ
Ω 090. 1. 209. 565. 579. 1241. l184 | εκαθαρ.: אB²
DΓΘΠ²Φ♭ (exc. GΩ) Minusc. rell.

43. Tot. uers. : om. W b c | και εμβρ. usque ad
ευθυς: om. e | εμβριμησαμενος (ενεβριμ. D,
εμβρισαμ. 69): om. g² ; comminatus est a f ffl q r¹·²
| αυτω (αυτον 75. 472. 474. l49. l183) : om. 349.
517. a vg. (1 MS) ; +iesus q | ευθυς אBDL 33.
164. 579. 892 : ευθεως (et pon. post εξεβαλ. αυτον
ΑΚΠ) ΑCΓΔΘΠΣΦ 090 ♭ Minusc. rell. ; om. 255.
485 e Sy.ˢ· ᵖᵉˢʰ· Aeth. ; praem. et a f q r¹ vg. (2 MSS),
+ et g² l r², statimque vg. (aliq.), statim ff vg. (aliq.
et WW   εξεβαλεν αυτον: om. 255 Sy.ˢ·

44. και (om. c) λεγει: om. 30. 255 ; και ειπεν 28
f vg. (2 MSS); ειπων 565. 700 | μηδενι: om.
481* | μηδεν ΒCΓΘΠΣΦ 090 ♭ fam.¹ 22. 346. 28.
157. 579. 1071 al. pler. Sy.ʰˡ· Arm. : om. אAD
LWΔ fam.¹³ (exc. 346) 543. 5. 9. 16. 33. 235.
238. 349. 471. 565. 700. 892. l53. l184, al. it. vg.
Sy.ᵖᵉˢʰ· Cop.ˢᵃ· ᵇᵒ· Geo. Aeth. | αλλα אABCDLW
ΔΘΠΣ 090 ♭ (exc. ΜΩ) 22. 124. 473. 476. 478. 481.
482. 579 : αλλ ΜΓΦΩ Minusc. pler. | σεαυτον
(σαυτον א) δειξον: > δειξον σεαυτον (εαυτον W)
DW it. (praem. et e) vg. Sy.ᵖᵉˢʰ· ʰˡ· Cop.ˢᵃ· ᵇᵒ· Geo.
| ιερει Uncs. omn. Minusc. pler. : ιερει g² l r²)
αρχιερει fam.¹³ (exc. 124) 543. 12. 30. 33. 237. 892ᵐᵍ·
l r² vg. ; sacerdotibus ff, item Sy.ᵖᵉˢʰ·, cf. Aug.,
principibus sacerdotum g² | προσενεγκε: προσενεγ-
κον 565 ; προσενεγκαι CLΘ 090. 18. 244. 246. 247.
300. 517. l49*. l53. al. mu. | περι: υπερ 33 | καθα-
ρισμου: καθαρσιου W | α Uncs. pler. Minusc.
pler. it. (exc. a c) vg.: ο WΘ 238. 579. 700 a c vg.
(1 MS donum quod); καθως C* Sy.ᵖᵉˢʰ· Geo.ᴮ ;
καθα 33 ; = propter quod Cop.ˢᵃ· ᵇᵒ· | μωυσης אB
DKVWYΔΘΠΣΩ 090. 131 fam.¹³ (exc. 69) 543. 28.
238. 246ᵐᵍ· 247. 248. 253. 474. 478. 481. 482. 517.
565. 579, item Moyses it. (exc. a) vg. (plur.) cf.
Aug. Hier. : μωσης ACEGLMSUΓΦ fam.¹ (exc.
131) 22. 69. 33. 157. 700. 1071. al. pler., item
Moses a vg. (plur. et WW) | αυτοις: αυτω A* uid.
vg. (1 MS) ; αυτης 209. 346.

45. ο δε: at (ad sic a d r¹) ille a c dfl r¹·²· vg.
(exc. et ille 3 MSS) | πολλα (pon. post διαφημ.
238): om. DW it. vg. | μηκετι: non c d g¹ δ
Sy.ᵖᵉˢʰ· Cop.ˢᵃ· ᵇᵒ· | αυτον δυνασθαι ABCLΓΔΘΣ

41. Tat.ᴱᵖʰʳ· ⁽ᴹᵒᵉˢ· ᵖ· ¹⁴⁴⁾· Si uis potes . . . Quia dixit : 'Si uis' iratus est : quia addidit 'potes'
eum sanauit.
44. Aug.ᴱᵖⁱˢᵗ· uade et offer pro te sacrificium quod praecepit Moyses in testimonium illis.
Aug.ᴸⁱᵇ· ᑫᵘᵃᵉˢᵗ· eum qui mundatus fuerat a lepra ad sacerdotes misit offerre munera pro emendatione
sua sicut praeceperat Moyses, etc.
Hier.ᴱᵖⁱˢᵗ· uade et offer pro te sacrificium quod praecepit Moyses in testimonium illis.

φανερῶς εἰς πόλιν εἰσελθεῖν, ἀλλὰ ἔξω ἐπ' ἐρήμοις τόποις ἦν· καὶ ἤρχοντο πρὸς αὐτὸν πάντοθεν.

II

(κ/α) ¹ Καὶ εἰσελθὼν πάλιν εἰς Καφαρναοὺμ δι' ἡμερῶν ἠκούσθη ὅτι ἐν οἴκῳ ἐστίν· ² καὶ συνήχθησαν πολλοὶ ὥστε μηκέτι χωρεῖν μηδὲ τὰ πρὸς τὴν θύραν, καὶ ἐλάλει αὐτοῖς τὸν λόγον. ³ καὶ ἔρχονται φέροντες πρὸς αὐτὸν παραλυτικὸν αἰρόμενον ὑπὸ τεσσάρων.

ogo ♭ Minusc. pler. : > δυνασθαι αυτον ℵΦ 245. 349. 700. 1071; om. αυτον DW 478; posset Iesus ƒ Sy.ᵖᵉˢʰ· | φανερως εις πολιν εισελθειν (ελθειν 485) ΑΒΩΓΔΘΠΣΦ ogo ♭ fam.¹ 22 fam.¹³ (exc. 124) 543. 157. 579. 700. 1071 al. pler. a b c e f l r² (in ciuitate pro in ciuitatem b c r¹) vg. (pler. et WW) Sy.ʰˡ· Geo.² Arm.: > εις πολιν φαν. εισελθ, ℵCL 124. 28. 33. 565. 892. 1071 g² Geo.¹; > φαν. εισελθ. εις πολιν D ƒƒ (in ciuitate pro in ciuitatem) vg. (2 MSS) Sy.ᵖᵉˢʰ·, = introire in ciuitatem manifeste Cop.ˢᵃ· ᵇᵒ· | αλλα ACDMΔ 472. 482: αλλ ℵBLW ΓΘΠΣΦ ogo ♭ (exc. M) Minusc. rell. | εξω: om. 237 | επ ℵBLWΔ 124. 28. 565. 892: εν ACDΓΘ ΠΣΦ ogo ♭ Minusc. rell. | ερημοις τοποις: praem. τοις 487; deserta loca a b; > locis desertis Sy.ʰˡ·; loco deserto Sy.ᵖᵉˢʰ· | ην: om. B 62 b e; esset vg. (1 MS); esse it. (exc. a b) vg. (exc. 1 MS) | και: om. 62 b e | παντοθεν ℵABCDKLMSWΔΘΠΣΦ Ω ogo fam.¹ 10. 11. 28. 33. 114*. 115. 122. 157. 235. 238. 263. 265. 517. 565. 579. 892. 1071 al.: πανταχοθεν EGUVΓ 22 fam.¹³ 543. 700 al. pler.

1. εισελθων (ελθων 59. 472; +ο ιṡ 124) παλιν ℵBDLΘ 124. 28. 33. 59. 471. 472. 565. 571. 700. 892. l253, item a (cum introisset iterum) c (cum uenisset om. παλιν) Cop.ˢᵃ· (= cum uenisset rursus) Arm.: εισηλθεν (e uenit; +ο ιṡ ΓΩ 256. 475. 485. 2358; +ιṡ 245) παλιν (+ο ιṡ 330. 482. 569. 1071 Sy.ᵖᵉˢʰ· Geo.ᴮ) ΑСΥΓΔΠΣΦ ogo ♭ (exc. S) fam.¹ 22. fam.¹³ (exc. 124) 543. 157. 330. 482. 569. 579. 1071 al. plur. e (uenit iterum) ƒƒ (intrauit iterum) Sy.ᵖᵉˢʰ· ʰˡ· Cop.ᵇᵒ· Geo. Aeth.; > παλιν εισηλθεν 372. item iterum intrauit d ƒ l r² vg., iterum uenit b q; εισηλθεν tant. S, item om. παλιν sed add. ο ιṡ lectionaria multa.; παλιν ερχεται W. | καφαρναουμ ℵBDΔΘW 124. 69². 33. 565. 700. al. it. (exc. q) vg. Sy.ᵖᵉˢʰ· Cop.ˢᵃ· ᵇᵒ· Geo. ¹ ᵉᵗ ᴬ Aug.ᶜᵒⁿˢ·: καπερναουμ ACLΓΠΣΦ ogo ♭ fam.¹ 22. fam.¹³ (exc. 69². 124) 543. 28. 157. 579. 892. 1071 al. pler. q. Sy.ʰˡ· Geo. ᴮ | δι ημερων: om. W. 245. l47. l48. l49. l50. l53. l54; + ολιγων 700 Geo. | ηκουσθη (ηκουσεν 157; cognitum est a; = audierunt Cop. ˢᵃ· ᵇᵒ· Geo.ᴮ Arm.) ℵBLΘ 124. 28. 33. 565. 579. 700. 892 al. a c ƒƒ Cop.ˢᵃ· ᵇᵒ· Geo.ᴮ Arm.: praem. και ACDWΓΔΠΣΦ ogo ♭ fam.¹ 22. fam.¹³ (exc. 124) 543. 157. 330. 569. 575. 1071. l251 al. b e ƒ l q r² Sy.ᵖᵉˢʰ· (= et cum audiuissent) ʰˡ· Geo.ᴬ Aeth.;

= audierunt autem Geo¹. | εν οικω ℵBDLWΘΣ 33. 571. 892. 1071 it. (exc. e domi) vg.ᵖˡᵉʳ·: εις οικον ΑСΓΔΠΦ ogo ♭ fam.¹ 22. fam.¹³ 543. 28. 157. 565. 579. 700. al. pler. g¹ (in domum); εκει εις οικον 330.

2. και (= δε pro και et pon. post συνηχθ. Cop.ˢᵃ·) sine add. ℵBLWΘ 33. 579. 700. 892. b g¹ l r² vg. Cop.ˢᵃ· ᵇᵒ· Geo. Aug.ᶜᵒⁿˢ·: + ευθεως ACDΓΔΠΣΦ ogo ♭ fam.¹ 22. fam.¹³ 543. 28. 157. 565. 1071 al. pler. a c e ƒƒ g² q r¹ Sy.ʰˡ· | συνηχθησαν: + προς αυτον 700; + αυτω 488, item + ad eum c. vg. (1 MS). | πολλοι: praem. οχλοι fam.¹ | ωστε μηκετι (+ αυτοις 488) χωρειν μηδε (μητε 892; om. 28) τα προς την (om. 474*) θυραν (τη θυρα U²): om. W; ita (om. d.; in tantum a; = adeo Sy.ᵖᵉˢʰ· Cop.ˢᵃ·) ut (+ iam d) non posset capere (+ eos Sy.ᵖᵉˢʰ· Cop.ˢᵃ·; caperet ƒ ƒƒ l r² vg. pler. sed + domus 4 MSS, caperent q. vg. 4 MSS pro poss. capere) usque (neque vg.) ad ianuam a d ƒ ƒƒ l q r² vg. similiter Sy.ᵖᵉˢʰ· Cop.ˢᵃ· Aug.ᶜᵒⁿˢ·; ita ut non caperet eos introitus ianuae c; ita ut iam nec ad ianuam caperet b; ita ut non caperet domus e; = ut (+ domus Cop.ᵇᵒ·) non amplius caperet eos usque ad ianuam Sy.ʰˡ· Cop.ᵇᵒ· | ελαλει: = ελαλησεν Cop. ˢᵃ· ᵇᵒ· (ᵉᵈ·). | αυτοις: προς αυτους DW, item ad eos b c ƒƒ q r¹ | τον (om. D) λογον: om. 225.

3. και: = autem (post ιδου) Cop.ˢᵃ·, item autem (post uenerunt) c | ερχονται (praem. ιδου ανδρες W. 28. 565 Cop.ˢᵃ·): uenerunt c d e ƒƒ l q r² δ vg. Sy.ᵖᵉˢʰ· (= + ad eum) Cop.ˢᵃ·; conuenerunt r¹; ueniebant (= + ad eum Geo.¹) Geo.; om. Cop.ᵇᵒ· Aeth. | φεροντες (= et adduxerunt Sy.ᵖᵉˢʰ· Cop.ˢᵃ· om. et, ᵇᵒ·; = et adferebant Geo.) προς αυτον παραλυτικον ℵBL 33. 892. 1071. l g r² vg. (WW) Sy.ᵖᵉˢʰ· Cop.ˢᵃ· ᵇᵒ· Aug.ᶜᵒⁿˢ·: > προς αυτον φεροντες παραλ. C*DGΘΣ fam.¹ fam.¹³ 543. 565. 579. 700. a b (+ in grabatto). c (+ in lecto ante paralyt.). e ƒ (+ in grabatto ante paralyt. e ƒ) ƒƒ q r¹ vg. (aliq.) Syʰˡ· Arm.; > προς αυτον (+ τινες Φ) παραλ. φεροντες AC²ΓΔΠΦ ogo ♭ (exc. G) 22. 28. 157. al. pler. Aeth.; > προς αυτον βασταζοντες εν κρεβαττω παραλυτικον W. | αιρομενον υπο (απο L; επι Δ) τεσσαρων: om. W b c e; inter quattuor ƒ.; > qui a quattuor portabatur d l q vg.; = ferentes eum inter quattuor Sy.ᵖᵉˢʰ·; = quattuor homines ferentes eum Cop.ᵇᵒ·; = quem levabant quattuor Geo.¹ ᵉᵗ ᴬ.

⁴ καὶ μὴ δυνάμενοι προσενέγκαι αὐτῷ διὰ τὸν ὄχλον ἀπεστέγασαν τὴν στέγην ὅπου ἦν, καὶ ἐξορύξαντες χαλῶσι τὸν κράβαττον ὅπου ὁ παραλυτικὸς κατέκειτο. ⁵ καὶ ἰδὼν ὁ Ἰησοῦς τὴν πίστιν αὐτῶν λέγει τῷ παραλυτικῷ Τέκνον, ἀφίενταί σου αἱ ἁμαρτίαι. ⁶ ἦσαν δέ τινες τῶν γραμματέων ἐκεῖ καθήμενοι καὶ διαλογιζόμενοι ἐν ταῖς καρδίαις αὐτῶν ⁷ Τί οὗτος οὕτω λαλεῖ; βλασφημεῖ· τίς δύναται ἀφιέναι ἁμαρτίας εἰ μὴ εἷς ὁ θεός; ⁸ καὶ εὐθὺς ἐπιγνοὺς ὁ Ἰησοῦς τῷ πνεύματι αὐτοῦ ὅτι οὕτως διαλογίζονται ἐν ἑαυτοῖς λέγει αὐτοῖς Τί ταῦτα διαλογίζεσθε ἐν ταῖς καρδίαις ὑμῶν; ⁹ τί ἐστιν εὐκοπώ-

---

4 μη δυναμενοι (δυναμενον sic 565.ᵘⁱᵈ·): cum non posset ff | προσενεγκαι ℵBLΘ 892. 33 (–κειν) Sy.ʰˡ· Cop.ˢᵃ· ᵇᵒ·, item offerre f l r² vg. (WW) Aug.ᶜᵒⁿˢ·: προσεγγισαι ΑCDΓΔΠΣΦ 090 ⳨ fam.¹ 22. fam.¹³ 543. 28. 157. 565. 579. 700. 1071 al. pler., item accedere a b (pon. ante δυναμ.) c e ff g¹ q r¹ Sy.ᵖᵉˢʰ· Geo. ; εγγισαι 259 ; προσελθειν W. | αυτω (pon. ante προσεγγ. Κ² Π 9): αυτον 13. 488. 892. f; eum illi l vg., item sed pon. ante offerre r²; om. DK* l47. a b c e ff g¹ q r² Cop.ᵇᵒ· (ᵉᵈ·) | δια τον οχλον: απο του οχλου DW, item prae turba (multitudine b) b c f ff l q r² vg.; prae turbam e; propter turbam a | απεστεγασαν την στεγην (+ αυτου 28. 565): = praem. ascenderunt in tectum et Sy.ᵖᵉˢʰ· Cop.ᵇᵒ· | οπου pr.: = domus illius in qua (= ubi pro in qua Geo.²) Geo. | ην: + ο ιϲ DΑΘ 238. 349. 473. 517. 700. it. (exc. b) vg. (aliq. sed non WW) Sy.ᵖᵉˢʰ· Aeth. Arm. | εξορυξαντες (εξωρ. fam.¹³ 28): patefacientes f l r² δ vg. Aug.ᶜᵒⁿˢ·): om. DW a b c e ff q r¹ Sy.ᵖᵉˢʰ· Cop.ᵇᵒ· (1 MS) | κραβαττον ΑCDEGHLMUWΥΓΔΘΠΣ 090. 1. 131. 22. fam.¹³ 543. 28. 33. 579. 700** al. a b e ff l r vg.: κραββατον Β³S*VΩ 118. 209. 157. 565. 1071. q δ; κραβατον B*ΚΦ c f Aug.ᶜᵒⁿˢ·; κραβατγον 700*. 892; κραβακτον ℵ | οπου sec. ℵBDL 892: εφ ω ΑCΔΠΣΦ 090 ⳨ fam.¹ 22. 124. 28. 157. 700. 579. 1071 al. plur.; εφ ου Θ fam.¹³ (exc. 124) 543. 33. 565; εφ ο Γ 472. 2358. l184; εις ον W | ο (om. Θ) παραλυτικος κατεκειτο: ην ο παραλ. κατακειμενος D; = < iacebat paralyticus ff Sy.ᵖᵉˢʰ·, item = iacuit paralyt. ille Geo².

5. και ιδων ℵBCLΘ fam.¹³ 543. 18. 28. 33. 565. 700. 892 e Cop.ᵇᵒ· (et pon. ο ιϲ ante ιδων) Geo.² Aeth.: ιδων δε ΑDWΓΔΠΣΦ 090 ⳨ fam.¹ 22. 157. 579. 1071. al. pler. it. (exc. e) vg. Sy.ᵖᵉˢʰ· ʰˡ· Cop.ˢᵃ· (= ο δε ιϲ ιδων) Arm. Aug.ᶜᵒⁿˢ·; = cum vidit Geo.¹ | ο Ιησους: om. 892. vg. (1 MS) | λεγει: ειπεν Σ, item dixit vg. (2 MSS) Sy.ᵖᵉˢʰ· Cop.ˢᵃ· ᵇᵒ· Geo. | τεκνον: + μου ℵ*; praem. θαρσει C; om. 31. 248. | αφιενται B 28. 33. 565 al. pauc.: αφεονται (αφιονται Δ) GΔΦ fam.¹³ (exc. 346) 9. 474, 482. l48. l183, item remittuntur a c e ff, dimittuntur d l r² vg.; αφεωνται ℵACDLWΓΠΣ 090⳨ (exc. G) fam.¹ 22. 346. 543. 157. 579. 700. 892 al. pler. Bas. ;

αφιωνται Θ, item remissa sunt b q, dimissa sunt f. | σου αι (om. Θ) αμαρτιαι ℵBDGLWΔΘ fam.¹ 69. 33. 517. 565. 579. 892. Bas.: + σου Μ*Ω 13. 346. 543. 28. 245. 1071 al. plur.; σοι αι αμαρτιαι C* 090 22 b e ff l r¹ δ vg. (WW), item + σου ΑC³ΓΠΣΦ⳨ (exc. GM*Ω) 124. 157. 251. 569. 575. 700. al. pauc. a c d g¹· ² q r² vg. (aliq.) Sy.ᵖᵉˢʰ· ʰˡ· Cop.ˢᵃ· ᵇᵒ· Geo.

6. γραμματεων (–αιιων 13. 28. 565): = + et pharisaeorum Sy.ᵖᵉˢʰ· Pers.ᴾ | εκει (pon. ante τινες Sy.ᵖᵉˢʰ· ʰˡ·; pon. post καθημενοι 9): om. l184. q vg. (1 MS) | διαλογιζομενοι: διελογιζοντο 247. | αυτων: + λεγοντες DW. 565. 575. l251, item + dicentes a b d r¹ Cop.ᵇᵒ· (1 MS), + et dicentes c e ff.

7. τι: οτι ΒΘ 482; om. b. | τι ουτως· ουτω sic Υ | ουτω ABCKΘΠ*Σ 1. 209. 69. 124. 543. 474. 479. 579. 1071 al.; ουτως ℵDEGLMUWΓΔ Π²Φ 131. 22. 28. 33. 157, 700. 892 al.; ουτος Η; om. 346. 71. 472. 482. 484. 565. 692* b q r¹ Sy.ᵖᵉˢʰ· | λαλει βλασφημει ℵBDL a d f ff r² δ vg.: λαλει βλασφημιας (–μας Δ) ΑCWΓΔΘΠΣΦ⳨ Minusc. omn. (exc. λαλει βλασφημιαν 70. 86, item Sy.ᵖᵉˢʰ·); = blasphemiam dicit Geo.; = loquitur blasphemans Cop.ˢᵃ·; blasphemat tant. b q Cop.ᵇᵒ· (ᵃˡⁱ𐞥·). | αφιεναι: αφειναι W | αμαρτιας: praem. τας D* | εις: solus it. (exc. a unus) vg. Ambr. Oros. ; om. D.

8. ευθυς ℵBLΘ 33. 700: ενθεως ΑCΓΔΠΣΦ 090 ⳨ fam.¹ 22. fam.¹³ 543, 157. 579. 892 al. pler., item statim (continuo e) f g² l r² vg. (pler.) Sy.ʰˡ· Cop.ˢᵃ·ᵇᵒ· Geo. ; om. DW 28. 64. 565 a b c ff g¹ q r¹ vg. (1 MS) Sy.ᵖᵉˢʰ· Aeth. Arm. | επιγνους ο Ιησους : >ο Ιησ. επιγν. ℵ 28; om. ο Ιησους Κ* l184 | αυτου: om. DW a b c e ff q r² Cop.ᵇᵒ· (ᵃˡⁱ𐞥·); sancto g² r² (ϲϲο) vg. (4 MSS). | οτι: quid b c e ff q | ουτως: om. ΒWΘ a b c e ff g¹ q r²; = haec Sy.ᵖᵉˢʰ· | διαλογιζονται (λογιζονται 118. 209; cogitaret sic ff) tant. ℵBDGLWΘ fam.¹ 124. 28. 157. 565. 579. 700. 892 al.: praem. αυτοι ΑCΥΓΔΠΣΦ 090 ⳨ (exc. G) 22 fam.¹³ (exc. 124) 543. 33. 349. 517. 1071 al. plur. | εν εαυτοις (αυτοις L 472 l47): om W c e | λεγει ℵBLW 0130. 33. 892. e f vg. : ειπεν ΑCDΓΔΘΠΣΦ 090 ⳨ fam.¹ 22 fam.¹³ 543. 28. 157. 565. 579. 700 al. pler. it. rell. Sy.ᵖᵉˢʰ· ʰˡ· Cop.ˢᵃ· ᵇᵒ· Geo. | αυτοις: om. ΒΘ ff | ταυτα: om. LWΘ 275*. 575. b c e ff

---

5. Bas. adv. Eunom. V. de remiss. pecc. Τεκνον αφεωνται σου αι αμαρτιαι.
7. Ambr. ᴱˣᵖ· ᴾˢᵃˡᵐ· ¹³⁶·⁵· deo soli committo qui permanet, qui potest donare peccata.

τερον εἰπεῖν τῷ παραλυτικῷ Ἀφίενται σου αἱ ἁμαρτίαι ἢ εἰπεῖν Ἐγείρου καὶ ἆρον τὸν κράβαττόν σου καὶ περιπάτει; [10] ἵνα δὲ εἰδῆτε ὅτι ἐξουσίαν ἔχει ὁ υἱὸς τοῦ ἀνθρώπου ἀφιέναι ἁμαρτίας ἐπὶ τῆς γῆς—λέγει τῷ παραλυτικῷ [11] Σοὶ λέγω, ἔγειρε ἆρον τὸν κράβαττόν σου καὶ ὕπαγε εἰς τὸν οἶκόν σου. [12] καὶ ἠγέρθη καὶ εὐθὺς ἄρας τὸν κράβατ- τον ἐξῆλθεν ἔμπροσθεν πάντων, ὥστε ἐξίστασθαι πάντας καὶ δοξάζειν τὸν θεὸν λέγοντας

| ταις καρδιαις υμων: = corde uestro Sy.pesh. Cop.bo· (2 MSS) ; + nequam c ; + mala e.

9. τι: + γαρ W Cop.sa· | ευκοπωτερον (~ποτε- ρον Ω): ευκοπον Θ Sy.pesh· Cop.sa· bo· | τω παρα- λυτικω (παραλυτω sic D): om. W 33 a e | αφιενται usque ad περιπατει: ord. transp. sic > εγειρε (= + και Cop.sa·) αρον τον κραβ. σου και περιπ. (υπαγε εις τον οικον σου D) η ειπειν αφαιωνται σοι αι αμαρτιαι D Cop.sa·) | αφιενται אB 28. 565, item remittun- tur a c e, dimittuntur d ff g l q r δ vg.: αφεωνται (αφεονται Φ 69. 248. l48) ACDLWΓΔΘΠΣ 090. 0130. ⸂ fam.¹ 22. fam.¹³ 543. 33. 157. 579. 700. 892 al. pler., item remissa sunt b | σου αι αμαρτιαι אB LWΨΘΠΣ⸂ (exc. S) fam.¹ (exc. 131) 124. 346. 543. 28. 33. 157. 565. 579. 700. 892. al. plur. b: + σου 13. 69. 247. 258; σοι αι αμαρτιαι ACDSΓΔΦ 090. 0130. 131. 22. 330 al. e l r¹ δ vg. (WW), item + σου a cf ff g² q r² vg. (aliq.) Sy.pesh. hl. Cop.sa. bo. Geo. Aeth. Arm. | εγειρου BLΘ 28: εγειραι UΔ 090. 0130. fam.¹ (exc. 1) 22. 13. 346. 157. 565 al. ; εγειρε אACDWΨΓΠΣΦ⸂ (exc. U) 1. 69. 124. 543. 33. 579. 700. 892. l48. l50 al. plur.; om. r² | και αρον τον κραβ. σου: om. W 544. 692. b c e; om. και CDLΣ fam.¹ 22. 33. 157. 349. 517. 565. 579. 700. al pauc. f l q r² vg. (aliq. sed non WW) Sy.pesh. Cop.bo (ed.) Geo. | κραβαττον i. q. uers. 4 exc. hoc loco κραβαττ. VΦ et κραβατ. Θ | τον κραβ. σου אABCDKLMΘ Π*Σ fam.¹ fam.¹³ 543. 565. 579. 700. 892. 1071 al. : > σου τον κραβ. EFGHSUVΓΔΠ²ΘΩ 0130. 22. 28. 33. 157. al. plur. | περιπατει ABCWΓΘΠΣΦ⸂ Minusc. pler. item ambula b c e f l q r² δ vg. (pler. et WW) Sy.pesh. hl. Geo. Aeth. Eus.dem.: υπαγε אLΔ 0130. 892 vg. (1 MS uade) Cop.bo·; υπαγε εις τον οικον D 33, item uade in domum tuam (uel domui tuae a) a ff g² r¹ vg. (3 MSS) Cop.sa· Arm.

10. δε: om. 472 b | ειδητε: ιδητε ACLYΘ 157. 892 ; ιδειτε 13 | εχει: εχη E | αφιεναι αμαρτιας επι της γης BΘΦ 142. 157. 481 Aeth. : > αφιεναι επι τ. γης αμαρ. AΓΠ⸂ (exc. HM) 1. 131. 22 fam.¹³ (αμαρτιαν 13) 543. 28. 565. 569 al. plur. Sy.hl· (cf. Bas. ; > επι της (om. 255) γης αφιεναι αμαρ. אCD HLMΔΣ 090. 0130. 118. 209. 33. 349. 517. 579. 700. 892. 1071 al. plur. a c e f ff l vg. Sy.pesh· Cop.sa· bo· Geo. Arm. ; om. επι της γης W 488 b q | αφιεναι: demittere d; remittendi a b q; dimittendi c e f ff l

---

r² δ vg. | λεγει: praem. τοτε Σ ; praem. και l184 Geo. ; = dixit Sy.pesh· Cop.sa· bo· Geo.

11. σοι (συ ΘΦ) λεγω εγειρε: > εγειρε σοι λεγω א; om. σοι λεγω W 40. 46. 61. 244*. l184 b c e q; om. εγειρε r² Cop.sa· | εγειρε אABCDWΥΓΘΠΣΦ 090 ⸂ (exc. KU) 1. fam.¹³ (exc. 13) 543. 33. 579. 892. 1071 al. plur. : εγειραι LUΔ 0130 fam.¹ (exc. 1) 22. 13. 28. 157. 565. 700 al. ; εγειρον K | αρον tant. אBCDLΓΘ 13. 28. 33. 349. 517. 565. 571. 892. 1071 a b e f ff l q vg. (plur. et WW) Sy.pesh· Cop.sa· bo· Geo. Arm.: praem. και AWΔΠΣΦ 090. 0130 ⸂ fam.¹ 22. fam.¹³ (exc. 13) 543. 157. 579. 700 al. plur. c d g² vg. (aliq.) Sy.hl· Aeth. | κραβαττον AB*CD LWΓΔΘΠΣΦ 090. 0130 ⸂ (exc. Ω) fam.¹ 22, fam.¹³ 543. 28. 33. 579. 700. 892 al., item grabattum a b c e f ff l, item crabattum q δ: κραββατον B³Ω 157. 565. 1071. 1278; κραβατον B**‡; κραβακτον א | τον κραβ. σου: > σου τον κραβ. 245. l184 | και (om. Cop.bo· 3 MSS) υπαγε εις τον οικον σου: και περιπατει l184 Epiph.pan· semel.

12. και ηγερθη και ευθυς (ευθεως C) אBC*L 33: και ηγερθη (εγερθη Ω; +ο παραλυτικος 28) ευθεως και AC³ΓΔΠΣΦ 090. 0130 ⸂ fam.¹ 22. fam.¹³ 543. 28. 157. 565. 569. 575. 579. 700. 1071 al. pler. Sy.pesh. hl· Geo.A, item = ille autem surrexit statim (om. και sec.) Cop.sa· ; και ευθεως ηγερ. και D 349. 892, item et statim ille surrexit et f l vg. (pler.), item om. και sec. r² Cop.bo· Geo.¹ et B ; om. ευθυς ΘW (ο δε εγερθεις και), item ille uero (autem b q) surgens b c q, et surgens e ; cf. et ille confestim surgens a, ille uero surgens statim ff | τον κραβατ- τον (uar. i. q. uers. 11 exc. hoc loco κραββατον 118) tant. : praem. αυτου W ; + αυτου HLΘ 31. 33. 61. 892. l48, item c ff Sy.pesh· Cop.sa· bo· Aeth. | εξηλ- θεν εμπροσθεν παντων: > εμπροσθεν παντων απηλθεν W a b c e f ff l q (+et ante abiit b q) | εμπροσθεν אBLW 579. 700. 892: ενωπιον ΘΦ 090. 28. 33. 349. 472. 472 (ενωπιον) 517. 1071 ; εναντιον ACDΓΔΠΣ 0130 ⸂ fam.¹ 22. fam.¹³ 543. 157. 565. al. pler. | εξιστασθαι (~θε Γ 543. 892): θαυμαζειν W | παν- τας (~ες A): αυτους W ; turbae c ; om. b e | λεγον- τας: om. BW b ; και λεγειν D | οτι: om. 565. 579 | ουτως ουδεποτε ειδ. (א)BDLW 244. 892. b. cf. sic nunquam taliter uidimus e Cop.(sa·) bo· Arm. ; ουδεποτε ουτως ειδ. ACΓΔΘΠΦ 090. 0130 ⸂ fam.¹ 22.

---

9. Euseb.dem. 107. και ποτε μεν εφησεν παραλυτικω· αναστας αρον τον κραββατον σου και περιπατει.

    Euseb.Comment. Psalm. εχεις τον παραλυτικον—ηκουσε γαρ· αφεωνται σοι αι αμαρτιαι σου, και· αρον τον κραββατον σου quorsum spectet non liquet.

    10. Bas. adv. Eunom. IV. εξουσιαν εχει ο υιος του ανθρωπου αφιεναι επι της γης αμαρτιας.

ὅτι οὕτως οὐδέποτε εἴδαμεν. ¹³Καὶ ἐξῆλθεν πάλιν παρὰ τὴν θάλασσαν· καὶ πᾶς ὁ (κα/β)
ὄχλος ἤρχετο πρὸς αὐτόν, καὶ ἐδίδασκεν αὐτούς. ¹⁴Καὶ παράγων εἶδεν Λευεὶν τὸν
τοῦ Ἀλφαίου καθήμενον ἐπὶ τὸ τελώνιον, καὶ λέγει αὐτῷ Ἀκολούθει μοι. καὶ ἀναστὰς
ἠκολούθησεν αὐτῷ. ¹⁵καὶ γίνεται κατακεῖσθαι αὐτὸν ἐν τῇ οἰκίᾳ αὐτοῦ, καὶ πολλοὶ (κβ/β)
τελῶναι καὶ ἁμαρτωλοὶ συνανέκειντο τῷ Ἰησοῦ καὶ τοῖς μαθηταῖς αὐτοῦ, ἦσαν γὰρ πολλοὶ
καὶ ἠκολούθουν αὐτῷ. ¹⁶καὶ οἱ γραμματεῖς τῶν φαρισαίων ἰδόντες Ὅτι ἐσθίει μετὰ
τῶν ἁμαρτωλῶν καὶ τελωνῶν ἔλεγον τοῖς μαθηταῖς αὐτοῦ ὅτι μετὰ τῶν τελωνῶν καὶ

---

fam.¹³ 543. 28. 33. 157. 565. 579. 700. 1071 al. pler.
a c f ff g² l q r vg. Sy.ʰˡ· Geo. Aeth. ; ουδεποτε ιδαμεν
ουτως Σ, item Sy.ᵖᵉˢʰ· | ειδαμεν CDΣ (ιδαμεν) :
ειδομεν אᶜBEFGHLSUΓΔ 0130 fam.¹ 22. 33. 157.
579. 700. 1071 al. ; ειδωμεν 69 ; ιδομεν AKMVΘΠ
ΦΩ 124. 28. 892 ; ειδον W, item uidisse se a,
uiderant b, uiderunt c ; εφανη εν τω Ισραηλ א*.

13. Tot. uers. om. 238 errore in fine folii.
| εξηλθεν (⁓θον. א* cor.**) : +ο Ιησους Σ fam.¹³(exc.
124) 1071 (post παλιν) ff | παλιν : om. D 1278*
Cop.ᵇᵒ· (pler. et ed.) | παρα, item secus b, iuxta f : εις
א*, item ad a c e ff l q r vg. ; επι 69* | και πας ο (om.
D*) οχλος : και πας ο λαος 579 ; et omnes (uel omnis)
turbae c e ff g¹ l r¹ (omnes quae turbae) vg. (1 MS),
omnisque turba q r² vg. (pler. et WW), omnesque tur-
bae b l vg. (1 MS) | ηρχετο : ηρχοντο 157. 565. 1071,
item ueniebant c e ff l q | αυτον : αυτους א* (cor.ᶜ)
| και (= om. Cop.ˢᵃ·) εδιδασκεν αυτους : om. 474.

14. και παραγων Uncs. omn. fam.¹ 22. 346. 33.
157. 579. 700. 892. 1071 al. plur. it. vg. Sy.ᵖᵉˢʰ· ʰˡ·
Cop.ᵇᵒ· Geo. (+illinc) : παραγων δε fam.¹³ (exc.
346) 543. 28. 29. 565. Cop.ˢᵃ· ; +ο Ιησους post παραγ.
FGHΓΩ 346. 2. 12. 29. 237. 259. 474. 475 al. plur.
| ειδεν אBDEFGHUWΩ Minusc. pler. : ιδεν ACK
LMVΓΔΘΠΣΦ 0130 fam.¹³ 543. 28. 256. l47.
| λευειν א*BE*LMWΣΦ 579 : λευιν CE²FGHUVΩ
1. 131. 22. 157. 700. 1071. 1278. item leuin f r² δ
vg. (pler. et WW) ; λευι (λευει א* ; λευη 28) AKS
ΥΓΔΠ 118. 209. 346. 33. 238. 242. 253. 482. 483*
al. plur., item leui l q vg. (aliq.) ; ιακωβον DΘ
fam.¹³ (exc. 346 et 124 mg. hab. εν αλλ. λευιν) 543.
565. a b c e ff g¹* r¹ cf. Orig. | τον : = filium
Sy.ᵖᵉˢʰ· | του : om. 565 | καθημενον : om. 59.
73. | επι το (τω 13) τελωνιον (⁓ειον Y fam.¹³
543) : επι του τελωνιου WΘ ; cf. ad teloneum it.
(pler.) vg., in teloneo e | λεγει : dixit e, item
Sy.ᵖᵉˢʰ· ʰⁱᵉʳ· Cop.ˢᵃ· ᵇᵒ· Geo. | αναστας (exsurgens
a, surgens it. ʳᵉˡˡ· vg.) : praem. ευθεως 60. | ηκο-
λουθησεν : ηκολουθει C*W fam.¹ 258. 892.

15. γινεται אBLW 33. 565. 700. 892* : εγενετο
Uncs. rell. Minusc. rell. VSS omn. | κατακεισθαι
αυτον אBL fam.¹³ 543. 33. 565. 700. 892ᵗˣᵗ· : praem.
εν τω ACΓΣΦ 0130 ⅃ fam.¹ 22. 28. 157. 579. 892ᵐᵍ·
1071 al. pler., item Sy.ᵖᵉˢʰ· ʰˡ· Cop.ˢᵃ· ᵇᵒ· Geo. ;

αυτου ανακειμενου l253 semel ; εν τω κατακλιθηναι
αυτον Δ ; cf. cum accumberet l r² vg. (pler. et WW);
cum discumberet f, discumbente illo q ; κατακειμενων
αυτων DΘ ; ανακειμενων αυτων W, item discum-
bentibus eis (uel illis) a b c ff, recumbentibus illis
d r¹, cum recumberent e, cum accumberet vg.
(1 MS) | αυτου pr. : om. W b c. | και πολλοι :
om. και DWΘ fam.¹ 28. 238. 258. 330. 485. l53. it.
vg. Sy.ᵖᵉˢʰ· Cop.ˢᵃ· ᵇᵒ· ; praem. ιδου ante πολλοι
579. l253 semel | τελωναι και : om. e | συνανε-
κειντο : praem. ελθοντες AC* | αυτου sec. : om.
l253 sem. | γαρ : om. Cop.ᵇᵒ· | πολλοι και :
πολλοι οι (om. και) D b f ff r² vg. ; πολλοι οι (om. και)
Θ 565 a c e l q r¹ | ηκολουθουν אBLΔ 0130. 258.
565. 892. l r² vg. Cop.ᵇᵒ· Geo. : ηκολουθησαν ACD
WΓΘΠΣΦ⅃ fam.¹ 22 fam.¹³ 543. 28. 33. 157. 579.
700. 1071. al. pler. a b c f ff r¹ ; = praem. scribae
et pharisaei Cop.ᵇᵒ·, = +scribae pharisaeorum
(+scribae illi et pharisaei Geo.²) Geo., item Δ sed
cf. vers. 16 ad init. | αυτω : om. g².

16. και (om. Δ Cop.ᵇᵒ· Geo.) οι (om. LΔ) γραμ-
ματεις των φαρισαιων (uerba adhuc uid. coniungi ad
uers. 15) ιδοντες (om. W ; praem. και אLΔ 33) ; et
uiderunt b r¹) אBLWΔ 0130 uid· 124. 28. 33. b :
και οι (οι δε Σ 700 a c e ff Cop.ˢᵃ·) γραμμ. και οι
φαρισαιοι (uerba adhuc uid. coniungi ad uers. 15 D d)
ιδοντες (ειδοντες 69 ; ιδοτες 157 ; και ειδαν D r¹) AC
(D)ΓΘΠΣ⅃ fam.¹ 22. fam.¹³ (exc. 124) 543. 157.
565. 579. 700. 892 al. pler. f l q r vg. (pler.) Sy.
ᵖᵉˢʰ· ʰˡ· Cop.ˢᵃ· Aeth. Arm. ; >και οι φαρισ. και οι
γραμμ. ιδοντες l49. ιδοντες usque ad τελωνων pr. :
om. W | οτι εσθιει B 33. 565. 579. (+και πινει et pon.
post τελωνων pr.) b ff r¹ Sy.ᵖᵉˢʰ· ʰˡ· Cop.ˢᵃ· ᵇᵒ· Aeth.
Arm. : οτι ησθιεν (εσθιεν Θ) אDLΘ 892 c Geo., item
quia manducaret l r² vg. ; αυτον εσθιοντα (pon. post
αμαρτωλων A. 700) ACΓΔΠΣΦ 0130 ⅃ fam.¹ 22.
fam.¹³ 543. 28. 157. 700 al. pler. f q | αμαρτωλων
και (+των B²DΘ 33) τελωνων BDL*uid· Θ 33. 565.
579. 892. a b c q r¹ vg. (pler. et WW) Aeth. : >τε-
λωνων και αμαρτωλων אACL**ΓΔΠΣΦ 0130 ⅃ fam.¹
22. fam.¹³ (exc. 69) 543. 28ᵐᵍ· 157. 700 al. pler. f
ff g² l r² vg. (1 MS) Sy.ᵖᵉˢʰ· ʰˡ· Cop.ˢᵃ· ᵇᵒ· Geo.
Arm. ; τελωνων tant. 69. 28*. l53 Sy.ʰⁱᵉʳ· | ελεγον
(dixerunt a, item Sy.ᵖᵉˢʰ· Cop.ˢᵃ· Geo.²) : praem.

---

14. Orig.ᶜᵉˡˢ· ¹· ⁶² εστω δε και ο Λευης τελωνης ακολουθησας τω Ιησου αλλ' ουτι γε του αριθμου των απο-
στολων αυτου ην ει μη κατα τινα των αντιγραφων του κατα Μαρκον ευαγγελιου.

(κγ/β) ἁμαρτωλῶν ἐσθίει; ¹⁷ καὶ ἀκούσας ὁ Ἰησοῦς λέγει αὐτοῖς ὅτι Οὐ χρείαν ἔχουσιν οἱ ἰσχύοντες ἰατροῦ ἀλλ᾽ οἱ κακῶς ἔχοντες· οὐκ ἦλθον καλέσαι δικαίους ἀλλὰ ἁμαρτωλούς. ¹⁸ Καὶ ἦσαν οἱ μαθηταὶ Ἰωάνου καὶ οἱ Φαρισαῖοι νηστεύοντες. καὶ ἔρχονται καὶ λέγουσιν αὐτῷ Διὰ τί οἱ μαθηταὶ Ἰωάνου καὶ οἱ μαθηταὶ τῶν Φαρισαίων νηστεύουσιν, οἱ δὲ σοὶ μαθηταὶ οὐ νηστεύουσιν; ¹⁹ καὶ εἶπεν αὐτοῖς ὁ Ἰησοῦς Μὴ δύνανται οἱ υἱοὶ τοῦ νυμφῶνος ἐν ᾧ ὁ νυμφίος μετ᾽ αὐτῶν ἐστιν νηστεύειν; ὅσον χρόνον ἔχουσιν τὸν νυμφίον μετ᾽ αὐτῶν οὐ δύνανται νηστεύειν· ²⁰ ἐλεύσονται δὲ ἡμέραι ὅταν ἀπαρθῇ ἀπ᾽ αὐτῶν ὁ νυμφίος, καὶ τότε νηστεύσουσιν ἐν ἐκείνῃ τῇ ἡμέρᾳ. ²¹ οὐδεὶς ἐπίβλημα ῥάκους

και D ff r¹ Geo.ᴮ | οτι sec. BL 33. 108. 246* : τι οτι ΑΓΔΠΣΦ Ϡ fam.¹ 22. fam.¹³ 543. 28. 157. 565. 579. 700. 892. al. pler. Sy.ʰˡ· Arm. ; διατι אDW l253 semel it. vg. Sy.ᵖᵉˢʰ· Cop.ˢᵃ· ᵇᵒ· Geo. Aeth. ; τι Θ. | τελωνων και (+ των Β) αμαρτωλων (om. και αμαρτ. U) : > αμαρτ. και των τελων. D a Aeth. Arm. | εσθιει sec. (εσθιεται Θ) אBDW(Θ) 235. 271. a b e ff r¹ : + και πινει (πινη 244) ΑCLΓΔΠΦ Ϡ (exc. G) fam.¹ 22. fam.¹³ 543. 28. 33. 157. 579. 892. 1071 al. pler. c f l q r² vg. Sy.ᵖᵉˢʰ· ʰˡ· Ccp.ˢᵃ· ᵇᵒ· Aeth. Arm. Aug. ᶜᵒⁿˢ· ; etiam add. ο διδασκαλος υμων אLΔ (add. ante εσθιει C 579 Aeth.) 69. 346. 248. 472. 579. 1071 (om. υμων) al. pauc. f r² vg. Cop.ᵇᵒ· Aug. ᶜᵒⁿˢ·; praem. ο διδασκαλος υμων l Cop.ˢᵃ·, pon. ante μετα c ; εσθιετε (〜θειτε G) και πινετε (〜νειτε G) GΣ 124. 349. 517. 565. 700. Sy.ʰⁱᵉʳ· Geo. Arm.

17. και : om. 253 f l r vg. ; = δε (post Ιησους c ff Sy.ᵖᵉˢʰ·, post ακουσας Cop.ˢᵃ·) | λεγει : dixit a c e ff Sy.ᵖᵉˢʰ· ʰˡ· ʰⁱᵉʳ· Cop.ˢᵃ· ᵇᵒ· Geo. | αυτοις : om. DW fam.¹ 28. a b c ff g¹ q r¹ | οτι ΒΔΘ 565. 1071 : om. Uncs. rell. Minusc. rell. VSS omn. | ιατρου : praem. του Π | αλλ אACDLΓΔΘΠΣΦ Ϡ Minusc. omn. : αλλα ΒW | ουκ tant. אABDWΓΔ ΘΠΣΦ Ϡ Minusc. pler. it. (pler.) Sy.ᵖᵉˢʰ· ʰˡ· Cop.ᵇᵒ· (2 MSS) Geo. Aeth.. : ου γαρ CL 245. 349. 517. 1071. l184 al. pauc. ff r² vg. (exc. 1 MS) Cop.ˢᵃ· ᵇᵒ· (ᵉᵈ·) ; praem. και 57. 479. Arm. | ηλθον : εληλυθα W | αλλα (αλλ Υ 1) αμαρτωλους sine add. אABD KLWΔΘΠΣΦ fam.¹ (exc. 118 ᵐᵍ· 131) 22*. 28. 157. 238. 240. 476. 478. 517. 565. 579. 700. 892. al. plur. b e f ff g² i l r² vg. (pler.) Sy.ᵖᵉˢʰ· ʰˡ· Cop.ˢᵃ· ᵇᵒ· (ᵉᵈ·) Geo.¹ Aeth. Arm., item Aug.ᶜᵒⁿˢ· ². 61 et Epp. Hieron.: + εις μετανοιαν CΓ Ϡ (exc. K) 118 ᵐᵍ·. 131. 22³. fam.¹³. 543. 33. 1071. al. plur. a c g¹ r¹ vg. (1 MS) Sy.ʰⁱᵉʳ· Cop.ᵇᵒ· (ᵃˡⁱ⸴·) Geo.².

18. και (om. i) ησαν : erant autem a ; = autem pro και et pon. post μαθηται Sy.ᵖᵉˢʰ· Aeth; pon. ησαν post φαρισ. 700, = post νηστευοντες Sy.ᵖᵉˢʰ· | ιωανου bis Β : ιωαννου Uncs. rell. Minusc. omn. | οι φαρισαιοι אABCDKMΘΠ fam.¹³ (exc. 346) 543. 157. 238. 253². 476. 478. 565. 579 al. b c e f ff q r² vg. (pler.) Sy.ᵖᵉˢʰ· (ᵉᵈ·) ʰˡ· ᵗˣᵗ· Cop.ˢᵃ· ᵇᵒ· (ᵃˡⁱ⸴·) Arm. Aug. ᶜᵒⁿˢ·: οι των (om. Φ 251*) φαρισαιων LΓΔΣΦ Ϡ (exc. KM) fam.¹ 22. 346. 28. 33. 700. 892. al. plur. a b g vg. (1 MS) Sy.ᵖᵉˢʰ· (ᵃˡⁱ⸴·) ʰˡ· ᵐᵍ· Cop.ᵇᵒ· (ᵃˡⁱ⸴·) Geo. Aeth. ; απο των φαρισαιων 1071 ; οι μαθηται των φαρισαιων W | και ερχονται : om. l251 ; et uenerunt

a e f l Sy.ᵖᵉˢʰ· Cop.ᵇᵒ· ; uenerunt autem Cop.ˢᵃ· ; et uenientes c ff δ | και λεγουσιν αυτω (τω ιυ̅ 700. l48 bis) et (om. c ff Cop.ᵇᵒ· ᵉᵈ·) dixerunt illi (uel ei) a c e f ff Cop.ᵇᵒ· (ᵉᵈ·) ; = dicentes Cop.ˢᵃ· ᵇᵒ· (3 MSS) | και οι μαθηται των φαρισαιων אBC*L 33. 565. 892. 1071. e Sy.ʰˡ· ᵐᵍ· Cop.ˢᵃ· ᵇᵒ· (ᵃˡⁱ⸴·) Aeth. : om. A ; και οι (om. WΔ) των φαρισ. C²DWΓΔΠΣΦ Ϡ fam.¹ 22. fam.¹³ 543. 28. 157. 579 al. pler., item et pharisaeorum c i f l q r² vg. Sy.ʰˡ· ᵗˣᵗ· Cop.ᵇᵒ· (ᵉᵈ·) Geo. ; και οι φαρισαιοι Θ 433. 474. a ff g² Cop.ᵇᵒ· (ᵖˡᵘʳ·) Arm. ; cf. > discipuli pharisaeorum et iohannis b | οι δε σοι μαθηται ACDE²LWΓΠΣΦ Ϡ (exc. E*) Minusc. pler. Cop.ᵇᵒ· (ᵉᵈ·): οι δε (= και οι Geo.² Aeth.) μαθηται σου אΕ*Θ 28. 255. 1071 al. Sy.ʰˡ· Cop.ᵇᵒ· (ᵃˡⁱ⸴·) Geo. Aeth., item tui autem (uero q) discipuli a b e f i l q r vg., discipuli autem tui c ; οι δε σου μαθ. Δ ; om. μαθηται Β 127. 565 ; om. οι δε . . . νηστευουσιν (per homoeotel.) 543 ff | νηστευουσιν sec. : νηστευσουσιν Θ

19. και : om. 255 Sy.ᵖᵉˢʰ· Cop.ˢᵃ· | ειπεν : λεγει 255 b c ff i q r vg. ; = respondit (Iesus) dixit Cop.ᵇᵒ· | ο Ιησους : om. DW 28. 349. 517. b i q r¹ | οι (om. Υ 471. l48) υιοι : οι νυμφιοι W | του νυμφωνος : nuptiarum b r² vg. ; sponsi a c e f ff g i l q | ο νυμφιος μετ (μετα 346) αυτων εστιν : > μετ αυτων εστιν ο νυμφιος 565. 700. 892. 1071 al. | οσον χρονον usque ad νηστευειν sec. : om. DUW fam.¹ (exc. 131) 33. 700. a b e ff g¹ i l r vg. (4 MSS) Sy.ᵖᵉˢʰ· (3 MSS) Geo.² ; hab. nihil nisi non Sy.ᵖᵉˢʰ· (pler.) | εχουσιν (εχωσιν 565) τον νυμφιον μετ αυτων (μεθ εαυτων L) אBCLΘ 28. 565. 892 Cop.ˢᵃ· ᵇᵒ· : > μεθ εαυτων (μετ αυτων 579 ; μεθ εαυτον sic⸴ 13. 69) εχουσι τον νυμφιον ΑΓΔΠΣΦ Ϡ (exc. U) 22. fam.¹³ (exc. 124) 543. 33. 157. 579. 1071 al. f g² q Sy.ʰˡ· Arm. ; > εχουσι μεθ εαυτων (μετ αυτων 124) τον νυμφιον 131. 124. c. vg. (pler.) ; = sponsus ille quidem cum iis erit Geo.¹ | ου δυνανται : om. ου errore 543.

20. ελευσονται δε ημεραι (praem. αι 251): ueniet dies (om. coniunc.) a l ; uenient dies (om. coniunc.) b g i | απαρθη : αρθη C fam.¹³ 543. 28. 64. | > ο νυμφιος μετ αυτων 892 | νηστευσουσιν (〜σωσιν Ε*Φ): νηστευουσιν D*FUΠ 1. 131. 12. 470. 472. | εν εκεινη τη ημερα אBCDKLWΔΘΠ*ΣΦ 1. 209. fam.¹³ (exc. 124) 543. 28. 33. 157. 238. 472. 488. 565. 579. 892. al. pler. ff i l q r vg. (plur. et WW) Sy.ᵖᵉˢʰ· ʰˡ· Aeth. Arm.: εν εκειναις ταις ημεραις ΓΠ²Ϡ (exc. K) 118. 131. 22. 124. 700 (iungit ad uers.

ἀγνάφου ἐπιράπτει ἐπὶ ἱμάτιον παλαιόν· εἰ δὲ μή, αἴρει τὸ πλήρωμα ἀπ᾽ αὐτοῦ τὸ
καινὸν τοῦ παλαιοῦ, καὶ χεῖρον σχίσμα γίνεται.   ²²καὶ οὐδεὶς βάλλει οἶνον νέον εἰς
ἀσκοὺς παλαιούς· εἰ δὲ μή, ῥήξει ὁ οἶνος τοὺς ἀσκούς, καὶ ὁ οἶνος ἀπόλλυται καὶ οἱ
ἀσκοί.   ἀλλὰ οἶνον νέον εἰς ἀσκοὺς καινούς.   ²³Καὶ ἐγένετο αὐτὸν ἐν τοῖς σάββασιν (κδ/β)

seq.) 1071 al. plur. *a b c f e g vg.* (aliq.) Cop.ˢᵃ· ᵇᵒ·
Geo.

21. ουδεις *sine add.* ℵABCKLSW∆ΘΦΩ fam.¹
fam.¹³ (*exc.* 124) 543. 33. 157. 237. 245. 349. 470.
472. 565. 579. 700. 892. 1071. *l*48. *l*49 al. plur. *b e
f i l q vg.* (plur. *et* WW) Sy.ᵖᵉˢʰ· ʰˡ· ᵗˣᵗ· Cop.ˢᵃ· Geo.
Arm. : *praem.* και EFHUVΓΠ 22. 124. 330. 517.
575 al. plur. Aeth. ; + δε DGMΣ 28. 86. 106. 472.
569. 697 *a c ff r* Sy.ʰˡ· ᵐᵍ· ; + γαρ 75** *g*² *vg.* (aliq.)
Cop.ᵇᵒ· | επιβλημα : επιβαλημα E* ; adsumentum
nouum *ff* (*sed. om.* αγναφου *post* ρακους) | ρακους
ℵBCEKLUVW∆ΦΩ fam.¹ 22. 28. 157. 565. 579.
700. 892. 1071 al. pler. : ρακκους fam.¹³ 543. 33.
252. 474. 475 al. pauc. | αγναφου (ακναφου 28) :
αγναφους EFGL∆, rudis *it.* (pler.) *vg.* (pler.) ; noui
b c vg. (1 MS) | επιραπτει ℵAB*CEFG
HLV∆ΘΠΣΦΩ 074. 0133. 1. 131. fam.¹³ 543. 157.
259. 565. 579. 2358. *l*48ᵇⁱˢ· *l*49. : επιρραπτει B²KM
UΓ 118. 209. 22. 28. 33. 700. 892. 1071 al. pler. ;
επισυνραπει D ; επισυναπτι *sic* W ; ραπτει 71* ; mittit
a, cf. Adamant. ; super comprehendit *l* ; adsuit *uel*
assuit *it. vg.* (pler.) ; insuit δ | επι ιματιον παλαιον
ℵBCDL 33. 571. 892, *item* in uestimentum uetus
l : επι (*om.* W. fam.¹³ 543. 472) ιματιω παλαιω AW
Γ∆ΘΠΣΦ 074 ♭ fam.¹ 22. fam.¹³ 543. 28. 157. 565.
579. 700. 1071 al. pler., *item* uestimento ueteri *it.*
(pler.) *vg.* ; uestimenti (uesti *vg.* 1 MS.) ueteri *r*² ;
επι ιματιω παλαιω 255, *cf.* Adamant. | ει δε μη
Uncs. pler. Minusc. pler. : ει δε μηγε ΚΥ∆ΘΠ*Σ
346. 11. 15. 28. 33. 42. 68. 565. 700 al. ; alioquin *it.*
(pler.) *vg.* ; sin autem *c l* ; ne *f* Syr.ˢ· ᵖᵉˢʰ· ; *om. e*
| αιρει (ερει DW) : αρει H ; *item* aufert *d i* Cop.ˢᵃ· ;
auferat *f* | το (*om.* ℵ)πληρωμα απ αυτου (αφ εαυτου
B) ℵBLYΣ 074 fam.¹ (*exc.* 118) 22. 157. 330. 472.
579. 892. 1278 : > απ αυτου το πληρωμα AKW∆Π*
346. 33. 248. 253. 473. 474, *item cf.* ab eo multitudi-
nem *l* Sy.ʰˡ· ; το πληρωμα αυτου CΓΘΠ²Φ♭ (*exc.* K)
565. 700. 1071 al. plur. Sy.ᵖᵉˢʰ· ; το πληρωμα *tant.*
D 72. *a b c e f ff i q r δ vg.* | το καινον (κοινον H) του
παλαιου (+ιματιου *l*184) : το καινον απο του παλαιου
DΘ fam.¹³ 543. 475. 517. 565. 700, *item* nouum a
ueteri (uetere *b vg.* 1 MS) *it.* (pler.) *vg.* Sy.ᵖᵉˢʰ· ʰˡ· ;
noua plagula *l* ; *om.* 255. | Cop. *et* Geo. *libere inter-
pretant* | και χειρον (χειρων D 346 ; χειρω 565 ;
πλειω W) σχισμα γινεται : *om.* L | peior *pro*

χειρον *a b d f q*, maior *c e ff i l r δ vg.* ; = peior
prioris Sy.ˢ·

22. βαλλει : επιβαλλει *l*48 | νεον *pr.* : *om.* 22
| παλαιους : + αλλ εις καινους W | ει δε μη (μηγε
CLM²ΘΣ 157. 579. *l*48 *bis*) : ne *f* Sy.ˢ· ᵖᵉˢʰ· ; alio-
quin *it. rell. vg.* | ρηξει ο οινος τους ασκους : δια-
ρησσονται οι ασκοι W, *item cf.* rumpentur utres *a*
| ρηξει ℵBCDLΘ 33. 565 al. *b i l r t δ* : ρησσει AΓ
(ρησει) ∆ΠΣΦ♭ 074 fam.¹ 22 fam.¹³ 543. 28. 157.
579. 700. 1071 al. pler. *c e ff q, cf.* dirumpat *f*
| ο οινος *pr. sine add.* ℵBC*DLΘ 13. 69. 543. 28.
258. 330. 471. 565. 571. 579. 700. 892 *c ff i l q r vg.*
Sy.ˢ· ᵖᵉˢʰ· Cop.ˢᵃ· ᵇᵒ· Geo.¹ Arm. : + ο νεος AC²Γ∆Π
ΣΦ 074 ♭ 1. 131. 22. 124. 346. 33. 157. 1071 al pler.
e f t Sy.ʰˡ· Geo.² Aeth. : + ο νεος οινος 118. 209. 346.
a b | ο οινος απολλυται (εκχειται L) και οι ασκοι
B(L) 892 Cop.ᵇᵒ· (ᵖˡᵉʳ·) : ο οινος εκχειται και οι ασκοι
απολουνται (απολυνται Θ ; απολλυνται W) ℵACWΓ
∆ΘΠΣΦ 074 ♭ fam.¹ 22. fam.¹³ 543. 28. 33. 157.
565. 700. 1071 al. pler. *e f l q r² vg.* (pler.) Sy.ˢ· ʰˡ·
Cop.ˢᵃ· Geo. Aeth. Arm. ; ο οινος και οι ασκοι απο-
λουνται D *a b e ff i r¹ t* ; αυτος εκχυθησεται και οι
ασκοι απολουνται 579 ; = et utres pereant et uinum
effundatur Sy.ᵖᵉˢʰ· | αλλα (αλλ H²ΜΥ∆Θ fam.¹
124. 28. 517. 565. 700) οινον νεον εις ασκους
καινους (νεους 237 *cf.* Adamant.) ℵ*B δ : *om.* D *a b
ff i r¹ t* ; + βαλλουσιν W *e f* Geo., *item post* αλλα
Sy.ˢ· ᵖᵉˢʰ· Cop.ˢᵃ· ᵇᵒ· ; + βλητεον ℵᵃACLYΓ∆ΘΠΣΦ
074 ♭ Minusc. omn., *item* + mitti debet *c l r²* ; + mit-
tendum est *q, item* Sy.ʰˡ· Aeth. Arm. ; *praeterea
add.* και αμφοτεροι συντηρουνται 118ᵐᵍ·, *l*36. *e f g*¹
r² vg. (aliq. *sed non* WW) *cf.* Adamant.

23. εγενετο : *praem.* παλιν Φ fam.¹³ 543 ; + παλιν
D *a ff i l q r t vg.* ; + εν τω 472 | αυτον *hoc loco*
(*post* εγενετο *uel* παλιν) ℵBDUW∆Θ fam.¹³ 543.
565. 700. 892. : *pon. post* παραπορ. (διαπορ. C) AC
LΓΠΣΦ♭ (*exc.* U) fam.¹ 22. 28. 33. 157. 575.
579. al. pler., *item,* iesus *g² r² vg.* (aliq.) Sy.ᵖᵉˢʰ· ;
om. 238 | εν (*om.* CL∆Φ 0174 fam.¹ 470. 474.
488. 579. 1071 al.) τοις σαββασιν *hoc loco* (*ante*
διαπορ. *uel* παραπορ.) ℵBCDLW∆Θ 33. 565. 700.
892. *it. vg.* Sy.ˢ·Cop.ˢᵃ· Aeth. Arm. : *pon. post*
παραπορ. αυτον (*uel* αυτον παραπορ.) AΓΣΦ 074 ♭
(*exc.* K) fam.¹ 22. fam.¹³ 543. 28. 157. 579 al. pler.
Sy.ᵖᵉˢʰ· ʰˡ· ʰⁱᵉʳ· Cop.ᵇᵒ· ; *pon. post* δια των σποριμων

21. Adamant. (Berlin Corp. 90. 8). παλιν γαρ λεγει ο Σωτηρ· ουδεις επιβαλλει επιβλημα ρακους αγναφου
ιματιω παλαιω. *cf.* Luc. v. 36.

22. Adamant. λεγει γαρ παλιν ο Σωτηρ· βαλλουσιν οινον νεον εις ασκους νεους και αμφοτεροι συντηρουν-
ται. *cf.* Luc. v. 38.

διαπορεύεσθαι διὰ τῶν σπορίμων, καὶ οἱ μαθηταὶ αὐτοῦ ἤρξαντο ὁδὸν ποιεῖν τίλλοντες
τοὺς στάχυας. ²⁴ καὶ οἱ Φαρισαῖοι ἔλεγον αὐτῷ ἴδε τί ποιοῦσιν τοῖς σάββασιν ὃ οὐκ
ἔξεστιν; ²⁵ καὶ λέγει αὐτοῖς Οὐδέποτε ἀνέγνωτε τί ἐποίησεν Δαυεὶδ ὅτε χρείαν ἔσχεν
καὶ ἐπείνασεν αὐτὸς καὶ οἱ μετ' αὐτοῦ; ²⁶ πῶς εἰσῆλθεν εἰς τὸν οἶκον τοῦ θεοῦ ἐπὶ
(κε/β) Ἀβιάθαρ ἀρχιερέως καὶ τοὺς ἄρτους τῆς προθέσεως ἔφαγεν, οὓς οὐκ ἔξεστιν φαγεῖν εἰ
μὴ τοὺς ἱερεῖς, καὶ ἔδωκεν καὶ τοῖς σὺν αὐτῷ οὖσιν; ²⁷ καὶ ἔλεγεν αὐτοῖς Τὸ σάββατον

ΚΠ 253. 265. Geo. | διαπορευεσθαι BCD, item
transire uel transiret ce ff r¹ : πορεύεσθαι W, item
ambulare uel ambularet a b f i t r² δ vg. ; παραπο-
ρευεσθαι Uncs. rell. Minusc. omn. (exc. παραπορευο-
μενον 565) | σποριμων: εσπαρμενων W, item sata
c d f i l t r δ vg., sed segetem a e ff, segetes b q
| και οι μαθηται (οι δε μαθ. 565. c e ff g²) αυτου (om.
D 435. t) ηρξαντο אBCDLWΘ fam.¹³ 543. 28. 33.
565. 700. 892. 1071 it. (pler.) vg. : > και ηρξαντο οι
μαθηται αυτου ΑΓΔΠΣΦ 074 ⊃ fam.¹ 22. 157. 579.
al. pler. r² | οδον ποιειν (∼ην L) τιλλοντες
(τιλοντες Θ) אACLΓΔΘΠΣΦ 074 ⊃ (exc. GH) 118.
131. 22. 28. 33. 157. 579. 700. 1071 al. pler. , οδο-
ποιειν τιλλοντες BGH 1. 209. 565*. 892. , οδοιπο-
ρουντες τιλλοντες fam.¹³ 543. 565**a ; τιλλειν tant.
DW l26. b c e ff g¹ i t ; iterfacientes uellere a q ;
praegredi (prog. g²) et uellere g² l vg. (pler.) ; nil
nisi uellentes δ | ηρξαντο usque ad τιλλοντες : =
edebant discipuli eius Sy.ˢ· | τους σταχυας : om.
τους L 892 ; +et manducare c e ff ; +et edere a,
item Arm. ; +et manibus confricantes manduca-
bant g², cf. Luc. vi. 1

24. και οι : οι δε DWΘ l53 it. vg. Cop.ˢᵃ· Geo.
| ελεγον : dicebat sic ff r² | αυτω : om. D e i t ;
eis ff | ιδε : ειδε WΣ | τι : om. g² | ποιουσιν
sine add. Uncs. pler. Minusc. pler. e q r² vg. (pler.)
Sy.ᵖᵉˢʰ· ʰˡ· Cop.ˢᵃ· ᵇᵒ· Geo.¹ : +οι μαθηται σου DMΘ
ΣΦ fam.¹ fam.¹³ 543. 28. 61. 472. 565. 700. 1071
(om. σου) a b c f ff g² i r¹ t vg. (1 MS) Sy.ˢ· ʰⁱᵉʳ·
Geo.² Aeth. Arm. (pon. post ecce g², post sabbatis
c ff i) | τοις σαββασιν (pon. post εξεστιν A 28,
ante τι Δ) אABCDKMWΔΘΠΣΦ 074 fam.¹ fam.¹³
543. 157. 238. 349. 472. 565. 579. 700. 892. :
praem. εν EGHLSUVΓΩ 22. 28. 33. 1071 al pler.
| εξεστιν : +αυτοις D a c ff g¹ i l r¹ ; non dicebant
eis b ; +ποιειν 61. 238. Cop.ˢᵃ· ⁽¹ ᴹˢ⁾ ᵇᵒ· ; +εις facere
vg. (1 MS).

25. και : om. Θ vg. (1 MS) Sy.ˢ· ᵖᵉˢʰ· Cop.ˢᵃ· ᵇᵒ· ⁽ᵃˡⁱᵠ·⁾
| λεγει אCLW fam.¹³ (exc. 346) 543. 28. 33. 700.
892. 1071 (praem. αυτος) b d f i l q r t δ vg. Sy.ˢ· ᵖᵉˢʰ·
Aeth. Arm. ; αυτος (om. B 565) ελεγεν ΑΒΓΔΠΣΦ
074 ⊃ fam.¹ 22. 346. 565. 579 al. pler. Sy.ʰˡ·
Cop.ᵇᵒ· ; αποκριθεις ειπεν DΘ a ; ipse (ille e ; om. ff)
dixit c e ff, item Sy.ʰⁱᵉʳ· Cop.ˢᵃ· Geo. | αυτοις : +
ο Ιησους 124. 700. r¹ vg. (1 MS) Sy.ᵖᵉˢʰ· Aeth. Arm.

| ουδεποτε : ουδε τουτο W, item nec hoc c e ff g¹ i
q t, non hoc b ; ουκ 255, item non f ; nunquam (uel
nunquid r) it. rell. et vg. | ανεγνωτε (∼ται 28):
+εν ταις γραφαις 28 | τι : o W* 700. item quod
e g¹ q l r¹ t | δανειδ BDW, δαυιδ 565, δαδ אCLΓΔ
ΘΣΦ 074 ⊃ Minusc. mu., δαβιδ Minusc. pler. cf.
Matt. i. 1 | οτε χρειαν εσχεν και επεινασεν : om.
e ; om. και επεινασεν 255. 471. ; > quando esuriit
et quando necessitatem habuit g² | αυτος : om.
i q t Cop.ᵇᵒ· ⁽ᵉᵈ·⁾ Geo. ; praem. και 22. 517 | και οι
μετ αυτου : om. 255 ; +οντες D ; +ησαν Δ, item et
qui cum illo (eo f lδ vg. pler.) erant it. vg.

26. πως : om. BD r¹ t ; et a. | εισηλθεν, item intrauit
uel introiuit a b c e f ff g² i r² t vg. (aliq.), sed introiit
g¹ l r¹ vg. (pler. et WW) : εισελθων (et om. και seq.)
W | του θεου : om. του C* | επι αβιαθαρ αρχιε-
ρεως (praem. του ΑСΘΠΣΦ 074. 1. 131. 209. 22.
fam.¹³ 543. 28. 33. 565. 579. 700. 1071 al. plur. ;
του ιερεως Δ, item sacerdotem f) Uncs. pler. Minusc.
pler. : om. DW 271 a b e ff i r¹ t Sy.ˢ· | τους
αρτους της προθεσεως (προσθ. D) εφαγεν : > εφαγεν
τ. αρτ. της προθ. W b c ff i l r¹ ; = panem positum
manducauit Sy.ˢ· ; = panem mensae domini mand.
Sy.ᵖᵉˢʰ· ; = panes sacrificii (∼iorum Geo.ᴮ)
mand. Geo. ; = panem altarium mand. Aeth.
| τους (τοις sic L) ιερεις אB(L) 892 : τοις ιερευσιν
(αρχιερ. 28. 692) sine add. ACDWΓΘΠΣ 074 ⊃
fam.¹ 22. 28. 565. 700 al. pler. a ff i vg. (pler. et
WW) Sy.ˢ· ᵖᵉˢʰ· ʰˡ· Cop.ᵇᵒ· ⁽ᵃˡⁱᵠ·⁾ ; τοις ιερευσιν
(αρχιερ. Φ) μονοις Δ(Φ) 33. 106. 569. 579. l21. l22.
Cop.ˢᵃ· ᵇᵒ· ⁽ᵖˡᵘʳ·⁾ Aeth. Arm. ; μονοις τοις ιερευσιν
fam.¹³ 543. b c e f g² l q r t vg. (aliq.) Hieron. ; μονον
τοις ιερευσιν 485 ; τοις ιερευσι μονον 14. 1071 Geo.
| και εδωκεν και (om. D it. vg. Sy.ᵖᵉˢʰ· 1 MS. Aeth.)
τοις συν αυτω (μετ αυτου DW 472. 476. 565. 700 al.
pauc.) ουσιν (om. W 565. 700 ; = +ibi Cop.ᵇᵒ·) :
> pon. post εφαγεν (uel post προθεσεως W b c ff i)
DΘ 565. 700. a b c e ff g¹ i t ; et edit ipse et qui cum
eo erant l

27. και (om. Cop.ˢᵃ·) ελεγεν (λεγει 244. 517.
Cop.ᵇᵒ· Aeth. Arm. ; = dixit Sy.ᵖᵉˢʰ·) αυτοις (+οτι
28 Sy.ˢ· ᵖᵉˢʰ· ; praem. παλιν Cop.ˢᵃ·) : λεγω δε υμιν
DW (+οτι), item dico autem uobis a b c e ff g¹ i t
| το σαββατον pr. usque ad το σαββατον sec. : om.
D a c e ff i | τον ανθρωπον : homines g¹ | εγενετο:

---

26. Hieron. Epist. I. 519. 4.   quibus non licebat uesci nisi solis sacerdotibus.   Aug. Quaest. 109. 1
eadem hab.

διὰ τὸν ἄνθρωπον ἐγένετο καὶ οὐχ ὁ ἄνθρωπος διὰ τὸ σάββατον· ²⁸ ὥστε κύριός ἐστιν
ὁ υἱὸς τοῦ ἀνθρώπου καὶ τοῦ σαββάτου.

III

¹ Καὶ εἰσῆλθεν πάλιν εἰς συναγωγήν, καὶ ἦν ἐκεῖ ἄνθρωπος ἐξηραμμένην ἔχων τὴν
χεῖρα· ² Καὶ παρετήρουν αὐτὸν εἰ τοῖς σάββασιν θεραπεύσει αὐτόν, ἵνα κατηγορήσωσιν
αὐτοῦ. ³ καὶ λέγει τῷ ἀνθρώπῳ τῷ τὴν χεῖρα ἔχοντι ξηράν Ἔγειρε εἰς τὸ μέσον.
⁴ καὶ λέγει αὐτοῖς Ἔξεστιν τοῖς σάββασιν ἀγαθοποιῆσαι ἢ κακοποιῆσαι, ψυχὴν σῶσαι ἢ

εκτισθη W fam.¹ (exc. 118*) 700 Sy.ˢ·ᵖᵉˢʰ· Aeth.
| και ουχ ο ανθρ. δια το σαββατον ℵBC*LΔΘΣ 074.
33. l r² vg. (exc. 1 MS) Sy.ᵖᵉˢʰ·ʰˡ·* Cop.ˢᵃ·ᵇᵒ· Geo.
Aeth. Arm. : om. W Sy.ˢ· ; om. και AC³ΠΦ ⳃ
Minusc. rell. b f q vg. (1 MS).
28. om. tot. uers. Cop.ᵇᵒ·⁽¹ ᴹˢ*⁾ | ωστε Uncs.
omn. (exc. om. D) Minusc. omn., item itaque f q r²
vg. Sy.ˢ·ʰˡ· Cop.ˢᵃ·ᵇᵒ· Geo. : om. ff ; quoniam a c e i ;
= igitur (post dominus est) Sy.ᵖᵉˢʰ·, item = ουν
(post est) Sy.ʰⁱᵉʳ· | κυριος εστιν ο υιος του ανθρωπου
και του σαββατου Uncs. omn. Minusc. omn., item
b f q vg. Sy.ʰˡ· Geo. : dominus est filius hominis
et non etiam sabbati r² ; ≻ filius hominis dominus
et etiam ipsius (om. ff) sabbati a ff i ; ≻ filius
hominis etiam dominus est sabbati c l ; = dominus
est (= + igitur Sy.ᵖᵉˢʰ·) et (om. Sy.ˢ· ʰⁱᵉʳ· Cop.ᵇᵒ·) sabbati filius
hominis Sy.ˢ·ᵖᵉˢʰ·ʰⁱᵉʳ· Cop.ᵇᵒ· ; = filius hominis
est dominus etiam sabbati Cop.ˢᵃ· ; praeterea add.
ad fin. uers. et cum audissent qui ab eo erant,
exierunt detinere eum dicebant enim quia extitit
mente a.
1. εισηλθεν : εισελθοντος αυτου W, item cum in-
troisset b c e i ; introibit sic d vg. (2 MSS) | παλιν :
om. W c e i ; + iesus f Sy.ᵖᵉˢʰ· | εις συναγωγην
ℵB : εις την συναγ. ACDLWΓΔΠΣΦ 074 ⳃ Minusc.
omn. item in (om. l r²) synagogam it. (exc. a) vg.,
in synagoga a ; = + eorum Cop.ᵇᵒ· | και (om. i) ην
(= erat autem Cop.ˢᵃ·) εκει ανθρωπος (= uir quidam
Sy.ᵖᵉˢʰ·): ≻ και εκει ην ανθρ. A ; ερχεται ανθρωπος προς
αυτον W, cf. uenit ad illum homo b, accessit ad eum
homo c e | εξηραμμενην (εξηραμενην ΓΘ 470. 472.
480*. 565. l184. al. : ξηραν DW item aridam it. vg.)
εχων (ante ξηρ. W) την (om. 569) χειρα (χηρα 28) :
≻ εξηρ. την χειρ (sic) εχων Θ ; cf. aridam habens
manum d q δ, habens (qui habebat c e) manum ari-
dam (c) (e) f ff i l r² vg. (exc. 1 MS), habens ari-
dam manum a, manum aridam habens b, manum
habens aridam vg. (1 MS).
2. παρετηρουν ℵBC³LΓΠΦⳃ 22 fam.¹³ 543. 28.

33. 157. 892. 1071 al. pler. : παρετηρουντο AC*DW
ΔΘΣ 074 fam.¹ 10. 67. 238. 565. 579. 700. l253 ;
ετηρουν 63 ; γαρ ετηρουν 420* (in mg. γαρ παρετηρουν)
| ει τοις σαββ. θερ. αυτον : om. (homoeotel.?) Ω 157
| ει : om. M*Θ 346. 1241. l181* | τοις σαββασιν
ABLWΓΔΠΣΦ 074 ⳃ (exc. HMΩ) Minusc. pler. it.
vg. Geo.² : εν τοις σαββ. ℵCDHMΘ 346. l184 Sy.ʰˡ·
Cop.ˢᵃ·ᵇᵒ·, item sed pon. post θερ. αυτον Sy.ˢ·ᵖᵉˢʰ·
ʰⁱᵉʳ· ; = in Sabbatho Geo.¹ | θεραπευσει (∼ση Φ
l53) ABCDLΓΘΠΦ 074 ⳃ Minusc. pler. : θεραπευει
ℵWΔΣ 271 | αυτον sec. (pon. ante θεραπ. KΠ 72.
265. 473. 700) : om. DWΩ 1354. it. vg. Sy.ᵖᵉˢʰ·
(1 MS) Cop.ᵇᵒ· (2 MSS) | κατηγορησωσιν ℵABLW
ΓΔΘΠΦ 074 ⳃ (exc. Ω) Minusc. pler., item accu-
sarent it. vg. : κατηγορησουσι CDΣΩ 118. 28. 579.
| αυτου : αυτον D* ; αυτω 346.
3. και : om. Sy.ˢ· | λεγει : dixit a, item Cop.ˢᵃ·
ᵇᵒ· Geo. ; + Iesus f ff Geo.² | τω ανθρωπω : om.
61 ; + ο Ιησους fam.¹ 472 | τω την χειρα (χειραν B* ;
χηρα 28) εχοντι ξηραν (εξηραμμενην 124. 28) BL
(124) (28) 565. 892, item qui manum habebat aridam
a Sy.ʰˡ·ʰⁱᵉʳ· Cop.ˢᵃ·ᵇᵒ· (Geo.) : τω την ξηραν χειρα
εχοντι ℵC*ΔΘ ; τω εξηραμμενην (εξηραμενην Γ 237.
252. 259. l47 ; ξηραν 33) εχοντι (εχοντα EG) την χειρα
(χειραν 472) ACᶜᵒʳ·ΓΠΣΘ 074 ⳃ fam.¹ 22. fam.¹³
(exc. 124) 543. (33). 157. 579. 700. 1071 al. pler. ;
τω εχοντι την χειρα ξηραν (εξηραμενην D) (D) W,
item habenti (qui habebat b c) manum aridam it. (exc.
a) vg. cf. Aug. ; cf. = cuius arida manus (erat) Sy.
ˢ·ᵖᵉˢʰ· | εγειρε ℵABCDLWYΔΘΠΣ ⳃ (exc. U) 1
fam.¹³ 543. 28. 33. 157. 579. 700. 892. al. plur. :
εγειραι UΓΦ 118. 131. (209). 22. 1071. al. plur. ;
εγειρει 565 ; = exsta Geo.¹ ; + και στηθει D c Geo.²
Aeth. ; = + ueni Cop.ˢᵃ· | εις το μεσον Uncs.
(exc. DW) Minusc. omn. it. (exc. c l) vg. Cop.ˢᵃ· :
εν μεσω D, item in medio c l Cop.ᵇᵒ· ; εκ του
μεσου W.
4. και λεγει : και ειπεν D it. (exc. ff l) Sy.ʰˡ·
Cop.ˢᵃ·ᵇᵒ· Geo. (+ Iesus Geo.²) ; = dixit autem
etiam Sy.ˢ·ᵖᵉˢʰ· | αυτοις : προς αυτους D, item ad

---

3. Aug.ᶜᵒⁿˢ· qui manum habebat aridam.
4. Aug.ᶜᵒⁿˢ· licet sabbato bene facere an male animam saluam facere an perdere.
Vict.ᵃⁿᵗ· ωστε και τω ομματι αυτους επισπασασθαι ει εξεστιν εν σαββατω θεραπευειν, ψυχην σωσαι η
απολεσαι.

ἀποκτεῖναι; οἱ δὲ ἐσιώπων.　⁵ καὶ περιβλεψάμενος αὐτοὺς μετ᾽ ὀργῆς συνλυπούμενος
ἐπὶ τῇ πωρώσει τῆς καρδίας αὐτῶν, λέγει τῷ ἀνθρώπῳ Ἔκτεινον τὴν χεῖρά σου· καὶ
ἐξέτεινεν, καὶ ἀπεκατεστάθη ἡ χεὶρ αὐτοῦ.　⁶ Καὶ ἐξελθόντες οἱ Φαρισαῖοι εὐθὺς μετὰ
τῶν Ἡρῳδιανῶν συμβούλιον ἐδίδουν κατ᾽ αὐτοῦ ὅπως αὐτὸν ἀπολέσωσιν.　⁷ Καὶ ὁ
(κζ/α) Ἰησοῦς μετὰ τῶν μαθητῶν αὐτοῦ ἀνεχώρησεν πρὸς τὴν θάλασσαν· καὶ πολὺ πλῆθος
ἀπὸ τῆς Γαλιλαίας ἠκολούθησεν, καὶ ἀπὸ τῆς Ἰουδαίας.　⁸ καὶ ἀπὸ Ἱεροσολύμων καὶ

illos it. (exc. l δ ; + iesus ff) | εξεστιν (εξεστη Ω):
praem. τι E* (sed cor. E**) fam.¹ 22. 16. 115. 251.
271. 569. 700 Geo.¹; si licet g¹·²· vg. (4 MSS.)
| τοις σαββ. אBCLWΓΔΠΣΦ ⸆ (exc. E) fam.¹ 22.
33. 157. 579. 700. 892. 1071 al. pler. it. vg.: praem.
εν ADEΘ fam.¹³ 543. 28. 106. 115. 235. 251. 271.
565. l253 Cop.ˢᵃ· ᵇᵒ· Arm. Geo. | αγαθοποιησαι
ABCLΓΔΘΠΣΦ ⸆ Minusc. omn.: αγαθον ποιησαι
אW; τι αγαθον ποιησαι D, item aliquid benefacere
b g¹, bonum aliquid facere e | κακοποιησαι: ου W
cf. male tant. (pro malefacere) b c ff i Aug. | σωσαι:
+ μαλλον D 124. 28. | αποκτειναι אBCDΓΔ**ΠΣΦ⸆
fam.¹³ (exc. 124) 543. 157. 1071 al. pler.: απολεσαι
LWΔ*Θ fam.¹ 22. 124. 28. 237. 251. 349. 470. 487.
488. 517. 565. 579. 700. 892 al. plur. cf. perdere
it. vg. Aug. Vict. | εσιωπων: εσιωπησαν LΣΦ 892,
item tacuerunt a g¹ q.

5. και περιβλ. (= + iesus Sy.ᵖᵉˢʰ· 1 MS) : περιβλ.
δε W | αυτους: om. 697 | μετ οργης, item cum ira
e f g² l r² vg.: cum ira indignationis d, cum ira-
cundia a b, cum indignatione c ff g¹ i q r¹ | συνλυπ.
אB*CDΔΘΣ 579: συνλυπ. (συλληπ. 13) AB²ΓΠΦ ⸆
Minusc. pler.; συλυπ. L 565; om. W b c d; praem.
και 1606 r¹, cf. dolens a, tristis e, contristatus l q r δ
vg. (pler.) contristatus est f ff i vg. (2 MSS.) | επι
τη πωρωσει (πορρ. Γ; πορ. 13. 131. 565; πηρ. 17.
20) της καρδιας αυτων, cf. super (in f) caecitatem
cordis eorum a f l r² vg. (pler.), super (in b) caeci-
tate cordis eorum r¹ vg. (2 MSS. et WW): επι τη
νεκρωσει της καρδιας αυτων D, item Sy.ˢ·, cf. super
emortua illorum corda c ff (super illum et emortua
illorum corda i, super emortua corda illorum i, super
mortua corda r¹ | λεγει (ελεγεν L 565. 892*; ειπεν
579, item dixit c d f ff g¹ q vg. 1 MS.) τω ανθρωπω:
om. M (sed suppl. M* in marg.) | την χειρα σου
אACDGHKLPWΔΘΠ*ΣΩ Minusc. pler.: > σου
την χειρα 69. 346; σου την χειρα σου 13; om. σου
BEMSUVΓΠ²Φ 10. 12. 17. 36. 108. 122 al. pauc.
| απεκατεσταθη אABLPWΓΔΘΠ²Σ ⸆ fam.¹³ 543.
28. 33. 565. 579 al. plur.: αποκατεσταθη DΠ*Φ
fam.¹ 22. 700. 892. 1071 al. plur.; απεκατεστη C
(sed mutil.) | η χειρ αυτου (om. haec uerba 237.
238 Sy.ˢ·; + ευθεως D ff i r¹, praem. statim g¹·²) sine
add. אABC*DKPWΔΘ*ΠΣΦ fam.¹ (exc. 118². 131)
22*. 28*. 33. 253. 476. 478*. 481. 565. 579 al. e f

ff g¹ i l q r¹·² vg. Sy.ᵖᵉˢʰ· ʰˡ· Cop.ˢᵃ· ᵇᵒ· Geo. Aeth.
Arm.: + υγιης ως η αλλη C³LΓΘᵐᵍ· ⸆ (exc. K) 22ᵐᵍ·
ᵗᵉʳᵗ·ᵐᵃⁿ· 118². fam.¹³ (exc. 346) 543. 28 (in rub. litt.
sec. man.) 157. 70. 892. 1071 al. pler.; ως η αλλη
υγιης 1279; + ως η αλλη 131. 346. a b c Sy.ˢ· (= pon.
post απεκατεσταθη) hier.

6. και (om. r²) εξελθοντες (ελθοντες 131. 258;
exierunt a ff i r¹): εξελθ. δε DW, item exeuntes
(exierunt b q) autem b c f l q vg. Cop.ˢᵃ· | ευθυς
אBCΔ 33. 349. 517. 579 (ευθεως ΑΡΓΔΘΣΦ ⸆
Minusc. pler.): pon. ante εξελθ. Θ 565 a e r¹ Sy.ˢ·,
ante οι φαρ. f l vg. (pler.) Cop.ˢᵃ· ᵇᵒ· Arm., post
ηρωδιανων 106 Sy.ʰˡ·; om. DLW 12. 119. 157. 253.
258. 485. b c ff g¹ i q vg. (3 MSS.) Geo.² Aeth.
| συμβουλιον εδιδουν BL fam.¹³ 543. 28. 565. 700.
Cop.ᵇᵒ· (3 MSS·): συμβ. εποιησαν אCΔ*Θ 238. 476.
514. 892ᵐᵍ· (txt. delet.) l184. 1071 Cop.ᵇᵒ· (pler.); συμβ.
εποιουν ΑΡΓΠΣΦ ⸆ fam.¹ 22. 33. 157. 579 al. pler.,
item consilium faciebant (iniebant q) it. (pler.) vg.
Arm.; συνβ. εποιουντο W; συμβ. ποιουντες D, item
consilium facientes a; = συμβ. ελαβον Cop.ˢᵃ· Sy.
ᵖᵉˢʰ·; cf. = consuluerunt Sy.ˢ· Aeth., = cogitarunt
Geo. | κατ αυτου (aduersus iesum g¹·² vg. 3 MSS):
praem. το 697; om. 267. b c Sy.ˢ· Aeth. | οπως item
ut it. (pler.) vg.: quomodo (= πως) d l δ vg.;
= + nunc Arm. | απολεσωσιν: παραδωσουσι 472.

7. και (+ γνους 51. 234**. 659) ο Ιησους (+ γνους
1071. 1241): ο δε Ιησους DW it. (exc. l) Cop.ᵇᵒ·
(aliq.) Geo. | μετα των μαθητων αυτου ανεχωρ. אBC
DLΔΘ 1. 209. fam.¹³ 543. 28. 33. 565. 579. 892 a i
l r¹·² vg. Sy.ᵖᵉˢʰ· Cop.ᵇᵒ· Geo. Arm.: > ανεχωρ.
μετα τ. μαθ. αυτου ΑΡWΓΠΣΦ ⸆ 118. 131. 22. 157.
1071 al. pler. b c e f ff q Sy.ˢ· ʰˡ· Cop.ˢᵃ· Aeth. | προς
אABCLWΓΔΘΠΦ ⸆ (exc. H) 1. 118*. 22. 33. 157.
565. 700. 892. al. pler., item ad it. vg.: εις DHP
131. 209. 118². 238. 253. 256. 258. 485. 488. 579.
l184 al.; παρα fam.¹³ 543. 28. 349. 517. 1071 al.;
επι Σ | πολυ (πολοι 28; πολλοι 565) πληθος: πολυς
οχλος D 372 b c e f ff i r¹·² vg. (pler.), cum uidisset
turba magna a (et om. πληθος πολυ ακουσαντες uers.
8), multae turbae l, item = turbae multae Sy.ˢ·,
= populus multus Sy.ᵖᵉˢʰ· | απο της Γαλιλαιας: om.
569; + και απο Ιεροσολυμων 33 (et om. haec uerba
uers. 8) | ηκολουθησεν ABGK²LMPSΓΘΠΩ fam.¹
565. 579. 700. 892 al. plur. f δ vg. (pler.) Geo.²:

5. Aug. ᵈᵉ ᶜⁱᵘⁱᵗ· In euangelio ista referuntur quod super duritia (duritiam MSS al.) cordis iudaeorum
cum ira contristatus sit.

ἀπὸ τῆς Ἰδουμαίας καὶ πέραν τοῦ Ἰορδάνου καὶ περὶ Τύρον καὶ Σιδῶνα, πλῆθος πολύ, ἀκούοντες ὅσα ποιεῖ ἦλθαν πρὸς αὐτόν.   ⁹ καὶ εἶπεν τοῖς μαθηταῖς αὐτοῦ ἵνα πλοιάριον προσκαρτερῇ αὐτῷ διὰ τὸν ὄχλον ἵνα μὴ θλίβωσιν αὐτόν·   ¹⁰ πολλοὺς γὰρ ἐθεράπευσεν, ὥστε ἐπιπίπτειν αὐτῷ ἵνα αὐτοῦ ἅψωνται ὅσοι εἶχον μάστιγας.   ¹¹ καὶ τὰ πνεύματα τὰ ἀκάθαρτα, ὅταν αὐτὸν ἐθεώρουν, προσέπιπτον αὐτῷ καὶ ἔκραζον λέγοντα ὅτι Σὺ εἶ ὁ υἱὸς (κη/η) τοῦ θεοῦ.   ¹² καὶ πολλὰ ἐπετίμα αὐτοῖς ἵνα μὴ αὐτὸν φανερὸν ποιήσωσιν.   ¹³ καὶ (κθ/β)

ηκολουθησαν ℵCEFHK*UVΔΦΣ 22 fam.¹³ (exc. 124) 543. 33. 157 al. pler. l vg. (1 MS) Sy.ᵖᵉˢʰ· ʰˡ· Cop.ˢᵃ· ᵇᵒ· (aliq.); ηκολουθει 983. 1689; om. (et non hab. αυτω) DW. 124. 28. 788 it. (exc. f l) Sy.ˢ· Cop.ᵇᵒ· (ᵉᵈ·) Geo.¹ | ηκολουθ. sine add. ℵBCLΘ 565: +αυτω ΑΡΓΔ (αυτον)ΠΣΦ ⸃ Minusc. pler. | και (om. 69) απο (om. DW it. vg.) της Ιουδαιας: pon. ante ηκολουθ. ℵCΔ 238. 1071 f l vg.; om. hoc loco sed pon. pro απο της Ιδουμαιας uers. 8 Θ fam.¹; απο της Ιδουμαιας (hoc loco et απο της Ιουδαιας uers. 8) 579; om. απο της 28. Cop.ˢᵃ· ᵇᵒ· (ᵉᵈ·); om. 235. 271.

8. απο pr.: om. Cop.ˢᵃ· ᵇᵒ· Arm. | και (om. vg. aliq.) απο (om. D 237. 252. 259. 470. 700 c vg. 1 MS Cop.ᵇᵒ·) της Ιδουμαιας: om. ℵ* (suppl. ℵᶜ ᵐᵍ·) W 258. 472. c Sy.ˢ· Geo.² Arm.; Ιουδαιας hoc loco pro Ιδουμ. (sed om. Ιουδαιας in uers. 7.) Θ fam.¹ 579 | και (+οι D f) περαν του Ιορδανου: pon. ante απο Ιεροσ. 330; +και οι περαν του Ιορδανου 480* | και (om. ℵ*) περι ℵᵉᵗ ᶜBCLWΔ 892 b c d e f ff i q r¹ (de circa pro περι c e ff): = et ex Sy.ˢ· ᵖᵉˢʰ· Aeth.; και οι περι ΑΔΡΓΘΠΣΦ ⸃ Minusc. rell. a l r² Sy.ʰˡ· | και Σιδωνα (Σιδονα W. 118. 131. 13. 69. 543): και οι περι Σιδωνα D; a Sidone b, circa Sidonem d | πληθος πολυ (πολυς 13): multitudo magna it. (pler.) vg.; = turbae multae Sy.ᵖᵉˢʰ·; om. W a b c Sy.ˢ·; pon. ante απο τ. Ιδυμ. Cop.ˢᵃ·, ante περι Τυρον Cop.ᵇᵒ· | ακουοντες (praem. ηκολουθουν αυτω W b c; praem. ηκολουθησαν 349. 517); praem. qui uenerant e) ℵBΔW fam.¹ fam.¹³ 543. 565. 892, item audientes it. (exc. a cf. uers. 7) vg.: ακουσαντες AC DLΡΓΘΠΣΦ ⸃ 22. 28. 33. 157. 579. 700. 1071 al. pler. | οσα: a CD 28. l253, item quae a ff i l r¹· ²· vg. Cop.ˢᵃ· ᵇᵒ·; = omnia quae Sy.ˢ· ᵖᵉˢʰ· (=quicquid) Aeth. | ποιει BL 892 Sy.ˢ· Cop.ˢᵃ· ᵇᵒ· (3 MSS): εποιει ℵACDPWΓΘΠΣΦ ⸃ Minusc. pler. (+o Ιησους 28. 1071) it. vg. Cop.ᵇᵒ· (ᵉᵈ·) Sy.ᵖᵉˢʰ· ʰˡ· Arm.; εποιησεν 238. 488 Aeth. | ηλθαν D (ηλθεν U; ηλθον Uncs. rell. Minusc. omn.) προς αυτον: om. W. b c; ut uiderent eum e, sed cf. uerba ante audientes b c e, uid. supra.

9. και (tum c) ειπεν (+Iesus c ff vg. aliq.): και ειπον F 471. 474 | τοις μαθηταις: προς τους μαθητας 700 | πλοιαριον (+ἐν 346; praem. τι l184) Uncs. (pler.) Minusc. omn. it. (pler.) vg. (al. et WW) Sy.ˢ· ᵖᵉˢʰ· ʰˡ· Cop.ᵇᵒ· Geo. Arm.: in nauicula a d vg. (aliq.), nauiculam ff; πλοιαρια B Cop.ˢᵃ· | προσκαρτερη (⸉ρει F fam.¹³ 543. 251. 565. 579. l48; ⸉ροι 28), item deseruiret it. (exc. ff i) vg. (aliq. et WW): deseruirent i vg. (aliq.); prouiderent ff; = admouerent Sy.ˢ· ᵖᵉˢʰ· Cop.ˢᵃ·; = exspectare

facerent Geo.¹, = praepararent Geo.² | αυτον: +πολλοι D, item +multi a i, +multitudo ff; +οι οχλοι fam.¹³ 543. 28.

10. εθεραπευσεν (εθεραπεραπευσεν sic C), item sanauit d ff vg. (2 MSS) Sy.ʰˡ· Cop.ˢᵃ· ᵇᵒ· (aliq.) Geo.¹: εθεραπενεν KWΠ 474. 489, item curabat a b e q, sanabat c f i l r² vg. (pler. et WW), item Sy.ˢ· ᵖᵉˢʰ· Cop.ᵇᵒ· (ᵉᵈ·) Geo.² | επιπιπτειν: επιπιπτον W | αυτω: εν αυτω D, item in eum it. vg.; αυτον 157 | ωστε επιπ. αυτω: = et multi compressi sunt Sy.ˢ· | αυτου: αυτω FW² (ˢᵘᵖ· ˡⁱⁿ·) fam.¹³ (exc. 346 αυτοι sic) 543; τουτου 476 | αψωνται (αψονται ΗΣ 346. 349. 565*): απτωνται KUΘΠ 249. 253 | οσοι ειχον μαστιγας (ασθενιας Θ), item it. (pler.) vg. (pler.) (punct. post μαστιγας ℵ, spat. rel. DGLWΣΦ, sed sine punct. pler. MSS): και οσοι κτλ. A f Sy.ˢ· ᵖᵉˢʰ·; quotquot autem etc. vg. (aliq.). quotquot enim vg. (1 MS), et hi omnes coniungunt haec uerba cum uers. 11, item cf. quicumque habebant uerbera et spiritos immundos a, quodquod haberent plagas habentes sed et spiritos immundos e.

11. και τα πνευμ. (+δε 700) τα ακαθ.: om. τα bis DΘ fam.¹³ (exc. 346) 543. 28. 238; om. τα ante ακαθ. 579; τα πνευμ. δε τα ακαθ. W | οταν (+ουν D) αυτον εθεωρουν: om. Sy.ˢ· | εθεωρουν ℵBCD GLΔΘΣ fam.¹³ 543. 28. 33. 238. 349. 517. 565. 579. 892. 1071. l48. l49 al. pauc., item uidebant c r¹· ²· vg., uiderent a b e f ff q, uiderant i: εθεωρει (⸜η FHΩ 253²) ΑΡΓΠΦ⸃ (exc. G) fam.¹ 22. 157. 330. 575. 700. al. pler.; ιδον W | προσεπιπτον (⸜αν B) ℵABCDFGKLMPWΓΔΘΠΣΦ fam.¹³ 543. 28. 33. 349. 517. 565. 579. 892. 1071. al. plur.: προσεπιπτεν EHSUVΩ fam.¹ 22. 157. 700 al. plur. | αυτω: αυτον Γ; om. Sy.ᵖᵉˢʰ· | εκραζον ℵABCD FGKLPWΓΔΘΠΣΩ fam.¹ (exc. 131) fam.¹³ 543. 28. 33. 565. 579. 892. 1071 al. plur.: εκραζε EHMSU VΦ 131. 22. 157. 330. 575. 700 al. plur.; ανεκραξε 252; εκραυγαζον 10. 71. 248; κραζοντα και 237. 259 | λεγοντα: λεγοντες ℵDKW 69. 28. 61. l48. l260 | οτι: om. DW it. (exc. f q t) vg. (exc. 1 MS) Sy.ˢ· ᵖᵉˢʰ· Cop.ˢᵃ· ᵇᵒ· Geo.² Aeth. Arm. | συ ει: hic est b | ο (+θεος 69) υιος: praem. ο χριστος CMPΦ 16. 121. 349. 517. Sy.ʰˡ*· Cop.ˢᵃ· (aliq.) bo. (1 MS)

12. Tot. uers.: και επιτιμων ουκ εια αυτα λαλειν οτι ηδεισαν αυτον Χριστον ειναι 565** | επετιμησεν 349. 517 | πολλα (pon. post αυτοις 349. 517*): om. W b c e ff g¹ i q r¹ t | αυτοις: +o Ιησους 1071 | ινα:

ἀναβαίνει εἰς τὸ ὄρος καὶ προσκαλεῖται οὓς ἤθελεν αὐτός, καὶ ἀπῆλθον πρὸς αὐτόν.
¹⁴ καὶ ἐποίησεν δώδεκα, οὓς καὶ ἀποστόλους ὠνόμασεν, ἵνα ὦσιν μετ' αὐτοῦ καὶ ἵνα
(λ/β) ἀποστέλλῃ αὐτοὺς κηρύσσειν   ¹⁵ καὶ ἔχειν ἐξουσίαν ἐκβάλλειν τὰ δαιμόνια·   ¹⁶ καὶ
ἐποίησεν τοὺς δώδεκα καὶ ἐπέθηκεν ὄνομα τῷ Σίμωνι Πέτρον,   ¹⁷ καὶ Ἰάκωβον τὸν τοῦ
Ζεβεδαίου καὶ Ἰωάνην τὸν ἀδελφὸν τοῦ Ἰακώβου καὶ ἐπέθηκεν αὐτοῖς ὄνομα Βοανηργές,
ὅ ἐστιν υἱοὶ Βροντῆς,   ¹⁸ καὶ Ἀνδρέαν καὶ Φίλιππον καὶ Βαρθολομαῖον καὶ Μαθθαῖον

om. 229* | αυτον φανερον ποιησωσιν (ποιωσιν B²
DW fam.¹³ 543. 892) אBCDWΔΘ fam.¹ fam.¹³
543. 33. 565*. 892: > φανερ. αυτον ποιησωσιν
(ποιωσιν KLΠ* 42. 72. 579) ALPΓΠΣΦ⳨ 22. 28.
157. 349. 517. 579. 700 al. pler. Sy.ʰˡ· ; > φανερον
ποιησωσιν αυτον 238 Geo.¹ ; om. αυτον 71. 247
Geo.² ; praeterea + οτι ηδεισαν τον χριστον αυτον
ειναι (> αυτον χριστον ειναι 565** uid. supra) CΦ
565**, item + quoniam sciebant eum (+ Christum
esse a vg. 1 MS) a b g¹· ²· q t vg. (2 MSS), + scie-
bant enim eum ff.

13. και αναβαινει (ανεβαινει 13): και ανεβ P
fam.¹ l18. l19 Sy.ˢ· ᵖᵉˢʰ· ʰˡ· Cop.ˢᵃ· ᵇᵒ· Geo., item et
ascendit a d e ff vg. (1 MS) ; και αναβας W, item
et ascendens c f i r² vg. (pler.), ascendens autem
b q | και sec.: om. W b c f i q r² vg. | προσκαλει-
ται, item Sy.ʰˡ·: προσεκαλεσατο, W, item it. vg.
Sy.ˢ· ᵖᵉˢʰ· Cop.ˢᵃ· ᵇᵒ· Geo. | ηθελεν: ηθελησεν
fam.¹³ 543 ; = uult Cop.ˢᵃ· ᵇᵒ· (1 MS) | αυτος: om.
W c i Sy.ˢ· ᵖᵉˢʰ· ʰˡ· Cop.ˢᵃ· ᵇᵒ· Geo. | και tert.: οι
δε אC* ᵉᵗ ² Δ | απηλθον (απηλθεν A*L 124) Uncs.
pler. Minusc. pler. Sy.ˢ· Cop.ᵇᵒ· (ᵖˡᵉʳ·): ηλθον D 486
it. vg. Sy.ᵖᵉˢʰ· ʰˡ· Cop.ˢᵃ· Geo. | προς αυτον: οπισω
αυτου 700 | om. και απηλθ. προς αυτον 255 Cop.ᵇᵒ·
(2 MSS)

14. και: om. Cop.ˢᵃ· | εποιησεν: = elegit
Sy.ˢ· ᵖᵉˢʰ· Cop.ˢᵃ· et + ex eis Sy.ˢ· ᵖᵉˢʰ· (1 MS) Cop.ˢᵃ·;
= + eos Geo. | δωδεκα (pon. post ινα ωσιν a c d ff
i vg., post μετ αυτου Δ): ιβ μαθητας W | ους (om.
Φ) και αποστολους ωνομασεν (ονομ. 13. 346. 543. 28)
hoc loco post δωδεκα אBC*ᵘⁱᵈ· ΔΘ fam.¹³ 543. 28.
238. Sy.ʰˡ· ᵐᵍ· Cop.ˢᵃ· ᵇᵒ· Aeth., pon. post μετ αυτου
W Geo.¹, post αυτους Φ: om. AC²DLPΓΠΣ⳨ fam.¹
22. 33. 157. 565. 579. 700. 892. 1071 al. pler. it.
vg. Sy.ˢ· ᵖᵉˢʰ· ʰˡ· ᵗˣᵗ· Geo.² Arm. | ινα ωσιν μετ
αυτου και: om. 485 | μετ αυτου: περι αυτον 28.
700 | και tert.: om W ff | ινα sec.: om. B l48
| αποστελλη Uncs. pler. Minusc. pler.: αποστελ-
λει ΕΗUΓΘΩ 13. 346. 28. 248. 251. 349. 433.
488. 565. l48; αποστελει Φ 131. 700; αποστελη
D*F | κηρυσσειν (praem. του Φ): + το ευαγγελιον
DW it. (exc. a l) vg. (plur. sed non WW); + και
λεγειν 579

15. εχειν εξουσιαν (> εξους.εχειν 28. 700): εδωκεν
αυτοις εξουσιαν DW b c f ff i r¹· ²· vg. | εξουσιαν

sine add. אBC*LΔ 565. 892 Cop.ˢᵃ· ᵇᵒ· (ᵉᵈ·) Geo. :
+ θεραπευειν τας (om. Θ) νοσους και AC²DPWΓΘΠ
ΣΦ⳨ Minusc. pler. it. vg. Sy.ˢ· ᵖᵉˢʰ· ʰˡ· Cop.ᵇᵒ· (ᵃˡⁱᑫ·)
Aeth. Arm. ; + και θεραπευειν τας νοσους post δαι-
μονια 700 | Add. ad fin. uers. και περιαγοντας
κηρυσσιν το ευαγγελιον W, item a c e g² vg. (5 MSS).

16. και εποιησεν τους δωδεκα אBC*Δ 565. 579 :
om. AC²DLPWΓΘΠΣΦ⳨ Minusc. rell. it. vg. Sy.ˢ·
ᵖᵉˢʰ· ʰˡ· Cop.ˢᵃ· ᵇᵒ· Geo. Aeth. Arm. | και επεθηκεν:
praem. πρωτον σιμωνα fam.¹³ 543 Cop.ˢᵃ· | ονομα
τω (om. W) σιμωνι אBCLWΔ 7. 565. 1071. l36.
l49. l184 c e ff Cop.ˢᵃ· ᵇᵒ· Geo. Arm. : > τω (om.
D) σιμωνι ονομα ADPΓΠΣΦ⳨ fam.¹ 22. fam.¹³ 543.
28. 579. 700 al. pler. a b f i l q r² vg. Sy.ᵖᵉˢʰ· ʰˡ· ;
om. ονομα 157. Aeth. ; ονοματα (αυτοις ονοματα
33. 238 r¹) τω σιμωνι (+ ονομα 238 r¹) Θ 33. 892 r¹
| πετρον : πετρος Δ, item petrus c d f i l r¹ vg. (pler.
et WW) Cop.ˢᵃ· ᵇᵒ·.

17. και Ιακωβον usque ad του Ιακωβου: om. hoc
loco (sed cf. uers. 18) W e | και Ιακωβ. τον : και τον
ιακωβ. D | του Ζεβ.: om. του 471 | και Ιωανην
(ΒΩ, sed Ιωανν. Uncs. rell. Minusc. omn.) τον : και
τον ιωανν. τον D | του Ιακωβου אBDEHLMPUVΓ
ΠΦ 22. 33. 157. 565 al. pler. : om. του CKSΔΩ
fam.¹ fam.¹³ (exc. 69) 543. 71. 238. 569. 700. 892.
1071 al. pauc. ; αυτου του Ιακωβ. 242. 472. 474 ;
αυτου Ιακωβ. AF 73. 242. 293. 330 ; αυτου GΘΣ 69.
16. 28. 59. 61. 67. 225. 235. 244. 271. 579. g¹· ²
| και (om. g¹ r¹) επεθηκεν (απεθ. 475. l48) αυτοις
(εαυτοις D) ονομα (BD 28. 225. 271 Sy.ᵖᵉˢʰ·, sed
ονοματα Uncs. rell. Minusc. rell. VSS pler.):
= appellauit eos Sy.ˢ ; κοινως δε αυτοις εκαλεσεν W,
item communiter autem uocauit eos (illos b) b e q
| βοανηργες אABCKLMΔ²ΘΠ*Σ fam.¹ (exc. 131)
fam.¹³ (exc. 124) 543. 33. 42. 50. 474. 517. 579.
892 Cop.ˢᵃ· ᵇᵒ·: βοανεργες (pon. ante επεθηκ. 301.)
EFGHSUVΓΠ²ΦΩ 131. 22. 124. 28. 157. 1071 al.
pler., item boanerges it. (pler.) vg. (pler.) Iust. ;
βοαναργες Δ* l vg. (1 MS); βοανανηργε W ; βανη-
ρεγες 565. 700 (⁓γες), cf. = banerges Geo. ; = běnai
rěgesh Sy.ˢ· ᵖᵉˢʰ· ʰˡ· | ο εστιν υιοι βροντης (> βροντ.
υιοι 579): om. Sy.ˢ·

18. βαρθολομαιος 69* | μαθθαιον B*DW (μαθθεος
W uid. postea): ματθαιον Uncs. rell. Minusc. omn. ;
+ τον τελωνην Θ fam.¹³ 543. 50. 61. 330. 565. 700.

---

17. Iust. ᴰⁱᵃ· ¹⁰⁵ μετα του και αλλους δυο αδελφους υιους ζεβεδαιου οντας μετωνομακεναι ονοματι του
βοανεργες ο εστιν κτλ.

καὶ Θωμᾶν καὶ Ἰάκωβον τὸν τοῦ Ἀλφαίου καὶ Θαδδαῖον καὶ Σίμωνα τὸν Καναναῖον
[19] καὶ Ἰούδαν Ἰσκαριώθ, ὃς καὶ παρέδωκεν αὐτόν. Καὶ ἔρχεται εἰς οἶκον· [20] καὶ (λα/ι)
συνέρχεται πάλιν ὁ ὄχλος, ὥστε μὴ δύνασθαι αὐτοὺς μηδὲ ἄρτον φαγεῖν. [21] καὶ ἀκού-
σαντες οἱ παρ' αὐτοῦ ἐξῆλθον κρατῆσαι αὐτόν, ἔλεγον γὰρ ὅτι ἐξέστη. [22] καὶ οἱ (λβ/β)
γραμματεῖς οἱ ἀπὸ Ἱεροσολύμων καταβάντες ἔλεγον ὅτι Βεεζεβοὺλ ἔχει, καὶ ὅτι ἐν τῷ
ἄρχοντι τῶν δαιμονίων ἐκβάλλει τὰ δαιμόνια. [23] καὶ προσκαλεσάμενος αὐτοὺς ἐν (λγ/β)
παραβολαῖς ἔλεγεν αὐτοῖς Πῶς δύναται Σατανᾶς Σατανᾶν ἐκβάλλειν; [24] καὶ ἐὰν

1071; add. iudas et ante Mattheus c e | καὶ ante
θωμ.: om. 700. c e | > θωμαν και ματθαιον 33
| Θαδδαιον (δαδδ. K; ταδδ Δ* sed cor. sup. lin.):
λεββαιοι D a b ff i q r¹; om. e | καναναιον אBCDL
ΔW (∾εος Wᵘⁱᵈ· cf. postea) 33. 565. 579, item cana-
neum uel chananeum uel ∾aeum it. vg. Sy.ˢ· ᵖᵉˢʰ·
Cop.ᵇᵒ· Geo. Aeth.: κανανιτην (∾νειτην A) ΑΓΘΠΣ
Φ5 fam.¹ 22. fam.¹³ 543. 28. 157. 700. 892. 1071
al. pler. Sy.ʰˡ· Cop.ˢᵃ· Arm.

Tot. uers. ησαν δε ουτοι σιμων και ανδρεας ιακωβος
και ιωαννης φιλιππος και μαρθολομεος και μαθθεος και
θωμας και ιακωβος ο του αλφαιου και σιμων ο κανα-
νεος W.

19. *Tot. uers.* και ιουδας ισκαριωτης ο και παραδους
αυτον και ερχεται εις οικον W. | ιουδαν: ιουδας DW,
item it. (exc. ioudam f r¹); ιουδα 482 q | ισκαριωθ
אBCLΔΘ 33. 565. 579. 892: σκαριωθ D, *item*
Scarioth it. vg. (pler. et WW) Sy.ˢ·; ισκαριωτην
ΑΓΠΣΦ5 fam.¹ 22. fam.¹³ 543. 28. 157. 1071 al.
pler. vg. (aliq.) Sy.ʰˡ· Cop.ˢᵃ· ᵇᵒ· Geo.² (Scariotam
Geo.¹); τον ισκαριωτην 700. | ος (ως sic L) και:
om. και M i q r¹ vg. (plur.) | παρεδωκεν αυτον:
εγενετο προδοτης 76 | και ερχεται (ερχεται ουν 255)
א*BWΓ, *item et uenit iterum b c,* = et uenit Cop.
ˢᵃ· ᵇᵒ·, = et uenerat Sy.ˢ·: και ερχονται AאᶜCLΔΘ
ΠΣΦ5 Minusc. pler. (+παλιν 157), *item et ue-
niunt q r² vg.* (exc. 1 MS), *et uenerunt f vg.* (1 MS)
Sy.ᵖᵉˢʰ· Geo.; και εισερχονται D, *cf. et introiuit e ff
i r¹* | οικον: τον οικον 565 | uillam q.

20. συνερχεται (ερχεται M) Uncs. pler. Minusc.
pler. it. (exc. e) vg. (pler.), *item = congregatus est*
Geo., = uenit ei Sy.ˢ·: συνερχονται ΘΠ* 131. 59.
106. 126. 229. 475. 488, *item vg.* (1 MS conueniunt
ad eum) Sy.ᵖᵉˢʰ· ʰˡ· Cop.ˢᵃ· ᵇᵒ· | παλιν: om. 349.
517. b e (uid. infra) | ο οχλος אᶜABDLᶜᵒʳ·ΔΘᶜᵒʳ·
209. 67. 252. 300. 472. 476. 565. 892. l48: οχλος
22 fam.¹³ 543. 28. 33. 157. 700. 579. 1071 al.
pler., cf. turba it. (exc. e) vg. (exc. 1 MS) Sy.ˢ· Cop.
ᵇᵒ· (ᵉᵈ·) Geo. Arm.; οχλος πολυς fam.¹ (exc. 209)
61; οχλοι 46. 52. 54. 106 vg. (1 MS) Sy.ᵖᵉˢʰ· ʰˡ·
Cop.ᵇᵒ· (1 MS) Aeth.; +ad iesum ff; om. Cop.ˢᵃ·
| inuenit turbas (pro συνερχ. παλιν ο οχλος) e
| ωστε: ως E*F (ος) | μη: μηκετι 7. l2. l12. l18. l19.

l184.l251 | δυνασθαι (δυνασθε 69*. 346. 892) αυτους
(αυτοις l48): δυνασ. αυτον Θ 1278; om. αυτον D,
cf. possent it. (pler.) vg. (exc. 1 MS possunt), pos-
set e b ff | μηδε ABKLUWYΔΠ* fam.¹³ (exc. 69)
543. 28. 33. 201. 248. 473. 565. 892. 1071. l184 al.
plur.: μητε אCDΓΘΠ²ΣΦ5 (exc. KU) fam.¹ 22.
69. 157. 579. 700 al. plur. | αρτον: αρτους D.

21. και ακουσαντες οι παρ (περι 16. 61. 330;
μετ' 125**⁾ αυτου: και οτε ηκουσαν (και ακουσαντες
W) περι αυτου οι γραμματεις και οι λοιποι D(W) cf.
et cum audissent de eo scribae et ceteri (pharisaei
c) c f ff g¹· ²· i q r¹, quod ut audierunt de illo
scribae et ceteri a b, et cum audissent de eo
exierunt detinere eum scribae et ceteri e | ελεγον:
ελεγαν W | οτι usque ad ελεγον uers. 22: om.
c e | εξεστη: εξεσταται Θ 13. 69. 543. l251;
εξεταται sic 565; εξιστατι 346; εξεσταται (εξεσται
D²) αυτους D, cf. exentiat (exsentiat b ff; excutiat
a) eos a b d ff i q, in furorem uersus est f l vg.
(+ et expauit 1 MS); εξεστι(ν) 17. 121. 225. 435.
472. l36. l48; εξηρτηνται αυτου W.

22. και (+οι αρχιερεις και 472) οι γραμματεις
(+και H. 12. 16. 75. 237. 259 al. a i) οι (om. 13.
28; quae ff) απο Ιεροσ. καταβ.: > και οι απο
Ιεροσ. καταβ. γραμματεις W | καταβαντες (κατα-
παντες 346*): καταβαινοντες 16. 61; καταβεβηκοτες
700 | οτι pr.: om. 61. 108. 122*. 237 vg. (1 MS);
+ insanit et g² vg. (1 MS) | βεεζεβουλ B: βεελζε-
βουλ Uncs. rell. Minusc. omn. Orig., *item* beelzebul
d f ff l q vg. (2 MSS), belzebul b e Aug. behelzebul
i, *item* Sy.ʰˡ· Cop.ˢᵃ· ᵇᵒ· Geo.¹, = berzebuli Geo.²:
beelzebub (∾bup g²) c vg. (pler. et WW) Sy.ˢ·
ᵖᵉˢʰ·; praeterea praem. εν l48. l49 vg. (1 MS) | και
οτι (om. 39. 225. 569. 700) εν τω αρχοντι: τον
αρχοντα W b c e ff i q | των δαιμονιων (δαιμονων
fam.¹³): + και δι αυτου W b c e ff i q | εκβαλλει:
eiecit vg. (2 MSS).

23. και: +αυτος 60. 75. 116. 245 | προσκαλε-
σαμενος αυτους (om. 435): om. Sy.ˢ·; +ο Ιησους
31. 565 Sy.ᵖᵉˢʰ· | εν παραβολαις (in parabolam d;
= per parabolam Geo.) ελεγεν (ειπεν Θ 33) αυτοις
(om. D): > ειπεν αυτοις εν παραβολαις W; +κυριος
Ιησους D a ff g¹· ²· i; +ο Ιησους UΘ 1071 b c | πως

22. Orig. ᶜᵉˡˢ· εν βεελζεβουλ αρχοντι των δαιμονιων
Aug. in belzebul eicit demonia.
23. Eugip. I. 1049.23· Non potest Satanas Satanan excludere.

βασιλεία ἐφ᾽ ἑαυτὴν μερισθῇ, οὐ δύναται σταθῆναι ἡ βασιλεία ἐκείνη· ²⁵ καὶ ἐὰν
οἰκία ἐφ᾽ ἑαυτὴν μερισθῇ, οὐ δυνήσεται ἡ οἰκία ἐκείνη στῆναι· ²⁶ καὶ εἰ ὁ Σατανᾶς
ἀνέστη ἐφ᾽ ἑαυτὸν καὶ ἐμερίσθη, οὐ δύναται στῆναι ἀλλὰ τέλος ἔχει. ²⁷ ἀλλ᾽ οὐ δύνα-
ται οὐδεὶς εἰς τὴν οἰκίαν τοῦ ἰσχυροῦ εἰσελθὼν τὰ σκεύη αὐτοῦ διαρπάσαι ἐὰν μὴ πρῶτον
(λδ/β) τὸν ἰσχυρὸν δήσῃ, καὶ τότε τὴν οἰκίαν αὐτοῦ διαρπάσει. ²⁸ Ἀμὴν λέγω ὑμῖν ὅτι

(ὡς 349) δυναται: = non potest Sy.ˢ· cf. Eugip.
σαταναν: praem. τον 892 | εκβαλλειν DΦ fam.¹³
543. 61. 157.* 255.

24. και: = enim (post βασιλ.) Sy.ᵖᵉˢʰ· | εαν:
αν L | βασιλεια (∽αν sic C 13): η βασιλεια 237.
245 | εφ εαυτην: εφ εαυτη 13; εφ εαυτης 157
| μερισθη: μερισθησα 258 (μερησθησα) 565 | δυνα-
ται σταθηναι (στηναι 228. 892) η βασιλεια εκεινη
(αυτη 157): δυνησεται η βασ. εκεινη στηναι 579;
σταθησεται η βασιλ. εκεινη 2; = poterit regnum
illud stare Cop.ˢᵃ·, = poterit stare regnum illud
(rex ille Geo.¹) Geo. ; δυναται σταθηναι η οικια
εκεινη et om. uers. 25. per homoiotel. 22. 69. 33.
238. etiam cf. poterit stare domus ille et om. uers.
25. g².

25. om. tot. uers. (cf. uers. 24) 22. 69. 33. 433.
1278* (add. in mg.) g² | uers. 25 post uers. 26
pon. 301 | και εαν: και αν 157 ; καν W ; pon. εαν
post εαυτην 235. 271 | εαυτην: εαυτη 13. 543. 61
| δυνησεται (δυνησηται 1071) אBCLΔ 579. 892 a g¹
il vg. (pler. et WW) Cop.ˢᵃ· Geo.¹: δυναται ADW
ΓΘΠΣΦ♭ Minusc. rell. it. rell. vg. (3 MSS) Sy.ˢ·
ᵖᵉˢʰ· ʰˡ· Cop.ᵇᵒ· Geo.² | η οικια εκεινη στηναι
(σταθηναι אCΔΘ 28 ; εσταναι D) אBCDLΔΘ 11.
28. 42. 60. 579. 892. 1071 it. (pler.) vg.: > στα-
θηναι (στηναι ΚΠ 75. 114. 300 al.) η οικια εκεινη
ΑΓΠΣΦ♭ fam.¹ fam.¹³ (om. 69) 543. 157. 565. 700.
1278ᵐᵍ· a b ; σταθηναι tant. W.

26. και: om. 238 | ει: εαν DW | ο Σατ.
ανεστη (εστη Γ ; om. W Sy.ˢ·) εφ εαυτον Uncs.
pler. Minusc. pler. (> εφ εαυτον ανεστη 16. 330) f l
vg. Sy.⁽ˢ·⁾ ᵖᵉˢʰ· ʰˡ· Cop.ˢᵃ· ᵇᵒ· Arm. : ο σατ. σαταναν
εκβαλλει D, item Satanas Satanan eiicit a b e g¹ i¹
q r¹, Sat. Satanan expellit c ff, = diabolus dia-
bolum eiicit Geo.¹ | και εμερισθη אᶜ (et retinet και
post εμερ.) BL 579. 892: > εμερισθη και א*C*ᵘⁱᵈ·Δ
f l vg. ; και μεμερισται ACΓΘΠΣΦ♭ Minusc. rell. ;

μεμερισται εφ εαυτον D a b g¹ l q r¹, sed cf. diuisum
est regnum illius (eius e) ce, diuiditur super regnum
eius ff | δυναται: poterit g¹· ² i l r¹ vg. (plur. sed
non WW), potuerit Geo.¹ | στηναι אBCLΘ 579.
892: σταθηναι ΑΓΔΠΣΦ♭ Minusc. rell. ; etiam
add. η βασιλεια αυτου DW a b g¹ i q r¹ | τελος: το
τελος D.

27. αλλ אBC*ᵘⁱᵈ· LΔ fam.¹ (exc. 118 om. sed
spat. relict.) fam.¹³ 543. 28. 33. 579. 700. 892. 1071
Sy.ʰˡ· ᵐᵍ· Cop.ᵇᵒ· Arm.: om. ΑDWΓΠΣΦ♭ (exc. G)
22. 157. 565. 1278 al. plur. b c e f g² i l q r¹ vg. Sy.ˢ·
ᵖᵉˢʰ· ʰˡ* | δε (post ουδεις) Θ 90. 483 a d ff Cop.ˢᵃ· ; και
C² ᵘⁱᵈ· G Aeth. | ου δυναται ουδεις אBC*Δ Cop.ᵇᵒ·:
ουδεις (+ δε Θ 90. 483 a d ff Cop.ˢᵃ·) δυναται ADLW
ΥΓΘΠΣΦ♭ Minusc. omn.ᵘⁱᵈ· it. vg. Sy.ˢ· ᵖᵉˢʰ· Aeth.
Arm. ; cf. = neque potest quis (om. Geo.²) Geo.
| εις την οικιαν του ισχυρου εισελθων (pon. ante εις
א, item Geo.¹ ; εισελθειν και 579) τα σκευη αυτου
διαρπ. אBCLΔΘ 33. (579.) 892. 1071 Sy.ˢ· ᵖᵉˢʰ·
Cop.ˢᵃ· ᵇᵒ· Geo. Aeth. : >τα σκευη του ισχυρου εισελ-
θων εις τ. οικ. αυτου (om. D a i l q r¹ vg.) διαρπασαι
(αρπασαι 13. 69. 543. l48. ; διαρπασας l184) ΑDΓΠ
ΣΦ 074 ♭ (exc. G) fam.¹ 22 fam.¹³ 543. 28. 157. 565.
700 al. pler., item cf. a f g² i l q r¹ vg. Sy.ʰˡ· Arm. ;
>τα σκευη τ. ισχ. διαρπ. εισελθων εις την οικειαν W
b c e ff ; τα σκευη του ισχ. διαρπασαι tant. G | εαν:
om. 124 | πρωτον: προτερον 9. 42. 108 cf. prius it.
vg. | δηση: δησει Θ 248 cf. alliget it. (pler.) vg.
(pler.), alligauerit (ligauerit c) b (c) f g² vg. (4 MSS)
| διαρπασει אBCHLMSΔΘΩ Minusc. pler.: διαρπα-
ση AEFGKUVWYΓΠΣΦ 074. 22. 28. 33. 700 al.
plur. ; διαρπαζει D | την οικιαν αυτου: = uasa
eius e Sy.ˢ·

28. αμην αμην 106. 579. c (Sy.ˢ·) | παντα αφεθη-
σεται (dimittuntur d g¹ Eugip.) τοις υιοις των ανθρω-
πων (τοις ανθρωποις Δ 118. 209) τα αμαρτηματα και
αι (om. 131) βλασφημιαι אABCDLMᶜᵒʳ· ΔΘΦ fam.¹

27. Eugip.ᴵ· ⁴⁶⁴· ¹⁰· Nemo potest introire in domum fortis et uasa eius eripere nisi primo alligauerit
fortem.

Hegemon. ᴬᶜᵗᵃ ᴬʳᶜʰ· Quis enim potest introire in domum fortis et diripere uasa eius nisi illo sit fortior.

Ambr. ᴱˣᵖ· ᴱᵘᵃⁿ· Nemo . . . potest uasa fortis diripere nisi prius adligauerit fortem.

Aug. ᴰᵉ ᶜⁱᵘⁱᵗ· ˣˣ· ⁷· Nemo potest introire in domum fortis et uasa eius eripere, nisi prius adligauerit
fortem.

28. Cyp. ᵀᵉʳᵗ· ᴵᴵᴵ· ²⁸· Secundum Marcum : Omnia peccata remittentur filiis hominum et blasphemiae.

Cyp. ᴱᵖⁱˢᵗ· ˣᵛᴵ· ²· Omnia peccata remittentur filiis hominum et blasphemiae.

Aug. ˢᵉʳᵐ· ⁷¹· Amen dico uobis quoniam omnia dimittentur filiis hominum peccata et blasphemiae
quibus blasphemauerint.

Eugip. ᴵ· ⁴¹⁹· ⁵· Amen dico uobis quoniam omnia dimittuntur filiis hominum peccata et blasphemiae
quae blasphemauerint.

Eugip. ᴵ· ⁴¹⁴· ¹⁸· Omnia dimmittentur filiis hominum peccata et blasphemiae quibus blasphemauerint.

πάντα ἀφεθήσεται τοῖς υἱοῖς τῶν ἀνθρώπων, τὰ ἁμαρτήματα καὶ αἱ βλασφημίαι ὅσα ἐὰν
βλασφημήσωσιν· ²⁹ ὃς δ᾽ ἂν βλασφημήσῃ εἰς τὸ πνεῦμα τὸ ἅγιον οὐκ ἔχει ἄφεσιν
εἰς τὸν αἰῶνα, ἀλλὰ ἔνοχός ἐστιν αἰωνίου ἁμαρτήματος. ³⁰ ὅτι ἔλεγον πνεῦμα ἀκάθαρ-
τον ἔχει. ³¹ Καὶ ἔρχονται ἡ μήτηρ αὐτοῦ καὶ οἱ ἀδελφοὶ αὐτοῦ καὶ ἔξω στήκοντες (λε/β)
ἀπέστειλαν πρὸς αὐτὸν καλοῦντες αὐτόν. ³² καὶ ἐκάθητο περὶ αὐτὸν ὄχλος, καὶ

124. 28. 33. 565. 892. 1071. *l*48. *l*49 al. *b g*¹·² *i l q*
vg. Cop.ᵇᵒ· Geo. Arm. Eugip. Aug.: παντα αφεθη-
σεται τα αμαρτ. (>τα αμαρτ. αφεθ. W *e* Cyp.ᵇⁱˢ) τοις
υιοις ανθρωπων (τοις ανθρωποις 122. 157. 235. 258.
472) και αι (*om.* 22 al. pler.) βλασφημιαι WΓΠΣ
074 ϡ (*exc.* FMᶜᵒʳ·) 22. fam.¹³ (*exc.* 124) 543. 157.
579. 700 al. pler. Sy.ʰˡ· Cyp.ᵇⁱˢ; *om.* τα αμαρτη-
ματα F *a* ; >*cf.* remittentur omnia peccata et blas-
phemiae filiis hominum *c ff*, omnia peccata remit-
tentur et blasphemiae filiis hominum *e*, omnia
dimittuntur peccata filiis hominum et blasphemiae
*r*¹, omne peccatum dimittitur filiis hominum et
blasphemiae *f*, = omnia peccata et blasphemiae
quibus blasphemabunt filii hominum remittentur
eis Sy.ᵖᵉˢʰ· (Cop.ˢᵃ·), = omnia peccata quibus blas-
phemant remittentur filiis hominum Sy.ˢ· | οσα
ℵBDGHWΔΘΠ* 074 fam.¹³ 543. 16. 262. *l*36 al. :
οσας ACEFKLMSUVΓΠ²ΣΦΩ fam.¹ 22. 28. 33.
157. 565. 700. 892. 1071 al. pler. | εαν BCFLΔΘ
Σ 074. 7. 33. 517. 565. 892. 1071. *l*36. *l*184 : αν
ℵADWΓΠϡ (*exc.* F) fam.¹ 22. 28. 157. 700 al.
pler. | βλασφημησουσιν L | οσα εαν βλασφ.: om.
W *a b c e ff g*¹ *i q r*¹ Cyp.ᵇⁱˢ

29. ος δ᾽ αν: ος αν δε τις D (si quis autem *d*) | βλα-
σφημηση (◡μιση 69². 346. 28 | βλασφηση *sic* 69*):
βλασφημησει H 13. 126 | εις, *item* in *d e f ff g*¹·² *l r*¹ *vg.*
(pler. *et* WW), = de Geo.ᴮ : *om.* DW *a b i q vg.* (1
MS) Cyp.ᵇⁱˢ | το πνευμα το αγιον : >το αγιον
πνευμα 28; spiritu sancto *c ff l* Geo.ᴮ | εις τον αιωνα :
om. DWΘ1. 209. 22. 28. 565. 700 *a b e ff g*¹ *q r*¹ Sy.ˢ·?
Cyp.ᵇⁱˢ | αλλα *usque ad* αμαρτ. : = *om.* Copˢᵃ· ᵇᵒ·
(1 MS); Sy.ˢ· *incert. est* | αλλα ℵADLWΔ : αλλ BCΓ
ΘΠΣΦ 074 ϡ Minusc. omn. | εστιν ABCWYΓΘΠΦ
074 ϡ Minusc. pler. *b* Sy.ᵖᵉˢʰ· ʰˡ· Cop.ᵇᵒ· Geo.² Cyp.
ˢᵉᵐᵉˡ: εσται ℵDLΔΣ 33. 433. 474. 892. *l*48 *it.* (*exc.*
b) *vg.* Sy.ˢ·ᵘⁱᵈ· Geo.¹ Aeth. Arm. Cyp.ˢᵉᵐᵉˡ Aug.
Eugip. | αμαρτηματος ℵBLΔΘ 28. 33. 565. 892*:

αμαρτιας C*ᵘⁱᵈ· DW fam.¹³ (*exc.* 124) 543, *item*
delicti *b c d ff l q vg.* (pler. *et* WW) Cop.ᵇᵒ· ⁽ᵉᵈ·⁾ Arm.
Aug. Eugip., peccati *a e* Geo.¹ Sy.ˢ· Cyp.ᵇⁱˢ; κρισεως
AC²ΥΓΠΣΦ 074 ϡ fam.¹ 22. 124. 157. 700. 892ᵐᵍ·
1071 al. pler. *f vg.* (*tol.*) Sy.ᵖᵉˢʰ· ʰˡ· Cop.ᵇᵒ· (1 MS)
Geo.² ; κριματος 517. 1424 ; κολασεως 16. 61. 184.

30. ελεγον (ελεγεν 482*) : + οτι Δ 28 Sy.ˢ· ᵖᵉˢʰ· ʰˡ·
Cop.ˢᵃ· ᵇᵒ· Geo.² Arm. | πνευ. ακαθ. εχει (εχη 488)
αυτον εχει C *cf.* = possidet ipsum Aeth.) Uncs.
pler. Minusc. pler. *f g*² *l vg.* Aug.: πνευ. ακαθ. εχειν
DW (+ αυτον ; *item* spiritum immundum habere
eum *d*), *cf.* illum immundum spiritum habere *a e*,
eum (illum *ff*; *om.* *c*) spiritum immundum habere
*b c ff g*¹ *q*, spiritum immundum eum habere *r*¹.

31. και ερχονται (+ ουν 346) BCLΔ fam.¹³ 543.
28. 517. 700. 1071, *item* et ueniunt *l vg.* (pler. *et*
WW) Aug., *cf.* et uenerunt *c f vg.* (1 MS) Sy.ᵖᵉˢʰ·
Cop.ˢᵃ· ᵇᵒ· Geo. Aeth. : ερχονται ουν ΑΓΠΣΦ 074 ϡ
(*exc.* G) 22. 33. 157 al. pler. Sy.ʰˡ·; και ερχεται
(εξερχεται 131) ℵDGWΘ fam.¹ 330. 565. 569. 892
*a b e ff g*¹ *q r*¹ *vg.* (1 MS); ερχεται ουν 115 | η μητηρ
αυτου (>αυτου η μητ. W; *om.* αυτου fam.¹ *exc.*
131) και οι αδελφοι αυτου (*om.* Θ 565 *a e l vg.* pler.
et WW Aug.) ℵBCDGLWΔΘ fam.¹ 7. 33. 349.
565. 892. 1071. *l*2. *l*36. *l*49. *l*184. *it. vg.* Sy.⁽ˢ·⁾ ᵖᵉˢʰ·
Cop.ˢᵃ· ᵇᵒ· Aeth. : >οι αδελφοι (+ αυτου AKMΠ 11.
15. 27. 238. 248. 253. 330. 472. *l*18. *l*19 al.) και η
μητηρ αυτου (*om.* 482) ΑΓΠΣΦ 074 ϡ (*exc.* G) fam.¹³
543. 28. 157. 700 al. pler. Sy.ʰˡ· Geo. Arm. | και
tert. : *om.* Sy.ᵖᵉˢʰ· Cop.ˢᵃ· | στηκοντες BC*Δ 28 :
σταντες ℵ ; εστωτες ADWΓΘΠΣΦ 074 ϡ (*exc.* G)
22. fam.¹³ (*exc.* 124) 543. 33. 157. 565. 1071 al.
pler. ; εστηκοτες C² ᵘᵉˡ ³ GL (>εστηκ. εξω) fam.¹
124. 700. 892 | απεστειλαν : = *praem.* et Sy.ᵖᵉˢʰ·
Cop.ᵇᵒ· Geo. Aeth. | καλουντες αυτον ℵBCLWΘ
fam.¹ fam.¹³ 543. 28. 700. 892: φωνουντες αυτον
(αυτω 7) DΓΠΣΦ 074 ϡ 22. 33. 157. 1071 al. pler. ;

Cyp. ᵀᵉˢᵗ· ᴵᴵᴵ· ²⁸· Secundum Marcum : Omnia peccata remittentur filiis hominum et blasphemiae, qui
autem blasphemauerit Spiritum Sanctum non habet remissionem, sed reus erit aeterni peccati.

Cyp. ᴱᵖ· ˣⱽᴵ· ²· *id. exc.* remissam *pro* remissionem.

Aug. ˢᵉʳᵐ· ⁷· Amen dico uobis quoniam omnia dimittentur filiis hominum peccata et blasphemiae quibus
blasphemauerint, qui autem blasphemauerit in spiritum sanctum non habet remissionem in aeternum sed
reus erit aeterni delicti.

Eugip. ᴵ· ⁴¹⁹· ⁵· Amen dico uobis quoniam omnia dimittuntur filiis hominum peccata et blasphemiae
quae blasphemauerint, qui autem blasphemauerit in spiritum sanctum non habebit remissionem in
aeternum sed reus erit aeterni delicti.

Eugip. ᴵ· ⁴¹⁴· ¹⁸· Omnia dimittentur filiis hominum et blasphemiae quibus blasphemauerint.

Aug. ˢᵉʳᵐ· ⁷· quoniam dicebant spiritum immundum habet.

31. Aug. ᶜᵒⁿˢ· et ueniunt . . . mater eius et fratres.

λέγουσιν αὐτῷ Ἰδοὺ ἡ μήτηρ σου καὶ οἱ ἀδελφοί σου ἔξω ζητοῦσίν σε.   [33] καὶ ἀπο-
κριθεὶς αὐτοῖς λέγει Τίς ἐστιν ἡ μήτηρ μου καὶ οἱ ἀδελφοί;   [34] καὶ περιβλεψάμενος
τοὺς περὶ αὐτὸν κύκλῳ καθημένους λέγει Ἴδε ἡ μήτηρ μου καὶ οἱ ἀδελφοί μου·   [35] ὃς
ἂν ποιήσῃ τὸ θέλημα τοῦ θεοῦ, οὗτος ἀδελφός μου καὶ ἀδελφὴ καὶ μήτηρ ἐστίν.

λαλουντες αυτον 565 ; ut euocaretur q, = ut uoca-
rent eum ad se Sy.pesh·; ζητουντες αυτον A ; om.
Δ (spat. relict.) a.

32. και εκαθ. usque ad οχλος : om. 483*. 484 ;
et turbae a | και (om. Geo. Sy.s·) εκαθητο : και εκα-
θητο (⌐εντο Θ) ΔΘ 565. l49. l184, item et sedebant
f ff l q r¹ vg. (1 MS) ; sedebant autem g², = sedebat
autem Sy.pesh· Cop.sa· ; et uenerunt e | περι (προς
א*, item ad b e) αυτον οχλος (οχλοι Θ 565 c e f ; turbae
multae ff g² ; +πολυς 349. 517. 1071) אABCKL
ΜWΔΘΠΣΦ 074 fam.¹ fam.¹³ 543. 28. 33.ˋ157.
238. 248. (349) 472. (517) 565. 700. 892. (1071) l184
al. it. vg. Sy.pesh. hl.) : >οχλος (πολυς οχλος 485) περι
αυτον EFGHSUVΓΩ 22. 1278 al. pler. Cop.sa· bo·
Geo. Aeth. Arm. ; προς τον οχλον D (non d) | και
λεγουσιν αυτω אBCDLWΔ fam.¹³ 543. 892. 1071
it. (exc. a c e) vg. Sy.hl· mg· Cop.bo· Aeth., cf. et dixe-
runt illi e, et pon. ante turbae) dixerunt ei a, item
= et dixerunt ei Sy.pesh· Geo. =et cum dicerent Sy.s·
Arm. : ειπον δε (om. 475 ; ουν 14) αυτω ΑΓΠΣΦ
074 ϟ fam.¹ 22. 33. 157 al. pler. ; ειποντων δε αυτων
Θ 28. 565. 700 | ιδου : om. 472. 569 | οι αδελφοι
σου sine add. אBCGKLWΔΘΠΣΦ 074 fam.¹ (exc.
124) fam.¹³ 543. 28. 33. 157. 565. 892. 1071 al.
pler. e l vg. Sy.s· pesh. hl.txt Cop.sa· bo· Geo. Aeth.
Arm. Hegem. Faust. : +και αι αδελφαι σου ΑΔΓϟ
(exc. GK) 22. 124. 238. 240. 241. 700. l184 al. pl.
a b c f ff q Sy.hl· mg· | εξω (om. Geo.¹) ζητουσιν σε :
εξω στηκουσιν ζητουντες σε W cf. foris stant quae-
rentes te (a) b f (>stant foris etc.), foris stantes
quaerunt te uidere b, cf. Faust., = extra stant et
exspectant te Geo.² Aeth. Arm.

33 και αποκριθεις (respondens Iesus vg. 3 MSS)
αυτοις λεγει (>λεγ. αυτοις C l vg. aliq.) אBCLΔ 61.
238. 892. 1071 Sy.hl· Cop.bo· : et respondens eis
dixit (= dicebat Sy.hl·) vg. (1 MS) Sy.hl· ; και (om.
Θ 565) απεκριθη αυτοις (+ο Ιησους Σ l48) λεγων AD
ΓΘΠΣΦ 074 ϟ 118. 22. 124. 157. 565 al. pler., item
f ; και (om. 1. 131. 209. 28. 700) απεκριθη και λεγει
fam.¹ (exc. 118) fam.¹³ (exc. 124) 543. 28. 700 Arm.,
cf. ad ille respondit et dixit b, ille autem respondens
dixit eis e, = et respondit et dixit eis Sy.pesh·
Aeth., = respondit (+Iesus Geo.²) eis et dixit
Geo., = respondit autem dicens eis Cop.sa· ; ος δε
απεκριθη και ειπεν αυτοις W, cf. qui respondens dixit
illis c ff q (r¹) ; και ειπεν αυτοις 33, cf. et respondit
illis a, = dicit eis Sy.s· | τις εστιν : τι εστιν 475.
700. l184 ; = ecce Cop.bo· | η (om. 13. 346. 700)

μητηρ μου : om. μου W 255 | και sec. אBCGLUV
WYΔΘΩ fam.¹ 543. 349. 517. 565. 892. 1071 al.
plur. a b g² l vg. Sy.pesh· Cop.sa.bo· : η ADEFHKM
SΓΠΣΦ 074. 22 fam.¹³ 28. 33. 157. 700. 1278. al.
plur. c e f ff q Sy.s· hl· Geo. Aeth. Arm. | οι (om.
D) αδελφοι sine add. BD Arm. : +μου Uncs. rell.
Minusc. omn.uid· VSS rell. ; qui sunt (om. ff)
fratres mei a c d e f ff vg. (al. sed non WW) Sy.pesh·
Cop.sa· Geo.A Hegem. Faust. ; αδελφη μου 700.

34. Uers. om. (per homoeotel. ?) 71. 235. 253.
271. 483*. 484. 488 g² | και pr. : om. B | τους
περι αυτον κυκλω καθ. אBCLΔ 892 Cop.bo· : >κυκλω
(om. 16. 61) τους (= + discipulos Cop.sa·) περι
αυτον (+μαθητας Θ Geo.) καθ. ΑΓ(Θ)ΠΣΦ 074 ϟ 22.
33. 157. 565 al. pler. Sy.hl· (Cop.sa·) (Geo.), cf.
= eos qui sedebant iuxta ipsum Sy.s· pesh. ; τους
(om. 131) κυκλω περι αυτον καθ. fam.¹ fam.¹³ 543.
28. 700 ; om. τους περι αυτον καθ. 255 ; τους κυκλω
καθ. tant. D cf. qui circa eum sedebant a, eos qui
circumsedebant e, eos (om. d q) qui in circuitu
eius (om. b) sedebant (b) d f ff g² l q vg. | λεγει
Uncs. pler. fam.¹ 22. 33. 157. 892. al. pler., item
ait b e f g² l q vg. Sy.hl· : ειπεν DGΘ fam.¹³ 543. 28.
565. 700 a c ff Cop.sa. bo·, = et dixit Sy.s· pesh.
Geo. (+illis Geo.B) | ιδε BCEFHLSUVΦΩ 074
(ειδε אWΘ) 22. 157. 892. 1278 al. plur. : ιδου AD
GKMYΔΠΣ fam.¹ fam.¹³ 543. 28. 565. 700 al.
plur., item ecce it. vg. Sy.s· pesh. hl. Cop.sa· bo· Geo.
Arm. | και sec. : = +ecce Sy.s· pesh· | οι αδελφοι
μου (om. 348. 1216) : +ουτοι εισιν 1071.

35. ος αν B, item quicumque e, qui b Cop.bo· (ed.) :
και ος αν W, item et qui a c ; ος γαρ αν (εαν 892.
1071) אACDLΔΘΠΣΦ 074 ϟ Minusc. omn., item qui
(= omnis qui Sy.s·) enim f ff g² l q vg. Sy.s· pesh. hl.
Cop.sa bo· (2 MSS) Geo. | ποιηση : ποιησει H 13. 346.
229. 248. 482 ; ποιη W 40. 237. 252. cf. fecerit it. vg.
| το θελημα : τα θεληματα B | ουτος (αυτος 256) : +και
235. 238. 271 | αδελφος μου : >μου αδελφος DW,
cf. mihi frater b, meus frater d ff (frater meus it. rell.
vg.) | αδελφη (η αδελ. 475*) sine add. אABDLW
ΔΘΣ fam.¹ fam.¹³ (exc. 124) 543. 28. 565. 700. 892.
1278 al. plur. c f ff g¹ q vg. (1 MS) Arm. : +μου
CΠΦ 074 ϟ 22. 124. 33. 157. 1071 al. plur., item
+mea a g² l vg. (exc. 1 MS) Sy.s· pesh. hl Cop.sa· bo·
Geo. Aeth. | μητηρ (η μητηρ 346) sine add. Uncs.
(exc. H*) Minusc. (pler.) it. (pler.) vg. Sy.hl· Arm. :
+μου H* 1071. 1278 al. plur. a l Sy.s· pesh· Cop.sa·
bo· Geo. Aeth. | εστιν : pon. est ante frater meus a.

---

32. Hegem. Acta Archel· Maria mater tua et fratres tui foris stant.
Faust. Rel· Ecce mater tua et fratres tui quaerunt te uolentes uidere te.
33. Hegem. Act· Archel· quae est mater mea aut qui sunt fratres mei.
Faust. Rel· id.

IV

¹ Καὶ πάλιν ἤρξατο διδάσκειν παρὰ τὴν θάλασσαν. καὶ συνάγεται πρὸς αὐτὸν ὄχλος (λϛ/β) πλεῖστος, ὥστε αὐτὸν εἰς πλοῖον ἐμβάντα καθῆσθαι ἐν τῇ θαλάσσῃ, καὶ πᾶς ὁ ὄχλος πρὸς τὴν θάλασσαν ἐπὶ τῆς γῆς ἦσαν. ² καὶ ἐδίδασκεν αὐτοὺς ἐν παραβολαῖς πολλά, καὶ ἔλεγεν αὐτοῖς ἐν τῇ διδαχῇ αὐτοῦ ³ Ἀκούετε. ἰδοὺ ἐξῆλθεν ὁ σπείρων σπεῖραι. ⁴ καὶ ἐγένετο ἐν τῷ σπείρειν ὃ μὲν ἔπεσεν παρὰ τὴν ὁδόν, καὶ ἦλθεν τὰ πετεινὰ καὶ

1. και (*om.* Sy.ˢ· Geo. Arm.) παλιν ηρξατο Uncs. pler. fam.¹ (*exc.* 209) 22. 33. 157. 892. 1071 al. pler. *f* (+ Iesus) *g*² *l vg.* Sy.ˢ· ʰˡ· Cop.ᵇᵒ· Geo. Arm. : >και (*om.* 209 Orig.ⁱⁿᵗ·) ηρξατο παλιν DW 209. 11. 270. 565. *l*251 (*a*) *b c e ff g*¹ *q* Cop.ˢᵃ· Aeth. Orig.ⁱⁿᵗ· ; παλιν δε ηρξατο fam.¹³ 543. 28. 700 Sy.ᵖᵉˢʰ· ; ηρξατο δε (*om.* παλιν) Σ | παρα : προς DW, *item* ad *it. vg.* ; επι 38. 435 | την *pr.* : *om. l*49 | συναγεται ℵBC LΔ fam.¹³ (*exc.* συναγαγεται 346) 543. 28. 700. 892 : συνηχθη DWΘΠΣΦ 074 ⸖ 118. 22. 33. 157. 1071 al. pler., *item* congregata (collecta *e*) est (= erat Sy.ˢ·) *it. vg.* Sy.ˢ· Cop.ˢᵃ· Geo. Orig.ⁱⁿᵗ· ; συνηχθησαν A 36². 51. 74. 89. 234. 235. 476. 565. *l*8. *l*10, *item* = congregatae sunt Sy.ᵖᵉˢʰ· ʰˡ· Cop.ᵇᵒ· Aeth. Arm. ; συνερχεται 1. 209 ; συνερχονται 131. | οχλος (= turbae Sy.ᵖᵉˢʰ·) : ο λαος D | πλειστος ℵBCLWΔ 892 : πολυς ADΘΠΣΦ 074 ⸖ Minusc. pler. *it. vg.* Sy.ˢ· ʰˡ· Cop.ˢᵃ· ᵇᵒ· Geo., = multae Sy.ᵖᵉˢʰ· | αυτον *sec.* : *om.* 248 | εις (+ το B²DUWΔ) πλοιον εμβαντα (ενβ. DW ΔΘ) καθησθαι ℵBCDLUWΔΘ 33. 517. 565. 569. 892, *item it. vg.* Arm. : >εμβαντα εις το (*om.* ΚΜ ΠΣΦ 074 fam.¹ 157. 238. 248. 472. 474 al.) πλοιον καθησθαι AYΠΣΦ 074 ⸖ (*exc.* U) fam.¹ 22. 28. 157. 700. 1071 al. pler., *item* Sy.ʰˡ· Aeth., *cf.* Orig.ⁱⁿᵗ· ; >εμβαντα καθησθαι εις το πλοιον fam.¹³ 543, *similiter* Sy.ˢ· ᵖᵉˢʰ. ; = et ille ascendit nauem et sedit Geo.¹ | εν (επι 565) τη θαλασση : παρα τον αιγιαλον W ; περαν της θαλασσης D, *item cf.* circa litus maris *a*, circa mare *d*, ad litus *b e*, proxime litus *c ff*, super mare *q*, *sed* in mari (mare *g*²) *f g*² *l r*² *vg.* | πας ο οχλος : = +cum eo Geo.¹ | προς την θαλασσαν : παρα την θαλασσαν fam.¹ ; περαν της θαλασσης D, *item* circa mare *a g*² *l q vg.* ; εν τη θαλασση 59 ; = iuxta mare Sy.ᵖᵉˢʰ· (*post* super terram) Geo.¹, = in ripa maris Cop.ˢᵃ· ᵇᵒ· (ᵖˡᵉʳ·) ; *om.* W 700 *b c e f ff g*¹ *r*² | επι της γης : επι την γην 64. 346.* 517. 892. *l*64 ; εν τω αιγιαλω W, *item* in litore *b c e ff g*¹ *r*², super terram *vg.* Sy.ᵖᵉˢʰ· ʰˡ·

Geo.¹ ; *om.* D *a q* Sy.ˢ· Cop.ˢᵃ· | ησαν ℵBCLΔ 074. 33. 892. *l*12. *l*36. *l*49. *l*184, *item* erant *d* : ην ADWΘΠΣΦ⸖ fam.¹ 22. fam.¹³ 543. 28. 157. 565. 700. 1071 (*pon. ante* επι της γης) al. pler., *item* erat *a b g*² *l vg.* Geo.¹ Orig.ⁱⁿᵗ· ; staret *c*, sedebat *e*, stabat (*ante* in litore *f*) *f ff g*¹, = stetit Geo.²
2. *om.* και εδιδασκεν *usque ad* πολλα 244 | *om.* εν παραβολαις *usque ad* αυτοις 17 | εν (+ ταις 122) παραβολαις πολλα (πολλαις D *item* Cop.ˢᵃ·) : = per parabolam multum Geo. ; > πολλα εν παραβολαις ℵ Sy.ˢ· Cop.ᵇᵒ· ; *om.* πολλα W 28 *b c e* | και ελεγεν (λεγων *pro* και ελεγ. 28) αυτοις (*om.* L 892 Sy.ᵖᵉˢʰ·) αυτους FH 179. 201. 242. 259. 435. 472. 478. 481. *l*184) εν τη διδαχη αυτου : λεγων *tant.* W *b c e*, *cf.* Orig.ⁱⁿᵗ· ; = cum docebat eis [dixit] Sy.ˢ·
3. ακουετε (ακουτε *sic* Δ) : ακουσατε C 15. 36. 40. 53. 259. 269. 349. 517. 417. 565 ; *om.* 10. 11. 27². 270 *c q* (dicens *pro* audite) Orig.ⁱⁿᵗ· | ιδου : ιδε 217. 235. 472, *item* Sy.ˢ² (*sed add.* hoc *post* audite Orig.ⁱⁿᵗ· | σπειρα *tant.* ℵ*BW 074 : *om.* D (*sed habet d*) Cop.ᵇᵒ· ; του σπειραι ℵᶜACLΔΘΠΣΦ⸖ Minusc. omn. *cf.* Orig. Hip. ; *etiam add.* τον σπορον αυτου F 10. 29. 71. 125. 157. 179. 218. 220. 433. 471. 569. 1071 *g*², *cf.* Orig.
4. εγενετο : *om.* DFW *it.* (*exc. a*) *vg.* (*exc.* 2 MSS) Sy.ˢ· ᵖᵉˢʰ· Cop.ˢᵃ· | εν τω σπειρειν (+ αυτον 433. 472. 1071 ; σπειραι D) : *om.* W | ο μεν (+ γαρ 215) : το μεν W ; α μεν 28. 33, *item* quaedam *e* | παρα : επι 28. 33. 569. *l*49. *l*184. *l*251. *l*260 | ηλθεν ℵABCLWΘΠΣΦ⸖ (*exc.* HK) Minusc. pler. : ηλθον (ηλθαν D) (D)HKΔ 33. 482. *l*49. *l*184. *l*251, *item* uenerunt *it. vg.* | τα πετεινα ℵABCLYΔΘΠ ΣΦ⸖ (*exc.* GM) fam.¹ 22. fam.¹³ 543. 28. 33. 157. 349. 517. 565. 700. 1071 al. pler. *b c e f ff l q vg.* (pler. *et* WW) Sy.ˢ· ᵖᵉˢʰ· ʰˡ· Cop.ˢᵃ· ᵇᵒ· Geo. Aeth. Arm. : + του ουρανου DGM 89. 248. 249. 256. 472. 477. 486. 569. *l*50. *l*51 al. *a i q r*¹ *vg.* (aliq.) | κατεφαγεν : κατεφαγαν D ; κατεφαγον 179 | αυτο :

---

1. Orig.ⁱⁿᵗ· ³· ⁸³⁵· Marcus quidem ita : Coepit iterum docere ad mare : et congregatus est ad eum populus multus, ut intraret in nauem, et sederet in mari, et totus populus secus mare in terris erat.

2. Orig.ⁱⁿᵗ· ³· ⁸³⁵· et docebat eos in parabolis multa, et dicebat eis

3. Orig.ⁱⁿᵗ· ³· ⁸³⁵· Exiit qui seminat seminare.

Orig.ᴱˣʰᵒʳᵗ· ᵃᵈ ᵐᵃʳᵗ· ⁴⁹· αλλα και επει εξηλθεν ο σπειρων του σπειρειν δειξωμεν οτι η ψυχη ημων ελαβε τον σπορον αυτου.

Hip.²²⁷·¹⁸· εξηλθεν ο σπειρων του σπειραι.

κατέφαγεν αὐτό.   ⁵ καὶ ἄλλο ἔπεσεν ἐπὶ τὸ πετρῶδες καὶ ὅπου οὐκ εἶχεν γῆν πολλήν, καὶ εὐθὺς ἐξανέτειλεν διὰ τὸ μὴ ἔχειν βάθος γῆς·   ⁶ καὶ ὅτε ἀνέτειλεν ὁ ἥλιος ἐκαυματίσθη καὶ διὰ τὸ μὴ ἔχειν ῥίζαν ἐξηράνθη.   ⁷ καὶ ἄλλο ἔπεσεν εἰς τὰς ἀκάνθας, καὶ ἀνέβησαν αἱ ἄκανθαι καὶ συνέπνιξαν αὐτό, καὶ καρπὸν οὐκ ἔδωκεν.   ⁸ καὶ ἄλλα ἔπεσεν εἰς τὴν γῆν τὴν καλήν, καὶ ἐδίδου καρπὸν ἀναβαίνοντα καὶ αὐξανόμενα, καὶ ἔφερεν εἰς τριάκοντα καὶ ἐν ἑξήκοντα καὶ ἐν ἑκατόν.   ⁹ καὶ ἔλεγεν ὃς ἔχει ὦτα ἀκούειν ἀκουέτω.   ¹⁰ Καὶ ὅτε ἐγένετο κατὰ μόνας, ἠρώτων αὐτὸν οἱ περὶ αὐτὸν σὺν τοῖς δώδεκα τὰς παρα-

---

αυτα Θ 28. 33. 34. 39. 565, *item* ea *e ff* Cop.ˢᵃ·; αυτον H* 38 Cop.ᵇᵒ· Aeth. Arm.

5. και αλλο ℵBCLM²ΔΘ 892. 1071. *l*12. *l*48 *a d* Cop.ᵇᵒ· Geo. Arm. : = et est quod Sy.ˢ·; και αλλα D 33. 565. *l*18. *l*19; αλλο δε ΑΠΣΦϞ (*exc.* M) fam.¹ 22. 157. 700 al. pler., *item* aliud uero *c f ff* g¹·² *i l q r*¹ *vg.* (pler. *et* WW), *item* = aliud autem Sy.ᵖᵉˢʰ· ʰˡ·; αλλα δε W fam.¹³ 543. 28, *item e* Cop.ˢᵃ·; και αλλο δε *l*49. *l*184. *l*251. *l*260; *nil nisi* αλλο M* *b vg.* (2 MSS) | επεσεν: επεσαν D, *item* ceciderunt *e* | το πετρωδες ℵᶜABCLΔΠΣΦϞ 22. fam.¹³ 543. 28. 157. 700. 892 al. pler., *item* petrosam (+ terram *a*) *a* g² *i vg.* (1 MS) Cop.ᵇᵒ· Geo., = petram Sy.ˢ· ᵖᵉˢʰ· ʰˡ· Cop.ˢᵃ· : τα πετρωδη ℵ*DWΘ fam.¹ 33. 517. 565. 569, *item* petrosa *b c e f ff l vg.*, *item* loca petrosa *d* g¹ *q r*¹ | και οπου B: *om.* και ℵACLΔΘΠΣΦϞ Minusc. omn., *item f l vg.* Sy.ᵖᵉˢʰ· ʰˡ· Cop.ˢᵃ· ᵇᵒ· Geo.; και οτι DW *item* et quoniam *ff i q r*¹ | ειχεν γην (*om.* 244) πολλην (καλην 235. 471): ην γη πολλη 565 | και οπου *usque ad* πολλην: *om.* *b c e* Sy.ˢ· | και *tert.* : *om. ff i l q r*¹ | ευθυς ℵBCDLΔ 892: ευθεως ΑWΘΠΣΦϞ Minusc. pler.; *om.* Sy.ˢ· | εξανετειλεν (⁓εστειλεν D*; ανετειλε W) Uncs. omn. 22. 33. 157. 565. 892 al. pler.: εξεβλαστησε (εβλαστησε 131) fam.¹ fam.¹³ 543. 28. 700 | δια το μη εχειν βαθος (+ της ΒΘ) γης (> γης βαθος L 1071; βαθος την γην D): *om.* W | και ευθ. *usque ad* γης: *cf.* > et quia non habebat terram multam exortum est et cito *b*, et quoniam non habebat (habuit *d*) terram multam et statim exortum est *c d*, et quoniam non habuerunt terram multam fructificauerunt cito *e* | γης: = + sub eis Cop.ˢᵃ·

6. και (*om. q*) οτε ανετειλεν ο ηλιος ℵBCDLΔΘ 349. 517. 565. 892. 1071 *ff* g² *i l q r*¹ *vg.* Cop.ˢᵃ· ᵇᵒ· Geo.² Aeth. Arm., = quum exortus esset autem sol Sy.ᵖᵉˢʰ· ʰˡ·: ηλιου δε (*om. l*184) ανατειλαντος ΑWΠΣΦϞ fam.¹ 22 fam.¹³ 543. 28. 157. 700. al. pler. *a e f*; ab aestu *pon. post* εκαυματ. (aruit) *b*, facto aestu *pon. post* ριζαν (radicem) *c* | εκαυματισθη ℵACLWΔΘΠΣΦϞ Minusc. omn. *it.* (*exc. a c e*) *vg.* Sy.ᵖᵉˢʰ· ʰˡ· Cop.ᵇᵒ· Geo.: εκαυματισθησαν BD *a e* Cop.ˢᵃ·; *om. c* Sy.ˢ· | και *sec.*: *om. b e*; *pon. post* ριζαν (radicem) *a ff i* Sy.ˢ· Gco.¹ | δια το μη εχειν ριζαν: *om.* Sy.ˢ· | εξηρανθη: εξηρανθησαν D (*sed non d*) *e* Cop.ˢᵃ· ᵇᵒ· (1 MS).

7. και (*om.* 253 *b*) αλλο (αλλος ℵ* *sed cor.* ℵ²): και αλλα W 28. 33. *e* Cop.ᵇᵒ·; = alia autem Cop.ˢᵃ·;

= et est quod Sy.ˢ· Aeth. | επεσεν: caeciderunt *e* | εις ℵABLΔΠΣΦϞ (*exc.* M²) Minusc. pler., *item in it.* (*exc. b*) *vg.* Cop.ᵇᵒ· (3 MSS) Geo.¹ ᵉᵗ ᴬ (= inter Geo.ᴮ) Aeth.: επι CDM²WΘ 10. 28. 33. 122. 237. 259. 407. 417. 470. 472. 565. 700. *l*48, *item* supra *b* Cop.ˢᵃ· ᵇᵒ· (aliq.); *παρα* 106 | τας ακανθας, *item* spinas *it.* (*exc. a c f*) *vg.* (pler.): spinis *a c f vg.* (7 MSS) | και *sec.*: *om.* Arm. | ανεβησαν: = + cum eo Sy.ˢ· Cop.ᵇᵒ· (1 MS) | συνεπνιξαν: απεπνιξαν 33. 349. 517. 700. 892 al.; επνιξαν 108 | αυτο: αυτα WΘ 124. 28. 33, *item* ea *b* Cop.ˢᵃ· | εδωκεν: εδωκαν W 33 Cop.ˢᵃ·; εποιησεν Θ 517, 565 | καρπον ουκ εδωκεν: *cf.* facta sunt infructuosa *e*.

8. και αλλα ℵ*BCLWΘ 124. 28. 33. 892 *e* Cop.ᵇᵒ·: και αλλο ℵᶜAΔΔΠΣΦϞ fam.¹ 22. fam.¹³ (*exc.* 124) 543. 157. 565. 700. 1071 al. pler. *it.* (*exc. c e ff*) *vg.* Sy.ʰˡ· Geo. Arm.; aliud autem *c ff* Sy.ᵖᵉˢʰ·, = alia autem Cop.ˢᵃ·; = et est quod Sy.ˢ· Aeth. | επεσεν: επεσαν W *e* | εις: επι CΣ fam.¹ 124. 28. 36. 40. 106. 237. 259. 349. 565. *l*49 Sy.ˢ· ᵖᵉˢʰ· ʰˡ· | καλην: αγαθην 565 | εδιδου: εδιδοσαν C; dat *b d ff q*; dabit g² | αναβ. και: *om.* Sy.ˢ· | και αυξανομενα ℵB 1071: και αυξανομενον ADLWΔ 238. 892; και αυξανοντα CΘΠΣΦϞ fam.¹ 22 fam.¹³ 543. 33. 157. 579 al. pler., *item* et crescentem (*pon. post* εφερεν *ff*; increscentem *b*) *it.* (pler.) *vg.*; *om.* 565; *cf.* et adferentem cum incremento (*pro* και αυξ. και εφερ.) *a* | και εφερεν: *om.* Sy.ᵖᵉˢʰ· Cop.ˢᵃ·; = et dedit Sy.ˢ·, = et produxit Geo.¹; εφερον ℵC Cop.ᵇᵒ· (aliq.); φερει DWΘ 124. 565, *item* adfert *i q*; *cf.* adferet *b d ff* | εις *ante* τριακ. *et* εν *ante* εξηκ. *et* εκατ. BL 1071 (*sed om.* εν *ante* εξηκ.): εις *ter* ℵC*Δ 28. 700; εν *ter* ΠϞ fam.¹ (*sed om. ante* εξηκ. 118) 33 (*hiat pr.*). 157. 892 al. plur. *item sine spiritibus et accentibus* AC²ΘΣΦ; εν *ter* D (*sine spiritu, sed hab.* unum *d*) Y 22 fam.¹³ 543. 565 al. pler., *item* unum *ter it.* (*exc.* aliud *ter c*, unum *pr.* et aliud *sec.* et *tert.* *ff*) *vg.*; = unum *pr.* et *om. sec.* et *tert.* Geo.; το εν *ter* W.

9. και ελεγεν (= dicebat autem Cop.ˢᵃ·): + αυτοις M² ᵐᵍ· S ? 118. 238. 239. 242. 243. 249. 252. 372. 477. 486. 487. 489. *l*251 al. Cop.ˢᵃ· ᵇᵒ· (1 MS); *om.* Geo.ᴮ | ος εχει ℵ*BC*DΔ *item* qui habet *it.* *vg.* Cop.ˢᵃ· ᵇᵒ·, qui habent Geo. (*etiam* audiant *pro* ακουετω): ο εχων ℵᶜAC²LWΘΠΣΦϞ Minusc. omn. Orig. | ακουετω: + και ο συνειων συνειετω D, *item b ff* g¹·²· *i* (r¹).

10. και οτε ℵBCDLWΔΘ 59. 565. 571. 579

βολάς.   11 καὶ ἔλεγεν αὐτοῖς ὑμῖν τὸ μυστήριον δέδοται τῆς βασιλείας τοῦ θεοῦ· (λζ/α)
ἐκείνοις δὲ τοῖς ἔξω ἐν παραβολαῖς τὰ πάντα γίνεται,   12 ἵνα βλέποντες βλέπωσι καὶ
μὴ ἴδωσιν, καὶ ἀκούοντες ἀκούωσι καὶ μὴ συνίωσιν, μήποτε ἐπιστρέψωσιν καὶ ἀφεθῇ
αὐτοῖς.   13 καὶ λέγει αὐτοῖς Οὐκ οἴδατε τὴν παραβολὴν ταύτην, καὶ πῶς πάσας τὰς

(om. οτε) 892. 1071, item et cum it. vg. Sy.ˢ· Cop.ᵇᵒ·
Geo.² Aeth. Arm. : οτε δε ΑΠΣΦↄ fam.¹ 22 fam.¹³
543. 28. 33. 157. 700 al. pler. Sy.ᵖᵉˢʰ· ʰˡ· Cop.ˢᵃ· ;
= cum deinde Geo.¹ | εγενετο κατα μονας : =
essent ipsi soli Sy.ᵖᵉˢʰ· Aeth. | ηρωτων ΑΒΛΔ 33.
264. 892. 1071: ηρωτουν ℵC 579 ; επηρωταν DΘ
565. l251, item interrogabant a b q Cop.ᵇᵒ· Geo. ;
ηρωτησαν (ερωτησαν Σ) Π(Σ)Φↄ fam.¹ 22. 157. 330.
569. 575 al. pler. ; επηρωτησαν W fam.¹³ 543. 28.
700, item interrogauerunt it. (rell.) vg. Syˢ· ᵖᵉˢʰ· ʰˡ·
Cop.ˢᵃ· Aeth. Arm. | αυτον : τον Ιησουν 413. 482
| οι περι αυτον συν τοις δωδεκα (μαθηταις αυτου
700) Uncs. pler. fam.¹ 22. 33. 157. 579. (700). 892.
1071 al. pler. f vg. (pler. et WW) Sy.ᵖᵉˢʰ· ʰˡ· Cop.
ˢᵃ· ᵇᵒ· Geo. Arm., cf. hi qui cum eo erant duodecim
l vg. (aliq.): οι μαθηται αυτου DWΘ fam.¹³ 543, 28.
565. it. (exc. f l) Syˢ· | τας παραβολας ℵBCLΔ
892 vg. (pler. et WW) Sy.ˢ· Cop.ˢᵃ· ᵇᵒ· Geo. Arm.:
την παραβολην ΑΠΣↄ fam.¹ 22. 33. 157. 579. 700.
1071 al. pler. vg. (2 MSS) Sy.ᵖᵉˢʰ· ʰˡ· Aeth. ; τις η
παραβολη αυτη DWΘ fam.¹³ 543. 28. 565 it. ; φρασον
ημιν την παραβολην Φ

11. και ελεγεν αυτοις (om. 33) Uncs. pler.
Minusc. pler., item et dicebat illis (eis vg.) l vg.
Sy.ˢ· ʰˡ·, = ille autem dicebat illis Geo.², et dixit
illis ff Sy.ᵖᵉˢʰ· (+ Iesus) Geo.¹, quibus ipse dixit c,
= dixit autem illis Cop.ˢᵃ·: και λεγει αυτοις DW
l48, item et dicit eis a, et ait illis, b f g¹ i q r¹, item
Aeth. Arm. | το μυστηριον δεδοται ℵBC*ᵘⁱᵈ· L
892 Cop·ᵇᵒ· (= mysteria data sunt): > δεδοται το
μυστηριον ΑΚWΠ 11. 15. 27. 42. 63. 68. 72. 114.
253. 270. 300 Sy.ˢ· cf. Epiph. ; δεδοται (δεδαται F)
γνωναι το μυστηριον (τα μυστηρια GΣΦ fam.¹ 67. 106.
115. 201. 235. 258. 517. 569. l49. l184. l251. Sy.ʰˡ·
Arm.) C²DΔΘΣΦↄ (exc. K) fam.¹ 22. fam.¹³ 543.
28. 33. 157. 565. 597. 700. 1071 al. pler. it. vg.
Sy.ᵖᵉˢʰ· ʰˡ· Cop.ᵇᵒ· (aliq.) Geo. Aeth. Arm. | της
βασιλειας: om. ff | εκεινοις δε τοις (om. Δ) εξω

(εξωθεν 517) cf. Orig. : εκεινοις δε ου δεδοται τοις
εξω αλλ 346 | εν παραβολαις τα (om. ℵDKWYΘΠ
28. 106. 472. 473. 474. 565. 1278) παντα (ταυτα
pro τα παντα 52) : > τα (om. 124) παντα εν παρα-
βολαις M* 124 Sy.ˢ· ᵖᵉˢʰ· ; om. τα παντα b c ff g¹ i r¹
cf. Orig. | γινεται : λεγεται DΘΣ 124. 28. 64. 349.
517. 565. 1071, item dicitur b c ff g¹ i r¹ Cop.ˢᵃ·,
dicuntur a q, = dicere Geo.

12. βλεπωσιν om. (βλεψωσιν 1071 ; βλεψουσιν
472) και : praem. μη E*FGHΔ 2. 10. 12. 217. 473.
475**. 482. 488 Orig. ; om. W Sy.ˢ· | και μη
ιδωσιν (item et non uideant it. pler. vg., et non
aspiciant b g¹) : om. Δ 3. 28, cf. Orig. ; και ου μη
ιδωσιν 346. 179. 251. 416. 472. 697. 1278 | ακουον-
τες : om. 579 | ακουωσι (μη ακουωσιν Δ Orig.)
και: ακουσωσι και CMSΘ 13. 346. 543. 33. 892 ;
ακουουσιν και Π* 106. 349. 355. 488 ; om. W a
| μη sec. : ου μη 251. 472. 565. 697. 1278 | συνιωσιν
ℵΑBCD²ΔΘΠΣΦↄ 131. 22. fam.¹³ 543. 28. 33. 157.
579. 700 al. pler. : συνωσιν D*LW fam.¹ (exc. 131)
127. 225. 565. 569. 892. 1071 ; ακουουσιν 106 ;
dimittentur (uel demitt.) vg. (2 MSS) | επιστρε-
ψωσιν (επιστραφωσιν 124. 28. 700): επιστρεψουσιν
346. 472. 482 ; + et sane eos g² | αφεθη ℵBCLW
ΔΘΣΦↄ (exc. K) Minusc. pler., item remittatur b,
remittantur c, dimittantur f l vg.: αφεθησεται AK
Π 11. 15. 42. 53. 68. 72. 86. 220. 229. 248. 253.
474. al. cf. Orig. ; αφεθησομαι D* (αφησω D²), item
dimittam (demittam d) g¹ i q r¹, remittam ff, item
Aeth. | αυτοις sine add. ℵBCLW fam.¹ (exc. 131)
22. 251. 697. 892ᵗˣᵗ·. 1278* b Cop.ˢᵃ· ᵇᵒ· Geo. : +τα
αμαρτηματα (παραπτωματα Σ 36. 40. 53. 106 al.
pauc.) ΑDΘΠ(Σ)Φↄ 131 fam.¹³ 543. 28. 33. 157.
565. 579. 892ᵐᵍ·. 1071. 1278². al. pler. it. (rell.) vg.
(exc. 1 MS) Sy.ʰˡ·* Arm. ; + τα αμαρτ. αυτων Δ 238.
700 vg. (1 MS) Sy.ˢ· ᵖᵉˢʰ· ʰˡ· ᵐᵍ· Aeth.

13. λεγει : dixit a, item Sy.ˢ· ᵖᵉˢʰ· Cop.ˢᵃ· ᵇᵒ·
Geo. | πασας : om. 59 Cop.ᵇᵒ· (1 MS) ; = + alias

---

11. Orig.ᶜᵉˡˢ· παραβολων τοις εξω ελαλησεν ο Ιησους.
Orig. ᵈᵉ ᵖʳⁱⁿ· οτε ο σωτηρ εφασκε δια τουτο τοις εξω εν παραβολαις λαλειν.
Orig. ᵈᵉ ᵖʳⁱⁿ· οι μεν ουν εξω λεγομενοι.
Orig. ᵈᵉ ᵖʳⁱⁿ· δια τουτο εν παραβολαις αυτοις λεγεσθαι.
Epiph. ᵖᵃⁿ· υμιν δεδοται τα μυστηρια της βασιλειας, εκεινοις δε εν παραβολαις.
Orig. ᵈᵉ ᵖʳⁱⁿ· ινα βλεποντες μη βλεπωσι, και ακουοντες (+ μη MSS aliq.) ακουσι και μη (om. MSS aliq.)
συνιωσι· μηποτε επιστρεψωσι και αφεθη αυτοις.
Orig. ᵈᵉ ᵖʳⁱⁿ· ινα βλεποντες μη βλεπωσι, και ακουοντες μη συνιωσι. μηποτε επιστρεψωσι και αφεθη αυτοις.
Orig. ⁱⁿᵗ· ut uidentes non uideant, et audientes non audiant et non intellegant, ne forte conuertantur
et remittatur eis.
Orig. ⁱⁿᵗ· ut uidentes uideant et non uideant, et audientes audiant et non intellegant ne forte conuer-
tantur et remittatur eis.

(λη/β) παραβολὰς γνώσεσθε; ¹⁴Ὁ σπείρων τὸν λόγον σπείρει. ¹⁵οὗτοι δέ εἰσιν οἱ παρὰ τὴν ὁδὸν ὅπου σπείρεται ὁ λόγος, καὶ ὅταν ἀκούσωσιν εὐθὺς ἔρχεται ὁ Σατανᾶς καὶ αἴρει τὸν λόγον τὸν ἐσπαρμένον εἰς αὐτούς. ¹⁶καὶ οὗτοι εἰσιν ὁμοίως οἱ ἐπὶ τὰ πετρώδη σπειρόμενοι, οἳ ὅταν ἀκούσωσιν τὸν λόγον εὐθὺς μετὰ χαρᾶς λαμβάνουσιν αὐτόν, ¹⁷καὶ οὐκ ἔχουσιν ῥίζαν ἐν ἑαυτοῖς ἀλλὰ πρόσκαιροί εἰσιν, εἶτα γενομένης θλίψεως ἢ διωγμοῦ διὰ τὸν λόγον εὐθὺς σκανδαλίζονται. ¹⁸καὶ ἄλλοι εἰσὶν οἱ εἰς τὰς ἀκάνθας σπειρόμενοι· οὗτοι εἰσιν οἱ τὶν λόγον ἀκούσαντες, ¹⁹καὶ αἱ μέριμναι τοῦ αἰῶνος καὶ

Cop.^(sa. bo. (ed.)) | γνωσεσθε: γνωσεσθαι אACDL WΔΘΣ 28.

14. ο σπειρων: qui loquitur a b c q r¹; = +qui seminauit Sy.^pesh· | σπειρει (σπειρη 346): σπερει א 118; = seminauit Sy.^pesh· Cop.^bo·

15. παρα την οδον: +σπειρομενοι 472, item + seminantur b q, + seminati sunt a f r¹, praem. seminantur c, = praem. ceciderunt Cop.^sa· | οπου (= in quibus Sy.^pesh·) σπειρεται ο λογος: οις σπειρ. ο λογ. D 69², item ff g¹ l Sy.^pesh·; qui negligenter uerbum suscipiunt a b f q r¹, ipsi sunt qui negligunt uerbum suscipientes c; = hi sunt qui audiunt sermonem Sy.^s·; = ubi illi seminati sunt sermones Geo. | και οταν: οι οταν B | ακουσωσιν (ακουωσιν D*G): +αυτον Θ 238. 517. 565. 700; +αυτον Φ ευθυς אBCLWΔ 7. 69. 33. 892. 1071. l2. l13. l49. l184: ευθεως ADΘΠΣΦϧ 131. 22. fam.¹³ (exc. 69) 543. 28. 157. 565. 579. 700 al. pler.; om. fam.¹ (exc. 131) 36. 40. 60. 259. 487 Arm. | αιρει ABLWΘΠΣΦϧ Minusc. pler. (αιρει 69; ερει 13. 346. 28): αφερει D, item auferet c ff i l q r¹ vg. (plur.)—sed aufert f vg. (pler. et WW), auferat g¹, tollit a b; αρπαζει אCΔ | εσπαρμενον: σπειρομενον 569 | εις αυτους BW fam.¹ (exc. 131) 13. 69. 543. 28: εν αυτοις אCLΔ 579. 892 c Sy.^hl· mg· Cop. ^sa· bo· Geo. (= eis); εν ταις καρδιαις αυτων DΘΠΣΦϧ 131. 22. 124. 346. 33. 157. 565. 700. 1071 al. pler. a f i vg. (2 MSS) Sy.^hl· txt· Arm., sed in corda eorum (uel illorum) d ff vg. (plur. et WW), in corde illorum b g² q r¹ vg. (aliq.) Sy.^s· pesh·; απο της καρδιας αυτων A l Aeth.; etiam add. et sine fructu efficitur g².

16. και (om. 13) ουτοι: ουτοι δε W Cop.^sa· | εισιν ομοιως ABΠΣΦϧ 22. 124. 346. 157 al. pler. f g² l vg. Sy.^hl·: > ομοιως εισιν אCLΔ 33. 892. 1071. l49. l251. Cop.^sa· (= etiam sunt)^bo·; om. ομοιως DWΘ fam.¹ 13. 69. 543. 28. 435. 565. 579. 700 a b c ff g¹ i q r¹ Sy.^s· pesh· Geo. Aeth. Arm. Orig.; ομοιοι εισιν Sy.^pesh· 569 | σπειρομενοι: + λογοι M; = om. Sy.^s· | οι (οιτινες W): om. B* l48 | ευθυς אBCLΔ fam.¹³ (exc. 124) 543. 28. 33. 892. l2. l13. l49: ευθεως AWΘΠΣΦϧ fam.¹ 22. 124. 157. 565. 700. 1071 al. pler.; om. D 7. 15. 36. 40. 60. 259. 269. 276. 349. 417. 487. 579 c ff i q Sy.^s· | λαμβα-

νουσιν: δεχονται fam.¹ 579 | αυτον: om. Θ fam.¹ fam.¹³ (exc. 346) 543. 28. 565. 700 Arm. Orig.; τον λογον 579.

17. και ουκ εχουσιν: > ουκ εχουσιν δε 579 Cop.^sa· | ριζαν: ριζας 472. 482. Arm.; υδωρ V | εν εαυτοις: εν αυτοις L 179. 301. 349. l184 Sy.^hl· Cop.^sa· bo·; = in eo Sy.^s·; = om. Geo.¹ et A (= inter eos Geo.^B) | προσκαιροι: προσκαιρον 234; προκαιροι F | ειτα: = et Sy.^s· pesh· Geo.², = autem Cop.^sa· | η: και D W item it. (exc. uel a, aut b) vg. Aeth. | γινομενης 478* | om. η διωγμου δια τον λογον fam.¹ (exc. 131) | ευθυς (και ευθυς W) אBCLWΔΘ 7. 33. 108. 179. 269. 579. 892. l2. l12. l19. l49: ευθεως ADΠΣ Φϧ 22 fam.¹³ 543. 28. 157. 565. 700. 1071 al. pler.; om. fam.¹ (exc. 131) 235 | σκανδαλιζονται (ωνται cf. Orig.): σκανδαλιζεται W* (cor.**); σκανδαλισθησονται D d.

18. και: om. W Cop.^sa· | αλλοι εισιν אBC*D LΔ, item alii ff g² i l vg. Cop.^bo·: ουτοι εισιν AC²ΠΣΦϧ 22. 33. 157. 579. al. pler. f q Sy.^hl· Aeth., = hi tant. Sy.^pesh· Geo.¹ et A; om. W Θ fam.¹ (exc. 131) fam.¹³ 543. 28. 59. 61. 62. 64. 565. 700. 892 Cop.^sa· Geo.^B Arm. | οι pr.: οις K; οι δε W; om. ΔΘ 13. 108. 220. 264. 276 | εις AB DLWΘΠΣΦϧ Minusc. pler.: επι אCΔ 579 Cop.^sa· bo· (ed.) | εις τας ακανθας: in spinis it. vg., = inter spinas Geo.¹ et B | ουτοι εισιν אBC*DLWΔΘΦ fam.¹ (om. εισιν 131) fam.¹³ 543. 28. 477. 481. 486. 487. 488. 489. 565. 700 al. it. (exc. fq) vg. Sy.^pesh· Cop.^sa· bo· Arm. Geo.: om. AC²ΥΠΣΦϧ 22. 33. 157. 349. 579. 1071. 1278. al. pler. f q Sy.^hl· Aeth. | λογον: + μου fam.¹ (exc. 131) | ακουσαντες א (et pon. ante τον λογον) BCDLΔ fam.¹³ 543. 10. 28. 71. 240. 244. 565. 892. 1071 Sy.^pesh· Cop.^sa· bo·: ακουοντες AWΘΠΣΦϧ fam.¹ 22. 33. 157. 579. 700 al. pler. it. vg. Sy.^hl· Geo. Aeth. Arm.

19. αι μεριμναι (μεριμναις D* sed cor.**; = sollicitudo Sy.^pesh· Cop.^bo· Aeth.) του αιωνος אBC LΔ fam.¹ (exc. 131) 10. 15. 28. 38. 892*, item aerumnae saeculi l vg (na saec. 4 MSS): +τουτου ΑΠΣΦϧ 131. 22. fam.¹³ 543. 33. 157. 579. 892.² 1071 al. pler. Sy.^pesh· hl· Cop.^sa· bo· Geo. Arm. cf. per sollicitudines saeculi huius f; αι μεριμναι

---

16. Orig.^(Exh. ad Martyr. I. 45. 18.) ουτοι εισιν οι επι τα πετρωδη σπειρομενοι οι οταν ακουσωσιν τον λογον ευθεως μετα χαρας λαμβανουσι.

17. Orig.^(Exh. ad Martyr.) και ουκ εχουσι ριζαν εν εαυτοις αλλα προσκαιροι εισιν επαν γενομενης θλιψεως η διωγμου δια τον λογον ευθεως σκαδαλιζωνται (ονται MSS aliq.).

ἡ ἀπάτη τοῦ πλούτου καὶ αἱ περὶ τὰ λοιπὰ ἐπιθυμίαι εἰσπορευόμεναι συνπνίγουσιν τὸν λόγον, καὶ ἄκαρπος γίνεται. ²⁰ καὶ ἐκεῖνοί εἰσιν οἱ ἐπὶ τὴν γῆν τὴν καλὴν σπαρέντες, οἵτινες ἀκούουσιν τὸν λόγον καὶ παραδέχονται καὶ καρποφοροῦσιν ἐν τριάκοντα καὶ ἐν ἑξήκοντα καὶ ἐν ἑκατόν. ²¹ Καὶ ἔλεγεν αὐτοῖς ὅτι Μήτι ἔρχεται ὁ λύχνος ἵνα ὑπὸ τὸν (λθ/β) μόδιον τεθῇ ἢ ὑπὸ τὴν κλίνην, οὐχ ἵνα ἐπὶ τὴν λυχνίαν τεθῇ; ²² οὐ γὰρ ἔστιν κρυπτὸν (μ/β) ἐὰν μὴ ἵνα φανερωθῇ, οὐδὲ ἐγένετο ἀπόκρυφον ἀλλ᾽ ἵνα ἔλθῃ εἰς φανερόν. ²³ Εἴ τις ἔχει ὦτα ἀκούειν ἀκουέτω. ²⁴ Καὶ ἔλεγεν αὐτοῖς Βλέπετε τί ἀκούετε. ἐν ᾧ μέτρῳ (μα/β)

του βιου DWΘ 60 (+ και του αιωνος τουτου) 472. 517. 565. 700 al., cf. per sollicitudines uitae b, sollicitudinibus uicti c, sollicitudinem uictus d, sollicitudinis uictus ff, sollicitudines uictus g¹, sollicitudine uictus q, prae sollicitudine uictus i | και η απατη (απαται W; αι απαται 517; αγαπη Δ; αναπαυσις 435) του πλουτου (+ συνπνιγει τον λογον ℵ): και αι (om. D) απαται του κοσμου DΘ 565, item errores mundi g¹ i q, oblectationes saeculi e, delectationes mundi ff; cf. in errore saeculi b, delectationibus mundi abalienati c | και περι (παρα ℵ*) τα λοιπα επιθυμιαι Uncs. pler. Minusc. pler. f l vg.: om. DWΘ fam.¹ 28. 565. 700. it. (exc. f l) Arm.; om. περι τα λοιπα 106 | εισπορευομεναι: εισπορευομενα 28; πορευομεναι 69; om. 700; = + in eos Cop.ˢᵃ·; = in quibus ambulant Cop.ᵇᵒ· | συνπνιγουσι (συμπνιγ. Β²ΠΦℶ exc. Ε 543. 892 al. pler.; συμπνηγ. Ω 346) τον λογον: om. ℵ* sed add. ℵᶜᵐᵍ (uid. supra post πλουτου) | ακαρπος γινεται Uncs. pler. Minusc. pler. f vg. (WW et plur.) Sy.ᵖᵉˢʰ·ʰˡ· Cop.ˢᵃ·ᵇᵒ·(ᵉᵈ·) Geo. Aeth. Arm.: ακαρποι γεινονται (γιγν. W) DWΘ 124 it. (exc. f) vg. (plur.) Cop.ᵇᵒ· (1 MS).

20. και εκεινοι ℵBCLΔ 892: om. εκεινοι Θ 28. 565 cf. Orig.; και ουτοι ΑΔΠΣΦℶ fam.¹ 22. fam.¹³ 543. 33. 157. 579. 700. 1071 al. pler. it. (exc. e ff) vg. Sy.ʰˡ· Geo.; ουτοι δε W e ff Cop.ˢᵃ· | την γην την καλην: την καλην γην C 124. 28. 235; om. την καλην 237 | σπαρεντες: πιπτοντες W, item ceciderunt c ff, cadunt e; om. fam.¹ (exc. 131) | οιτινες: hi sunt qui g¹·²· vg. (5 MSS) Sy.ᵖᵉˢʰ· Cop.ˢᵃ·, = sunt qui Cop.ᵇᵒ·; om. ff | om. τον ante λογον 69 | παραδεχονται: αποδεχονται Θ 565, cf. Orig.; δεχονται 700 | καρποφορουσιν: καρπον φερουσιν WΣ | εν ter Υℶ (exc. S) fam.¹ fam.¹³ (exc. iv tert. 69) 543. 33. 349. 700. 892. 1071. 1278 al. Sy.ʰˡ·: εν ter Θ 22 al. pler. it. vg. Sy.ᵖᵉˢʰ· Cop.ˢᵃ·ᵇᵒ· Geo. Aeth. Arm.; εν ter sine spirit. et accent. ℵAC. (om. εν sec. C*) DSΔΠΣΦ 579; εν pr. et om. sec. et tert. B; εν pr. et postea εν sec. et tert. L | εν τριακ. εν εξηκ. εν εκατ.: εν λ̄. εν ξ̄, εν ρ̄ ℵDWΘ

21. και ελεγεν: = dicebat autem b Cop.ˢᵃ·; και λεγει W fam.¹ Arm.; = et dixit Geo.¹ | οτι BL 892: ιδετε fam.¹³ 543. 28 | om. ℵACDWΔΘΠΣΦℶ Minusc. rell. it. vg. | μητι ερχεται ο (om. 118.

209) λυχνος ℵBCLΔΘ fam.¹ 33. 565. 569. 571. 579. 892. l49. l184, item nunquid uenit lucerna l q r² vg. Sy.ᵖᵉˢʰ·ʰˡ· Arm., adfertur lucerna b: μητι ο (om. 28) λυχνος ερχεται ΑΠΣΦℶ 22. 28. 157. 700. 1071 al. pler.; μητι απτεται ο λυχνος D; μητι ο λυχνος καιεται W fam.¹³ 346. cf. numquid accenditur lucerna (~am ff) d e ff i, numquid accendunt lucernam f Cop.ˢᵃ·ᵇᵒ·, numquid ascenditur (sic) lucerna c; = quis capiat lucernam Geo.¹ᵉᵗᴬ, nemo accendit lucernam Geo.ᴮ | ινα (η ινα 517) . . . τεθη pr.: υπο τον μοδιον τεθηναι ℵ* (cor. ℵᶜ) | τεθη pr.: υποτεθη G | η: + ινα Θ fam.¹ 543. 565 | υπο sec.: επι 484; υποκατω 476 | κλινην: + τεθη fam.¹³ 543. 565 | om. η υπο την κλινην i | ουχ (ουχι Δ 579. 892): και ουχι D ff i; αλλ W, item sed b c e q | επι: υπο ℵB*Y fam.¹³ (exc. 124) 33. 1071 | τεθη sec. ℵBCDLWΔΘ fam.¹³ 543. 28. 33. 565. 579. 700. 892. 1071 al. plur.: επιτεθη ΑΥΠΣ Φℶ fam.¹ 22. 157. 1278 al. plur.

22. ου γαρ εστιν: ουδεν γαρ εστιν W; ουχ εστιν 700 | κρυπτον tant. BDHKMUWYΘΠ* fam.¹ fam.¹³ 543. 28. 349. 472. 482. 565. 579. 700. l184 al. plur. b e ff g² i q r¹ Cop.ˢᵃ·ᵇᵒ· Geo.² (= mysterium) Aeth.: praem. τι ℵΑCEFGLSVΔΠ²ΣΦΩ 22. 33. 157. 892. 1071 al. plur., item praem. aliquid c f l r² vg. Sy.ᵖᵉˢʰ·ʰˡ· Geo.¹ (= mysterium quicquam) Arm. | εαν μη ινα ℵBΔ: ει μη ινα Θ fam.¹ (exc. 118) 13. 69. 543. 28. 565. 579. 700; εαν μη ΑCKLΠΣ 346. 33. 36. 40**. 42. 72. 108. 114. 892 al.; ο εαν (os αν U) μη EFGHMS(U)VΦΩ 118. 22. 124. 330. 157. 1071. 1278 al. plur.; ο ου μη 11. 63. 68. 253. 270. 351; ο μη 220; ο ου 235. 271. 300, item quod non c f g² l vg.; ο εαν l184; αλλ ινα DW 49, item sed ut b ff i q r¹ | om. εαν μη usque ad αποκρυφον e | αλλ (αλλα A) ινα Uncs. omn. Minusc. pler.: ει μη ινα fam.¹ cf. quod non c vg. (aliq. sed non WW) | ελθη εις φανερον ℵCDLΔΘ 7. 565. 579. 1071. l49. l184. l251 Cop.ᵇᵒ·: > εις φαν. ελθη ΑWΠΣΦℶ fam.¹ 22. fam.¹³ 543. 28. 33. 157. 700. 892 al. pler. it. vg. Sy.ʰˡ· Geo.² Arm.; φανερωθη B Sy.ᵖᵉˢʰ· Cop.ˢᵃ· Geo.¹ Aeth.

23. ει τις εχει (εχειν 69): ο εχων 57, item qui habet b c ff Cop.ˢᵃ·ᵇᵒ·; = qui habent Geo. | ωτα: om. 69; = aurem Cop.ˢᵃ·ᵇᵒ·

24. και (et iterum c) ελεγεν (λεγει 1. 118. 209. 7.

(μβ/β) μετρεῖτε μετρηθήσεται ὑμῖν καὶ προστεθήσεται ὑμῖν.   ²⁵ ὃς γὰρ ἔχει, δοθήσεται αὐτῷ·
(μγ/ι) καὶ ὃς οὐκ ἔχει, καὶ ὃ ἔχει ἀρθήσεται ἀπ' αὐτοῦ.   ²⁶ Καὶ ἔλεγεν Οὕτως ἐστὶν ἡ βασι-
λεία τοῦ θεοῦ ὡς ἄνθρωπος βάλῃ τὸν σπόρον ἐπὶ τῆς γῆς   ²⁷ καὶ καθεύδῃ καὶ ἐγείρηται
νύκτα καὶ ἡμέραν, καὶ ὁ σπόρος βλαστᾷ καὶ μηκύνηται ὡς οὐκ οἶδεν αὐτός.   ²⁸ αὐτομάτη

244 ; ειπεν 892) αυτοις (+Iesus c ff): om. 238 | και ελεγεν usque ad ακουετε: om. l | τι: τα D (sed non d) ; quomodo q | εν ω μετρω usque ad μετρηθησεται υμιν: om. fam.¹³ (exc. 124) 543 sed cf. haec uerba ad uers. 25 | εν ω: +γαρ 235. l48 bis b, item praem. quia Geo.¹ | μετρηθησεται (μετριθ. 124. 28): αντιμετρηθησεται 157. 565. 579. 1071 al. plur. | υμιν pr.: om. vg. (1 MS) | και προστεθησεται (προστεθ. γαρ 28) υμιν (om. 33. 255. 416) sine add. אBCLΔ 700. 892. c ff g² i r¹·²· vg. Cop.ᵇᵒ· Aeth.: om. DGW 114. 565. 579. l184 b e l vg. (gat.) Cyp.; και περισσευθησεται υμιν Θ 433 ; +τοις ακουουσιν (pon. post υμιν pr. G 114. l184) ΑΘ ΠΣΦ 0107 ⅂ fam.¹ fam.¹³ 543. 28. (33) 157. 330. 569. 1071 al. pler. q Sy.ᵖᵉˢʰ· ʰˡ· Cop.ˢᵃ· ᵇᵒ· ⁽ᵃˡⁱᵍ·⁾ Geo.; +αυτοις 253 ; +credentibus f.

25. ος γαρ εχει אBCLWΔ 700. 892, item qui enim habet it. vg. : ος εχει γαρ fam.¹³ (exc. 124) 543. 28; ος γαρ αν εχει DE*FHKY 0107. 124. 579; ος (οστις Θ) γαρ αν (εαν ΜΩ 237. 248. 349. 473. 476. 1071) εχη ΑΕ²G(M)SUV(Θ)ΠΣΦ(Ω) fam.¹ 22. 33. 157. 565. (1071) al. pler. | δοθησεται: προστεθησεται D 271 | και ος: qui autem ff Hieron. Hil. | εχει sic: εχη E*GΠ* 157 | και ο εχει (εχη G 157; δοκη εχειν 346 Hieron.): om. l48 | αρθησεται: αφαιρεθησεται 565 ; δωθησεται sic errore 579 | αυτου: add. εν ω μετρω μετρειτε μετριθησεται υμιν και προστεθησεται υμιν fam.¹³ (exc. 124) 543, cf. uers. 24.

26. και ελεγεν: om. l48 ; +αυτοις 11. 235². 252. 473. 1071, item +illis f, +eis vg. (2 MSS) ; +οτι Cᵘⁱᵈ·? | ουτως: ουτος Θ 13. 346. 543. 28 | ως אB DLWΔ 33. 238. 579. 892*. l48. l49, item quomodo e vg· (tol.) Sy.ᵖᵉˢʰ· Cop.ˢᵃ· ᵇᵒ·: ως (ος l184) εαν (αν C) Α(C)ΠΣΦ 0107 ⅂ 22. 157. 892ᵐᵍ· 1071 al. pler. it. (rell.) vg. (rell.) Sy.ʰˡ· Ambr. ; ωσπερ Θ fam.¹³

543. 28. 565. 700 Geo. ; ως οταν 40. 53. 237. 259 cf. Bas. | βαλη (βαλει 245. 579; βαλλη F; βαλλει 118. 131. 69. 28. 238. 700. l48) τον (om. Θ fam.¹³ 543. 28. 565. 700) σπορον (+αυτου Σ 157. 482 Gelas.): οταν βαλη τον (om. W) σπορον W fam.¹, item cum mittat seminationem e ; > σπορον βαλη D (semen iactat d) ; cf. mittat semen b c f ff, iactet semen (〜entem l) i l r Ambr. semel, iaciat semen (〜entem vg.) δ vg., iacebat sementem suum g², seminat semen Geo. | επι της γης: επι την γην W fam.¹ 579, item super (uel in) terram c f ff i l q vg. (pler.) Ambr.ᵇⁱˢ Gelas. ; εν τη γη 517.

27. και pr.: om. 346 | καθευδη: καθευδει EFH U fam.¹³ (exc. 13) 33. 238. 262 al. mu. ; καθευδαν Δ ; εγειρηται ΑBCKUVΔΘΠΣΦ 0107 fam.¹ (exc. 131. 118²) 22. 33. 157. 565. 579. 700. 892. 1071 al. plur. Bas. : εγειρεται אEFGHLMSWΩ 131. 118* (cor. sup. lin.) fam.¹³ (〜ετε 346) 543. 238. l48. l184 al. plur. ; εγηρεται 28 ; εγειρθη D | νυκτα (νυκτος C*ᵘⁱᵈ·; νυκταν Σ) και ημεραν: νυκτος και ημερας 28; om. και ημεραν 255 ; > diem et noctem c Cop.ᵇᵒ· ⁽¹ ᴹˢ⁾ Aeth., nocte (uel noctu) ac (uel et) die it. (rell.) vg. Ambr. | ο σπορος: om. c. | βλαστα BC*DLWΔΘ 565 (βαστα sic) 892: βλαστανη אΑ C²GKMSUVΠΣΦ 0107 fam.¹ 22. fam.¹³ (exc. 124) 543. 579. 700. 1071 al. pler. ; βλαστανει EFHΩ 28. 33. 157. 238. 349. 474. 517. l48. l184 al. plur. | βλαστα και: = om. Geo. | μηκυνηται אΑBCLΔ ΘΠΦ⅂ (exc. HS) fam.¹ 22. 13. 69. 543. 28. 33. 157. 565. 579. 892. 1071 al. pler.: μηκυνεται DHSWΣΩ 124. 346. 349. 238. 484. 517. 700 al. | ως (ος 13): = quum Sy.ᵖᵉˢʰ· ʰˡ·, dum it. (exc. e) vg. Ambr. | αυτος: om. Θ 28 b ; αυτοις 346.

28. αυτοματη tant. אΑBCL 179. 892* l48. l185 Sy.ʰˡ· Cop.ˢᵃ· ᵇᵒ· Aeth. Ambr.: αυτοματη (〜τει 124, 〜τι 157. 700 ; αυτοματως 235. 413. 414) γαρ

---

24. Cyp. ᵀᵉˢᵗ· ᴵᴵᴵ· ²²· In qua mensura mensi fueritis, in ea remetietur uobis.

25. Hieron. ⁱⁿ ᴴⁱᵉʳᵉᵐ· ⁵¹· ³· qui enim habet dabitur ei qui autem non habet etiam id quod habere uidetur auferetur ab eo.

Hil. tract. in Ps. 68. Omni habenti dabitur qui autem non habet etiam quod habet auferetur ab eo.

26. Ambr. ᴱˣᵃᵐ· ᵇⁱˢ· sic est regnum dei quemadmodum si qui (quis aliq. ; homo aliq.) iactet (iactat semel) semen super terram.

Gelas. ¹⁰⁹· ⁵· ουτως εστιν η βασιλεια του θεου ως εαν ανθρωπος βαλη τον σπορον επι την γην.

Bas. ᴴᵉˣᵃᵉᵐᵉʳ· ᴴᵒᵐⁱˡ· ᵛ· ⁵· ως οταν ανθρωπος βαλη τον σπορον επι της γης.

27. Ambr. ᴱˣᵃᵐ· ³²· ⁸⁹· ²⁸· et obdormiat . . . et surgat nocte et die et semen germinet et increscat dum nescit ille.

Gelas. και καθευδη (καθευδει MSS al.) και εγειρεται νυκτα και ημεραν· και ο σπορος βλαστανει και μηκυνεται ως ουκ οιδεν αυτος.

Bas. και καθευδη και εγειρηται νυκτα και ημεραν και ο σπορος εγειρηται και μηκυνηται ως ουκ οιδεν αυτος.

ἡ γῆ καρποφορεῖ, πρῶτον χόρτον, εἶτεν στάχυν, εἶτεν πλήρη σῖτον ἐν τῷ στάχυϊ.
²⁹ ὅταν δὲ παραδοῖ ὁ καρπός, εὐθὺς ἀποστέλλει τὸ δρέπανον, ὅτι παρέστηκεν ὁ θερισμός.
³⁰ Καὶ ἔλεγεν Πῶς ὁμοιώσωμεν τὴν βασιλείαν τοῦ θεοῦ, ἢ ἐν τίνι αὐτὴν παραβολῇ (μδ/β)
θῶμεν ; ³¹ ὡς κόκκῳ σινάπεως, ὃς ὅταν σπαρῇ ἐπὶ τῆς γῆς, μικρότερον ὂν πάντων τῶν

WΔΘΠΣΦ ⸆ fam.¹ 22. fam.¹³ 543. 28. 33. 157. 579.
892². 1071 al. pler. Sy.ᵖᵉˢʰ· (= γαρ tant.) Geo. Bas. :
item ultro enim it. (exc. quoniam ultro d) vg. Ambr. ;
οτι αυτοματη D 565. 700 ; η αυτοματη 262 | καρπο-
φορει : φερει 235. 271 | πρωτον : + μεν Δ
| χορτον : + και 69 | ειτεν bis ℵ* (sed om. ειτεν
σταχυν ℵ* et insert. sup. pag. ειτα σταχυν) B*L
(ειτε pr. loc.) Δ : ειτα bis AB²CDWΘΠΣΦ⸆ fam.¹ 22.
fam.¹³ (exc. 124) 543. 28. 33. 157. 579. 700. 1071 al.
pler. Orig. Bas. ; επειτα bis 124 ; επειτα pr. et ειτα sec.
565) ; ειτα pr. et επειτα sec. 73 | σταχυν : σταχυας
D | πληρη (πληρης C*uid. Σ 472 ; πληροι 892) σιτον
(σιντον 13 ; τον σιτον Θ 237. 517. 565. 700. 892) :
πληρες σιτος B ; πληρης ο σιτος DW | εν τω σταχυι
(σταχυει 28, σταχει 69) : om. 255.

29. οταν δε : om. δε W b e Cop.ᵇᵒ· (2 MSS) ; και
οταν D a c f ff g² i l q r² vg. Aeth. Ambr. ; οταν γαρ
71 | παραδοι ο καρπος ℵ*BDΔΘ 28. 565 : παραδω
ο καρπος ℵᶜACLWΠΣΦ 0107 ⸆ Minusc. rell., item
produxerit fructus ff l vg. (aliq.), tradiderit fructus
e ; cf. fructum ediderit b, fructum fece[ri]t a, mu-
tauerit fructus c, produxerit fructum d f i q δ
Ambr., se produxerit fructus vg. (plur. et WW)
| ευθυς ℵBCL 579. 892 : om. W c e ; ευθεως Uncs.
(rell.) 22. fam.¹³ 543. 28. 33. 157. 565. 700. 1071 al.
pler. ; statim it. (rell. exc. sic b) vg. ; τοτε fam.¹
| αποστελλει : εξαποστελλει fam.¹³ (exc. 124) 543
| το : τον L 579. 1278 | αποστ. το δρεπ. : =
uenit falx Sy.ᵖᵉˢʰ· | ο θερισμος : = messis eius
Geo.¹

30. ελεγεν : + αυτοις ℵ** 69. vg. (2 MSS) Cop.
ᵇᵒ· (2 MSS.) | πως usque ad η εν : om. 118 | πως
ℵBCLWΔ fam.¹³ 543. 28. 33. 579, 892. l49. l184 al.
pauc. b e Geo.¹ : τινι ADΘΠΣΦ⸆ fam.¹ 22. 157. 565.
700. 1071 al. pler. it. (rell.) vg. Sy.ᵖᵉˢʰ· ʰˡ· Cop.ˢᵃ· ᵇᵒ·
Geo.² | ομοιωσωμεν ℵABDLWΔΘΠΣΦ⸆ (exc. K)
131. 22. 1582. 33. 565. 579. 892. 1071 al. pler. :
ομοιωσομεν C 1. 157. 237. 252. 349. 470. 471**.
484. 700. l48 al. pauc., item adsimilabimus it. (exc.
simile dicemus b, similabimus e, adsimilauimus d ff
vg. 3 MSS, adsimilabitur q) vg. (pler. et WW) ;
ομοιωσω K fam.¹³ 543. 28. 238 Cop.ᵇᵒ· (aliq.) Arm.
Aeth. ; = similis est Sy.ᵖᵉˢʰ· (2 MSS) | εν (om. 118

f l δ) τινι ℵBC*?LWΔ fam.¹ fam.¹³ (exc. 124) 543.
28. 63. 569. 579. 892. l49. l184 it. vg. Sy.ᵖᵉˢʰ·
Cop.ᵇᵒ· Geo. Aeth. Arm. Orig. : εν ποια AC²DΘΠ
ΣΦ 0107 ⸆ 22. 124. 33. 157. 330. 565. 575. 700.
1071 al. pler. Sy.ʰˡ· txt. Cop.ˢᵃ· ; = quomodo Sy.ʰˡ·
mg. | αυτην παραβολη (∽ην Δ) θωμεν ℵBC*?LΔ
28. 63. 579. 892 Orig. : > παραβολη αυτην θωμεν
fam.¹⁹ (exc. 124) 543 Cop.ᵇᵒ· Geo., item cf. similitu-
dine ponemus b ; παραβολη παραβαλωμεν (∽ομεν F
237. 252.² 349. 700. l48 ; ∽ουμεν 238. 240. 244. 482 ;
∽λλομεν 485 ; ∽ωμεθα 565) αυτην AC²DΘΠΣΦ
0107 ⸆ 22. 124. 33. 157. 565. 700. 1071 al. pler.
Sy.ᵖᵉˢʰ· ʰˡ·, cf. (in quam) parabolam similabimus
illud c, (in quam) parabolam comparauimus illud
ff i (>illud compar.), (in quam) parabolam com-
parabimus illud q, parabola transferamus illud d,
parabolae comparabimus (∽rauimus l r²) illud f g²
l r² vg. ; την παραβολην δωμεν W e ; = ponam illud
Cop.ˢᵃ· ᵇᵒ· (aliq.)

31. ως (praem. παραβαλομεν αυτην 13. 69. 346.
543), item sicut it. (pler.) vg. (pler.) : ομοια εστιν D
(similis est d) Cop.ᵇᵒ· ; quasi e ; sic est enim sicut vg.
(1 MS) cf. sic est ut g² r² vg. (5 MSS) | κοκκω ℵBD
Δ²Π*ΣΦ 124. 157. 239. 243. 248. 330. 477. 486.
565 al. plur. : κοκκον ACLWΘ (κοκον) Π² 0107
0133 ⸆ fam.¹ 22. fam.¹³ (exc. 124) 543. 28. 33. 71.
349. 517. 579. 700. 892. 1071 al. plur. it. (exc. d)
vg. | σιναπεος 238 | ος (ως C*Δ 0133. 69. 579)
οταν : ο οτι αν D* ; om. ος ℵ* (suppl. ℵ cor·) ;
οποταν W, cf. quod seminatum (pro ος σπαρη) b ι
| σπαρη : σπαρει K 28 | επι της γης pr. : om. 579 ;
επι την γην DLW 28, item super terram b, in terram
de f i l q δ vg. (3 MSS), sed in terra c ff g² r² vg.
(pler. et WW) | μικροτερον usque ad finem uersus :
om. 69 | μικροτερον ℵ (praem. ο pr. man. postea
delet.) BD*LMW*ΔΘ 13*. 28. 33. 44. 179. 235.
258. 482. (∽ρων) 517. 569. 571. 579. 700. 892.
1071, item minus it. (exc. d q r²) vg. (pler.), mini-
mum r² : μικροτερος ACD²W²ΠΣΦ 0107 ⸆ (exc. M)
fam.¹ 22. fam.¹³ (exc. 13*) 543. 157. 330. 565. 575.
l251 al. pler., item minor d vg. (1 MS). minimus q
| ον (ων LW) ℵBLWΔΘ 892, item cum sit e : εστιν
hoc loco DM²ΣΦ 235. 271. l48, item it. (exc. e) vg.

---

28. Orig. ᴴᵒᵐ· ᴵᵉʳᵉᵐ· ³· ουκ αιφνιδιον γενεσθαι σταχυς αλλ ως εν τω κατα Μαρκον ευαγγελιω πρωτον χορτος
ειτα σταχυς ειτα ετοιμον γινεται προς θερισμον.
Ambr. ultro terra fructificat primo herbam deinde spicam deinde plenum triticum in spica.
Bas. αυτοματη γαρ η γη καρποφορει πρωτον χορτον, ειτα σταχυν ειτα πληρη σιτον εν τω σταχυι.
29. Ambr. et cum produxerit fructum statim mittit falcem quoniam adest messis.
30. Orig. ᴵᴵᴵ· ⁴⁴⁶· ⁱⁿ ᴹᵃᵗᵗʰ· γεγραπται γαρ εν τω Μαρκω· Τινι ομοιωσωμεν την βασιλειαν του θεου η εν τινι
αυτην παραβολη θωμεν ;

σπερμάτων τῶν ἐπὶ τῆς γῆς— ³² καὶ ὅταν σπαρῇ, ἀναβαίνει καὶ γίνεται μεῖζον
πάντων τῶν λαχάνων καὶ ποιεῖ κλάδους μεγάλους, ὥστε δύνασθαι ὑπὸ τὴν σκιὰν αὐτοῦ
(με/ϛ) τὰ πετεινὰ τοῦ οὐρανοῦ κατασκηνοῦν. ³³ Καὶ τοιαύταις παραβολαῖς πολλαῖς ἐλάλει
(μϛ/ι) αὐτοῖς τὸν λόγον, καθὼς ἠδύναντο ἀκούειν· ³⁴ χωρὶς δὲ παραβολῆς οὐκ ἐλάλει αὐτοῖς,
(μζ/β) κατ' ἰδίαν δὲ τοῖς ἰδίοις μαθηταῖς ἐπέλυεν πάντα. ³⁵ καὶ λέγει αὐτοῖς ἐν ἐκείνῃ τῇ
ἡμέρᾳ ὀψίας γενομένης Διέλθωμεν εἰς τὸ πέραν. ³⁶ καὶ ἀφέντες τὸν ὄχλον παρα-
λαμβάνουσιν αὐτὸν ὡς ἦν ἐν τῷ πλοίῳ, καὶ ἄλλα πλοῖα ἦν μετ' αὐτοῦ. ³⁷ καὶ γίνεται

Sy.ᵖᵉˢʰ· ʰˡ· Geo. (Aeth.) Arm., *pon. post* σπερματων
CM*Π οιο7 ♭ (*exc.* M²) fam.¹ 22. fam.¹³ 543. 28. 33.
157. 565. 579. 700. 1071 al. pler., *pon. post* γης
sec. A | των *pr.*: *om.* 892 | των επι της γης: *om.*
C 271 *b*; *om.* των επι 90. 292; *om.* των Θ 485;
α εστιν D, *item* quae sunt *it. vg.*

32. και οταν σπαρη (σπαρει 13. 346. 543. 28;
αυξηθη 12. 51. 74. 75. 89. 90. 119. 251. 483*. 484.
1278; φυη 63. 64. 106) αναβαινει, *item* f g² l vg.:
om. D ff i; αυξει W, *item* crescit e Geo., *cf.* crescit
autem *b*, et crescit r¹, et ubi creuerit c, et cum
creuerit q | και *sec.*: *om.* c q | μειζον ℵABCEL
VWΘ 33. 92. 217. 238. 248. 349. 579. 892. l49 *it.*
(pler.) *vg.* (pler.): μειζων DFGHKMSUΔΠΣΦΩ
fam.¹ 22. fam.¹³ 543. 28. 565. 700. 1071 al. pler.;
μειζω Y 157; μειζονων *sic* 483 | μειζ. παντ. τ.
λαχαν. ℵBCDLM²WΔΘ fam.¹ 28. 33. 34. 39. 59.
235. 349. 565. 571. 569. 579. 700. 892. 1071 (+επι
της γης) l48. l49. l184., *cf.* arbor (*om.* vg.) maius
(maior d) omnibus holeribus (omnium holerium *b*)
it. vg.: > παντ. τ. λαχαν. μειζ. AM*ΠΣΦ♭ (*exc.*
M²) 22. fam.¹³ 543. 157. 330. 575 al. pler. | και
ποιει κλαδους μεγαλους (μεγιστους 238; *om.* 76.
108. 123. 125. 218): *om.* 579 | > αυτου υπο
την σκιαν W | τα (*om.* 13. 346. 543. 28) πετεινα:
παντα τα πετεινα Δ 40. 237. 259. 417; | του
ουρανου: *om.* Sy.ᵖᵉˢʰ· | κατασκηνοιν B: κατα-
σκηνως *sic* Δ; κατασκηνουν (∼σκινουν 13. 28) Uncs.
rell. Minusc. omn.

33. και: *om.* b ff q | τοιαυταις (τοιαυτα 471**):
aliis b g¹ Cop.ˢᵃ· | παραβολαις πολλαις ℵABC²ΠΦ
οιο7 ♭ (*exc.* S) 22. fam.¹³ 543. 157. 1071 al. pler.:
> πολλαις παραβολαις DΘ 565. *it.* (pler.) *vg.*; *om.*
πολλαις C* ᵘⁱᵈ· LSWΔΣ fam.¹ 28. 33. 579. 700.
892 b c e Sy.ᵖᵉˢʰ· Cop.ᵇᵒ· Geo. Aeth. Arm. | ελαλει:
λαλει 700; + Iesus Sy.ᵖᵉˢʰ· | αυτοις: *om.* D 565
ff g¹ i | τον λογον: = parabolas Sy.ᵖᵉˢʰ·⁽ᵖˡᵉʳ·⁾;
om. b c e | καθως ηδυναντο ακουειν: *om.* Φ e
| ηδυναντο ℵBCFSUΔΣ fam.¹ 124. 28. 33. 157.
471. 484. 565. 1071. 1278 al. plur.: εδυναντο
(εδυνατο *sic* 22) ADLWYΘΠ οιο7 ♭ (*exc.* FSU)
fam.¹³ (*exc.* 124) 543. 2. 9. 44. 72. 238. 245. 252.
579. 700. 892 al. plur.

34. χωρις δε *usque ad* αυτοις: *om.* e | χωρις δε:

και χωρις BΦ 700 Sy.ᵖᵉˢʰ· Cop.ˢᵃ· ᵇᵒ· Aeth. Arm.
Orig. | παραβολης: παραβολαις Θ 346, *item* para-
bolis b c d r¹ Sy.ᵖᵉˢʰ· ʰˡ· Geo. ¹ ᵉᵗ ᴮ Orig. | αυτοις:
+ τον λογον ΣΦ 7. 33. 75. l49. l184. l25τ | καθ
ιδιαν B*DWΔ | τοις ιδιοις μαθηταις ℵBCLΔ 892.
1071: τοις μαθηταις αυτου ADWΘΠΣΦ οιο7 ♭ fam.¹
fam.¹³ 543. 28. 33. 157. 565. 579 al. pler., *cf.* disci-
pulis suis *it.* (*exc.* i l r²) *vg.* Geo.¹ = discipulis eius
Sy.ᵖᵉˢʰ· ʰˡ· Cop.ˢᵃ· ᵇᵒ· Aeth. Arm.; τοις μαθηταις 22.
258. 485. 700 i l r² Geo.² | επελυεν: επελυσε 69.
543; ελυεν 28. 238. 416; απελυε οιο7. 124. 346.
229. 245. 489 | παντα (απαντα Δ): αυτας DW,
item eas (*uel* illas) e ff i q; eis r¹ | > παντα επελυ-
σεν 15. 24. 237. 259. 417. 487.

35. και λεγει *usque ad* διελθωμεν: α ελεγεν αυτοις
εν εκεινη τη ημερα. οψιας δε γενομενης λεγει αυτοις·
διελθωμεν 238 *cf.* in illa die cum sero esset factum
ait illis Iesus g¹ | και λεγει Uncs. omn. fam.¹ 22.
28. 33. 157. 579. 700. 1071 al. pler. *it.* (pler.); +
Iesus c ff g¹): και ελεγεν fam.¹³ 543. 483. 484. 565.
892. l25τ Sy.ʰˡ·; et dixit e, *item* Sy.ᵖᵉˢʰ· Cop.ᵇᵒ·
Geo.¹, = dixit autem Cop.ˢᵃ·; = dixit *tant.* Sy.ᵖᵉˢʰ·
⁽¹ ᴹˢ⁾ Geo.² (*et pon.* dixit eis *post* οψιας γενομενης);
λεγων 371 | οψιας (+δε 59. 238) γενομενης: *om.*
56. 58. 416 l (*etiam om.* in illa die) | διελθωμεν
(διελθομεν l49): απελθωμεν 371.

36. αφεντες τον οχλον (αυτον *pro* τον οχλ. A)
Uncs. pler. Minusc. pler., *item* g² (+et) l vg.
Cop.ᵇᵒ· Sy.ʰˡ· = quum dimississent turbam; *cf.*
αφιουσιν τον οχλον και DWΘΦ⁴⁵ fam.¹³ 543. 28. 565.
700, *item* dimittunt turbam (turbas c ff) et c ff i q r¹,
dimiserunt turbam et b e Sy.ᵖᵉˢʰ· (= dimis. turbas
et) Cop.ˢᵃ· Geo. (= reliquerunt populum illum et);
cf. dimissa turba f | παραλαμβανουσι, *item* acci-
piunt c, adsumunt l r² vg.: acceperunt b d q, sus-
ceperunt i r¹, adsum(p)serunt e f, adciperunt ff
| και αλλα πλοια ℵBC*Δ 157. 579. 892, *item* et
aliae naues f l vg. Sy.ᵖᵉˢʰ· Cop.ˢᵃ· ᵇᵒ·: και αλλα δε
πλοια ACD² (+πολλα) ΚΜΠΣ fam.¹³ (*exc.* 124)
543. 33 (+πολλα) 38. 67. 238. 349. 472. 474. 517.
1071. l49. l184 al. Sy.ʰˡ· Geo.²; και αλλα δε (*om.*
L 476) πλοιαρια LΦ♭ (*exc.* KM) 22. 124. 1278 al.
pler.; και αλλα δε πλοιαι πολλαι D*; και αλλα
δεκα πλοιαρια 71; και τα αλλα (+δε 700) τα οντα

---

34. Orig. ᴵⁿᵗ· ᶜᵒᵐᵐᵗ· ᴸᵉᵛⁱᵗ· in parabolis loquebatur ad turbas et sine parabolis non loquebatur iis seorsum
autem soluebat ea discipulis suis.

λαῖλαψ μεγάλη ἀνέμου, καὶ τὰ κύματα ἐπέβαλλεν εἰς τὸ πλοῖον, ὥστε ἤδη γεμίζεσθαι τὸ πλοῖον. ³⁸ καὶ αὐτὸς ἦν ἐν τῇ πρύμνῃ ἐπὶ τὸ προσκεφάλαιον καθεύδων· καὶ ἐγείρουσιν αὐτὸν καὶ λέγουσιν αὐτῷ Διδάσκαλε, οὐ μέλει σοι ὅτι ἀπολλύμεθα; ³⁹ καὶ διεγερθεὶς ἐπετίμησεν τῷ ἀνέμῳ καὶ εἶπεν τῇ θαλάσσῃ Σιώπα, πεφίμωσο. καὶ ἐκόπασεν ὁ ἄνεμος, καὶ ἐγένετο γαλήνη μεγάλη. ⁴⁰ καὶ εἶπεν αὐτοῖς Τί δειλοί ἐστε; οὔπω ἔχετε πίστιν;

πλοια Θ fam.¹ 28. 565. 700 Arm.; και αμα πολλα, *item* et simul multi *e*; *cf.* et multae simul naues (>naues simul *b*) *b i q r*¹, et aliae naues multae (*om. c*) simul *c ff*; *om.* Geo.¹ | ην μετ αυτου (αυτων 12. 217. 472) ΑΒCΠΣΦϷ 22. fam.¹³ 543. 33. 157. 579. 892. 1071 al. pler.: *om.* ην LΘ 565. 700; *om.* ην et pon. μετ αυτου *ante* πλοια fam.¹ 28; ησαν μετ αυτου (αυτων Δ Sy.ᵖᵉˢʰ· ʰˡ· Cop.ˢᵃ·) אDWΔ Sy.ᵖᵉˢʰ· ʰˡ· Cop.ˢᵃ· ᵇᵒ·, *item* erant cum illo (eo *e*) *it. vg.*, quae fuerunt cum eo Geo.²; *om.* Geo.¹

37. και γινεται: και εγενετο D, *item* et facta (factum *g*²) est *it. vg.* Sy.ᵖᵉˢʰ· ʰˡ· Cop.ᵇᵒ· Geo.; = facta est autem Cop.ˢᵃ· | λαιλαψ (λελαμψ Δ; λελαψ Ω 13. 69. 346. 543. 28. 700): *om.* Cop.ˢᵃ·ᵇᵒ· | μεγαλη (μεγας א*; + του 28) ανεμου אBDLΔΘϷ⁴⁵ fam.¹ fam.¹³ (*exc.* 124) 543. 28. 565. 700, *item it.* (*exc. e f*) *vg.*: > ανεμου μεγαλη (μεγας 157) ΑΠΣ ΦϷ 22. 124. 33. 157. 579. 892. 1071 al. pler. *f* Sy.ʰˡ·; μεγαλου ανεμου W *e*; > ανεμου μεγαλου C 44. 179. 252**. 258. 415. 472. Geo.; = magnus uentus Cop.ˢᵃ· ᵇᵒ·; = magnus et uentus Sy.ᵖᵉˢʰ· | και τα אBCDLWΔΘ fam.¹ fam.¹³ (*exc.* 346) 543. 28. 565. 579. 700. 892. 1071. *l*48 *it. vg.* Sy.ᵖᵉˢʰ· Cop.ᵇᵒ· Aeth. Arm.: τα δε ΑΠΣΦϷ 22. 346. 33. 157 al. pler. Sy.ʰˡ· | επεβαλλεν (ενεβ. U; εισεβ. W) ΑΒCΔΠ² (W)ΣΦϷ (*exc.* EFM) Minusc. pler., *item* mittebat *it.* (*exc. e f g*²) *vg.* (pler. *et* WW) Cop.ᵇᵒ· Geo. Arm.: επεβαλλον 33. 478. al., *item* = mittebant Sy.ʰˡ·, = irruebant Sy.ᵖᵉˢʰ·; επεβαλεν (ενεβ. 237) אEFLM ΘΠ* 124. 238. 241. 245. 246. 247. 248. *l*48 al. mu. Cop.ˢᵃ·; επεβαλον 474; εβαλλεν 565; εβαλεν D; *cf.* mittebantur *g*², inmittebantur *e*, ascendebant *f* | ηδη γεμιζεσθαι το πλοιον אᵃBCDLΔϷ⁴⁵ 517. 565. 892, *item* impleretur nauis *b c f ff* (naues) *g*² *l r*² *vg.* Sy.ʰˡ·ᵐᵍ· Cop.ᵇᵒ· Geo.²: αυτο (αυτα *l*48) ηδη γεμιζε-σθαι ΑWΘΠΦϷ (*exc.* G) 22. fam.¹³ 543. 28. 157. 579 al. pler., *similiter* Sy.ᵖᵉˢʰ· Sy.ʰˡ·ᵗˣᵗ· Cop.ˢᵃ· Geo.¹; *cf.* impleret nauem *d i q r*¹; αυτο (αυτω G) ηδη βυθι-ζεσθαι G fam.¹ 7. 251. 349. *l*10. *l*12. *l*18 *l*19. *l*184; > βυθιζεσθαι αυτο ηδη Σ; > ηδη βυθιζ. αυτο 33; αυτο ηδη καταποντιζεσθαι 11. 27. 68. 473; *om.* א *e*.

38. και αυτος ην אBCLΔ 579. 892. 1071. *l*48 *vg.* (1 MS) Cop.ᵇᵒ· Arm.: > και ην αυτος ΑDWΘΠΣ ΦϷ fam.¹ 22. fam.¹³ 543. 28. 33. 157. 565. 700 al. pler., *item* et erat ipse *it.* (*exc. a b e*) *vg.* (*exc.* 1 MS) Sy.ʰˡ·; ipse autem erat *a* Cop.ˢᵃ· Aeth., erat autem ipse *b e*; = ipse autem Iesus Sy.ᵖᵉˢʰ· | εν אABC DLWΔΘ fam.¹ fam.¹³ 543. 17. 28. 565. 700. 892.

1071. *l*48 al.: επι ΠΣΦϷ 22. 33. 157. 579 al. pler. | τη πρυμνη: την πρυμνην *l*48; της πρυμνης 409; *cf.* priora *e*; puppim *g*¹; puppi nauis *vg.* (1 MS) = in posteriori eius parte Sy.ʰˡ·; = in posteriori parte nauigii Sy.ᵖᵉˢʰ· (*et pon.* post καθευδ.) Cop.ˢᵃ·; e capite Geo.¹ | επι το (*om.* fam.¹ 22. 28. 235. 349. 517. 700) προσκεφαλαιον (κεφαλαιον 300): επι κροσμεφαλαιον DWΘ 131. 251. 565. 1278. 1582; καθημενος επι προσκεφαλαιον 235 (*et add.* και ante καθευδων) | καθευδων: καθημενος επι προσκεφαλαιον 238 (*et add.* και καθευδων) | εγειρουσιν αυτον אB*C*ΔΠ* 15. 44*. 50. 237. 259. 406. 417: διεγειρουσιν αυτον ΑΒ²C²LΠ²ΣΦϷ fam.¹ 22. 33. 157. 579. 892. 1071 al. pler., *item* excitant eum *l vg.* (*exc.* 1 MS) *cf.* = excitauerunt eum *e* Cop.ᵇᵒ· Geo.¹, = uenierunt excitauerunt eum Sy.ᵖᵉˢʰ·, = excitaue-runt eum discipuli eius (*om.* Geo.²) Cop.ˢᵃ· Geo.²; διεγειραντες (εγειραντες fam.¹³ 543) αυτον et *om.* και ante λεγουσιν DWΘ fam.¹³ 543. 28. 565. 700, *item* excitantes eum (illum *ff*) *it.* (*exc. e l*) *vg.* (1 MS) και λεγουσιν αυτω: *om.* 473; *om.* αυτω W Sy.ᵖᵉˢʰ· (1 MS); *cf.* dixerunt ei *b*, et dixerunt *e* Cop.ᵇᵒ· (+ ei); λεγοντες 472; = dicentes ei Cop.ˢᵃ· | μελει (μελη 28): μελλει EGVΩ fam.¹ (*exc.* 1) 69. 157. 349. 474. 476. 483. 484. 1278. *l*184 | απολυμεθα 71. 474. 482. 565* *l*48; απολομεθα 157.

39. και *pr.*: *om.* 13; = autem Cop.ˢᵃ· | διε-γερθεις (+ ο Ιησους 238) Uncs. pler. fam.¹ 22. 346. 33. 157. 565. 892. 1071 al. pler., *item* exsurgens *it.* (*exc. e*) *vg.* Geo.: εγερθεις DW fam.¹³ (*exc.* 346) 543. 28. 51. 217. 330. 485. 579. 700, *item* surgens *e* Sy.ᵖᵉˢʰ· (= et surrexit et) ʰˡ· Cop.ˢᵃ· ᵇᵒ· | και ειπεν *usque ad* ο ανεμος: *om.* Δ δ | και ειπεν τη θαλασση Uncs. pler. 22. fam.¹³ 543. 33. 157. 579. 892. 1071 al. pler., *item fl* (*r*²) *vg.* Sy.ᵖᵉˢʰ· ʰˡ· Cop. ˢᵃ· ᵇᵒ·: > και τη θαλασση και ειπεν DW fam.¹ 565. 700, *item* et mari et dixit *e ff i* Geo., et mari et ait *b*, et mari dicens *c*; >και τη θαλασση ειπεν 28 *q*; *om.* τη θαλασση 470 | σιωπα (σιωπατε L): *om.* W *b c e ff* | πεφιμωσο (∾σω Ω; πεφημ. 157. 246ᵐᵍ·; πεφιμωσαν 28; φιμωσο L; φιμωθητι W): και φιμω-θητι D, *item* et obmutesce *vg.* (4 MSS) Cop.ˢᵃ· ᵇᵒ· Geo. Hieron. | και εκοπασεν ο ανεμος: = et confestim desiit et uentus tacuit Cop.ˢᵃ·; = et confestim desiit uentus Geo.ᴮ | γαληνη (∾υνη 13; ∾ινη 28. 517) μεγαλη: > μεγαλη γαληνη 157; *om.* μεγαλη W *e*.

40. και ειπεν, *item* et dixit *a e* Sy.ᵖᵉˢʰ· ʰˡ· Cop.ᵇᵒ· Geo.; dixitque *b*, = dixit autem Cop.ˢᵃ·: και λεγει

---

39. Hieron. ⁱⁿ ᴴⁱᵉʳᵉᵐ· ³⁴¹· ¹ tace et obmutesce.

⁴¹ καὶ ἐφοβήθησαν φόβον μέγαν, καὶ ἔλεγον πρὸς ἀλλήλους Τίς ἄρα οὗτός ἐστιν ὅτι καὶ ὁ ἄνεμος καὶ ἡ θάλασσα ὑπακούει αὐτῷ;

V

¹ Καὶ ἦλθον εἰς τὸ πέραν τῆς θαλάσσης εἰς τὴν χώραν τῶν Γερασηνῶν. ² καὶ ἐξελθόντος αὐτοῦ ἐκ τοῦ πλοίου εὐθὺς ὑπήντησεν αὐτῷ ἐκ τῶν μνημείων ἄνθρωπος ἐν

ℵcW, *item et ait* c f ff g² i l q vg.; και ελεγεν L | αυτοις: + ο Ιησους 565 | τι: εις τι 700 | δειλοι εστε ℵBDLΔΘ 565. 579 (+ ολιγοπιστοι) 892*. 700. *it. vg.* Cop.sa. bo.: δειλοι εστε ουτως (ουτω F *al. plur.*) ACWΠΣΦↄ 118. 22. 124. 33. 157. 1071 *al. pler.* Sy.pesh. hl. Geo. Aeth.; >ουτως δειλοι (δηλοι 13. 346. 543) εστε 𝔓⁴⁵ *uid.* fam.¹ (*exc.* 118) fam.¹³ (*exc.* 124) 543. 28. (*om.* εστε) Arm. | ουπω ℵBDLΘ (οπω *sic*) fam.¹ (*exc.* 118) fam. 13 (*exc.* 124). 543. 28. 565. 579. 700. 892, *item* nondum a c ff i Cop.sa. bo. Geo.¹ (= *nec ultra*) Geo.² (= *ut non*) Aeth. Arm., *necdum* l r² vg., *nondum enim* b: πως ουκ ACΠΣΦↄ 118. 22. 124. 33. 157. 1071 *al. pler.*, *item* Sy.pesh. (= *et quare non*) hl., *cf.* quomodo nondum f; *om.* W e q | εχετε (εχεται 28; εχετων 543 *uid.*) πιστιν: *cf.* habetis fidem a b f i l r² vg.; habete fidem e, habetote fidem q; > fidem habetis c ff.

41. εφοβηθησαν: + σφοδρα 409. 482 | μεγα 482 | και ελεγον: και ελαλουν 700; = dicentes Cop.sa. | προς αλληλους: *om.* Geo.¹ | τις (τι 28* *sed add.* s *sup. lin.*) αρα ουτος (ουτως 13) εστιν Uncs. pler. Minusc. pler., *item* quisnam hic est ff i vg. (1 MS) Sy.hl.: τις αρα εστιν ουτος D 22. 72. 251. 1278, *item* quis putas est iste c f g² l r² vg. Sy.pesh. Aug., quisnam (= quis Geo.) est hic d Geo.; τις εστιν αρα ουτος Θ 565. 700 q; *om.* b e | οτι και: *om.* και W Θ Sy.pesh. hl. Cop.sa. bo. Geo.¹; ecce quomodo b e, quomodo c, cui ff i q | ο ανεμος (*om.* ο *ante* ανεμ. l184; οι ανεμοι ℵcΕΦ fam.¹ 31. 33. 38. 179. 229**. 235. 238. 271. 435. 472. 517. 1071. l9. l48) και η θαλασσα Uncs. pler. fam.¹ 22. fam.¹³ 543. 28. 33. 579. 892. 1071 *al. pler.*, *item* uentus et mare f l r² vg. (pler.) Sy.hl. Aug., uenti et mare c i vg. (2MSS) Sy.pesh. Cop.sa. bo. Geo.: > η θαλασσα και οι ανεμοι

(ο ανεμος 330) DWΘ 157. 330. 565. 700, *item* mare et uenti b ff q, mare et uentus e vg. (1 MS) Aeth. | υπακουει αυτω ℵcBL 892: >αυτω υπακουει (⌒ουσιν 131 ?) fam.¹ fam.¹³ (*exc.* 124. 543. 28); υπακουουσιν αυτω AWΘΠΣΦↄ 22. 124. 33. 565. 579. 700. 1071 *al. pler.* it. (*exc.* ff q) vg. Sy.s. pesh. hl. Cop.sa. bo. Geo.; υπακουουσιν *tant.* D.

1. και: = autem *post* uen. Cop.sa. Epiph. | ηλθον (ηλθαν W) ℵABD(W)ΠΣΦↄ (*exc.* GM) fam.¹ 22. 33. 157. 565. 1071 *al. pler.*, *item* uenerunt (ueniunt g² vg. 1 MS) it. (*exc.* q) vg. Sy.hl. mg. Cop.sa. (Aeth.) Arm.: ηλθεν CGLMΔΘ fam.¹³ 543. 28. 31. 60. 225. 238. 282. 435. 472. 579. 700. 892. 1278² *al. mu.*, q Sy.s. pesh. hl. txt. Cop.bo. Geo. Epiph., *et add.* ο Ιησους G 116. l2. l8. l10. l13. l14. l17 | εις το (*om.* εις το l251) περαν της θαλασσης (της λιμνης 700), *item* trans fretum maris c l r² vg., trans mare e: *om.* της θαλασσης D (*et* + και) 13. 69. 543. l4, *item* trans fretum b f nil nisi trans ff, ultra d i q r¹ | εις την χωραν: in regione l, regionem (*om.* εις) r¹ | των *om.* 480* | γερασηνων ℵ*BD, *item* Gerasenorum it. vg. *cf.* Eus.: γεργεσηνων ℵcLUΔΘ fam.¹ (*exc.* 118mg.) 22. 28. 31. 33. 38. 225. 251. 255. 565. 579. 700. 892. 1071. l49. l184. al. Sy.s. hl. mg.? Cop.bo. Geo. Aeth. Arm. Epiph. Orig.; γεργυστηνων W; γαδαρηνων (⌒ινων 247 Ω)ACΠΣΦↄ (*exc.* U) 118mg. fam.¹³ 543. 157. 330. 569. 575 *al. pler.* Sy.pesh. hl. txt.

2. και: = autem Cop.sa. | εξελθοντος αυτου ℵB CLΔΘ fam.¹ 22. fam.¹³ 543. 7. 28. 33. 251. 565. 579. 700. 892. l18. l19. l49. l184 al., *item* exeunte ipso (*om.* r²; eo f) b f r² vg. (1 MS), *item* = quum (uel ut) egressus esset Sy.s. pesh. hl. Cop.sa. bo. Geo.¹ et B Aeth. Arm.: εξελθοντων αυτων DW, *item* exeuntibus (descendentibus c) c d ff, *item* cum exissent e

---

41. Aug.cons. 43. 158. 4. quis putas est iste quia uentus et mare (> mare et uentus 1 MS) oboediunt ei.

1. Orig.Comm. in Ioan. VI. αναγεγραπται γεγοναι εν τη χωρα Γερασηνων. Γερασα δε της Αραβιας εστι πολις, ουτε λιμνην ουτε θαλασσαν πλησιον εχουσα. και ουκ αν ουτως προφανες ψευδος και ευελεγκτον οι ευαγγελισται ειρηκεσαν, ανδρες επιμελως γινωσκοντες τα περι την Ιουδαιαν. επει δε εν ολιγοις ευρομεν· Εις την χωραν των Γαδαρηνων· και προς τουτο λεκτεον. Γαδαρα γαρ πολις μεν εστι της Ιουδαιας, περι ην τα διαβοητα θερμα τυγχανει, λιμνη δε κρημνοις παρακειμενη ουδαμως εστιν εν αυτη η θαλασσα. αλλα Γεργεσα, αφ ης οι Γεργεσαιοι, πολις αρχαια περι την νυν καλουμενην Τιβεριαδα λιμνην, περι ην κρημνος παρακειμενος τη λιμνη, αφ ου δεικνυται τους χοιρους υπο των δαιμονων καταβεβλησθαι. ερμηνευεται δε η Γεργεσα παροικια εκβεβληκοτων, επωνυμος ουσα ταχα προφητικως ου περι τον σωτηρα πεποιηκασι παρακαλεσαντες αυτον μεταβηναι εκ των οριων αυτων οι των χοιρων πολιται. *item similiter ab Origine haec notantur* in catenis Oxon., Poss. etc.

Euseb.Onomast. 64. 4. των Γερασσινων, et 74. 13. Γεργεσα.

Epiph.pan. LXVI. ηλθε δε εις τα μερη της Γεργεσηνων.

2. Epiph.pan. και απηντησεν αυτω δαιμονιζομενος.

πνεύματι ἀκαθάρτῳ, ³ ὃς τὴν κατοίκησιν εἶχεν ἐν τοῖς μνήμασιν, καὶ οὐδὲ ἁλύσει
οὐκέτι οὐδεὶς ἐδύνατο αὐτὸν δῆσαι ⁴ διὰ τὸ αὐτὸν πολλάκις πέδαις καὶ ἁλύσεσι δεδέ-
σθαι καὶ διεσπάσθαι ὑπ' αὐτοῦ τὰς ἁλύσεις καὶ τὰς πέδας συντετρῖφθαι, καὶ οὐδεὶς ἴσχυεν

cf. Geo.ᴬ (= ut exierunt illi) ; εξελθοντι αυτω ΑΠΣ
Φ៦ 157. 330. 575. 1071 al. pler., *item* exeunti ei *g*៦
*i l q r*¹ *vg.* | ευθυς אCLΔ 579. 892 : ευθεως ΑDΘΠ
ΣΦ៦ fam.¹ 22. fam.¹³ 543. 28. 33. 157. 565. 700.
1071 al. pler., *item* statim *d f g*²*l q* (et statim) *r*¹·² *vg.*
(*exc.* 1 MS) Sy.ʰˡ·Cop.ˢᵃ· ᵇᵒ· Geo. Aeth. ; *om.* BW
b c e f ff i vg. (1 MS) Sy.ˢ· ᵖᵉˢʰ· Arm. | υπηντησεν
אBCDGLΔΘ fam.¹ fam.¹³ (*exc.* 124) 543. 28. 40.
219. 349. 472. 473. 517. 565. 579. 669. 700. 1071
al. : απηντησεν ΑWΠΣΦ៦ (*exc.* G) 22. 124. 33. 157.
330. 892 al. pler. Epiph. | αυτω : illis *c* ; *om. i r*¹
| εκ των μνημειων ανθρωπος Uncs. pler. Minusc.
pler., *item* de monumentis (= ～ento Sy.ᵖᵉˢʰ· 1 MS·)
homo *d g*²*l r*² *vg.* (*exc.* 1 MS) Sy.ᵖᵉˢʰ· ʰˡ· Cop.ᵇᵒ·
Geo. (e coemeterio homo) : > ανθρ. εκ των μνημειων
DWΘ 565. 700, *item* > homo de monumentis (～
ento *b*) *it.* (*exc. d g*²*l r*²) *vg.* (1 MS) Cop.ˢᵃ· Aeth.
Arm. ; *om.* ανθρωπος 13 ; *om.* εκ των μνημειων Sy.ˢ·

3. ος : οστις 28 ; et *b* Sy.ᵖᵉˢʰ· | την κατοικησιν
(οικησιν 34. 35. 39. 106. 358. 445 al. mu.) ειχεν
(εσχεν 409) Uncs. pler. Minusc. pler. *d f ff g*²*i l q*
*r*¹·² *vg.* Sy.ˢ· ʰˡ· Geo. Aeth. : > ειχεν την κατοικησιν
DW 565. 700. *a b c e* | μνημασιν אABCLYΔΘΠΣ
Φ៦ (*exc.* H) 131. 22. fam.¹³ (*exc.* 69*) 543. 28. 33.
127. 157. 565. 579. 700. 892. 1071 al. plur. :
μνημειοις DHW fam.¹ (*exc.* 131) 69* al. | ουδε
אBCDLWΔΘ 33. 565. 700. 892 : ουτε ΑΠΣΦ៦
fam.¹ 22. fam.¹³ 543. 28. 157. 579. 1071 al. pler.
| αλυσει BC*LWΘ 33. 565. 892, *item* catena *c e*
Cop.ˢᵃ· Geo.¹ et B Arm? : αλυσεσιν אAC²DΔΠΣΦ៦
fam.¹ 22. fam.¹³ 543. 28. 157. 579. 1071 al. pler.,
item catenis (*uel* cathenis) *f ff i l q r*¹·² *vg.* Sy.ˢ·ᵖᵉˢʰ·
ʰˡ· Cop.ᵇᵒ· Geo.ᴬ Aeth. ; *om. g*² | ουκετι ουδεις אB
C*DLΔΘ fam.¹³ 543. 28. 565. 579. 700. 892, *item*
iam quisquam (quispiam *f*) *it.* (*exc. i q r*¹) *vg.* (*exc.*
3 MSS) Geo. : *om.* ουκετι ΑC²ΠΣΦ៦ 22. 33. 157.
1071 al. pler. *i q r*¹ *vg.* (3 MSS) Sy.ˢ· ᵖᵉˢʰ· ʰˡ· Cop.
ˢᵃ· ᵇᵒ· ; *om.* ουδεις W ; ουδεις ετι fam.¹ 517 | εδυνατο
אAB*C*DL(W)YΔΘΠΣ៦ (*exc.* FMS) 22. fam.¹³
543. 33. 565. 579. 700. 892. *l*184 al. plur. : ηδυνατο
B²C²FSΦ fam.¹ 28. 157. 1071. *l*49 al. plur. ; ετολμα
M | >αυτον ουκετι εδυναντο W | >αυτον εδυνατο
DΘ 240. 565, *item* eum poterat *i r*² (poterant), *vg.*
(*exc.* 1 MS), *cf.* > eum alligare (ligare *l*) poterat *c l*
| δησαι (δισαι 346) : δαμασαι 28 | πεδησαι 225.

4. δια το αυτον (*om.* αυτον 1071 ; και δια το αυτον
EH ; και διατον F ; διαυτον א*) πολλακις πεδαις
(πεδες 131. 346 ; πεδας 1278) και (η 238) αλυσεσι
δεδεσθαι και διεσπασθαι (διασπ. U 127. 238. 301

al. pauc. ; διεσπαρασθε Δ) υπ (απ SVΩ 24. 36. 346.
348. 408. 433. 579 al.) αυτου (*om.* υπ αυτου 106)
τας αλυσεις (> τας αλυσεις υπ αυτου 409. 449. 482)
και τας πεδας (παιδας 346) συντετριφθαι Uncs. pler.
fam.¹³ 543. 33. 157. 579. 892. 1071 al. pler. Sy.ʰˡ·,
similiter Sy.ᵖᵉˢʰ· Cop.ˢᵃ· : δια το (οτι *pro* δια το D)
πολλακις αυτον δεδεμενον (*om.* 565. 700) πεδες (πεδαις
565. 700) και αλυσεσιν αις (εν αις D) εδησαν (+ αυτον
700) διεσπακεναι και τας πεδας (*om.* τ. πεδ. 700)
συντετριφεναι (～φθεναι 565) D 565. 700, *cf. similiter*
quoniam saepe compedes et catenas quibus ligatus
erat disrupisset et compedes (*om. q*) comminuisset
(*om.* et comp. commin. *r*¹) *ff i q r*¹ ; δια το πολλακεις
αυτον δεδεσθαι και πεδαις και αλυσεσιν διεσπακεναι δε
τας αλυσις και τας πεδας συντετριφεναι W., *cf.* quia
saepe iam alligatus compedibus et catenis disru-
perat a se catenas et compedes confregisset *b*, quod
saepe ligatus compedibus et catenis uinctus disru-
pisset eas *c*, eo quod saepe alligatus fuerat catenis
et dissipasseto catenas et compedes comminuerit *e*,
quoniam sepe compedibus et catenis alligatus dis-
rupisset catenas et compedes comminuisset *f*,
quoniam saepe compedibus (condibus *sic r*²) et
catenis uinctus disrupisset (disrumpiset *sic r*²)
catenas et compedes comminisset *l r*² *vg.* (pler. *et*
WW), = quia multum compedes et catenas fran-
gebat et exibat Sy.ˢ· ; δια το αυτον πολλας πεδας
(παιδας 28) και αλυσεις αις εδησαν αυτον διεσπακεναι
και συντετριφεναι (*om.* και συντετρ. 209*) fam.¹ 22.
28. 251. 697, *cf.* = quia multos compedes et catenas
quibus ligant eum discidit et fregit Geo.¹, = quia
frequenter catena et compedibus ligatus erat ille
et scindit et frangit Geo.² | και ουδεις ισχυεν
(ισχυσεν אV fam.¹ 28. 348. 579 al.; εδυνατο 238.
1071) αυτον (αυτο Δ) δαμασαι (*om.* א* ; δησαι A)
אABCKLMUVYΔΘΣΦΠ fam.¹ fam.¹³ 543. 7. 21.
28. 33. (238) 229. 300. 349. 517. 579. 892 al., *item*
nec quisquam (et nemo *l r*²) poterat (ualebat *b*) eum
domare (dominare *f*) *b f l r*² *vg.* Cop.ᵇᵒ·, = et nemo
potuit domare eum Sy.ˢ· ᵖᵉˢʰ· Geo. (Cop.ˢᵃ·) ; *cf.*
nec quisquam ualeret amplius eum domare *c*, nec
quisquam (+ eum *i*) posset eum amplius domare
(uincere *q*) *d ff i* (*q*) ; > ισχυεν ουδεις αυτον ισχυεν
(ισχυσεν 157. 247. 478 al. mu. (δαμασαι EFG 157.
247. 478. 1278 *l*251 al. plur., *item* et nemo eum
poterat domare *g*² *vg.* (1 MS) ; και μηδενα (>μηδενα
δε W) αυτον ισχυειν (>ισχυειν αυτον W) δαμασαι
(ετι δαμασαι W *e*) D(W) 565. 700, *item* et neminem
posse eum iam domare *e* ; *om.* Aeth.

---

4. Epiph. ᵖᵃⁿ· ος εδεσμειτο αλυσεσι σιδηραις και διεσπα τα δεσμα.
5. Epiph. ᵖᵃⁿ· και εν τοις μνημειοις διηγε.

αὐτὸν δαμάσαι·   ⁵ καὶ διὰ παντὸς νυκτὸς καὶ ἡμέρας ἐν τοῖς μνήμασιν καὶ ἐν τοῖς ὄρεσιν ἦν κράζων καὶ κατακόπτων ἑαυτὸν λίθοις.   ⁶ καὶ ἰδὼν τὸν Ἰησοῦν ἀπὸ μακρόθεν ἔδραμεν καὶ προσεκύνησεν αὐτόν,   ⁷ καὶ κράξας φωνῇ μεγάλῃ λέγει Τί ἐμοὶ καὶ σοί, Ἰησοῦ υἱὲ τοῦ θεοῦ τοῦ ὑψίστου; ὁρκίζω σε τὸν θεόν, μή με βασανίσῃς.   ⁸ ἔλεγεν γὰρ αὐτῷ Ἔξελθε τὸ πνεῦμα τὸ ἀκάθαρτον ἐκ τοῦ ἀνθρώπου.   ⁹ καὶ ἐπηρώτα αὐτόν

---

5. και (om. 245) διαπαντος (δια πασης 157. 271. 700) νυκτος και ημερας (>ημερ. και νυκτ. 11. 435. 473), item et semper nocte ac die f g² l r² vg. (exc. die ac nocte 1 MS), cf. et quod per noctem et di(em) a: νυκτος δε και ημερας (+ διαπαντος W) D (W), item nocte autem et (ac b) die b c e ff i q r¹; om. νυκτος και ημερας 15*. 24. 36. 40. 108. 125. 259. 433. 487 | εν τοις μνημασιν (μνημειοις fam.¹ fam.¹³ 543. 28) και εν (om. Θ ff²) τοις ορεσιν ℵAB CKLMUΔΘΠΣΦ fam.¹ fam.¹³ (exc. 124) 543. 28. 33. 472. 473. 474. 579. 892. 1071. l48. l49. l184 al. plur., item f g² l r² vg. Sy.ˢ· pesh. hl. Cop.ˢᵃ ᵇᵒ· Geo. Aeth. Arm.: >εν (και εν 349. 565) τοις ορεσιν και εν (om. 71. 692. b d e ff² i) τοις μνημασιν (μνημειοις DW; μνημαιοις sic 565) DEFGHSVWΩ 22. 157. 565. 700 al. plur., item b e ff² i q r¹; om. και εν τοις ορεσιν 124. c Sy.pesh. (1 MS) cf. Epiph.; om. εν τοις μνημασιν και vg.(fuld.) Cop.ᵇᵒ· (1 MS) | ην: pon. ante διαπαντος 517. 1071; pon. post in montibus r¹ | κραζων (κραζον D; κραζειν 565), item clamans b e f g² vg. (pler. et WW), et clamans l r² vg. (plur.): κραυγαζων fam.¹³ 543. 225. cf. exclamans c d ff i¹ q r¹ | κατακοπτων (∼τον 700): κατακοπτειν 565 εαυτον: αυτον Δ; om. r² | λιθοις: τοις λιθοις 142*. 225. 487. 565.

6. και ιδων ℵBCLΔΘ 1. 131. fam.¹³ (exc. 124) 543. 28. 579. 892 Sy.ˢ· Cop.ᵇᵒ· Geo. Aeth.: ιδων δε ADWΠΣΦϞ 118. 209. 22. 124. 33. 157. 565. 700. 1071 al. pler. it. vg. Sy.pesh. hl. Cop.ˢᵃ·; om. και Arm. | απο μακροθεν (pon. ante iesum b vg. 1 MS) ℵBCDΔΘϞ (exc. KM) fam.¹ 22. fam.¹³ 543. 28. 33. 157. 565. 579. 700. 892 al. pler., item a (de e) longe it. vg. Sy.ˢ· pesh. hl. Cop.ᵇᵒ· Geo. Aeth.: om. απο AKLMWYΠΣΦ 11. 15. 38. 106. 238. 248. 473. 474. 1071. l48. l49. l184 al. plur. Cop.ˢᵃ· | εδραμεν: προσεδραμεν Ν, item adcucurrit (uel accu.) b c d e i (accurrit) q | και προσεκυνησεν (προσεπεσεν F): = om. και Sy.ˢ· pesh. Cop.ˢᵃ. Aeth. Arm. | αυτον AB CLΔ 76. 330. 482. 569. 700. 892. l2. l19. l48. l49. l184: αυτω ℵDWΘΠΣΦϞ fam.¹ 22. fam.¹³ 543. 28. 33. 157. 565. 579. 1071 al. pler.

7. λεγει ℵABCKLMWΔΘΣΦ fam.¹ 33. 238. 349. 473. 474. 517. 579. 892. 1071. l48. l49. l184 al. plur., item dicit l vg. (pler. et WW) Sy.hl·, = et dicit vg. (1 MS): ειπε DϞ (exc. KM) 22. fam.¹³ 543. 28. 157. 330. 565. 575. 700 al. pler., item dixit it. (exc. l) vg. (aliq. et + ει 6 MSS), = et dixit Sy.ˢ· pesh.

Cop.ᵇᵒ· Geo. Aeth. Arm.; ελεγε 358; λεγων (λεγον Π) Π 1047 cf. = dicens Cop.ˢᵃ· | εμοι: ημιν Θ 106. 2145. Sy. pesh. (1 MS) hl. txt. Cop.ˢᵃ. (1 MS) Geo.ᴮ (= >tibi et nobis) | σοι: συ WΔ 579. l184**; om. l184* | Ιησου: om. fam.¹ (exc. 131) 33. 84. 86. 238. 349. 446. 700 | του pr.: om. W 235 | του sec.: om. 17*. 90 | υψιστου: ζωντος ΑΣ Sy.hl· mg·; om. Cop.ᵇᵒ· (1 MS) | ορκιζω spirit. sic 346. 543. 700 | τον θεον: om. Cop.ᵇᵒ· (1 MS*) | με βασανισης (∼σεις H): >βασανισης με 127.

8. ελεγε γαρ αυτω: om. 348. | ελεγεν γαρ (om. A* uid. G): και ελεγεν ℵ | αυτω: + ο Ιησους Dff q r¹ vg. (2 MSS) Cop.ˢᵃ· Geo.² | εξελθε το πνευμα το ακαθαρτον (>το ακαθ. πνευμα 261. 472) εκ (απο A 118. 33. 157. 330. 349. 410. 440. 485. 517. 565, item ab c d f ff g² i l q r¹· ² vg.) του ανθρωπου: >το πνευμα το ακαθ. εξελθε απο του ανθρ. A, item Cop.ˢᵃ· Geo.² Aeth.; >exi ab homine spiritus immunde ff Sy.pesh.

9. και: autem post interrog. Cop.ˢᵃ· | επηρωτα (επηρωτων 157): επηρωτησεν A 349. 517, item interrogauit a e ff i q r¹ vg. (2 MSS) Sy.pesh. Cop.ˢᵃ· Geo.², interrogauerit c | αυτον: αυτω 258. 349., + Iesus c ff | ονομα (το ονομα 892) σοι ℵABCKL MWΔΘΠᵗˣᵗ·ΣΦ fam.¹ fam.¹³ (exc. 124) 543. 22. 33. 238. 349. 517. 579. 892. l48. l49. l184 al. plur.: >σοι ονομα D(+ εστιν, item it. vg. cf. Orig.int·) Πᵐᵍ· Ϟ (exc. KM) 22. 124. 157. 330. 565. 575. 700. 1071 al. pler. | λεγει αυτω ℵABCKLMWΔΘΠᵗˣᵗ· ΣΦ fam.¹ fam.¹³ (exc. 124) 543. 28. 238. 349. 517. 579. 892. l48. l49. l184 al. plur., item g² l r² vg. Sy.hl· Aeth., cf. dixit ei (om. g¹ Geo.¹ ᵉᵗ ᴮ) g¹ Sy.ˢ· pesh. Cop.ˢᵃ· ᵇᵒ· (Geo.): απεκριθη λεγων Πᵐᵍ· Ϟ (exc. KM) 22. 124. 157. 565. 700. 1071 al. pler., cf. qui respondens dixit c; απεκριθη tant. D 253, item a e f i q; = dicebat ei Arm. | λεγιων ℵ*B*DL (∼ειων) Δ 579, item legio it. vg. Sy.ˢ· pesh. hl. Cop.ᵇᵒ·: λεγεων (λεγαιων ℵᶜ) AB²CWΘΠΣΦϞ Minusc. rell. Cop.ˢᵃ· Geo. | λεγ. ονομα μοι ℵACLWΔΘΠΣΦϞ 118. 22. 28. 33. 157. 565. 579. 700. 892. 1071 al. pler. a Orig.int·: + εστιν B fam.¹³ 543. 238. i vg. (pler. et WW); λεγ. ονομα fam.¹ (exc. 118); >εστιν μοι ονομα λεγ. D q r¹; cf. legio nomen est mihi b g¹ r² vg. (1 MS), nomen mihi legio est c, nomen mihi legio e, legio mihi nomen est f l vg. (3 MSS), = legeon est nomen meum Geo.; = legio nomen nostrum Sy.ˢ· pesh. | πολλοι: πολλα 565.

---

9. Orig. Lev. int· cum interrogatus esset, quod tibi nomen est ? dixit : Legio, multi enim sumus.
Orig. ps· οτε εκεινο αποκρινεται, οτι λεγεων ονομα μοι.

Τί ὄνομά σοι; καὶ λέγει αὐτῷ Λεγιὼν ὄνομά μοι, ὅτι πολλοί ἐσμεν· ¹⁰ καὶ παρεκάλει αὐτὸν πολλὰ ἵνα μὴ αὐτὰ ἀποστείλῃ ἔξω τῆς χώρας. ¹¹Ἦν δὲ ἐκεῖ πρὸς τῷ ὄρει ἀγέλη χοίρων μεγάλη βοσκομένη· ¹² καὶ παρεκάλεσαν αὐτὸν λέγοντες Πέμψον ἡμᾶς εἰς τοὺς χοίρους, ἵνα εἰς αὐτοὺς εἰσέλθωμεν. ¹³ καὶ ἐπέτρεψεν αὐτοῖς. καὶ ἐξελθόντα τὰ πνεύματα τὰ ἀκάθαρτα εἰσῆλθον εἰς τοὺς χοίρους, καὶ ὥρμησεν ἡ ἀγέλη κατὰ τοῦ

10. και: autem post rogabant c; om. vg. (1 MS) | παρεκαλει ℵBCDLWΠΣΦᵇ fam.¹³ 33. 579. 700. 892. 1071 al. pler., cf. επαρεκαλει 157, παρεκαλη 543* (+ s sup. lin. sec. man.), item rogabat b, obsecrabat e, deprecabatur f ff l q r² vg. (pler. et WW), item Sy.ᵖᵉˢʰ· ʰˡ· Cop.ᵇᵒ· Geo.¹ (= petebat) Aeth., deprecatus est i, item Cop.ˢᵃ·: παρεκαλουν ΑΔΘ 074 fam.¹ 22. 28. 37. 75. 225. 245. 565. l48 al., item rogabant c, deprecabantur d ff (+ spiritus immundi) g¹·²· vg. (aliq.), item Sy.ˢ· (+ hi daemones) Geo.² Arm. Epiph. | πολλα: om. L 872. 892. 1012. e g¹ Sy.ˢ· | μη: om. 13. 69 | αυτα αποστειλη BCΔ; >αποστ. αυτα Θ; αυτους αποστειλη (~λει Η, ~στιλη 28, ~στηλει 565) DΦᵇ (exc. KM) fam.¹ 22. fam.¹³ 543. 28. 157. 565. 700. 1071 al. pler.; >αποστ. αυτους ΑΜΣ 074. 106. 238. 259. 473. 481. 569. 579. 697. 1278. l48. l49. l184. l251 al. pauc., item c f ff g¹ Sy.ˢ· ʰˡ· Cop.ˢᵃ· Geo. Arm.; αυτον αποστ. ℵL 258, item b e; >αποστ. αυτον ΚΠ W 20. 42. 63. 229. 248. 253. 892 Sy.ᵖᵉˢʰ· Cop.ᵇᵒ· Aeth.; cf. se expelleret d i l q r² δ vg. Epiph. | εξω της χωρας: pon. ante αυτ. αποστ. Φ fam.¹ 348 (ante αποστ.).

11. ην δε: = et fuit Geo. | εκει: om. d | προς τω ορει (om. ορει ℵ* sed suppl. ℵᵃ; τω ορη L): circa montem it. exc. iuxta montem b e r²) vg.; pon. post βοσκομενη ΑΚΥΠᵗˣᵗ· 074. 229. 435. 1241. l48. l184 Sy.ʰˡ· Cop.ᵇᵒ· Geo.¹ (= pascens ad montem), post μεγαλη MW fam.¹³ 543. 11. 15. 28. 349. 517 c; προς τα ορη (ορει sic Φ) Φ 372, 485 al.; om. 1. 33ᵘⁱᵈ· r² cf. Epiph. ; = ad montes Sy.ˢ· | μεγαλη: μεγαλων l17 r²; πολλων 36. 435 q; μεγαλη πολλων 76. 247. 487; μακροθεν (pro πολλων) 60; pon. ante χοιρων (porcorum) f Sy.ˢ·ᵖᵉˢʰ· ʰˡ· Cop.ˢᵃ· ᵇᵒ·; om. DLU 074. 131. 18. 34.* 71. 348. 579. 692. 892. l48. l184. b e ff i, cf. Epiph. | βοσκομενη (pon. ante μεγαλη 346. 543): βοσκομενων ℵᶜΑLΔ 225. 449. 1402 b d q vg. (1MS); om. aur. vg. (1 MS).

12. παρεκαλεσαν ℵBCLΔΘΠᵐᵍ·ΣΦ 074 ᵇ (exc. KM) fam.¹ 22. 33. 157. 700. 892. 1071 al. pler., item rogauerunt c Sy.ʰˡ· Cop.ˢᵃ· Aeth. Arm.: παρεκαλουν ΑDKMΠᵗˣᵗ· 11. 12. 15. 229. 237. 238. 248. 330. 348. 565 al., item deprecabantur d f ff g² i l q r² vg., deprecabant b, obsecrabant e, similiter Sy.ˢ· ᵖᵉˢʰ· Cop.ᵇᵒ· Geo.; παρακαλεσαντες W fam.¹³ 543. 28

| αυτον sine add. ℵBCLWΔ fam.¹ 22. fam.¹³ (exc. 124) 543. 28. 251. 697. 892. 1278.* b Cop.ˢᵃ· ᵇᵒ· Geo.¹: + οι δαιμονες KMΠᵗˣᵗ· 4. 11. 27. 220. 229. 248. 253. 579 al., item + spiritus (+ illi b) b ff g² i l q r² vg., item + daemones c Sy.ˢ· ᵖᵉˢʰ·; + τα δαιμονια D, item e f; + παντες οι δαιμονες ΑΠᵐᵍ·ΣΦ 074 ᵇ (exc. KM) 33. 124. 157. 237 (et pon. post λεγοντες) 1071 al. pler. Sy.ʰˡ· Geo.²; + παντα τα δαιμονια W 565. 700, item universa daemonia a | λεγοντες (λεγοντας L): λεγοντα 700; ειποντα D 565; ειπον (~αν W) W fam.¹³ (exc. 124) 543. 28; = et dixerunt (dicebant Geo.²) Geo.; om. S.ˢ· Cop.ᵇᵒ· (1 MS) | ινα εις αυτους εισελθωμεν (~θομεν K; απελθωμεν D): om. Cop.ˢᵃ·

13. επετρεψεν αυτοις sine add. ℵBCLΔWΘ fam.¹ 28. 892* b e Sy.ˢ· ᵖᵉˢʰ· Cop.ˢᵃ· ᵇᵒ· Geo.ᴬ Arm.: επετρεψεν (επεστρ. 13) αυτοις (αυτους U 71. 349. 472) ευθεως (om. 63. 108. 253. 579. l48 al.) Geo.¹ ᵉᵗ ᴮ) ο Ιησους (= pon. Iesus ante επετρ. Geo.¹) ΑΠΣΦ 074 ᵇ 22. fam.¹³ 543. 33. 157. 330. 569. 579. 892ᵐᵍ· 1071 al. pler., item concessit eis (om. r²) statim (+ dominus g²) Iesus (>Iesum statim l) f g² l r² vg. Sy.ʰˡ· Aeth., concessit eis Iesus et statim g¹; cf. statim dominus permisit eos ire i, statim permisit illis Iesus q, protinus dominus Iesus permisit ipsis a; ευθεως Κυριος (om. c) Ιησους επεμψεν αυτους εις τους χοιρους D c ff r¹ (om. in porcos); ο Ιησους επεμψεν αυτους 565. 700; επεμψεν αυτους ευθεως ο ΙΣ 59. 71. 73 | εξελθοντα: εξηλθον 892 (et + και ante εισηλθ.); om. b c | τα πνευματα (δαιμονια 253. l48) τα ακαθαρτα (+ απο του ανθρωπου 238. 579): praem. παντα 301; >τα ακαθαρτα πνευματα 33. 472; om. τα ακαθαρτα Α*F 28. 446. 479. l48 | εισηλθον (~θαν W; εισελθον sic Φ 565): εισηλθεν ΒΘ 074. 19. 73. 106. 252. 300. 445. 470 al. | και (om. 246) ωρμησεν (ορμησεν E²LΘ): και ιδου ωρμησεν 483*. 484; et (om. f ff g² i l q r² vg., et fecerunt impetu ire b, fecerunt impetu magno ire c, ierunt cum impetu e | η αγελη: praem. πασα 51. 74. 90. 234. 349. 410. 483*. 484. 517. Cop.ˢᵃ·, add. πασα 1071; + των χοιρων 892. l48 Cop.ˢᵃ· | κατα του κρημνου: om. Sy.ˢ·; praecipitatus est it. (exc. per praeceps b c d) vg. | εις την θαλασσην: et ceciderunt in mare (mari d) b c d e similiter Sy.ˢ· ᵖᵉˢʰ· | ως (ωσει 60) δισχιλιοι (χιλιοι Η) tant. ℵBC*DL

---

10. Epiph. ᵖᵃⁿ· LXVI. και παρεκαλουν αυτον μη αποσταληναι εξω της χωρας.
11. Epiph. ᵖᵃⁿ· LXVI. ην γαρ εκει αγελη χοιρων βοσκομενη.
13. Epiph. ᵖᵃⁿ· LXVI. και επετρεψεν αυτοις εισελθειν εις τους χοιρους, και ωρμησεν η αγελη κατα του κρημνου εις την θαλασσαν, ησαν γαρ ως δισχιλιοι και επνιγησαν εν τη θαλασση.

κρημνοῦ εἰς τὴν θάλασσαν, ὡς δισχίλιοι, καὶ ἐπνίγοντο ἐν τῇ θαλάσσῃ. ¹⁴ Καὶ οἱ βόσκοντες αὐτοὺς ἔφυγον καὶ ἀπήγγειλαν εἰς τὴν πόλιν καὶ εἰς τοὺς ἀγρούς· καὶ ἦλθον ἰδεῖν τί ἐστιν τὸ γεγονός. ¹⁵ καὶ ἔρχονται πρὸς τὸν Ἰησοῦν, καὶ θεωροῦσιν τὸν δαιμονιζόμενον καθήμενον ἱματισμένον καὶ σωφρονοῦντα, τὸν ἐσχηκότα τὸν λεγιῶνα, καὶ ἐφοβήθησαν. ¹⁶ καὶ διηγήσαντο αὐτοῖς οἱ ἰδόντες πῶς ἐγένετο τῷ δαιμονιζομένῳ καὶ περὶ (μη/η) τῶν χοίρων. ¹⁷ καὶ ἤρξαντο παρακαλεῖν αὐτὸν ἀπελθεῖν ἀπὸ τῶν ὁρίων αὐτῶν. ¹⁸ καὶ ἐμβαίνοντος αὐτοῦ εἰς τὸ πλοῖον παρεκάλει αὐτὸν ὁ δαιμονισθεὶς ἵνα μετ᾽ αὐτοῦ ᾖ.

WΔ 1. 565. 892, *item* quasi ad (*uel* ad *tant.*) *it.* (*exc. a*) *vg.* (pler. *et* WW) Sy.ˢ· ᵖᵉˢʰ· Cop.ˢᵃ·: *praem.* ησαν δε (γαρ 58. 225. 476. *vg.* 1 MS. Sy.ʰˡ· Geo.) AC²ΘΠΣΦ 074 ⳨ fam.¹ (*exc.* 1) 22. fam.¹³ 543. 28. 33. 157. 579. 700. 1071 al. pler. *a vg.* (pauc.) Sy.ʰˡ· Geo. | επνιγοντο: απεπνιγοντο 433 ; = mortui sunt Cop.ˢᵃ·; = + omnes Geo.ᴮ ; *cf.* Epiph.

14. και οι ℵABCLMWΔΣΦ 074. 1. 131. fam.¹³ 543. 28. 33. 238. 271. 349. 579. 700. 892. *l*48. *l*49 al. *a e* Sy.ˢ· ᵖᵉˢʰ· ʰˡ· Cop.ᵇᵒ· Aeth. Epiph.: οι δε DΘ Π⳨ (*exc.* M) 118. 209. 22. 157. 330. 565. 575. 1071 al. pler. *it.* (*exc. a e*) *vg.* Cop.ˢᵃ· Geo. Arm. | αυτους ℵBCDLWΔΘ fam.¹³ 543. 28. 565. 579. 700. 892 *it. vg.* Sy.ˢ· ᵖᵉˢʰ· Cop.ˢᵃ· ᵇᵒ· Aeth.: *om.* 358. 472 ; τους χοιρους ΑΠΣΦ 074 ⳨ fam.¹ 22. 33. 157. 330. 569. 575. 1278 al. pler. Sy.ʰˡ· | απηγγειλαν (∾ον ℵ) ℵABCDKLMΘΠΣΦ 074. 0107 fam.¹ 11. 15. 33. 517. 579. 700. 892. *l*48. *l*49. *l*184 al. plur.: ανηγγειλαν EFGHSUVW(∾ον)ΔΩ 22. fam.¹³ 543. 28. 157. 330. 349. 565. 575. 1071 al. plur. Epiph. | εις την πολιν: *om.* Geo.ᴬ ; = in ciuitates *l* Sy.ˢ·; = ciuitatibus illis Geo.ᴮ | εις *sec.*: *om.* 569. *l*49. *l*184. *l*251 | τους αγρους: = agrum Cop.ᵇᵒ·; = in pagis Sy.ˢ· ᵖᵉˢʰ· Geo.² | ηλθον ℵᶜABKLMUΠ*ΣΦ 074. 0107. 118. 209. 33. 229. 252*. 271. 579, 892. *l*18. *l*19 al. plur. Sy.ʰˡ· Cop.ᵇᵒ·: εξηλθον ℵ*CDEFGHSV WΔΘΠ²Ω, *item* egressi sunt *it.* (exierunt *e*, ingressi sunt *q*) *vg.* Sy.ˢ· ᵖᵉˢʰ· Cop.ˢᵃ· Geo. Aeth. Arm. | τι εστιν το γεγονος: *om.* τι εστιν H 2*. 19. 271. 300. 472. *l*48 ; *om.* το γεγονος A*ᵘⁱᵈ·; *cf.* quid sit factum *b*, quid esset *d*, quid esset factum (>factum esset *e*) *e f l q r*¹, quid esset (essent *sic i*) facti (*i*) *r*²*vg.* (pler.)

15. και *pr.*: *om.* Cop.ˢᵃ· Geo.ᴮ | ερχονται: ηρχοντο ℵ* (*cor.* ℵᵃ) ; uenerunt *b c f vg.* (3 MSS) Sy.ˢ· ᵖᵉˢʰ· Cop.ˢᵃ· ᵇᵒ· Geo. Aeth. | και *sec.*: *om.* Cop.ˢᵃ· | θεωρουσιν (∾ωσιν L): uiderunt *c, item* Sy.ˢ· ᵖᵉˢʰ· Cop.ˢᵃ· ᵇᵒ· Geo.; uidentes *b*; ευρισκουσιν W, *item cf.* = inuenerunt Aeth. | τον: αυτον τον D, *item* illum (eum *b*, hominem illum *ff l*, >illum hominem *c*) qui *it. vg.* | τον δαιμον.: = illum e quo eiecerat daemones Sy.ˢ· | καθημενον (= pon. *post* σωφρονουντα Sy.ᵖᵉˢʰ·): *om.* WΔ 50. 472 *e* ; +παρα τους ποδας του Ιησου 157 | ιματισμενον (*om.* M*W 271. 447 *g*²) ℵBDLΔΘΣ fam.¹ 22. fam.¹³ (*exc.* 124) 543. 28. 33. 157. 300. 472. 517. 565. 579. 700. 892 *l*48 al. *it.* (*exc. q*) *vg.* Cop.ˢᵃ· ᵇᵒ· Geo.² Arm.: και

ιματισμ. ACΠΦ 074. 0107 ⳨ (*exc.* M) 124. 330. 569. 669. 1071. *l*251 al. pler. *q* Sy.ˢ· ʰˡ· Geo.¹ Aeth. | και *tert.*: *om.* W *r*¹ Geo.¹ | σωφρονουντα: *cf.* sanae (sana *sic r*²) mentis (+ sobrium *c*) *it. vg.* | τον εσχηκοτα τον λεγιωνα: *om.* D 17*. 27 *it. vg.* (*exc.* 5 MSS) Sy.ˢ· Cop.ᵇᵒ· (ᵉᵈ·) | λεγιωνα ℵ*LΔ 579 Sy.ᵖᵉˢʰ· ʰˡ·: λεγεωνα (λεγαιωνα ℵᶜ) Uncs. rell. Minusc. rell. Cop.ˢᵃ· Geo. *cf. uers.* 9. | και εφοβηθησαν: et timuerunt ualde *e aur.* Cop.ˢᵃ· (1 MS)

16. και διηγησαντο (∾ατο 209) ℵABCGKLMW ΔΘΠᵗˣᵗ· ΣΦ 074. 0107 𝔭⁴⁵ fam.¹ fam.¹³ 543. 28. 33. 579. 892 al. plur. *e f g*² *l r*² *vg.* Sy.ˢ· ᵖᵉˢʰ· ʰˡ· Cop.ᵇᵒ· Geo.: διηγησαντο δε DEFHLSUVΠᵐᵍ·Ω 22. 157. 251. 349. 470. 565. 669. 700 al. plur. *c ff i q r*¹ Cop.ˢᵃ·; και διηγησαντο δε 1071. *cf.* narrauerunt etiam *b* | ιδοντες: ειδοτες ΔW ; ιδοτες 118. 157. 565 (ιδωτες) ; οχλοι 142ᵗˣᵗ· (*cor. in mg.*) | πως: και πως 482 | εγενετο τω δαιμονιζομενω (∾ωμενω 13. 346 ; αυτω τω δαιμονι(ζ)ομενω D) Uncs. omn. Minusc. pler.: εσωθη ο δαιμονισθεις fam.¹ 22. 251. 1278* (εσωθεν ο δαιμονισθεις).

17. και: illi uero *c*; = autem *post* coeperunt Cop.ˢᵃ· | ηρξαντο (ηρξατο *sic* 72) παρακαλειν αυτον Uncs. pler. Minusc. pler. *item cf.* coeperunt depraecari eum *b*, coeperunt eum obsecrare *e*, coeperunt rogare eum *f*, >rogare coeperunt eum *i q r*¹, rogare eum coeperunt *g*² *l r*² *vg.* (pler. *et* WW), rogare coeperunt iesum *c ff*: παρεκαλουν αυτον DΘ 225. 255. 517. 565. 700 *a* | απελθειν (και απελθ. H): ινα απελθη D, *item* ut discederet *it.* (*exc.* ut non recederet *b*) *vg.* | απο, *item* a *it.* (pler.) *vg.* (pler. *et* WW): εκ Δ *cf.* de *g*² *i vg.* (8 MSS) | απελθειν απο των οριων αυτων: *om.* 579.

18. και: = autem *post* εμβαιν. Cop.ˢᵃ· | και εμβαινοντος (ενβ. DW) αυτου ℵABCDKLMWΔΠ Σ 074. 0107ᵘⁱᵈ· 1. 131. 124. 4. 7. 11. 15. 33. 229. 238. 349. 474. 481. 517. 892. *l*48. *l*49. *l*184. al., *item* cumque ascenderet (+ Iesus *c*) *it.* (*exc.* et ascendente illo *d*, et ascendente eum *sic b*, et cum conscenderent *e*) *vg.* Cop.ˢᵃ· Geo.¹ (= et cum ascendebat Iesus Geo.²): και εμβαντος (ενβ. Θ) αυτου EFGHS UVΘΦΩ 118. 209. 22. fam.¹³ (*exc.* 124) 543. 28. 157. 330. 565. 575. 700. 1071 al. pler., *item* Sy.ᵖᵉˢʰ· ʰˡ· Cop.ᵇᵒ· Aeth. Arm.: = et cum discipuli eius ascenderent Sy.ˢ·?, *cf. e* | εις: εν 0107, *cf.* in naui *pro* εις το πλοιον *d* | το: *om.* 449 | παρεκαλει

14. Epiph. ᵖᵃⁿ· ᴸˣⁱ· και οι βοσκοντες αυτους εφυγον, και ανηγγειλαν εν τη πολει.

¹⁹ καὶ οὐκ ἀφῆκεν αὐτόν, ἀλλὰ λέγει αὐτῷ Ὕπαγε εἰς τὸν οἶκόν σου πρὸς τοὺς σούς, καὶ ἀπάγγειλον αὐτοῖς ὅσα ὁ κύριός σοι πεποίηκεν καὶ ἠλέησέν σε. ²⁰ καὶ ἀπῆλθεν καὶ ἤρξατο κηρύσσειν ἐν τῇ Δεκαπόλει ὅσα ἐποίησεν αὐτῷ ὁ Ἰησοῦς, καὶ πάντες ἐθαύμαζον. ²¹ Καὶ διαπεράσαντος τοῦ Ἰησοῦ ἐν τῷ πλοίῳ πάλιν εἰς τὸ πέραν συνήχθη ὄχλος πολὺς (μθ/β) ἐπ' αὐτόν, καὶ ἦν παρὰ τὴν θάλασσαν. ²² Καὶ ἔρχεται εἷς τῶν ἀρχισυναγώγων, ὀνόματι Ἰάειρος, καὶ ἰδὼν αὐτὸν πίπτει πρὸς τοὺς πόδας αὐτοῦ ²³ καὶ παρακαλεῖ αὐτὸν πολλὰ

αυτον (rogabat eum *uel* illum *b e*) : ηρξατο παρακαλειν αυτον D *item* coepit illum (eum *f i*) deprecari *c f i l q* r¹·²· *vg.* | αυτον: +πολλα *l*260 | δαιμονισθεις (~θης 28): δαιμονιζομενος 240. 244 ; ιαθεις 54. 238. al. Sy.ʰˡ· *mg·* | μετ αυτου η (ην ΒΔ) ℵABC KLMUWΔΘΠᵗˣᵗ· Φ 074 fam.¹ fam.¹³ 543. 28. 33. 229*. 238. 349. 474. 481. 517. 579. 892. 1278. *l*49. *l*184 al. plur., *item e* Sy.ˢ· ᵖᵉˢʰ· ʰˡ· Geo.² Arm. : >η μετ αυτου DEFGHSVIIᵐᵍ·ΣΩ 22. 157. 330. 565. 575. 700. 1071 al. pler. *item it. (exc. e) vg.* Cop.ᵇᵒ· Aeth. ; *om.* Geo.¹

19. και *pr.* ℵABCKLMWΔΠΣΦ 074. 0107 ᵘⁱᵈ· fam.¹ 33. 11. 42. 229. 238. 349. 517. 579. 892. *l*48. *l*49. *l*184 al. plur. *item f l* r² (ad) *vg.* (pler. *et* WW) Sy.ˢ· ᵖᵉˢʰ· ʰˡ· Cop.ˢᵃ· ᵇᵒ· Geo. Aeth. : +ο Ιησους fam.¹³ 543. 28 Arm. ; ο δε Ιησους DΘ𝔟 (*exc.* KM) 22. 157. 565. 569. 575. 700. 1071 al. pler., *item b e* ff *g*² *i q* r¹ *vg.* (4 MSS) ; Iesus *tant. c* | ουκ: *om.* H | αλλα λεγει: και ειπεν D d (et ait) ; = sed dixit Sy.ˢ· ᵖᵉˢʰ· ʰˡ· Geo. ; = sed dicebat Cop.ˢᵃ· ᵇᵒ· | προς τους σους: εις τους σους et *pon. post* υπαγε 447 | απαγγειλον ℵBCΔΘΣ 50. 258. 579: αναγγειλον ΑΛΠΦ 074. 0107 𝔟 22. 33. 157. 565. 892. 1071 al. pler.; διαγγειλον DW𝔭⁴⁵ fam.¹ fam.¹³ 543. 28. 700 | αυτοις: *om.* U ; τοις σοις K | ο κυριος σοι ΒC ΔΘ, *item* ff : *om.* σοι 448 ; *pon.* σοι *post* πεποιηκ. ℵ Sy.ʰˡ· Cop.ˢ· ᵖᵉˢʰ· ; >σοι ο κυριος (θεος D 238. 1241) Α(D)LWΠΣΦ 074. 0107 𝔟 (*pon.* ο κυριος *post* πεποιηκεν Ω) Minusc. omn., *item* tibi dominus *b c e f i l q* r² (et *pon.* dominus *post* fecerit *a* r¹ ᵘⁱᵈ· *vg.* 1 MS) *vg.* Sy.ˢ· ᵖᵉˢʰ· Geo. | πεποιηκεν (επεπ. E) ℵABCL WΥΔΘΠΣ 074. 0107 𝔟 (*exc.* K) 22. fam.¹³ 543. 28. 33. 157. 349. 579. 669. 697. 892. 1071. 1278 al. plur.: εποιησε DKΦ fam.¹ 249. 255. 482. 517. 565. 700 al. *cf.* fecit *b c d e* ff, fecerit (~et r²) *a f g² l q* r¹·²· *vg.* | και ηλεησεν (ελεησεν 346. 445 ; ηλεηκεν W) σε (*om.* 238. 405. 569): και οτι ηλεησεν σε D, *item* et (*om. i*) quod (et quod *et* ff ; quomodo *c*, quid *g²*) misertus est *b c d* ff *g²* *i, item* Sy.ᵖᵉˢʰ· Cop.ˢᵃ· Aeth. | *add.* ο θεος *post* σε et *om.* ο κυριος *ante* σοι 1071.

20. και απηλθεν: *om.* 474 ; = abiit autem Cop.ˢᵃ· ; ille uero egressus *et om.* et *ante* coepit *e* aur. | εν τη: εν ολη τη C*ᵘⁱᵈ· | οσα: *a* CΔ* (*sed super-*

scrip. οσα) ; οτι 346 | ο Ιησους: ο κυριος 60 Cop.ᵇᵒ· (1 MS), = dominus Iesus Cop.ᵇᵒ· (1 MS) ; ο θεος 237. 259 | και παντες εθαυμαζον: *om.* 483* ; et omnes mirati sunt *b* ff Cop.ˢᵃ· Aeth.

21. και: autem Cop.ˢᵃ· | διαπερασαντος: διαπερασαντες sic W 346 | εν τω (*om.* B 447) πλοιω: *pon. ante* του Ιησου W ; *om.* DΘ 𝔭⁴⁵ ᵘⁱᵈ· fam.¹ 28. 47. 56. 58. 565. 700 *it.* (*exc. f l* r²) Sy.ˢ· Arm. | παλιν (*om.* Θ *d* r¹ ᵘⁱᵈ·) εις το περαν ℵ*ABCLNWΔ (Θ)ΠΣΦ 0107 𝔟 Minusc. pler., *item* rursus trans fretum *l* r² *vg.* (pler.) Geo. Arm. similiter Sy.ʰˡ· Aug. : > εις το περαν παλιν ℵ*D 565. 700, *item* contra rursum (rursus *i*) *b i*, contra iterum *e*, ultra iterum ff (*ante* Iesus), ultra rursus *q*, similiter Sy.ᵖᵉˢʰ· ; *cf.* inde iterum (*pon. ante* Iesus) *c*, rursus *tant. f*, trans fretum iterum *g¹*, = uenit contra Cop.ˢᵃ· ; παλιν ηλθεν εις το περαν fam.¹³ (*exc.* 124) 543 | συνηχθη 229 Geo.ᴮ; συνηχθησαν 446 Sy.ᵖᵉˢʰ· ʰˡ· | οχλος (ο οχλος C*ᵘⁱᵈ· 697) πολυς: > multa turba *e* ff *q* ; =turbae multae Sy.ᵖᵉˢʰ· ʰˡ· Aeth. | επ αυτον Uncs. pler. fam.¹ (*exc.* 131) 22. 33. 157. 892. 1071 al. pler.: επ αυτω 17 ; προς αυτον DNΘΣ fam.¹³ 543. 28. 90. 565. 579. 700 ; μετ αυτων 131 ; *om.* 44 *i* | και ην: *om.* D *it.* (*exc. g² l* r²) aur. Syr.ˢ·

22. και *pr.* sine *add.* ℵBDLΔΘ 892 *it.* (*exc. c f*) *vg.* Sy.ˢ· ᵖᵉˢʰ· Cop.ˢᵃ· ᵇᵒ· Geo.ᴬ Aeth. Aug. : + ιδου ACNWΠΣΦ 0107 𝔟 𝔭⁴⁵ Minusc. rell. *c f* Sy.ʰˡ· Geo.¹ ᵉᵗ ᴮ Arm. | εις: τις DW 50. 348. 472. 474, *item* quidam *it.* (*exc.* unus *b*, quis *a*) *vg.* (*exc.* quidam uir 1 MS) | αρχησυναγωγων sic 69. 28 | ονοματι Ιαειρος (Ιαιρος ℵΦ 28 ; Ιαερος C), *item* nomine Iairus (Iarus r²) *b c g² l q* r² *vg.*: ω ονομα Ιαειρος W Θ 565. 700 ; *om.* D *a e* ff *i* r¹ | και sec.: *om. c* Sy.ˢ· Arm. | ιδων (ειδαν W) αυτον (τον Ιησουν ΝΣ *c*): *om.* D *e* | πιπτει (προσπιπτει W fam.¹³ 543): προεπεσεν D, *item* procidit *it.* (*exc.* et procidit ff *i* r¹, et procidens *d*) *vg.* (*exc.* procedit MSS aliq.) Sy.ˢ· ᵖᵉˢʰ· ʰˡ· Cop.ˢᵃ· ᵇᵒ· Geo. (*exc.* = et procidit Geo.²) | προς (εις 55. 348. 472. 483. 484. *l*19) τους ποδας αυτου: > αυτου προς (εις 517) τους ποδας 1. 131 (517) *cf.* illi ad pedes *a* ; = ei Cop.ˢᵃ·

23. και παρακαλει ℵACL 28. 33. 71. 237. 238. 447. 482. 565. 892. 1071. *l*48 : και παρεκαλει BNW

---

21. Aug. ᶜᵒⁿˢ· ¹¹· ²⁸· et cum transcendisset Iesus in naui rursus trans fretum conuenit turba multa ad illum, et erat circa mare.

22. Aug. ᶜᵒⁿˢ· ¹¹· ²⁸· et uenit quidam de archisynagogis nomine Iahirus (cod. B. *sed* Iairus cett. edd.) et uidens eum procidit ad pedes eius.

λέγων ὅτι Τὸ θυγάτριόν μου ἐσχάτως ἔχει, ἵνα ἐλθὼν ἐπιθῇς τὰς χεῖρας αὐτῇ ἵνα σωθῇ
καὶ ζήσῃ.　²⁴ καὶ ἀπῆλθεν μετ' αὐτοῦ.　Καὶ ἠκολούθει αὐτῷ ὄχλος πολὺς καὶ συνέθλιβον
αὐτόν.　²⁵ καὶ γυνὴ οὖσα ἐν ῥύσει αἵματος δώδεκα ἔτη　²⁶ καὶ πολλὰ παθοῦσα ὑπὸ
πολλῶν ἰατρῶν καὶ δαπανήσασα τὰ παρ' αὐτῆς πάντα καὶ μηδὲν ὠφεληθεῖσα ἀλλὰ μᾶλλον
εἰς τὸ χεῖρον ἐλθοῦσα,　²⁷ ἀκούσασα τὰ περὶ τοῦ Ἰησοῦ, ἐλθοῦσα ἐν τῷ ὄχλῳ ὄπισθεν

ΔΘΠΣΦ 0107 ℔ fam.¹ 22. fam.¹³ 543. 157. 579. 700
al. pler. *item* et rogabat *c*, et deprecabatur (preca-
batur *l*) *f g*² (*l*) *r*² *vg.*, *similiter* Sy.ˢ· ᵖᵉˢʰ· ʰˡ· Cop.ᵇᵒ·
Geo.¹ ᵉᵗ ᴮ (*om.* et Geo.ᴬ); παρακαλων D, *item*
rogans *b d i q r*¹, deprecans *a*, et rogans *ff*, et ob-
secrans *e*; = deprecatus est Cop.ˢᵃ· | πολλα: *om.*
D 38. III. 235. 330. 485. *l*251 *b c ff i l q* Sy.ˢ·
| λεγων: και λεγων D, *item* et dicens *a b ff i q r*¹,
= et dicens ei Sy.ˢ· ᵖᵉˢʰ·, = et dicebat Geo. | οτι:
om. DΘ 13. 69. 543 *a c e* Sy.ˢ· ᵖᵉˢʰ· Cop.ˢᵃ· ᵇᵒ· | το
θυγατριον μου, *item* filiola mea *a e*: η θυγατηρ μου
448, *item* filia mea *it.* (*exc. a e*) *vg.* ; = filia eius
Arm. | ινα (αλλα 245; και θελω ινα 157) ελθων επι-
θης (επιθεις LYΩ 13. 124. 346. 157. 245. 475. *l*184 al.;
επιθη U 240; επιθηση 71. 301. 244. 447) τας χειρας
(+ σου Δ 892) αυτη (>αυτη τας χειρας Nᵘⁱᵈ· ΠΣΦ℔
33. 157. 579. 1071 al. pler., >αυτω τας χειρας AK
𝔓⁴⁵ 22. 31. 121. 244. 435. *l*184; χειρα αυτη fam.¹³
543; χειρα επ αυτην 28. 258), *item* ut uenias et im-
ponas manus ei *a, cf.* = ut uenias et imponas manum
tuam ei Cop.ˢᵃ· ᵇᵒ·, = ut uenias et imponas ei
manus tuas Sy.ʰˡ·, = ut uenias et manum imponas
ei Geo.¹ ᵉᵗ ᴬ, ut uenias imponas manum tuam super
eam Geo.ᴮ: ελθε αψαι αυτης εκ των χειρων σου D,
item ueni (et ueniens *ff*) tange eam (illam *b*) de
manibus tuis *b ff i q r*¹, ueni et tange eam *e*; *cf.*
ueni (sed ueni *c*) impone manum tuam (*om. f r*²;
manus *pro* manum tuam *l vg.* pler.) super eam
*c f g*² (manus tuas *pro* manum tuam) *l r*² *vg.* (pler.);
similiter = ueni impone super eam (*pon.* super
eam *post* tuam Sy·ᵖᵉˢʰ·) manum tuam Sy.ˢ· ᵖᵉˢʰ· |
ινα ℵBCDLWΔ fam.¹³ (*exc.* 124) 543. 23. 565.
700. 892: οπως ΑΝΘΠΣΦ℔ fam.¹ 22. 124. 33.
157. 579 al. pler.; et *r*² *vg.* (1 MS) Sy.ᵖᵉˢʰ·
Geo.² | ινα σωθη: = et sanabitur Sy.ᵖᵉˢʰ·; *om.*
c e Sy.ˢ· Cop.ˢᵃ· | ζηση ℵBCDLΘΔ fam.¹³ (ζησει
sic 346) 543. 565. 579 (ζησει) 700. 892, *item*
uiuat (*uel* uibat) *it.* (*exc. c e*) *vg.* Sy.ᵖᵉˢʰ· ʰˡ· Cop.ᵇᵒ·
Geo. Arm.: ζησεται ΑΝWΠΣΦ℔ fam.¹ 22. 28. 33.
157. 1071 al. pler. (ζησηται 54. 433. 470 al. pauc.),
item uiuet *c e aur.* Sy.ˢ· ᵖᵉˢʰ· Cop.ˢᵃ· Aeth.

24. και (= autem *post* abiit Cop.ˢᵃ·) απηλθεν
(⌒ον U; υπηγεν D; επορευετο 700) μετ αυτου: *om.*
36; = + Iesus Sy.ᵖᵉˢʰ·; = et abiit Iesus (illinc
Iesus Geo.ᴮ) cum eo Geo.² | ηκολουθει (⌒θη FH
Θ 13. 346. 543. 348. 28. 157), *item* sequebatur *it.*

(*exc.* sequebantur *e*) *vg.* : ηκολουθησεν CLMᵐᵍ· 445.
892 Cop.ˢᵃ·; ηκολουθησαν 472**. 475. *l*48. *l*253
| οχλοι πολλοι *l*44. *l*253 | και συνεθλιβον, *item* et
comprimebant *it.* (*exc. c g*²) *vg.* : ita ut comprime-
bant *g*² ; comprimentes *c* | και ηκολουθει *usque ad*
αυτον: *om.* 253.

25. και: = autem *post* mulier Cop.ˢᵃ·. ; = et ecce
Cop.ᵇᵒ· | γυνη *sine add.* ℵABCLWΔ 1. 209. 33.
892. *l*32 *it.* (*exc. a f*) *vg.* Cop.ˢᵃ· ᵇᵒ· Sy.ʰⁱᵉʳ· Aeth.:
+ τις DNΘΠΣΦ℔ 118. 131. 22. fam.¹³ 543. 28. 157.
565. 579. 700. 1071 al. pler. *a f* Sy.ʰˡ· Geo. ;
= + una Sy.ˢ· ᵖᵉˢʰ· Arm. | δωδεκα ετη ℵBCLWΔ
fam.¹ (*exc.* 118) fam.¹³ 543. 28. 33. 579. 892 Sy.ʰⁱᵉʳ·
Cop.ˢᵃ· ᵇᵒ· Geo. Aeth. Arm. : >ετη δωδεκα ADNΘ
ΠΣΦ℔ 118. 22. 157. 565. 700. 1071 al. pler. *it. vg.*
Sy.ˢ· ᵖᵉˢʰ· ʰˡ·

26. και *pr.* Uncs. omn. (*exc.* D) Minusc. omn.,
*item a e g*² *l r*² *vg.* (pler. *et* WW): η D, *item* quae
*b c ff i r*¹ Sy.ᵖᵉˢʰ·; *om. q vg.* (1 MS.) | παθουσα,
item passa *a e* : passa erat (fuerat *ff*) *b d ff i q r*¹,
pertulerat *c*, fuerat perpessa *f g*² *l r*² *vg.*, *similiter*
Sy.ˢ· ᵖᵉˢʰ· ʰˡ· ʰⁱᵉʳ· Cop.ᵇᵒ· Geo. | υπο: απο 1675; παρα
15. 53. 236. 237. 259. 433 al. pauc. | δαπανησασα,
item inpendens *a*, cum consumpsisset *e*, *similiter*
Cop.ˢᵃ· : et erogauerat *it.* (*exc. a e*) *vg.* Sy.ˢ· ᵖᵉˢʰ· ʰˡ·
Cop.ᵇᵒ· Geo. | τα παρ αυτης (αυτη 240. 244)
παντα (απαντα 124) ABLNᵘⁱᵈ· YΣ℔ (*exc.* K) 22.
fam.¹³ 543. 33. 157. 348. 579. 892. 1278 al. plur.
Orig.: τα παρ εαυτης παντα ℵCKΔΠ 1071 al. ; τα
εαυτης παντα DWΘ fam.¹ 68. 142ᵐᵍ· 220. 349. 517.
565. 700 ; >παντα τα εαυτης 28 ; τα υπαρχοντα
αυτης παντα Φ ; *cf.* omnia sua *it.* (*exc.* >sua omnia *d*,
omnem substantiam suam *a, cf.* Orig.ⁱⁿᵗ·, quae penes
ea omnia *e*) *vg.* | ωφεληθησα 346 ; οφεληθεισα 13 ;
ωφελησασα *l*184 | μαλλον: = praem. etiam
Sy.ᵖᵉˢʰ· ; + και 945 ; *om. it.* (*exc. d*) *vg.* (2 MSS)
Cop.ˢᵃ· | εις: επι DΘ 565. 700 | ελθουσα: *om.* D

27. ακουσασα: και ακουσασα W *e* Cop.ᵇᵒ· (ᵉᵈ·)
Aeth. | τα περι ℵ*BCᵘⁱᵈ·Δ *l*33: *om.* τα ℵᶜAC²D
LNWΘΠΣΦ℔ Minusc. rell. *it. vg.* Sy.ᵖᵉˢʰ· ʰˡ· Cop.ˢᵃ·
ᵇᵒ· Geo. Aeth. | ελθουσα: *om.* W | uenit *it. vg.*
Sy.ᵖᵉˢʰ· ʰˡ· Cop.ᵇᵒ· Geo., *similiter* Cop.ˢᵃ· | εν τω
οχλω (*pon. post* του ιματ. αυτου D 565. 700. *a i q r*¹;
pon. post οπισθεν *b ff aur.*): εις τον οχλον NΣ fam.¹³
28 ; *om.* fam.¹ (*exc.* 131) 22. 238. 251. 697. 1278*
d e | ηψατο: και ηψατο D *it. vg.* Sy.ʰˡ·* Arm.

---

26. Orig. ᴴᵒᵐ· ᴵᵉʳᵉᵐ· ˣⱽᴵᴵ· και γαρ εκεινη η αιμορροουσα εδαπανησε τα παρ αυτης παντα εις τους ιατρους
(κατηναλωσε την ουσιαν 1 MS).
Orig. ⁱⁿᵗ· ⁱᵈ· mulier sanguinem fluens omnem substantiam suam expendit in medicis.

ἥψατο τοῦ ἱματίου αὐτοῦ· ²⁸ ἔλεγεν γὰρ ὅτι Ἐὰν ἅψωμαι κἂν τῶν ἱματίων αὐτοῦ σωθήσομαι. ²⁹ καὶ εὐθὺς ἐξηράνθη ἡ πηγὴ τοῦ αἵματος αὐτῆς, καὶ ἔγνω τῷ σώματι ὅτι ἴαται ἀπὸ τῆς μάστιγος. ³⁰ καὶ εὐθὺς ὁ Ἰησοῦς ἐπιγνοὺς ἐν ἑαυτῷ τὴν ἐξ αὐτοῦ δύναμιν ἐξελθοῦσαν ἐπιστραφεὶς ἐν τῷ ὄχλῳ ἔλεγεν Τίς μου ἥψατο τῶν ἱματίων; ³¹ καὶ ἔλεγον αὐτῷ οἱ μαθηταὶ αὐτοῦ Βλέπεις τὸν ὄχλον συνθλίβοντα σε, καὶ λέγεις Τίς μου ἥψατο; ³² καὶ περιεβλέπετο ἰδεῖν τὴν τοῦτο ποιήσασαν. ³³ ἡ δὲ γυνὴ φοβηθεῖσα καὶ τρέμουσα, εἰδυῖα ὃ γέγονεν αὐτῇ, ἦλθεν καὶ προσέπεσεν αὐτῷ καὶ εἶπεν αὐτῷ

| του ιματιου αυτου : των ιματιων αυτου *l*184, *vg.* (1 MS); αυτου *tant.* W ; του κρασπεδου του ιματ. αυτου M fam.¹ (*exc.* 131) 33. 579. 1071. 1588, *l*48 Aeth.

28. ελεγεν γαρ (ειπεν γαρ 238) *sine add.* Uncs. pler. 22. 131. fam.¹³ (*exc.* 346) 543. 28. 157. 238. 892. 1071 al. pler. *e f g² l r² vg.* (*exc.* 2 MSS) Sy. pesh. hl. Cop. sa. bo. ; + εν εαυτη ΚΝΘΠΣ fam.¹ (*exc.* 131) 346. 33. 237. 247. 330. 349. 474. 579. *l*251 al. plur. *a vg.* (2 MSS) ; = + in corde suo Cop. sa. (1 MS) Geo. ; λεγουσα εν εαυτη D 565. 700. *c ff i q r*¹; dicens *tant. b* | οτι : *om.* 28. 33. 225. 253 *a b c e ff i q r*¹ | εαν (αν Θ) αψωμαι καν (*sup. lin.* B) των ιματιων (του ιματιου א 579) αυτου אBCLΔΘ 349. 579. 892. *l*49, *similiter* Sy. hier. Cop. sa. bo. ; καν (si uel *b g² l f q r² vg.* ; >uel si *a ff i r*¹ ; sic *d e aur.*) των ιματιων (του ιματιου D *it. vg.* Sy. pesh. Geo.) αυτου D, *om. l*184) αψωμαι (αψωμαι ΗΝΠ* 69 *it.* pler., *vg.*) ΑΔΝΠΣΦ⁵ fam.¹ 22. fam.¹³ 543. 28. 157. 565. 700. 1071 al. pler., *similiter it. vg.* Sy. pesh. hl. Geo. (= si uel uestimentum solum eius Geo.¹) ; εαν μονον αψωμαι του ιματιου αυτου 33 | σωθησομαι : σωθησωμαι Κ 69. 28.

29. ευθυς אBCLΔΘ 33. 349. 517. 579. 892. *l*49; ευθεως ΑΔΝWΠΣΦ⁵ Minusc. rell. | πηγη : πληγη 13 | τω σωματι : corpore suo *b c d*, corpore eius *ff, similiter* = in corpore suo Sy. pesh. hl. Cop. sa. bo. Geo.¹ (= in carnibus eius) | ιαται : ιαθη W (ειαθη) 28. 238. 579 ; ιαθη *l*251 ; ιατο 225 ; ιασατο *l*184 | απο της (*om.* C) μαστιγος : + αυτης 31. 38. 110. 435 Sy. pesh. hier. Aeth. ; *om. b c*; plaga (+sua *a*) *a r*² | και εγνω *usque ad* μαστιγος : *om. e.*

30. ευθυς אBCLΔΘ 33. 349. 517. 579. 892. *l*49; ευθεως ΑΔΝWΠΣΦ⁵ Minusc. rell. ; *om. b c ff i q r*¹ | και ευθ. ο ιησους επιγνους Uncs. pler. Minusc. pler., *item fl r² vg.* Sy. hl. hier. ; και ευθ. επιγνους (+και D*) ο ιησους DL 57. 122*. 245. 247. 435. 565. 700. *l*251 *a* Cop. bo. Arm. ; et statim cognouit Iesus *d* Geo.; cognouit (cognito *b*) autem (continuo *e* ; enim *r*¹ ; +et *ff q*) Iesus (*sine* statim) *it.* (*exc. a f l r*²) ; = Iesus autem cognouit continuo Cop. sa. ; = Iesus autem statim cognouit Sy. pesh. εν εαυτω (αυτω L 122) : *om.* D 226*. *b c e ff i q r*¹; *pon. ante* cognoscens *vg.* (1 MS) ; = in corde suo Geo. | την εξ (*om.* 17) αυτου δυναμιν εξελθουσαν (ελθουσαν 237) : >την δυναμιν (+την D² 248) εξελθουσαν απ αυτου

| (*om.* απ αυτου 248) D (248) *it. vg.* | επιστραφεις : et conuersus *it.* (*exc. f l r*²) Sy. pesh. Aeth. | εν τω οχλω : ad turbam (turbas *e ff*) *it.* (*exc.* turbis *e*) *vg.* | ελεγεν, *item* aiebat (dicebat *g*¹) *g² l r² vg.* Sy. hl. Cop. bo. : λεγει 238, | *item* ait *c d f ff i q* Geo. ; ειπεν DWΘ 565. 700. *b e* Sy. pesh.(= et dixit) hier. ; = dicens Cop. sa. | τις μου ηψατο των ιματιων : *pon.* μου post ιματιων D *it.* (*exc. e*) *vg.* Sy. pesh. hl. hier. Cop. sa. bo. Arm. Aug. ; quis mihi tetigit uestimentum (~ta *e*) meum (*om. e*) *e* Geo. ; *cf.* Hil.

31. *om. uers.* g² | και (*om. b* Cop. sa.) ελεγον (ελεγωσαν 28) αυτω (*om.* Geo.¹) οι μαθηται αυτου (*om.* W) Uncs. pler. Minusc. pler. *f l r² vg.* Sy. hl. hier. Geo.¹ : και λεγουσιν αυτω οι μαθηται αυτου (*om.* Arm.) ΝΣ *l*184 Sy. pesh. Cop. bo. Arm., *item cf.* dicunt ei discipuli eius *b*, dicunt ergo discipuli eius *ff*; = dixerunt discipuli eius ei Cop. sa. ; οι δε μαθηται αυτου λεγουσιν αυτω D 565. 700, *item* discipuli autem illius (eius *e*) dicunt illi (ei *q* ; *om. e*) *e i q*, = discipuli autem eius loquebantur ei Geo.², *cf.* >dixerunt autem discipuli eius *c*, discipuli autem eius dixerunt *a* | βλεπεις : magister uides *a* | τον οχλον : turbas *e*, *item* Sy. pesh. hl. hier. | συνθλιβοντα (συνθλιβλιτα Θ) : συντριβοντα W ; συνπνιγοντα 565 | τις μου ηψατο : τι σου ηψατο W² (+των ιματιων Θ *b c* Geo.¹ (+ uestimentum meum) Arm.

32. *om. uers.* 57 | και (autem *b c f* Cop. sa.) περιεβλεπετο (περιεβλεπεν 251. 697 ; περιεβλεψατο 2145 ; περιεστρεψετο 1200 ; +Iesus *ff vg.* 1 MS. Geo.¹ *et A*), *item* et circumspiciebat *it.* (pler.) *vg.* : ipse autem cum circumspexisset *b*, cum autem circumspexisset *c*, et cum circumspexisset *e*, ipse autem circum-spiciebat *f* | ιδειν : *om.* 259 *c e* | την τουτο ποιησασαν (πεποιηκυιαν WΘ 1. 209. 28): *cf.* quis hoc fecisset *b*, quis hoc fecerat *q* ; = eum quis hoc (illud Geo²) fecisset Geo. ; *om. c e.*

33. η δε γυνη : mulier *tant. b c e ff* | φοβηθεισα (timefacta est *e*) και τρεμουσα : *om.* 59. *l*31. *g*¹; +διο πεποιηκεν (πεποιηκεν Θ 28. 50 ; εποιησε 348. *l*253) λαθρα (*om.* 700) DΘ 124. 28. 50. 348. 565. 700. *l*253. 1071 *a ff i r*¹ Geo. Arm. | ειδυια *usque ad* ηλθεν και : *om. b* | ειδυια (και ειδυια א* ; ιδουσα 28 ; ιδοτε Δᵘⁱᵈ·) ο γεγονεν (το γεγονος ΝΣ ; τι γεγονεν *l*48. *cf.* quid esset acti *d*) : *om. e* | αυτη (ipsa *d ff i* ; ei *a* ; *om. e*) אBCDLΔᵘⁱᵈ· 892. *l*184

---

30. Aug. cons. II. 28. quis tetigit uestimenta mea
Hil. psalm. quis me tetigit.

πᾶσαν τὴν ἀλήθειαν. ³⁴ ὁ δὲ εἶπεν αὐτῇ Θυγάτηρ, ἡ πίστις σου σέσωκέν σε· ὕπαγε
εἰς εἰρήνην, καὶ ἴσθι ὑγιὴς ἀπὸ τῆς μάστιγός σου. ³⁵Ἔτι αὐτοῦ λαλοῦντος ἔρχονται
ἀπὸ τοῦ ἀρχισυναγώγου λέγοντες ὅτι Ἡ θυγάτηρ σου ἀπέθανεν· τί ἔτι σκύλλεις τὸν
διδάσκαλον; ³⁶ ὁ δὲ Ἰησοῦς παρακούσας τὸν λόγον λαλούμενον λέγει τῷ ἀρχισυναγώγῳ
Μὴ φοβοῦ, μόνον πίστευε. ³⁷ καὶ οὐκ ἀφῆκεν οὐδένα μετ' αὐτοῦ συνακολουθῆσαι εἰ
μὴ τὸν Πέτρον καὶ Ἰάκωβον καὶ Ἰωάνην τὸν ἀδελφὸν Ἰακώβου. ³⁸ καὶ ἔρχονται εἰς
τὸν οἶκον τοῦ ἀρχισυναγώγου, καὶ θεωρεῖ θόρυβον καὶ κλαίοντας καὶ ἀλαλάζοντας πολλά,

(εαυτη) Sy.ᵖᵉˢʰ· ʰˡ· Arm.: εν αυτη FΔᵘ·ᵈ· cf. in se it.
rell. vg.; επ αυτη ΑΝΩΠΣ⸖ fam.¹ 22. 28. 33.
157. 579. 700. 1071 al. pler.; επ αυτην Φ fam.¹³
543. 60. 125. 565. l48 Geo. (= super se) | ηλθεν
και (accedens e): om. c | προσεπεσεν (πεσεν sic
l184) αυτω : προσεκυνησεν αυτω C, item prostrauit se
ei a | και ειπεν (λεγει 247) αυτω (om. e q): om. 346;
+ εμπροσθεν παντων W fam.¹³ 543 Cop.ˢᵃ· | πασαν
την αληθειαν Uncs. pler. fam.¹ (exc. 1) 22. 124. 33.
157. 565. 579. 700. 892. 1071. al. pler. it. pler. vg.
Sy.ᵖᵉˢʰ· ʰˡ· ʰⁱᵉʳ· Cop.ᵇᵒ· Geo.¹ Aeth.: πασαν την
αιτιαν αυτης (om. 1. 28) W 1, fam.¹³ (exc. 124) 543.
28. Cop.ˢᵃ· Geo.², cf. quid (quod q) factum est c q
Arm., quod est facti e.

34. ο δε (= et Aeth. Arm.) sine add. ℵABLNW
ΔΠΣ⸖ (exc. Mᵐᵍ·) 131. 22. 33. 157. 579. 892. 1071
al. pler., item e l vg. (pler. et WW) Sy.ᵖᵉˢʰ· Cop.ˢᵃ·ᵇᵒ·
Geo.ᴮ Aeth.: + Ιησους CDMᵐᵍ· ΘΦ fam.¹ (exc. 131)
fam.¹³ 543. 28. 234. 235. 238. 271. 565. 700. l20. l44.
l47. l48. l50. l183 it. (exc. e l) vg. (5 MSS) Sy.ʰˡ* ʰⁱᵉʳ·
Geo.¹ ᵉᵗ ᴬ Arm. | ειπεν: ait b c ff | αυτη (αυτω A):
om. 1. 209. 40. 259; add. θαρσει ante θυγατ. C² 047.
67. 68. 1194. 1200. l44. l47. l48. l50. q (constans
esto), post θυγατ. 483 | θυγατηρ BDW 0133. 28. 348.
474: θυγατερ ℵAC²LNΔΘΠΣΦ⸖ Minusc. pler.;
om. 579 | υπαγε (και υπαγε 444): πορευου ΝΘΣ 42.
44. 410. 565. 700 | εις ειρηνην: εν ειρηνη 12. 70,
item in pace it. (exc. in pacem d ff i) vg. | και ισθι
(καισθι D; και εση 579): om. και Cˣᵘⁱᵈ·? | και
ισθι υγιης (υγιως 157) απο της μαστιγος σου: om.
238. 565. 1223. l47. l50. l253 Sy.ʰⁱᵉʳ· Cop.ᵇᵒ·(¹ᴹˢ)
| add. ad fin. uers. et sana facta est mulier c.

35. ετι: praem. κα 517² e q Sy.ᵖᵉˢʰ· Geo. Arm.;
+ δε 238; om. l18. l19. l36. l184 | λαλουντος:
+ αυτοις Δ; = + αυτη Aeth. | ερχονται (ερχεται
2. 482): uenerunt c f vg.(1 MS) Sy.ᵖᵉˢʰ· Cop.
ˢᵃ·ᵇᵒ· Geo. | απο (οι απο 229, item Cop.ˢᵃ· Geo.¹)
του αρχισυναγωγου: ad archisynagogum (↘go sic
q) c ff g² q vg. (2 MSS), ad principem synagogae b,
item Cop.ᵇᵒ· Aeth. | λεγοντες (λεγομενος 482):
+ αυτω D 33. 579. l48. b i Sy.ᵖᵉˢʰ· (1 MS) Cop.ˢᵃ·
Aeth.; = et dixerunt Geo.¹, et dicebant (+ ei
Geo.ᴮ) Geo.²; =et dicentes Sy.ᵖᵉˢʰ· | οτι: om. it.
(exc. d l q) | ετι sec.: om. 517. l49. l251. l260
Cop.ᵇᵒ· (pler.) Geo. | σκυλεις L 28. 157. 349. 475.
485. 517. 700; σκυλλης fam.¹³ (exc. 124) 543;
σκυλης 472 |

36. ο δε Ιησους sine add. ℵBDLWΔΘ fam.¹

(exc. 131) 28. (om. Ιησους) 40. 225. 271. 470.
517. 565. 700. 892 al. it. (exc. a) vg. Sy.ᵖᵉˢʰ· Cop.ˢᵃ·
ᵇᵒ· Geo. Aeth. Arm. : + ευθεως post Ιησους ΑCΠΦ⸖
22. fam.¹³ 543. 33. 157. 569. 579. 1071. l251 al. pler.
Sy.ʰˡ·, post ακουσας N 125*. 127. 131. 142. 282.
330. 445, post λογον Σ; statim Iesus a | παρακου-
σας ℵ* BLWΔ 892*, item cf. neglexit e:
ακουσας ℵᶜACDNΘΠΣΦ Minusc. rell., item it.
(exc. e) vg. Sy.ᵖᵉˢʰ· ʰˡ· Cop.ˢᵃ· ᵇᵒ· Geo. Aeth. Arm.
| τον λογον (+ τον B) λαλουμενον (λεγομενον 248;
praem. ετι 247) in uerbo quod dicebatur ante
audito g² l vg.: τουτον τον λογον D f ff i q; uer-
bum a, uerbo c, sermonem·e; om. b | λεγει: et
dixit e Sy.ᵖᵉˢʰ·, = dixit Cop.ˢᵃ· ᵇᵒ· Geo.

37. ουδενα μετ αυτου συνακολουθησαι ℵBCLΔ
892: ουδενα (ουδε ενα D) αυτω συνακολουθησαι
(↘ουσησαι sic 13) ακολουθησαι ΑΚΠ* 11. 15. 229.
248. 346. 474. 481 al.; παρακολουθησαι DW 1.
118. 209. 124. 28. 565. 700) ΑDΝWΘΠΦ⸖ fam.¹
22. fam.¹³ 543. 28. 157. 565. 579. 700. 1071 al.
pler., item cf. quemquam se sequi d; >αυτω
ουδενα συνακολουθησαι (ακολουθησαι 20) Σ 20. 330.
444. 575. l49. l184, cf. secum quemquam introire e;
ουδενα συνακολουθησαι (ακολουθησαι 33) αυτω 33,
item cf. quemquam sequi se it. (exc. d e) vg. (pler.
et WW) Sy.ᵖᵉˢʰ· (= cuiquam ut iret secum)ʰˡ· Cop.
ˢᵃ· ᵇᵒ· Geo. Aeth. | τον πετρον ℵBCΔ: om. τον
ΑDLNΘΠΣΦ⸖ Minusc. omn.; μονον πετρον W;
= Shem'ūn Kīphā Sy.ᵖᵉˢʰ· | Ιωαννην B 700*:
Ιωαννην Uncs. rell. Minusc. rell. | ιακωβου (τον
Ιακωβου FH 57. 124. 242. 440) αυτου του Ιακωβου
474) Uncs. pler. 131. 22. fam.¹³ 543. 28. 33. 157.
579. 700. 892. 1071 al. pler. it. (exc. a d) vg. Sy.
ᵖᵉˢʰ· Cop.ˢᵃ· ᵇᵒ· Geo. Aeth. Arm.: αυτου DGΔΦ
fam.¹ (exc. 131) 36. 61. 106. 348. 489*. 565. l48.
l185* a Sy.ʰˡ·* (sed add. Iacobi**)

38. και ερχονται ℵABCDFΔ fam.¹ (exc. 131) 33.
54. 238. 440. 579 l17, item et ueniunt b e g² l q vg.:
et uenerunt i r¹, item Cop.ᵇᵒ· Geo.¹, = cum
autem uenissent Cop.ˢᵃ·; και ερχεται LNWΘΠΣΦ⸖
(exc. F) 131. 22. fam.¹³ 543. 28. 157. 565. 700.
892. 1071 al. pler., item et uenit a c f ff Sy.ʰˡ·
Geo.² | τον οικον: την οικιαν D 565. 700 | θεωρει,
item it. (pler.) vg. (pler.) Sy.ʰˡ·: εθεωρει D, cf. uidit f
g¹ vg. (aliq. sed non WW) Sy.ᵖᵉˢʰ· Cop.ˢᵃ· Geo.;
uident b q, cf. = uiderunt Cop.ᵇᵒ· | θορυβον:
= quod tumultuarentur Sy.ᵖᵉˢʰ· ʰˡ· Cop.ˢᵃ· ᵇᵒ· | και
(ante κλαιοντας) ℵABCLMNUWΔΘΠΣ 1. 209.

[39] καὶ εἰσελθὼν λέγει αὐτοῖς Τί θορυβεῖσθε καὶ κλαίετε; τὸ παιδίον οὐκ ἀπέθανεν ἀλλὰ καθεύδει. [40] καὶ κατεγέλων αὐτοῦ. αὐτὸς δὲ ἐκβαλὼν πάντας παραλαμβάνει τὸν πατέρα τοῦ παιδίου καὶ τὴν μητέρα καὶ τοὺς μετ' αὐτοῦ, καὶ εἰσπορεύεται ὅπου ἦν τὸ παιδίον· [41] καὶ κρατήσας τῆς χειρὸς τοῦ παιδίου λέγει αὐτῇ Ταλειθά κούμ, ὅ ἐστιν μεθερμηνευόμενον Τὸ κοράσιον, σοὶ λέγω, ἔγειρε. [42] καὶ εὐθὺς ἀνέστη τὸ κοράσιον

fam.¹³ 543. 31. 33. 237. 238. 248. 348. 473*. 474. 487. 517. 579. 697. 892. l48. l49. l184 al. g² l vg. (exc. 1 MS) Sy.ᵖᵉˢʰ· ʰˡ· Cop.ᵇᵒ· Geo. Aeth. Arm. : om. DYΦϽ (exc. MU) 118. 131. 22. 28. 157. 565. 700. 1071 al. pler. it. (exc. g² l) vg. (1 MS) Cop.ˢᵃ· | κλαιοντας και (om. Cop.ˢᵃ·) αλαλαζοντας : κλαιοντων και αλαλαζοντων (κραζοντων 565) D (565) a ; κλαιοντα και αλαλαζοντα 482 ; om. και αλαλαζοντας 409 g¹ | πολλα (πολλας B*) : πολλους Θ 238. 282 ; om. b g¹ Sy.ᵖᵉˢʰ·

39. και εισελθων : introiens autem e, similiter Cop.ˢᵃ· (1 MS) ; om. εισελθων 1. 565 | λεγει : = dixit Sy.ᵖᵉˢʰ· Cop.ˢᵃ· ᵇᵒ· Geo. | αυτοις : om. b c e ff i q r¹ | τι θορυβεισθε (∼θαι sic 346. 28 ; θοβεισθε 1588) : μη θορυβεισθε 238. 348. 1216 | και κλαιετε (∼ται 28) : κλαιοντες 579 ; και τι κλαιετε DΘ 28, item b f ff i q r¹ aur.; om. 237 | το παιδιον (coniung. cum κλαιετε E, item puellam e ; pon. post απεθανε 28 Aeth.): το κορασιον 33 ; = praem. quia Geo.² ; = + enim Sy.ᵖᵉˢʰ· (1 MS.)

40. και, item e f vg.: οι δε D 700, item illi autem e, illi uero c ff ; cf. ad (at g² q) illi a b d g² i q r¹ | κατεγελων (κατεγελουν ΚΩ 238. 348. 447. 472) αυτου : + ειδοτες οτι απεθανεν W fam.¹³ 543 Cop.ˢᵃ· | αυτος δε אBCDLΔΘ 33. 579. 892. l48, item ipse uero a b c f ff i l q r¹ vg. Geo.²: ο δε AN WΠΣϽ (exc. M) 131. 22. fam.¹³ (exc. 124) 543. 28. 157. 565. 700 al. pler., item ille autem e Sy.ᵖᵉˢʰ· (pler.) ʰˡ· (al.) Cop.ˢᵃ· ᵇᵒ· Geo.¹ ; ο δε Ιησους ΜΦ fam.¹ (exc. 131) 124. 238. 271 Sy.ᵖᵉˢʰ· (al. et edd.) ʰˡ·* | εκβαλλων 157. 349. 446. 475 | παντας (απαντας Φ 372 al. ; τους οχλους D item turbas e, cf. turba post eiecta b c ff i q r¹) Uncs. pler. Minusc. pler. : + εξω D 13. 346. 543. 234. 235 it. (exc. a l) ; = praem. foris Arm. | παραλαμβανει : λαμβανει 482, cf. = accepit Sy.ᵖᵉˢʰ· Cop.ˢᵃ· ᵇᵒ· Geo. | τον πατερα του παιδιου (της παιδος 28. l48) και την μητερα : > pon. του παιδιου post μητερα D 700 it. vg. Geo.ᴮ Aeth., cf. > matrem (matre ff) et patrem (patre ff) puellae a ff ; om. και την μητερα e ; + eius post matrem Sy.ᵖᵉˢʰ· ʰˡ· Cop.ˢᵃ· ᵇᵒ· Geo.¹ | τους μετ αυτου (μεθ εαυτου 124. 445) : τους εαυτου W ; + οντας D, item qui erant secum (uel cum eo uel cum illo) it. vg. Sy.ᵖᵉˢʰ· Cop.ˢᵃ· ᵇᵒ· Geo.¹ ; = discipulos suos Geo.² | εισπορευεται Uncs. pler. Minusc. pler., item a f q vg. (pler. et WW) Sy.ʰˡ· : εισεπορευετο D 61. 565, cf. intrauit a, introiuit c e ff i (∼

ibit) r¹, similiter Sy.ᵖᵉˢʰ· Cop.ˢᵃ· ᵇᵒ· (ed.) Geo. ; εισπορευονται Μ 33. 126. 579, item ingrediuntur l vg. (plur.) | οπου : ου A | το παιδιον sine add. אBD LΔ 0153. 892 a b e ff i r¹ Cop.ˢᵃ· ᵇᵒ· (pler.) Aeth. : + ανακειμενον ACNΠΦϽ 131. 124. 33. 157. 330. 579. 1071 al. pler. ; + καιμενον 31. 38. 253 ; + κατακειμενον WΘΣ fam.¹ (exc. 131) 22. 28. 45. 565. 700 ; + κατακεκλιμενον (∼ημενον 346) fam.¹³ (exc. 124) 543 ; καταβεβλημενον 57 ; cf. + iacens c f l q vg. Sy.ʰˡ· Cop.ᵇᵒ· Arm. ; item = praem. iacens Sy.ᵖᵉˢʰ· Geo. (+ mortua post puella Geo.²).

41. κρατησας usque ad παιδιου : om. e i | της χειρος (την χειρα D 435, item manum it. vg.) του παιδιου : manum eius a b c q aur. vg. (1 MS) Cop.ᵇᵒ· (1 MS) ; eam Sy.ᵖᵉˢʰ· (1 MS) | λεγει : dixit e Sy.ᵖᵉˢʰ· Cop.ˢᵃ· ᵇᵒ· Geo. | αυτη (αυτω L ; αυτο errore 892): om. W ; + ραββι D | ταλειθα B 0153 fam.¹³ (exc. 124) 543. 565 Cop.ˢᵃ·, similiter ταλιθα (ταληθα 240. 244. 247. 470. 569 ; ταλιτα Δ) אACLN(Δ)ΘΠΣΦϽ fam.¹ 22. 124. 28. 33. 579. 700. 892. 1071 al. pler., item talitha f vg. (pler.), thalitha q vg. (al.), similiter Sy.ᵖᵉˢʰ· ʰˡ· Cop.ᵇᵒ· Aeth. Epiph. : ταβιθα W 259² ; θαβιτα D ; ταβηθα 157 (a sup. lin.) 225. 238. 245. 259**. l2. l48 al., item cf. tabitha a ff l vg. (aliq.), thabitha b c i vg. (aliq.), abitha r¹, tabea acultha e | κουμ (κυμ 487) אBCLMNΣ fam.¹ 33. 237. 238. 240. 271. 471. 482. 892. l185 al., item ff : κουμι (κουμει A 69. 346. 543. 565 al. plur. Sy.ᵖᵉˢʰ· ʰˡ· ; κουμη 13. 157. 245. 405. l184 al.) ADΔΘΠΣΦϽ (exc. M) 22. fam.¹³ 543. 28. 565. l579. 700. 1071 al. pler., item it. (exc. ff) vg. (pler.) Epiph. ; om. W a g² | μεθερμηνευομενον (μεθηρμεν. D) : = hoc Cop.ᵇᵒ· ; om. 237 | το κορασιον (= pon. post λεγω Geo.ᴮ): Aph. ; = puella mea Aeth. | εγειρε Uncs. pler. 1. 118* fam.¹³ 543. 28. 33. 71. 238. 259. 471. 474. 565. 579. 700** al. plur. : εγειραι U Φ 131. 209. 22. 157. 1071 al. plur. ; εγειρου l48 ; εγερθητι 54 | ο εστιν μεθ. usque ad εγειρε: om. Sy.ᵖᵉˢʰ·

42. ευθυς אBLΔΘ 33. 349. 517. 892 : ευθεως AC DNWΠΣΦϽ Minusc. rell. ; παραχρημα 579 ; om. Cop.ᵇᵒ· (aliq.) | ανεστη : ηγερθη Θ | και περιεπατει (∼τη 346) : = et (om. Cop.ˢᵃ·) ambulauit Cop.ˢᵃ· ᵇᵒ· (aliq.) | ην γαρ : ην δε D 565. 569. it. vg. Sy.ᵖᵉˢʰ· (1 MS) | ετων tant. ABDLNWΠΣΦϽ 131. 22. fam.¹³ (exc. 124) 543. 28. 157. 565. 700. 1071 al. pler. it. vg. Sy.ᵖᵉˢʰ· ʰˡ· Cop.ᵇᵒ· Geo.² Aeth. : praem. ωσει

41. Epiph.ᵖᵃⁿ· κουμι ταλιθα τουτεστιν αναστηθι η παις.
Ierom. Epist· talitha cumi . . . quod interpretatur puella tibi dico surge.

καὶ περιεπάτει, ἦν γὰρ ἐτῶν δώδεκα.　καὶ ἐξέστησαν εὐθὺς ἐκστάσει μεγάλῃ.　⁴³ καὶ
διεστείλατο αὐτοῖς πολλὰ ἵνα μηδεὶς γνοῖ τοῦτο, καὶ εἶπεν δοθῆναι αὐτῇ φαγεῖν.

VI

(ν/a)　¹ Καὶ ἐξῆλθεν ἐκεῖθεν, καὶ ἔρχεται εἰς τὴν πατρίδα αὐτοῦ, καὶ ἀκολουθοῦσιν αὐτῷ οἱ
μαθηταὶ αὐτοῦ.　² Καὶ γενομένου σαββάτου ἤρξατο διδάσκειν ἐν τῇ συναγωγῇ· καὶ οἱ
πολλοὶ ἀκούοντες ἐξεπλήσσοντο λέγοντες Πόθεν τούτῳ ταῦτα, καὶ τίς ἡ σοφία ἡ δοθεῖσα
τούτῳ, καὶ αἱ δυνάμεις τοιαῦται διὰ τῶν χειρῶν αὐτοῦ γινόμεναι;　³ οὐχ οὗτός ἐστιν

ℵCΔΘ 124. 33. 1582, ως fam.¹ (exc. 131) 238. 565.
579. 700, item = praem. circa Sy.ᵖᵉˢʰ· (1 MS) Cop.ˢᵃ·
Geo.¹ Arm.; = filia annorum Sy.ᵖᵉˢʰ·(ᵖˡᵉʳ·) | δωδεκα
(ιβ̄ ℵBCLΔ): δεκα δυο Φ fam.¹ (exc. 131) l48
| εξεστησαν ευθυς ℵBCLΔ 33. 579. 892. Cop.ᵇᵒ·
Aeth.: om. ευθυς ADNWΘΠΣΦ𝔟 𝔭⁴⁵ Minusc. rell.
it. vg. Sy.ᵖᵉˢʰ·ʰˡ· Cop.ˢᵃ· Geo. Arm.; +παντες D
c f ff g² i q vg. (1 MS) Cop.ᵇᵒ·(¹ᴹˢ); +οι γονεις
αυτης 12. 51. 61. 76. 247. 330. l48 | εκστασει
μεγαλη: εκστασιν μεγαλην 258.

43. και: = autem post praecep Cop.ˢᵃ· | διε-
στειλατο, item praecepit it. (pler.): praecepit
uehementer f l vg. | αυτοις (αυτους l49): +iesus
c ff | πολλα: om. D 474 it. (exc. a) vg. | ινα
μηδεις (μη τις 28, item ne quis a) γνοι: ut nemini
dicerent c d ff, = ut nemini revelarent Cop.ˢᵃ·
| γνοι ABDLW𝔭⁴⁵ 579: γνω ℵCNΔΘΠΣΦ𝔟 Minusc.
rell. | τουτο: om. Θ 700 c d ff q | και ειπεν: nil
nisi sed c | δοθηναι (εκδοθηναι 273): δουναι D (sed
dari d) item dare g² vg. (2 MSS); darent c, = ut
darent Sy.ᵖᵉˢʰ· Cop.ᵇᵒ· Geo. (= eos dare); ut
daretur e | αυτη: αυτην K 71; αυτω 346. 33;
αυτοι sic Θ; om. 291. l260 | δοθηναι αυτη: >αυτη
δοθηναι 517. 954. 1424. 1675, item illi dari b f
| φαγειν: aliquid manducare c.

1. εξηλθεν: egressus (cum exisset e) et om. et
seq. it. (exc. a) vg. Cop.ᵇᵒ· | εκειθεν και ερχεται
ℵBCLΔΘ 892 Sy.ʰˡ·ᵐᵍ·: om. W; om. και ερχεται
13. 131. 238; εκειθεν και (= om. Cop.ˢᵃ·ᵇᵒ·) ηλθεν
ANΠΣΦ𝔟 fam.¹ 22. fam.¹³ (exc. 13) 543. 28. 33. 157.
565. 579. 700. 1071 al. pler., item inde et (om.
aur.) uenit a aur. Sy.ᵖᵉˢʰ·ʰˡ·ᵗˣᵗ·ʰⁱᵉʳ· Cop.ˢᵃ·ᵇᵒ· Geo.;
εκειθεν και απηλθεν (καπηλθεν sic D) D 282, cf. inde
(+ Iesus c ff) abiit it. (exc. a) vg. | και ακολου-
θουσιν αυτω (αυτου 472; + και 61) οι μαθηται
αυτου: και ηκολουθησαν αυτ. οι μαθ. αυτου 106. l48,
item et secuti sunt eum discipuli sui (eius f) a f
Sy.ʰⁱᵉʳ· Cop.ˢᵃ·ᵇᵒ· Aeth., cf. et sequebantur illum
(eum l q) discipuli eius (illius ff i; sui l vg. (pler.)
d ff i l q vg., item Sy.ᵖᵉˢʰ·ʰˡ· Geo. Arm.; nil nisi
cum discipulis suis b c e.

2. και γενομενου σαββατου (του σαββ. 482) Uncs.
(exc. D) Minusc. omn., item et facto Sabbato (>
Sabb. fact. a) a f l vg.: και ημερα σαββατων D, item
et die Sabbatorum i¹ r², cf. et die Sabbato q; om.

e, nil nisi Sabbato b (pon. post docere) c (pon. post
coepit), die Sabbati (pon. post coepit) | ηρξατο
(+ ο Ιησους 482): ηρξαντο W 346. 435 | διδασκειν
εν τη συναγωγη (εν ταις συναγωγαις Θ) ℵBCDLΔΘ
33. 569. 579. 892 f ff r² Sy.ᵖᵉˢʰ· ʰˡ· ʰⁱᵉʳ· Cop.ˢᵃ· ᵇᵒ·
Geo.¹ (+ etiam post synag.) Arm.: > εν τη συναγ.
διδασκειν ANWΠΣΦ𝔟 𝔭⁴⁵ fam.¹ 22. fam.¹³ 543. 28.
157. 565. 700. 1071 al. pler. a b c e g² i l q vg.; =
in synagoga eorum docere eos Geo.² | οι πολλοι
BL fam.¹³ (exc. 124) 543. 28. 892: om. οι Uncs.
rell. fam.¹ 22. 124. 33. 157. 565. 579. 700. 1071 al.
pler.; pon. multi post cum audissent a; om. b
| ακουοντες ℵABCW𝔟 (exc. FH) fam.¹ 22. 28². 33.
157. 579. 700. 892. 1071 al. pler. d f ff g² i l q r² vg.
Cop.ᵇᵒ·(ᵃˡⁱ𝔮·): ακουσαντες DFHLNΔΘΠΣΦ fam.¹³
543. 28*. 237. 245. 253. 330. 435. 517. 565. l48.
l184 al., cf. cum audissent a, item Cop.ˢᵃ· ᵇᵒ·; = qui
audierunt Sy.ᵖᵉˢʰ· ʰˡ· Geo.; om. b c e | εξεπλησ-
σοντο sine add. ℵABCLNWΔΠΣ𝔟 Minusc. pler. e
(ita ut omnes extimescerent) Sy.ᵖᵉˢʰ· ʰⁱᵉʳ· Cop.ˢᵃ· ᵇᵒ·
Geo.²: +επι τη διδαχη αυτου DΘ𝔟𝔭⁴⁵ uid. (sed in lacuna)
118. 3. 9. 31. 72. 106. 115. 247. 473. 565. 700. l184
it. (exc. e) vg. Sy.ʰˡ· Geo.¹ Arm., etiam + omnes c
ff q | τουτω pr.: τουτο fam.¹³ (exc. 124) 543. 700.
1071; om. Geo. | ταυτα: παντα 29. 1071; παντα
ταυτα Δ g¹*; ταυτα παντα (απαντα C*) ℵC f l vg.
Aeth.; tanta c | τουτω sec. ℵBCLΔ 892: αυτω
ADNWΘΠΣΦ𝔟 Minusc. rell. | και αι ℵBΔΣ 33.
86. 517. 892: οτι και 470. 474. 485. 486 al. mu.;
ινα και C*DKYΠ 124. 346. 220. 253. 271. 1278 al.
plur. ff, item et ut a b d Sy.ʰˡ·; και tant. AC²LNW
Φ𝔟 (exc. KU) fam.¹ 22. 13. 69. 543. 28. 131. 157. 349.
565. 579. 1071 al. plur. c e l vg. Geo.; οτι tant. U
473. 481. 485; ινα tant. Θ 700 f i q r² Sy.ᵖᵉˢʰ·
| δυναμεις (+ αι ℵᶜΔ) τοιαυται (+ αι ℵᶜLΔ; τοσαυ-
ται 106) δια των χειρων αυτου γινομεναι ℵBLΔ 33.
579. 892. l31: δυν. τοιαυ. δ. τι χειρ. αυτ. γινονται A
CNWΣΦ𝔟 (exc. K) fam.¹ 22. fam.¹³ 543. 28. 157.
565. 1071 al. pler. a c g² l vg.; δυν. τοιαυ. δ. τ.
χειρ. αυτ. (om. ff) γινωνται DKYΘΠ 4. 8. 122. 251.
473. 474. 481. 700 al. pauc. b e f ff i q r² Sy.ᵖᵉˢʰ· ʰˡ·
Arm.

3. ουχ: ουκ D* | ουτος: ουτως 700 | ο τεκτων
(= om. ο τεκτ. Sy.ʰⁱᵉʳ·) ο υιος Uncs. omn. fam.¹ 22.
28. 157. 892. 1071 al. pler. f ff l q vg. (plur. et WW)

ὁ τέκτων ὁ υἱὸς τῆς Μαρίας καὶ ἀδελφὸς Ἰακώβου καὶ Ἰωσῆτος καὶ Ἰούδα καὶ Σίμωνος;
καὶ οὐκ εἰσὶν αἱ ἀδελφαὶ αὐτοῦ ὧδε πρὸς ἡμᾶς; καὶ ἐσκανδαλίζοντο ἐν αὐτῷ. ⁴ καὶ (να/α)
ἔλεγεν αὐτοῖς ὁ Ἰησοῦς ὅτι Οὐκ ἔστιν προφήτης ἄτιμος εἰ μὴ ἐν τῇ πατρίδι αὐτοῦ καὶ ἐν τοῖς
συγγενεῦσιν αὐτοῦ καὶ ἐν τῇ οἰκίᾳ αὐτοῦ. ⁵ καὶ οὐκ ἐδύνατο ἐκεῖ ποιῆσαι οὐδεμίαν δύνα-
μιν εἰ μὴ ὀλίγοις ἀρρώστοις ἐπιθεὶς τὰς χεῖρας ἐθεράπευσεν· ⁶ Καὶ ἐθαύμασεν διὰ τὴν (νβ/β)
ἀπιστίαν αὐτῶν. Καὶ περιῆγεν τὰς κώμας κύκλῳ διδάσκων. ⁷ Καὶ προσκαλεῖται (νγ/β)

Sy.ᵖᵉˢʰ· ʰˡ· Cop.ˢᵃ· ᵇᵒ· Geo.¹ : ο του (om. 10. 472) τεκτονος (τεκτος sic 543) υιος (ο υιος p⁴⁵ 13. 124. 346) p⁴⁵ ᵘⁱᵈ· fam.¹³ 543. 10. 33. 472. 565. 579. 700. l31. l48. l184 a b c e i r² δ aur. vg. (plur.) Cop.ᵇᵒ· ⁽³ ᴹˢˢ⁾ Aeth. ; cf. ioseph fabri filius g¹, fabri filius ioseph g² | της μαριας אBCLWΔΘ 346. 349. 517. 892· μαριας ADNΠΣΦ⅃ fam.¹ 22. 157. 330. 565. 575. 579. 1071 al. pler., item Mariae e f ff l q vg. (plur. et WW) Cop.ˢᵃ· ᵇᵒ· ; μαριαμ 28 Sy.ᵖᵉˢʰ· ʰˡ· ʰⁱᵉʳ· Geo. ; και της μαριας 13. 124. 543. l184, και μαριας 69. 700. l31, l48, item et Mariae a b c i r² aur. vg. (plur.) | και αδελφος (ο αδελφ. אDL) אBCDLΔΘ 349. 517. 579. 892*. l31 e Sy.ᵖᵉˢʰ· Cop.ᵇᵒ· Geo. : αδελφος δε ANWΠΣΦ⅃ (exc. Ω) fam.¹ 22. fam.¹³ 543. 28. 157 al. pler. q Sy.ʰˡ· ; ο (om. Θ 1071) αδελφος Θ 565. 700. 1071, item frater it. (exc. q) vg. Cop.ˢᵃ· ᵇᵒ· (aliq.) Arm. | ιωσητος BDLΔΘ fam.¹³ 543. 33. 565. 579. 700, cf. iosetis a d Cop.ᵇᵒ· : ιωσηφ א 121 b e l q r² δ vg.Geo.² (=iosebi) Aeth. ; ιωση (ιωσηι sic 22) ACN WΠΣΦ⅃ fam.¹ 22. 28. 157. 330. 569. 575. 892. 1071 al. pler. Sy.ᵖᵉˢʰ· ʰˡ· ʰⁱᵉʳ· Cop.ˢᵃ· Geo.¹ Arm. ; om. c ff l | και Ιουδα usque ad ημας : om. 61 | και ουκ εισιν usque ad ημας : om. 235 | και (om. 253) ουκ (om. 36) : ουχι και D, item cf. nonne et it. (pler.) vg. (pler.), et non e, nonne tant. b vg. (3 MSS) | εισιν : pon. post ημας D | αι αδελφαι αυτου : fratres illius e | ωδε : om. M* | πασαι ωδε 6 ; πασαι tant. 475* | εν αυτω (εαυτω 251. 472) : επ αυτω 240. 244. 517.

4. και ελεγεν אBCDLΔΘ 33. 565. 579. 700. 892. it. (exc. c) vg. Sy. ᵖᵉˢʰ· ʰⁱᵉʳ· Cop.ᵇᵒ· : ελεγε δε ANWΠΣ Φ⅃ fam.¹ 22. fam.¹³ 543. 28. 157. 1071 al. pler. c Sy.ʰˡ· Cop.ˢᵃ· Geo. Aeth. Arm. | αυτοις : om. W I fam.¹³ (exc. 124) 543. 28. vg. (1 MS.) Geo. | οτι : om. SΔΘ fam.¹³ 543. 31. 218. 235. 248. 435. 487. 565. 579. 700. Sy.ᵖᵉˢʰ· Cop.ˢᵃ· ᵇᵒ· Geo. | πατριδι αυτου אᶜABCD NWΔΠΣΦ⅃ fam.¹ 22. 28. 33. 157. 579. 700. 1071 al. pler. ; πατριδι (+ τη Θ 565) εαυτου א*L(Θ) fam.¹³ (exc. 69) 543. (565) ; >εαυτου πατριδι 69 ; ιδια πατριδι αυτου אᶜAL 892 cf. Or. | τοις συγγε- νευσιν B*D²EFGHLNUVΔΘΣ fam.¹ (118 ?) fam.¹³ 543. 28. 61. 235. 237. 262. 271. 474. 485. 579. 892. 1071 : τοις συγγενεσιν אᵃᵐᵍ·B²ACD*K²MSWΠΦΩ 22. 157. 565. 700. 1278 al. pler. ; τη συγγενεια K*

l185 : om. אᵗˣᵗ· c e vg. (1 MS) | αυτου sec. BC*L KM²NΣ 12. 29. 45. 59. 61. 71. 218. 330. 517. 579. 1071. l48 : εαυτου Δ 892 ; om. אᵐᵍ·AC²DWΘΠΦ⅃ (exc. KM²) fam.¹ 22. fam.¹³ 543. 28. 157. 565. 700 al. pler. a ff Arm. Or. | και εν τη οικια αυτου : om. e ; om. αυτου 892 | εν τη πατριδι usque ad οικια αυτου : hab. nil nisi in domo et in patria sua c.

5. ουκ εδυνατο AB*CKLMNSWΠΣΩ fam.¹³ (exc. 69) 543. 72. 122. 271. 435. 517. 579. 892 al. : ουκ ηδυνατο אB²DΔΘΦ⅃ (exc. KSMΩ) fam.¹ 22. 69. 28. 33. 157. 565. 700. 1071 al. pler. ; cf. noluit a f g² q r¹ ᵘⁱᵈ· Or. infra, non potuit d, non poterat l vg., cf. non faciebat b c e, non fecit ff Cop.ˢᵃ· | εκει : om. W Geo.¹ ; ουδε εκει 59 | ποιησαι ουδεμιαν δυναμιν אBCLΔ fam.¹ (exc. 118) 892 Sy.ᵖᵉˢʰ· Cop. ᵇᵒ· Aeth. cf. ποιησαι ουδεμιν sic Θ : >ουδεμιαν δυν. ποιησαι ANΠΣΦ⅃ 118. 22. fam.¹³ (exc. 124) 543. 28. 33. 157. 579. 1071 al. pler. ; >ουδεμ. ποιησαι δυν. D 124. 238. 565. 692. 700. l184 a Or. ; ουκετι ποιησαι δυν. W | ουδεμιαν δυναμιν : cf. uirtutes multas c ff g² r¹ vg. (4 MSS), uirtutem multam i q vg. (4 MSS) | ολιγοις αρρωστοις (ερρ. C ; αρρωστ. Ω) : ολιγους αρρωστους 220. 262. 470. 472 ; ολιγους αρρωστουντας 61 | τας χειρας : manum a d ff q r¹ Geo. ; = suam manum Sy.ᵖᵉˢʰ· (˒˓ = manus suas) | εθεραπευσεν (εθεραπευε 482*, item curabat a) : +αυτοις 124. l31 ; = sanati sunt Sy˒·, = et orauit Sy.ᵖᵉˢʰ· (1 MS)

6. και εθαυμ. usque ad αυτων : om. Δ (spat. relict.) και εθαυμασεν אBE*ᵘⁱᵈ· 565. 569. 579 Cop.ᵇᵒ· Aeth. : και εθαυμαζεν ACDLNWΘΠΣΦ⅃ (exc. E*) Minusc. pler. it. (pler.) vg. (pler.) Sy.ˢ· ᵖᵉˢʰ· ʰˡ· Cop.ˢᵃ· Geo. ; και εθαυμαζον 253, item mirabantur ff vg. (2 MSS) ; om. b e | απιστιαν : πιστιν D | και περιηγεν (= circumibat autem Cop.ˢᵃ·) : +ο Ιη- σους א fam.¹³ 543. 517. 28. f ff g¹ Geo.ᴮ | τας κωμας κυκλω אABCDNΔΘΠΣΦ(praem. τας πολεις και)⅃ fam.¹ 22. 28. 33. 157. 565. 579. 700. 892. 1071 al. pler. it. (pler.) vg. Sy.ʰˡ· Cop.ˢᵃ· ᵇᵒ· Geo.¹ : >τας κυκλω κωμας LW fam.¹³ 543. 76. 235. 247. Geo.² Arm. ; = om. κυκλω a g² Sy.ˢ· ᵖᵉˢʰ· ; παν- τοθεν pro κυκλω 238.

7. om. και προσκαλ. τους δωδεκα l48 | προσκα- λειται : προσκαλεσαμενος et om. και sq. D fam.¹

4. Or. Frag. Comment. in Iohan. IV. 44. ουκ εστι προφητης ατιμος ει μη εν τη ιδια πατριδι και εν τοις συγγενεσι και τη οικια αυτου.

5. Or. in Matt. Tom. X. ουκ ηδυνατο εκει ουδεμιαν ποιησαι δυναμιν. ου γαρ ειπεν ουκ ηθελεν αλλ ουκ εδυνατο.

7. Or. Frag. 1 Sam. XXI. 4. τους μακαριους αποστολους ανα δυο δυο πεμπεσθαι υπο του σωτηρος.

τοὺς δώδεκα, καὶ ἤρξατο αὐτοὺς ἀποστέλλειν δύο δύο, καὶ ἐδίδου αὐτοῖς ἐξουσίαν τῶν
πνευμάτων τῶν ἀκαθάρτων,   ⁸ καὶ παρήγγειλεν αὐτοῖς ἵνα μηδὲν αἴρωσιν εἰς ὁδὸν εἰ
μὴ ῥάβδον μόνον, μὴ ἄρτον, μὴ πήραν, μὴ εἰς τὴν ζώνην χαλκόν,   ⁹ ἀλλὰ ὑποδεδε-
(νδ/β) μένους σανδάλια, καὶ μὴ ἐνδύσασθαι δύο χιτῶνας.   ¹⁰ καὶ ἔλεγεν αὐτοῖς "Οπου ἐὰν
(νε/β) εἰσέλθητε εἰς οἰκίαν, ἐκεῖ μένετε ἕως ἂν ἐξέλθητε ἐκεῖθεν.   ¹¹ καὶ ὃς ἂν τόπος μὴ
δέξηται ὑμᾶς μηδὲ ἀκούσωσιν ὑμῶν, ἐκπορευόμενοι ἐκεῖθεν ἐκτινάξατε τὸν χοῦν τὸν ὑπο-

---

472. 565. *cf. it.* (*pler.* conuocatis etc. conuocauit *f g*²
l; cum aduocasset *e*) *vg.* (conuocauit *pler.*) Sy.ˢ·
ᵖᵉˢʰ· Cop.ˢᵃ·ᵇᵒ· Geo. | τους δωδεκα: + μαθητας D
b ff g² *i q r*¹; + μαθητας αυτου 6. 71. 235. 237. 259.
349. 472. 475*. 569. 692. *l*3 Sy.ˢ·; = duodecim eius
Sy.ᵖᵉˢʰ· | ηρξατο αυτους αποστελλειν: ηρξ. απο-
στελλειν αυτους fam.¹; απεστειλεν (απεστελλεν 565)
αυτους D 565, *item* misit illos (eos *di*) *a b c e ff i*
Sy.ˢ· Aeth.; *om.* αυτους 475; τους μαθητας pro αυ-
τους *l*48 | δυο δυο: *praem. ana* D 595 Or.; *om.*
e | και εδιδου (*item* et dabat g² *l vg.* Aug.ᶜᵒⁿˢ·):
και εδωκεν W, *item* et dedit *f* Sy.ˢ· ᵖᵉˢʰ· ʰˡ· Cop.ˢᵃ· ᵇᵒ·
Geo., *cf.* data etc. *a b i q*; δους D 565, *item* dans *c*
(et dans) *e ff aur.* | εξουσιαν (την εξουσ. H): + κατα
Δ 238. 472. *l*44, *item* = + super Sy.ˢ· ᵖᵉˢʰ· Geo.
Aeth. Arm. | των πνευματων των ακαθαρτων: *om.*
των *bis* CΔ fam.¹³ 543. 9. 28. 33. 238. 472. 569. 579.
*l*44. *l*183; *om.* των *sec.* 237. 251. 248; των ακαθ.
πνευμ. 697; *cf.* fugare spiritus immundos (spiri-
tuum immundorum *ff*) *c ff*; = + ut eiicerent Sy.
ᵖᵉˢʰ·

8. και παρηγγειλεν ℵᵃABCDHKLMNSΔΘΠ*Σ
ΦΩ fam.¹ fam.¹³ (*exc.* 346) 28. 33. 565. 579. 700.
892. 1071 al. pler., *item* et praecepit *d l vg.*, et prohi-
buit *f* Sy.ˢ· ᵖᵉˢʰ· ʰˡ· Cop.ᵇᵒ· Geo.¹ Aeth. Arm.:
και παρηγγελλεν (⁓γελεν FG 475) EFGUVWYΠ²
22. 346. 543. 11. 92. 127. 235. 471. (475). 476. 478.
482. *l*2, *item* = et praecipiebat Geo.²; και ελεγεν
157; praecipiens *a b c e ff i q*, *similiter* Cop.ˢᵃ· | αυ-
τοις: αυτους 579; *om. b* | ινα: *om.* 258. 519
| αιρωσιν (ερωσιν DN) ABDNΠΣʰ fam.¹ 22. 124.
543. 33. 157. 700. 892. 1071 al. pler.: αρωσιν ℵCL
WΔΘΦ fam.¹³ (*exc.* 124.) 565. 579; = + secum
Cop.ˢᵃ· ᵇᵒ· Geo. | εις οδον: εις την οδον 28. 238.
282. *l*183; εν τη οδω K, *item* in uia *a c e f l q vg.*
(*pler.*) Aug. Eug.; *om. b* Cop.ᵇᵒ· (1 MS) | ει μη:
μητε Θ 565; *om.* ει 238 | μονον: μονην Δ 122, *cf.*
solam *e*; *om.* 565 | μη (μητε Θ) αρτον μη (μητε Θ)
πηρανℵBCLΔΘ33. 245. 579. 892. *l*48 Cop.ᵇᵒ· Aeth.:
μη (μητε D 565 *a*) πηραν μη (μητε D 473. 565 *a*)
αρτον ADNWΠΣΦʰ Minusc. rell. *it. vg.* Sy.ˢ· ᵖᵉˢʰ·
ʰˡ· Cop.ˢᵃ· ᵇᵒ· Geo. Aug. Eug.; + μη αργυριον *l*183

| μη εις: μητε εις DΘ 595 | εις την ζωνην (ζονην K):
+ υμων Δ; εις την πηραν W; εις τας ζωνας 238. *l*31.
*l*183, *cf.* in zonis *b c e ff* Cop.ˢᵃ· ᵇᵒ· (+uestris) Arm.;
= in zona sua Sy.ʰˡ·*; = in crumenis (uestris
Sy.ˢ·) Sy.(ˢ·)ᵖᵉˢʰ·

9. αλλα ℵABCDLNUΣΩ 349. 579. 892. 1278.
*l*183: αλλ EFGHKMWΔΠΦ Minusc. rell.; μητε
Θ | υποδεδεμενους: υποδεδημενους Σ | και μη
ενδυσασθαι B²SΠ*Ω 124. 892: κ. μ. ενδυσασθε
B*. 33. 59. 62. 122*. 435. *l*51; κ. μ. ενδυσεσθαι
265; κ. μ. ενδυσησθαι ADWΔ 118. 209². 28; κ. μ.
ενδυσησθε (⁓σισθε 472) CΥΘΠ²Φʰ (*exc.* SΩ) 1. 209*.
22. 13. 69. 543. 157. 565. 579. 700. 1071 al. pler.;
κ. μ. ενδεδυσθαι (⁓θε 248) LNΣ 7. 20. (248). 330.
349. 506. 517. *l*18. *l*19. *l*48. *l*49 al.; *cf.* et ne indue-
rentur *b c f ff l q vg.*, neque induerentur g², et nolite
indui *a*, et ne indueritis *d* Cop.ᵇᵒ· (Geo.), neque
uestiri *e*, et induerentur *sic i*, = et ne induerent
Sy.ˢ· ᵖᵉˢʰ· ʰˡ·Aeth. | δυο χιτωνας: tuas (*sic*) tunicas *i*.

10. ελεγεν: dixit *c ff* Sy.ᵖᵉˢʰ·; λεγει A 471 *b q*;
om. Sy.ˢ· | αυτοις: *om.* W; εαυτοις 579; + ο
Ιησους 472 | οπου (οποι C*) εαν ℵBCNΘΠΣΦʰ
Minusc. pler.: οπου αν ADLWΔ 478. 565; ο αν;
349; *om.* οπου 111. 330 | εις οικιαν: *om.* D *a ff i*
Arm.; εις την οικιαν *l*183 | οπου *usque ad* οικιαν:
cf. = ad quam domum intrabitis Cop.ˢᵃ· Geo.¹,
= quamcunque domum ingressi fueritis Sy.ˢ· ᵖᵉˢʰ·
| εκει: *om.* 61 | μενετε: μεινατε (μινατε ℵ) ℵ 50.
271: = estote Sy.ˢ· ᵖᵉˢʰ· | εως αν εξελθητε εκειθεν:
εως αν εκειθεν εξελθητε Θ; και εκειθεν εξερχεσθε 33
cf. Luc. ix. 4.

11. ος αν τοπος μη δεξηται ℵBLWΔ fam.¹³ 543.
28. *vg.* (1 MS) Sy.ʰˡ· ᵐᵍ· Cop.ˢᵃ· ᵇᵒ· Geo.¹ Aeth.: ος
αν (εαν 579) μη δεξ. C*ᵘⁱᵈ· fam.¹ (*exc.* 118*) 579, *cf.*
quicumque non receperit *ff* Sy.ˢ·; οσοι αν (εαν AC²
DHKNΠΣΦΩ 33. 157. 700. 1278 al. plur.; *om.* Θ)
μη δεξηται (δεξονται HKΠΣΩ 118*. 131. 157. 565
al. pauc.) AC²DN(Θ)ΠΣΠʰ 118*. 22. 33. 157. 565.
700. 892 al. pler. *it.* (*exc. ff*) *vg.* (*exc.* 1 MS) Sy.
ᵖᵉˢʰ· ʰˡ· ᵗˣᵗ· Geo.² Arm.; οσοι ου μη δεξωνται 1071
| υμας (ημας 13): *om.* 118*. 3. 106 | ακουσωσιν:
εισακουσωσιν 68. *l*183; ακουση W fam.¹ (*exc.* 118)

---

8. Aug.ᶜᵒⁿˢ· et praecepit eis ne quid tollerent in uia nisi uirgam tantum ... non peram non panem
neque in zona aes.

Eug. *i. q.* Aug.ᶜᵒⁿˢ·

11. Or.ⁱⁿᵗ· ᴳᵉⁿ· Si qui non receperint uos, etiam puluerem qui adhaesit pedibus uestris excutite in
testimonium illis. Amen dico uobis quia tolerabilius erit terrae Sodomorum et Gomorraeorum in die
iudicii quam illi ciuitati.

κάτω τῶν ποδῶν ὑμῶν εἰς μαρτύριον αὐτοῖς.   ¹² Καὶ ἐξελθόντες ἐκήρυξαν ἵνα μετανοῶ- (νϛ/η)
σιν,   ¹³ καὶ δαιμόνια πολλὰ ἐξέβαλλον, καὶ ἤλειφον ἐλαίῳ πολλοὺς ἀρρώστους καὶ
ἐθεράπευον.   ¹⁴ Καὶ ἤκουσεν ὁ βασιλεὺς Ἡρῴδης, φανερὸν γὰρ ἐγένετο τὸ ὄνομα αὐτοῦ, (νζ/β)
καὶ ἔλεγον ὅτι Ἰωάνης ὁ βαπτίζων ἐγήγερται ἐκ νεκρῶν, καὶ διὰ τοῦτο ἐνεργοῦσιν αἱ
δυνάμεις ἐν αὐτῷ·   ¹⁵ ἄλλοι δὲ ἔλεγον ὅτι Ἠλείας ἐστίν· ἄλλοι δὲ ἔλεγον ὅτι προφήτης

| υμων (υμας 112. 472): τους λογους υμων fam.¹ (exc. 118) 106; om. g¹ l r¹ | εκπορευομενοι (εξερχομενοι 11. 27². 125. 700 | εκειθεν (εκει 131): om. Δ 569 | εκτιναξατε τον χουν (χοϋν sic 13; εκει τον χουν 71): εκτινασσεθσε τον χουν 565; εκτιναξ. τον κονιορτον 33; >τον κονιορτον εκτιναξ. fam.¹ | τον (των 346. 476) υποκατω (∽το Θ): om. τον 36. 248. 470; om. D 33. 565. 700 it. (exc. c qui pon. quod subtus post pedibus uestris) vg. Sy.ˢ· Geo.² Arm. ; απο (pro τον υποκ.) 579, item de c f ff g² i l r¹ vg. ; τον κολληθεντα εκ l184 Or. | ποδων: υποδηματων 349. 517 | υμων sec.: ημων 579 | εις μαρτυριον αυτοις (επ αυτοις 700; αυτων W) sine add. ℵBCDLWΔΘ 17. 28*. 565. 892* it. (exc. a f g² q) vg. Sy.ˢ· Cop.ˢᵃ· bo. (ed.) Geo. Arm., item in scholiis 237. 238. 253. 259.: + αμην (αμην αμην 579. l44) λεγω υμιν ανεκτοτερον εσται (εστι l44) Σοδομοις (γη Σοδομων 33. 579. Or.) η (και 579. 692. 1071. l48; και η 472) γομορροις (γομοροις Ω 482; om. η γομορρ. 131) η εν ημερα (καιρω 209; εκεινη τη ημερα l44) κρισεως (om. l44) η (εν sic 579) τη πολει εκεινη ΑΠΣΦ𝔥 Minusc. pler. a f g² q Sy.pesh. hl. Cop.bo. (aliq.) Aeth. Or.int·

12. και: om. g² vg. (3 MSS) | εξελθοντες: + οι μαθηται 11. 15. 80. 346 | εκηρυξαν (+ αυτοις ℵ*) ℵ BCDLΔ 892 Sy.pesh. hl. mg. Cop.ˢᵃ· bo·: εκηρυσσον ΑΝWΘΠΣΦ𝔥 Minusc. rell. it. (exc. praedicate c) vg. Sy.ˢ· hl. txt. Geo. | ινα μετανοωσιν BDLWΘ: ινα μετανοησωσιν ℵACNΔΠΣΦ𝔥 Minusc. omn. ; om. f.

13. και δαιμ. πολλ. εξεβ.: om. f (uide etiam uers. 12) | δαιμονια πολλα: praem. aliqui (quidam c) illorum (ex illis b q) c b q; om. πολλα r¹ | εξεβαλλον ℵABLNΘΠ(?)ΣΦ𝔥 (exc. MS). 1. 22. 69. 124². 346. 543. 28. 565. 579. 700. 892 al. pler. it. vg. Sy.ˢ· pesh. hl. Geo.¹ Arm.: εξεβαλον CDMSYΔ 13. 118. 209. 124. 33. 59. 106. 157. 238. 252*. 472. 473. 474. 481. 485. 506. 517. 1071 Cop.ˢᵃ· bo· Geo.²Aeth.; εξεπεμπον W | ηλειφον (ηλιφον 13. 28; ηλιφεν 346; ειληφαν 271, ειληφεν 579): αλειψαντες et om. και ante εθερ. D, item unguentes (imponentes c) et om. et sq. b c ff i q r¹ aur. (sed + et ante sanabant) vg. (1 MS) | ελαιω: ελαιον G l48 | αρωστους sic D | εθεραπευον sine add. Uncs. pler. fam.¹ 22. 33. 157. 579. 892. 1071 al. pler., item sanabant a c g² l r² vg. (pler.), sanauerunt b d ff i q r¹: + αυτους MWΘ fam.¹³ 543. 28. 61. 238. 565. 700 Arm. ; εθεραπευοντο ΗΝΣ 245. 440. l14. l44, item sanabantur f vg. | (3 MSS) πολλους usque ad εθερ. : = multos et sanabant aegros Syˢ·

14. και ηκουσεν, item et audiuit f g² i l r¹· ² vg., et audiit a d ff vg. (1 MS): audiuit autem b q; cum audisset c, = cum autem audisset Cop.ˢᵃ· | ο βασιλευς ηρωδης ℵABC*LNWΔΘΠΣΦ𝔥 (exc. F) Minusc. pler. c ff g² vg. (1 MS) Sy.hl. Cop.bo· Geo.¹ Arm.: >ηρωδης ο βασ. C³DF 229. 258. 506. 565. 700. l48. l49. l184 l253 al. a b f i l q r¹· ² vg. (pler.) Sy.ˢ· pesh. Cop.ˢᵃ· Geo.² Aeth. ; etiam + την ακοην Ιησου MS fam.¹³ (exc. 124*) 543. 7. 76. 91. 106. 229 mg· 349. 472. 474. 478.** 892. 1071 al. mu., = + de iesu Sy.pesh. Cop.bo· (4 MSS), = + de eo (pon. post audiuit) Cop.ˢᵃ· | το ονομα αυτου: = nomen iesu Geo.¹, = nomen Domini iesu Sy.hier. | και ελεγον (ελεγοσαν D) B(D)W 6. 271, item a b ff vg. (2 MSS) Aug.: και ελεγεν ℵACLNΔΘΠΣΦ𝔥 Minusc. pler. c f g² i l q r¹· ² vg. (pler.) Sy.ˢ· pesh. hl. hier. Cop.ˢᵃ· bo· Geo.¹ et A ; om. τοις παισιν αυτου Φ; om. Geo.ᴮ | οτι: om. 237. l54 Sy.ˢ· pesh. | ιωανης BL: ιωαννης Uncs. rell. Minusc. omn. | βαπτιζων ℵABCLNΔΠΣΦ𝔥 (exc. SΩ) fam.¹ 22. 124. 157. 565. 892. 1071 al. pler.: βαπτιστης DSWΘΩ fam.¹³ (exc. 124) 543. 5. 28. 33. 56. 57. 58. 65. 70. 122. 572. 700, item baptista it. vg. ; βαπτιστης ο βαπτιζων l55 | εγηγερται εκ νεκρων ℵBDLΔ 33. 565. 700. 892: ηγερθη απο (εκ CΘ) των (om. CΘ) νεκρων CΘ 349. 517. 569. 579, item it. vg. Sy.ˢ· pesh. hier. Cop.ˢᵃ· bo· Arm. ; >εκ (+ των 44) νεκρων ηγερθη NWΠmg·ΣΦ𝔥 (exc. K) fam.¹ 22. fam.¹³ 543. 28. 157. 1071 al. pler. Sy.hl. Geo.; εκ νεκρων ανεστη ΑΚΠtxt· 11. 27.* 42. 63. 68. 72. 114. 220. 229. 253. 474. 481 | δια τουτο: δια το 124* | ενεργουσιν αι (om. 124) δυναμεις (+ αυτων 111) ℵABCDLWΠ*𝔥 (exc. K) fam.¹ 22. fam.¹³ (exc. 13) 543. 28. 157. 700. 892. 1071 al. pler. it. (exc. a c r¹· ²) vg. (pler. et WW) Geo.: >αι δυναμεις ενεργουσιν ΚΝΔΘΠ²ΣΦ 13. 33. 106. 108. 125. 127. 131. 229. 251. 253. 330. 349. 517. 565. 579. 697. 1278. l54. l246*. l253 a c r¹· ² vg. (4 MSS) Sy.pesh. hl. hier. Cop.ˢᵃ· bo (Aeth.) Arm. | εν αυτω: om. εν W 485*. l88; αυτου W*.

15. αλλοι δε ελεγον οτι ηλειας εστιν: om. G 33. 473. 483*. 484. 485. 579. l53. l184 | αλλοι δε pr. ℵBCDEHKLNSΔΘΠΣ fam.¹ fam.¹³ 543. 28. 565. 700. 892 al. plur. it. vg. (exc. 1 MS) Sy.hl. Cop.bo· (ed.) Geo.¹ Aeth. (=et alii): om. δε FMUVΦ 22. |

---

14. Aug.cons· Marcus, non quod Herodes dixerit sed: 'dicebant', inquirit, 'quia Iohannes baptista resurrexit a mortuis'.

(νη/ι) ὡς εἷς τῶν προφητῶν. ¹⁶ ἀκούσας δὲ ὁ Ἡρῴδης ἔλεγεν ˴Ὃν ἐγὼ ἀπεκεφάλισα Ἰωάνην,
(νθ/β) οὗτος ἠγέρθη.   ¹⁷ Αὐτὸς γὰρ ὁ Ἡρῴδης ἀποστείλας ἐκράτησεν τὸν Ἰωάνην καὶ ἔδησεν
αὐτὸν ἐν φυλακῇ διὰ Ἡρῳδιάδα τὴν γυναῖκα Φιλίππου τοῦ ἀδελφοῦ αὐτοῦ, ὅτι αὐτὴν
ἐγάμησεν· ¹⁸ ἔλεγεν γὰρ ὁ Ἰωάνης τῷ Ἡρῴδῃ ὅτι Οὐκ ἔξεστίν σοι ἔχειν τὴν γυναῖκα τοῦ
ἀδελφοῦ σου. ¹⁹ ἡ δὲ Ἡρῳδιὰς ἐνεῖχεν αὐτῷ καὶ ἤθελεν αὐτὸν ἀποκτεῖναι, καὶ οὐκ

131. 157. 330. 575. 1071 al. mu. *vg.* (1 MS) Cop.
sa. bo. (2 MSS) Arm. ; = quidam Geo.ᴬ ; *om.* Geo.ᴮ
| ηλειας B*: ηλιας Uncs. rell. Minusc. omn. | ε-
στιν: uenit *ff,* uenerit *c* | αλλοι δε *sec.* Uncs. omn.
(*exc.* V*) Minusc. pler.: *om.* δε V* 36. 38. 52. 59.
71. 127. 235. 237. 472. 483*. 484. 485. 487. 506.
517. 692. *l*183. *l*184 al. *r²* *vg.* (1 MS), = quidam
Geo.¹ ᵉᵗ ᴬ | ελεγον *sec.*: *om.* ℵΘ fam.¹ 28. 700 *a b*
*c ff r*¹ Sy.ᵖᵉˢʰ· Cop.ˢᵃ· Arm. | προφητης (ο προφ.
700) *sine add.* ℵBC*LWΔΘ fam.¹ 33. 565 *r²*: *om.*
D *b c ff i r*¹; + εστιν AC²ℕΠΣΦᵇ 22. fam.¹³ 543.
28. 157. 579. 700. 892. 1071 al. pler. *a f l vg.* Sy.ˢ·
ᵖᵉˢʰ· ʰˡ· Cop. ˢᵃ· ᵇᵒ· Geo. Aeth. Arm. | ως (ων sic
579) εις των προφητων ℵABCLNWYΘΠΣᵇ fam.¹³
543. 157. 349. 517. 565. 579. 692. 892. 1071 al.
plur. *d f i l r*¹ *vg.* Sy.ˢ· ᵖᵉˢʰ· Cop.ᵇᵒ· Geo.¹: *om. a* ;
praem. η (*ante* ως) ΔΦ fam.¹ 22. 28. 486. 487. 700.
1278 al. Sy. ʰˡ· ʰⁱᵉʳ· Cop.ˢᵃ·; *praem. et r² vg.* (1
MS); *om.* ως D, *cf.* quod unus ex (de *ff*) prophetis
b ff, unum de prophetis *c* ; + αρχαιων (*post* προφη-
των) 61** Cop.ᵇᵒ· Geo.² (*etiam* aut *pro* ως) ; τις
των αρχαιων ανεστη 33.

16. ο ηρωδης ℵABEFGHK²LMNSWΔΘΠΣΦ
fam.¹ 22. 69. 124. 543. 33. 157. 700. 892. 1071 al.
plur.: *om.* ο CDK*UVΩ 13. 346. 28. 349. 472.
475*. 517. 565. 579. 692. 1278 al. plur. | ελεγεν
ℵBCLΔΘ 𝔭⁴⁵ 33. 892, *item* dicebat *f* Cop.ᵇᵒ·:
ειπεν ADNWΠΣΦᵇ fam.¹ 22. fam.¹³ 543. 28. 157.
565. 579. 700. 1071 al. pler., *item* dixit *a c ff* aur.
Sy.ˢ· ᵖᵉˢʰ· ʰˡ· Cop.ᵇᵒ· Geo. ; ait *b d g² i l q r*¹·² *vg.*
Aeth. Arm. | ον εγω ℵBDLΘ fam.¹ 124. 28. 33.
67. 565. 700. 892 *it. vg.* Sy.ˢ· ᵖᵉˢʰ· ʰˡ· Cop.ˢᵃ· ᵇᵒ·: οτι
ον (*om.* 473*) εγω (*om.* 11) ACNΔΠΣΦᵇ 𝔭⁴⁵ 22.
fam.¹³ (*exc.* 124) 543. 157. 579. 1071 al. pler. Geo. ;
οτι εγω ον W* (*errore* ?) | απεκεφαλισα (∼λησα
346. 543. 251. 253. *l*54): απεκτεινα 256 | ιωανην
(B ; ιωανν. rell.) ουτος (αυτος 33. Or.) ℵᶜBLWΔ
69. 543. 28. (33) 892 *c* (*f*) *g² l r*³ *vg.* (Or.): *om.*
Ιωανην D ; = *pon.* ιωαν. *ante* ον εγω *etc.* Sy.ˢ· (=hic
Iohannes)ᵖᵉˢʰ· ʰˡ· Cop.ˢᵃ· ᵇᵒ· Aeth. ; > ουτος Ιωαννης
(+ αυτος ℵᵃ) ℵ* ; + εστιν· αυτος (*om.* 13. 346) AC
ΝΠΣΦᵇ 118. 209. 22. fam.¹³ (*exc.* 69) 157. 579.
1071 al. pler., *cf.* hic (ipse *b*) est Iohannes, hic *a*
(*b*) *ff i q r*¹ ; > ουτος εστιν Ιωαννης αυτος Θ 1. 565.
700 | ηγερθη *sine add.* ℵBLWΔ 33. 892.* Sy.ˢ· ʰⁱᵉʳ·
Cop.ˢᵃ· ᵇᵒ· (ed.) Geo.: *om. l*183 ; εκ νεκρων ηγερθη
DΘ fam.¹³ 543. 28. 565. 700 *a g² i l r*¹·² *vg.*; ηγερθη

εκ (+ των 59. 71. 476. 692) νεκρων AΠΦᵇ fam.¹ 22.
157. 892². 579. 1071 al. pler. ; ηγερθη απο των νεκρων
CNΣ 37. 77. 116. 237. 253. 259. 349. 472. 517. 569,
item resurrexit (*uel* surrexit *b q*) a mortuis *b c f ff*
q aur. Sy.ᵖᵉˢʰ· ʰˡ· Cop. ᵇᵒ· (1 MS) ; γαρ ηγερθη εκ νεκρων
471. *l*47. | *post* νεκρων *add.* και δια τουτο ενεργουσιν
αι δυναμεις εν αυτω *l*60, *cf.* uers. 14.

17. αυτος γαρ (δε A *l*55 *g²*) ο (*om.* DW 13. 346.
28. 258. 482. 565. 579. 1278. *l*184. al. pauc.)
ηρωδης Uncs. pler. Minusc. omn. : ο γαρ ηρωδης
ℵᶜL | ιωανην B 349: ιωανν. Uncs. rell. Minusc.
rell. | και εδησεν αυτον εν (+ τη WΩ fam.¹ al.
pler.) φυλακη ℵBCLNWYΔΠΣᵇ 𝔭⁴⁵ fam.¹ 22. 33.
157. 579. 892. 1071 al. pler., *item cf.* et alligauit
eum in carcere *c* Sy.ˢ· ᵖᵉˢʰ· ʰˡ· Cop.ᵇᵒ·, *similiter* Geo.,
uinxit eum in carcere (∼ rem *l vg.* 6 MSS) (*l*)
r² *vg.*: και εθηκεν αυτον εν φυλακη 238 ; + και εθετο
εν φυλ. *l*53 ; > εν φυλακη και εδησεν αυτον A ; και
εδησ. αυτ. και εβαλεν εις (+ την 565) φυλακην DΘ
fam.¹³ 543. 28. 565. 700, *item cf.* et alligauit eum
et misit (alligatum illum misit *b*) in carcerem (∼re
f) *a* (*b*) (*f*) *ff i q r*¹ ; nil nisi και εβαλεν αυτον εν
τη φυλακη Φ | την (*om.* 485) γυναικα:]αυτου γυναι-
κα 𝔭⁴⁵ ; *om.* B* (*add. in marg.*) | φιλιππου: *om.*
𝔭⁴⁵ (*etiam om.* του αδελφου αυτου *uid.*) 47 | οτι
αυτην εγαμησεν: > οτι εγαμ. αυτην D *it.* (*exc. c ff*
i) *vg.* Sy.ʰⁱᵉʳ·; *om. i* ; = quem acceperat Sy.ˢ· ᵖᵉˢʰ·

18. ελεγεν (ελεγαν K): = dixerat Sy.ˢ· ᵖᵉˢʰ· | γαρ
δε *l*55 | *om.* D 28. 258. 482. *l*47. *l*184. *l*253)
Ιωανης (B ; ιωανν. rell. *uid. antea*) τω ηρωδη: >αυ-
τω ο ιωαννης 33 *c* ; > herodi iohannes *ff vg.* (1 MS)
| οτι: *om.* D 28. 131. 225. 245. 517. 569. 892.
*l*47. *l*54. *l*183 *it.* (*exc. a b q*) *vg.* Sy.ʰⁱᵉʳ· | σοι: σε
D, *item* te *a* ; *om.* 34 | εχειν την (*om.* 472)
γυναικα: > την (*om.* W) γυναικα εχειν W fam.¹;
εχειν αυτην 33 | του αδελφου σου: *om.* 33 ; *praem.*
φιλιππου 68. 76. 122. 240. 247. 252ᵐᵍ·. 472. 473.
*l*48. *l*54.

19. η δε ηρωδιας ενειχεν αυτω: *om.* 33, *cf.* Matt.
xiv. 5 | > ηρωδιας δε 𝔭⁴⁵ | η δε: = tum Sy.ˢ·
| ηρωδιας: = Herodes *errore d ff vg.* (1 MS) Cop.ᵇᵒ·
(1 MS) Geo.¹ | ενειχεν (ενιχεν ℵΦ 28 ; ηνιχεν D*):
συνειχεν *l*44 ; εμαινετο 238 | αυτω: αυτον 259**.
579. *l*48. *l*50. *l*60. *l*184 | και *pr.*: *om.* E* | και
ηθελ. *usque ad* ηδυνατο: *om. l*47 | ηθελεν, *item*
uolebat *f g² l r² vg.* Sy. Cop., = uoluit Geo.:
εζητει C*, *item* quaerebat *a b c ff i q* | αυτον απο-

16 Or.ⁱⁿ Ioann. Tom. VI· ον εγω απεκεφαλισα Ιωαννην, αυτος ηγερθη απο των νεκρων.

18. Or.ⁱⁿ Matt. Tom. X· ουκ εξεστιν σοι εχειν αυτην, ου γαρ εξεστιν σοι εχειν την γυναικα του αδελφου σου.

ἠδύνατο· 20 ὁ γὰρ Ἡρῴδης ἐφοβεῖτο τὸν Ἰωάνην, εἰδὼς αὐτὸν ἄνδρα δίκαιον καὶ ἅγιον, καὶ συνετήρει αὐτόν, καὶ ἀκούσας αὐτοῦ πολλὰ ἠπόρει, καὶ ἡδέως αὐτοῦ ἤκουεν. 21 Καὶ (ξ/ϛ) γενομένης ἡμέρας εὐκαίρου ὅτε Ἡρῴδης τοῖς γενεσίοις αὐτοῦ δεῖπνον ἐποίησεν τοῖς μεγιστᾶσιν αὐτοῦ καὶ τοῖς χιλιάρχοις καὶ τοῖς πρώτοις τῆς Γαλιλαίας, 22 καὶ εἰσελθούσης τῆς θυγατρὸς αὐτοῦ Ἡρῳδιάδος καὶ ὀρχησαμένης, ἤρεσεν τῷ Ἡρῴδῃ καὶ τοῖς συνανακειμένοις. ὁ δὲ βασιλεὺς εἶπεν τῷ κορασίῳ Αἴτησόν με ὃ ἐὰν θέλῃς, καὶ δώσω σοι· 23 καὶ ὤμοσεν αὐτῇ Ὅτι ἐάν με αἰτήσῃς δώσω σοι ἕως ἡμίσους τῆς βασιλείας μου. 24 καὶ ἐξελθοῦσα εἶπεν τῇ μητρὶ αὐτῆς Τί αἰτήσωμαι; ἡ δὲ εἶπεν Τὴν κεφαλὴν Ἰωάνου

κτειναι (απολεσαι C*), item b f vg. (1 MS): >αποκτ. αυτον DU 565. 700 it. (pler.) vg. (pler. et WW) Sy. Cop. Geo. Aeth. Arm. | ουκ: ουχ D* | ηδυνατο ℵBCDLNWΣΦ϶ (exc. ΚΩ) 𝔭⁴⁵ Minusc. pler.: εδυνατο ΑΚΔΘΠΩ 13. 72. 271. 474. 481. 482. 517.

20. ο γαρ ηρωδης: Herodes autem (uero c) b (c) q vg. (2 MSS) Cop.ˢᵃ· (1 MS) ; = et Herodes Geo.² Aeth. | ιωανην B 349 : ιωανν. rell. | ειδως (ιδως LNWΘΣ; ιδος 28): ιδων 565 | αυτον: om. 259 | ανδρα (= om. Sy.ˢ·) δικαιον: = prophetam Sy.ʰˡ· ᵐᵍ· | om. δικαιον και vg. (1 MS) | και αγιον: om. fam.¹ (exc. 118) 111. 119*. 485*. l52; + ειναι D, item + esse post uirum c, post iustum i | και sec.: om. B | αυτον sec.: αυτου 28 | ακουσας Uncs. omn. fam.¹ 22. fam.¹³ 543. 28. 33. 565. 700. 892. 1071 al. pler.: ακουων 8. 37. 66. 125**. 157. 235. 241. 481. 579. l47, l201 al. mu. cf. audiens b f i | πολλα: +α Ω fam.¹³ 543. 122. 485. l253 | ηπορει και ℵBLΘ l1596 Cop.ᵇᵒ·, item ηπορειτο και W: om. Δ Cop.ᵇᵒ· (1 MS); εποιει και ACDNΠΣΦ϶ Minusc. omn. VSS pler.; = multum honorem fecit ei Geo.ᴮ ηκουεν: ηκουσεν 69. 700; uidebat f.

21. και γενομενης: +δε D* c; γενομενης δε Θ 255. 565. 700, similiter autem pro και a b ff Cop.ˢᵃ· ᵇᵒ· (ed.) | οτε: om. D it. vg. Sy.ˢ· Cop.ˢᵃ· (ο ηρωδ. 157): om. 61 | τοις pr.: εν τοις 𝔭⁴⁵ uid. | γενεσιοις (γεννεσ. l53): γενεθλιοις D** (γενεχλιοις D*) | δειπνον: om. errore 579 | εποιησεν ℵBCD LWΔΘ l1596 fam.¹³ 6, item εποιεισε 28. 543*, item fecit it. vg. Cop.ˢᵃ· ᵇᵒ·: εποιει ΑΝΓΠΣΦ϶ fam.¹ 22. 33. 157. 565. 579. 700. 892. 1071 al. pler., item Sy.ʰˡ· Geo. | αυτου (post μεγιστ.): om. D 1. 131. 565. it. (exc. c i) vg. Geo.¹ | και τοις χιλιαρχοις: om. l253; om. τοις 238. l50 | της: τοις 349.

22. και (om. 565) εισελθουσης (ελθουσης ℵ*) Uncs. pler., Minusc. pler., similiter cumque introisset d g²i l q r¹·²vg., et cum introisset (intrasset b) bf: εισελθουσης δε D 28, item cum intrasset autem a, introiuit uero c, introiens autem ff | αυτου ℵBDLΔ 238. 565: αυτης ACNWYΓΘΠΣΦ϶ fam.¹³ 543. 28. 33. 157. 579. 700. 892. 1071. l1596 al. pler., cf. ipsius a d ff i l q r¹·²vg. Sy.ʰˡ·; om. fam.¹ 22. 131 b c f aur. Sy.ˢ· ᵖᵉˢʰ· Cop.ˢᵃ· ᵇᵒ· Geo. Aeth. Arm. | ηρωδιαδος tant. ℵBDLWΔΘ 440. 565. l55. l185: της ηρωδ. ΑCΝΥΓΠΣΦ϶ Minusc. rell. | ωρχησαμενης FΘ; ορχησαμενην sic Δ | ηρεσεν

(ρεσεν sic Δ) ℵBC*LΔ 33. l1596 c ff Cop.ˢᵃ· ᵇᵒ· Arm.: και αρεσασης AC²DNWYΓΘΠΣΦ϶ 𝔭⁴⁵ Minusc. rell., cf. et placuisset a b d f g² i q r¹·²vg. Sy.ʰˡ· Aeth., = et placuit Sy.ˢ· ᵖᵉˢʰ· Geo. | ο δε βασιλευς ειπεν ℵBC*LΔ 33. l1596 Cop.ˢᵃ·: ειπεν δε ο βασιλευς ΑΣ Cop.ᵇᵒ·; και ειπεν ο βασιλευς 330. l251 Sy.ˢ· ᵖᵉˢʰ· Aeth., ειπεν ο βασιλευς (βασιλευς ο ηρωδης sic 𝔭⁴⁵; ηρωδης 692) C²DNWYΓΘΠΦ϶ (𝔭⁴⁵ uid·) Minusc. rell. a b ff, cf. ait rex f, rex ait g² l q r¹·²vg. Sy.ʰˡ· Arm., nunc dixit rex c, tunc rex ait aur.; dixit tant. i Geo.¹ | αιτησον ABCDLYΔΦ϶ l1596 Minusc. pler. (αιτισον 28): αιτησαι ℵWΘ 565. l54, item αιτησε ΝΣ | με: μοι 66. 472. l54. l184 | ο εαν (αν 69. 543. 237): om. εαν CD fam.¹ (exc. 118) 244. 565; ο δ αν W | θελης ℵΑΒCWYΓΘΠ ΣΦ϶ (exc. H) 22. fam.¹³ 543. 28. 33. 157. 579. 700. 892. 1071. l1596 al. pler.: θελεις DHLN fam.¹ 238. 244. 253. 565. l47; εθελης Δ | pon. ο εαν θελ. post δωσω σοι ΚΠ* 11. 15. 253. l54 Geo.ᴮ | σοι: +εως ημισους (ημισυ W) της βασιλειας μου WΓ fam.¹ (exc. 118) 22. 131. 59. 251. 517. 697. 1278*. l54. r¹ Sy.ˢ· (sed om. ο εαν θελ.) ʰⁱᵉʳ· Geo.², cf. uers. 23.

23. Tot. uers.: om. WΓ 22. 131. 59. 517. l54 Sy.ʰⁱᵉʳ· Geo.², cf. uers. 22 | om. οτι εαν usque ad fin. uers. fam.¹ (exc. 118) r¹ Sy.ˢ· | και ωμοσεν (ωμολογησεν F Cop.ˢᵃ·) αυτη (om. L 28; αυτην l50): +πολλα DΘ 𝔭⁴⁵ 565. 700 a b ff i q vg. (3 MSS) Arm.; ωμοσας πολλα 28 | οτι (om. l44) εαν BΔ 𝔭⁴⁵ 118. 124. 435: ο τι αν 237. 245. l1596; οτι ο εαν (αν 69. 565) ℵΑCLNΥΘΠΣΦ϶ fam.¹³ (exc. 124) 543. 28. 33. 157. 579. 700. 892. 1071 al. pler.; ει τι αν D | με (μοι 565. l184) αιτησης (αιτησεις 66. 248. l253) ΒCDΘΠ²ΣΦ϶ (exc. HK) l1596 Minusc. pler.: >αιτησης με ΑΚΥΠ* 11. 142. 238. 253. 473. 474.; >με αιτηση ΝΔ 485; με ζητησης 61; om. με ℵHL fam.¹³ (exc. 124) 56. 58. 106. 892. l24. l44. l253 b c l q r² vg. Sy.ᵖᵉˢʰ· Cop.ᵇᵒ· | εως (και το D; καν 565) ημισους (∽σου K l184; ∽σεος Π²; ∽σεως S 36; ∽συ DLNΔΣ 565) της βασ. μου: om. 251. 697. 1278* (add. in mg. sec. man.).

24. και εξελθουσα (ελθουσα Δ) ℵBL(Δ)Θ 33. 892: η δε εξελθουσα ACDNWYΓΠΣΦ϶ l1596 Minusc. rell., cf. ad illa cum exisset a vg. (6 MSS), exiit autem b f, quae cum exisset it. pler. vg. pler.; = +puella Sy.ˢ· | ειπεν: ait b; = consuluit Sy.ˢ· | αιτησωμαι ℵABCDGLNWYΔΘΣ 124*. 346. 1582. 28. 33. 235. 472. 475. 575. l183. l1596: αιτησομαι

τοῦ βαπτίζοντος. ²⁵ καὶ εἰσελθοῦσα εὐθὺς μετὰ σπουδῆς πρὸς τὸν βασιλέα ᾐτήσατο
λέγουσα Θέλω ἵνα ἐξαυτῆς δῷς μοι ἐπὶ πίνακι τὴν κεφαλὴν Ἰωάνου τοῦ βαπτιστοῦ.
²⁶ καὶ περίλυπος γενόμενος ὁ βασιλεὺς διὰ τοὺς ὅρκους καὶ τοὺς ἀνακειμένους οὐκ ἠθέλη-
σεν ἀθετῆσαι αὐτήν· ²⁷ καὶ εὐθὺς ἀποστείλας ὁ βασιλεὺς σπεκουλάτορα ἐπέταξεν
ἐνέγκαι τὴν κεφαλὴν αὐτοῦ. ²⁸ καὶ ἀπελθὼν ἀπεκεφάλισεν αὐτὸν ἐν τῇ φυλακῇ καὶ
ἤνεγκεν τὴν κεφαλὴν αὐτοῦ ἐπὶ πίνακι καὶ ἔδωκεν αὐτὴν τῷ κορασίῳ, καὶ τὸ κοράσιον
ἔδωκεν αὐτὴν τῇ μητρὶ αὐτῆς. ²⁹ καὶ ἀκούσαντες οἱ μαθηταὶ αὐτοῦ ἦλθαν καὶ ἦραν τὸ

ΓΠΦᕠ (exc. G) fam.¹ 22. 13. 69. 124². 543. 157. 565.
579. 700. 892. 1071 al. pler. ; = +ab eo Sy.ᵖᵉˢʰ·
Geo.¹ Aeth. | ειπεν sec.: +αυτη 28 Sy.ˢ· ᵖᵉˢʰ·
Geo. Aeth. ; +αιτησε (αιτησαι uid. 𝔭⁴⁵) sic W 𝔭⁴⁵
uid. Cop.ˢᵃ· | ιωανου B: ιωανν. rell. | βαπτιζοντος
ℵBLΔΘ 565. l1596 Sy.ʰˡ·: βαπτιστου ACDNWΥΓ
ΠΣΦᕠ Minusc. rell. it. vg.

25. και εισελθουσα (ελθουσα ℵ* 485), item et in-
gressa f, cf. cumque introisset (intrasset b) (b) dff
i l q r¹· ²· vg.: εισελθουσα δε Σ, item illa autem in-
gressa c aur. | ευθυς ℵBCNWΔΘΣ 𝔭⁴⁵ 28. 33.
565. 700. l1596: ευθεως ΑΓΠΦᕠ 118. 22. fam.¹³ 543.
157. 579. 1071 al. pler. item continuo f, statim r² vg.
(pler.) Sy.ˢ· ᵖᵉˢʰ· (pon. ante εισελθ.) hl. Cop.ˢᵃ· Geo.¹ ;
om. DL fam.¹ (exc. 118) 489. 892 a b c i l q r¹ Geo.² ;
=rursus Arm. | μετα σπουδης: pon. ante ευθυς 517 ;
om. D a b c ff i q r¹ Sy.ˢ· | προς (εις H 13) τον βασι-
λεα: om. W 253 | ητησατο λεγουσα: om. W ;
ειπε DΔΘ 1. 209. 565, item dixit a ff i r¹, ait b d q,
= et dixit Geo. (+ ei Geo.¹), = dicit ei Sy.ˢ· ᵖᵉˢʰ· ;
petit c ; ειπε θελεγουσα sic 118 | θελω ινα: om. D
565 a b c ff i q r¹ ; om. θελω 60 | εξαυτης δως (δος
Θ 565) μοι ℵBC*LΔΘ 565. l1596 a b l vg.: >μοι (μη
13. 349. 560) δως (δος 13. l.47. l53) εξαυτης (εξαιφνης
66²) AC³ΓΠΦᕠ fam.¹ 22. fam.¹³ 543. 28. 33. 157.
579. 700. 892. 1071 al. pler. ; μοι δωσεις l184 ; sibi
dari c aur. ; pon. εξαυτης (confestim) ante dixit ff
| επι πινακι: om. 28 c ; +ωδε D ; pon. post βαπτι-
στου 471. l184 Sy.ˢ· Aeth. ; pon. ante des mihi g²
| ιωανου B: ιωανν. rell. (hab. ιωαῢου sic 543) | βα-
πτιστου: βαπτιζοντος L 700. 892.

26. και: om. D | περιλοιπος Γ; περιλιπος 13 |
| γενομενος γεναμενος Δ l253 | ο βασιλευς (praem.
ο ηρωδης 346) : +ως ηκουεν D, item +ut audiuit
c ff, + mox audiuit (audiit d) d i r¹, + mox ut audi-
uit g² | δια: +δε 11. 14. 333. 369. 484**. 485.
569. 1071, item + autem (post iusiurandum uel iura-
mentum g²) c f ff g² | και: +δια D it. (exc. c) vg.
Sy.ˢ· ᵖᵉˢʰ· ʰˡ· Geo.¹ Aeth. | ανακειμενους BC²LWΔ
42 c Sy.ˢ· ᵖᵉˢʰ·: συνανακειμενους (συνακειμ. K) ℵAC*
DNΓΘΠΣΦᕠ l1596 Minusc. rell. it. (exc. c) vg. Sy.ʰˡ·
Geo. | om. και τους ανακειμενους Cop.ˢᵃ· | ηθε-
λησεν (εθελησεν l1596): ηθελεν Π* 1. 209. 22. 17.
258. 271. 435. 697. 1071 | αθετησαι αυτην (αυτη Θ)
ℵBCLNΔ(Θ)Σ 892. l1596 vg. (1 MS): >αυτην
(αυτη 282) αθετησαι ADWΓΠΦᕠ Minusc. pler., item
cf. eam spernere a, ei (om. c) negare b (c) f, eam
contristare d ff i l q r¹·²· vg.: om. αυτην 69. 265. 506.

517. 1675 c ; =ut reuerteret Sy.ˢ· | ουκ ηθελ. αθετ.
αυτην : = non decepit illam Geo.¹

27. και: αλλα D 565. 700 (αλλ) a c f ff g² i l r¹ vg.
Sy.ᵖᵉˢʰ· | ευθυς ℵBCLΔΘ 892. l1596: ευθεως AD
NWΓΠΣΦᕠ Minusc. rell. (ευθειας l32), item statim
a d vg. (1 MS), confestim b f q vg. (4 MSS); om.
c ff g² i l r² vg. (pler.) Sy.ˢ· | αποστειλας (απολυσας
1. 209) ο βασιλευς : >ο βασ. αποστειλας ΚΠ 11.
253. 473. l54 ; om. αποστειλας 240 ; om. ο βασι
λευς DW fam.¹ 22. 28. 251. 470. 565. 697. 700.
1278 it. vg. Sy.ˢ· Geo.² ; απεστειλεν ο βασ. et add.
και ante επεταξ. 157, item Geo.¹, item sed om. ο βασι-
λευς f Geo.² | σπεκουλατορα ℵABLNΔΘΠΣᕠ 1.
22. fam.¹³ 543. 28. 33. 71. 157. 565. 579. 892. 1278*
l184. l1596 al. plur.: σπεκουλατωρα ΓΦ 118. 209.
700. 1071 al. plur. ; σφεκουλατορα W ; σπεκολατοραν
D* 472 | επεταξεν: εκελευσεν 2. 253. ; praecipit
l r² vg. (5 MSS) ; om. Sy.ˢ· | ενεγκαι (~κε ℵ)
ℵBCΔ 892. l1596, item Sy.ᵖᵉˢʰ· ʰˡ· Cop.ˢᵃ· ᵇᵒ· Geo.² :
ενεχθηναι (εχθηναι 69) ADLNWΓΘΠΣΦᕠ Minusc.
pler., item it. vg. ; = amputare Geo.¹ ; = ut am-
putaret et afferret Sy.ˢ· | την κεφαλην αυτου (ιω̄
485 Sy.ᵖᵉˢʰ·) : > αυτου την κεφαλην ΚΠ* 253 ; +επι
πινακι ℵCWΔ 33. 271. l1596 c g² l r¹ vg. Cop.ᵇᵒ·
(3 MSS). cf. init. uers. 28.

28. και απελθων usque ad επι πινακι: om. ℵ 33.
271 Cop.ᵇᵒ· (3 MSS) | και pr. BCLWΔ fam.¹ (exc.
118) 124. 28. l184. l1596, item et (isque b f q) it. vg.
Sy.ˢ· ᵖᵉˢʰ· Cop.ᵇᵒ· (aliq.) Aeth. Arm. : ο δε ADNΓΘΠ
ΣΦᕠ 118. 22. fam.¹³ (exc. 124) 543. 33. 157. 565.
700. 892. 1071 al. pler. Sy.ʰˡ· Cop.ˢᵃ· | απελθων :
om. l r² vg. ; = abiit et b q Geo. | απεκεφαλησεν
sic 346. 59. 66. 251. l53. l54 | αυτον: τον ιωαννην
Θ 470 ; = caput iohannis Sy.ᵖᵉˢʰ· Aeth. | εν τη φυ-
λακη : om. 472 | και ηνεγκεν usque ad επι πινακι:
om. 11 | την κεφαλην αυτου: >αυτου την κεφαλην
l54 ; om. αυτου D a Cop.ᵇᵒ· (2 MSS) ; = eam Sy.ˢ·
Cop.ˢᵃ· ; om. Sy.ᵖᵉˢʰ· | επι πινακι: om. 234* | εδω-
κεν αυτην pr.: εδοθη 36 | αυτην pr.: om. LWΔ
fam.¹ (spat. relict. 118) 487. 892 b c q aur. Sy.ᵖᵉˢʰ·
Arm. | και το κορασιον: puella autem b f ff q,
illa autem b aur. | εδωκεν sec.: ηνεγκεν C 33. l53,
item Sy.ˢ· Cop.ᵇᵒ· (allq.) Aeth. ; = attulit dedit
Cop.ˢᵃ· Arm. | αυτην sec.: om. D 33. 258 a c ff
g² i l r² vg. Sy.ᵖᵉˢʰ· Aeth. Arm.

29. και ακουσαντες οι μαθηται αυτου (om. 258):
ακουσαντες δε οι μαθ. αυτου D l253 Cop.ˢᵃ· ᵇᵒ· (1 MS) ;
οι δε μαθηται αυτου (om. 565) ακουσαντες (565). 700 ;

πτῶμα αὐτοῦ καὶ ἔθηκαν αὐτὸ ἐν μνημείῳ.　³⁰ Καὶ συνάγονται οἱ ἀπόστολοι πρὸς τὸν (ξα/η)
Ἰησοῦν, καὶ ἀπήγγειλαν αὐτῷ πάντα ὅσα ἐποίησαν καὶ ὅσα ἐδίδαξαν.　³¹ καὶ λέγει (ξβ/ι)
αὐτοῖς Δεῦτε ὑμεῖς αὐτοὶ κατ᾽ ἰδίαν εἰς ἔρημον τόπον καὶ ἀναπαύσασθε ὀλίγον. ἦσαν
γὰρ οἱ ἐρχόμενοι καὶ οἱ ὑπάγοντες πολλοί, καὶ οὐδὲ φαγεῖν εὐκαίρουν.　³² καὶ ἀπῆλθον (ξγ/ϛ)
ἐν τῷ πλοίῳ εἰς ἔρημον τόπον κατ᾽ ἰδίαν.　³³ καὶ εἶδαν αὐτοὺς ὑπάγοντας καὶ ἔγνωσαν
πολλοί, καὶ πεζῇ ἀπὸ πασῶν τῶν πόλεων συνέδραμον ἐκεῖ καὶ προῆλθον αὐτούς.　³⁴ Καὶ

cf. et cum audissent discipuli illius *a* Sy.ˢ· ʰˡ· Geo.¹ ;
quo audito discipuli eius *it.* (*exc. a d*) *vg.* Aeth.;
= et audiuerunt discipuli eius et Sy.ᵖᵉˢʰ· Geo.²
| ηλθαν BLΘ 33. *l*596: ηλθον (ηλθεν *sic* 346) Uncs.
rell. Minusc. rell. | και ηραν: κηδευσαι W, *cf.* et uestierunt Geo. | πτωμα: σωμα 480**. *it. vg.* Cop.ˢᵃ·
ᵇᵒ· ⁽ᵃˡⁱ𐞥·⁾ Arm. ; = cadauer iohannis Aeth. | αυτο
Uncs. pler. Minusc. pler.: αυτω EFUYΓΩ 69. 59.
262. 565. 565. 579. 700 ; αυτον אW 346. *l*596;
om. 543 Sy.ᵖᵉˢʰ· | μνημειω אABCLNWYΓΔΘΠΣϷ
118. 209. fam.¹³ (*exc.* 69) 28. 33. 157. 517. 565. 579.
700. 892. 1278 al. plur.: τω μνημειω DΦ 1. 22. 69.
543. 1071 al. plur.

30. συναγονται: = uenerunt Sy.ˢ· | απηγγειλαν
(—ον W): ανηγγειλαν Θ 28. 238. 476 | αυτω: *om.*
61 *b* Geo.¹ | παντα οσα אBCDELNVΔΘΣ 0149
fam.¹ (*exc.* 118) 33. 71. 131. 471. 473. 485. 565.
579. 892. 1071. 1278 al. mu. *it. vg.* Sy.ˢ· ᵖᵉˢʰ· ʰⁱᵉʳ·
Cop.ˢᵃ· ᵇᵒ· Geo. Aeth. Arm.: απαντα α 28 | παντα
+ (τα γενομενα 472) και οσα AWΓΠϷ (*exc.* EV)
118. 22. fam.¹³ 543. 157. 330. 569. 575. 700 al. plur.
Sy.ʰˡ· | και οσα א°ABC³DLNΓΔΘΠΣϷ 0149. 118.
22. fam.¹³ 543. 28. 33. 157. 700. 892. 1071 al.
pler. Sy.ᵖᵉˢʰ· ʰˡ· Geo.ᴬ Arm., *cf.* et quomodo *c* Aeth.:
om. οσα א*C* W fam.¹ (*exc.* 118) 271. 565. 579 *it.*
(*exc. c*) *vg.* Sy.ˢ· ʰⁱᵉʳ· Geo.¹ ᵉᵗ ᴮ | εποιησαν (∼σεν
WΔ) και οσα εδιδαξαν (∼ξεν W; εδιδασκον 28):
> εδιδαξαν και οσα εποιησαν KΠ* 11. 253*; *cf.*
= fecit et docuit Sy.ˢ· (*errore uid.*).

31. λεγει אBCLΔΘ 0149. 33. 579. 892, *item* ait
it. (*exc. a*) *vg.* Sy.ᵖᵉˢʰ· ⁽¹ ᴹˢ⁾ Aeth. Arm.: ειπεν AD
NWΓΠΣϷ Minusc. rell., *item* dixit *a* Sy.ˢ· ⁽ᵖᵉˢʰ· ᵖˡᵉʳ·⁾
ʰˡ· Cop.ˢᵃ· ᵇᵒ· Geo. | αυτοις *sine add.* Uncs. pler.
fam.¹ 22. 33. 157. 579. 892. 1071 al. pler. *l vg.* Sy.ˢ·
ᵖᵉˢʰ· ʰˡ· Cop.ᵇᵒ· Geo.¹ Aeth.: + ο Ιησους DΘΦ fam.¹³
543. 28. 61. 238. 565. 700. *it.* (*exc. l*) aur. *vg.* (1
MSᵐᵍ·) Cop.ˢᵃ· Geo.² Arm. | δευτε (+ και *l*184)
υμεις αυτοι: > δευτε αυτοι υμεις Σ 19. 300 ; *om.*
αυτοι WΘ fam.¹ (*exc.* 118) 28. 56. 58. 565. 700,
item uenite uos *b q vg.*⁽¹ ᴹˢ⁾ Geo. Arm. ; *nil nisi*
uenite *vg.* (pler.) ; δευτε υπαγωμεν D *a c ff r*¹·²· *vg.*
(3 MSS) Sy.ˢ· ᵖᵉˢʰ· Aeth. | κατ ιδιαν: *om. c d ff i*
| εις (επ א°LΔ) ερημον τοπον: > εις τοπον ερημον
71. 692, *item q* Sy.ʰˡ· Geo.¹; in deserto loco *a* ;
+ nos soli Sy.ˢ· ᵖᵉˢʰ· Aeth. | αναπαυσασθε (∼θαι
CΔ) ABCMSΔΩ 1582 fam.¹³ (*exc.* 124) 543. 2ᵐᵍ·
11. 36. 40. 238. 259. 435. 579 al. pauc.: αναπαυεσθε
(∼θαι אDLNW 28) אDLNWΓΘΠΣϷ (*exc.* MSΩ)
fam.¹ 22. 124. 28. 33. 157. 565. 700. 892. 1071 al.

pler. | ολιγον: λοιπον W | γαρ: = *om.* Sy.ˢ·
| οι *pr.*: *om.* Σ | οι *sec.*: *om.* C*KMWΩ 71. 240.
244. 472. 692. *l*184 | υπαγοντες (= + ad eum Sy.ˢ·):
απαγοντες 247 | > οι υπαγοντες και οι ερχομενοι
28 | πολλοι: = *transp. ante* ησαν Sy.ˢ· Geo.¹
| και ουδε φαγειν ευκαιρουν: *om.* 482 ; et nec
manducandi spatium habebant *it.* (pler.) *vg.*, nec
cibum poterant (enim qui ueniebant) capere *a*
| ουδε: ουδεν 13 | ευκαιρουν (∼ρου LΔ) אABEF
GHLNVYΓΔΘΣ 22. fam.¹³ 543. 579. 700. 892. 1278
al. plur.: ηυκαιρουν (ηυκερ. 28) CKMSUWΠΦΩ
fam.¹ 33. 28. 157. 565. 1071 al. plur. ; ευκαιρος
(∼ρως D²) ειχον D.

32. *Tot. uers.*: και αναβαντες εις το πλοιον απηλ-
θον εις ερημον τοπον κατ ιδιαν D 66ᵐᵍ· *it.* (*exc. b*) *vg.*
Cop.ˢᵃ· | απηλθον אABDKLMNSUWΔΘΠΣΦ 0149
fam.¹ 28. 33. 565. 579. 892. 1071 al. plur. *it. vg.*
Sy.ˢ· ᵖᵉˢʰ· ʰˡ· Cop.ˢᵃ· ᵇᵒ· Geo. Aeth. Arm.: απηλθεν
EFGHVYΓΩ 22. fam.¹³ 543. 40. 108. 157. 700 al.
plur. | εν (*om.* 33. 157) τω (*om.* א 569) πλοιω εις
ερημον τοπον אBLΔΘ 0149 fam.¹³ 543. 33. 157. 569.
579. 892 Cop.ᵇᵒ· Aeth. Arm.: > εις ερημον τοπον
(+ εν ΝΣ 131. 235. 349. 517. 565. 700. *l*36. *l*48. *l*49
al. pauc. *item* Sy.ˢ· ᵖᵉˢʰ·) τω (*om.* 349. 517. 565 al.
pauc.) πλοιω ANWΓΠΣΦ 22. 28. 131. 349. 517. 565.
700. 1071 al. pler. Sy.ˢ· ᵖᵉˢʰ· ʰˡ· Geo.; > εις ερημ. τοπ.
εν πλοιαριω fam.¹; εις ερημ. τοπ. το πλοιον 2. 506. ;
nil nisi in desertum locum *b*.

33. ειδαν D: ειδον BEFGH²UYΓΠ²Ω 0149. 22.
124. 33. 157. 700. 892 al. pler. ; ιδον אAH*KLM
NVWΔΘΠ*ΣΦ 69. 579 al. ; ειδεν 238 ; ιδων 13. 346.
543. 565. *l*48 ; ιδοντες (et *om.* και ante εγνωσαν)
fam.¹, *item* = ut uiderunt (*et om.* et *sq.*) Cop.ᵇᵒ·
⁽ᵃˡⁱ𐞥·⁾ | αυτους (αυτον WΘ 108. 700) υπαγοντας
(υπαγοντα Θ 108. 700 ; = *om.* Sy.ˢ·): + οι οχλοι
W. fam.¹³ 349 al. pauc. Cop.ˢᵃ· | εγνωσαν B*D
fam.¹: επεγνωσαν Uncs. rell. Minusc. rell. | πολλοι
(*pon. ante* και επεγνωσαν 108 Sy.ˢ· ᵖᵉˢʰ· Cop. ᵇᵒ·
2 MSS) *tant.* BDWΘ 0149. fam.¹ 28. 131. 49. 700
it. (*exc. f q*) *vg.* Geo.²: αυτους (αυτοις 517) πολλοι
אAKLMNUΔΠΣ 33. 349. (517). 579. 892. 1278
al. plur. *f q* Sy.ʰˡ· Geo.¹, *similiter* Sy.ˢ· ᵖᵉˢʰ·; αυτον
πολλοι EFGHSVYΦΩ 22. 124. 565. 1071 al. plur. ;
> πολλοι αυτον 157 ; αυτους (*om.* πολλοι) fam.¹³
(*exc.* 124) 543 | και πεζη (πεζει 346): και πεζοι L
131. 53. 66². 157. 225. 245. 349. 579 ; *cf.* pedestres
(et *pon. ante* multi) *c* | πασων (*om.* 225. *r*¹) των
(*om. l*184): παντων D ; (πολ)λων 0149 | συνε-
δραμον: εδραμον 565. 700 | = *om.* εκει Sy.ˢ· Cop.ˢᵃ·

ἐξελθὼν εἶδεν πολὺν ὄχλον καὶ ἐσπλαγχνίσθη ἐπ' αὐτοὺς ὅτι ἦσαν ὡς πρόβατα μὴ ἔχοντα (ξδ/α) ποιμένα, καὶ ἤρξατο διδάσκειν αὐτοὺς πολλά.   35 Καὶ ἤδη ὥρας πολλῆς γενομένης προσελθόντες αὐτῷ οἱ μαθηταὶ αὐτοῦ ἔλεγον ὅτι Ἔρημός ἐστιν ὁ τόπος, καὶ ἤδη ὥρα πολλή· 36 ἀπόλυσον αὐτούς, ἵνα ἀπελθόντες εἰς τοὺς κύκλῳ ἀγροὺς καὶ κώμας ἀγοράσωσιν ἑαυτοῖς τί φάγωσιν.   37 ὁ δὲ ἀποκριθεὶς εἶπεν αὐτοῖς Δότε αὐτοῖς ὑμεῖς φαγεῖν.   καὶ λέγουσιν

bo.; εκεισε *pro* εκει 700 | και προηλθον (προσηλθον LΓΔΣ 69. 543. 71. 131. 106. 481. 483*. 506. 517. 184 al.; προσηλθεν 13. 346) αυτους (αυτοις ΝΔΘΣ 131. 252². 517. 485 ; αυτω 69. 142cor· Sy.pesh.) *sine add.* ℵBLΔΘ 0149. 13. 66. 349. 517. 579. 892. *l*49. *l*184, *item et praeuenerunt eos l r² vg., et conuenerunt illuc b, et uenerunt illuc* (ibi *d r*¹ ; *om. a*) *a d ff i r*¹, *similiter* Cop.sa. bo· : + και συνηλθον (συνεισηλθον 543 ; συνεισηλθεν 346) προς αυτον (αυτους 124. 346) ΝΓΠΣΦ⸌ 118. 131. 22. fam.¹³ (*exc.* 13) 543. 157. 1071 al. pler., *item* + *et conuenerunt ad eum f q* Sy.hl· Aeth. ; + και συνεδραμον προς αυτον A ; και συνηλθον αυτου (αυτω 28. 700.) D (28). 565. (700) ; και ηλθον (*ante* εκει) 1, *item a, item cf.* = *et cum uenerunt* Sy.s· (*sed om.* εξελθων *ad init. uers.* 34) ; *cf.* = *anteuerterunt eum illuc* Sy.pesh.; = *et accederunt ad eos* Geo. (*pon. ante* illico Geo.¹); *om. omnia haec uerba* W 209. 240. 244. *item c.*

34. εξελθων : = *om.* Sy.s· | ειδεν (οιδεν *sic* 484) ℵABEFGHUWΩ 0149 fam.¹ 22. 157. 565. 892. 1071 al. pler. : ιδεν KLMNVΓΔΘΠΣΦ fam.¹³ 543. 28. 579. ; και (*om.* 565 *i*) ιδων (ειδων D) *et om.* και *ante* εσπλαγχ. D 565. 700, *item et uidens ff* (*i*) *q* ; *idque sine add.* ℵBLWΘ 0149 *uid.* fam.¹ (*exc.* 118) 20. 33. 565, *item g*¹ Cop.sa. bo· Geo.¹ Arm. ; *praem.* ο Ιησους AUNΠΣ 11. 19. 106. 238. 349. 517. 579. 892. 1278 al. mu. *f i r*¹ ; +ο Ιησους (*post* οχλον D 253 *a b l q vg.* pler.) DΔΦ⸌ (*exc.* U) 118. 22. 157. 575 al. plur. *a b c ff l q r² vg.* | πολυν (πολλυν 28. 579) οχλον : > οχλον πολυν ℵΘΣ 25. 238. 482. 579. *a r*¹·² *vg.* (aliq.) Sy.s· hl· Geo., *turbas multas ff* Sy.pesh. | εσπλαγνισθη D ; εσπλαχν. ΚΩ ; εσπλανχ. W ; ευσπλαγχ. Γ* 13. 346. 543. 3. | επ αυτους ℵBDF 245. 253, *item super eos it.* (*exc. a c ff*) *vg.* ; επ αυτοις ALNWΓΔΘΠΣΦ (*exc.* F) Minusc. rell. *item eis a, illis c ff.* | οτι : qui *a b d vg.* (5 MSS); quia rell. | ησαν : + εσκυλμενοι και εριμμενοι 28. 579 | ως προβατα : *om.* ℵ* | εχοντα : εχοντες 483*. 484 | ηρξατο : ηρξαντο WΘ 59. 251. *l*184 | διδασκειν αυτους ℵBDLNWΔΘΣΦ 0149 ⸌ (*exc.* K) Minusc. pler. *it. vg.* (pler.) Sy.s· pesh. hl· Cop. sa. bo· Geo. : > αυτους διδασκειν AKΓΠ 11. 253. 349. 473. 474. 517. 565. *vg.* (aliq.) | πολλα : = *om.* Sy.s·

35. και ηδη : ηδη δε DΘ 565. 700 *a* | ωρας πολλης : > πολλης ωρας 106. 251. 697. 700. 1278, *item r²* | γινομενης ℵD (γεινομ.) | προσελθοντες : προσηλθον ΝΣ, *item it. vg.* Sy.s· pesh. hl· Cop.sa· Geo.

αυτω ℵcBLNWΓΔΣΦ [0149] ⸌ (*exc.* K) fam.¹ 22. fam.¹³ 543. 28. 33. 157. 892 al. pler. *c f q aur.* Sy.pesh. hl· Cop.sa· bo· Geo. : *om.* ℵ*ADKΘΠ 93. 226*. 235. 470. 473. 474. 481. 565. 700. 1071 al. pauc. *a b ff i l r² vg.* Sy.s· Aeth. Arm. | οι μαθ. αυτου Uncs. pler. 118. 22. 124. 33. 157. 565. 579. 700. 892 al. pler. *it.* (*exc. c*) *vg.* : *om.* αυτου W fam.¹ (*exc.* 118) fam.¹³ (*exc.* 124) 543. 28. 261. 282. 1071 *c* Arm. ; αυτω *pro* αυτου A 330. *l*251 | ελεγον ℵBL ΔΘ 33. 579. 892 Cop.bo· (ed.) Arm., *item* = *et dicebant* Geo.B (= *et dixerunt* Geo.¹ *et* A) : ειπον Φ ; λεγουσιν ADWΓΠ⸌ fam.¹ 22. fam.¹³ 543. 28. 157. 565. 700 al. pler., *item et dicunt q* Sy.s· pesh. hl· ; λεγοντες ΝΣ *it.* (*exc. d q*) *vg.*⸱ Cop.sa· ; *praeterea* + αυτω DKΠ fam.¹³ (*exc.* 124) 543. 71. 157. 229. 261. 282. 473. 474. 481. 565. 700. 1071 al. pauc. *a b g² q* Sy.s· pesh· Cop.sa. bo· (aliq.) Aeth. | οτι : *om.* 36. 40. 237. 259 *it.* (*exc. a d f q*) *vg.* Sy.s· Cop.sa. bo· | ο τοπος : *om.* ο D* 482 | ηδη (η L 226. 476) ωρα πολλη : > η ωρα ηδη πολλα fam.¹ 569 ; ηδη πολλης ωρας 106 ; ηδη ωρα παρηλθεν W, *item cf.* hora iam (*uel* > iam hora) praeteriit (~iuit *c l r²*) *it.* (*exc. a ff*) *vg.*, *similiter* Cop.sa. bo· Geo. ; *praeterea add.* etiam (et quia *b*) multae turbae sunt *b q*.

36. απολυσον : + ουν Θ 28. 565. 700 *a* Cop.sa· | αυτους : τους οχλους Θ, *similiter* = uiros illos Sy.s·, = populum hunc Geo.² | απελθοντες : ελθοντες 44 | κυκλω : εγγιστα D, *cf.* proximas *it. vg.* | αγρους και (+ εις τας D) κωμας : > κωμας και αγρους fam.¹ (*exc.* 118) ; *om.* και κωμας Δ ; = *om.* αγρους και Sy.s· | κωμας : + ινα D 28 | αγορασωσιν εαυτοις (+ βρωματα ℵΘ) τι φαγωσιν (ℵ)BLW Δ(Θ) 𝔭45 28. 579. 892, *item* emant sibi quod manducent *a d ff i*, *item* Cop.sa. bo· Geo. : αγορασωσιν (~σουσιν 472. 700) εαυτοις (εαυτους ΜΣ 69. 33. 59 ; αυτοις KL* *l*184) αρτους· τι γαρ (*om.* 543. 157) φαγωσιν (φαγουσιν 506) ουκ εχουσιν (εχωσιν 474. *l*184) ΑΝΓΠΣΦ⸌ 118. 209. 22mg· fam.¹³ 543. 33. 157. 700. 1071 al. pler. Sy.pesh. hl· Arm., *cf.* emant sibi panem quod manducent quia hic non habent *b*, emant sibi panes quia quod manducent non habent *f*, emant sibi quos manducent quia non habent *q* ; αγορ. εαυτοις αρτους 0149uid· ; αγορ. εαυτοις τι φαγειν D, *item* Sys·; *cf.* emant sibi cibos quos manducent *c l r² vg.* ; καταλυσωσιν τι γαρ φαγωσιν ουκ εχουσιν 1. 22*; > αρτους αγορασωσιν εαυτοις τι γαρ φαγειν ουκ εχουσιν 565.

37. ο δε αποκριθεις : = *om.* Sy.s· ; *om.* αποκρι-

---

37. Aug. cons· euntes ememus ducentis denariis panes et dabimus eis manducare.

αὐτῷ Ἀπελθόντες ἀγοράσωμεν δηναρίων διακοσίων ἄρτους καὶ δώσομεν αὐτοῖς φαγεῖν; ³⁸ ὁ δὲ λέγει αὐτοῖς Πόσους ἔχετε ἄρτους; ὑπάγετε ἴδετε. καὶ γνόντες λέγουσιν Πέντε, καὶ δύο ἰχθύας. ³⁹ καὶ ἐπέταξεν αὐτοῖς ἀνακλιθῆναι πάντας συμπόσια συμπόσια ἐπὶ τῷ χλωρῷ χόρτῳ. ⁴⁰ καὶ ἀνέπεσαν πρασιαὶ πρασιαὶ κατὰ ἑκατὸν καὶ κατὰ πεντήκοντα. ⁴¹ καὶ λαβὼν τοὺς πέντε ἄρτους καὶ τοὺς δύο ἰχθύας ἀναβλέψας εἰς τὸν οὐρανὸν εὐλόγη-

θεις c Sy.ᵖᵉˢʰ· Geo.ᴮ | ο δε: και D it. (exc. q) vg., quibus c | ειπεν, item dixit a b i, iesus dixit c ff: ait d l q vg., iesus ait f g² | αυτοις: om. AL fam.¹ (exc. 118) 33. 892. c; +o Ιησους D a b i vg. (3 MSS) | αυτοις (αυτους 131. 259) υμεις: > υμεις αυτοις 𝔭⁴⁵ uid.? 435; om. υμεις a i r² vg. (plur. sed non WW) | και pr.: om. 59. 73; οι δε 33 c ff g¹ Cop.ˢᵃ· | λεγουσιν: dixerunt a c d f ff g² i l vg. Cop.ˢᵃ· ᵇᵒ· Geo. | αυτω: om. fam.¹ (exc. 118) Geo.ᴮ | αγορασωμεν: αγορασομεν fam.¹ (exc. 118) 47. 51. 108. 237. 262.** 700 al. pauc.; +αυτοις 0149 | δηναριων διακοσιων αρτους (αυτους sic 33) 𝔑ABLWΨΔ² (+τους ante αρτους) ΠΘ 0149 uid· ᵇ (exc. M) fam.¹ 22. fam.¹³ 543. 28. (33). 892. 1071 al. plur. a b i l q r² vg.: > διακοσιων δηναριων αρτους DMNΓΘΣΦ 157. 473. 700 al.; > αρτους διακοσιων δηναριων 579 c ff, item panes denariis ducentis f; διακοσιων δηναριων 565 (om. αρτους). cf. Aug.; = centum denariis Sy.ˢ·; αυτοις pro αρτους Δ* | δωσομεν ABLΔ 𝔭⁴⁵ 65. 569 it. vg. Aug.: δωσωμεν 𝔑DN fam.¹³ 543. 33. 299**. 349. 517. 565. 892 | δωμεν WΓΘΠΣᵇ fam.¹ 22. 28. 157. 579. 700. 1071 al. pler. | αυτοις (αυτους L) φαγειν: > φαγειν αυτοις 33; αυτοις ινα φαγωσιν 565. 700, item illis ut manducent a b q; + ινα εκαστος (+ αυτων W) βραχυ τι λαβη (W) fam.¹³ 543 Cop.ˢᵃ· | om. και λεγουσιν usque ad φαγειν 435.

38. ο δε λεγει, item ipse uero ait c ff Sy.ʰˡ·: om. ο δε b Sy.ˢ·; και λεγει D 237, item et dicit a f g² i l q r² vg.; et dixit a Cop.ᵇᵒ·; = ille autem dixit Sy.ᵖᵉˢʰ· Cop.ˢᵃ·; = ille dixit Geo. (autem dixit et pon. post iesus Geo.²) | αυτοις: +o Ιησους D b q vg. (1 MS) Geo.² (pon. ad init. uers.) | εχετε αρτους BLΔΘ 0149 Geo.² (= habetis panem) Aeth.: >αρτους εχετε 𝔑ADNWΓΠΣΦᵇ 𝔭⁴⁵ Minusc. omn.ᵘⁱᵈ· VSS pler.; = +hic Sy.ˢ· | ιδετε (ειδετε DN; ειδεται W) tant. 𝔑BDLW 0149 uid· fam.¹ 33. 34. 39. 85. 240. 244. l14 b c ff Sy.ˢ· ᵖᵉˢʰ· Cop.ᵇᵒ· Aeth. Arm.: και ιδετε ANΓΔΘΠΣΦᵇ 22. fam.¹³ 543. 28. 157. 565. 579. 700. 892. 1071 al. pler. a f i q r² vg. Sy.ʰˡ· Cop.ˢᵃ· Geo. | και γνοντες (γνωντες EFGUΠ*Ω 13. 346. 543. 28. 59. 157. 282): om. και 59 Arm.; και επιγνοντες 692. 1071; και ελθοντες 𝔑* (γνοντες 𝔑ᶜᵒʳ·);

και οι οντες sic 517; = om. Sy.ˢ· | λεγουσιν (dixerunt a c f Cop.ˢᵃ· ᵇᵒ· Geo.) sine add., item 𝔭⁴⁵: +αυτω ADNMᵐᵍ·ΘΣ fam.¹³ 543. 12. 31. 38. 330. 435. 482. 565. 579. 700 al. pauc. a b f ff g² i l q vg. (6 MSS) Cop.ˢᵃ· ᵇᵒ· (aliq·) Sy.ˢ· ᵖᵉˢʰ· Aeth. Arm. | πεντε: +αρτους D 565. 579. l184. a c f ff i l q vg. (4 MSS) Sy.ˢ· ᵖᵉˢʰ· Cop.ᵇᵒ· Geo.

39. αυτοις (αυτους 472. 569): ο Ιησους pro αυτοις D; +iesus a b d f g² vg. (5 MSS) | ανακλιθηναι (∼κληθηναι 13. 346. 565) 𝔑B*GΘ (pon. post παντας) Φ 0149 fam.¹ fam.¹³ (exc. 124) 543. 28. 77. 92. 131. 157. 238. 565. 700. 1071 al. pauc. cf. Or.ˢᵉᵐᵉˡ: ανακλιναι AB²DLNWΓΔΠΣᵇ (exc. G) 𝔭⁴⁵ uid· propter spatium 22. 124. 33. 579. 892* al. pler. cf. Or.ˢᵉᵐᵉˡ | παντας (cf. Or.ⁱⁿᶠʳᵃ): αυτοις 33. 54; αυτους παντας 49, cf. ut facerent eos discumbere omnes f; om. 𝔭⁴⁵ uid· 700 Cop.ᵇᵒ· | συμποσια (om. LWΘ 61. 225**. 472**. 475**. 480**. 482. 565. 579) συμποσια (συνποσια WΘ): συνπ. συνπ. A; κατα την συνποσιαν D., cf. secundum (per c ff aur.) contubernia (+ sua b) it. (exc. a q) vg.; om. a Sy.ˢ· | επι: εν B* | τω (om. 𝔭⁴⁵ 122) χλωρω (χλορω EFGΓΠ*Ω 13. 69. 346. 543. 28. 59. 66. 506. 1278): om. χλωρω 106 Sy.ˢ· ᵖᵉˢʰ·; επι τον χλορον χορτον 157.

40. και ανεπεσαν (ανεπεσαν sic B*) 𝔑BEFGHN MVWΔΘΣ fam.¹ 22*. 3. 28. 29. 59. 73. 91. 157. 262. 248. 471. 473. 476. 517. 565. 700: και ανεπεσον ADKLSUΓΠΦΩ 22². fam.¹³ (exc. 346) 543. 33. 892. 1071 al. pler. Or.; και ενεπεσον 346; om. 0149 uid·; + επι τω χλωρω χορτω l36; +ανα 36. 472. | πρασιαι πρασιαι: πρασιαι semel tant. 𝔑LΔ 0149; om. a; cf. in partes b d ff l r² vg. (pler.), omnes in partes g², plurimi c, per contubernia plurimi f, conuiuia per contubernia i, conuiuia r¹, areas et areas q | κατα bis 𝔑BD: ava bis Uncs. rell. Minusc. omn. (exc. om. ava sec. 11. 33. 111. 245. 330. 485, item cf. c g² l r¹ vg. 3 MSS Or.); ανδρες pro κατα pr. et ανα pro κατα sec. W | om. κατα εκατον και κατα πεντηκοντα 𝔭⁴⁵.

41. και λαβων (= accepit autem Cop.ˢᵃ·): και αναλαβων l260; +iesus b c ff Sy.ᵖᵉˢʰ· (2 MSS) Cop.ˢᵃ· (pon. iesus post panes) Geo.² | τους pr.: om. D | πεντε: om. 𝔭⁴⁵ | τους sec.: om. 66 | δυο: om.

39. Or.ⁱⁿ ᴹᵃᵗᵗ· Tom. XI. και επεταξεν αυτοις πασιν ανακλιθηναι συμποσια συμποσια επι τω χλωρω χορτω. Or.ⁱᵈ· και ο Μαρκος, επεταξε, φησιν, αυτοις παντας ανακλιναι.

40. Or.ⁱⁿ ᴹᵃᵗᵗ· Tom. XI. και ανεπεσον πρασιαι πρασιαι ανα εκατον και πεντηκοντα.

41. Or.ⁱⁿ ᴹᵃᵗᵗ· Tom. XII. οι τρεις ευαγγελισται φασιν· οτι λαβων τους πεντε αρτους και τους δυο ιχθυας αναβλεψας εις τον ουρανον ηυλογησεν· ενθαδε δε, ως ο Ματθαιος και Μαρκος ανεγραψαν, ευχαριστησας ο Ιησους εκλασε. cf. Matt. xiv. 19; Luc. ix. 16.

σεν καὶ κατέκλασεν τοὺς ἄρτους καὶ ἐδίδου τοῖς μαθηταῖς ἵνα παρατιθῶσιν αὐτοῖς, καὶ τοὺς δύο ἰχθύας ἐμέρισεν πᾶσιν. ⁴² καὶ ἔφαγον πάντες καὶ ἐχορτάσθησαν· ⁴³ καὶ ἦραν κλάσματα δώδεκα κοφίνων πληρώματα καὶ ἀπὸ τῶν ἰχθύων. ⁴⁴ καὶ ἦσαν οἱ φαγόντες

(ξε/ϛ) τοὺς ἄρτους πεντακισχίλιοι ἄνδρες· ⁴⁵ Καὶ εὐθὺς ἠνάγκασεν τοὺς μαθητὰς αὐτοῦ

(ξϛ/β) ἐμβῆναι εἰς τὸ πλοῖον καὶ προάγειν εἰς τὸ πέραν πρὸς Βηθσαιδάν, ἕως αὐτὸς ἀπολύει τὸν

(ξζ/δ) ὄχλον. ⁴⁶ καὶ ἀποταξάμενος αὐτοῖς ἀπῆλθεν εἰς τὸ ὄρος προσεύξασθαι. ⁴⁷ καὶ ὀψίας

𝔭⁴⁵ | αναβλεψας: και αναβ. 13 | ευλογησεν: ηυλογησεν LWΔ 𝔭⁴⁵ 28. 262. 472. l48 bis Or. | κατεκλασεν (εκλασεν L cf. Or.) τους (αυτους 13 ; + πεντε DW b cff g² r¹) αρτους (om. τ. αρτ. f q) και εδιδου (dabat a ; dedit it. rell. vg.): κλασας τους αρτους (+ και ℵᶜ) εδιδου ℵ 517. 892. l184 ; κλασας εδωκεν τοις μαθηταις τους αρτους 33 | μαθηταις sine add. ℵBLΔ 0149ᵘⁱᵈ· 33. 517. 579. 892. l49 d g² Cop.ˢᵃ· ⁽ᵉᵈ·⁾ ᵇᵛ· Arm. ; + αυτου ADNWΓΘΠΣΦϷ 𝔭⁴⁵ fam.¹ 22. fam.¹³ 543. 28. 157. 565. 700. 1071 al. pler. it. vg. Sy.ˢ·ᵖᵉˢʰ·ʰˡ· Aeth. ; αυτοις 1093 | παρατιθωσιν ℵ*BLM*WYΔΠ* 0149. 42. 63. 122. 229. 252**. 253. 892 : παραθωσιν ℵᶜADM²NΘΠΣΦϷ (exc. M*) 𝔭⁴⁵ Minusc. rell. | αυτοις: κατεναντι αυτων D, item ante eos (> eos ante r²) it. (exc. a) vg. Cop.ˢᵃ·ᵇᵒ· ; τω οχλω M* | τους quart.: om. 13 | δυο: om. 579 | εμερισεν (μερισε sic Γ ; και εμερισε SΩ 45. 47. 122 ; partitus est a) : διεμερισε 111. 485 ; παρεθηκε Mᵐᵍ· l48 bis ; = fregit Cop.ᵇᵒ· = frangentes Cop.ˢᵃ· ; = diuiserunt Sy.ˢ·ᵖᵉˢʰ·⁽ᵉᵈ·⁾ Aeth. | πασιν: om. 569 | cf. et posuerunt ante illos ut manducarent (pro και τ. δυο ιχθ. εμερ. πασιν) c.

42. και εφαγον: = manducauerunt autem Cop.ˢᵃ· ; = om. και Geo.ᴮ Arm. | παντες: om. 33. Arm. ; pon. post εχορτασθησαν 1. 209. 579.

43. ηραν: + το περισσευον των FU 1194 Aeth. ; + των περισσευοντων 179. 569 ; + το περισσευσαν των 700 ; + των περισσευσαντων 472 ; + περισσευματα (τα περισσ. 33) 33. 349. 517. 659 it. (exc. b c d q) vg. Geo. ; = + ante eos Sy.ˢ· | κλασματα (κλασματων ℵW fam.¹³ 543) δωδεκα κοφινων (↵ους LΔ) πληρωματα (ℵ)B(L)(W)(Δ) 𝔭⁴⁵ (fam.¹³ 543) 892: om. κλασματα fam.¹ (exc. 118) ; κλασματων (κλασματα 28) δωδεκα κοφινους πληρεις (↵ες V, ↵ης l48 bis, ↵ις 28 ; om. 238 f i q Geo.¹) ADNΓΘΠΣΦϷ 118. 22. (28). (33). 157. 565. 579. 700. 1071 al. it. (pler.) vg., similiter Sy.ˢ· (=+ reliquias horum 5 panium) pesh· Geo. ; = > XII cophinos plenos fragmentorum Sy.ʰˡ· Cop.ˢᵃ·ᵇᵒ· | ιχθυων: δυο ιχθυων fam.¹³ 543 Sy.ˢ·

44. και ησαν (εισαν 118): erant autem it. (exc. a) vg. Sy.ᵖᵉˢʰ· ; om. ησαν M* | τους (+ πεντε M) αρτους Uncs. pler. Minusc. pler., item panes et pisces c, panes f Sy.ʰˡ· Cop.ᵇᵒ·⁽ᵉᵈ·⁾, = panem Sy.ᵖᵉˢʰ· Geo.

Aeth. ; = de eis Sy.ˢ· : om. ℵDWΘ 𝔭⁴⁵ fam.¹ 28. 565. 700 it. (exc. c f) vg. Cop.ˢᵃ·ᵇᵒ·⁽ᵃˡⁱ𝓆·⁾ Arm. | πεντακισχιλιοι Uncs. pler. 𝔭⁴⁵ 22. fam.¹³ 543. 33. 157. 579. 892. 1071 al. pler. it. vg. VSS pler. : praem. ως ℵΘ 20. 565. 700 ; praem. ωσει fam.¹ 28 al., item Arm. | ανδρες: om. 565.

45. ευθυς ℵBLWΔΘ 28. 579. 892 : ευθεως ADN ΓΠΣΦϷ Minusc. pler. ; om. 238 c ; + εξεγερθεις D, item + exsurgens (surgens c ff g² r¹) a b c ff g² i q r¹ | ηναγκασεν (ηνεγκασεν A) : + ο Ιησους 13. 346. 543. 474. vg. (1 MS) | ενβηναι sic DWΘ 13 | το πλοιον: om. το ℵΘ 1. 33. 253. 565 Arm. | προαγειν (προσαγειν D*) sine add. ℵBLWYΓΔΠϷ 22. 28. 157. 579. 892. 1071 al. pler. Sy.ʰˡ· Geo.¹ : + αυτον DNΘΣΦ fam.¹ fam.¹³ 543. 32. 38. 40. 220. 435. 472. 565. 700 al. pauc. it. (ante eum g²) vg. Sy.ˢ· ᵖᵉˢʰ· Cop.ˢᵃ· ᵇᵒ· Geo.² Aeth. Arm. Or. ; + αυτους 51 | εις το περαν: om. W fam.¹ q Sy.ˢ· ; = ad oppositam ripam maris illius Geo.² | προς Uncs. pler. 118. 22. fam.¹³ 543. 33. 157. 579. 892. 1071 al. pler. : εις Θ 1. 209. 28. 565. 700 | βηθσαιδαν (βιθσ. ΓΩ l48 ; βηδσ. A 579 ; βησσ. D 237. 259 ; βηθαιδαν W) ℵABDLNW YΓΘΠΦϷ 𝔭⁴⁵ 118. 209. 22. fam.¹³ 543. 157. 565. 579. 700. 892. 1071 al. pler. : βηθσαιδα (βησ. Δ ; βιθσ. 28) ΔΣ 1. 4. 6. 28. 39. 78. 111. 240. 349. 478. 482. 485. 517 al. pauc. | εως (+ αν W) αυτος (αυτον sic 346) Uncs. pler. 1. 22. fam.¹³ 543. 28. 33. 157. 579. 700. 892. 1071 al. pler.: εως ου αυτος (om. l48) 118. 209. 40. 106. 112. 251. 472. 473. 697. 1278. l48. cf. cum ipse a, dum ipse it. (rell.) vg. ; αυτος δε D (sed non d) Θ 565, item ipse autem b ; εως ιδειν αυτον Δ (donec uiderent eum δ) | απολυει ℵB DLΔ 1 : απολυσει E*ΚΓ fam.¹³ (exc. 346) 543. 28. 59. 66. 108. 237. 240. 470. 473. 482. 579. 700. 892 al. ; απολυση (↵σι 474) ANWΠΣΦϷ (exc. E*K) 𝔭⁴⁵ ᵘⁱᵈ· 118. 209. 22. 346. 33. 157. 1071 al. pler., item dimitteret it. (exc. b) vg. pler. ; απελυσεν Θ 565, item dimisit b | τον οχλον: τους οχλους 1. 69. 20. 40. 247. 565. 700. 1071. l48 bis Sy.ᵖᵉˢʰ·

46. αυτοις: αυτους 271 | απηλθεν: ανηλθεν fam.¹ (exc. 118²), item = ascendit Cop.ᵇᵒ·⁽¹ ᴹˢ⁾ Geo. Aeth. | εις το ορος προσευξασθαι: om. 565 | ορος: + solus vg. (1 MS) Cop.ˢᵃ·⁽¹ ᴹˢ⁾ | προσευχξασθαι Δ* (cor. Δ²).

47. ην (om. Δ, sed hab. erat δ): + παλαι D 𝔭⁴⁵

45. Or. ⁱⁿ Matt. Tom. XI. και ευθεως ηναγκασε τους μαθητας αυτου εμβηναι εις το πλοιον και προαγειν αυτον εις το περαν εις Βηθσαιδα.

47. Aug. ᶜᵒⁿˢ· et cum sero esset erat nauis in medio mari et ipse solus in terra.

γενομένης ἦν τὸ πλοῖον ἐν μέσῳ τῆς θαλάσσης, καὶ αὐτὸς μόνος ἐπὶ τῆς γῆς. ⁴⁸ καὶ
ἰδὼν αὐτοὺς βασανιζομένους ἐν τῷ ἐλαύνειν, ἦν γὰρ ὁ ἄνεμος ἐναντίος αὐτοῖς, περὶ
τετάρτην φυλακὴν τῆς νυκτὸς ἔρχεται πρὸς αὐτοὺς περιπατῶν ἐπὶ τῆς θαλάσσης· καὶ
ἤθελεν παρελθεῖν αὐτούς. ⁴⁹ οἱ δὲ ἰδόντες αὐτὸν ἐπὶ τῆς θαλάσσης περιπατοῦντα
ἔδοξαν ὅτι φάντασμά ἐστιν καὶ ἀνέκραξαν, ⁵⁰ πάντες γὰρ αὐτὸν εἶδαν καὶ ἐταράχθη-
σαν. ὁ δὲ εὐθὺς ἐλάλησεν μετ' αὐτῶν, καὶ λέγει αὐτοῖς Θαρσεῖτε, ἐγώ εἰμι, μὴ φοβεῖσθε.
⁵¹ καὶ ἀνέβη πρὸς αὐτοὺς εἰς τὸ πλοῖον, καὶ ἐκόπασεν ὁ ἄνεμος. καὶ λίαν ἐν ἑαυτοῖς (ξη/ϛ)

fam.¹ 22. 28. 251. 697, *item cf.* iam erat *a d ff g²*
(iam nauis erat) *i,* iam *ante* factum (*etiam add.* erat
enim longe) *b* | εν (*om.* K*) μεσω (μεσον 258 ;
εμμεσω *pro* εν μεσω ALM*Δ) της θαλασσης : εν μεση
τη θαλασση D 565, *item* in medio mari (*uel* mare)
it. vg. Aug.; +βασανιζομενον 435 | μονος : *praem.*
iesus *ff aur.* | επι της γης *tant.* Uncs. pler.
Minusc. pler., *item it. vg.* Sy.ᵖᵉˢʰ· Aug. : *praem.* ην
AU 67. 131. 245. 258. 472 Sy.ˢ· Cop.ˢᵃ· ᵇᵒ· Geo. ;
+ην M 106. 271 Sy.ʰˡ· | *om.* και αυτος μονος επι
της γης 61. *l*48 *bis* | ην το πλοιον *usque ad* επι της
γης : *nil nisi* uenit iesus *c.*
48. ιδων (ειδων D) אBDLWΔΘ 517. 579. 892.
*l*18. *l*19. *l*49, *item* uidens *d f ff g² l q r² vg.* Aug.,
cum uidisset *a,* cum uideret *b, item* Sy.ˢ· Cop.ˢᵃ· ᵇᵒ·
Arm. (*aliq.*) : ειδεν EFGHSUΓΠ²Ω 𝔭⁴⁵ fam.¹ 22.
124. 33. 157. 700. 1071 al. pler., *item* ιδεν AKMN
VXΠ*ΣΦ fam.¹³ (*exc.* 124) 543. 28. 565, *item* Sy.ᵖᵉˢʰ·
ʰˡ· Geo. Aeth. Arm. (*ed.*); *cf.* uidet *i,* inuenit *c*
| βασανιζομενους (+ εν τω πλοιω Δ) εν τω ελαυνειν,
item cf. laborantes in remigando *f g² l r² vg.* ; *simi-
liter* Sy.ᵖᵉˢʰ· ʰˡ· Cop.ˢᵃ· ᵇᵒ· Aug. : βασανιζ. και ελαυ-
νοντας D ; > ελαυνοντας και βασανιζ. Θ 565. 700 *a b
d ff i q,* remigantem (*sic*) et laborantes *ff*; *cf.* =
uexatos a terrore undarum Sy.ˢ·, = cohibitos a
fluctu illo nauis Geo.¹ | ο ανεμος εναντιος : >
εναντιος ο ανεμος אA 1. 209. 237. 259. 517. 569
| αυτοις : *om.* 1. 209. 565 *i* ; +σφοδρα WΘ fam.¹³
543. 28. 472. 565 (*post* εναντ.) 700 Sy.ᵖᵉˢʰ· (*aliq.*)
| περι *tant.* אBLΔ 892. *l*18. *l*19 *a aur.* : και περι
ADNWXΓΘΠΣΦⳇ fam.¹ 22. fam.¹³ 543. 28. 33.
157. 579. 1071 al. pler. *f ff g² l q r² vg.* Sy.ᵖᵉˢʰ· ʰˡ·
Geo. Aeth. Arm. : περι δε 565. 700 *b* Cop.ˢᵃ· ᵇᵒ·
| *om.* της νυκτος 𝔭⁴⁵ | ερχεται : +ο ι̅σ̅ D *ff g² i r*¹
Sy.ᵖᵉˢʰ· | προς αυτους : *om.* DWΘ 565 *b c ff i* ; +
ο ι̅σ̅ 61 *f* Geo.² | περιπατων (περιπανταω B* *errore*) :
+iesus *a vg.* (1 MS) | επι της θαλασσης : *pon.*
ante περιπατων 1. 209 ; εν τη θαλασση (∿σει 579)
33. 579 | και ηθελεν (ηθλεν *sic* 𝔭⁴⁵ *uid.* 565 ; ηθελησαν
D) παρελθειν αυτους (αυτοις L ; > αυτους παρελθ.
111. 330. 485) : *om.* G | θαλασσης *usque ad*
θαλασσης *uers.* 49 : *om.* homoeotel. 225. 229.
49. οι δε (ι δε *sic pro* οι δε 13 ; = *om.* δε Sy.ˢ·)
ιδοντες : οιδοντες *sic* 69 ; οι δε ειδοντες DΓ 346. *l*48
bis | αυτον : αυτους 13. 346 | επι της θαλασσης

περιπατουντα אBLΔΘ 33. 472. 579. 892. *l*48 *bis vg.*
(1 MS), *cf.* Sy.ˢ· (= super aquam ambulantem) :
>περιπατ. επι της θαλασσ. ADNWXΓΠΣΦⳇ fam.¹
22. fam.¹³ 543. 28. 157. 565. 700. 1071 *it. vg.* (pler.)
Sy.ᵖᵉˢʰ· ʰˡ· Cop.ˢᵃ· ᵇᵒ· Geo. | εδοξαν οτι φαντασμα
εστιν אBLΔ 33. 579. 892 Sy.ʰˡ· Cop.ˢᵃ· ᵇᵒ· Geo.² :
εδοξ. φαντασμα (φασμα *sic* 86 ; φαντασιαν 71. 240.
244. 692) ειναι ADNXΓΘΠΣΦⳇ 118. 22. fam.¹³ 543.
157. 565. 700. 1071 al. pler. *it. vg.* Arm., *cf.* = re-
putauerunt quia daemon est Sy.ˢ· ; = reput. quod
uisio esset falsa Sy.ᵖᵉˢʰ· ; = phantasma quoddam
esse reputauerunt Geo.¹ | ανεκραξαν (ανεκραν *sic*
Γ) : εκραξαν 131 ; + παντες hoc loco (*pro* παντες γαρ
αυτον ειδαν *uers.* 50) DΘ 565. 700 *it.* (*exc.* *f g² l*) ;
= pon. exclamauerunt *post* cum omnes eum uidis-
sent *uers.* 50 Sy.ˢ· ; *cf.* exclamantes (*et om. et pr.*
uers. 50) *c.*
50. παντες γαρ αυτον ειδαν : *om.* γαρ αυτον ειδαν
et iung. παντες *ad fin. uers.* 49 DΘ 565. 700 *it.* (*exc.*
f g² l) ; *etiam cf.* omnes qui *pro* παντες γαρ *aur.*
vg. (2 MSS) | ειδαν אB : ιδον KLMNVXΠ*ΣΦ
13. 346. 543. 28. 579 ; ειδον Uncs. rell. Minusc.
rell. ; *pon.* ειδον *ante* αυτον 248 ; = *om.* αυτον Geo.ᴮ
| και εταραχθησαν : = *om.* Sy.ˢ·, *cf. uers.* 49 | ο δε
ευθυς אBLΔ 892 Cop.ˢᵃ· ᵇᵒ· : ευθυς δε Θ ; ευθεως δε
565 ; και ευθεως ANWXΓΠΣΦⳇ fam.¹ 22. fam.¹³
543. 28. 157. 700. 1071 al. pler., *item* et confestim
b q, et continuo *f r*¹ (+iesus), et statim *l r² vg.*
Sy.ˢ· ᵖᵉˢʰ· ʰˡ· Geo.¹, statimque *a* ; και *tant.* D *ff i,*
cf. ipse autem *c* | μετ αυτων, *item* cum eis *l r² vg.* :
προς αυτους D 33. 579. 700, *item* ad eos *a f ff i q r*¹,
ad illos *c,* illis *b* ; +ο ι̅σ̅ NΣ Geo.ᴮ, *cf. r*¹ (*post* con-
tinuo) ; *om.* 220. 517. 954. 1424. 1675 | και λεγει :
λεγων D *a b ff i r*¹ Cop.ˢᵃ· ; et dixit *f l r² vg.* Sy.ˢ·
ᵖᵉˢʰ· Cop.ᵇᵒ· Geo. ; dixit *c* | αυτοις : *om.* D *a b ff i*
*r*¹ Cop.ˢᵃ· Geo.² | θαρσειτε : *om.* G 2. 12. 119.
253. 330. 475** | εγω ειμι μη φοβεισθε (φοβησθε
245. 482. 697 ; φοβεισθαι 28) : > μη φοβεισθαι εγω
ειμι W.
51. ανεβη (ενεβη *l*48) : ascendens *d q, similiter*
Cop.ˢᵃ· (*etiam om. et post* nauem) | προς αυτους
(+ ευθυς 569) εις το πλοιον (εν τω πλοιω *sic* 118 ;
εν τω πλοιω 12. 111. 485, *item* in naui *uel* in naue
l r²) : >εις το πλοιον προς αυτους D 565. 700. *l*49
*c ff i q r*¹ *aur.* Cop.ˢᵃ· ᵇᵒ· Arm. | και λιαν (= *pon.*

---

48. Aug.ᶜᵒⁿˢ· et uidens eos laborantes in remigando erat enim uentus contrarius eis et uolebat
praeterire eos.

ἐξίσταντο,　　[52] οὐ γὰρ συνῆκαν ἐπὶ τοῖς ἄρτοις, ἀλλ' ἦν αὐτῶν ἡ καρδία πεπωρωμένη.
(ξθ/β) [53] Καὶ διαπεράσαντες ἐπὶ τὴν γῆν ἦλθον εἰς Γεννησαρὲτ καὶ προσωρμίσθησαν.　　[54] καὶ
ἐξελθόντων αὐτῶν ἐκ τοῦ πλοίου εὐθὺς ἐπιγνόντες αὐτὸν　　[55] περιέδραμον ὅλην τὴν
χώραν ἐκείνην καὶ ἤρξαντο ἐπὶ τοῖς κραβάττοις τοὺς κακῶς ἔχοντας περιφέρειν ὅπου

post stupebant Cop.^sa. bo.) אBLΔ 892 Sy.^pesh.: καὶ
περισσῶς D 565, και περισσος 700, και εκ περισσου
28, και εκ περισσως 1. 209, *item et* abundantius *b*,
= *et magis* Geo. Aeth. Arm. ; + εκ περισσου (*et
pon.* εκ περ. *post* εαυτοις NΣ) ΑΝΧΓΠΣΦ (*etiam
praem.* και περιεσωσεν αυτους) ϡ 118. 22. fam.^13 543.
33. 157. 579. 1071 al. pler., *cf. et plus magis it.* pler.
vg. Sy.^hl. ; *cf.* alii autem magis plus *c*, illi autem
magis *aur.* ; και περιεσωσεν αυτους *pro* και λιαν εν
εαυτοις Θ ; = *om.* λιαν Sy.^s. | εν εαυτοις (αυτοις LW
485): *om.* 56. 77. 235 *c* Geo.^2 Aeth. ; = *pon. ad fin.
uers.* Sy.^pesh. Cop.^sa. bo. ; = in cordibus suis Geo.^1
| εξισταντο (εξεσταντο D*) *sine add.* אBLΔ 28. 892
a ff i l r^2 *vg.* (pler. *et* WW) Sy.^s. Cop.^sa. bo. Geo. (*et*
+ discipuli eius Geo.^A, + discipuli *tant.* Geo.^B):
εξεπλησσοντο *tant.* fam.^1 ; + και εθαυμαζον ΑDNW
ΧΓΘΠΣΦϡ 22. fam.^13 543. 33. 565. 579. 700. 1071
al. pler. *b f q r*^1 *aur. vg.* (1 MS) Sy.^hl. Aeth. ;
> εθαυμαζον και εξισταντο 517. 1424, *item* Sy.^pesh.

52. συνηκαν : συνηκον W ; *cf.* intellexerunt *a c i
vg.* (plur. *sed non* WW) ; intellexerant (~rat *ff*)
b d f (ff) g^2 *l q r*^1. 2 *vg.* (plur. *et* WW), *item* = Cop.^sa.
| επι τοις αρτοις : επι τους αρτους 111. 131. 330.
485 ; επι των αρτων 565 ; επι τοις αυτοις Δ (*de his* δ)
| αλλ ην אBLM^2SΔΘ 7. 33. 127. 131. 234. 349. 517.
569. 579. 892. *l*18. *l*19. *l*48 *bis.* *l*49. Sy.^hl. mg. Cop.^sa.
bo.: ην γαρ ΑDNWΧΓΠΣΦϡ (*exc.* M^2S) *it.* (*exc. cor
autem* . . . *erat b,* erat autem *r*^1) *vg.* (*exc.* erat autem
1 MS) Sy.^hl. txt. Aeth. Arm. ; = quia . . . erat Sy.^s.
pesh., *similiter* Geo. | αυτων η καρδια אABNWΧΥΓ
ΘΠΣϡ 22. fam.^13 (*exc.* 69) 543. 33. 131. 157. 234.
349. 517. 579. 700. 892. 1071 al. mu. : > η καρδια
αυτων DLΔΦ fam.^1 69. 28. 71. 472. 565. 1278 al.
πεπωρωμενη (πεπορωμενη ΓΧ 565 ; πεπωρομενη
118. 209), *item* obtusum *a b d i* (optusum) *q r*^1, con-
tusum *ff aur., item* = crassum Sy.^pesh. hl. : obcae-
catum *fl r*^2 *vg.* Sy.^s.

53. διαπερασαντες (= transierunt Geo.^1): + εκει-
θεν D 45, *item* + inde *b c ff q, praem.* inde *a* | επι
την γην ηλθον אBL 33. 579. 892 Cop.^sa. bo. (aliq.)
Geo.^1 (= in terram et uenerunt): *om.* ηλθον Δ ;
= *om.* επι την γην Cop.^bo. (ed.) ; > ηλθον (ηλθαν W ;
ηλθεν 346 ; απηλθον 59. 349. *l*49. *l*251. *l*260) επι (εις
13. 346. 543. 225. 247. 472. 476) την (*om.* 69. 346.
543) γην (*om.* 13*) ΑDNWΧΓΘΠΣΦϡ fam.^1 22.
fam.^13 543. 28. 157. 565. 700. 1071 al. pler. *it. vg.*
Sy.^(s.) pesh. hl. Geo.^2 | εις γεν. אBLWΔΘ 28. 33. 565.
579. 700. 892 Cop.^sa. bo. Geo.^2: *om.* εις ΑDNΧΓΠ
ΣΦϡ fam.^1 22. fam.^13 543. 157. 1071 al. pler. *it. vg.*
Sy.^s. pesh. hl. | γεννησαρετ (γεννισαρετ 157) אAB^2L
ΜWΓΔΣΦ 22. 124. 28. 33. (157). 517. 565. 579.
892. 1071 al. pler. *a*: γενησαρετ 118. 349. 700 ;

γενισαρετ 472 ; γεννησαρεθ (γεννησαρεθ U) B*ΧΥΘ
Πϡ (*exc.* FHM) 1. 209. 13. 346. 543. 72. 127. 258.
259. 262. 299. 473. 474. 476. 481 *f g*^2 *vg.* Sy.^hl.
Cop.^sa. bo. ; γεννησαρεθ FHN 1582. 69. 36. 40. 42.
48. 61. 63. 65. 90. 246^mg. *q* Geo.^2 ; γεννησαρ D *b c*
ff aur. vg. (2 MSS) ; *etiam cf.* genessareth *l*,
genazareth *r*^2, genesar *r*^1 Sy.^s. pesh., = genesare
Geo.^1 | και προσωρμισθησαν (προσορμ. ΝΧΣΩ 13.
157 ; προσωρμηση. 124 ; προσορμηση. 346): *om.* D
WΘ 1. 209. 28. 565. 700 *a b c ff i q r*^1 *aur.* Sy.^s. pesh.
Geo. Arm.

54. και εξελθοντων (ελθοντες 13) αυτων (*om.* B*):
και εξελθοντος αυτου 20. 50, *item et* egressus *c aur.*,
cumque (*et cum ff*) egressus esset *ff i q r*^1 *vg.* (1
MS*), *similiter* Sy.^s. ; εξελθοντος του Ιησου *l*49
| ευθυς אBLWΔΘ fam.^13 (*exc.* 124) 543. 28. 72^mg.
892 : ευθεως ΑDNΧΓΠΣΦϡ fam.^1 22. 124. 33. 157.
579. 1071 al. pler. : *om.* 565. 700 *q* | επιγνοντες
(~γνωντες FUΧΓΩ 13. 28): επεγνωσαν (*et cf.* + και
ad init. uers. 55) D 565. 700 *it. vg.* Sy.^pesh. hl. |
Cop.^sa. bo. Geo. Aeth. | αυτον *sine add.* אBDLN
ΧΓΠϡ (*exc.* G) 22. 157. 579. 892. 1278 al. pler.
it. (*exc. c*) *vg.* (*exc.* 1 MS) Sy.^s. hl. Cop.^bo. Aeth. :
+ οι ανδρες του τοπου εκεινου AGΔ fam.^1 33. 472.
1071, *item c vg.* (1 MS) Cop.^sa. Geo. Arm. ; + οι
ανδρες του τοπου WΘΦ fam.^13 543. 28. 32. 38. 40.
61. 66^2. 72^mg. 121. 229^mg. 238. 282. 435. 565. 700
Sy.^pesh. ; + οι της γεννησαρετ *l*49. *l*260, *etiam in
indice lectionis in margine* 241. 252 ; + οι της γης
γεννησαρετ *l*251.

55. περιεδραμον (~μεν 346) אBLWΔΘ fam.^13
543. 33. 76. 125. 218. 517. 579. 892. *l*49, *item*
Cop.^bo. (ed.), *cf.* = et cucurrerunt Sy.^pesh. Cop.^sa.
Geo. (= et currebant) Aeth., = miserunt Sy.^s.:
περιδραμοντες ΑΝΧΓΠΣΦϡ 22. 28. 157. 1071 al.
pler. ; περιδραμοντες δε D, *item* circumcurrentes
autem *d*, circumeuntes autem *a* ; και περιδραμοντες
118. 209. 565. 700, *item et* circumcurrentes *b c ff i
q r*^1, et percurrentes *g*^2 *l r*^2 *vg., cf.* = et cum cu-
currissent Sy.^hl. ; και εκπεριδραμοντες 1 | ολην :
εις ολην W fam.^13 543 | χωραν אALΔΘ 33. 517.
579. 892, *item* regionem *it.* (pler.) *vg.* Sy.^s. pesh.
Cop.^bo.: περιχωρον ΑDNWΧΓΠΣΦϡ fam.^1 22.
fam.^13 543. 28. 157. 565. 700. 1071 al. pler. Sy.^hl.
Cop.^sa. Geo. (= circum in omnes pagos) | και
ηρξαντο אBLWΔΘ fam.^13 543. 33. 517. 579. 892
Sy.^pesh. Cop.^bo. Geo. : *om.* και ΑDNΧΓΠΣΦϡ fam.^1
22. 28. 157. 565. 700. 1071 al. pler. *it. vg.* Sy.^hl.,
item cf. = coeperunt autem Cop.^sa., *cf.* Sy.^s. (= et
. . . attulerunt *pro* και ηρξ. . . . περιφερειν) | επι :
εν א* (*cor.* א^c) | τοις : *om.* DWΘ fam.^1 28. fam.^13
(*exc.* 124) 543. 565 | κραβαττοις AB*F^2GKLMN

ἤκουον ὅτι ἔστιν. [56] καὶ ὅπου ἂν εἰσεπορεύετο εἰς κώμας ἢ εἰς πόλεις ἢ εἰς ἀγροὺς ἐν ταῖς ἀγοραῖς ἐτίθεσαν τοὺς ἀσθενοῦντας, καὶ παρεκάλουν αὐτὸν ἵνα κἂν τοῦ κρασπέδου τοῦ ἱματίου αὐτοῦ ἅψωνται· καὶ ὅσοι ἂν ἥψαντο αὐτοῦ ἐσώζοντο.

VII

[1] Καὶ συνάγονται πρὸς αὐτὸν οἱ Φαρισαῖοι καί τινες τῶν γραμματέων ἐλθόντες ἀπὸ (ο/ι) Ἱεροσολύμων. [2] καὶ ἰδόντες τινὰς τῶν μαθητῶν αὐτοῦ ὅτι κοιναῖς χερσίν, τοῦτ' ἔστιν

UVYΓΘΠΣΦ 69. 346. 543. 33. 42. 65. 67. 253. 259. 262. 470. 471. 472. 473. 476. 478. 700. *l*8 *bis* : κραββατοις B²EHΩ 118. 209. 157. 565. 579. 1071 al. pler. ; κραβατοις ΧΔ 1. 124². 28. 59. 258 ; κραβακτοις א ; κρεβαττοις W ; κρεβαντοις 13 ; κραββατγοις 892* ; κραβατγοις 481 ; γραβαττοις D ; πραβαττοις 22 ; *cf.* grabattis *d l r*¹ *r*² (grauattis) *vg.* (pler. *et* WW) ; grabatis *c f ff* (grauatis) *i q* (crabatis) *vg.* (aliq.) ; grabbatos *a* | τους (*om.* 18) κακως εχοντας : *praem.* παντας D 472. 565. 700 *a ff q r*¹ | περιφερειν : φερειν DMΘ fam.¹ 32. 38. 435. 472. 565. 700, *idque pon. ante* παντας τους D 700 *a ff q r*¹ ; επιφερειν 253 | = *pon.* ferentes eos in grabbatis *post* τους κακως εχοντας Sy.ˢ· ᵖᵉˢʰ· | οπου ηκουον οτι εστιν : περιεφερον γαρ αυτους οπου αν ηκουσαν 'τον ιησουν ειναι D 472, similiter *a b ff i q* ; *om.* Sy.ˢ· | οπου ηκουον (ηκουσθη א) : οτι ηκουον W 565 | οτι εστιν אBLΔΘ 892 (*item* eum esse *a f l r*² *vg.*) Sy.ᵖᵉˢʰ· Cop.ˢᵃ· ᵇᵒ· : οτι εκει εστιν (ην 56. 58 ; + ο ιs M² *l*8 *bis*) ΑΝΧΓΠΣΦᵇ 118. 22. fam.¹³ 543. 33. 157. 579. 1071 al. pler. Sy.ʰˡ· Geo. ; οτι εστιν εκει W 1. 209. 28. 565. 700.

56. οπου αν (*om.* 487) ABLNΘΠΣΦᵇ 118². 22. fam.¹³ 543. 28. 157. 700. 892. 1071 al. pler. : οπου εαν אΧΥΓΔ 33. 59. 242. 248. 349. 476. 478. 485. 579 ; που αν D ; οποτ αν W fam.¹ (*exc.* 118²) ; οταν 565 ; *cf.* quocumque *it. vg.* | εισεπορευετο (επορευετο 482) אBDNΧΓΘΠΣΦᵇ (*exc.* M) fam.¹ 22. fam.¹³ 543. 28. 33. 157. 579. 700. 892. 1071 al. pler. : = + iesus Sy.ˢ· ; εισεπορευοντο ALMW 20. 59. 73. 271. 476. 565 ; εισπορευονται Δ | εις *ter* אBDL²Δ 33. 253. 349. 440. 579. 892. *l*8 4 *c d f ff g² i l r² vg.* Sy.ˢ· ʰˡ· Cop.ˢᵃ· : εις *pr. tant.* ANWΧΓΘΠΣΦᵇ (*exc.* F) fam.¹ 22. fam.¹³ 543. 28. 157. 565. 700. 1071 al. pler. *b q* Cop.ᵇᵒ· ; εις *pr. et sec. tant.* F 20. 59. 73. 237. 482. *l*8 *bis* ; *pr. et tert. tant.* 19. 300 | κωμας (κωμην F 282) η εις (uid. supra) πολεις : > πολεις (πολιν M*) η εις (uid. supra) κωμας MΦ 107. 262 Aeth.Sy.ˢ· | εις αγρους : *om.* L* fam.¹ Sy.ᵖᵉˢʰ· ; *pon. ante* η εις τας πολεις D 700 (*om.* τας ante πολεις), *ante* η κωμας Θ 565 | *cf. ord. seq. in* municipia uel agros aut in ciuitatis *a,* in castellis uel uillis uel ciuitatibus *b q,* in uicos uel in ciuitates aut in uillas *c aur.,* in uicos uel (et *r²*) in uillas aut in (*om. i*) ciuitates *d ff i l r² vg.* (pler.), nil nisi in uicos aut in ciutates *g²* | εν (*praem.* η א ; et in *ff*)

ταις αγοραις : εν ταις πλατειαις D 565. 700, *item* in plateis *it.* (in foro et in plateis *a*) *vg.* ; *pon. post* ασθεν. *c ff aur.* | ετιθεσαν אBLΔ 517. 569. 892. *l*18. *l*19. *l*49 : ετιθουν ADNWΧΓΘΠΣΦᵇ Minusc. rell., *item* ponebant *it. vg.* | ασθενουντας : ασθενεις fam.¹ (*exc.* 118) ; infirmos suos *c aur.* ; =grabbatos infirmorum Sy.ˢ· | επαρεκαλουν sic 157 | *om.* ινα 229* | καν : και 107 ; *om.* 229* | του ιματιου αυτου : των ιματιων αυτου 473. 485 ; > αυτου του ιματιου Γ | αψωνται : αψονται HKNΣ 346. 11. 59. 271. 472. (αψοντε) 485. *l*184 | οσοι (ω 579) αν : *om.* αν אDΔ fam.¹ (*exc.* 118) 77. 116. 237. 259. 579 | ηψαντο אBDLWΔΘ fam.¹ (*exc.* 118) fam.¹³ 543. 28. 33. 565. 579. 892, *item* tetigerunt *a,* tetigissent *ff* : ηπτοντο (~ωντο H) ANΧΓΠΣΦᵇ 118. 22. 157. 700. 1071 al. pler., *item* tangebant *it.* (*exc. a ff*) *vg.* Geo. | αυτου : αυτον D ; *om.* Δ 229* *a b ff i q* | εσωζοντο אABDLWΧΓΘΠΦᵇ 118. 22. 28. 157. 892² (*pr. man. eras.*) 1071 al. pler. : διεσωζοντο NΣ fam.¹ (*exc.* 118) fam.¹³ 543. 66². 271. 700 ; διεσωθησαν Δ ; εσωθησαν 33. 565. 579 ; *cf.* sanati sunt *a* ; salui fiebant *it.* (rell.) *vg.* Sy.ˢ· ʰˡ· ; = sanabantur Sy.ᵖᵉˢʰ· ; = saluabantur Geo.

1. συναγονται, *item* conueniunt *a ff l r² vg.* (pler.) : conuenerunt *b c d f i r¹ vg.* (pauc.), *similiter* Sy.ˢ· ᵖᵉˢʰ· Cop.ˢᵃ· ᵇᵒ· Geo. ; cum uenissent *g²* | οι : *om.* fam.¹ 565. 700 | τινες των γραμματεων : =*om.* τινες των Sy.ˢ· ᵖᵉˢʰ· | = >scribae et pharisaei quidam Geo.¹ Aeth. | ελθοντες : *praem.* οι NΣ, *cf.* qui uenerunt *a b f,* qui ueniebant *q* ; *om. ff i¹ r¹* | ιεροσολυμων : = 'Urishlem Sy.ˢ· ᵖᵉˢʰ· ʰˡ· Cop.ᵇᵒ·

2. ιδοντες, *item* cum uidissent *it.* pler. *vg.* : cum uiderent *b q* ; ειδοτες D | τινας (τινες א*) των μαθητων αυτου : > των μαθητων αυτου τινας 565 ; τινες των μαθητων αυτου τινας W ; = suos discipulos Sy.ˢ· | οτι (ειπον οτι Δ) אBLΔ 33. 517. 579. 892 Sy.ᵖᵉˢʰ· (= qui) Cop.ˢᵃ· ᵇᵒ· (ᵖˡᵉʳ·) Geo. : *om.* ADNW ΧΓΘΠΣΦᵇ fam.¹ 22. fam.¹³ 543. 28. 157. 565. 700. 1071 al. pler. *it. vg.* Sy.ˢ· ʰˡ· | κοιναις *usque ad* ανιπτοις: nil nisi non lotis manibus suis (*om. b c*) *b c aur.* Sy.ˢ· ᵖᵉˢʰ· Cop.ˢᵃ· ; = indecenter non lotis manibus Geo.¹ | εσθιουσιν אBLΔ 33. 579. 892, *item* Sy.ᵖᵉˢʰ· Cop.ˢᵃ· ᵇᵒ· Geo. (= edebant): εσθιοντας ADNWΧ ΓΘΠΣΦᵇ fam.¹ 22. fam.¹³ 543. 28. 157. 565. 700. 1071 al. pler., *item* edentes *a* Sy.ˢ· ʰˡ· ; *cf.* manducare *it.* (*exc. a*) *vg.* | τους αρτους BDLNWΔΘΣ

ἀνίπτοις, ἐσθίουσιν τοὺς ἄρτους·   ³ —οἱ γὰρ Φαρισαῖοι καὶ πάντες οἱ Ἰουδαῖοι ἐὰν μὴ
πυγμῇ νίψωνται τὰς χεῖρας οὐκ ἐσθίουσιν, κρατοῦντες τὴν παράδοσιν τῶν πρεσβυτέρων,
⁴ καὶ ἀπ᾽ ἀγορᾶς ἐὰν μὴ ῥαντίσωνται οὐκ ἐσθίουσιν, καὶ ἄλλα πολλά ἐστιν ἃ παρέλαβον
(οα/ϛ) κρατεῖν, βαπτισμοὺς ποτηρίων καὶ ξεστῶν καὶ χαλκίων,—   ⁵ καὶ ἐπερωτῶσιν αὐτὸν οἱ
Φαρισαῖοι καὶ οἱ γραμματεῖς Διὰ τί οὐ περιπατοῦσιν οἱ μαθηταί σου κατὰ τὴν παράδοσιν

---

fam.¹³ 543. 31. 33. 67. 565. 579. 700. 892 : *om.*
τους ΑΧΓΠΦϧ fam.¹ 22. 28. 157. 1071 al. pler., *cf.*
panes *a f i r*² *vg.* (pler. *et* WW) Sy.ʰˡ· Cop.ᵇᵒ·
Aeth. ; αρτον ℵ 34. 39. 56. 58. 72. 131. 142. 183.
240. 244. 258. 474. 692, *cf.* panem *b c d ff l q r*¹ *vg.*
(4 MSS) *aur.* Sy.ˢ· ᵖᵉˢʰ· Cop.ˢᵃ· Geo. ¹ ᵉᵗ ᴬ (*om.*
Geo.ᴮ) Arm. ; αυτους Y | αρτους (*uel* αρτον) *sine*
add. ℵABEGHLVXΓΔ 12. 20. 34. 39. 44. 46. 52.
73. 84. 87. 92. 123. 125.* 142.* 157. 183. 258. 349.
471. 475. 478. 485. 892. *l*48 Sy.ˢ· Cop.ˢᵃ· ᵇᵒ· : +
εμεμψαντο (εμεμψατο F* 33. 480 ; εμεμψοντο 700)
(F)KMNSUWΘΠΣΦΩ fam.¹ 22. fam.¹³ 543. 28.
(33). 579. 1071 al. pler., *item* uituperauerunt (+
illos *b* ; + eos *ff* *vg.* pauc. *aur.* Geo.¹) *it.* *vg.* Geo.;
+κατεγνωσαν D ; +ενενιψαντο 565 ; = +et (*om.*
Sy.ʰˡ·) conquesti sunt Sy.ᵖᵉˢʰ· ʰˡ·

3. οι γαρ φαρισαιοι (*item* pharisaei enim *d f q r*²
vg. pler., *sed* pharisaei autem [*a*] *b c ff i l r*¹ *vg.* 4
MSS *aur.*) και (οι και 13) παντες (*om.* 565) οι (*om.*
44. 579) ιουδαιοι : = > omnes enim iudaei et
pharisaei Sy.ˢ· ᵖᵉˢʰ· | πυγμη (πυκμη D, primo *d*;
πυγμην 59) AB(D)LNXΓΘΠΣΦ 0131 ϧ Minusc.
omn. Or. Epiph., *item* Sy.ʰˡ· ᵐᵍ·, *cf.* pugillo *c ff i q*
*r*¹ : πυκνα ℵW, *cf.* crebro *f g*² *l r*² *vg.* *aur.* (crebro
pugillo) Geo., momento *a*, sub inde *b* ; = diligenter
Sy.ᵖᵉˢʰ· ʰˡ· ᵗˣᵗ· Cop.ᵇᵒ· Aeth. ; *om.* Δ Sy.ˢ· Cop.ˢᵃ·
| νιψωνται (νιψονται EN 0131. 13. 346. 59. 271.
506. 579. *l*184) : *pon. ante* πυγμη *l*184 ; νιψοντες
472 | τας χειρας : *om.* τας 59. 517 ; = *om.* Geo.ᴮ
| εσθιουσιν (∽ιωσιν ℵ*Γ) : +αρτον D 71 ; +τον αρτον
M² *l*48 *bis*, *cf.* + panem *a b c* (panem suum) *ff i* *vg.*
(3 MSS) Sy.ˢ· Geo.¹ Aeth. Arm. | κρατουντες : ου
κατοικουντες 579 | την παραδοσιν (∽δωσιν EHL
MΓΘ 13. 124. 346. 543. 28. 157. 471. 472 ; ∽δοσιαν
D* ᶜᵒʳʳ·) : *cf.* traditiones *r*¹· ² *vg.* (5 MSS) ; *om.* F
| κρατουντες *usque ad* εσθιουσι uers. 4: *om.* 225
homoeotel.

4. και απ αγορας (*pon.* a foro *post se* lauant
Cop.ᵇᵒ·) : +οταν (δε οταν W) ελθωσιν DW, *item et*
a foro cum uenerint (∽ rit *i*) *a b ff i l q r*¹ *vg.* (3
MSS), et cum a foro uenerint *c* *aur.*, et cum
uenerint a foro *d*, et redeuntes (*pon. post* foro δ)
a foro *f* δ *vg.* (2 MSS) ; de publico redeuntes
vg. (1 MS) ; *cf.* = et (*om.* Geo.ᴮ) e foro (plateis

Geo.²) quidem (*om.* Geo.²) cum intrant Geo. ;
αγορας δε οταν εισελθωσιν 472 ; = sed quae a
foro Cop.ˢᵃ·, *similiter* = quod etiam a foro Aeth.
| απ ABDLWΔΠ 71. 72. 481. 579. 892 : απο ℵN
ΧΘΓΣΦϧ Minusc. rell. | ραντισωνται ℵB 40. 53.
71. 86. 237. 240. 244. 259 : βαπτισωνται ADE**G
HMSUVWΓΘΠΦΩ Minusc. pler. ; βαπτισονται K
NXΣ 124. 346. 9. 59. 245. 282. 506 ; βαπτησονται
13 ; βαπτιζωνται E*FΔ 90 ; βαπτιζονται L ; = a-
spergant Cop.ˢᵃ· | αλλα : = *om.* Sy.ˢ· | εστιν α :
om. 32 ; *om.* εστιν (sunt) *d g*² *r*¹ *vg.* (5 MSS) *aur.*
| α παρελαβον : απερ ελαβον B ; +αυτοις D, *cf.*
quae tradita sunt illis *it.* (exc. *a b*) *vg.*, quae acce-
perunt tradita *a* | κρατειν : τηρειν D, *item* seruare
it. (exc. *a b*) *vg.* : *om.* 17* *a* ; = obseruabant Sy.ˢ·
| *om.* και *ante* ξεστων 59 | και χαλκιων (∽κειων AL
Y 131. 238. 700 al. mu.) *sine add.* ℵBLΔ 𝔓⁴⁵ ᵘⁱᵈ· *l*48
al. pauc. Cop.ᵇᵒ· : +και κλινων ADWXΓΘΠΣΦϧ
Minusc. rell.VSS (exc. *om. etiam* και χαλκιων *q* Sy.ˢ·).

5. και *pr.* ℵBDLΘ fam.¹ 33. 565. 579. 700. 892
it. (exc. *f*) *vg.* Sy.ᵖᵉˢʰ· Cop.ᵇᵒ· Aeth. : επειτα (ειτα
57) AWXΓΔ (επειτα και) ΠΣΦϧ 22. fam.¹³ 543. 28.
157. 1071 al. pler., *item f* Sy.ʰˡ· Geo. Arm., *cf.* =
+posthaec Sy.ˢ·, *cf.* = autem (*post* interrog.) Cop.ˢᵃ·
| επερωτωσιν : ερωτωσιν W 124. 28. 271 ; επηρω-
τισαν *sic* *l*184 ; *cf.* interrogabant *b i q r*¹· ² *aur.* *vg.*
(plur. *sed non* WW) Geo.¹, interrogauerunt *f vg.*
(1 MS) Sy.ˢ· ᵖᵉˢʰ· Cop.ˢᵃ· ᵇᵒ· Geo.² ; interrogantes *c*
| αυτον : *om.* 69 | οι φαρισαιοι και οι γραμματεις :
om. και οι γραμματεις Δ ; > scribae et pharisaei *q*
Cop.ˢᵃ· ⁽ᵃˡⁱᵠ·⁾; +λεγοντες DWΔΘ 𝔓⁴⁵ ᵘⁱᵈ· fam.¹³ 543.
28. 472. 565. 700 *a ff i r*¹ *aur.* *vg.* (aliq.) Cop.ˢᵃ·
= +et dicunt ei Sy.ˢ·, +dixerunt *c* | ου περιπα-
τουσιν οι μαθηται σου ℵBLΔ 33. 349. 517. 579.
892. *l*49 *bis vg.* (1 MS) Cop.ᵇᵒ· Aeth. : > οι μαθ.
σου ου περιπατ. (= retinent Sy.ˢ·) ADWXΓΘΠΣΦϧ
𝔓⁴⁵ fam.¹ 22. fam.¹³ 543. 28. 157. 565. 700. 1071 al.
pler. *it. vg.* (pler.) Sy.⁽ˢ·⁾ ᵖᵉˢʰ· ʰˡ· Cop.ˢᵃ· Geo. Arm.
| παραδωσιν ΗΓΩ fam.¹³ (exc. 69) 543. 28 ; = man-
datum Sy.ˢ· | αλλα : αλλ Γ | κοιναις (+ταις DW
28. 565) χερσιν ℵ*B(D)(W)Θ fam.¹ (28). 33. (565).
579. 700, *item* communibus manibus *d g*² *i q r*¹ *vg.*
Cop.ˢᵃ· ᵇᵒ· Geo.² Arm. : ανιπτοις χερσιν ℵᶜALXΓΔΠ
ΣΦϧ 22. 157. 892. 1071 al. pler., *item* non lotis (in-

---

3. Or.ⁱⁿ Matt. Tom. XI.   i. q. *text. supra.*
Epiph.ᵖᵃⁿ· 15·   πυγμη μεν τας χειρας νιπτομενοι.
4. Epiph.ᵖᵃⁿ· 15·   ᾽ξεστων βαπτισμους᾽ φυλασσοντες ᾽και ποτηριων και πινακιων᾽ και των αλλων σκευων.
Aug.ᶜᵒⁿᵗʳᵃ ˡⁱᵗᵗ· Petil. cii.   pharisaei paene per omnia momenta tinguebant et lectos et calices et parapsides
sicut in euangelio legitur.

τῶν πρεσβυτέρων, ἀλλὰ κοιναῖς χερσὶν ἐσθίουσιν τὸν ἄρτον; ⁶ ὁ δὲ εἶπεν αὐτοῖς
Καλῶς ἐπροφήτευσεν Ἡσαίας περὶ ὑμῶν τῶν ὑποκριτῶν, ὡς γέγραπται ὅτι Οὗτος ὁ λαὸς
τοῖς χείλεσίν με τιμᾷ, ἡ δὲ καρδία αὐτῶν πόρρω ἀπέχει ἀπ᾽ ἐμοῦ· ⁷ μάτην δὲ σέβονταί
με, διδάσκοντες διδασκαλίας ἐντάλματα ἀνθρώπων· ⁸ ἀφέντες τὴν ἐντολὴν τοῦ θεοῦ
κρατεῖτε τὴν παράδοσιν τῶν ἀνθρώπων. ⁹ καὶ ἔλεγεν αὐτοῖς Καλῶς ἀθετεῖτε τὴν ἐντολὴν
τοῦ θεοῦ, ἵνα τὴν παράδοσιν ὑμῶν τηρήσητε· ¹⁰ Μωυσῆς γὰρ εἶπεν Τίμα τὸν πατέρα

lotis b) manibus b c f ffl aur., similiter Sy.ˢ· ᵖᵉˢʰ· ʰˡ·
Geo.¹ Aeth.; immundis manibus a; κοιναις χερσιν
(+ και 𝔭⁴⁵) ανιπτοις 𝔭⁴⁵ fam.¹³ 543 | εσθιουσιν: man-
ducauit homo r² | τον (των 346) αρτον: om. τον
ΚΠ 11. 15. 72. 229. 330. 473. 474. 481. 485; των
αρτων sic Θ | >τον αρτον εσθιουσιν 124.

6. ο δε: = om. Sy.ˢ· | ειπεν tant. ℵBLΔ 33. 579.
892 Sy.ˢ· ᵖᵉˢʰ· Cop.ˢᵃ· ᵇᵒ·: αποκριθεις ειπεν ΑDWΧΓ
ΘΠΣΦ𝔟 𝔭⁴⁵ fam.¹ 22. fam.¹³ 543. 28. 157. 565. 700.
1071 al. pler. it. vg. Sy.ʰˡ· Geo. Arm. | αυτοις:
om. b c ff i q Geo.¹; + iesus Sy.ˢ· Cop.ᵇᵒ· (1 MS)
| καλως tant. ℵBLΔΘ 33. 579. 1071 a c f ff i l r²
vg. (pler.) Sy.ˢ· ᵖᵉˢʰ· Cop.ˢᵃ· ᵇᵒ· Geo.¹: οτι καλως
ΑDWΧΓΠΣΦ𝔟 𝔭⁴⁵ fam.¹ 22. fam.¹³ 543. 28. 157.
565. 700. 892 al. pler. b q vg. (1 MS) Sy.ʰˡ· Geo.²
| επροφητευσεν ℵB*DLΔΘ 1. fam.¹³ (exc. 69) 543.
33. 470. 579. 1071: προεφητευσεν ΑB²ΧΓΠΣΦ𝔟
118. 209. 22. 69. 28. 157. 565. 700. 892 al. pler.
Bas.; επροεφητευσεν W | ησαιας περι υμων των
υποκριτων Uncs. pler. Minusc. pler. it. vg. Sy.ʰˡ·
Cop.ˢᵃ· Geo. Aeth. Arm.: > περι υμων ησαιας των
υποκριτων ΑΣ 𝔭⁴⁵ 28. 517. 569. 892 g² Sy.ˢ· (= om.
των υποκριτων) ᵖᵉˢʰ· Cop.ᵇᵒ·; > περι υμωντων υπο-
κριτων ησαιας 470; etiam add. propheta post Esaias
g² Sy.ˢ· ᵖᵉˢʰ· | ως γεγραπται (προγεγραπται 238):
και ειπεν D, item et dixit i aur.; ος ειπεν Θ, item qui
dixit a b, = +qui dixit Sy.ˢ·, ως ειπεν fam.¹ (exc.
118 spat. reliq. post ως) 565 Arm.; λεγων 700, item
dicens c ff; om. Geo.² | οτι ℵBL 892. 1071 Sy.ˢ·
ᵖᵉˢʰ· Geo.²: om. Uncs. rell. Minusc. rell. it. vg.
Sy.ʰˡ· Cop.ˢᵃ· ᵇᵒ· Geo.¹ | ουτος (ουτως 13) ο λαος:
> ο λαος ουτος BD 1071 b c f i l q r² vg. Sy.ˢ· ᵖᵉˢʰ·
Geo. Bas.; om. ουτος a, populus autem ff | τιμα:
αγαπα DW, item diligit a b c Tert. | αυτων (αυτον
sic 349): αυτου M 71. 142* Sy.ˢ·; = solum Geo.¹
| πορρω απεχει: πορρω αφεστηκεν D; πορρω απεστιν
LΘ 565. 892; πορρωαπεστη Δ; πορρω εχει W; cf.
longe est it. (exc. longe habetis ff) vg. (pler.),
abest vg. (3 MSS); om. l260 | απ: μετα απ sic
69*; αφ D.

7. ματην δε: om. δε vg. (tol.) Cop.ᵇᵒ· Geo.¹ ᵉᵗ ᴬ
Arm.; = et frustra Sy.ᵖᵉˢʰ· Geo.ᴮ Aeth. | σεβονται

(σεβωνται 484): σεβοντες 13 | με: om. hoc loco et
pon. me post διδασκοντες (docentes) ff | διδασκα-
λιας (∼λιαν 346* Sy.ˢ·): + και 𝔭⁴⁵ 69² a c f g¹· ² i r²
vg. (plur. sed non WW) | ενταλματα: = manda-
torum Sy.ˢ· ᵖᵉˢʰ· Aeth.

8. om. uers. Sy.ˢ· | uers. sine add. ℵBLWΔ 𝔭⁴⁵
fam.¹ (exc. 118) 22. 251. 697. 1278* (add. in mg.)
Cop.ˢᵃ· ᵇᵒ· Geo. Arm.: add. ante αφεντες ad init.
uers. βαπτισμους ξεστων και ποτηριων (> ποτηρ. και
ξεστων 565) και αλλα παρομοια τοιαυτα πολλα (om.
πολλα Θ 28. 565; pon. τοιαυτα πολλα post ποιειται
D) ποιειτε (ποιειται Θ; α ποιειται D, cf. a ff i q) DΘ
12. 28. 330. 565 it. (exc. f l r²), add. hoc loco nil
nisi βαπτισμου[ς ξε]στων και ποτηριων 0131; add.
post ανθρωπων ad fin. uers. βαπτισμους (βαπτισμου
Α) ξεστων και ποτηριων (> ποτηρ. και ξεστων 483*)
και αλλα (om. Α) παρομοια (παροποια sic 579) τοιαυτα
(om. 44. 72. 92. 253) πολλα (pon. τοιαυτα πολλα
ante παρομοια 262; παρομοια πολλα αυτοις 92; >
πολλα παρομοια τοιαυτα 238; > παρομοια πολλα
τοιαυτα 59. 131. 157) ποιειτε (pon. ante πολλα ΦΚΠ
11. 15. 253. 473. 474; ποιειται 69*. 476) ΑΧΓΠΣ
Φ𝔟 118. fam.¹³ 543. 33. 157. 700. 579. 892. 1071 al.
pler., similiter f l r² vg. Sy.ᵖᵉˢʰ· ʰˡ· Cop.ᵇᵒ· (1 MS)
Aeth. | αφεντες sine γαρ ℵBDLWΔΘ𝔭⁴⁵ 124. 565
it. (exc. fl) Cop.ˢᵃ· ᵇᵒ· Geo.ᴬ: + γαρ ΑΧΓΠΣΦ𝔟
Minusc. rell. f l vg. (exc. autem 2 MSS) Sy.ᵖᵉˢʰ·
Geo.¹ ᵉᵗ ᴮ (= quia) | κρατειτε: κρατουσι 482 | παρα-
δοσιν: παραδωσιν ΕΗ 13. 346. 543. 28 al. pauc.;
εντολην 𝔭⁴⁵ | των ανθρωπων: om. l260.

9. και (= om. Sy.ᵖᵉˢʰ·) ελεγεν αυτοις: om. 28 Sy.ˢ·;
et dixit illis a; = dicebat autem illis Cop.ˢᵃ·; = et
dicit illis Aeth. Arm.; + οτι 435 | καλως (καθως
sic errore 579): + και υμεις 569 | εντολην: βουλην
Δ; παραδοσιν l184 | παραδοσιν (∼δωσιν Ω 13. 346.
28 al. pauc. cf. uers. 5 et 8): = mandatum Sy.ˢ·
Geo.¹, = mandata Aeth., = doctrinam Geo.²
| υμων: ημων sic 579 | τηρησητε Uncs. pler. Minusc.
pler.: τηρητε Β l15; στησητε (στησηται sic DW)
DWΘ 1. 209. 28. 565, item statuatis a b c f ff i q r¹
Sy.ˢ· ᵖᵉˢʰ· Arm. Cyp. Aug., item = stabiletis Geo.

10. μωυσης ℵBDKMWYΔΘΠΣΦ fam.¹³ (exc.

---

6. Bas.ᵈᵉ ᵇᵃᵖᵗ· ᴵᴵ· ᵠᵘᵃᵉˢᵗ· ⁸· ⁶· καλως προεφητευσεν ησαιας περι υμων λεγων· ο λαος ουτος τοις χειλεσι με τιμα,
η δε καρδια αυτων πορρω απεχει απ εμου.

Tert.ᵃᵈᵛ· ᴹᵃʳᶜⁱᵒⁿ· ᴵⱽ· ¹⁷· populus iste me labiis diligit cor autem eorum longe absistit a me.

9. Cyp.ᵈᵉ ᵈᵒᵐ· ᵒʳᵃᵗ· ᶠʳᵉᑫⁱᵉⁿᵗᵉʳ· reicitis mandatum Dei, ut traditionem uestram statuatis.

Aug.ᵈᵉ ˢᵖⁱʳ· ᵉᵗ ˡⁱᵗᵗ· reicitis mandatum Dei, ut traditiones uestras statuatis.

σου καὶ τὴν μητέρα σου, καί Ὁ κακολογῶν πατέρα ἢ μητέρα θανάτῳ τελευτάτω· [11] ὑμεῖς δὲ λέγετε Ἐὰν εἴπῃ ἄνθρωπος τῷ πατρὶ ἢ τῇ μητρί Κορβάν, ὅ ἐστιν Δῶρον, ὃ ἐὰν ἐξ ἐμοῦ ὠφεληθῇς, [12] οὐκέτι ἀφίετε αὐτὸν οὐδὲν ποιῆσαι τῷ πατρὶ ἢ τῇ μητρί, [13] ἀκυροῦντες τὸν λόγον τοῦ θεοῦ τῇ παραδόσει ὑμῶν ᾗ παρεδώκατε· καὶ παρόμοια τοιαῦτα πολλὰ ποιεῖτε. [14] καὶ προσκαλεσάμενος πάλιν τὸν ὄχλον ἔλεγεν αὐτοῖς Ἀκούσατέ μου πάντες καὶ σύνετε. [15] οὐδὲν ἔστιν ἔξωθεν τοῦ ἀνθρώπου εἰσπορευόμενον εἰς αὐτὸν ὃ

---

124) 543. 11. 15. 28. 33. 44. 80. 252. 473. 474. 579. *l*48. *l*49, item Moyses *it. aur. vg.* (plur. *sed non* WW) | μωσης ALXΓ𝕭 (*exc.* KM) fam.[1] 22. 124. 157. 565. 700. 892. 1071 al. pler., item Moses *vg.* (pler. *et* WW) | γαρ: autem *b vg.* (2 MSS) | σου *pr.*: = *om.* Geo.[2] | σου *sec.*: = *om.* DΘ 1582. 13. 69. 543. 271. 471. 485** Geo.[2] Arm. | κακολογων: αθετων W | πατερα *sec.*: = + suum Sy.[s.] Cop.[sa. bo.] Aeth. Arm. | η: = et Sy.[pesh. (ed.)] Cop.[sa. bo.] Aeth. | μητερα: = + suam Sy.[s.] Cop.[sa. bo.] Aeth. Arm. | τελευτατω: τελευτειτω D, *cf.* morietur *d, sed* moriatur *it. vg.*

11. υμεις δε λεγετε: + οτι 61. 472. 569; *nil nisi* uobis autem *b* | εαν: ος αν ΑΣ 33. 579 | ειπη: ειπει 28. 565 | ανθρωπος (ο ανθρωπος 1071): *om.* 33 | τω πατρι: +αυτου D 50. 68. 90. 483*. 484 *it.* (*exc. b f l r*[1]) *vg.* (1 MS) Sy.[s. pesh.] Cop.[sa. bo.] Geo.[1] Aeth. | η: = et Sy.[s.] Cop.[bo. (pler.)] | τη (*om.* Δ 480*) μητρι: +αυτου ΚΥΘ 27. 53. 54. 68. 80. 157. 229. 473. 481. 700 *vg.* (1 MS) Sy.[s. pesh.] Cop.[sa. bo.] Geo.[1] Aeth. | κορβαν (κορβαναν 482) ο εστιν δωρον: = *om. ο εστιν δωρον vg.* (1 MS) Sy.[s. pesh.] Aeth. | ο εαν Uncs. pler. fam.[1] 22. 124. 28. 33. 157. 579. 700. 892. 1071 al. pler., *similiter* ο αν D WΣ 28: εαν tant. Δ fam.[13] (*exc.* 124) 543. 565 | εξ εμου: μου D* (εξ ε suppl. sup. lin.) | ωφεληθης: ωφελεθης 28; ωφελησθεις 157; οφεληθης Γ; οφεληθεις 59.

12. ουκετι (ουκεν *sic* D) אB(D)ΔΘ fam.[1] (*exc.* 118) fam.[13] (*exc.* 124) 543. 28. 565. 569. 700. 892, *item* iam non *b c d f f i q r*[1], ultra non *l, similiter* Cop.[sa.] Aeth. Arm., = nec ultra Geo.[1 et A]: και ουκετι ΑWΧΓΠΣΦ𝕭 𝔭[45] 118. 22. 124. 33. 157. 579. 1071 al. pler., *item* et ultra non *f r*[2] *vg., similiter* = et non amplius Sy.[hl.]; και ουκ 142*, *similiter* Sy.[s. pesh.]; οτι ουκετι L; non *tant. a* Cop.[bo.] | αυτον: αυτω Γ | ουδεν ποιησαι: = honorare Sy.[s.] | τω πατρι η τη μητρι: *om.* Δ | πατρι *sine add.* אBD LWΓΘ fam.[13] (*exc.* 124) 543. 28. 240. 244. 245. 349. 517. 565. 700. 892 *it.* (*exc. f l r*[2]) Geo. Arm.: +αυτου ΑΧΠΣΦ𝕭 fam.[1] 22. 124. 33. 157. 579. 1071 al. pler. *f l r*[2] *vg.* Sy.[s. pesh. hl.] Cop.[sa. bo.] Aeth. | η: και Ω Cop.[bo. (2 MSS)] Aeth. | μητρι *sine add.* אBD LWΘ ι fam.[13] (*exc.* 124) 543. 28. 56. 240. 244. 700. 892 *it. vg.* (*exc.* 1 MS*) Geo. Arm.: +αυτου ΑΧΓ ΠΣΦ𝕭 118. 209. 22. 124. 33. 157. 565. 579. 1071 al. pler. *vg.* (1 MS*) Sy.[s. pesh. hl.] Cop.[sa. bo.] Aeth.

13. ακυρουντες, *item* rescindentes (scindentes *d*) *f i l q r*[1. 2] *vg.* (pler.), spernentes *a*, infirmantes *b*, irritum facientes *c ff*: rescinditis *vg.* (1 MS); = et rescinditis Sy.[s. pesh.] Aeth. Arm., = et reprobastis Geo.[1], = et infirmauistis Geo.[2] | τον λογον: την εντολην W fam.[1] | τη παραδοσει (⤳δωσει FM Γ 13. 69. 346. 543. 28. 471*. 483. 484. al. pauc.) υμων: + τη μωρα D, *item* per traditionem uestram stultam *it.* (*exc. f l r*[2]) *vg.* (2 MSS) Sy.[hl. mg.]; δια την παραδοσιν υμων 1071, *item* per traditionem uestram *f l r*[2] *vg.* (pler.) | η: ην 1071, *item* quam *it. vg.* | παρεδωκατε: παραδεδωκατε Δ; παρεδοτε W | τη παραδοσει *usque ad* παρεδωκατε: = propter mandata uestra Sy.[s.] | και παρομοια *usque ad* ποιειτε: *om.* W | παρομοια: αλλα παρομοια 517 | τοιαυτα (ται τααυτα *sic* D; ταυτα *l*185, *item* ista *b*) πολλα Uncs. pler. 118. 22. 33. 565. 892. 1071 al. pler.: >πολλα τοιαυτα אM* fam.[1] (*exc.* 118) fam.[13] (*exc.* 124) 543. 28. 44. 73. 131. 157. 482. 579. 700; *om.* πολλα 124. 234; *om.* τοιαυτα 𝔭[45] *uid.* Δ *l*184.

14. και προσκαλεσαμενος: + ο Ιησους Γ 64. 229*. 475 *aur.* (*pon. post* iterum) Sy.[pesh.] Geo.[B] | παλιν אBDLΔ 892, *item* iterum *a b ff g*[2] *i l q r*[1. 2] *vg.* Sy.[hl. mg.] Cop.[bo. (ed.)] Aeth. Aug., *item* iterum *pon. post* turbam *n*: παντα (απαντα *l*184) ΑWΧΓΘΠΣΦ𝕭 fam.[1] 22. fam.[13] 543. 28. 33. 157. 517 (*pon. post* οχλον) 700. 1071 al. pler. *f* Sy.[s. pesh. hl. txt.] Cop.[sa.] Geo. Arm.; *om.* 235. 238. 475*. 565. 579 *c* Cop.[bo. (2 MSS)] | ελεγεν, *item* dicebat *it.* (pler.) *vg.* Sy.[hl.] Geo.: ειπεν Θ 565. 700, *item* dixit *a n* Sy.[s. pesh.] Cop.[sa. bo.]; λεγει B 59 Aeth. Arm. | ακουσατε BDHLΘ 48. 49. 565. 892: ακουετε אΑWΧΓΔΠΣΦ (*exc.* H) Minusc. rell. | μου: *om.* אΔ Sy.[s.] Cop.[bo. (1 MS)] Aeth. | παντες (παντα H): *om.* אLΔ 12. 247. 892 Cop.[bo.] Geo.[B] | και: *om. ff* | συνετε BHLΔ 238. 349. 517. 892: συνιτε D; συνιετε אΑWΧΓΘΠΣΦ𝕭 (*exc.* H) Minusc. rell.

15. ουδεν: ουδ D* (*suppl. εν sup. lin.*) | εξωθεν (εξοθεν 346): εξω 𝔭[45] 245. 517. 827. 1675 | του ανθρωπου: *om.* Cop.[sa.] | εις (επ א[c]) αυτον *sic* W*): = in hominem Cop.[sa.]; = in os eius Cop.[bo. (ed.)] | ο (*pon. ante* εισπορ. Δ *a, similiter* quod intrat *b*) δυναται κοινωσαι αυτον אL(Δ)Θ 892: ο (ου 579. *l*184) δυναται αυτον κοινωσαι ΑDWΧΓΠ ΣΦ𝕭 Minusc. pler. *it.* pler. *vg.*; το κοινουν αυτον B; *nil nisi* κοινωσαι 251. 253 | τα εκ του ανθρωπου

---

14. Aug.[Spec.] Aduocans iterum turbam dicebat illis audite me omnes et intellegete.

δύναται κοινῶσαι αὐτόν· ἀλλὰ τὰ ἐκ τοῦ ἀνθρώπου ἐκπορευόμενά ἐστιν τὰ κοινοῦντα τὸν ἄνθρωπον. [16]   17 Καὶ ὅτε εἰσῆλθεν εἰς οἶκον ἀπὸ τοῦ ὄχλου, ἐπηρώτων αὐτὸν (οβ/ϛ) οἱ μαθηταὶ αὐτοῦ τὴν παραβολήν.   18 καὶ λέγει αὐτοῖς Οὕτως καὶ ὑμεῖς ἀσύνετοί ἐστε; οὐ νοεῖτε ὅτι πᾶν τὸ ἔξωθεν εἰσπορευόμενον εἰς τὸν ἄνθρωπον οὐ δύναται αὐτὸν κοινῶσαι, 19 ὅτι οὐκ εἰσπορεύεται αὐτοῦ εἰς τὴν καρδίαν ἀλλ' εἰς τὴν κοιλίαν, καὶ εἰς τὸν ἀφεδρῶνα ἐκπορεύεται;—καθαρίζων πάντα τὰ βρώματα.   20 ἔλεγεν δὲ ὅτι Τὸ ἐκ τοῦ ἀνθρώπου

εκπορευομενα ℵBDLWΔΘ 33. 565. 700. 892 it. vg. Cop.ˢᵃ·, cf. Aug., cf. quae exeunt ex ore hominis Cop.ᵇᵒ· (ed.), cf. = quod exit ex homine Sy.ˢ·: τα εκπορευομενα απ (εξ 61. 245. 282) αυτου ΑΧΓΠΣΦ⸓ fam.¹ 22. fam.¹³ 543. 28. 157. 1071 al. pler., item Sy.ʰˡ· Arm., cf. = quod exit ab eo Sy.ᵖᵉˢʰ· Geo. ; om. εκπορευομενα 579 ; τα εκπορευομενα tant. 517. 1241. 1424. l48. l49 bis al. pauc. | εστιν (om. 579) τα κοινουντα τον ανθρωπον ℵBLΔΘ 517. (579) Cop.ᵇᵒ· (aliq.) : εκεινα εστιν τα κοινουντα (κινουντα errore 59. 71) τον ανθρ. ΑDWΧΓΠΣΦ⸓ Minusc. pler. it. vg. Aug. ; εκεινα κοινοι τον ανθρ. l184 ; om. Cop.ᵇᵒ· (pler. et ed.).

16. uers. om. ℵBLΔ* 28 Cop.ᵇᵒ· (pler. et ed.) Geo.¹, item l48 et l49 omittunt uersum in hoc loco sed ponunt ad finem insequentis lectionis ecclesiasticae : add. εἴ (η 565) τις ἔχει (εχη 59) ; ο εχων pro ει τις εχει 1071, item qui habet g¹ Sy.ˢ· ᵖᵉˢʰ· Cop.ˢᵃ· ᵇᵒ· aliq. Aeth. Arm.) ὦτα ἀκούειν ἀκουέτω ΑDWΧΓΔᶜᵒʳ· ΘΠ ΣΦ⸓ Minusc. rell., item si quis habet aures audiendi audiat it. vg. Sy.(ˢ· ᵖᵉˢʰ·) ʰˡ· Cop.ˢᵃ· ᵇᵒ· (aliq.) Aeth. Arm. Aug. ; = qui habent aures audire audiant Geo.²

17. και (om. 543) οτε : = quum autem Sy.ᵖᵉˢʰ· Cop.ˢᵃ· | εισηλθεν (+ ο Ιησους S vg. 1 MS Sy.ᵖᵉˢʰ·) ΑBDLΧΓΔΘΠΣΦ⸓ (exc. U) fam.¹ 22. fam.¹³ 543. 28. 33. 157. 565. 700. 892. 1071 al. pler. it. vg. (exc. 1 MS) Sy.ˢ· (= introibat) ᵖᵉˢʰ· ʰˡ· Cop.ˢᵃ· Geo. : εισηλθον ℵUW 116. 127. 131. 245. 435. 472. 485. 579 vg. (1 MS) Cop.ᵇᵒ· Aeth. Arm. | οικον ΑBLWΧΓΘΠ ΣΦ⸓ Minusc. pler.: τον οικον ℵΔ 258. 485 ; την οικιαν (⁓κειαν D) D 474. 565 | απο του οχλου : praem. τινος των 282 | επηρωτων (επερ. Χ ; επηρωτουν Σ ; ⁓ τον Ω) Uncs. pler. 118. 22. fam.¹³ 543. 28. 157. 565. 700. 892. 1071 al. pler. it. vg. Sy.ʰˡ· Cop.ᵇᵒ· Geo. Arm. (ed.) : και επηρωτων Μ l48 ; επηρωτησαν Θ 1. 209. 33. 56. 58. 60. 579 Sy.ˢ· ᵖᵉˢʰ· Cop.ˢᵃ· Aeth. Arm. (aliq.) | αυτον : om. l48 | μαθηται αυτου : om. αυτου Δ Arm. | την παραβολην ℵBDLΔ 33. 579. 892, item parabolam it. (parabolam istam c f) vg. Cop.ᵇᵒ· Aeth. (= hanc parabolam) Aug. : περι της παραβολης ΑWΧΓΘΠΣΦ⸓ fam.¹ 22. fam.¹³ 543. 28. 157. 565. 700. 1071 al. pler. Sy.ˢ· ᵖᵉˢʰ· ʰˡ· Cop.ˢᵃ· Geo. Arm.

18. λεγει : ελεγεν fam.¹ 28 ; = dixit Cop.ˢᵃ· ᵇᵒ· Geo. | αυτοις : = +iesus Geo.ᴮ | ουτως ℵᶜΑBD

LWΧΥΓΘΠΣΦ⸓ (exc. ουτος sic Ω) fam.¹³ 543. 33. 157. 565. 579. 700. 892. 1278 al. plur. : ουτω ℵ*Δ fam.¹ 22. 1071 al. plur. ; οντως 482 ; om. 28 | εστε: εσται 28 | ου pr. ΑBDWΧΓΘΠΣΦ⸓ (exc. U) 22. fam.¹³ 543. 28. 33. 157. 565. 579. 892. 1071 al. pler. it. (exc. f) vg. (exc. 1 MS) Sy.ˢ· ᵖᵉˢʰ· ʰˡ· txt. Cop.ˢᵃ· ᵇᵒ· : ουπω ℵLUΔ fam.¹ 71. 472. 569. 692. 700. 892. l18. l19. l48. l49. l184 alia euangelisteria, item nondum f vg. (1 MS) Sy.ʰˡ· ᵐᵍ· Geo. (= non iam) | ασυνετοι : συνετοι errore 201* | εξωθεν (pon. post εισπορευομενον 71. 122. 237. 259. 569. 692, item c) : εσωθεν 11 ; om. Δ Sy.ˢ· | εις τον ανθρωπον : om. ℵ ; = in os hominis Cop.ᵇᵒ· | ου δυναται αυτον κοινωσαι : ου κοινοι τον ανθρωπον ℵ, similiter = non polluit eum Sy.ˢ·

19. οτι ουκ : ου γαρ D, item nec enim a b i q r¹, neque enim n, similiter Geo. Aeth. Arm. ; nil nisi non ff ; = quia non enim Sy.ˢ· | εισπορευεται : εισερχεται D | αυτου εις την καρδιαν (διανοιαν W) : om. αυτου 36. 238. 245 Sy.ˢ· Cop.ˢᵃ· Geo.² ; > εις την καρδιαν αυτου DΔ it. vg. Sy.ᵖᵉˢʰ· ʰˡ· Cop.ᵇᵒ· Geo.¹ Aeth. Arm. | αλλ : αλλα ΑWΔ fam.¹³ 543 | εις την κοιλιαν : = in uentrem (uentre a) eius (a) n Sy.ᵖᵉˢʰ· Cop.ᵇᵒ· ; + uadit vg. (6 MSS) | εις τον (om. SΦ fam.¹ 238. 241. 517. 569. 700) αφεδρωνα (αφαιδρωνα Γ 59. 71 ; αφαιδρονα Χ 28) : εις το οχετον D ; = extrinsecus Sy.ˢ· Arm. ; = in secretum Aeth. | εκπορευεται (εκπορευωνται sic errore 579) : εκβαλλεται ℵΦ 38. 61. 435. 472 ; εισπορευεται l184 ; εξερχεται D ; χωρει W | καθαριζων ℵΑBEFGHL SWΧΔΘΩ fam.¹ fam.¹³ 543. 28. 59. 73. 74. 122*. 229. 235. 244. 251. 282. 435. 475. 482. 506. 559. 565. 579. 692. 892. 1071. l49. l184, cf. purgans it. (exc. i r¹) vg., item Sy.ᵖᵉˢʰ· Cop.ˢᵃ· ᵇᵒ· : καθαριζον ΚΜUVΓΠΣΦ 22. 33. 157. 700. 1278 al. pler. ; uidetur = purgans Sy.ʰˡ· Aeth. ; και (om. D) καθαριζει D l185, item et purgat i r¹ Geo. Arm. ; καθαριζειν 61* ; παντα : om. l48 ; τα (om. 579) βρωματα : + et exit in riuum a n | pro καθαριζων παντα τα βρωματα hab. = purgata est omnis esca Sy.ˢ·

20. ελεγεν δε (ελεγον δε DF, item dicebant autem vg. 2 MSS) : ελεγεν γαρ 33. 579 ; = et dicebat Arm., = et dixit Geo., = et dicit Aeth., etiam = + illis Cop.ˢᵃ· Geo.¹ ᵉᵗ ᴮ Aeth. ; om. Sy.ˢ· ᵖᵉˢʰ· | οτι : om. r² | το (om. Π* l184 ; παν το 245) εκ του ανθρωπου εκπορευομενον (πορευομενον l184) : >

---

15. Aug. ᔆᵖᵉᶜ· nihil est extra hominem introiens in eum quod possit eum coinquinare sed quae de homine procedunt illa sunt quae communicant hominem.

ἐκπορευόμενον ἐκεῖνο κοινοῖ τὸν ἄνθρωπον· ²¹ ἔσωθεν γὰρ ἐκ τῆς καρδίας τῶν ἀνθρώ-
πων οἱ διαλογισμοὶ οἱ κακοὶ ἐκπορεύονται, πορνεῖαι, κλοπαί, φόνοι, ²² μοιχεῖαι, πλεο-
νεξίαι, πονηρίαι, δόλος, ἀσέλγεια, ὀφθαλμὸς πονηρός, βλασφημία, ὑπερηφανία, ἀφροσύνη·
²³ πάντα ταῦτα τὰ πονηρὰ ἔσωθεν ἐκπορεύεται καὶ κοινοῖ τὸν ἄνθρωπον. ²⁴ Ἐκεῖθεν δὲ
ἀναστὰς ἀπῆλθεν εἰς τὰ ὅρια Τύρου καὶ Σιδῶνος. Καὶ εἰσελθὼν εἰς οἰκίαν οὐδένα ἤθελεν
γνῶναι, καὶ οὐκ ἠδυνάσθη λαθεῖν· ²⁵ ἀλλ' εὐθὺς ἀκούσασα γυνὴ περὶ αὐτοῦ, ἧς εἶχεν

το εκπορευομενον εκ του ανθρωπου 74. 90. 282. 481.
483. 484. 485. 569; *om.* εκ του ανθρωπου 251. 472;
cf. = ex ore hominis *pro* εκ του ανθρ. Cop.ᵇᵒ·; *cf.*
quae (quaecumque *c*) de homine exeunt *it. vg.*
| εκεινο (∼ νω Ω 28): εκεινα D, *item* illa (ipsa *c*,
haec *ff*) *it. vg.* | κοινοι: κοινει 118; κινει *sic* 69.

21 *et* 22. *om.* εσωθεν γαρ *usque ad* ανθρωπον (*uers.*
23) 349 | εσωθεν γαρ: *om.* 28; autem *pro* enim (γαρ)
c d f ff i l; – *om.* εσωθεν *et pon.* γαρ *post* καρδιας Sy.ˢ·
| των ανθρωπων (του ανθρωπου M) οι διαλογισμοι:
>οι διαλογισμοι των ανθρωπων Δ 28 Sy.ˢ· Geo.¹;
om. των ανθρωπων fam.¹ | οι (*om.* D*W) κακοι
(πονηροι 241): *om.* 225. 237. | πορν. κλοπ. φον.
μοιχ. πλεονεξ. πονηρ. δολ. ασελγ. οφθ. πονηρ. βλασφ.
υπερηφ. αφροσ. *in hoc ordine* ℵBLΔΘ 579. 892
Cop.ˢᵃ· ᵇᵒ·: *pon.* μοιχ. *ante* πορν. ΑΝWΧΥΓΠΣΦϚ
fam.¹ 22. fam.¹³ 543. 28. 33. 157. 565. 700. 1071 al.
pler. Sy.ˢ· ᵖᵉˢʰ· ʰˡ· Geo., *etiam* φον. *ante* κλοπ. ΑΝΧ
ΥΓΠΣΦϚ 22. fam.¹³ (*exc.* 124) 543. 157. 1071 al.
pler. Sy.ˢ· ʰˡ·, *om.* φονοι 28, *pon.* δολ. *ante* πονηρ. D
565, πονηριαι *ante* φονοι 238; *κλεμματα* μοιχειαι
φονος *pro* κλοπαι φονοι μοιχ. D; *om.* κλοπαι φονοι
πλεονεξ. πονηρ. 245; > πονηρ. οφθ. *pro* οφθ. πονηρ.
483*. 484; *om.* βλασφημ. Δ *l*10; *om.* υπερηφ. 253
| πορνειαι: πορνιαι ℵAWΘΣ fam.¹³ (*exc.* 124) 543.
28; πορνειριαι *sic* 157; = fornicatio Sy.ˢ· ᵖᵉˢʰ·
| κλοπαι: = furtum Sy.ˢ· ᵖᵉˢʰ· | φονοι: φονος D
W** Sy.ˢ· ᵖᵉˢʰ· | μοιχειαι: μοιχιαι ℵLWΘ 13. 346.
543. 28. 253; =adulterium Sy.ˢ· ᵖᵉˢʰ· | πλεονεξιαι:
πλεονεξια DW² *it.* (*exc.* *l*) Sy.ˢ· ᵖᵉˢʰ· | πονηριαι:
πονηρια DW *it.* Sy.ˢ· ᵖᵉˢʰ· | δολος: δολοι Θ Cop.ˢᵃ·
ᵇᵒ· Geo. | ασελγεια (ασελγια ℵAGΣΦ 13. 124.
543): ασελγιαι (*uel* ∼ γειαι) Θ 69. 346. 90. 91.
238. 248. 330. 349. 517. *l*184 al. pauc. Cop.ˢᵃ· ᵇᵒ·
Geo. | οφθαλμος πονηρος: = oculi mali Cop.ᵇᵒ·
Geo. | βλασφημια (∼ εια AN): βλασφημιαι DΘ
118. 13. 346. 50. 52. 238. 349. 476. 485. 517. 565.
692. *l*184 al. pauc. *b c vg.* (aliq.) Cop.ᵇᵒ· Geo.
| υπερηφανια (∼ νεια ALN): υπερηφανιαι DΘ 238.
485. 517. 565 *b* Geo. | αφροσυνη: αφροσυναι Θ
565 Geo. | *cf.* adulteria furta fornicationes homi-
cidia (>adult. fornic. homic. furta *f l r²vg.* Aug.)
auaritia (cupiditas *c*; auaritiae *l* *vg.*) nequitia
(malicia *c ff*; nequitiae *vg.* Aug.) dolus (*pon. ante*
nequitia *d l*) impudicitia (∼ tiae *r²* *vg.* aliq.; liuido
impud. *f*; *om.* *l*; + inuidia *g¹*) oculus malus (nequa

sic a) blasphemia (∼ ae *b c g r² vg.* aliq.) superbia
(∼ biae *b*) stultitia (imprudencia *c*) *it. vg.* Aug. ˢᵖᵉᶜ·
23. παντα ταυτα: *om.* παντα L 892 Aug.ˢᵖᵉᶜ·;
om. ταυτα W Sy.ˢ·; >ταυτα παντα ΚΓ 13. 28. 33.
116. 258. 349. 472. 517. *l*184 Sy.ᵖᵉˢʰ· Cop.ˢᵃ· ᵇᵒ·
Aeth. Arm. | τα (*om.* ΕΘ 13. 90. 471. 579) πονηρα:
om. fam.¹ (*exc.* 118) 565. 700; *esw* πονηρα 118*
| παντα ταυτα τα πονηρα: = omne hoc malum
Geo. | εσωθεν εκπορευεται: εσωθεν εκπορευονται
GKNΣ 28. 485. 517. 569. *l*184 *it. vg.* Sy.ˢ· ᵖᵉˢʰ· ʰˡ·
Arm.; >εκπορευονται εσωθεν Δ, *cf.* = procedentia
ab intus Cop.ˢᵃ· ᵇᵒ· Aeth. | και: κακεινα ℵ 238,
item et haec *ff*; = *om.* Cop.ˢᵃ· | κοινοι: κοινει
118. 346, κινει 69; = communicantia Cop.ˢᵃ· | τον:
των *errore* Γ 13.
24. εκειθεν (εκειθε B*) δε αναστας ℵBLΔ 517.
892 Sy.ʰˡ· ᵐᵍ·: κακειθεν δε αναστ. 33. 579 Cop.ᵇᵒ·;
και εκειθεν (κακειθεν 482) αναστ. ΑΝΧΓΘΠΣΦϚ fam.¹
22. fam.¹³ 543. 28. 157. 565. 700. 1071 al. pler. *l r²*
vg. Sy.ʰˡ· ᵗˣᵗ· Geo.² Arm.; > και αναστας εκειθεν D
f ff g¹ (+ iesus) *q r¹* Geo.¹ Aeth.; και αναστας (*om.*
εκειθεν) W *a b i n* Sy.ˢ·, et exiens iesus *c*; = inde
surrexit iesus et Sy.ᵖᵉˢʰ·; = surrexit autem inde
Cop.ˢᵃ· | απηλθεν: εξηλθεν LΔ; εισηλθεν 241ᵐᵍ·
245; ηλθεν M 28. 700 Sy.ᵖᵉˢʰ· Or. | ορια ℵBDL
WΔΘ fam.¹ (*exc.* 118) fam.¹³ (*exc.* 124) 543. 28.
61ᵐᵍ· 565. 579. 700. 892: μεθορια ΑΝΧΓΠΣΦϚ
118. 22. 124. 157 al. pler. | Τυρου και Σιδωνος
(Σειδωνος B) ℵABNΧΓΠΣΦϚ Minusc. pler. *c f g² l*
q r² *vg.* Sy.ᵖᵉˢʰ· ʰˡ· Cop.ˢᵃ· ᵇᵒ· Geo. Aeth. Arm.:
om. και Σιδωνος DLWΔΘ 28. 565 *a b ff i n r¹* Sy.ˢ·
Or. | και εισελθων εις την οικιαν: *om.* *l*48 *bis*
| εισελθων (εισελθεν *sic* Θ): ελθων 40. 53. 470 | οι-
κιαν Uncs. pler. fam.¹ 22. fam.¹³ 543. 28. 33. 131.
157. 229. 234. 349. 517. 579. 700. 892. 1071. 1278
al. pler.: την οικιαν DWΘΦ 565. 569 al. Or.; οικον
14 | ηθελεν (εθελεν 487) ABDLNWXΓΘΠΣΦϚ
fam.¹ 22. 13. 28. 33. 157. 579. 700. 892. 1071 al.
pler., *item* uolebat *c q* Sy.ˢ· ᵖᵉˢʰ· ʰˡ· Cop.ᵇᵒ· Arm.:
ηθελησεν ℵΔ fam.¹³ (*exc.* 13) 543. 238. 472. 565.
*l*184 *it.* (*exc.* *c q*) *vg.* Cop.ˢᵃ· Geo. Aeth. Or. | γνωναι:
= ut quisquam cognosceret de eo Sy.ˢ· ᵖᵉˢʰ· | ηδυ-
νασθη ℵB: ηδυνηθη (εδυνηθη ΚΔΠΣΦϚ 72. 481. 482.
*l*184) ADLNWXΓ(Δ)Θ(Π)(Σ)(Φ)Ϛ Minusc. pler.:
ηδυνατο 122. 435. 565 | λαθειν: λαλειν ℵ* (cor.**)
25. αλλ (αλλα ℵ; = et Cop.ᵇᵒ· ᵉᵈ·) ευθυς ακουσασα

24. Or. ⁱⁿ Matth. Tom. XI. αναστας ηλθεν εις τα ορια Τυρου, και εισελθων εις την οικιαν ουδενα εθελησε
γνωναι.

τὸ θυγάτριον αὐτῆς πνεῦμα ἀκάθαρτον, ἐλθοῦσα προσέπεσεν πρὸς τοὺς πόδας αὐτοῦ·
²⁶ ἡ δὲ γυνὴ ἦν Ἑλληνίς, Συροφοινίκισσα τῷ γένει· καὶ ἠρώτα αὐτὸν ἵνα τὸ δαιμόνιον (ογ/ς)
ἐκβάλῃ ἐκ τῆς θυγατρὸς αὐτῆς.   ²⁷ καὶ ἔλεγεν αὐτῇ Ἄφες πρῶτον χορτασθῆναι τὰ
τέκνα, οὐ γάρ ἐστιν καλὸν λαβεῖν τὸν ἄρτον τῶν τέκνων καὶ τοῖς κυναρίοις βαλεῖν.   ²⁸ ἡ
δὲ ἀπεκρίθη καὶ λέγει αὐτῷ Ναί, κύριε, καὶ τὰ κυνάρια ὑποκάτω τῆς τραπέζης ἐσθίουσιν

γυνη περι αυτου אBLΔ 33. 579. 892, item sed continuo cum audisset mulier de eo f, similiter Sy.ʰˡ·ᵐᵍ· Cop.ˢᵃ· ⁽ᵇᵒ·⁾, = statim enim audiuit mulier quaedam de eo Sy.ᵖᵉˢʰ·: γυνη δε ευθεως ως ακουσασα περι αυτου D, cf. mulier enim (autem vg. 2 MSS) + quaedam g¹) statim (om. g²) ut audiuit (audierat b) de eo b c ff g² i r¹·² vg.; ακουσασα γαρ (δε 142*.248) γυνη (η γυνη M 13. 69. 346. 349; γυνη τις 700) περι αυτου ANWXΓΘΠΣΦϚ fam.¹ 22. fam.¹³ 543. 28. 157. 565. 700. 1071 al. pler. a n Sy.ʰˡ·ᵗˣᵗ·, cf. cumque audisset de eo mulier q; = et cum audisset mulier Sy.ˢ·; = audiuit (praem. quia Geo.²) mulier una (>quaedam mulier Geo.²) de eo (om. de eo Geo.¹) Geo. | ης: η 28. 346. l181 | om. το 𝔭⁴⁵ 28 | αυτης ABLNXΓΠΣΦϚ 22. 124. 543. 157. 579. 892. 1071 al. pler. Sy.ˢ· ᵖᵉˢʰ· ʰˡ·: om. אDWΔΘ 𝔭⁴⁵ fam.¹ fam.¹³ (exc. 124) 28. 225. 237. 253. 475**. 565. 569. 700 al. pauc., item it. vg. Cop.ˢᵃ· ᵇᵒ· Geo. | πνευμα ακαθαρτον Uncs. pler. Minusc. pler.: εν πνευματι ακαθαρτω W 𝔭⁴⁵ fam.¹³ (exc. 124) 543. 28. 38. l181 | ελθουσα ABD (+και) NWXΓΘΠΣΦϚ Minusc. pler.: εισελθουσα אLD (+και) 579. 700. 892; προσελθουσα 27; cf. uenit et a q, similiter Sy.ˢ· ᵖᵉˢʰ· ʰˡ· Cop.ˢᵃ· ᵇᵒ· Geo.², intrauit et (om. i) d i l r² vg., introit (introiuit c) b c, intrauit ad eum et f; om. Geo.¹ | προσεπεσεν προς (εις 61. 90. 106. 330. 483. 484. 697. 700. 1278; παρα 238, item ante q) τους ποδας αυτου Uncs. omn. Minusc. pler.: προσεπεσεν (επεσεν 1. 209; om. 235) αυτω (1) (209) fam.¹³ (exc. 124) 543. 28 Sy.ˢ· Cop.ˢᵃ· Arm.; nil nisi ad eum b c i (sed cf. add. in uers. 26 c i)

26. η δε γυνη ην אBDLWΔΘ 𝔭⁴⁵ fam.¹ 28. 33. 59. 82. 125ᵐᵍ· 517. 565. 569. 579. 700. 892, item mulier autem (= om. Sy.ˢ·) erat a Sy.⁽ˢ·⁾ ᵖᵉˢʰ· Cop.ˢᵃ· ᵇᵒ· Geo., cf. = et mulier erat Sy.ʰⁱᵉʳ· Aeth. Arm.: ην δε η (om. U 256) γυνη ANXΓΠΣΦϚ 22. fam.¹³ 543. 157 al. pler., item erat autem (enim vg. 4 MSS) mulier f l q r² vg. (pler.) Sy.ʰˡ·; nil nisi erat enim c ff i | ελληνις (᷾νεις 28; ελλινης 471): ελλην Δ; graeca it. (exc. f l r²); gentilis f l r² vg. Sy.ᵖᵉˢʰ· ʰˡ· Geo.; = uidua sic Sy.ˢ·; Aramaea Sy.ʰⁱᵉʳ· Aeth. | συροφοινικισσα (᷾νηκισα L, ᷾νηκισσα 73, ᷾νικησα l17, ᷾νικησσα 28, ᷾νικισση 59. 61. 62. 64) אAKLSᵐᵍ· Vᵐᵍ· fam.¹ 28. 106. 565. 579. 892. 1071 al. mu. Aeth., similiter συραφοινικισσα (᷾νεικισσα B; ᷾νικησσα EFH) BEFGHMNS*V*XΓϚΩ 𝔭⁴⁵ ᵘⁱᵈ· 22. fam.¹³ 543. 71. 131. 157. 349. 692. 697. 700. 1278 al. mu.: συραφοινισσα UW 5. 6. 7. 8. 9. 10. 14.

229**, similiter a q vg. (1 MS); συροφοινισσα (non Graec. MSS), cf. Syrophoenissa (uel ᷾ foenissa, ᷾phenissa) b c d ff l r² (᷾ finissa) vg. (pler.); φυνισσα D* (φοινισσα D²), cf. phoenissa i; = a limite Tyri Phoenices Sy.ˢ· | τω γενει (γενη 28): το γενη 1071; om. Sy.ˢ· ᵖᵉˢʰ· | και: in hoc loco add. procidens ad pedes (+ eius i) c i, cf. uers. 25 | το δαιμονιον: = spiritum Sy.ˢ· | εκβαλη אABDEGK²LNSUVWX YΓΔΠΣΩ 1. 22. fam.¹³ (exc. 69) 543. 33. 565. 700. 892. 1278 al.: εκβαλει 28. 472. 482. 579. l184; εκβαλλη FHK*ΘΦ 118. 209. 69. 157. 1071 al. pler.; εκβαλλει M 66.* 474 | εκ (απο 115): om. 𝔭⁴⁵ L fam.¹ fam.¹³ 543. 28. 71. 131. 565. 692. 700. l10 q | > της θυγατρος αυτης εκβαλη (εκβαλλη 69) fam.¹³ (exc. 124)

27. και ελεγεν αυτη אBLΔ 33. 579. 892 Sy.ʰⁱᵉʳ· Cop.ᵇᵒ·, cf. = dixit autem ei Cop.ˢᵃ·, cf. qui (et d) dixit illi (ei d ff; om. c) b (c) (d) (ff) g² (+iesus) i l r² vg.: ο δε Ιησους ειπεν αυτη (om. 1. 209. 28. 90*) ANWXΓΠΣΦϚ (1). 118. (209). 22. fam.¹³ 543. (28). 157. 565. 700. 1071 al. pler. Sy.ʰˡ· Geo.², cf. = et iesus dixit ei Geo.¹, = > et dixit ei iesus Sy.ᵖᵉˢʰ· Aeth.; και λεγει αυτη DΘ 700 a g¹, cf. iesus autem ait illi f, et ait iesus ad illam q, = ait illi iesus Sy.ˢ· | > τα τεκνα χορτασθηναι 565 | γαρ: om. g² l Sy.ˢ· | εστιν καλον אBDLΔΘ fam.¹ (exc. 118) 124. 12. 330. 517. 565. 569. 700. 892. l48. l49. it. vg. : > καλον εστιν ANWXΓΠΣΦϚ 118. 22. fam.¹³ (exc. 124) 543. 28. 157. 1071 al. pler. | λαβειν: αραι Θ 565, cf. tollere c | τοις κυναριοις βαλειν (βαλην Θ) אBΘ fam.¹ (exc. 118) 28. 892. l49 q: > βαλειν (βαλλειν 157) τοις κυναριοις (κοιναρ. Ω) ADLNWX ΓΔΠΣΦϚ 118. 22. fam.¹³ 543. 33. 157. 565. 700. 1071 al. pler. it. (exc. q) vg. Sy.ˢ· ᵖᵉˢʰ· ʰˡ· Cop.ˢᵃ· ᵇᵒ· Geo. Aeth. Arm. Bas.

28. η δε απεκριθη (απεκριθει 28; απεκρυθη 13): η δε αποκριθεισα et om. και (et) ante λεγει 59. 73. 116. 238. 247. 472 b c g¹·² vg. (1 MS); om. Sy.ˢ· Cop.ᵇᵒ· (1 MS) | και λεγει αυτω אABLNXΓΔΠΣΦϚ 22. 124. 346. 33. 157. 579. 892. 1071 al. pler., item et (om. vg. 1 MS) dicit ei l vg. (pler. et WW) Sy.ᵖᵉˢʰ· ʰˡ·, ait ei b g¹·², cf. et dixit ei r² Geo.ᴮ Aeth., = et dixit Geo.¹ ᵉᵗ ᴬ: ειπεν αυτω 472; dixit ei c ff Cop.ᵇᵒ·; >αυτω και λεγει 237; αυτω (om. 𝔭⁴⁵ ᵘⁱᵈ·) λεγουσα 𝔭⁴⁵ DWΘ 700 a f i n q Cop.ˢᵃ·; nil nisi λεγουσα 13. 69. 28. 565 Arm.; = mulier dicit ei Sy.ˢ· | ναι (ita a n, utique f r² vg., etiam q): om. 𝔭⁴⁵ DWΘ 13. 69. 543. 565. 700 b c ff i Arm. | κυριε: =

27. Bas. de bapt. II. 8. 6. ουκ εστι καλον λαβειν τον αρτον των τεκνων και βαλειν τοις κυναριοις.

ἀπὸ τῶν ψιχίων τῶν παιδίων.   ²⁹ καὶ εἶπεν αὐτῇ Διὰ τοῦτον τὸν λόγον ὕπαγε, ἐξελή-
λυθεν ἐκ τῆς θυγατρός σου τὸ δαιμόνιον.   ³⁰ καὶ ἀπελθοῦσα εἰς τὸν οἶκον αὐτῆς εὗρεν
(οδ/ι) τὸ παιδίον βεβλημένον ἐπὶ τὴν κλίνην καὶ τὸ δαιμόνιον ἐξεληλυθός.   ³¹ Καὶ πάλιν
ἐξελθὼν ἐκ τῶν ὁρίων Τύρου ἦλθεν διὰ Σιδῶνος εἰς τὴν θάλασσαν τῆς Γαλιλαίας ἀνὰ
μέσον τῶν ὁρίων Δεκαπόλεως.   ³² Καὶ φέρουσιν αὐτῷ κωφὸν καὶ μογιλάλον, καὶ παρα-
καλοῦσιν αὐτὸν ἵνα ἐπιθῇ αὐτῷ τὴν χεῖρα.   ³³ καὶ ἀπολαβόμενος αὐτὸν ἀπὸ τοῦ ὄχλου

---

domine mi Sy.^s·pesh· Cop.^bo· | και sec. sine add.
ℵBHWΔΘ p⁴⁵ 13. 69. 28. 33. 565. 579. 700. 892.
l9. l10. l12. l49 Sy.^s·pesh· Cop.^sa·bo· Geo.^A Aeth.
Arm.: και γαρ (+ και 258) ALNXΓΠΣΦϠ (exc. H)
fam.¹ 22. 124. 346. 543. 157 al. pler. Sy.^hl·, item
nam et a f l n q r² vg.; αλλα και D, item sed et b c
ff i r¹; = enim post canes Geo.¹ et B | κυναρια
(κοιν. ΔΩ) υποκατω (τα υποκ. p⁴⁵; αποκατω l184)
τ. τραπεζ. εσθ. : > κυναρια εσθιουσιν αποκατω (ℵ*
sed υποκ. ℵ^c) τ. τραπεζ. ℵ g² | εσθιουσιν ℵBDLW
ΔΘ fam.¹ fam.¹³ (exc. 124) 543. 28. 33. 472. 506.
517. 565. 579. 700. 892. l18. l19. l49: εσθιει (εσθιη
244. 692) ΑΝΧΓΠΣΦϠ 22. 124. 157. 1071 al. pler.
| ψιχιων (ψιχαν DW; ψυχιων 346): + των πιπτοντων
απο της τραπεζης 157. 472. 1071, similiter Sy.^s·; +
των πιπτοντων tant. 485 Cop.^sa· Aeth. | των παι-
διων: των παιδων D (non plane) 64. 82. 122; om.
485. 1071 | post παιδιων = add. et uiuunt Sy.^hier·

29. και ειπεν αυτη: om. 253 | και·: = om. Sy.^s·
pesh· Geo.; qui c, at (ad f) f vg. (1 MS), tunc vg.
(1 MS), = autem (post dixit) Cop.^sa· | ειπεν: dicit
a, ait b d ff i l q r² vg. (pler.) | αυτη (= om. Geo.):
+ ο Ιησους ΝΣ r¹ vg. (aliq. sed non WW) Sy.^pesh·
hier· | δια τουτον τον λογον υπαγε: > υπαγε δια
τουτον τον (om. D) λογον D fam.¹ 565. 700. it. (exc.
l r²) g¹ Sy.^pesh· | εξεληλυθεν (~θει 122, 300, ~θη
59; +γαρ 157) exiit VSS pler. sed exiet c g¹ vg.
2 MSS) usque ad δαιμονιον: cf. contingat tibi de
filia ut cupis b | εκ της θυγατρος σου το δαιμονιον
ℵBLΔΘ 1. 892. 1071 Cop.^bo·: > το δαιμονιον εκ (απο
Γ 118. 127. 157. 229*. 271. 435. 482) της θυγατρος
σου ADNWXΓΠΣΦϠ p⁴⁵ 118. 209. 22. fam.¹³ 543.
28. 33. 157. 565. 579. 700. 892. 1071 al. pler., item
daemonium de (a a c ff n q r¹·² vg. 2 MSS) filia tua
it. (exc. b) vg. Sy.^s·pesh·hl·hier· Cop.^sa· Geo. Aeth.
Arm.

30. τον: om. DL | εις τον οικον αυτης (εαυτης
ℵΘ 33. 579): om. αυτης p⁴⁵ DW 1. 209. 28 b ff i
q r¹ vg. (1 MS) Cop.^bo·(1 MS), cf. domi n* | το
(και το 86. 569) παιδιον (την θυγατερα D fam.¹ l18.
l19; την θυγατερα αυτης Θ 565. 700 f q Cop.^sa·
Sy.^pesh·) βεβλημενον (~νην DΘ fam.¹ l18. l19) επι
(υπο L) την κλινην (της κλινης fam.¹ 3. 565. 579.
892. l18. l19) και το (om. Δ) δαιμονιον εξεληλυθος
(~θως 579; +ab ea b c vg. 3 MSS Sy.^pesh· Cop.^sa·)
ℵBDLΔΘ 0131 fam.¹ 33. 86. 517. 565. 569. 700.
l9. l10. l12. l18. l19. l49 it. (exc. a n) vg. Sy.^pesh·
hier· Cop.^sa·bo·: > το δαιμονιον εξεληλυθος (~θως
ΧΣΩ 13. 543*. 28; ~θων 346) και (hab. θοται pro

~θος και Κ) την θυγατερα (~ραν 346. 559. l184)
βεβλημενην επι της (om. 238) κλινης (την κλινην 52.
1071) ΑΝΩΧΓΠΣΦϠ p⁴⁵ 22. fam.¹³ 543. 28. 157.
1071 al. pler. a n Sy.^hl· Geo.¹ Arm.; = filiam suam
et exierat ab ea daemonium et iacuit supra lectum
Sy.^s·; = diabolum illum egressum et filiam illam
eius uestitam (haec 3 uerba om. Geo.^B) et sedentem
super grabbatum Geo.²

31. εξελθων sine add. ℵABDEKLMNUWΔΩ
0131 fam.¹ 13. 28. 33. 157. 565. 579. 700. 892 al.
pler. it. (exc. c) vg. Sy.^s·hl· Cop.^sa·bo· Geo. Aeth.
Arm.: + ο Ιησους FGHSVXΓ 22. fam.¹³ (exc. 13)
543. 229**. 238. 258. 506. 692. 1071 al. mu. Sy.^pesh·
hier·; hab. nil nisi iterum iesus pro παλιν usque ad
Τυρου c | εκ: απο 28. 565. 1071, item a q, sed de
it. (rell.) vg. | ηλθεν δια σιδωνος ℵBDLΔΘ 33.
565. 700. 892 it. (exc. q) vg. Sy.^hier· Cop.^bo· Aeth.:
και σιδωνος (σινδωνος 69*) ηλθεν ΑΝΩΧΓΠΣΦ 0131
Ϡ p⁴⁵ fam.¹ 22. fam.¹³ 543. 28. 157. 1071 al. pler.
q Sy.^s·pesh·hl· Cop.^sa· Geo. Arm. | εις ℵBDLWΔ
0131 fam.¹ (exc. 118) fam.¹³ 543. 28. 33. 565. 569.
579. 700. 892. l20: παρα 68. 220. 517; προς ΑΝΧ
ΓΘΠΣΦϠ 118. 22. 157. 1071 al. pler.. cf. ad it. vg.
| ανα μεσον των οριων (om. των οριων 44 Aeth.)
Uncs. pler. Minusc. pler., similiter Sy.^hl· Cop.^sa·bo·:
ανα μεσων των οριων Ε*ΚΧΣ 13. 346.3. 12. 14. 28.
218. l54, cf. inter medios (medium ff) fines it. vg.
(pler.); = inter finem Sy.^s·; = in confinio Sy.^pesh·;
= inter confinia Geo. | δεκαπολεως (της δεκαπ.
DΘΦ 0131 Cop.^sa·bo·): εις την δεκαπολιν W.

32. και φερουσιν: et adduxerunt c Sy.^s·pesh·
Cop.^bo·, = adduxerunt autem Cop.^sa· | αυτω: αυτον
sic 251. 472; om. r² | κοφον 13 | και sec. ℵBDW
ΔΘ 0131. 565. 700 it. vg. Sy.^hier· Geo.² Aeth. Arm.
(ed.) Pseud.-Athan. Synops. Caten.-Ox. Vict.^Ant·:
om. ALNXΓΠΣΦϠ p⁴⁵ Minusc. rell. Sy.^s·pesh·hl·
Cop.^sa·bo· Geo.¹ Arm. (aliq.) | μογιλαλ. ℵAB*D
GKMSUVΘΠΣΦΩ p⁴⁵ 1. 209. 22. 124. 330. 517.
565. 569**. 1071. l251. l253. l260 al.: μογγιλαλ.
B³EFHLNWX(μογγ.)ΓΔ 0131. 118 fam.¹³ (exc.
124) 28. 33. 71. 157. 579. 692. 697. 892 al. plur.
| και παρακαλουσιν: και παρεκαλουν 0131. 33. item
et deprecabantur it. (item d δ, sed rogantes a,
deprecantes r¹, et deprecantur l) vg. (mu. sed et
deprecantur pler. et WW) Sy.^s·pesh· Geo.²; = et
deprecati sunt Cop.^sa·bo·; = om. Geo.¹ | αυτον:
αυτω V 258. 482; om. 472 a Arm. | αυτω sec.:
om. 0131; επ αυτον 68 | την χειρα (χειραν D) ℵ^c
ABDLWXΓΘΠΦϠ Minusc. pler. it. (exc. a) vg.

κατ᾽ ἰδίαν ἔβαλεν τοὺς δακτύλους αὐτοῦ εἰς τὰ ὦτα αὐτοῦ καὶ πτύσας ἥψατο τῆς γλώσσης αὐτοῦ, ³⁴ καὶ ἀναβλέψας εἰς τὸν οὐρανὸν ἐστέναξεν, καὶ λέγει αὐτῷ Ἐφφαθά, ὅ ἐστιν Διανοίχθητι· ³⁵ καὶ ἠνοίγησαν αὐτοῦ αἱ ἀκοαί, καὶ ἐλύθη ὁ δεσμὸς τῆς γλώσσης αὐτοῦ, καὶ ἐλάλει ὀρθῶς· ³⁶ καὶ διεστείλατο αὐτοῖς ἵνα μηδενὶ λέγωσιν· ὅσον δὲ αὐτοῖς (οε/η) διεστέλλετο, αὐτοὶ μᾶλλον περισσότερον ἐκήρυσσον. ³⁷ καὶ ὑπερπερισσῶς ἐξεπλήσ-

Sy.ᵖᵉˢʰ· ʰˡ· Cop.ᵇᵒ· (ed.) Geo.: τας χειρας ℵ*ΝΔΣ 0131. 33. 579 a; = manum eius Sy.ˢ· ʰⁱᵉʳ· Cop.ˢᵃ· ᵇᵒ· (1 MS).

33. απολαβομενος Uncs. pler. 1. 22. fam.¹³ 543. 28. 33. 565. 579. 892*. 1071 al. plur.: επιλαβομενος Ε*Γ 0131. 118. 209. 108. 131. 142*. 157. 251**. 253. 475. 485. 700. 892². l184 al. mu.; προσλαβομενος W; λαβομενος Δ 63** | αυτον: αυτου 131. 485 | απο του οχλου κατ (καθ 𝔭⁴⁵) ιδιαν: > κατ ιδιαν απο τ. οχλ. 517; om. 271 | απο: εκ ΓΔ 235. 251. 349. 475. 482. l184, item de a b d i l q r¹· ² aur. (sed a c f ff vg.) | κατ ιδιαν: pon. ante απο του οχλου 517; = om. Sy.ˢ·; = cepit eum seorsum Cop.ˢᵃ· | εβαλεν Uncs. omn. (exc. ελαβεν ℵ*) 1. 22. 28. 33. 565. 579. 700. 892. 1071 al. pler.: εβαλλε 118. 209. 157; επεβαλε fam.¹³ 543, cf. immisit c, cf. = imposuit Geo.; ενεβαλεν 𝔭⁴⁵ | τους (om. W) δακτυλους (δαστυλ. N) αυτου Uncs. pler. Minusc. pler. VSS pler.: > αυτου τους δακτυλους 517. 569; om. αυτου ℵL 892 c i | εις τα ωτα αυτου: om. 579; om. αυτου (eius) b ff i l r² vg. (plur. et WW) | και: om. r² aur. vg. (1 MS) | πτυσας (+ χαμαι l21) hoc loco Uncs. pler. Minusc. pler. f l r² vg. Sy.ᵖᵉˢʰ· ʰˡ· Cop.ˢᵃ· ᵇᵒ·: pon. ante εβαλεν D, item expuens a b ff i, conspuens r¹, expuit c q; pon. post εβαλεν Θ 565; pon. ante εις τα ωτα αυτου W 𝔭⁴⁵ fam.¹³ (exc. 124) 543. 28. l253 Sy.ˢ·; pon. post γλωσσης αυτου 124 | γλωσσης (~ ωττης 483. 484. 700. l184· ~ σσας W): χειρας Δ (item manus δ) | pro εβαλεν usque ad γλωσσης αυτου hab. επτυσεν εις τους δακτυλους αυτου και εβαλεν εις τα ωτα του κωφου και ηψατο της γλωσσης του μογγιλαλου 0131.

34. εστεναξεν: ανεστεναξεν (αναστεν. 346) DΣ 0131 fam.¹³ 543 | λεγει: ειπεν l47, item = dixit Sy.ˢ· ᵖᵉˢʰ· ʰˡ· Cop.ˢᵃ· ᵇᵒ· Geo. | αυτω: τω ανθρωπω l49; = om. q Geo.ᴮ | εφφαθα Uncs. pler. Minusc. pler.: επφαθα Δ; εφαθα 209*. 248. l54; εφφεθα ℵᶜ D; εφεθθα W, cf. effeta b g² r¹· ² vg. (plur. sed non WW) Aug., effetha c l vg. (plur. et WW), eppheta f ff i q vg. (mu.), epheta aur. vg. (1 MS), epita a, effecta d, efpheta g¹ | ο εστιν διανοιχθητι (διανυχθητι ℵDW 0131. 28): om. Sy.ˢ· ᵖᵉˢʰ·; adaperire it. (pler.) vg. (pler.) Aug., aperire a c r² vg. (4 MSS).

35. και (om. l5 vg. 1 MS) pr. sine add. ℵBDLΔ

0131 ᵗˣᵗ· 33. 579. 892 a b ff i q (r¹) Cop.ᵇᵒ·: + ευθεως ΑΝWΧΓΘΠΣΦ 0131 ᵐᵍ· ♭ 𝔭⁴⁵ fam.¹ 22. fam.¹³ 543. 28. 157. 565. 700. 1071 al. pler. c f l r² vg. Sy.ˢ· ᵖᵉˢʰ· ʰˡ· Cop.ˢᵃ· Geo. Aeth. Arm. | ηνοιγησαν (ηνυγ. ℵD) ℵBDΔ 1. 209. 892: ηνοιχθησαν (ανοιχθ. 472) L 472; διηνοιγησαν (διηνυγ. WΘ) WΘ 124. 565. 700; διηνοιχθησαν ΑΝΧΓΠΣΦ 0131 ♭ 𝔭⁴⁵ 118. 22. fam.¹³ (exc. 124) 543. 28. 33. 157. 579. 1071 al. pler. | αυτου (αυτω 124) αι ακοαι: > αι ακοαι αυτου D it. vg. | και sec. sine add. ΑΒDNWΧΥΓΘΠΣΦ♭ Minusc. omn. VSS omn.: + ευθυς (ευθεως L ℵLΔ; + του μογγιλαλου 0131 (et om.ᵘⁱᵈ· αυτου post γλωσσης) | >ο δεσμος ελυθη 𝔭⁴⁵ ᵘⁱᵈ· | γλωσσης: γλωττης Δ 506. 700 | και ελαλει (ελαλη 0131. 28. 565; ελαλησεν Θ, item Sy.ˢ· ᵖᵉˢʰ· Cop.ˢᵃ·) ορθως (ορθος 472): om. 90; και ελαλει ευλογων τον θεον l31; + ωστε παντας εξιστασθαι 472, item + adeo ut omnis stuperent a.

36. διεστειλατο (διεστιλατο 28, διετειλατο 61ᵐᵍ· 700, διεστελετο l183): ενετειλατο Δ 579 | αυτοις pr.: αυτος αυτοις 124; αυτοις αυτος 13. 346. 33 | μηδενι: μηδεν 229. 234; μηδενι μηδεν D 28. 565. 700, item ne cui aliquid d, ne cui quidqam q | λεγωσιν ℵBLWΔΘ 0131. 28. 33. 565. 579. 892: ειπωσιν (~ ποσιν 346) ΑDNΧΥΓΠΣΦ♭ fam.¹ 22. fam.¹³ 543. 157. 517. 700. 1071 al. pler.; etiam + περι αυτου 517. 892 | οσον (οσω WΘ 44. 700) δε (om. 543) usque ad διεστελλετο (διεστελετο Χ; διεστειλατο 517, διεστιλατο 28; διετελλετο 61ᵐᵍ·. 70; ενετελετο Δ): om. D b c ff i Cop.ᵇᵒ· (1 MS) | οσον δε: quando (uid. d pro t) autem g² | αυτοις sec. ℵΑΒLWΧΔΘ 0131 fam.¹ 28. 53. 237. 259. 472. 565. 579. 700. 892 f l q r² vg. Cop.ˢᵃ· ᵇᵒ· Geo.: αυτος αυτοις ΝΥΓΠΣ♭ 𝔭⁴⁵ ᵘⁱᵈ· 22. fam.¹³ 33. 157. 1071 al. pler., similiter Sy.ˢ· ᵖᵉˢʰ· ʰˡ· Aeth. Arm.; > αυτοις αυτος 473; > εαυτοις αυτος 543 | αυτοι (οι δε αυτοι D*, item ad (uel at) illi b d ff i q, illi uero c) ℵBDLN ΔΣ 0131. 33. 61. 517. 565. 579. 892. 1071 b c d f ff i Sy.ˢ· ᵖᵉˢʰ· ʰⁱᵉʳ· Cop.ˢᵃ· ᵇᵒ· Arm.: om. ΑWΧΥΓΘΠΦ♭ fam.¹ 22. fam.¹³ 543. 28. 157. 700 a g² l r² vg. Sy.ʰˡ· Geo. Aeth.ᴬᵘᵍ· | περισσοτερον: περισσοτερως ℵD 0131. 61. 700. 1071.

37. και υπερπερ. usque ad λεγοντες: = om. Geo.¹ | υπερπερισσως (~ ισως ℵ 69*; ~ ισσω W; ~ ισσος 59; υπερεκπερισσως DU fam.¹ 700. 435): om. Cop.

---

34. Aug.ᶜᵒⁿˢ· effeta quod est adaperire.

36. Aug.ᶜᵒⁿˢ· praecepit illis ne cui dicerent quanto autem eis praecipiebat tanto magis plus praedicabant.

Aug.ᶜᵒⁿˢ· quanto magis eis praecipiebat ut tacerent tanto magis plus dicebant.

(ος/ς) σοντο λέγοντες Καλῶς πάντα πεποίηκεν καὶ τοὺς κωφοὺς ποιεῖ ἀκούειν καὶ ἀλάλους λαλεῖν.

VIII

¹ Ἐν ἐκείναις ταῖς ἡμέραις πάλιν πολλοῦ ὄχλου ὄντος καὶ μὴ ἐχόντων τί φάγωσιν, προσκαλεσάμενος τοὺς μαθητὰς λέγει αὐτοῖς ² Σπλαγχνίζομαι ἐπὶ τὸν ὄχλον ὅτι ἤδη ἡμέραι τρεῖς προσμένουσίν μοι καὶ οὐκ ἔχουσιν τί φάγωσιν· ³ καὶ ἐὰν ἀπολύσω αὐτοὺς νήστεις εἰς οἶκον αὐτῶν, ἐκλυθήσονται ἐν τῇ ὁδῷ· καί τινες αὐτῶν ἀπὸ μακρόθεν εἰσίν.

bo. (ed.); παντες 0131 Cop.bo. (1 MS) | εξεπληττοντο sic 69. 472 | λεγοντες: = +quia Sy.s. pesh. hl. | καλως παντα (τα παντα 251) πεποιηκεν (ποιει 0131, item Sy.s. pesh. hl. Geo.²): +ο κυριος 472 | και (ante τους κωφους): ως και B, cf. Cop.sa. bo. (aliq.); om. 0131. 28. 565 | ποιει (ποιειν 482, cf. Cop.sa.; pon. post ακουειν Δ*): πεποιηκεν W, item fecit q vg. (plur. et WW) | αλαλους אBLΔ 33. 892: τους αλαλους ADNXYΓΘΠΣΦ 0131 ϟ fam.¹ 22. fam.¹³ 543. 157. 565. 579. 700. 1071 al. pler.; om. W 28 Sy.s. | ακουειν και αλαλους λαλειν: ακουειν και λαλειν W, item = ut audiant et loquantur Sy.s.; >λαλειν και ακουειν 28 | και τους κωφους usque ad λαλειν: cf. et surdos (sordos r² vg. 1 MS; surdus l) facit (fecit q vg. plur. et WW Aug.) audire et mutos (mutis a) loqui a f g² l q r² vg. Aug.; et surdis praestat auditum et mutis (mutis c) loqui (eloquium b; praebet loquellam c; muti locuntur pro mutis loqui i) b c d ff i.

1. εν εκειναις sine add. Uncs. pler. Minusc. pler. g² l vg. Sy.hl. Cop.bo. (ed.) Geo.² Arm. Aug.: +δε DWΘ 28. 700 it. (exc. g² l) Sy.(s.) pesh. Cop.sa. bo. (3 MSS) Geo.¹; = praem. et Aeth. | παλιν πολλου אBDGLMNWΔΘΣΦ fam.¹ (exc. 118 πα et spat. relict.) fam.¹³ (exc. 124) 543. 28. 33. 59. 61. 69. 73. 259. 517. 565. 579. 892. 1071. 1342 it. vg. Sy.s. Cop.bo. Geo. Aeth. Arm. Aug.: +cum iesu g² vg. (2 MSS); παμπολλου(παμπολου SY 201.* 259. 471. 692. 700 al.; παντολου X 157) AXΓΠ 0131 ϟ (exc. GM) 22. 157. 700 al. pler. Sy.hl.; παλιν παμπολλου 124. 472; om. παλιν l150 Sy.pesh. Cop.sa. | οντος (οντως 13; pon. ante οχλου 565): ελθοντος 37. 60. 225. 245. l13. l17 al.; [συναχ]θεντος 0131 | εχοντων (εχοντος 50; εχωντος 579): +αυτων DWΘ 565. 700 | τι: το τι l184 | προσκαλεσαμενος sine add. אA BDKLMNWΔΘΠΣΦ 0131 fam.¹ (exc. 118) 28. 33. 106. 229*. 238. 435. 472. 565. 579. 700. 892. 1071. 1342 al. mu. it. (exc. f) vg. Sy.s. pesh. hl. Cop.sa. bo. Geo. Aeth. Arm.: +ο Ιησους XΓϟ (exc. KM) 118. 22. fam.¹³ 543. 157 al. pler. f | τους μαθητας sine add. אDLNΣΦ 0131 fam.¹ (exc. 118) 28. 38. 39. 59.

67. 73. 106. 892 it. (exc. g² r²) vg. Sy.hl. Cop.bo. (ed.): +αυτου ABWXΓΘΠϟ 118. 22. fam.¹³ 543. 33. 157. 565. 579. 700. 1071 al. pler. g² r² Sy.s. pesh. Cop.sa. bo. (1 MS) Geo. Aeth. Arm.; +παλιν Δ | λεγει: ειπεν 124, item dixit a Sy.s. pesh. Cop.sa. bo. Geo. Aeth. Arm. | αυτοις: om. W vg. (2 MSS) Geo.B.

2. σπλαγχνιζομαι (σπλαχν. Ω 543): σπλαγχνισθεις 579 | επι (om. 579) τον οχλον Uncs. pler. Minusc. pler. l (super turbas) vg. (pler. et WW), item Sy.hl. Cop.bo. (1 MS) Arm.: +τουτον L 61. 330. 517. 1071, item super istam turbam b c ff g¹ i r¹ vg. (1 MS) Sy.s. pesh. Cop.sa. bo. (ed.) Geo. Aeth.; επι τω οχλω WΘ 565, item super turba r² vg. (6 MSS); επι του οχλου τουτου D, cf. turbae huic a f | ηδη (pon. post ημερας fam.¹): ecce iam f l r² vg.; om. 237 Geo.; = ecce (pro ηδη) Sy.s. pesh. Cop.sa. bo. Aeth. | ημεραι τρεις אALNWXYΓΘΠΣΦ 0131 ϟ 22. 124. 28. 33. 71. 108. 229. 259. 300. 349. 471. 472. 517. 579. 692. 700. 1342. l150 al. plur.: ημερας (~αις 220) τρεις Δ (fam.¹) fam.¹³ (exc. 124) 543. 157. 565. 569. 575. 1071. 1278 al. plur.; ημεραις τρισιν B 892; cf. triduo a b c d i q r¹, triduo f ff g² l r² vg.; triduos aur. | προσμενουσιν (προμεν. Y; παραμεν. 49) μοι: om. μοι B; ωδε εισιν D it. (exc. f l q r²); sustinent me g² l r² vg., adherent mihi q, mecum sunt f | εχουσιν אABDWΓΘΠΣΦϟ Minusc. pler.: εχωσιν LNXΔ 0131. 2. 33. 157. 259*. 472. 474. 476. 565. 579. l184 | φαγουσιν 59. 346. 517 | om. μοι και ουκ εχουσιν τι φαγωσιν 579.

3. και εαν (καν L; om. εαν E 157) απολυσω αυτους (>αυτ. απολ. 20. 300) νηστεις (νηστις אΔW 108. 157. 225. 349. 471. 692. 697 al. mu.) εις (εως εις W) οικον (τον οικον fam.¹³ 543. 20. 28. 235. 472. 485; οικους 6. 37. 238. 245, τους οικους 282, item cf. Sy.s. pesh. hl. Aeth.) αυτων (εαυτων l49; om. D (a) ff i q r¹; om. εις οικον αυτων Θ b l184) εκλυθησονται Uncs. pler. Minusc. pler., item et si dimisero (~missero r²) eos ieiunos in domos suas (in domum suam r² vg.) deficient f r² vg., et si sic illos remiserimus ire in domos suas ieiunos fatigantur c, et si dimiserimus eos ieiunos in domum suam deficient l,

---

37. Aug.cons. et eo amplius admirabantur dicentes bene omnia fecit et surdos fecit audire et mutos loqui.

1. Aug.cons. in illis diebus iterum cum turba multa esset nec haberent quod manducarent.

⁴ καὶ ἀπεκρίθησαν αὐτῷ οἱ μαθηταὶ αὐτοῦ ὅτι Πόθεν τούτους δυνήσεταί τις ὧδε χορτάσαι ἄρτων ἐπ᾽ ἐρημίας; ⁵ καὶ ἠρώτα αὐτούς Πόσους ἔχετε ἄρτους; οἱ δὲ εἶπαν Ἑπτά. ⁶ καὶ παραγγέλλει τῷ ὄχλῳ ἀναπεσεῖν ἐπὶ τῆς γῆς καὶ λαβὼν τοὺς ἑπτὰ ἄρτους εὐχαριστήσας ἔκλασεν καὶ ἐδίδου τοῖς μαθηταῖς αὐτοῦ ἵνα παρατιθῶσιν καὶ παρέθηκαν τῷ ὄχλῳ. ⁷ καὶ εἶχαν ἰχθύδια ὀλίγα· καὶ εὐλογήσας αὐτὰ εἶπεν καὶ ταῦτα παρατιθέναι. ⁸ καὶ

similiter VSS rell. : και απολυσαι αυτους νηστεις (+ εις οικον D it. aliq.) ου θελω μη (μηποτε 565) εκλυθωσιν DΘ 565. 700, item cf. et (om. i) dimittere eos (illos a q) ieiunos (+ dom. sic a, + domum i r¹, + in domum ff, + domi q) nolo ne fatigentur (patiantur a, deficiant aur.) (a) b d ff i q r¹ (aur.) ; και εαν απολυσαι αυτους νηστεις ου θελω μη ποτε εκληθωσιν (sic) l184 | και (οτι και D) τινες אBDLWΔ fam.¹ (exc. 118) 28. 33. 579. 892. 1342 Sy.ˢ· Cop.ᵇᵒ· ; τινες δε 575 Sy.ᵖᵉˢʰ· (4 MSS) ; τινες γαρ ΑΝΧΓΘΠΣΦ 0131 ƍ 118. 22. fam.¹³ 543. 157. 330. 565. 700. 1071 al. pler., item quidam enim f l vg. Sy.ᵖᵉˢʰ· (ᵉᵈ·) ʰˡ· Geo. Aeth. Arm., cf. quidam autem g², quoniam quidem et (om. b) aliqui b i, quoniam quidem a e d, quoniam quidem ff | αυτων sec. : εξ αυτων D 39. 127. 282. 473. 478. 483* al., item ex eis c f ff g² i l r² vg., ex illis d q, ex his r¹ | απο אBDLWΔΘ fam.¹ fam.¹³ 543. 28. 33. 60. 61. 92. 565. 579. 892. 1071. 1342. l49. l150. l251 it. vg. Sy.ˢ· ᵖᵉˢʰ· ʰˡ· Cop.ˢᵃ· ᵇᵒ· (ᵖˡᵉʳ·) Geo. : om. ΑΝΧΓΠΣΦ 0131 ƍ 22. 157. 700 al. pler. | εισιν BLΔ 892 Cop.ᵇᵒ· (ᵉᵈ·) : ηκασιν אADNWΘΣΦ fam.¹ 69. 124. 28. 349. 33. 517. 565. 579. 700. 1071 al. plur. ; ηκουσιν ΧΥΓΠ 0131 ƍ 22. 13. 543. 71. 157. 692. 697. 1278 al. plur., item uenerunt it. vg. VSS pler. ; om. 346.

4. και (= autem Cop.ˢᵃ·) απεκριθησαν αυτω (om. a ff Geo.) Uncs. pler. Minusc. pler. it. (exc. c respondentes ei) vg. Sy.ʰˡ· Cop.ˢᵃ· ᵇᵒ· Geo.² Arm. : = dixerunt ei Geo.¹ ; = dicunt ei Sy.ˢ· ᵖᵉˢʰ· Aeth. | οι μαθηται αυτου (om. W Cop.ᵇᵒ· Geo.ᴮ) : +λεγοντες W 106. 251. 282. 697. 1278 r¹ Sy.ʰˡ· ; + και ειπαν א, cf. + dixerunt c | οτι BLΔ 579. 892. 1342 : om. ADNΧΓΘΠΣΦ 0131 ƍ fam.¹ 22. fam.¹³ 28. 33. 157. 565. 700 al. pler. it. vg. Sy.ˢ· ᵖᵉˢʰ· ʰˡ· Cop.ˢᵃ· ᵇᵒ· Geo. | τουτους (τουτοις N 482 ; τοσουτους Θ 28. 565. 700 a ; αυτους 20. 50. 300, et pon. post χορτασαι 1. 209) δυνησεται (δυνησηται 0131. 13. 69. 346. 20. 244, item possit d ff r¹ ; δυναται 22. 28. 251, item b f Cop.ᵇᵒ·) τις ωδε (pon. ante δυν. W fam.¹ f ; pon. post χορτασαι 0131. 692 ; pon. post αρτων l Cop.ˢᵃ· ; pon. ante τοσουτους 28. 565 a) χορτασαι Uncs. pler. Minusc. pler. vg. : om. ωδε DHΘ 517. 1342 it. (exc. a f l r²) ; >ωδε δυνασαι αυτους χορτασαι W ; = potes (poteris Geo.¹) tu illos hic Sy.ˢ· Geo.¹ ; = possumus hic (om. aur. Geo.ᴮ) aur. Geo.² ; = quis poterit illos panibus hic Cop.ˢᵃ· | αρτων Uncs. pler. 22. fam.¹³ 28. 33. 565. 579. 700. 892. 1071 al. pler.,

item panibus it. vg. : αρτον ΕΗΚΓ fam.¹ 36. 38. 40. 71. 92. 157. 253. 472. 485. 692. 1342. l49. l150. l184 Geo. | επ ερημιας (pon. ante χορτασαι 127. 131) Uncs. pler. Minusc. pler. : επ ερημιαις (ερημιαις Δ 253) ΑΚ(Δ)Π* 38. 42. 63. 65. 86. (253). 435. 474. 481. 569 ; επ ερημια 108 (pon. ante χορτασαι).

5. και : ο δε W | ηρωτα אBLΔ 579. 892. 1342 : ηρωτησεν W ; επηρωτα (επερ. Χ l49 bis ; επιρ. ΘΩ) ADNΧΓΘΠΣΦ 0131 ƍ (exc. M) fam.¹ 22. fam.¹³ 33. 157. 565. 700. 1071 al. pler., item interrogabat a vg. (1 MS hab. interrogabit sic) Sy.ʰˡ· Cop.ᵇᵒ· ; επηρωτησεν M, item interrogauit it. (exc. a) vg. (exc. 1 MS) Sy.ˢ· ᵖᵉˢʰ· Cop.ˢᵃ· Geo. | αυτους : +λεγων Θ 472. 565. 700. ; = +et dixit eis Sy.ˢ· | ποσους : +ωδε W | εχετε αρτους ABLNΓΔΠΣ 0131 ƍ fam.¹ 22. 69. 346. 157. 892. 1071 al. pler. Cop.ˢᵃ· Geo. : >αρτους εχετε אDWΘΦ 13. 124. 28. 33. 108. 127. 131. 256. 330. 349. 472. 478. 517. 565. 579. 700 al. it. vg. Sy.ˢ· ᵖᵉˢʰ· ʰˡ· Cop.ᵇᵒ· Aeth. Arm. ; om. αρτους Χ | οι δε, item qui it. (pler.) vg. : om. Sy.ˢ· ᵖᵉˢʰ· | ειπαν אBNWΔΣ 579 : ειπον (+ αυτω L 282 i l) A CDLXΓΘΠΦ 0131 ƍ Minusc. rell. ; = dicunt ei Sy.ˢ· ᵖᵉˢʰ· Aeth.

6. παραγγελλει (⁓ ελει Δ*) אBDLΔᶜᵒʳ· 892. 1342 : παρηγγειλε ACNWΧΓΠΣΦ 0131 ƍ fam.¹ 22. fam.¹³ (⁓ ηλεν 346) 28. 33. 157. 579. 700. 1071 al. pler., item VSS omn., cf. iussit uero ff, iussit uero Iesus c ; παραγγειλας Θ 565 | τω οχλω : turbis q ; αυτοις 1071 ; επι της γης : επι την γην fam.¹ 33. l260, item super (uel supra) terram it. vg. Or. ; εις την γην 579. 1342 | λαβων : + Iesus r¹ | αρτους : + Iesus c | ευχαριστησας tant. אABLNWΧΓΔΘΠΣΦ 0131 ƍ (exc. SVΩ) 1. 209. fam.¹³ 28. 33. 157. 565. 579. 1071 al. pler. it. (exc. c d f) vg. Sy.ʰˡ· Cop.ˢᵃ· ᵇᵒ· Geo. Arm. : και ευχαρ. CDSVΩ 118. 22. 71. 201. 240. 252. 479. 480. 692. 700. 892. 1278**. 1342 al. mu. a f Sy.ˢ· ᵖᵉˢʰ· Aeth. | εδιδου : dedit it. vg. (2 MSS) Sy.ˢ· ᵖᵉˢʰ· Cop.ˢᵃ· ᵇᵒ· Geo.² | τοις μαθηταις αυτου : om. αυτου 579 Cop.ᵇᵒ· Arm. ; αυτοις W | παρατιθωσιν אBC LMΔΦ fam.¹³ (exc. 124) 33. 349. 579. 892. l18. l19. l48. l49. l150. l184 : παραθωσιν (+ τω οχλω 1342) ADNWΧΓΘΠΣ 0131 ƍ (exc. M) fam.¹ 22. 124. 28. 157. 565. 700. 1071 al. pler. ; +ante eos f Sy.ˢ· Cop.ˢᵃ· ᵇᵒ· | παρεθηκαν : παρεθηκεν sic 579 | τω οχλω : turbis b c f l Sy.ᵖᵉˢʰ·, ante turbas q

7. ειχαν אBDWΔ : om. 565 ; ειχον (ειχεν 482) Uncs. rell. Minusc. rell. | ευλογησας αυτα אBCL

6. Or. in Matth. Vol. XII. ως ο Ματθαιος και Μαρκος ανεγραψαν ευχαριστησας ο Ιησους εκλασε· κακει μεν επι του χορτου ανακλινονται· ενθαδε επι την γην αναπιπτουσι.

ἔφαγον καὶ ἐχορτάσθησαν, καὶ ἦραν περισσεύματα κλασμάτων ἑπτὰ σφυρίδας.   ⁹ ἦσαν
δὲ ὡς τετρακισχίλιοι. καὶ ἀπέλυσεν αὐτούς.   ¹⁰ Καὶ εὐθὺς ἐμβὰς εἰς τὸ πλοῖον μετὰ
(οζ/δ) τῶν μαθητῶν αὐτοῦ ἦλθεν εἰς τὰ μέρη Δαλμανουθά.   ¹¹ Καὶ ἐξῆλθον οἱ Φαρισαῖοι καὶ

ΔΘ 6. 10. 116. 349. 892. 1071. 1342 : > αυτα ευλογ.
ΜΝΩΣΦ 0131 fam.¹ (*exc.* 118) fam.¹³ 28. 38. 61.
86. 106. 565. 569. *l*48. *l*49. *l*150. *l*184, *cf.* ipsos bene-
dixit et *it.* (*exc. d q*) *vg.*; ταυτα ευλογ. ΑΓΚΥΠ 220.
229. 238. 248. 253. 473. 481 ; ευλογησας *tant.* ΧΓ᛭
(*exc.* FKM) 118. 22. 33. 330. 575. 579. 700 al. pler.;
ευχαριστησας *tant.* D 472 *q* | ειπεν και ταυτα (αυτα
33. 472. 579) παρατιθεναι (παρατεθηναι 472 ; παρα-
θετε C 33. 579. 1342) א¹B(C)LΔ (33). 115. (472).
(579). 892. (1342). Sy.ʰˡ·, *item cf.* iussit et illos
apponi *q*: ειπεν παραθειναι (~θηναι EFHKSΓΩ 13.
346. 44. 53. 245. 473. 474 al. mu.; ~τεθηναι A
*l*18. *l*19) και (*om.* V 346. 125. 157. 235. 251. 253.
692. 697 Sy.ᵖᵉˢʰ· Arm.) αυτα ΑΧΓΠ᛭ (*exc.* Mᵐᵍ·)
118. 22. fam.¹³ (*exc.* 124) 157. 1071. 1278* al. pler.
Sy.ᵖᵉˢʰ· Arm. ; ειπεν και αυτους εκελευσεν παρατει-
θεναι D ; ειπεν παραθηναι (~θειναι 0131. 10. 61. 67.
71. 271 ; παρατεθειναι 124) WΘ 0131 fam.¹ (*exc.*
118) 124. 10. 28. 61. 67. 71. 271. 565 Geo.¹, *cf.*
iussit apponi *it.* (*exc. d q*) *vg.* (pler.) ; ειπεν παρα-
τεθειναι και ταυτα Φ ; ειπεν παραθειναι αυτοις ΝΣ *vg.*
(2 MSS) Sy.ˢ· Cop.ˢᵃ· ᵇᵒ· Geo.² ; ειπεν παραθειναι τω
οχλω Mᵐᵍ· *l*48 ; παρεθηκεν *tant.* א*.

8. και εφαγον אBCDLWΔΘ fam.¹ 124. 28. 33.
40. 565. 579. 700. 892. 1342 *it. vg.* Sy.ˢ· ᵖᵉˢʰ· Cop.ᵇᵒ·
Geo. Aeth. : και εφαγον δε 238 ; εφαγον δε (*om.* 238
Arm.) ΑΝΧΓΠΣΦ 0131 ᛭ 22. fam.¹³ (*exc.* 124) 157
al. pler. Sy.ʰˡ· Cop.ˢᵃ· ; +παντες *post* εφαγον א
142ᵐᵍ· 229. 282. 579 *vg.* (1 MS) Geo.ᴬ, +παντες
post εχορτασθησαν ΚΜΠ 11. 15. 91. 142ᵐᵍ· 253.
472. 473. 481 al. | και (*ante* εχορτ.): *om.* Cop.ˢᵃ·
| περισσευματα (περισευ. WΓ) ABLNWΧΓΔΠΣΦ
0131 ᛭ Minusc. pler.: τα περισσευματα אCΘ 1342 ;
το περισσευμα D 565 ; περισσευσαντα 33 ; το περισ-
σευσαν 700 ; των περισσευματων 472 | κλασματων:
των κλασματων Θ 565. 700 ; κλασματα 33 ; *om.* W
Δ *k* | επτα: *pon. post* σπυρ. (*uel* σφυρ.) DL | σφυ-
ριδας אΑ*DΘ: σπυριδας (σπυριδων *l*184) Uncs. rell.
Minusc. omn. ; *etiam* + πληρεις (πληρης 124) fam.¹³
33. 90. 483*. 484. 1071. 1342. *l*18 *i vg.* (4 MSS), *cf.*
Paul.ᴺᵒˡ·

9. ησαν δε (*om.* Sy.ˢ· ; = enim Geo.¹) *sine add.*
אBLΔ 33. 517. 579. 892. 1342. *l*18. *l*19. *l*49. *l*150.
Cop.ᵇᵒ· (ᵃ ᴵᴵ᛭·): + οι φαγοντες ACDNWΧΓΘΠΣΦ
0131 ᛭ fam.¹ 22. fam.¹³ 28. 157. 565. 700. 1071 al.
pler. *it. vg.* Sy.ˢ· ᵖᵉˢʰ· ʰˡ· Cop.ˢᵃ· ᵇᵒ· (pler.) Geo. | ως
Uncs. pler. Minusc. pler.: ωσει M 118. 209. 3. 9.
14. 238. 248. 435. *l*48 ; *om.* א *l*184 *k aur.* Cop.ˢᵃ· ᵇᵒ·
| τετρακισχιλιοι (~χειλιοι ABDNWΘΣ 28): +
ανδρες GΔ 253. 1071, *item* + hominum *it.* (*exc. d k l*
*r*²) *vg.* (2 MSS) Cop.ᵇᵒ· (1 MS) | απελυσεν: κατε-
λυσεν 63.

10. ευθυς אBCLWΔ fam.¹ fam.¹³ (*exc.* 124) 28.
253. 892. 1342. *l*49. *l*150 : ευθεως ΑΝΧΓΘΠΣΦ 0131
᛭ 22. 33. 157. 565. 579. 700. 1071 al. pler. | ευθ.
εμβας (+ αυτος B)אBCEFGHLSVΧΔΓΩ 22. 33.
157. 579. 892 al. pler., *item* statim ascendens
(accedens *g*²) *g*² *l r*² *vg.*: > εμβας (ενβας W) ευθ.
ΑΚΝΜU WΠΣΦ 0131 fam.¹ fam.¹³ 20. 28. 106. 114.
115. 229. 251. 253. 300. 435. 472. 517. 1071. 1278
*l*49. *l*150. *l*251 Sy.ʰˡ· (= quum ascendisset statim) ;
om. ευθ. 238. 330 ; ευθ. ενεβη Θ 565. 700 *a f q*
Cop.ˢᵃ· ᵇᵒ· Geo.¹ ; αυτος ενεβη D, *item* ipse ascendit
k, *cf.* ipse ascendens *b i r*¹ ; *cf.* iesus autem (*pro*
και) ascendens *c ff* ; = ascendit statim Sy.ᵖᵉˢʰ· ; =
ascendit sedit Sy.ˢ· ; = ascendit *tant.* Geo.² | το
πλοιον Uncs. pler. 22. 157. 565. 892. 1071 al. pler.:
om. το LW fam.¹ fam.¹³ 28. 33. 127. 142*. 201. 229.
238. 253. 435. 471. 472. 579. 700. 1342. *l*184 | +
αυτο *post* πλοιον 1342 | ηλθεν (ειλθεν 13 ; ηλθον
124 Sy.ˢ· ʰˡ·): και ηλθεν DWΘ 565. 700 *a f k q*
Sy.(ˢ·) ᵖᵉˢʰ· Geo. Aeth. | εις τα μερη (μερι Δ) Uncs.
pler. Minusc. pler., *item* in partes *a d l r*² *vg.*, in
partem *b q r*¹, in parte *ff*; εις το ορος W 28, *item* ad
finem *k* ; εις τα οπια DΣ 517 ; εις τα ορη N, *cf.* in
finibus *c aur.*, in terra *i* | δαλμανουθα (~νουνθα
B, ~νουθε 238 ; δαλμουνναι W, δαλμουνναθα 435,
δαλμουννουθα *l*184 ; δαμανουθα 474) Uncs. pler. 22.
124. 33. 157. 579. 700. 892. 1071 al. pler., *item*
dalmanutha *l q r*² *vg.* Sy.ᵖᵉˢʰ· ʰˡ· Cop.ˢᵃ· ᵇᵒ· Geo. :
μαγδαλα Θ fam.¹ (*exc.* 118) fam.¹³ (*exc.* 124) 271.
347 ; μαγεδα 565, μεγεδα 28, μελεγαδα D*, μαγαδα

---

8. Paulin.ᴺᵒˡᵃ· et manducauerunt et saturati sunt et quod abundauit de panibus tulerunt omnes
unusquisque sportas suas plenas.

10. Aug.ᶜᵒⁿˢ· Marcus tenens post illud de septem panibus miraculum hoc idem subiicit quod Mattheus
nisi quod Dalmanutha quod in quibusdam codicibus legitur, non dixit Mattheus, sed Magedan. Non
autem dubitandum est eundem locum esse sub utroque nomine. Nam plerique codices non habent etiam
secundum Marcum nisi Magedan.

Cod.²³⁸ Scholion. και ο ματθαιος μαγδαλα ειπεν· ο δε Μαρκος δαλμανουθα, ου διαφωνιαν δε εχει τουτο, ο μεν
γαρ την κωμοπολιν ωνομασεν· ο δε τα πορρω του αστεος μερη ανεγραψατο. μαγδαλα γαρ και δαλμανουθα
πλησιοχωροι εισιν.

Eus. (= Hier.ᵈᵉ ᵖᵃʳᵃˡˡ· ᴴᵉᵇ·) μαγεδαν ο χριστος επεδημησεν, ως ο ματθαιος· και ο Μαρκος δε της μεγαιδαν
μνημονευει· και εστι νυν η μαγαιδανη (μεγαιδανη aliq.) περι την γερασαν.

ἤρξαντο συνζητεῖν αὐτῷ, ζητοῦντες παρ' αὐτοῦ σημεῖον ἀπὸ τοῦ οὐρανοῦ, πειράζοντες αὐτόν. [12] καὶ ἀναστενάξας τῷ πνεύματι αὐτοῦ λέγει Τί ἡ γενεὰ αὕτη ζητεῖ σημεῖον; (οη/ϛ) ἀμὴν λέγω, εἰ δοθήσεται τῇ γενεᾷ ταύτῃ σημεῖον. [13] καὶ ἀφεὶς αὐτοὺς πάλιν ἐμβὰς ἀπῆλθεν εἰς τὸ πέραν. [14] Καὶ ἐπελάθοντο λαβεῖν ἄρτους, καὶ εἰ μὴ ἕνα ἄρτον οὐκ εἶχον μεθ' ἑαυτῶν ἐν τῷ πλοίῳ. [15] καὶ διεστέλλετο αὐτοῖς λέγων Ὁρᾶτε, βλέπετε (οθ/β) ἀπὸ τῆς ζύμης τῶν Φαρισαίων καὶ τῆς ζύμης Ἡρῴδου. [16] καὶ διελογίζοντο πρὸς ἀλλή- (π/ϛ)

D², μαγεδαν p⁴⁵ uid·, item magedan (uel ∾ am) a f ff i r¹ aur. Sy.ˢ·; cf. mageda c k, cf. Aug.

11. και εξηλθον (∾ θαν 472; ∾ θοσαν D): και ηλθον 40. 349. l150; exierunt autem b i q; om. et pon. οι φαρισαιοι post ηρξαντο 33 c k | και ηρξαντο: om. 474 | συνζητειν ℵABCDE*GLNWΓΔΘΣ 13. 346. 28. 33. 472. 579: συζητειν E²FHKMSUVXΠ ΦΩ fam.¹ 22. 124. 157. 700. 892. 1071 al. pler. | συνζητειν αυτω (συν αυτω D, item cum eo it. vg. Sy.pesh· hl· Cop.sa· bo· Geo.): om. 69 d Sy.ˢ· | ζητουντες (= et petebant Sy.pesh· hl·): om. Δ p⁴⁵ 13 | παρ (απ W) αυτου (+ το D) σημειον: om. παρ αυτου Δ p⁴⁵ Geo.¹; τι σημειον παρ αυτου Θ 565 q; τι παρ αυτου σημειον 124. 28; = signum ab eo Cop.sa· bo·; = ab eo et rogantes eum signum Sy.ˢ· | απο (εκ W p⁴⁵ 13. 69. 346) του ουρανου: praem. ιδειν ℵ, similiter + uidere c; pon. ante σημειον 238.

12. και: om. Sy.ˢ·; ipse autem c; + ipse g¹ | αναστεναξας: στεναξας M* 14. 36. 40. 53. 54. 237. 248. 259. 517 | τω πνευματι αυτου (εαυτου AL 1071): om. αυτου DM*WΓ fam.¹ 282 b i l r¹ vg. Sy.ˢ· Cop.bo· (1 MS); om. r² | λεγει: ειπε Γ 247, item dixit a Sy.ˢ· pesh· Cop.sa· bo· Geo.; = dicens Sy.hl· | τι: οτι C Or.; om. 71 | ζητει σημειον ℵBCDLΔΘ fam.¹ 28. 33. 565. 579. 700. 892 a b c ff i l r² vg. Sy s· pesh· Cop.sa· bo· Geo.² Aeth.: > σημειον επιζητει ΑΝWΧΓΠΣΦ 0131 ⸕ 22. fam.¹³ 157. 1071 al. pler. f g¹· ² q r¹ Sy.hl· Geo.¹ Arm. Or.; σημειον αιτει p⁴⁵ | αμην: αμην αμην Or. | λεγω sine add. BL 892. 1342: om. W p⁴⁵; + υμιν Uncs. rell. Minusc. rell. VSS omn. | ει: ου ΔW fam.¹³ 5. 1071 vg. (2 MSS) Sy.ˢ· pesh· Cop.sa· Geo. Aeth.; om. 20. 300 | τη γενεα ταυτη (αυτη FHLΓ 0131. 118. 262. 472. 517. 579; εκεινη 28): > ταυτη τη γενεα W.

13. Tot. uers.: και αφεις αυτους εις το πλοιον απηλθε παλιν l49. l251. l260 | αφεις: καταλιπων ΝΣ | αυτους: αυτον sic A | παλιν εμβας (ενβ. D W) ℵBCDLWΔΘ p⁴⁵ fam.¹³ 28. 33. 473. 565. 579. 700. 892. 1342 a i q r¹ Sy.ˢ· Geo. Aeth. Arm.: > εμβας παλιν ΑΝΧΓΠΣΦ 0131 ⸕ fam.¹ 22. 157 al. pler. f ff g² l r² vg. Sy.hl· Cop.sa·; om. παλιν 108. 474 b c Sy.pesh· Cop.bo·; pon. παλιν post απηλθεν 517. 569. l50. l184; om. εμβας 517. l150. l184 | sine add. (post εμβας uel παλιν) ℵBCLΔ r²: + εις το πλοιον DHKNUWYΓΠΣΦ 0131 p⁴⁵ fam.¹ fam.¹³

28. 330. 517. 700. 892 al. plur., + εις πλοιον AEFG MSVXΘΩ 22. 33. 71. 157. 565. 579. 692. 1071. 1278 al. plur., item it. (exc. r²) vg. VSS omn. | απηλθεν: διηλθεν 1071 Cop.sa· bo· Geo.; απηλθον 346. 131. 228. 258 Sy.pesh· | εις το περαν: om. 517. 1342. l184 b; = trans mare Sy.ˢ·

14. om. και επελαθοντο usque ad ειχον 229cor· | επελαθοντο (∾ θεντο B*; απελθοντες W) sine add. Uncs. pler. fam.¹ 22. 33. 157. 565. 579. 700. 892 al. plur. it. (exc. c d r¹) vg. (exc. pauc. MSS) Sy.ˢ· pesh· hl· Cop.bo· Geo.¹ Aeth. Arm.: + οι μαθηται DY 28. 35. 37. 76. 77. 108 218. 252. 282. 485* Geo.B; + οι μαθηται αυτου UWΦ p⁴⁵ fam.¹³ 1071. 1278** al. plur. c Cop.sa· Geo.A | λαβειν αρτους: > αρτους λαβειν 13. 69. 33. 483* vg. (aliq.), cf. panem discipuli sui sumere r¹ | και (om. 49) ει μη ενα αρτον (+ μονον 1071) ουκ ειχον Uncs. pler. 22. 124. 33. 157. 579. 892. 1071 al. pler. f l r² vg. Sy.pesh· hl· Cop.sa· bo·: ει μη ενα αρτον ειχον D, cf. nisi unum panem quem habebant d ff i q r¹, nisi unum tantum quem habebant c, cumque unum solum panem haberent k, et nihil amplius haberent nisi unum panem quem . . habebant b; = nisi unum solum panem habebant Geo.; = una enim placenta non erat Sy.ˢ·; ενα μονον εχοντες αρτον W fam.¹³ (exc. 13. 124) 28; ενα μονον αρτον εχοντες Θ p⁴⁵ uid· fam.¹ 13. 565. 700 | μεθ εαυτων (∾ ον Ω): μετ εαυτων D; om. Geo.²; pon. ante habebant b c ff i q r¹· ² | εν τω πλοιω: εις το πλοιον 46. 52. 53. 60. 237. 579, item in nauem d ff q; in uia g¹ r².

15. διεστελλετο (διετελλετο 70; διεστελλεν 92) Uncs. pler. fam.¹ 22. 124. 33. 157. 565. 579. 700. 892. 1071 al. pler. g² l vg. Sy.hl· Cop.bo· Geo. Arm. (pler.): διεστειλατο EF fam.¹³ (exc. 124) 28. 61. 131. 517. l48 it. (exc. g² l) Sy.ˢ· pesh· Cop.sa·; ενετειλατο Δ | αυτοις: iesus (pro αυτοις) g²; + iesus c r¹ | ορατε βλεπετε (φυλασσεσθε 1342) Uncs. pler. 22. 33. 157. 579. 892. 1071 al. pler., item uidete vg. (pler. et WW) Sy.pesh· hl· (= cauete uidete) Cop.bo· (alii·): ορατε και βλεπετε CΦ 0131 p⁴⁵ fam.¹³ 28 12. 61. 330, item uidete et cauete c f g² l aur. vg. (plur.) Cop.sa· bo· (ed.); om. ορατε DΘ fam.¹ 2. 565, om. βλεπετε Δ 700, item cauete tant. a k, uidete tant. b d ff i q r¹ Sy.ˢ· Geo. Arm. | της ζυμης sec.: απο της ζυμης GWΔ fam.¹ fam.¹³ 28. 482 a f ff g² k

---

12. Orig. Select. in Ezek. XIV. ουτω και ο Κυριος εν τω κατα Μαρκον ευαγγελιω, οτι η γενεα αυτη σημειον επιζητει, αμην αμην λεγω υμιν ει δοθησεται τη γενεα ταυτη σημειον.

λους ὅτι ἄρτους οὐκ ἔχουσιν.　　¹⁷ καὶ γνοὺς λέγει αὐτοῖς Τί διαλογίζεσθε ὅτι ἄρτους οὐκ ἔχετε; οὔπω νοεῖτε οὐδὲ συνίετε; πεπωρωμένην ἔχετε τὴν καρδίαν ὑμῶν;　　¹⁸ ὀφθαλμοὺς ἔχοντες οὐ βλέπετε καὶ ὦτα ἔχοντες οὐκ ἀκούετε; καὶ οὐ μνημονεύετε　　¹⁹ ὅτε τοὺς πέντε ἄρτους ἔκλασα εἰς τοὺς πεντακισχιλίους, πόσους κοφίνους κλασμάτων πλήρεις ἤρατε; λέγουσιν αὐτῷ Δώδεκα.　　²⁰ ὅτε τοὺς ἑπτὰ εἰς τοὺς τετρακισχιλίους, πόσων

q r¹ vg. (3 MSS) Sy.ˢ· ᵖᵉˢʰ· ʰˡ· Geo. Arm. | ηρωδου (του ηρωδου 122; της ηρωδου 259) Uncs. pler. 124. 33. 157. 579. 700. 892. 1071 al. pler. it. (exc. i k) vg. (pler. et WW) Sy.ˢ· ᵖᵉˢʰ· ʰˡ· Cop.ᵇᵒ· Aeth. : των ηρωδιανων GWΔΘ 𝔭⁴⁵ fam.¹ 22. fam.¹³ (exc. 124) 28. 60. 251. 565. 697 i k vg. (1 MS) Cop.ˢᵃ· Geo. Arm.

16. και: οι δε W 𝔭⁴⁵ 565 | διελογιζοντο (cf. quo audito discipuli dicebant c): ελογιζοντο N; = + in cordibus suis Geo.¹ | προς αλληλους (προς εαυτους 282; εν εαυτοις 1071) sine add. אBDW 𝔭⁴⁵ fam.¹ (exc. 118) 28. 565. 700. 1342 it. (exc. f g² l r²) Cop.ˢᵃ· : +λεγοντες ACLNXΓΔΘΠΣΦ 0131 ℩ 118. 22. fam.¹³ 33. 157. 579. 892. 1071 al. pler. f g² l r² vg. Sy.ˢ· ᵖᵉˢʰ· ʰˡ· Cop.ᵇᵒ· Aeth. Arm. | om. οτι 57 | εχουσιν BW 𝔭⁴⁵ fam.¹ (exc. 118) 28. 565. 700. 1342, item habent c g² k, haberent a b d ff i q r¹, similiter Cop.ˢᵃ· ᵇᵒ· (ᵉᵈ·): ειχαν D ; εχομεν (εχωμεν K 251. 346) אACLNXΓΔΘΠΣΦ ℩ 118. 22. fam.¹³ 33. 157. 892. 1071 al. pler., item habemus f l r² vg. Sy.ᵖᵉˢʰ· ʰˡ· Cop.ᵇᵒ· (2 MSS) Geo. Aeth. Arm. ; ελαβομεν 14. 46. 58. 483*. 579 ; = non est Sy.ˢ· (pro ουκ εχουσιν).

17. και γνους (om. 472) sine add. אᶜBLΔ* 892* ι Cop.ᵇᵒ·: + ο (om. Δ²) Ιησους א*ACDNWXΓΔ²Θ ΠΣΦ℩ fam.¹ 22. fam.¹³ 28. 33. 157. 565. 579. 700. 892ᵐᵍ· 1071 al. pler. it. (exc. i) vg. Sy.ʰˡ· Cop.ˢᵃ· Geo. Aeth. Arm., + ο ιησους post αυτοις L 472 b vg. (aliq.) ; γνους δε ο ΙΣ 1342 ; ο δε ΙΣ γνους l 50 Sy.ˢ· ᵖᵉˢʰ· | λεγει: ειπεν Θ 565. 700 Sy.ˢ· ᵖᵉˢʰ· ʰˡ· Cop.ˢᵃ· ᵇᵒ· | τι: διατι Θ | διαλογιζεσθε sine add. Uncs. pler. fam.¹ 22. 33. 157. 892. 1071 al. pler. f l r² vg. (pler.) aur. Sy.ˢ· ᵖᵉˢʰ· ʰˡ·*: + εν εαυτοις (αυτοις M) M 330. 579 ; + εν εαυτοις ολιγοπιστοι W 𝔭⁴⁵ fam.¹³ (exc. 124) 61. l 50 ; + εν ταις καρδιαις υμων DU 67. 238. l 48 it. (exc. f l r²) vg. (2 MSS) Aeth. ; + εν ταις καρδ. υμ. ολιγοπιστοι ΘΦ 124. 28. 271. 472. 565. 700 Sy.ʰˡ· ᵐᵍ· Geo.² Arm. ; = + ο modicae fidei tant. Cop.ˢᵃ· Geo.¹ (et pon. post habemus) | εχετε pr.: εχομεν (εχωμεν 472) Δ (472). 569 Geo.¹ ᵉᵗ ᴮ | ουπω: ουτω sic 700 | νοειτε: νοεται sic Δ | ουδε (και Δ) συνιετε (συνειτε B*) Uncs. pler. 118. 22. fam.¹³ 28. 33. 157. 579. 700. 892. 1071 al. pler.: ουδε μνημονευετε Θ 0143. 565 ; om. fam.¹ (exc. 118) l 184 | πεπωρωμενην usque ad υμων: om. 245 ; πεπωρωμενη (πεπηρ. D*) εστιν η καρδια υμων (> υμων εστιν η καρδια Θ 565) DΘ 0143. 565, item Sy.ˢ· Cop.ˢᵃ· ᵇᵒ·, cf. sic (om. a) obtusum est cor uestrum a q, sic obtusa sunt (om. ff) corda uestra b c d ff i, sed adhuc caecatum habetis (est aur.) cor uestrum f l r² vg. (aur.) ; cf. = attonita

iterum quidem sunt corda uestra Geo.¹ | πεπωρωμενην (πεπορρωμ. Γ ; πεπωρρωμ. 28) tant. אBCLN WΔΣ 𝔭⁴⁵ fam.¹ (exc. 118) 124. 28. 33. 225. 579. 892*. 1342: praem. ετι (οτι 106) ΑΧΓΠΦ℩ 118. 22. fam.¹³ (exc. 124) 157. 517. 892². 1071 al. pler. Sy.ˢ· ᵖᵉˢʰ· ʰˡ·, cf. supra pro it. vg. | εχετε sec. (εχομεν errore 12. 54): εχοντα 28.

18. οφθαλμους: = et oculos Sy.ˢ· ᵖᵉˢʰ· Cop.ᵇᵒ· | εχοντες ου: εχετε και ου W, item habetis et nondum c, = habetis usque Geo. | βλεπετε (βλεπεται 28): βλεπουσιν W | και ωτα usque ad ακουετε: om. 471 i | και pr.: om. א*64 r² Cop.ᵇᵒ· ⁽ᵃˡⁱq·⁾ | εχοντες sec.: εχεται και W c | ακουετε: + ουπω νοειτε Θ 𝔭⁴⁵ 565 Arm. | και (om. W) ου μνημονευετε: om. 28. 692 ; ουδε μνημονευετε DΘ 𝔭⁴⁵ 565. 1342 it. vg. Arm. ; ουπω νοειτε ΝΣ ; etiam iungunt haec uerba ad uers. sq. 36. 40. 71. 108. 124. 131. 225. 473. 474. 517. l 184 al. mu.

19. οτε: οτι Δ 209. 69. 125. 127*. 225. 237. 472. l 260 ; om. 28. 60 b c ff i k Sy.ˢ· Cop.ᵇᵒ· | > τους αρτους εκλασα πεντε 238 | εκλασα: τους εκλασα D, ους εκλασα fam.¹³ (exc. 124) 99 b c ff i k | τους (om. Δ 𝔭⁴⁵) πεντακισχιλιους: + ανθρωπους Δ, item + hominum it. (exc. d f i k) vg. (3 MSS) Cop.ˢᵃ· Aeth. | ποσους (οσους U) tant. ABLNWXΓΠΣΦ℩ (exc. M) 𝔭⁴⁵ 118. 22. fam.¹³ 28. 157. 700. 892. 1071 al. pler. it. (exc. d f g² l r²) vg. Sy.ᵖᵉˢʰ· ʰˡ· Cop.ᵇᵒ· Geo.: και ποσους אCDMΔΘ fam.¹ (exc. 118) 33. 115. 120. 349. 517. 565. 579. l 18. l 19. l 48. l 49. l 50. l 184. l 251. l 260 f g² l r² aur. Sy.ˢ· Cop.ˢᵃ· Aeth. Arm. | κοφινους κλασματων πληρεις ηρατε (om. 1342) אBCLΔΘ fam.¹ (exc. 118) 124. 20. 33. 131. 300. 349. 517. 565. 700. 892. (1342). l 49. l 184 f g² l vg. (pler. et WW) Sy.ˢ· ᵖᵉˢʰ· Cop.ˢᵃ· ᵇᵒ· : > κοφ. κλασματων ηρατε πληρεις D 53. 1071 ; > κοφ. πληρεις (πληρης AFGM l 48) κλασματων ηρατε ΑΝWXΓΠΣ Φ℩ 118. 22. 28. 157. 330. 569. 575 al. plur. Sy.ʰˡ· Geo.¹ ᵉᵗ Α ; κλασματων κοφ. πληρ. ηρατε 579 ; om. πληρεις 𝔭⁴⁵ ᵘⁱᵈ· fam.¹³ (exc. 124) 237. 259. 476* a b d ff i q r¹·² vg. (3 MSS) ; om. κλασματων (fragmentorum) vg. (4 MSS) ; superfuerunt pro κλασματων πληρεις ηρατε k | λεγουσιν αυτω Uncs. omn. Minusc. omn., item dicunt ei (illi q ; om. k) g² k l vg. Sy.ˢ· ᵖᵉˢʰ· ʰˡ·: dixerunt ei r² Cop.ˢᵃ· ᵇᵒ· Geo.¹ (= illi autem dixerunt Geo.²), at (uel ad ; et f) illi dixerunt a b d (f) i r¹, qui dixerunt c ff | δωδεκα: δεκα 64.

20. οτε tant. BL 517. 565. 579: και οτε 892 c vg. (4 MSS) Geo.² ; οτε και אΔ g² l r² aur. vg. (pler. et WW) ; οτε δε ADWXΓΘΠΣΦ℩ fam.¹ 22. fam.¹³ 28. 33. 157. 700. 1071 al. pler. it. (exc. c g² l

σφυρίδων πληρώματα κλασμάτων ἤρατε; καὶ λέγουσιν αὐτῷ Ἑπτά. 21 καὶ ἔλεγεν
αὐτοῖς Οὔπω συνίετε; 22 Καὶ ἔρχονται εἰς Βηθσαιδάν. Καὶ φέρουσιν αὐτῷ τυφλὸν (πα/ι)
καὶ παρακαλοῦσιν αὐτὸν ἵνα αὐτοῦ ἅψηται. 23 καὶ ἐπιλαβόμενος τῆς χειρὸς τοῦ τυφλοῦ
ἐξήνεγκεν αὐτὸν ἔξω τῆς κώμης, καὶ πτύσας εἰς τὰ ὄμματα αὐτοῦ, ἐπιθεὶς τὰς χεῖρας
αὐτῷ, ἐπηρώτα αὐτόν Εἴ τι βλέπεις; 24 καὶ ἀναβλέψας ἔλεγεν Βλέπω τοὺς ἀνθρώπους

r²; om. k) Sy.hl· Arm.; οτε δε και CN Cop.sa·;
= dicit eis et quum Sy.s·pesh· Aeth.; = rursus
quum Geo.¹ | τους (om. Δ) επτα sine add. ABDL
M*NΧΓΔΘΠΣϷ (exc. M²) fam.¹ 22. 28. 33. 157. 565.
700. 892. 1071 al. pler. affik aur. Sy.s·pesh·hl·
Cop.bo· Geo.A: +αρτους ℵCM²WΦ 𝔭45 uid. fam.13
45. 59. 64. 247*. 517. 1342. l48 cfg²lqr1·2 vg.
Cop.sa· Geo.¹ et B Aeth. Arm.; etiam + fregi c, =
praem. fregi Cop.sa· | εις τους (om. LΔ 𝔭45 71.
l185) τετρακισχ·: +ανθρωπους Δ, item + hominum
cqr¹ vg. (1 MS) Cop.sa· | ποσων σφυριδων (uel
σπυριδων Uncs. et Minusc. omn.) πληρωματα (~των
E* 346. 71. 692) κλασματων (om. W 346) Uncs.
pler. (>κλασματων πληρωματα 𝔭45 uid·) Minusc.
pler.: ποσας σπυριδας (σφυριδας D) κλασματων
(+πληρεις Θ 565. 700 Sy.pesh·) DΘ 565. 700 Sy.s·
pesh·; και ποσους κοφινους κλασματων πληρεις Δ, cf.
quot (uel quod it. pler., et quot g²) sportas frag-
mentorum it. (exc. fk) vg. Geo.B, quot (uel quod)
sportas plenas (post tulistis c) fragmentorum (om.
k) cfk Sy.hl· Cop.sa· (et pon. post ηρατε) Geo.¹ et A
Aeth. Arm. | και λεγουσιν ℵBCL 115. 1342 g²
vg. (exc. 4 MSS) Cop.bo· Aeth. Arm.: om. και Δ
579. 892 kl vg. (4 MSS) Sy.s·pesh· Cop.sa· Geo.¹;
οι δε ειπον (~αν WΘ) ADNWΧΓΘΠΣΦϷ 𝔭45
Minusc. rell. Sy.hl· Geo.¹, cf. at (uel ad) illi dixerunt
it. (exc. a g² k l r²) aur., = et illi dixerunt Geo.², qui
dixerunt a, dixerunt r² | αυτω BCLΔ 115. 517.
1342 g² l vg. Sy.s· ?pesh· (aliq·) Cop.sa·bo· Aeth.
Arm.: om. Uncs. rell. Minusc. rell. it. (rell.) aur.
Sy.(pesh·)hl· Geo.

21. και: om. ik Sy.s·pesh·; = iesus autem Geo.²
| ελεγεν ℵABCLNΧΓΔΣΦϷ (exc. FK) 22. fam.13 33.
157. 892. 1071 al. pler. g²lr² vg. Sy.hl· Cop.bo·;
ειπεν fam.¹ Cop.sa· Geo.; λεγει DFKWΘΠ 𝔭45 28.
229. 238. 300. 470. 565. 700 al. plur. it. (exc. g²lr²)
aur. Sy.s·pesh· Aeth. Arm. | αυτοις: om. N 253
| ουπω (ουπως K) ℵC(K)LΔΠ fam.¹ 25. 59. 114.
127. 220. 229**. 349. 474. 517. 892. 1071. 1342.
l150. l184 k Sy.s·: πως ουπω ADMNUWΧΘΣΦ 33.
131. 238. 472. 565. 575. l49. l251 al. mu. it. (exc.
bdfkq) vg. Sy.pesh·hl· Arm.; πως ευ BEFGHSV
ΓΩ 22. 28. 157. 330. 569. 579. 700 al. pler. bdq
Cop.sa·bo· Geo. Aeth.; πως ουν ουπω (ουπως 124)
fam.13 61** cf. quare ergo nondum f; πως ουν ου
483** | συνιετε: συννοειτε D*; νοειτε BD²; intel-
lexistis (pro intelligitis) dffq.

22. ερχονται ℵcBCDLWΔΘ fam.13 28. 33. 92.

198. 579. 892. 1071. 1342, item ueniunt iklr1·2
vg. (pler. et WW) Arm.: uenerunt abcfffg²q vg.
(1 MS) Cop.sa·bo· Geo. Aeth.; ερχεται ℵ*ΑΝΧΓΠ
ΣΦϷ fam.¹ 22. 157. 565. 700 al. pler.; = uenit
Sy.s·pesh·hl· | εις: om. it. (exc. afkq) vg. | βηθσαι-
δαν (βησαιδαν 473, βηθαιδαν W, βησθαιδαν 239. 259)
ℵABLX(W)ΓΘΠΦϷ 𝔭45 22. fam.13 (exc. 69) 565.
700. 892. 1071 al. pler., cf. bethsaidam vg. (2 MSS):
βηθσαιδα (βησσαιδα Δ) CN(Δ)Σ fam.¹ 69. 28. 33. 46.
90. 157. 349. 517. 478. 482. 579. 697 al. mu., item
bethsaida ck (betsaida) r² vg. (pler. et WW);
βηθανιαν D 262*, item bethaniam bdiqr¹, bethania
afffl | φερουσιν: obtulerunt (pro offerunt uel
adducunt) f, item Sy.s·pesh· Cop.sa·bo· Geo. Aeth.
| τυφλον: +δαιμονιζομενον Δ | παρακαλουσιν,
item rogant vg. (3 MSS) aur.: rogabant flr² vg.
(pler.), item Sy.s·pesh·hl· Cop.bo·; rogauerunt bcdff
ir¹ Aeth.; obsecrarunt k; depraecantes a, similiter
Cop.sa· | αυτον: om. ik | αυτου αψηται: >αψη-
ται αυτου 108. 127. 131. 237. 700.

23. επιλαβομενος: λαβομενος D | της χειρος
(την χειρα D) του τυφλου Uncs. pler. Minusc. pler.
it. (exc. q) vg. (pler.) Cop.sa·bo· Geo. Arm.: της
χειρος αυτου WΘ 𝔭45 fam.¹ (exc. 118²) 565. 700.
l251 q; της χειρος αυτου του τυφλου 131. 229. 238
vg. (1 MS) Sy.s·pesh·hl· Cop.bo·(1 MS) Aeth.;
>αυτου της χειρος 28 | εξηνεγκεν (εξενεκεν sic Δ)
ℵBCLΘ 33. 579. 892. 1342: εξηγαγεν ADNWΧΓ
ΠΣΦϷ fam.¹ 22. fam.13 28. 157. 565. 700. 1071 al.
pler. | αυτον pr.: om. 157. 237. 242. 472. 565
| εις: επι 892 | om. 579 | επιθεις: και επιθεις GW
𝔭45 fam.¹ fam.13 28, cf. et imposuit c, et impositis
manibus bd | τας χειρας αυτω: τας χειρας αυτου
ΑΚΔ 3. 20. 28. 248. 300. 330. 565. 692. 1071. l251,
item = manus eius Sy.hl· Cop.sa·bo· Geo.¹, manibus
suis fl vg.; = manum eius Sy.s·pesh· Cop.sa·bo·
Geo.²; τας χειρας επ αυτω W; τας χειρας tant. 86.
569 r² | επηρωτα (επιρωτα sic 892): επερωτα AD;
ηρωτα W 1342; επηρωτησεν ΝΣ, item interrogauit
cflr² vg. Sy.s· (etiam + et dixit ei) pesh· Cop.sa·
| om. τι W | βλεπεις BCD*ΔΘ 565. 579. 1342
Sy.s· Cop.sa·bo· Geo.¹ et A Aeth.: βλεπει ℵAD²L
NWΧΓΠΣΦϷ fam.¹ 22. fam.13 (exc. βλεπειν 13) 28.
157. 700. 892. 1071 al. pler. it. vg. Sy.pesh·hl· Geo.B
Arm.

24. και: ο δε W, item ille autem c Cop.sa·; om.
Geo.¹ | αναβλεψας (βλεψας 517): om. c Sy.s· | ελε-
γεν ℵcABLΧΓΔΠΦϷ fam.¹ 22. 28. 157. 700. 892 al.

---

24. Aug.cons· Uideo homines sicut arbores ambulantes.

ὅτι ὡς δένδρα ὁρῶ περιπατοῦντας. ²⁵ εἶτα πάλιν ἔθηκεν τὰς χεῖρας ἐπὶ τοὺς ὀφθαλ-
μοὺς αὐτοῦ, καὶ διέβλεψεν, καὶ ἀπεκατέστη, καὶ ἐνέβλεπεν τηλαυγῶς ἅπαντα. ²⁶ καὶ
(πβ/α) ἀπέστειλεν αὐτὸν εἰς οἶκον αὐτοῦ λέγων Μηδὲ εἰς τὴν κώμην εἰσέλθῃς. ²⁷ Καὶ ἐξῆλθεν
ὁ Ἰησοῦς καὶ οἱ μαθηταὶ αὐτοῦ εἰς τὰς κώμας Καισαρίας τῆς Φιλίππου· καὶ ἐν τῇ ὁδῷ
ἐπηρώτα τοὺς μαθητὰς αὐτοῦ λέγων αὐτοῖς Τίνα με λέγουσιν οἱ ἄνθρωποι εἶναι; ²⁸ οἱ
δὲ εἶπαν αὐτῷ λέγοντες ὅτι Ἰωάνην τὸν βαπτιστήν, καὶ ἄλλοι Ἡλείαν, ἄλλοι δὲ ὅτι εἷς

---

pler. Sy.hl· Cop.bo· Geo.² Arm.: ειπεν ℵ*CΘ 487.
1071. 1342, item dixit c ff k Sy.pesh· Cop.sa· Geo.¹;
λεγει DNWΣ fam.¹³ (exc. 124) 67. 565 a b f i l q r¹·²
vg. Sy.s·? Aeth. | οτι ως (ωσει 697) δενδρα ορω
(om. 248) + και 229*) περιπατουντας (↶τουντα F)
ℵABC*LNXYΓΔΠΣΦᵇ (exc. Mᵐᵍ·) fam.¹³ 108. 157.
229*. 248. 300. 579. 697 al. plur.: ως (ωσει 1278)
δενδρα (+ ορω 238. 330) περιπατουντας (↶τουντα
225) C²DMᵐᵍ·WΘ fam.¹ 22. 28. 225. (238). (330).
349. 517. 472. 565. 892. 1071. l184. l251 al. plur.
it. vg. Sy.s·pesh· hl· Cop.sa· bo· Geo. Aeth. Aug.; οτι
ως δενδρα αυτους περιπατουντας 435 ; ως δενδρα tant.
700.

25. ειτα: και D b c ff i k q r¹ vg. (1 MS) Sy.s·
Aeth. ; om. Sy.pesh· Cop.sa· Arm. | παλιν: om. a
vg. (1 MS) | εθηκεν BL 892: επεθηκεν ℵACNW
XΓΔΠΣΦᵇ fam.¹ 22. fam.¹³ 28. 157. 579. 1071 al.
pler. ; επιθεις DΘ, item imponens a | τας χειρας:
τας χειρας αυτου NW 54; αυτου τας χειρας Σ, cf.
manus suas c Sy.hl· Cop.bo· ; ei manus d, manum
ff q Arm. (aliq.), = manum suam Sy.s· pesh· Cop.sa·
| αυτου: om. 473 ; του τυφλου 579 | και διεβλεψεν
(ενεβλ. C²; ανεβλ. 892) ℵBCLWΔ fam.¹ (exc. 118)
28. 579. (892). 1342, item et uidit k: και (om. Θ)
εποιησεν αυτον (om. Θ) αναβλεψαι (ενεβλ. 483;
βλεψαι l18. l19. l49. l251) ΑΝΧΓΘΠΣΦᵇ 118. 22.
124. 33. 157. 565. 700. 1071 al. pler. a f q Sy.hl· ;
etiam haec uerba + και διεβλεψεν fam.¹³ (exc. 124);
και ηρξατο αναβλεψαι D b c ff i l r¹· ² vg. ; = om. Sy.
pesh· | και απεκατεστη (αποκατεστη B) ℵBCLΔ 44.
579. 892: και απεκατεσταθη ΑΝWΧΓΘΠ²Σᵇ (exc.
U) 118. fam.¹³ 28. 33. 71. 157. 565. 692. 1342 al.
mu.; και αποκατεσταθη DUΠ*Φ fam.¹ (exc. 118)
22. 700. 1278 al. plur. ; om. 271 Geo.¹ | και ενε-
βλεπεν ℵᶜBLW² 13. 69. 28. 579. 892: και ανεβλεπεν
W*Δ; και ενεβλεψεν ΑCNΧΓΠΣΦᵇ (exc. FM*) fam.¹
22. 33. 1071 al. plur. ; και ανεβλεψε(ν) FM* 124. 157.
349. 700. 1278 al. plur. ; και εβλεψεν ℵ*Θ 565 ;
ωστε αναβλεψαι D it. vg. | τηλαυγως: δηλαυγως
(διλ. 579 ; διλαυγος L) ℵ*CLΔ 579. | απαντα ℵB
C*LMΔΘ fam.¹ (exc. 118) fam.¹³ (exc. 124) 15. 28.
271. 330. 700. 1342, item παντα (pon. ante τηλαυγ.
W f) DW 565, item omnia it. (exc. k) vg., similiter
= omnia uel omne Sy.s· pesh· hl· Cop.sa· bo· Geo.
Aeth. Arm.: απαντας ΑC²ΝΧΓΠΣΦᵇ (exc. M) 118.
22. 157. 579. 892. 1071 al. pler.; om. 33 c k.

26. και: om. Arm. | αυτον: pon. post οικον ℵ*
| οικον ℵ*ABCDEFHKLNSVYΓΠΣ 3. 44. 71. 28.
33. 157. 229. 470. 692. 1342 al. mu.: τον οικον ℵᶜG

MUWΧΔΘΦΩ fam.¹ 22. fam.¹³ 565. 579. 700. 892.
1071 al. pler. | λεγων: και λεγει αυτω D, item
Aeth.; + ei c (praecipiens ei) Cop.sa· ; = et dixit
Sy.pesh· Geo.², = et dixit ei Sy.s· Geo.¹ | μηδε (μη
ℵ*W) εις την (δm. 517. 1342) κωμην εισελθης
(↶θεις; απελθης 225) sine add. ℵBLW fam.¹ (exc.
118) Sy.s· Cop.sa· bo· (ed.) Geo.¹: + μηδε ειπης τινι
(+ των 892) εν τη κωμη ΑCNΧΓΔΠΣᵇ 118. 22. 33.
157. 579. 700. 892. 1071 al. pler. Sy.pesh· hl· Cop.bo·
(aliq.) Aeth. ; υπαγε εις τον οικον σου και μηδενι ειπης
εις την κωμην D, item uade in domum tuam ne cui
diceret in castello c, uade in domum tuam et
nemini in castello dixeris q, nemini dixeris in
castello k ; υπαγε εις τον (om. Θ) οικον σου και εαν
εις την κωμην εισελθης μηδενι ειπης (μηδεν ειπης τινι
Φ ; μηδενι μηδεν ειπης 28. 61) μηδε (om. ΘΦ 565) εν
τη κωμη ΘΦ fam.¹³ (exc. 124) 28. 61. 565, cf. uade
in domum tuam et sī in uico (uicum ff i r² vg. pler. ;
castello f) introieris nemini dixeris (+ in uico ff)
b f ff g² i l r² vg., cf. = abi in domum tuam et in
pagum cum introis ne cui quid (om. Geo.ᴮ) dixeris
in pago Geo.² ; υπαγε εις τον οικον σου και μηδε εις
την κωμην εισελθης μηδε ειπης τινι εν τη κωμη 124,
cf. uade domi aput te et ne in municipio intres nec
cuiquam dicas a.

27. εξηλθεν: profectus inde et + uenit post disci-
pulis suis c | om. iesus g² | και οι μαθ. αυτου: cum
discipulis suis a c | καισαριας ℵACEFHLNWXΔ
ΘΣΦ 28. 579. l183: καισαρειας BGKMSUΓΠΩ
Minusc. rell. | εις τας κωμας καισαρ.: εις καισα-
ριαν D, item in caesaream a i, in caesarea b ff, nil
nisi caesaream q r¹ | της: om. 11 | εν τη οδω:
= pon. post μαθητας αυτου Sy.s· pesh·, = pon. post
επηρωτα Geo.¹ | επηρωτα (επερωτα Δ 697) τους
μαθητας αυτου (om. αυτου A ; τοις μαθηταις αυτου
565): >τους μαθ. αυτου επηρωτα W 28 | λεγων:
= et dicit Sy.s· pesh· hier. Geo. Aeth. | αυτοις:
om. ℵᶜDLΔ 3. 108. 218. 517. 579. 892. l29 al. pauc.
it. (exc. c f l) vg. (3 MSS) Cop.bo· (aliq.) Arm. | τινα:
τι K Sy.s· pesh· hier. | με: = de me Sy.s· pesh· hier.
Cop.sa· Geo.ᴬ | οι ανθρωπω ειναι: >ειναι οι ανθρω-
ποι D it. (exc. b r¹) vg. (exc. 1 MS) ; + τον υιον του
ανθρωπου l18 vg. (4 MSS).

28. οι δε (item illi autem f k, at illi a, qui c d ff i l
r¹·² vg.): om. b q Sy.s· Cop.bo· | ειπαν (ειπον 892.
1342) ℵBCLΔ 579. 892. 1342 k Sy.pesh· Cop.sa· bo·,
cf. = dicunt Sy.s·: απεκριθησαν ADNWΧΓΘΠΣΦ
0143 ᵇ fam.¹ 22. fam.¹³ 28. 33. 157. 565. 700. 1071 al.
pler. | αυτω λεγοντες ℵBC*DLΔΘ 0143 fam.¹³ 28.

τῶν προφητῶν.　　²⁹ καὶ αὐτὸς ἐπηρώτα αὐτοὺς Ὑμεῖς δὲ τίνα με λέγετε εἶναι; ἀποκρι-
θεὶς ὁ Πέτρος λέγει αὐτῷ Σὺ εἶ ὁ Χριστός.　　³⁰ καὶ ἐπετίμησεν αὐτοῖς ἵνα μηδενὶ λέγω- (πγ/β)
σιν περὶ αὐτοῦ.　　³¹ Καὶ ἤρξατο διδάσκειν αὐτοὺς ὅτι δεῖ τὸν υἱὸν τοῦ ἀνθρώπου πολλὰ
παθεῖν καὶ ἀποδοκιμασθῆναι ὑπὸ τῶν πρεσβυτέρων καὶ τῶν ἀρχιερέων καὶ τῶν γραμμα-

---

282. 565. 1342 *it.* (*exc. f*) *vg.* Cop.^bo·, *cf.* = et dixe-
runt ei Geo.² : *om.* ANXΓΠΣΦϧ fam.¹ 22. 157.
330. 569. 575. 700 al. pler. Sy.^pesh· hl· hier· ; *om.*
αυτω W 1071 *f*, *cf.* = et dixerunt Geo.¹ ; *om.*
λεγοντες C² 33. 90. 483*. 484. *l*253 *k* Sy.ˢ· Cop.ˢᵃ·
Aeth. | οτι אB 1342 Sy.pesh· : *om.* א°AC³DLNX
ΓΘΠΣΦ 0143 ϧ Minusc. pler. *it.* (*exc. k*) *vg.* Sy.ʰˡ·
Geo. Arm. ; οι μεν C* *et** WΔ fam.¹³ 349. 517.
579 Cop.ˢᵃ· ; omnes *k* Aeth., *cf.* = sunt qui dicunt
Sy.ˢ· | Ιωανην B : Ιωαννην Uncs. rell. Minusc. omn.
| βαπτιστην : βαπτιζοντα 28. 565, *cf.* baptizatorem
k | και αλλοι אABCLXΓΠΦ 0143 ϧ (*exc.* V) fam.¹
22. 124. 28. 33. 157. 892. 1071 al. pler. *ff i* Sy.ˢ·
pesh· hl· Cop.bo· (pler·) Geo. Arm. : αλλοι δε DNWΘΣ
fam.¹³ (*exc.* 124) 543. 472. 565. 700 *a f k q* ; αλλοι
tant. VΔ 59. 71. 106. 251. 517. 692. 697. *l*253 *b c l*
*r*¹· ² *vg.* Sy.pesh· (1 MS) Cop.bo· (3 MSS) ; και ετεροι *l*44
| ηλειαν אAB* : ηλιαν Uncs. rell. Minusc. rell.
| αλλοι δε : και αλλοι fam.¹³ 543 Sy.ˢ· pesh· Cop.bo·
(2 MSS) Arm. ; ετεροι δε 472. *l*44 | οτι εις אBC*L
579. 892. 1342 Sy.ˢ· pesh· (1 MS) Cop.ˢᵃ· bo· (pler·) : ενα
AC³NWXΓΔΘΠΣΦϧ fam.¹ 22. fam.¹³ 543. 28. 33.
157. 565. 700. 1071 al. pler. *k* Sy.pesh· hl· Aeth.
Arm. ; ως ενα D *it.* (*exc. k*) *vg.*

29. και *usque ad* αυτους : *om. k* | και αυτος
(+ δε 72) Uncs. pler. 22. fam.¹³ 543. 33. 157. 700.
892. 1071 al. pler. *q* Sy.hl· Cop.bo· : αυτος δε D 53.
237. 259. 565, *item* ipse (ipsos *c*) autem *a c ff* Cop.
ˢᵃ· ; tunc *b f g*² *i l r*¹· ² *vg.* ; *om.* WΘ fam.¹ 28. *l*17
Sy.ˢ· pesh· Geo. ; *om.* αυτος 579 Sy.hier· | επηρωτα
(ηρωτησεν 579) αυτους אBC*DLΔ 53. 565. (579).
892. 1342, *item* interrogabat illos *a* Cop.bo·, inter-
rogauit eos *d ff q* Cop.ˢᵃ·, interrogauit dicens *c* :
λεγει αυτοις AC³NWXΓΘΠΣΦϧ fam.¹ 22. fam.¹³
543. 28. 33. 157. 700. 1071 al. pler. *b i l r*¹ *vg.*
Sy.ˢ· hl· Aeth. Arm., *cf.* dicit discipulis suis *f* ;
ελεγεν αυτοις 237. 259 ; ειπεν αυτοις *l*253, *item* = dixit
eis Geo. ; *etiam* + iesus *r*¹ Sy.pesh· Geo.² | με : = de
me Sy.pesh· hier· Cop.ˢᵃ· | ειναι : *om.* W | αποκρι-
θεις *sine add.* BLΦ 72. 579 *g*² *l r*² *vg.* Sy.hl· Eus.,

= respondit et Sy.pesh· Cop.bo· Geo. : και αποκριθ.
ΑΝΣ 33. 36. 40. 67. 349. 892. 1342 *a b i q r*¹, *item*
et respondit et *k* Aeth. ; αποκριθ. δε אCDWXΓΘ
ΠΣϧ fam.¹ 22. fam.¹³ 543. 28. 157. 700. 1071 al.
pler. *f ff* Sy.hier· Cop.ˢᵃ· ; *om.* Sy.ˢ· | ο Πετρος :
Πετρος Ω 20. 122. 470. 517. *l*253 ; σιμων Πετρος Σ
vg. (1 MS) ; = Kepha Sy.ˢ· ; = Shemun Sy.pesh·
| λεγει : ειπεν 28. 349, *item* dixit *r*¹ Sy.pesh· Cop.bo·
Geo. ; ελεγεν 40 ; = dicens Cop.ˢᵃ· | αυτω : *om.*
33. 472 *c d vg.* (2 MSS) Arm. (1 MS) Eus. | ο
χριστος *sine add.* ABCDNXΓΔΘΠΣΦϧ fam.¹ 22.
28. 33. 565. 579. 700. 892. 1071 al. pler. *it.* (*exc. b*)
vg. Sy.ˢ· hl· Cop.bo· Geo. Aeth. Arm. Or. Eus.
Tert. : + ο υιος του θεου אL 157 Sy.hier·* ; + ο υιος
του θεου του ζωντος W fam.¹³ 543 Sy.pesh· hier· mg·
Cop.ˢᵃ· ; + iesus filius dei uiui *b*.

30. και επετιμησεν αυτοις (αυτω Δ 2145 *c i r*²) :
om. 282 ; + ο Ιησους M *c* | λεγωσιν : ειπωσιν CDG
1574 ; λεγουσιν W 245. 251 ; diceret *sic q* | περι
αυτου (τουτου N), *item* de se *a c q*, de eo *ff r*¹, de
illo *b d i l r*² *vg.*, *cf.* de te *k** : + οτι αυτος εστιν ο
χριστος 125^mg· *l*18. *l*49.

31. και : + απο τοτε W fam.¹³ 543 Cop.bo· (1 MS)
| ηρξαντο *sic* Θ | διδασκειν αυτους (αυτοις 241,
item illis *c*) : *om.* αυτους V 87 ; λεγειν αυτοις 68, *cf.*
>eis dicere *k* | οτι : τι 118 | *om.* πολλα παθειν
και 157 ; *om.* πολλα *l*184 *semel* | υπο אBCDGKL
NW**ΠΣΦ 11. 20. 33. 60. 114. 122**. 220. 238.
473. 517. 892 al. Iust. : απο AW*XΓΔϧ (*exc.* GK)
Minusc. pler. Adaman. ; +των υιων των ανθρωπων
5 | των πρεσβυτερων και : *om.* 238 | των αρχιε-
ρεων אBCDWXΘΦϧ (*exc.* FGK) 22. fam.¹³ 543.
106. 127. 157. 300. 692. 697. 1071. 1278 al. plur. :
om. των AFGKLNΓΔΠΣ fam.¹ 28. 474. 475 482.
565. 700. 892 al. plur. ; *etiam praem.* απο D, *item
praem.* a *a b g*² *kl* (ad *errore*) *r*² *vg.* Sy.ˢ· pesh· Geo.¹
| των γραμματεων אBCDLYΓΘϧ (*exc.* GK) 22.
fam.¹³ 543. 28. 106. 122. 300. 349. 517. 565. 692.
697. 700. 892. 1278 al. plur. : *om.* των AGKNWX
ΔΠΣΦ fam.¹ 33. 157. 471. 579. 1071 al. plur. ;

---

29. Eus. dem· Euan· αποκριθεις ο Πετρος λεγει, συ ει ο Χριστος.
　　Or. in Matt· Vol XII· οι γουν αναγραψαντες μαρκος και λουκας αποκριθεντα τον πετρον ειρηκεναι· συ ει ο
χριστος, και μη προσθεντες το παρα τω ματθαιω κειμενον.
　　31. Iust. Tryph· LXXVI· δει τον υιον του ανθρωπου πολλα παθειν και αποδοκιμασθηναι υπο των γραμμ. και
φαρισ. (>φαρισ. και γραμμ. C) και σταυρωθηναι και τη τριτη ημερα αναστηναι.
　　Iren. III· xvi· 5· Int· Oportet enim, inquit, Filium hominis multa pati et reprobari et crucifigi et die
tertio resurgere.
　　Adaman. δει τον υιον του ανθρωπου πολλα παθειν και αποδοκιμασθηναι απο των πρεσβυτερων και αρχιερεων
και γραμματεων και σταυρωθηναι και μεθ' ημερας τρεις αναστηναι.
　　[*Cf.* Luc. ix. 22.]

τέων καὶ ἀποκτανθῆναι καὶ μετὰ τρεῖς ἡμέρας ἀναστῆναι· ³²καὶ παρρησίᾳ τὸν λόγον
(πδ/ϛ) ἐλάλει. καὶ προσλαβόμενος ὁ Πέτρος αὐτὸν ἤρξατο ἐπιτιμᾶν αὐτῷ. ³³ὁ δὲ ἐπιστρα-
φεὶς καὶ ἰδὼν τοὺς μαθητὰς αὐτοῦ ἐπετίμησεν Πέτρῳ καὶ λέγει Ὕπαγε ὀπίσω μου, Σατανᾶ,
(πε/β) ὅτι οὐ φρονεῖς τὰ τοῦ θεοῦ ἀλλὰ τὰ τῶν ἀνθρώπων. ³⁴καὶ προσκαλεσάμενος τὸν ὄχλον
σὺν τοῖς μαθηταῖς αὐτοῦ εἶπεν αὐτοῖς Εἴ τις θέλει ὀπίσω μου ἐλθεῖν, ἀπαρνησάσθω ἑαυτὸν
καὶ ἀράτω τὸν σταυρὸν αὐτοῦ καὶ ἀκολουθείτω μοι. ³⁵ὃς γὰρ ἐὰν θέλῃ τὴν ἑαυτοῦ
ψυχὴν σῶσαι ἀπολέσει αὐτήν· ὃς δ' ἂν ἀπολέσει τὴν ψυχὴν αὐτοῦ ἕνεκεν ἐμοῦ καὶ τοῦ

[apparatus omitted]

εὐαγγελίου σώσει αὐτήν.   [36] τί γὰρ ὠφελεῖ ἄνθρωπον κερδῆσαι τὸν κόσμον ὅλον καὶ ζημιωθῆναι τὴν ψυχὴν αὐτοῦ;   [37] τί γὰρ δοῖ ἄνθρωπος ἀντάλλαγμα τῆς ψυχῆς αὐτοῦ;   [38] ὃς γὰρ ἐὰν ἐπαισχυνθῇ με καὶ τοὺς ἐμοὺς λόγους ἐν τῇ γενεᾷ ταύτῃ τῇ μοιχαλίδι καὶ (πϛ/β) ἁμαρτωλῷ, καὶ ὁ υἱὸς τοῦ ἀνθρώπου ἐπαισχυνθήσεται αὐτὸν ὅταν ἔλθῃ ἐν τῇ δόξῃ τοῦ πατρὸς αὐτοῦ μετὰ τῶν ἀγγέλων τῶν ἁγίων.

IX

[1] Καὶ ἔλεγεν αὐτοῖς Ἀμὴν λέγω ὑμῖν ὅτι εἰσίν τινες ὧδε τῶν ἑστηκότων οἵτινες· οὐ μὴ (πζ/β)

meum *vg.*(1 MS) Sy.ˢ· ᵖᵉˢʰ· | σωσει *tant.* ℵABC*D KLM*WXYΔΘΠΦ 𝔭⁴⁵ fam.¹ (*exc.* 118) 20. 27**. 38. 40. 42. 50. 60. 72. 229. 259. 435. 565. 892. 1071 *it. vg.* Sy.ˢ· ᵖᵉˢʰ· ʰˡ· Cop.ˢᵃ· ᵇᵒ· Aeth. Arm. Or.: ουτος (ουτως 13. 346. *l*184) σωσει C²Γᵇ (*exc.* KM*) 118. 22. fam.¹³ 543. 157. 700 al. pler. Geo.; ουτος (*om.* 579) ευρησει 28. 33. (579).

36. ωφελει (οφελει L) ℵBLW 892, *item* prodest *a n q* Sy.ʰⁱᵉʳ· Geo. Arm. Aug.: ωφελησει (οφελησει Γ *l*48) ACDXΓΔΘΠΣΦᵇ fam.¹ 22. fam.¹³ 543. 28. 157. 565. 700. 1071 al. pler., *item* proderit *it.* (pler.) *vg.* Sy.ˢ· ᵖᵉˢʰ· ʰˡ· Cop.ˢᵃ· ᵇᵒ· Or.; ωφεληθησεται 33. 579 | ανθρωπον ℵᶜBKSUVΩ 𝔭⁴⁵ 22. 157. 565. 700. 892. 1278 al. pler. (*cf.* τον ανθρωπον AC*DWYΘ ΠΦ 124. 28. 38. 72. 142**. 262. 435. 470. 1071 Or.), *item cf.* homini *it. vg., similiter* Sy.ʰˡ· Geo.: ανθρωπος ℵ*C³EFGHLMXΓΔΣ fam.¹ fam.¹³ (*exc.* 124) 543. 2. 25. 33. 51. 52. 106. 195**. 349. 472. 475. 579 al. pauc., *cf.* Sy.ˢ· ᵖᵉˢʰ· ʰⁱᵉʳ· Cop.ˢᵃ· ᵇᵒ· | κερδησαι ℵB 892: κερδησας L; εαν (*om.* 517) κερδηση (κερδησει Γ 12. 28. 472. 579. *l*48. *l*184) A(C)DWX ΓΔΘΠΣΦᵇ 𝔭⁴⁵ Minusc. rell. VSS omn. ᵘⁱᵈ· | τον κοσμον ολον: >ολον τον κοσμον L 1071; *pon. ante* κερδ. C 33. 238. 245. 481. 579 Sy.ˢ· ᵖᵉˢʰ· Arm. Aug. | ζημιωθηναι ℵBL 892: ζημιωθη ACDWXΓΔΘΠΣΦᵇ Minusc. rell. VSS omn. ᵘⁱᵈ· | την ψυχην αυτου: την ψυχην την εαυτου 565; την εαυτου ψυχην W; *pon. ante* ζημιωθη 238 Aug.

37. τι γαρ ℵBLWΔ 𝔭⁴⁵ 28. 565. 579. 892 *q* Cop.ˢᵃ· ᵇᵒ· Arm. Or.: η τι γαρ D*; η τι ACD²XΓΘ ΠΣΦᵇ fam.¹ 22. fam.¹³ 543. 33. 157. 700. 1071 al. pler. *it.* (*exc. q*) *vg.* Sy.ᵖᵉˢʰ· ʰˡ· ʰⁱᵉʳ· Geo.¹ Aeth. Aug.; = et quid Sy.ˢ· Geo.² | δοι ℵ*B: δω ℵᶜL; δωσει Uncs. rell. Minusc. omn., *item* dabit (dabis *k**) VSS omn. ᵘⁱᵈ· Or.; *om.* Δ | ανθρωπος (ο ανθρ. B

Cop.ˢᵃ· ᵇᵒ·): *om.* Δ | ανταλλαγμα: ανταλαγμα LXΘ 69. 28. 157. 472. 475. *l*184; αντα λαγμα Γ | αυτου: εαυτου B Sy.ʰˡ·; της εαυτου 565. *l*253; αυτω C | *Tot. uers. om.* g².

38. ος: ο 28, *item qui it.* (*exc. a n qui habent* quisquis) *vg.* Cyp. | γαρ εαν ℵBCEFLMVXΥΓΔΘ ΣΩ 𝔭⁴⁵ 11. 18. 157. 262. 282. 349. 5½7. 565. 579. 892. 1071. 1342 al. plur.: γαρ αν GHKSUW ΠΦ fam.¹ 22. fam.¹³ 543. 28. 33. 700 al. pler. Clem. ᴬˡᵉˣ·: δ αν D, *item* autem *it.* (*exc. a f l n*) *vg.* (1 MS); γαρ *tant.* A | επαισχυνθη με (μεν A*): επεσχυνθη με fam.¹³ (*exc.* 69); επεσχυνθησεται εμε D; *confessus* (*pro* confusus *rell.*) fuerit me *b d k l r*¹· ²· *vg.* (mu. *sed non* WW), *cf.* Cyp. | *om.* λογους W *k* | ταυτη (*om.* W 𝔭⁴⁵ *i k n*) τη μοιχαλιδι (∽δη 28; μοιχαλλ. Ω 13. 543; μηχαλ. Θ; μιχαλλ. 346): πονηρα και μοιχ. 124; *om. r*² | αμαρτωλη Δ | =>peccatrice et adultera Sy.ᵖᵉˢʰ· | επαισχυνθησεται: confitetur *l*, confidet *r*², confitebitur *vg.* (aliq. *sed non* WW), *cf.* Cyp. | τη (*ante* δοξη): *om. l*184 | αυτου: *om. l*53 *k* | μετα: και W 𝔭⁴⁵ Sy.ˢ· Cop.ˢᵃ· ᵇᵒ· | των αγγελων (+ αυτου 124. 346. 122. 483*. Sy.ᵖᵉˢʰ· Cop. ᵇᵒ· *vg.* 2 MSS) των αγιων: των αγιων αγγελων 90*. 218; των αγγελων αυτου F *l vg.* (2 MSS) Clem. ᴬˡᵉˣ·; nil nisi των αγγελων fam.¹ (*exc.* 118) 22; nil nisi των αγιων 76.

1. και: = *om.* Sy.ˢ· | ελεγεν: = dixerat Sy.ˢ· ᵖᵉˢʰ·; = dicit Aeth. Arm. | αμην: αμην αμην 473. 579, *cf.* Or. | οτι: *om.* 131. 517. 565. *l*44. *l*54 *bis* | ωδε των εστηκοτων BD*: των ωδε εστηκοτων (εστωτων ℵ 33. 579) Uncs. pler. Minusc. pler., *similiter it.* pler. *vg.* Sy.ˢ· ʰˡ· Geo.²: + μετ εμου D 565 *a b ff n q, cf.* Ephr.; >των εστηκοτων ωδε 𝔭⁴⁵ Sy.ᵖᵉˢʰ· Cop.ˢᵃ· ᵇᵒ· Geo.¹ Or.; *om.* hic (ωδε) *b i r*¹ | οιτινες: οι 33. 579 | γευσωνται ℵABCDE²FGM

---

36. Or. ᴱˣʰᵒʳᵗ· ᴹᵃʳᵗ· τι γαρ ωφελησει τον ανθρωπον εαν κερδηση τον κοσμον ολον και ζημιωθη την ψυχην αυτου.
Aug. ᴱᵖⁱˢᵗ· quid prodest homini si totum mundum lucretur animae autem suae damnum patiatur.
37. Or. ᴱˣʰᵒʳᵗ· ᴹᵃʳᵗ· τι γαρ δωσει ανθρωπος ανταλλαγμα της ψυχης αυτου.
Aug. ˢᵖᵉᶜ· aut quid dabit homo *etc.*
38. Cyp. ᴱᵖⁱˢᵗ· ᴸˣⁱⁱⁱ ¹⁵· qui confusus (confessus 1 MS) me fuerit, confundebitur (confidet 1 MS; confitebitur 1 MS *in ras.*) eum filius hominis.
Clem. ᴬˡᵉˣ· ος γαρ αν επαισχυνθη με . . . μετα των αγγελων αυτου.
1. Ephr. ᶜᵒᵐᵐᵉⁿᵗ· ᴰⁱᵃᵗ· ˣⁱⱽ· = erunt quidam qui nunc hic mihi assistunt et non gustabunt mortem.

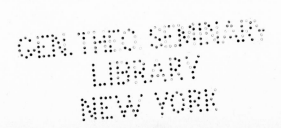

γεύσωνται θανάτου ἕως ἂν ἴδωσιν τὴν βασιλείαν τοῦ θεοῦ ἐληλυθυῖαν ἐν δυνάμει.　²Καὶ
μετὰ ἡμέρας ἓξ παραλαμβάνει ὁ Ἰησοῦς τὸν Πέτρον καὶ τὸν Ἰάκωβον καὶ Ἰωάνην, καὶ
ἀναφέρει αὐτοὺς εἰς ὄρος ὑψηλὸν κατ' ἰδίαν μόνους.　καὶ μετεμορφώθη ἔμπροσθεν
αὐτῶν,　³καὶ τὰ ἱμάτια αὐτοῦ ἐγένετο στίλβοντα λευκὰ λίαν οἷα γναφεὺς ἐπὶ τῆς γῆς
οὐ δύναται οὕτως λευκᾶναι.　⁴καὶ ὤφθη αὐτοῖς Ἠλείας σὺν Μωυσεῖ, καὶ ἦσαν συνλα-

---

SUVWΓΔΠ 𝔭⁴⁵ fam.¹ 22. 33. 892. 1071 al. pler.
Or.: γεύσονται E*HKLNXΘΣΦΩ fam.¹³ 543. 28.
66. 157. 239. 472. 482. 565. 700. 1342. *l*183. *l*184.
al. mu. | av: *om.* FW 𝔭⁴⁵ | εληλυθυιαν (εληλυ-
θιαν *sic* 349): εληλυθυια (εληλυθεια 69) fam.¹³ (*exc.*
124) 543. 59, *cf.* uenientem *a f n*, ueniens *b d ff g² i*
*l r*¹·² *vg.* (pler.), *item* = Sy.ˢ· Geo., uenisse *c k*,
uenire *q* | εν δυναμει: *cf.* in uirtutem (*pro* in uirtute
ii. rell. *et vg.*) *a b d n r*¹.　| 2. μετα ℵBCᵘⁱᵈ·DLΔ 892*: μεθ ANWXYΘΠ
ΣΦ𝔟 𝔭⁴⁵ Minusc. rell. | παραλαμβανει (∼βαννει
28) ο Ιησους, *item* adsumit *l vg.* (plur. *et* WW)
Sy.ʰˡ·: adsumpsit iesus *it.* (*exc. l*) aur. *vg.* (plur.),
item = duxit iesus Sy.ˢ·ᵖᵉˢʰ· Cop.ˢᵃ· ᵇᵒ· Geo. ; >ο
Ιησους παραλαμβανει A | τον Πετρον: = Kepha
Sy.ˢ· ᵖᵉˢʰ· | τον Ιακωβον ℵABC ᵘⁱᵈ· DLNWΣΠΦ𝔟
(*exc.* Ω) fam.¹ (*exc.* 118) fam.¹³ 543. 28. 33. 565. 892.
1071 al. plur.: *om.* τον 118. 157. 700 al. plur.
| Ιωανην (B ; ιωανν. rell.) ABNΓΔΘΣΦ 0131 𝔟 (*exc.*
KU) 71. 118. 157. 234. 330. 471. 481. 565. 700.
892. 1071. 1278* al. plur.: τον Ιωαννην ℵCDKLU
WXYΠ 𝔭⁴⁵ fam.¹ (*exc.* 118) 22. fam.¹³ 543. 28. 33.
579. 1278² al. plur. | >τον Ιωαννην και (+ τον 28)
Ιακωβον 20. 28. 300 al. | αναφερει: αναγει D 0131.
565, *item* ducit *d ff i l vg.* (pler.); duxit *a b c f n q*
r² aur. *vg.* (1 MS.), *similiter* Sy.ˢ· ᵖᵉˢʰ· Cop.ˢᵃ· ᵇᵒ·
Geo. ; insefuit *sic k* | υψηλον: +λιαν ℵ 124. 52.
*l*18. *l*19, *cf.* altissimum *b c ff i r*¹, excelsum *d f l q r²* *vg.*
Or.ⁱⁿᵗ· | κατ ιδιαν (καθ ιδιαν W 𝔭⁴⁵): *om.* 52. 255.
*l*18. *l*19. *r²* Sy.ˢ· ᵖᵉˢʰ· Cop.ˢᵃ· Aeth. | μονους (*cf.*
solus *a d ff g² l n q r²* aur. *vg.* plur. *sed non* WW):
om. 44. 123. 255. 301. 579. *l*32. *l*184 Geo.¹ ᵉᵗ ᴮ
| >μονους κατ ιδιαν 3 ; *cf.* solus cum solis *k* | μετε-
μορφωθη (τατεμορφωθη *sic* D ; μεταμορφουται 0131):
praem. εν (εγενετο εν 565) τω προσευχεσθαι αυτους
(αυτον Θ 28. 472. 565) W(Θ) 𝔭⁴⁵ ᵘⁱᵈ· fam.¹³ 543.
(28). (472). (565), *cf.* Or. ; *etiam add.* ο Ιησους W

𝔭⁴⁵ fam.¹³ 543 | εμπροσθεν (ενπρ. D) αυτων: +και
ελαμψε το προσωπον αυτου ως ο ηλιος *l*32. *l*48. *l*49.
*l*251 al., *cf.* Matt. xvii. 2.

3. και τα (*om.* 71*) ιματια αυτου (*om.* 271): τα
δε ιματια αυτου *l*49 | εγενετο ℵBCEFHMSUWY
ΔΘΦ 𝔭⁴⁵ 565. 700. 892. 1278 al. plur.: εγενοντο
(εγενενοντο *sic* D) ADGKLNVXΓΠΣΩ fam.¹ 22.
fam.¹³ 543. 28. 33. 71. 157. 235. 330. 472. 517. 569.
579. 1071. 1342. *l*184 al. plur., *item* facta sunt *it.* *vg.*,
cf. Or. | στιλβοντα (*om.* 1. 209. 346 *l*) λευκα
(>λευκα στιλβ. Θ, *cf.* Or. ; *nil nisi* splendida *b r²* ;
+ *et ante* candida *g*¹·² *q r*¹ *vg.* (4 MSS *sed non* WW))
λιαν (*om.* Δ 242 *b l r*¹·² Sy.ˢ· Geo.² Aeth.) *sine add.*
ℵBCLWΔΘ 𝔭⁴⁵ ᵘⁱᵈ· fam.¹ (*exc.* 118) 892. 1342 *d k*
Cop.ˢᵃ· Geo.¹ Aeth. Arm.: +ως (ωσει KYΠ 71**.
229. 237. 569. 1184 al. pauc.) χιων (χειων 11. 28 ;
χιον 157) ADNXYΓΠΣΦ 118. 22. fam.¹³ 543. 28.
33. 157. 565. 579. 700 al. pler. *it.* (*exc. d k*) *vg.*
Sy.ˢ· ᵖᵉˢʰ· ʰˡ· Cop.ᵇᵒ· (= *pon. ante* candida); +ως το
φως *l*13. *l*48. *l*49. *l*251 Or. *et cf.* Matth. xvii. 2
| οια (οι *sic* Θ ; ως W) γναφευς (κναφευς Π* 124. 28.
1278 al. mu. ; γναφευς 346) επι της γης (*pon.* επι
της γης *post* δυναται 𝔭⁴⁵) ου δυναται ουτως (*cum*
ℵBCLΔΘ fam.¹³ 543. 28. 33. 517. 565. 579. 892.
1071. 1342 al. pauc. ; *om.* ADWYΓΠΦ𝔟 𝔭⁴⁵ fam.¹
22. 157. 700. 1278 al. pler.) λευκαναι (*pon. ante*
ουτως 1071): ως ου δυναται τις λευκαναι επι της γης
D, *item cf.* qualia quis non potest facere super ter-
ram *b*, qualia quis super terram candida facere non
potest *i*, *similiter* = sicut filii hominum candidum
facere in terra non possunt Sy.ᵖᵉˢʰ· ; *cf.* qualia fullo
super terram non potest candida facere (>facere
tam candida *ff*) *cf ff g² l r² vg.*, qualia non potest
quisquam fullo super terram facere candida *q*, qua
ua (qualia?) sullo (*sic*) super terram non potest sic
a(l)ba producere *k* ; *om. haec uerba* X *a n* Sy.ˢ·

4. και: +ελαμψε το προσωπον αυτου ως ο ηλιος και

---

1. Or. ⁱⁿ ᴵᵒᵃⁿⁿ· Tom. XX. αμην αμην λεγω υμιν οτι εισιν τινες των εστηκοτων ωδε οιτινες ου μη γευσωνται
θανατου εως αν ιδωσιν την βασιλειαν του θεου εληλυθυιαν εν δυναμει.

cf. Or. *id.* Tom. XII. ιδοντα την βασιλειαν του θεου εληλυθυιαν εν δυναμει.

cf. Epiph. ᵖᵃⁿᵃʳ· εισι των αυτου εστωτων οιτινες ου μη γευσωνται θανατου εως αν ιδωσιν τον υιον του ανθρω-
που ερχομενον εν τη δοξη αυτου.

cf. Matt. xvi. 28; Luc. ix. 27.

2. Or. ⁱⁿ ᴹᵃᵗᵗ· Tom. XII. Ειτα επει κατα τον Μαρκον δεησει διηγησασθαι το· και εν τω προσευχεσθαι αυτον
μετεμορφωθη εμπροσθεν αυτων.

3. Or. ⁱⁿ ᴹᵃᵗᵗ· Tom. XII. τοτε δε κατα μαρκον γινονται τα ιματια αυτου λευκα και στιλβοντα ως το φως,
οια γναφευς επι της γης ου δυναται ουτως λευκαναι.

4. Aug. ᶜᵒⁿˢ· Moyses et Helias cum domino loquerentur.

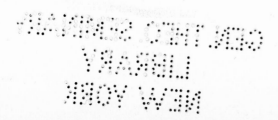

λοῦντες τῷ Ἰησοῦ. ⁵ καὶ ἀποκριθεὶς ὁ Πέτρος λέγει τῷ Ἰησοῦ Ῥαββεί, καλόν ἐστιν ἡμᾶς ὧδε εἶναι, καὶ ποιήσωμεν τρεῖς σκηνάς, σοὶ μίαν καὶ Μωυσεῖ μίαν καὶ Ἠλείᾳ μίαν. ⁶ οὐ γὰρ ᾔδει τί ἀποκριθῇ, ἔκφοβοι γὰρ ἐγένοντο. ⁷ καὶ ἐγένετο νεφέλη ἐπισκιάζουσα αὐτοῖς, καὶ ἐγένετο φωνὴ ἐκ τῆς νεφέλης Οὗτός ἐστιν ὁ υἱός μου ὁ ἀγαπητός, ἀκούετε

l251 (i. q. in uers. 2) | ωφθη : ωφθησαν EM 124. 238. 700. l48. l49 Sy.ˢ· ᵖᵉˢʰ· Geo.² ; praem. ιδου W fam.¹³ (exc. 124) 543. 28. 565. 700 | αυτοις : αυτος W ; cum illo c, = ei Geo.¹ | ηλειας B*DH : ηλιας Uncs. rell. Minusc. omn. | μωυσει B³DNSΔΘΠΣΩ 1. 10. 11. 12. 74. 78. 80. 83. 85. 86. 473. 482, item Moysi a ff n r² : μωυση אB*KWΦ 28. 33. 131. 229. 234. 349. 435. 700. 892. 1278** al. mu., item Moyse f l q δ vg. (plur. sed non WW), cf. Moysen b d i ; μωσει AEFGLMVXY 118. 209. 22. 69. 124. 157. 565. 1071 al. pler. ; μωση CHUΓ 𝔭⁴⁵ 13. 346. 543. 71. 579. l184 al. pauc., item Mose k vg. (plur. et WW) | ηλ. συν μω. : cf. Elias et Moises vg. (tol.), similiter Sy.ᵖᵉˢʰ· Cop.ᵇᵒ· ; >Moyses et Helias c aur., item Sy.ˢ· Aug. | και ησαν συλλαλουντες (συνλ. B*CHLWΔΣ 𝔭⁴⁵ 13. 124. 346. 543. 28. 59. 579 ; συλλ. Uncs. pler. Minusc. pler. ; λαλουντες 472, item loquentes b d ff i l r²) : om. και ησαν l48. l49, item c Sy.ᵖᵉˢʰ· ˢ· Cop.ˢᵃ· ; και συνελαλουν DΘ fam.¹ (exc. 118) 565. 700, item et conloquebantur a n q Cop.ᵇᵒ· Arm. Geo. | τω Ιησου : cum eo ff Sy.ˢ· ; om. c.

5. om. και αποκριθεις usque ad Ιησου k | και (= om. Sy.ˢ· Cop.ˢᵃ·) αποκριθεις : αποκριθεις δε 242. 476 ; om. αποκριθεις l2 a n q Sy.ᵖᵉˢʰ· ; et respondit i | ο Πετρος : om. ο ΓW 253 ; = Kepha Sy.ˢ· ᵖᵉˢʰ· | λεγει Uncs. pler. 118. 22. 33. 157. 579. 1071 al. pler. : ειπεν (pon. ante Πετρος W 𝔭⁴⁵) DWΘ𝔭⁴⁵ 565. 700. 892, item dixit a b n vg. (1 MS) Sy.ˢ· ᵖᵉˢʰ· ʰˡ· Cop.ᵇᵒ· Geo. ; ελεγεν fam.¹ (exc. 118) fam.¹³ 543. 28 ; = dicens Cop.ˢᵃ· ; om. i | τω Ιησου : αυτω ΝΣ Sy.ᵖᵉˢʰ· | ραββει אABCDEHNWXY 𝔭⁴⁵ 28. 579 : ραββι ΛΓΔΘΠΣΦⅫ (exc. EH) Minusc. rell. | καλον : optimum (pro bonum) a n | ημας ωδε ειναι, item it. (pler.) aur. : >ωδε ημας ειναι W r² vg. (pler. et WW) ; >nobis (pro nos) hic esse a b k l n r¹ vg. (1 MS) | και : om. X 579. l184 aur. ; και ει θελεις 700, item et si uis f n q, cf. itaque si uis c ; και θελεις (θελης 1071) W 1071 ; ει θελεις 28 a ; θελεις DΘ fam.¹³ 543. 565 b ff i | ποιησωμεν : ποιησομεν V 51. 71. 74. 78. 82. 86*. 87. 89. 90. 700. 1342 ; ποιησω DW b ff i ; etiam add. ωδε CWΘ 𝔭⁴⁵ 565. 1342 c ff vg. (1 MS) Cop.ᵇᵒ· (2 MSS) Geo.² | τρεις σκηνας אBCLΔ 𝔭⁴⁵ 33. 142. 182. 237. 259. 579. 892. 1342 it. (exc. d f q) vg. Sy.ˢ· ᵖᵉˢʰ· Cop.ˢᵃ· ᵇᵒ· Geo. Aeth. : >σκηνας τρεις ADNWXYΓΘΠΣΦⅫ fam.¹ 22. fam.¹³ 543. 28. 157. 565. 700. 1071 al.

pler. f q Sy.ʰˡ· Arm. | σοι : συ ΝΦ | μωυσει uel μωυσση uel μωσει uel μωση (add. etiam Ψ), cf. uers. 4. | ηλεια uel ηλια (add. etiam Ψ), cf. uers. 4 | και ηλεια (ηλια) μιαν : >και (= om. Cop.ˢᵃ·) μιαν ηλια (ηλιαν sic 482) 157. (482). 579. 1342, item k Cop.ˢᵃ· ᵇᵒ· (4 MSS) Aeth. Arm.

6. αποκριθη (απεκριθη א) (א)BC*LΔΨ fam.¹ (exc. 118) 28. 33. 565. 579. 700. 892. 1342 (αποκριθει), item responderet k Cop.ᵇᵒ· Geo. Or. : λαλησει AD NXYΓΠΣⅫ (exc. U*) 118. 22. fam.¹³ 543. 71. 157. 349. 517. 692. 697. 1278 al. plur. ; λαλησα C³U*Φ 330. 1071. l251 al., item loqueretur a c ff n q, diceret b f i l r¹· ² vg., similiter Sy.ʰˡ· Aeth. Arm. ; ελαλει Θ, item Sy.ˢ· ; λαλει W 𝔭⁴⁵, item Sy.ᵖᵉˢʰ· Cop.ˢᵃ· | εκφοβοι γαρ εγενοντο (ησαν 569) אBCDLΔΘΨ 33. 565. (569). 579. 892. 1342. l2, cf. timore enim exterriti (perterriti b) erant (sunt b) a b c d ff i q r¹, similiter Geo.¹ ᵉᵗ ᴮ, timore enim repleti sunt n, similiter Cop.ᵇᵒ·, in metu enim fuerat k : >ησαν γαρ εκφοβοι (εμφοβοι KU 116. 238. 471. l184) ANW XΓΠΣΦⅫ 𝔭⁴⁵ ᵘⁱᵈ· fam.¹ 22. fam.¹³ 543. 28. 157. 700. 1071 al. pler., cf. erant enim timore exterriti (perterriti r²) f l r² vg. Geo.ᴬ, similiter Sy.ᵖᵉˢʰ· ʰˡ· ; cf. metus enim eos cepit Cop.ˢᵃ·, = quia metus ei ceciderat Sy.ˢ·

7. και εγενετο pr. אABCDLXΓΔΠΦΨⅫ fam.¹ 22. 33. 157. 579. 892 al. pler. : και ιδου εγενετο WΘ fam.¹³ 543. 28. 50. 565. 700. 1071 ; εγενετο δε ΝΣ 517. 569. l2 | αυτοις : αυτους H*UW 𝔭⁴⁵ ᵘⁱᵈ· fam.¹³ 28. 108. 238. 330. 472. 481. 517. l48. l49. l184 al. pauc., item it. vg. ; αυτωι sic 473, item = ei Sy.ˢ· | και : om. n | εγενετο φωνη (pon. post νεφελης א) (א)BCLΔΨ 579. 892. 1342 Sy.ʰˡ· ᵐᵍ· Cop.ᵇᵒ·, cf. = uox fuit Geo. Arm. : ηλθε φωνη ADNXΓΘΠΣ ΦⅫ 22. 33. 157. 565. 700 al. pler. a b f g² i l n q r¹· ² vg. Sy.ʰˡ· ᵗˣᵗ· Aeth. Or. ; >φωνη ηλθε fam.¹³ 543. 28. Sy.ˢ· Cop.ˢᵃ· ; >uox fuit Geo. Arm. : ηλθε φωνη ADNXΓΘΠΣ ΦⅫ 22. 33. 157. 565. 700 al. pler. a b f g² i l n q r¹· ² vg. Sy.ʰˡ· ᵗˣᵗ· Aeth. Or. ; >φωνη ηλθε fam.¹³ 543. 28. Sy.ˢ· Cop.ˢᵃ· ; >ιδου φωνη εγενετο φωνη 300, cf. ecce uox exiit ff, ecce uox c aur. ; nil nisi φωνη WY fam.¹ (exc. 118 spat. relict.) k Sy.ᵖᵉˢʰ· | εκ της νεφελης (om. haec uerba ff aur.ᵗˣᵗ·) sine add. אBC NXYΓΠΣⅫ 22. 90. 106. 229. 238. 330. 349. 517. 579. 697. 892. 1278. 1342 al. mu. k Sy.ˢ· ʰˡ· ² Cop.ˢᵃ· ᵇᵒ· Geo. : +λεγουσα ADLWΔ (λεγων) ΘΦΨ fam.¹ fam.¹³ 543. 28. 33. 71. 157. 692. 700 al. mu. it. (exc. k) vg. Sy.ᵖᵉˢʰ· ʰˡ·*, similiter Aeth. Arm. Or. | αγαπητος : = dilectus meus Cop.ˢᵃ· ᵇᵒ· ; +ον εξελεξαμην O131 ; +εν ω ηυδοκησα אᵃΔ, cf. Matt.

6. Or. ⁱⁿ ᴹᵃᵗᵗ· ᵇⁱˢ· επει ο μεν Μαρκος επηγαγεν αυτοις ως εκ του ιδιου προσωπου το· ου γαρ ηδει τι απεκριθη.

7. Or. ⁱⁿᵗ· ᴺᵘᵐ· ᴴᵒᵐⁱˡ· ⱽᴵᴵ· et uenit uox de nube dicens Hic est filius meus dilectissimus in quo mihi bene complacui. = Matt. xvii. 5.

αὐτοῦ.   [8] καὶ ἐξάπινα περιβλεψάμενοι οὐκέτι οὐδένα εἶδον μεθ᾽ ἑαυτῶν εἰ μὴ τὸν Ἰησοῦν
μόνον.   [9] Καὶ καταβαινόντων αὐτῶν ἐκ τοῦ ὄρους διεστείλατο αὐτοῖς ἵνα μηδενὶ ἃ εἶδον
(πη/ι) διηγήσωνται, εἰ μὴ ὅταν ὁ υἱὸς τοῦ ἀνθρώπου ἐκ νεκρῶν ἀναστῇ.   [10] καὶ τὸν λόγον
(πθ/ϛ) ἐκράτησαν πρὸς ἑαυτοὺς συνζητοῦντες τί ἐστιν τὸ ἐκ νεκρῶν ἀναστῆναι.   [11] καὶ ἐπηρώ-
των αὐτὸν λέγοντες Ὅτι λέγουσιν οἱ γραμματεῖς ὅτι Ἠλείαν δεῖ ἐλθεῖν πρῶτον;   [12] ὁ

xvii. 5. Or. | ακουετε (ακουσατε 28. 517) αυτου
ℵBCDLWΘΨ fam.¹ (exc. 118) (28). 33. (517). 565.
579. 892. 1071. 1342 a c g² i k l n r¹·² vg. Cop.ˢᵃ· ᵇᵒ·
Geo.: >αυτου ακουετε ΑΝΧΓΠΣΦϚ 118. 22. fam.¹³
543. 157. 700 al. pler. b f ff q Sy.ᵖᵉˢʰ· ʰˡ· Aeth. Arm.;
om. Δ.
   8. εξαπινα: ευθεως DΘ 0131. 69. 28. 59. 66 ᵐᵍ·
565, item statim a g² i l n r¹·² vg., continuo q, con-
festim f; cf. repente c ff, subito k; = repente
rursus Sy.ˢ·; εξεφνης l184; om. b | περιβλεψαμενοι:
περιβλεπομενοι W, cf. circumspicientes b c d f ff g² i l
q r² vg., respicientes a n, inspicientes r¹; cf. cir-
cumspexerunt et k; = + discipuli eius Sy.ˢ· ᵖᵉˢʰ·
! ουκετι: om. 59. 225. 565 k Sy.ˢ· ᵖᵉˢʰ· Cop.ᵇᵒ·
Geo.² Aeth. | ειδον ℵABDEFGHNSUWΓΠ²Ω
Minusc. pler.: ιδον (pon. ante ουδενα Δ) CKLMVX
ΔΘΣΦΨ fam.¹³ (exc. 69) 543. 28 al.; ιδων sic 565
| = nemo uisus est eis pro ουδενα ειδον Sy.ˢ· | μεθ
(μετα B) εαυτων (εαυτον 28) hoc loco B 33. 579 cf
aur. Cop.ˢᵃ·: pon. post τον Ιησουν μονον Uncs. rell.
fam.¹ (118 defect.) 22 fam.¹³ 543. 28. 700. 892. 1071
al. pler. it. (pler.) vg. Sy.ᵖᵉˢʰ· ʰˡ· Cop.ᵇᵒ· Aeth.
Arm.; post >μονον τον Ιησουν 565; om. 0131. 61
a k l vg. (1 MS) Sy.ˢ· | καθ εαυτον pro μεθ εαυτων 157
| ει μη ℵBDNΣΨ 0131. 33. 51. 61. 517. 579. 892.
1342. l13. l48. l49. l251, item nisi it. vg. Sy.ˢ· (ᵖᵉˢʰ·)
ʰˡ· Cop.ᵇᵒ· Aeth.: αλλα ACLWXΓΔΘΠΦϚ fam.¹
22. fam.¹³ 543. 28. 157. 565. 700. 1071 al. pler.,
item = sed Cop.ˢᵃ· Geo. Arm.; αλλ η 71. 692
| τον Ιησουν: om. τον 0131 | μονον: om. F; pon.
ante τον Ιησουν 565 c Arm.
   9. και (= om. Sy.ˢ·) καταβαινοντων (+ δε 330) αυ-
των ℵBCDLNΔΣΨ 33. (330). 892. 1071. 1342 it. (exc.
f) vg. Sy.ᵖᵉˢʰ· Cop.ᵇᵒ· Geo. Aeth. Arm.: καταβαινον-
των (καταβαντων 565) δε αυτων ΑWΧΥΓΘΠΦϚ fam.¹
22. fam.¹³ 543. 28. 157. (565). 700 al. pler. f Sy.ʰˡ·
Cop.ˢᵃ·; om. 579 | εκ BDΨ 33. 475. 477, item de it.
vg.: απο ℵACLNWXΥΓΔΘΠΣΦϚ Minusc. pler.;
om. 579 | διεστειλατο (διετειλατο sic 70): διεστελλε-
το C fam.¹ (exc. 118), similiter Sy.ˢ· ᵖᵉˢʰ·; παρηγγειλεν
Δ; + ο Ιησους 238 (post αυτοις) 565 Aeth. | αυτοις:
om. 565 k | ινα: om. Δ | ειδον ℵABCWΓΔΠ²ϛ
(exc. KV) Minusc. pler.: ιδον KLNVXΘΠ*ΣΦΨ
fam.¹³ (exc. 124) 543. 28. 565 al.; ειδοσαν D | διη-
γησωνται: διηγησονται HKNXY*ΘΩ 59. 66. 157.
271. 472. 485. 487. 565 al. pauc.; εξηγησωνται
(∼ονται W 13. 28. 700) W fam.¹³ (exc. 124) 543.
28. 700 | a ειδον (uel ιδον) διηγησ. (uel εξηγησ.)
hoc ordine ℵBCDLWΔΘΨ fam.¹ (exc. 118) fam.¹³
(exc. 124) 543. 28. 565. 579. 700. 892. 1342, item
quae uiderunt enarrent a k n, quae (ea quae b)

uidissent narrarent b d l q r² vg., quae uidissent
dicerent g¹ i: >διηγησ. a (o 569) ειδον (uel ιδον)
ΑΝΧΥΓΠΣΦϚ 118. 22. 124. 33. 157. 1071 al. pler.,
item dicerent quae uiderunt c ff, enarrarent quae
uiderant f | ει μη (om. ει μη ℵ* sed insert. ℵᵃ)
οταν (om. 238; οτε 240. 244): εως ου 700 | >αναστη
εκ νεκρων 1071.
   10. om. uers. (per homoeotel. ?) 17*. 126 ff Sy.
ᵖᵉˢʰ· (1 MS) Cop.ˢᵃ· (2 MSS) | και Uncs. pler. fam.¹
22. 28. 33. 157. 579. 892. 1071 al. pler., item it.
(exc. c i) vg. Cop.ˢᵃ· ᵇᵒ· Sy.ˢ· ᵖᵉˢʰ· ʰˡ· Geo.: om. c i;
οι (ει sic 13) δε WΘ fam.¹³ 543. 49. 565. 700; οι δε
και 50. 64. 262. 300 | εκρατησαν (+ οι μαθηται 69):
εκρατουν 241; ετηρησαν 700 | προς εαυτους (αυτους
71): προς αλληλους (cf. se it. pler. vg., sed semet-
ipsos b) Θ 565; παρ εαυτοις 28 | συνζητουντες ℵA
BCDGLNWΔΘΣΦ 13. 346. 543. 579: συζητ. XY
ΓΠΨϚ (exc. G) Minusc. pler.; ζητουντες 108; om
k | τι εστιν: το τι εστιν M; om. 64; = + hic sermo
Sy.ᵖᵉˢʰ·; = + hic sermo quem dicit Sy.ˢ· | το (om.
Θ; τω sic Γ) εκ νεκρων αναστηναι Uncs. pler. 22.
28. 33. 157. 565. 579. 700. 892. 1071 al. pler.,
item a mortuis resurgere q, a mortuis resurrexerit
k, similiter Sy.ʰˡ· Cop.ˢᵃ· ᵇᵒ· Aeth. Arm.: οταν εκ
νεκρων αναστη DW fam.¹ fam.¹³, item cum a
mortuis resurrexisset (resurrexit a r², resurrexerit
f l vg.) a b c f i l r¹·² vg., similiter Sy.ˢ· ᵖᵉˢʰ· Geo.,
cf. quod a mortuis surrexisset d; nil nisi ανα-
στηναι Δ.
   11. επηρωτων (επερωτων L; επηρωτουν Σ; ηρωτων
53. 244) Uncs. pler. 118*. 22. 157. 565. 700. 892.
1071 al. pler., item interrogabant it. (exc. a g¹ q) vg.
Sy.ˢ· ᵖᵉˢʰ· ʰˡ· Geo. Aeth.: επηρωτησαν AW fam.¹
(exc. 118*) fam.¹³ 543. 28. 33. 90. 483. 484. 506.
579. l48, item interrogauerunt a g¹ q Cop.ˢᵃ· ᵇᵒ·;
= interrogant Arm. | λεγοντες: = et dixerunt
(dicebant Geo.²) Geo. | οτι pr. Uncs. pler. Minusc.
pler., item quia b d ff i Sy.ˢ· Cop.ˢᵃ· ᵇᵒ· Geo.¹ (quomodo
Geo.²): τι ουν WΘ, item quid ergo a f l r² vg. Sy.
ᵖᵉˢʰ·, cf. quid utique c; πως ουν fam.¹³ 543; τι 238,
item quare k q r¹ Sy.ʰˡ· Cop.ˢᵃ· ᵇᵒ·; om. 27. 60.
Aeth. | οτι (usque ad) γραμματεις: om. 226
| οι γραμματεις: οι φαρισαιοι και οι γραμμ. ℵL 1342
c l r² vg. Aeth.; >scribae et pharisei aur. | οτι
sec.: om. D fam.¹ 46. 52. 60. 108 b ff i k q r¹
| ηλειαν B*D: ηλιαν Uncs. rell. Minusc. omn. | δει
ελθειν: διελθειν sic 13. 543 | ελθειν πρωτον (πρωτος
482): >πρωτον ελθειν D, item >primum uenire it.
(exc. l) vg. (aliq. sed non WW) | pro οτι λεγουσιν
usque ad πρωτον habet τι εστιν το εκ νεκρων αναστη-
ναι 565.

δὲ ἔφη αὐτοῖς Ἡλείας μὲν ἐλθὼν πρῶτον ἀποκατιστάνει πάντα, καὶ πῶς γέγραπται ἐπὶ
τὸν υἱὸν τοῦ ἀνθρώπου ἵνα πολλὰ πάθῃ καὶ ἐξουδενηθῇ;   [13] ἀλλὰ λέγω ὑμῖν ὅτι καὶ
Ἡλείας ἐλήλυθεν, καὶ ἐποίησαν αὐτῷ ὅσα ἤθελον, καθὼς γέγραπται ἐπ᾽ αὐτόν.   [14] Καὶ (9/ι)
ἐλθόντες πρὸς τοὺς μαθητὰς εἶδαν ὄχλον πολὺν περὶ αὐτοὺς καὶ γραμματεῖς συνζητοῦντας
πρὸς αὐτούς.   [15] καὶ εὐθὺς πᾶς ὁ ὄχλος ἰδόντες αὐτὸν ἐξεθαμβήθησαν, καὶ προστρέχοντες

12. ο δε εφη ℵBCLΔΨ 579. 892. 1342 Cop.
sa. bo. : ο δε αποκριθεις ειπεν ADNWXYΓΘΠΣΦ⁵
Minusc. rell., *similiter* Sy.ʰˡ· Aeth. Arm., *cf.* ille
autem (= *om.* Sy.ˢ·) respondit et dixit *k*, *similiter*
Sy.ˢ· Geo., respondens autem dixit *b ff i*, et respon-
dens dixit *q*, ad ille respondens ait *d*, qui respondens
ait *f l r²* *vg.*, quibus respondens dixit *a*, respondens
dixit *r¹*, respondens iesus dixit (ait *aur.*) *c aur.* ; = di-
cit Sy.ᵖᵉˢʰ· | αυτοις : + ει D ; + et *a* | ηλειας AB*
D : ηλιας Uncs. rell. Minusc. omn. | μεν Uncs. pler.
Minusc. pler., *item* Sy.ʰˡ· ᵗˣᵗ· Cop.ˢᵃ· ᵇᵒ· : *om.* DL
WΨ fam.¹ (*exc.* 118) 28. 565. 892 *it.* *vg.* Sy.ˢ· ᵖᵉˢʰ·
ʰˡ· ᵐᵍ· Geo. Aeth. Arm. | ελθων : + ο θεσβιτης 72 ;
δει ελθειν 427 ; *cf.* ueniens *a c q*, cum uenerit *b ff i l*
r¹·² *vg.*, uenerit *f*, uenit *d* ; *om.* *k* | πρωτον ℵ*A
BCLXYΓΘΠΦ⁵ Minusc. pler. : πρωτος ℵᶜD (*sed*
primum *d*) NWΔΣΨ 349. 517. 579. 892. 1071 ; *om.*
700 Cop.ˢᵃ· (1 MS) | αποκατιστανει B*Ψ : αποκαθι-
στανει ℵᶜAB³LWΔ fam.¹ 33 ; αποκαθιστα NXYΓΠΣ
Φ⁵ 22. fam.¹³ 543. 157. 700. 892. 1071 al. pler. ; απο-
καταστανει ℵ*D ; αποκατα−σταινει 28 ; αποκαταστησει
CΘ 565. 579 ; και αποκαθισταν 427 ; *cf.* restituet *a b c f*
ff i l q r¹·² *vg.*, restituere *d*, disponit *k* | παντα : *om.*
106 ; τα παντα 13. 346. 543. 238 | και (*om.* *k*) πως ℵB
CDLNWXΓΘΣΦΨ⁵ (*exc.* KM) Minusc. pler. VSS
(*exc.* Sy.ʰˡ· ᵐᵍ·) : καθως AKMYΔΠ 4. 11. 15. 116.
220. 229. 237. 238. 259. 472. 474 al. pauc. Sy.ʰˡ· ᵐᵍ·
| εξουδενηθη BDΨ : εξουθενηθη (∼θηνηθη Φ) LNW
ΘΣ(Φ) fam.¹ 892. 1342, εξουδενωθη ACXYΓΔΠ⁵ 22.
13. 124. 543. 28. 33. 157. 565. 579. 700. 1071 al.
pler. ; εξουθενωθη ℵ 69. 346 ; *cf.* spernatur *a*, in-
nulletur *k*, contemnatur (∼netur *l*) *it.* rell. *vg.*
(pler.) Sy.ᵖᵉˢʰ· ; *cf.* = crucificatur Sy.ˢ·

13. αλλα : + και 66 | οτι : *om.* ℵ* (*add.* *sup.*
lin. ℵᶜ) | και *pr.* ℵABCDLXYΔΠΦΨ⁵ (*exc.* M*U)
22. 13. 124. 28. 33. 579. 892. 1071 al. pler. *it.* (*exc.*
a k l r²) *vg.* (pler. *et* WW) Sy.ᵖᵉˢʰ· (pler.) ʰˡ· Cop.ˢᵃ· :
om. M*NUWΓΘΣ fam.¹ 69. 346. 543. 66. 71. 74*.
238. 472. 482. 483*. 565. 575. 692. 700 al. pauc. *a*
k l r² *vg.* (5 MSS) Sy.ˢ· ᵖᵉˢʰ· (1 MS) Cop.ᵇᵒ· Geo.
Aeth. Arm. | ηλειας AB*D : ηλιας Uncs. rell.
Minusc. omn. | εληλυθεν Uncs. pler. 118*. 22.
fam.¹³ 543. 33. 157. 565. 579. 892. 1071 al. pler. :
εληλυθει Δ ; ηλθεν CW fam.¹ (*exc.* 118*) 28. 36. 40.
237. 259. 506. 700, *item* uenit *it.* *vg.* ; *etiam* *praem.*
ηδη CNΣW (*pon. ante* ηλιας) fam.¹ (*exc.* 118*) 251².
697. 700. 1278, *item* *praem.* iam *f i* | εποιησαντο 69
| *om.* αυτω οσα ηθελον X | αυτω : εν αυτω ℵᶜKL
YΠ⁵ 27. 28. 72. 116. 229. 253. 299. 473. 474. 482.
892 (*pon. ante* εποιησαν) Sy.ˢ· ᵖᵉˢʰ· ʰˡ· ᵐᵍ· | οσα :
παντα οσα 235. 565. 1071 | ηθελον ℵBC*ᵘⁱᵈ·DLΨ

892. 1342 : ηθελησαν AC²NWYΓΔΘΣΦ⁵ Minusc.
rell. VSS omn. | *pro* εποιησαν αυτω οσα ηθελον
habet fecit quanta oportebat illum facere *k* | επ
αυτον : επ αυτω W 238. 700. *l*260 ; εν αυτω Γ ; περι
αυτου fam.¹³ 543. 28. 59. 64. 245, *item* de eo (illo *q*)
it. (*exc.* *d k*) *vg.*, *similiter* Sy.ˢ· ᵖᵉˢʰ· ʰˡ· Cop.ˢᵃ· ᵇᵒ·
Geo. Aeth. Arm. ; *cf.* super eum *k*, in eum *d*.

14. και : = *om.* Sy.ˢ· | ελθοντες *et seq.* ειδαν (B* ;
ειδον ℵB³L 892. 1342 ; ιδον WΔΨ) ℵBLWΔΨ 892.
1342 *k* Cop.ˢᵃ· Arm. : ελθων *et seq.* ειδεν (*uel* ιδεν
KMNVΘΠ*Σ 067. 13. 346. 543. 28. 565. 579 al.
pauc.) ACDNXYΓΘΠΣΦ 067 ⁵ Minusc. rell. *it.*
(*exc.* *k*) *vg.* Sy.ᵖᵉˢʰ· ʰˡ· Cop.ᵇᵒ· Geo.² Aeth. ; *sed*
= cum uenisset *et seq.* uiderunt Sy.ˢ· Geo.¹ | μαθη-
τας : + αυτου Θ fam.¹³ (*exc.* 124) 543. 517 *a c f l r²*
vg. Sy.ˢ· Cop.ᵇᵒ· (1 MS) Geo.ᴮ Aeth. | οχλον πολυν :
>πολυν (πολλον 472) οχλον M 237. 252. 259. 472.
*l*49. *l*251 Cop.ˢᵃ· Aeth. ; *om.* πολυν W fam.¹ (*exc.*
118) 28 Cop.ᵇᵒ· (1 MS) Geo. Arm. | περι αυτους,
item circa eos *f l r²* *vg.* Cop.ˢᵃ· ᵇᵒ· Arm. : προς αυ-
τους D, *item* apud eos *a b c ff i*, aput eos *k*, *similiter*
Sy.ˢ· ᵖᵉˢʰ· ʰˡ· ; cum illis *q* | γραμματεις : τους γραμ-
ματεις DΘ 067 fam.¹³ (*exc.* 346) 543. 28. 565 Cop.ᵇᵒ·
Arm. | συνζητουντας ℵABCDGLNWΘΣ 067 fam.¹³
(*exc.* 69) 543. 28. 579 : συζητ. XΓΔΠΦΨ⁵ (*exc.* G)
fam.¹ 22. 69. 33. 157. 565. 700. 892. 1071 al. pler.
| συ. προς αυτους (εαυτους ℵ*G ; αυτον Ψ) ℵBC(G)
LWΘ(Ψ) 067. fam.¹ 124. 28. 579. 700. 892 : συ.
αυτοις ADNXYΓΠΣΦ⁵ (*exc.* G) 22. fam.¹³ (*exc.* 124)
543. 13. 157. 565. 700 al. pler., *cf.* conquirentes
cum illis (eis *q*) *a b c d ff i l q r²* *vg.*, *similiter* Sy.ˢ· ʰˡ·
Cop.ᵇᵒ·, altercantes cum eis *f*, *similiter* Sy.ᵖᵉˢʰ·
Cop.ˢᵃ·, inquirentes ad eos *k* ; *cf.* = ad disceptan-
dum secuti sunt eos Geo.¹, disceptabant cum eis
Geo.² | *om.* και γραμματεις *usque ad* αυτους 1342.

15. ευθυς ℵBCLWΔΘΨ fam.¹ fam.¹³ (*exc.* 124)
543. 28. 565. 700. 892. 1342 : ευθεως ADNXYΓ
ΠΣΦ 067 ⁵ 22. 124. 33. 157. 579. 1071 al. pler.
| πας ο (*om.* D) οχλος (λαος 12. 61) : = *om.* Sy.ˢ·
| ιδοντες (ειδοντες D) *et seq.* εξεθαμβηθησαν (εθαμβη-
σαν D) ℵBCDLWΔΨ 067 fam.¹ (*exc.* 118) fam.¹³
543. 27. 28. 33. 70. 349 (*uid. infra*) 517. 892. 1071.
1342. *l*19. *l*150. *l*184 *a b c i r¹* Sy.ˢ· ᵖᵉˢʰ· ʰˡ· ᵐᵍ·
Cop.(ˢᵃ·) ᵇᵒ· (ᵃˡⁱq·) Geo.ᴬ Aeth. Arm. : ιδων *et seq.*
εξεθαμβηθη ANXΓΘΠΣΦ⁵ 118. 22. 157. 700 al. pler.
f k q aur. (*vg.*) Sy.ʰˡ· ᵗˣᵗ· Cop.ᵇᵒ· (2 MSS) ; ιδοντες *et*
seq. εξεθαμβηθη 506. *l*18 ; ιδων *et seq.* εξεθαμβηθησαν
565. *l*48. *l*49 *ff* Geo.¹ ᵉᵗ ᴮ ; *cf.* uidens (uidiens *sic*
r²) *et seq.* stupefactus est et (*om.* *vg.* aliq.) expaue-
runt *g² l r²* *vg.* (pler.) | αυτον *pr.* (αυτο 124) : τον
Ιησουν D *b c ff k r¹* *vg.* (*aliq. sed non* WW) ; *om.*

(ϟα/β) ἠσπάζοντο αὐτόν.   ¹⁶ καὶ ἐπηρώτησεν αὐτούς Τί συνζητεῖτε πρὸς αὐτούς;   ¹⁷ καὶ
ἀπεκρίθη αὐτῷ εἷς ἐκ τοῦ ὄχλου Διδάσκαλε, ἤνεγκα τὸν υἱόν μου πρός σέ, ἔχοντα
πνεῦμα ἄλαλον·   ¹⁸ καὶ ὅπου ἐὰν αὐτὸν καταλάβῃ ῥήσσει αὐτόν, καὶ ἀφρίζει καὶ τρίζει
τοὺς ὀδόντας καὶ ξηραίνεται· καὶ εἶπα τοῖς μαθηταῖς σου ἵνα αὐτὸ ἐκβάλωσιν, καὶ οὐκ
ἴσχυσαν.   ¹⁹ ὁ δὲ ἀποκριθεὶς αὐτοῖς λέγει Ὦ γενεὰ ἄπιστος, ἕως πότε πρὸς ὑμᾶς
ἔσομαι; ἕως πότε ἀνέξομαι ὑμῶν; φέρετε αὐτὸν πρός με.   ²⁰ καὶ ἤνεγκαν αὐτὸν πρὸς

fam.¹ (exc. 118) 517 Geo.¹ et B | om. εξεθαμβ. και
προστρεχ. 349 | προστρεχοντες (προτρεχοντες AC):
προσχεροντες D, item gaudentes a b c d f f i k | αυτον
sec.: om. 11.

16. επηρωτησεν (⁓σαν sic 256): επηρωτα 565,
item interrogabat a vg. (1 MS) Sy.ˢ·ᵖᵉˢʰ· | αυτους pr.
ℵBDLWΔΘΨ fam.¹ (exc. 118) 28. 565. 579. 892. 1342
it. (exc. a) vg. Sy.ˢ· Cop.ˢᵃ·ᵇᵒ· Geo. (= + iesus Geo.²)
Arm.: τους γραμματεις ACNXΓΠΣΦ⅄ 118. 22.
fam.¹³ 543. 33. 157. 700. 1071 al. pler., item a Sy.
ᵖᵉˢʰ·ʰˡ· Aeth.; +λεγων 565 b, +et dixit Geo.²
| συνζητειτε (uel συζ. i.q. uers. 10 exc. hoc loco συζ.
Δ, συνζ. 28 hab.): ζητειτε 124. 56. 58. 76. 92. 218.
220. 225. 235. 517. 575; ουν ζητειτε 256 | προς
αυτους ℵᶜBCᵘⁱᵈ·LNXYΔΠΣΦΨ⅄ (exc. GM) fam.¹
22. fam.¹³ 543. 28 al. pler. Sy.ˢ· ᵖᵉˢʰ· ʰˡ· Cop.ᵇᵒ· ⁽ᵖˡᵉʳ·⁾
Aeth. Arm.: προς εαυτους ℵ*AGMWΓ 33. 108. 157.
238. 349. 517. 579. 697. 892. 1071. 1342. l18. l19.
l49. l184 al. pauc.; προς αλληλους Θ 472. 565 Cop.
ˢᵃ· ᵇᵒ· (1 MS); εν υμειν D, cf. inter uos it. (exc. k) vg.;
παρ εαυτους 569; om. k.

17. Ad init. uers. hab. in marg. G τω καιρω αν-
θρωπος τις προσηλθεν τω ιυ̅ γονυπετων αυτον και
λεγων διδασκαλε, cf. Matt. xvii. 14 etc. | απεκριθη
αυτω ℵBDLΔΨ 33. 579. 1342 a b c f f i k q r¹, etiam
+ dicens (post turba) c i r¹: αποκριθεις (+ αυτω C)
et + ειπεν (+ αυτω W 067. fam.¹ 13. 124. 346. 543.
565.) l251 Aeth., + αυτοις 69) post οχλου (uel post
εις, uid. postea) ACNWXYΓΠΣΦ 067 ⅄ Minusc.
pler. f l r² vg., item Sy.ʰˡ·; απεκριθι sic et seq. και
ειπεν αυτω post οχλου Θ, similiter Sy.ˢ· ᵖᵉˢʰ· ʰⁱᵉʳ·
Cop.ˢᵃ· Geo. | εις (τις 569) εκ του οχλου: >εκ του
οχλου εις fam.¹ (exc. 118) fam.¹³ 543. 28 | om.
διδασκαλε 482 | σε: αυτους 226** | αλαλον: = om.
Sy.ˢ·; + και κωφον 61. 91. 1071.

18. και: qui it. (exc. d k) vg. | και οπου: οπου
δε 59; και οπου δε 73 | εαν ℵᶜABKΔΠ 11. 253. 473.
474. 482: αν CDLNWXYΓΘΣΦΨ 067 ⅄ (exc. K)
118. 22. fam.¹³ 543. 28. 33. 157. 565. 579. 700. 892.
1071 al. pler.: om. fam.¹ (exc. 118) 90. 127. 234. 483.
484 | αυτον pr.: om. Δ 330 Arm. | καταλαβη:
καταλαβει 28. 506 | ρησσει (ρισσει 59. 157; ρασσει
D 565), item cf. allidit (adl. q r²) f g² q r¹· ² vg. (pler.),
elidit ff, collidit k, applontat d: ριπτει 255; σπαρασ-
σει l26; ρησει Δ 0153 (ρησι sic) 69, item cf. allidet (adl.
g¹ vg. 1 MS) a b i g¹ vg. (1 MS), ellidet c, elidet l
aur. | αυτον sec.: om. ℵDW k | και τριζει (τριζη 13;
τρυξει 10. 47. 54. 61ᵐᵍ· 157. l53; τρισσει 482): om.
X 697 | τους οδοντας sine add. ℵBC*ᵘⁱᵈ·DLWΔΨ

0153 fam.¹ (exc. 118) fam.¹³ (exc. 346) 543. 33. 59. 73.
565. 579 it. (exc. b f) vg. Geo.: + αυτου ACᶜNXYΓΘ
ΠΣΦ 067 ⅄ 118. 22. 346. 28. 157. 700. 892. 1071 al.
pler. b f Sy.ˢ· ᵖᵉˢʰ· ʰˡ· ʰⁱᵉʳ· Cop.ˢᵃ·ᵇᵒ· Aeth. Arm. | ξη-
ραινεται ℵBYΓΠΦΨ⅄ Minusc. pler.: ξηρενεται ACD
LNWXΔΣ 067. 118 fam.¹³ (exc. 69) 543. 28; ξηρεενε-
ται Θ, ξηρηνετε 0153, ξηραιεται 700 | ειπα ℵBFLW
Ψ fam.¹ 28. 565. 1342: ειπον ACDNXYΓΔΘΠΣΦ⅄
(exc. F) Minusc. pler. | αυτο (αυτου 346 k; αυτω
EFLUΓΔ 59) εκβαλωσιν (εκβαλλ. fam.¹ 71. 72.
74**. 90. 131. 237. 474. 517. 1342) Uncs. omn.
Minusc. pler. k: >εκβαλωσιν αυτο (αυτω 28; eum
uel illum it. pler. et vg.) 28. 565. 700 it. (exc. a k)
vg.; om. αυτο 579 a | ουκ ισχυσαν (ηδυνηθησαν
W 700): +εκβαλειν αυτο (om. r¹) DWΘ 565
(>αυτο εκβαλειν) a b (r¹) Cop.ˢᵃ· Arm.; = +sanare
eum Geo.ᴮ

19. ο δε Uncs. pler. 22. 33. 157. 700. 892 al.
pler. Sy.ʰˡ· Cop.ˢᵃ· Geo.: και DWΘ ℘⁴⁵ ᵘⁱᵈ· fam.¹
fam.¹³ 543. 28. 472. 565. 569 it. (exc. g² l r²) Sy.ʰⁱᵉʳ·
Cop.ᵇᵒ· Aeth., cf. qui g² l r² vg.; = om. Sy.ˢ· ᵖᵉˢʰ·
Arm. | αποκριθεις: + ο Ιησους fam.¹³ 543. 40. 472,
item c r¹ Sy.ˢ· ᵖᵉˢʰ· ʰⁱᵉʳ· Geo.², similiter + ο Ιησους
post αυτοις (uel αυτω) WΘ ℘⁴⁵ 28. 565 | αυτοις
ℵABDLWΔΘΠ*Ψ ℘⁴⁵ fam.¹ 33. 11. 15. 42. 72.
106. 114. 229*. 472. 517. 565. 579. 892 it. (exc. k q)
vg. Sy.ˢ· ʰˡ· ᵗˣᵗ· Cop.ˢᵃ· ᵇᵒ· Geo.¹: αυτω Cᶜ³NXYΓΠ²
ΣΦ⅄ 22. 28. 157. 700. 1071 al. pler., similiter illi
(ei g¹) g¹ q Sy.ᵖᵉˢʰ· Geo.ᴮ; om. C* fam.¹³ 543. 38.
39. 40. 237. 259. 435 k Geo.ᴬ | λεγει (pon. ante
αυτω l47. l54. l184 vg. 2 MSS) Uncs. pler. Minusc.
pler.: ειπεν Θ ℘⁴⁵ 472 (pon. ante αυτοις) 73. 565.
1071 (pon. ante αυτω), item dixit it. (pon. ante eis
uel illis exc. d f) vg. (1 MS) | απιστος (απιστε D
WΘ 565, cf. O generatio it. vg.): +και διεστραμμενη
W ℘⁴⁵ fam.¹³ 543. 50. 106. 157. 235. l53 | προς υμας
εσομαι (εσωμαι FΩ 28. 565) Uncs. pler. Minusc.
pler. it. (exc. c g¹) vg. Sy.ʰˡ· Geo.¹ Arm.: >εσομαι
(εσωμαι 472) προς υμας M 157. 472 c g¹ Sy.ˢ· ᵖᵉˢʰ·
Geo.² | εως ποτε ανεξομαι υμων (προς υμας 349):
om. 61 Geo.¹ | ανεξομαι: ανεξωμαι W 69. 28. 299.
483*. 484 | αυτον προς με (εμε ℵ ℘⁴⁵): μοι αυτον
330. 472; +ωδε post αυτον 142*. 472. 565 c Sy.ʰˡ·*
Geo.² Aeth.; = + tuum filium Sy.ˢ·

20. και: = om. Cop.ˢᵃ· | om. αυτον προς αυτον
q | προς αυτον: προς τον Ιησουν l47; om. D it.
(exc. f; hoc loco defect. ff) | και (om. W Arm.)
ιδων (ειδων D) αυτον: και ιδον αυτον Cᶜ²SVYΩ 22.
238. 349. 480. 569. 697 al. mu.; om. Ψ; cum

αὐτόν. καὶ ἰδὼν αὐτὸν τὸ πνεῦμα εὐθὺς συνεσπάραξεν αὐτόν, καὶ πεσὼν ἐπὶ τῆς γῆς ἐκυλίετο ἀφρίζων. ²¹ καὶ ἐπηρώτησεν τὸν πατέρα αὐτοῦ Πόσος χρόνος ἐστὶν ὡς τοῦτο γέγονεν αὐτῷ; ὁ δὲ εἶπεν Ἐκ παιδιόθεν· ²² καὶ πολλάκις καὶ εἰς πῦρ αὐτὸν ἔβαλεν καὶ εἰς ὕδατα ἵνα ἀπολέσῃ αὐτόν· ἀλλ᾽ εἴ τι δύνῃ, βοήθησον ἡμῖν σπλαγχνισθεὶς ἐφ᾽ ἡμᾶς. ²³ ὁ δὲ Ἰησοῦς εἶπεν αὐτῷ Τό Εἰ δύνῃ, πάντα δυνατὰ τῷ πιστεύοντι. ²⁴ εὐθὺς

autem uidisset c, similiter Cop.ˢᵃ· | αυτον tert. : iesum ff | το πνευμα : +το ακαθαρτον 565, item bf Cop.ˢᵃ· | ευθυς אBCLΔΨ 33. 517. 565. 579. 892. 1342 : ευθεως ANWXΓΘΠΣΦ 067 ♭ 𝔭⁴⁵ fam.¹ 22. fam.¹³ 543. 28. 157. 700. 1071 al. pler. ; om. D abffiqr¹ Geo.ᴮ | το πνευμα ευθ. אBCLΔ 33. 517. 569. 579. 892. 1342 c(f)k Sy.ˢ· ᵖᵉˢʰ· ʰˡ· Cop.ˢᵃ· ᵇᵒ· (Aeth.) Arm. : > ευθ. το πνευμα ANWXΓΘΠΣΦ 067 ♭ 𝔭⁴⁵ fam.¹ 22. fam.¹³ 543. 28. 157. 700. 1071 al. pler. l vg. Geo.¹ ᵉᵗ ᴬ ; ευθεως ουν (om. το πνευμα) Ψ, item nil nisi statim g² r² | > και ευθυς ιδων αυτον το πνευμα το ακαθ. 565 | συνεσπαραξεν אBCLΔ 33. 579. 892. 1342 : εσπαραξεν ANWXΓΘΠΣΦΨ 067 ♭ 𝔭⁴⁵ Minusc. pler. ; εταραξεν D | αυτον quat. : το παιδιον Θ fam.¹³ (exc. 124) 543. 28. 565, item puerum it. (exc. d l r²) vg. (1 MS) ; = uirum Cop.ˢᵃ· ; om. W | και πεσων : πεσον (om. και) 565 | om. και πεσων usque ad αφριζων r² | επι της γης : επι την γην 517. 559. l184, item in terram abcfffg²qr¹ vg. (plur. et WW) | αφριζον 245 | cf. (pro πεσων usque ad εκυλιετο) concidit super turbam (sic pr. man., sed sec. man. cor. terram) et uolutabatur k.

21. επηρωτησεν sine add. Uncs. pler. Minusc. pler. it. (exc. acfr¹) vg. (pler. et WW) Sy.ʰˡ· Cop.ˢᵃ· ᵇᵒ· Geo.¹ ᵉᵗ ᴬ : +ο Ιησους Φ fam.¹ 124. 28. 59. 517. 569 acfr¹ Sy.ˢ· ᵖᵉˢʰ· ʰⁱᵉʳ· Aeth. | τον πατερα αυτου : > αυτου τον πατερα W ; +ο Ιησους NΘΣ ; patrem r¹, patrem pueri af Geo.ᴮ, eum b ; etiam add. λεγων WΘ fam.¹³ 543. 28. 565 af vg. (3 MSS) = +et dixit (dicit Aeth.) Sy.ʰⁱᵉʳ· Aeth. Arm. | ποσος χρονος : ποσους χρονους 472. 579 | ως (os sic 28. l184) א*AC³DXΥΓΠΦ♭ fam.¹ 22. 69. 28. 157. 700. 1071 al. pler. : αφ ου NΣ fam.¹³ (exc. 69) 543. 40 ; εξ ου (ω sic 61 txt.) אᶜC*LWΔΘΨ 33. 61. 517. 565. 569. 579. 892, cf. ex quo it. vg., similiter Sy.ˢ· ᵖᵉˢʰ· ʰˡ· Cop.ˢᵃ· ᵇᵒ· Geo. ; εως B 𝔭⁴⁵ 1342 | τουτο : om. Δ q vg. (2 MSS) | γεγονεν (γεγονει NΣ) : εγενετο 482 | αυτω : om. 579 vg. (2 MSS) Sy.ˢ· | ο δε ειπεν : om. 13. 543. 579 ; = +ei Sy.ˢ· ᵖᵉˢʰ· ; pro ειπεν (dixit cd aur.) hab. ait f l r² vg., dicit k Sy.ˢ· ᵖᵉˢʰ·, respondit ab q, respondens dixit ff, respondens ı | εκ παιδιοθεν אBCGLΔΘΨ 33. 86. 91. 262. 472. 569. 579. 1342 : εκ παιδοθεν NWΣ 067 fam.¹ 517. 892 ; παιδιοθεν (⌐ιωθεν X 13. 28) AXΓΠ♭ (exc. EG) 22. fam.¹³ 543. 28. 157. 700. 1071 al. pler. ; παιδοθεν E 2. 238. 474 ; εκ παιδος DΘ ; εστιν εκ παιδιωθεν 579.

22. om. και πολλακις et αυτον K l53 | = om. αυτον Geo.¹ ᵉᵗ ᴬ Arm. | και εις πυρ usque ad υδατα : και εις πυρ και εις υδωρ γεγονος π sic o l53 και sec. Uncs. pler. 118. 124. 28. 33. 157. 700.

892. 1071 al. pler. cf vg. (plur. et WW) Sy.ʰˡ· : om. DW 𝔭⁴⁵ 067. fam.¹ (exc. 118) 22. fam.¹³ (exc. 124) 543. 57. 66. 565. 579 it. (exc. cf) vg. (plur. sed non WW) Sy.ˢ· ᵖᵉˢʰ· Cop.ˢᵃ· ᵇᵒ· Geo. | πυρ אBCDHLNSUWXΥΔΘΠ*ΣΨ 067 𝔭⁴⁵ fam.¹ (exc. 118) 22. fam.¹³ (exc. 124) 543. 28. 33. 157. 517. 565. 579. 892. 1071 al. pler. : το πυρ AEFGKMUΓ Π²ΦΩ 118. 124. 59. 71. 108. 131. 235. 262. 330. 692. 700 al. | αυτον (post πυρ) אBC*LΔΘΨ 517. 892. 1342 : pon. post πολλακις AC³DNWXΥΓΠ ΣΦ♭ (exc. K) 𝔭⁴⁵ Minusc. pler. it. (exc. a) vg. Cop.ᵇᵒ· ⁽ᵉᵈ·⁾ ; cf. illum post misit a, similiter Sy.ˢ· ᵖᵉˢʰ· ʰˡ· Cop.ˢᵃ· Geo.ᴮ | > και εις υδατα αυτον εβαλεν 067. 565 | εβαλεν : εβαλλε fam.¹ 131. 157. 330. 474, item mittebat q ; βαλλει (et pon. post υδατα) D, item mittit bffik | τα υδατα 18. 76 | ινα : om. l53 | απολεση (⌐σει HΩ 28. 349. 472. 474. l183. l184) αυτον Uncs. pler. Minusc. pler., item afk : >αυτον απολεση D 067 fam.¹ 517. 565 it. (exc. afk) vg. ; αποκτανη αυτον 579 | αλλ Uncs. pler. Minusc. omn. : αλλα אDW 𝔭⁴⁵ | ει (η sic Γ 28) τι : ετι ΑΔ | δυνη אBDLWΔΘΨ 067 fam.¹ 28. 565. 892 : δυνασαι ACNXΥΓΠΣΦ♭ Minusc. rell. | βοηθεισον 349 | ημιν (= me Sy.ˢ· ᵖᵉˢʰ· Aeth.) : +κυριε hoc loco DGΘ, item +domine abffiq Sy.ˢ· ʰⁱᵉʳ·, post δυνη 069, post σπλαγχνισθεις 565, post εφ ημας 292 | σπλαγχνισθεις (⌐νησθεις 28) εφ ημας : = et miserere mei Sy.ˢ· ᵖᵉˢʰ· Aeth.

23. δε : et a Aeth. Arm. ; om. vg. (tol.) Sy.ˢ· ᵖᵉˢʰ· | Ιησους : om. 157 ; dominus k | ειπεν : ait it. (exc. dixit cd) vg. Sy.ˢ· ᵖᵉˢʰ· | αυτω : = om. Cop.ˢᵃ· ᵇᵒ· ⁽¹ ᴹˢ⁾ ; illis i | το אABCLNXΓΔΣΨ♭ (exc. KMU) fam.¹ 22. 33. 157. 579. 700. 892 al. pler., cf. quid est a : τουτο W ; om. DKMUΥΘΠΦ 𝔭⁴⁵ fam.¹³ 543. 28. 66². 131. 229*. 238. 472. 482. 565. 1071 al. it. (exc. a) vg. Sy.ˢ· ᵖᵉˢʰ· Geo. | δυνη א*BD NWΔΘΣ 𝔭⁴⁵ fam.¹ 28. 565. 892 : δυνασαι אᶜACL XΥΓΠΦΨ♭ fam.¹³ 543. 33. 157. 579. 700. 1071 al. pler. | δυν. sine add. אBC*LNᵗˣᵗ·WΔΣ 𝔭⁴⁵ fam.¹ 22. 244. 579. 892 k* Sy.ʰⁱᵉʳ· Cop.ˢᵃ· ᵇᵒ· Geo. Aeth. Arm. : +πιστευσαι AC³DNᵐᵍ·XΥΓΘΠΦΨ♭ fam.¹³ 543. 28. 33. 157. 575. 700. 1071 al. pler. it. vg. Sy.ᵖᵉˢʰ· ʰˡ· ; cf. = si credis (pro το ει δυνη) Sy.ˢ· | παντα : +γαρ 28. 565 | δυνατα : cf. +sunt (post possibilia) cflr² aur. vg. (plur. sed non WW) | τω πιστευοντι : = esse tibi Sy.ˢ·

24. ευθυς אᶜBLΔ, item continuo c aur. Cop.ᵇᵒ· ⁽ᵖˡᵉʳ·⁾ : ευθυς (ευθεως 28) δε Θ 28 Cop.ˢᵃ· ; και ευθεως (ευθυς Ψ 565. 892. 1342) AC³DNWXΥΓΠΣΘΦ♭ 𝔭⁴⁵ ᵘⁱᵈ· Minusc. rell. it. (plur.) vg. (plur.) Sy.ˢ· ᵖᵉˢʰ· ʰˡ· Cop.ᵇᵒ· ⁽¹ ᴹˢ⁾ Geo. Arm. ; nil nisi και א*C*

κράξας ὁ πατὴρ τοῦ παιδίου ἔλεγεν Πιστεύω· βοήθει μου τῇ ἀπιστίᾳ. [25] ἰδὼν δὲ ὁ Ἰησοῦς ὅτι ἐπισυντρέχει ὄχλος ἐπετίμησεν τῷ πνεύματι τῷ ἀκαθάρτῳ λέγων αὐτῷ Τὸ ἄλαλον καὶ κωφὸν πνεῦμα, ἐγὼ ἐπιτάσσω σοι, ἔξελθε ἐξ αὐτοῦ καὶ μηκέτι εἰσέλθῃς εἰς αὐτόν. [26] καὶ κράξας καὶ πολλὰ σπαράξας ἐξῆλθεν· καὶ ἐγένετο ὡσεὶ νεκρὸς ὥστε τοὺς πολλοὺς λέγειν ὅτι ἀπέθανεν. [27] ὁ δὲ Ἰησοῦς κρατήσας τῆς χειρὸς αὐτοῦ ἤγειρεν (ϥβ/ι) αὐτόν, καὶ ἀνέστη. [28] καὶ εἰσελθόντος αὐτοῦ εἰς οἶκον οἱ μαθηταὶ αὐτοῦ κατ᾽ ἰδίαν

vg. (fu.) | κραξας: om. 579 | ο πατηρ του παιδιου (παιδος fam.¹): το πνευμα του παιδαριου W | ελεγεν Uncs. pler. Minusc. pler., item dicebat c, aiebat l r² vg. Sy.ʰˡ·: λεγει DΘ 565. 700, item ait b d g¹ i, similiter = Aeth. Arm.; ειπεν W p⁴⁵ fam.¹³ (exc. 124) 543, item dixit a f k q Sy.ˢ·; idque sine μετα δακρυων אA*BC*LWΔΨ p⁴⁵ 28. 700 Sy.ˢ· Cop.ˢᵃ· ᵇᵒ· (ed.) Geo. Aeth. Arm., praem. μετα δακρυων A² C³DNXYΓΘΠΣΦϷ Minusc. rell. it. vg., similiter Sy.ᵖᵉˢʰ· ʰˡ· ʰⁱᵉʳ· | πιστευω sine add. אABC*DLWΘ ΦΨ 579. 892 g¹ i k l r¹·² vg. (plur. et WW) Sy.ᵖᵉˢʰ· ⁽ᵃˡⁱ𝗊·⁾ ʰˡ· ʰⁱᵉʳ· Cop.ˢᵃ· ᵇᵒ· (ed.) Geo. Aeth. Arm.: + κυριε C²NXYΓΔΠΣϷ Minusc. rell. a b c f g² q (pon. ante credo) aur. vg. (plur. sed non WW) Sy.ˢ· ᵖᵉˢʰ· (ed.) Cop.ᵇᵒ· ⁽ᵃˡⁱ𝗊·⁾ Aug. Bas. | βοηθει (βοηθω sic Δ): βοηθησον WΨ | μου (μοι KS 13. 543. 299. l53. l184) τη απιστ.: > τη απιστ. μου D | απιστια אBCGK NMUWYᶜᵒʳ·ΔΘΠΣΦΨΩ Minusc. pler.: απιστεια ADEFLSXYᵀΓ 13. 346. 59. 565.

25. ιδων δε ο Ιησους: και οτε ειδεν Ιησους D, item et cum (cum autem f) uideret (uidisset af) iesus it. vg., similiter Sy.ᵖᵉˢʰ· ʰˡ· Cop.ˢᵃ· ᵇᵒ·, item et omisso Sy.ˢ· Geo. Arm. | επισυντρεχει: συντρεχει W 12. 64. 131. 258. 472. l260 | οχλος BCDNΓΘ ΣϷ (exc. MS Ω) 22. 157. 892 al. plur.: ο οχλος אA LMSWXYΔΠΦΨΩ fam.¹³ 543. 28. 33. 90. 229*. 238. 330. 349. 433. 517. 565. 569. 579. 700. 1071. 1278. 1342 al. plur.; οχλος πολυς fam.¹ | τω πνευ- ματι τω ακαθαρτω: om. τω πνευματι 124; om. τω ακαθαρτω W p⁴⁵ fam.¹ Sy.ˢ· Geo.; το πνευμα το ακαθαρτον 59, item spiritum immundum a k | λεγων: ειπων D, cf. dixit d i, dixitque b, sed dicens it. rell. vg. | αυτω: om. Θ p⁴⁵ 235. 485. 565. 700 a q vg. (1 MS) Geo. | το αλαλον (αλαλαζων sic 579) και κωφον πνευμα אBC*DLWΔΘΨ p⁴⁵ fam.¹ 33. 506. 517. 565. (579). 892. 1342: το αλαλον πνευμα και κωφον 59. 73; > το πνευμα (+ ακαθαρτον 61, cf. b) το αλαλον και κωφον AC³NXYΓΠΣΦϷ fam.¹³ 543. 28. 157. 700. 1071 al. pler.; cf. surde (surge sic l r¹·²) et mute (mutae aliq.) spiritus a f i l q r¹·² vg.; = spiritus surde qui non loqueris Sy.ˢ· ᵖᵉˢʰ· Or.; > mute et surde spiritus c d ff k Sy.ʰˡ· Geo. Aeth. Arm., surde immunde spiritus b | εγω (om. א*) επι- τασσω σοι (א) BLWΔΨ 33. 579. 892 k vg. (aliq.

sed non WW) Sy.ˢ· ᵖᵉˢʰ· ʰˡ· Cop.ˢᵃ· ᵇᵒ· Geo. Aeth.: > εγω σοι επιτασσω ADNXYΓΘΠΣΦϷ fam.¹ 22. fam.¹³ 543. 28. 157. 565. 700 al. pler. it. (exc. k) vg. (pler. et WW); om. 73. l184 | εξελθε: om. 349 | εξ Uncs. pler. Minusc. pler.: απ C*ΔΘ 9. 12. 92. 237. 330. 565. 700. 1342, item ab it. vg. | εισελθης: εισ- ελθεις ELXΓΩ.

26. και κραξας אBC*DLWΔΘΨ 506. 1342: και κραξαν AC³NXYΓΠΣΦϷ p⁴⁵ ᵘⁱᵈ· Minusc. rell.; cf. exclamans autem ille spiritus immundus b, similiter = et clamauit daemonium Sy.ᵖᵉˢʰ· | και πολλα: > πολλα και ΔΘΦ fam.¹ 90. 234. 330. 483*. 484. 565. l251 vg. (2 MSS) Sy.ᵖᵉˢʰ· Aeth.; om. πολλα 472 b ck vg. (fu.) Cop.ˢᵃ·; om. και (et) a r⁽¹·⁾² vg. (4 MSS) Geo.; και πολλα και 59 | σπαραξας אB C*DLWΘΨ 59. 506. 1342: σπαραξαν AC³NXYΓΔ ΠΣΦϷ p⁴⁵ ᵘⁱᵈ· Minusc. rell. | σπαρ. sine add. אᶜᵒʳ· BC*DLWΔΨ p⁴⁵ ᵘⁱᵈ· 517. 579. 892. 1342 b ff i Geo.: + αυτον א*AC³NXYΓΘΠΣΦϷ Minusc. rell. it. (exc. b d ff i) vg. Sy.ˢ· ᵖᵉˢʰ· ʰˡ· Cop.ˢᵃ· ᵇᵒ· Arm. | εξηλθεν sine add. Uncs. pler. Minusc. pler., item q Sy.ᵖᵉˢʰ· ʰˡ· Cop.ᵇᵒ· Geo.¹ Arm.: + απ αυτου D 476, item + ab eo b f il r¹·² vg., + de eo c ff k, similiter Sy.ˢ· ʰⁱᵉʳ· Cop.ˢᵃ· Geo.²; + επ αυτω Δ (sed + ab eo δ) | εγενετο: + puer c, + infans b, similiter Arm. | ωσει: ως D | τους πολλους אABLΔΨ 33. 579. 892. 1071: om. τους CDNWXYΓΘΠΣΦϷ fam.¹ 22. fam.¹³ 543. 28. 157. 565. 700 al. pler. | λεγειν: λεγον- τας D; cf. crederent (pro dicerent it. rell. vg.) b ff, similiter Sy.ˢ· | απεθανεν: mortuus puer est g².

27. ο δε: = et Aeth. Arm. | της χειρος αυτου (om. W l26 Geo.¹) אBDL(W)ΔΘΨ fam.¹ fam.¹³ (exc. 124) 543. 28. 53. 565. 892. 1342. l184, item it. vg. Sy.ʰⁱᵉʳ· Cop.ˢᵃ· ᵇᵒ· Geo. Arm., similiter > αυτου της χειρος 472: αυτον της χειρος (+ αυτου C*) ACN XYΓΠΣΦϷ 22. 124. 33. 157. 579. 700. 1071 al. pler., similiter = eum manu eius Sy.ˢ· ᵖᵉˢʰ· ʰˡ· Aeth. | αυτου: om. 40. 472. l184 | και ανεστη: om. W p⁴⁵ ᵘⁱᵈ· 63 k l Sy.ˢ· ᵖᵉˢʰ·; + et reddidit illum patri suo vg. (tol.), similiter add. haec uerba pro et sur- rexit Sy.ˢ·, cf. Luc. ix. 42.

28. και: autem b k | εισελθοντος (ελθοντος 565) αυτου אBCDLWΔΘΨ (+ κατ ιδιαν hoc loco sed om. postea) fam.¹ fam.¹³ (exc. 124) 543. 28. 66. (565).

---

24. Aug.ˢᵉʳᵐ·⁴³ ᵉᵗ ¹¹⁵ Credo domine adiuua incredulitatem (meam).

Aug.ᶜᵒⁿˢ· Credo domine adiuua incredulitatem (meam).

Bas. adu. Eunom V. de spiritu I. πιστευω κυριε etc.

25. Or.ᶠʳᵃᵍ· ᵉˣ ᵖʳᵒᵖʰ· ⁴¹· και περι του εχοντος κωφον και αλαλον δαιμονιον ελεγεν ο Σωτηρ κτλ.

ἐπηρώτων αὐτόν Ὅτι ἡμεῖς οὐκ ἠδυνήθημεν ἐκβαλεῖν αὐτό; ²⁹ καὶ εἶπεν αὐτοῖς Τοῦτο τὸ γένος ἐν οὐδενὶ δύναται ἐξελθεῖν εἰ μὴ ἐν προσευχῇ. ³⁰ Κἀκεῖθεν ἐξελθόντες (ϟγ/β) ἐπορεύοντο διὰ τῆς Γαλιλαίας, καὶ οὐκ ἤθελεν ἵνα τις γνοῖ· ³¹ ἐδίδασκεν γὰρ τοὺς μαθητὰς αὐτοῦ καὶ ἔλεγεν αὐτοῖς ὅτι Ὁ υἱὸς τοῦ ἀνθρώπου παραδίδοται εἰς χεῖρας ἀνθρώπων, καὶ ἀποκτενοῦσιν αὐτόν, καὶ ἀποκτανθεὶς μετὰ τρεῖς ἡμέρας ἀναστήσεται. ³² οἱ δὲ ἠγνόουν τὸ ῥῆμα, καὶ ἐφοβοῦντο αὐτὸν ἐπερωτῆσαι. ³³ Καὶ ἦλθον εἰς Καφαρ- (ϟδ/ι)

---

700. 892. 1071. 1342: εισελθοντι αυτω 𝔭⁴⁵; εισελθοντα (ελθοντα ℵΣ 92. 256) αυτον A(N)XYΓΠ(Σ)Φ ‌ϥ 22. 124. 33. 579 al. pler. | εις (+ τον ΑΜ 14. 49. 237. 248. 569. *l*48) οικον (οικιαν 38): + iesus Sy.^pesh. hier.; praem. iesus *r*¹; + και 157; + προσηλθον αυτω WΘ fam.¹³ (exc. 124) 543. 28. 565. 700; προσηλθον[𝔭⁴⁵ | κατ (καθ Β*) ιδιαν (om. κατ ιδιαν Ψ) επηρωτα (επηρωτουν C 579; ηρωτων D 1. 209) αυτον ℵΒC*DLΔ(Ψ) fam.¹ (exc. 118) 33. 517. 579. 892. 1071. 1342 *it. vg.* Geo. Arm.: κατ ιδιαν (om. 𝔭⁴⁵ uid.) και επηρωτησαν (⁓των 565; ηρωτησαν 700^cor. 28 𝔭⁴⁵) αυτον λεγοντες WΘ (𝔭⁴⁵ uid.) fam.¹³ (exc. 124) 543. (28). (565). 700; > επηρωτων (επηρωτουν Σ; επηρωτησαν 241; ηρωτων 282. 517) αυτον κατ ιδιαν (om. κατ ιδιαν 472; + λεγοντες 91. 299. 472) AC³NXYΓΠΣΦ᷋ϥ 118. 22. 124. 1278 al. pler. *aur.* Sy.^s. pesh. hl. Cop.^sa. bo. | οτι ℵΒCLNW ΧΓΔΘΣΨ᷋ϥ (exc. KU) Minusc. pler.: διατι ADKY ΠΦ (33). 72. 122**. 229. 330. 472. 482. 569. 1071 al. mu. Sy.^pesh. Aeth. Arm.; τι οτι 38. 51. 90. 435. 483*. 484; οτι διατι U 48. 60. 63. 64. 131. 238. *l*15. *l*49 Sy.^s. Cop.^sa. bo.; cf. quare *it.* (exc. cur *b i*) vg. Geo. | ηδυνηθημεν (ηδυνημεν C*): εδυνηθημεν ΚΠ 1342 | εκβαλειν: εκβαλλειν F 157. 474 | αυτο (αυτω L): αυτον FΚΔΣ 565. 579, item illum *b c i r*¹· ² vg. (1 MS), eum *f l* vg. (pler. et WW).

29. και: = autem Geo.²; = om. Sy.^s. pesh. Cop.^sa. | ειπεν: ait *aur.* Sy.^s. pesh. | αυτοις: + ο Ιησους G *b g*² vg. (3 MSS), cf. Μ (erasur. hab. 10 uel 12 litt. post αυτοις) | γενος: + demonorum *g*²; + demoni *a*, cf. Or. | εν (επ 118; om. 251) ουδενι (ουδεν errore D; ου pro εν ουδενι C*) δυναται εξελθειν Uncs. omn. Minusc. pler.: ουκ εκπορευεται 33. 579. 1391. 1574. *l*7. *l*184 Arm.: εν ουδενι εξερχεται 827. 1342. 1542, cf. Bas. | εν προσευχη sine add. ℵ*Β *k* (in orationibus) Geo.¹: + και νηστεια (⁓τια 28) Uncs. rell. Minusc. omn. *it.* rell. *vg.* Sy.^hl. Cop.^sa. bo. (pler.) Geo.² Bas., cf. = > ieiunio et oratione Sy.^s. pesh. hier. Cop.^bo. (1 MS) Aeth. Arm., etiam cf. in orationibus et ieiuniis *b d q r*¹, in orationibus et ieiunio *i*, in orationem et ieiunio *ff*, in oratione et ieiunio *a c f l r*² vg. | post εν προσευχη sequitur lacuna 𝔭⁴⁵.

30. κακειθεν ℵΒDLΔΨ 59. 517. 579. 700. 892. 1342; και εκειθεν (pon. post εξελθ. 470) ΑCNWΧΥ

ΓΘΠΣΦ᷋ϥ fam.¹ 22. fam.¹³ 543. 28. 33. 157. 565. 1071 al. pler.; και εκει 485; και ευθεως 74; nil nisi inde *b i r*¹; = nil nisi et Geo.² | επορευοντο Β*D 1402, item ibant *c aur.*, iter faciebant *a f*: παρεπορευοντο Uncs. pler. (item 𝔭⁴⁵) Minusc. pler., item transiebant *b d i k q r*¹, praetergrediebantur *l r*² vg.; παρεπορευετο 13*. 472, item transiebat *ff*, praetergrediebatur *g*² | και ουκ ηθελεν, item nec (et non *f*) uolebat *c d f ff i l r*¹ vg. (pler.): και ουκ ηθελον Ψ 478. 1391, item et nolebant *a k*, nec uolebant *b g*² *r*¹ vg. (2 MSS) | γνοι ℵΒCDL: γνω ANWXYΓΔΘΠ ΣΦΨ᷋ϥ Minusc. omn.; etiam praem. αυτον 579, = + de se Sy.^s. pesh. Aeth.

31. εδιδασκεν γαρ: docebat autem *it.* (exc. enim pro autem *a d*; om. autem *k*) vg., = et docebat Sy.^s. Aeth. | και ελεγεν: και λεγει W; dicens *k* Cop.^sa. | αυτοις: om. Β *k* | ο υιος: om. ο D* | παραδιδοται Uncs. pler. fam.¹ 22. 124. 157. 579. 892. 1071 al. pler., item traditur *k* vg. (1 MS) Sy.^s. pesh. hl.: παραδοθησεται (παραδωθ. Θ) Θ fam.¹³ (exc. 124) 543. 28. 565. 700, item tradetur *it.* (exc. *k*) vg. (pler. et WW) Cop.^sa. bo. Geo. Aeth. | εις χειρας ανθρωπων: ανθρωποις 𝔭⁴⁵ uid. | ανθρωπων: ανθρωπου D; ανομων Ψ; + αμαρτωλων 157. 258. 700 | αποκτεινουσιν D | αποκτανθεις: om. D *l*183. *l*184 *a c k aur.* Cop.^bo. Aeth. | μετα τρεις ημερας ℵΒC*DLΔΨ 579. 892. 1342, item post tres dies *b c f i* Sy.^hl. mg. hier. Cop.^sa. bo., cf. post tertium diem *a k q*: τη τριτη ημερα AC³NWXYΓΘΠΣΦ᷋ϥ Minusc. rell. (praem. και 258 Cop.^bo. 2 MSS Aeth.; praem. εν *l* 47), item tertia die *f l r*² vg. Sy.^s. pesh. hl. txt. Geo. Aeth. Arm. | αναστησεται Uncs. pler. 118. 209. 22. 124. 157. 565. 579. 700. 892. 1071 al. pler.: εγειρεται W 28; εγερθησεται 1. fam.¹³ (exc. 124) 543. 474. *l*26. *l*184.

32. uers. om. 2. 245*. 472, etiam lectionaria pler. uers. non hab. | οι δε: = et illi Sy.^s. Aeth. Arm. | ηγνοουν (ηγνωουν sic N): ηγνωουν Θ 13. 346. 543. 28 | το ρημα: = quod dixit eis Sy.^s. Aeth. | επερωτησαι Uncs. pler. 118. 22. 124. 28. 157. 579. 700. 892. 1071 al. pler.: ερωτησαι W 1. 209. fam.¹³ (exc. 124) 543. 565. 569. *l*251 | > ερωτησαι (επερ. 579) αυτον 565. 579. *l*251, item *c* vg. (aliq. sed non WW) | αυτον: = ab eo Sy.^hl.

33. και ελθοντες εις καπερναουμ εν τη οικια pro και

---

29. Or.^Hom. Exod. II. 3. Propterea ieiunans uicit, ut et tu scias huiusmodi genus daemoniorum ieiuniis et orationibus superandum.
Bas. de ieiunio Homil. I. 9. τουτο γαρ το γενος ουκ εξερχεται ει μη εν προσευχη και νηστεια.

(ϟε/β) ναούμ.   καὶ ἐν τῇ οἰκίᾳ γενόμενος ἐπηρώτα αὐτούς Τί ἐν τῇ ὁδῷ διελογίζεσθε; ³⁴ οἱ δὲ ἐσιώπων, πρὸς ἀλλήλους γὰρ διελέχθησαν ἐν τῇ ὁδῷ τίς μείζων. ³⁵ καὶ καθίσας ἐφώνησεν τοὺς δώδεκα καὶ λέγει αὐτοῖς Εἴ τις θέλει πρῶτος εἶναι ἔσται πάντων ἔσχατος καὶ πάντων διάκονος. ³⁶ καὶ λαβὼν παιδίον ἔστησεν αὐτὸ ἐν μέσῳ αὐτῶν καὶ ἐναγκαλισάμενος αὐτὸ εἶπεν αὐτοῖς ³⁷ Ὃς ἂν ἓν τῶν τοιούτων παιδίων δέξηται ἐπὶ τῷ ὀνόματί

ηλθον *usque ad* οικια 238 | και: δε 61 Cop.ˢᵃ· | ηλθον (ηλθοσαν D) ℵB(D)W fam.¹ 91. 106. 258. 282. 478. 482. 565. *l*251, *item* uenerunt *it.* (*exc. f q*) *vg.* Sy.ᵖᵉˢʰ· Cop.ˢᵃ· Arm.: ηλθεν ACLNXYΓΔΘΠ ΣΦΨϦ 22. 124. 346. 157. 579. 892. 1071 al. pler., *item* uenit *f q* Sy.ˢ· ʰˡ· ʰⁱᵉʳ· Cop.ᵇᵒ· Geo.; εισηλθεν 235; *etiam* + ο Ιησους Ω 12. 330. 472. 1071 | καφαρναουμ ℵBDWΔΨ 543*. 565. 1342, *cf.* καπερφαρναουμ *sic* Θ, *cf.* Capharnaum *a c f i k l vg.* (pler.) Geo.¹, chafarnaum *b g²*, cafarnaum *d*, cafernaum *r²*, *similiter* Sy.ˢ· ᵖᵉˢʰ· ʰˡ· ʰⁱᵉʳ· Cop.ˢᵃ· ᵇᵒ·: καπερναουμ ACLNXYΓΠΣΦϦ Minusc. rell., *item* capernaum *q*, *cf.* Geo.² (= Kap'arnaom *uel* Kap'ern.) | γενομενος: γεναμενος NΣΨ | επηρωτα (επερωτα Δ): interrogauit *k* Cop.ˢᵃ· | αυτους: αυτοις 71. 692; τους μαθητας αυτου (*om.* 125*) (125*). 349. 517 | διελογιζεσθε (∼θαι Δ): διελεχθητε W fam.¹ (*exc.* 118) 28; διελογιζοντο M 474, *cf.* disceptassent *q*; διελογισθη 69 | διελ. *sine add.* ℵBCDLΔΨ 579. 892. 1342 *it.* (*exc. f*) *vg.* Cop.ᵇᵒ· Geo.ᴬ: *praem.* προς εαυτους ANXYΓΠΣΦϦ 118. 22. 124. 157. 700 al. pler. *f* Sy.ʰˡ·; +προς εαυτους WΘ fam.¹ (*exc.* 118) fam.¹³ (*exc.* 124) 543. 11. 28. 220. 565. 1071 Sy.ˢ· ᵖᵉˢʰ· ʰⁱᵉʳ· Cop.ˢᵃ· Geo.¹ ᵉᵗ ᴮ Aeth. Arm.

34. οι δε: = et illi Sy.ˢ· Aeth. Arm. | εσιωπων (∼πουν CNΣ): εσιωπησαν Ψ, *item* tacuerunt *q vg.* (1 MS) Cop.ˢᵃ· ᵇᵒ· (pler.) Geo. | προς αλληλους γαρ (δε 61): siquidem inter se *l r²* | διελεχθησαν (διειλεχθησαν 484, διηλεχθησαν 157. 692): διηνεχθησαν Θ 1. 565. 700; διελογιζοντο M 40. 53, *item cf.* disquirebant *b d ff*, disquerebant *i q*, conquirebant *f*, disputabant *k* Sy.ʰˡ· ᵐᵍ·, *sed* disputauerunt *a l r² vg.* (aliq.), disputauerant *vg.* (pler. *et* WW), tractauerunt *c* | εν τη οδω: *om.* ADΔ, *item a b f i q* Sy.ˢ· | τις (οτι τις 247) μειζων *sine add.* BCLNXYΓΔΠΣΦΨϦ fam.¹ 22. 124. 28. 157. 579. 700. 892 al. pler.: τις μειζων εστιν ℵ Sy.ʰⁱᵉʳ· Geo.¹; τις μιζων γενηται αυτων D, τις αυτων μειζων γενηται Θ 565; τις αυτων μειζων (μιζων W) ειη (W) fam.¹³ (*exc.* 124) 543, *cf.* Or.; τις ειη (η 1071) μειζων 20. 38. 50. 300. 435. (1071), *similiter* Sy.ˢ· ʰˡ·; *cf.* quis (quisnam *c ff*) esset illorum maior *b c f ff l q r² aur. vg.* (pler. *et* WW), quis illorum

(eorum *k vg.* aliq.) maior esset (erat *a*) *a k vg.* (aliq.), quis esset magnus inter eos Sy.ᵖᵉˢʰ·; = quis est magnus inter eos Sy.ᵖᵉˢʰ·; = quis maior erit Geo.²

35. και: *om.* W; = autem Cop.ˢᵃ·; τοτε D, *item* tunc *b d ff i* | καθισας (καθησας ΕΗΓΘΩ 118. 13. 124. 346. 543. 28. 349 al.; καθεισας ALWΣ): +iesus *r¹* Sy.ᵖᵉˢʰ· | τους (τοις 71. 692) δωδεκα + μαθητας 472, *item* duodecim discipulos (apostolos *i*) (*i*) *q*; = duodecim eius Sy.ˢ· | και λεγει *usque ad* διακονος: *om.* D *d k* | θελει: θελη FH* 472. *l*50. *l*183 | ειναι: +εν υμιν 700, *item* +inter uos *b* Cop.ˢᵃ·, *cf.* Bas. | εσται: εστω Δ 13. 28. 131. 157. 238. 470. 480. 700 al. pauc., *cf.* fiat *a b ff q vg.* (1 MS) Bas.; εστιν 3. 5. 38. 40. 48. 53. 57 | εσχατος και παντων: *om.* fam.¹ (*exc.* 118²) 63. 253. 349 | παντων sec.: *om.* 565 *vg.* (*fu.*) | διακονος: δουλος M* 29. 71. 142ᵐᵍ· 692.

36. λαβων: ιδων 238 | παιδιον: το παιδιον D; = +unum Sy.ˢ· ᵖᵉˢʰ·; +et (*post* puerum) *vg.* (1 MS) | αυτο (αυτω Ω 13. 346; αυτον DΔ, *item* illum uel eum *it. vg.*): *om.* WΘ fam.¹ 28. 565 Arm. | εν (*om.* W 66) μεσω: εμμεσω ACLΩ | εναγκαλισαμενος (*praem.* ειπ ℵ* *sed postea delet.*): εναγκαλησ. X, ενανκαλισ. W, εγκαλισ. 346, εκαλισ. Δ, αναγκαλες. L, ανακλισ. D*; = aspexit eum et Sy.ˢ· | αυτο sec.: αυτω ΓΘ 13. 28. 157 | ειπεν, *item* dixit *f q* Sy.ˢ· ᵖᵉˢʰ· ʰˡ· Cop.ˢᵃ· ᵇᵒ· Geo.: λεγει fam.¹, *item* ait *it.* (*exc. f q*) *vg.* Aeth. Arm.

37. ος αν *pr.* ℵABCDLWΔΘΨ fam.¹ (*exc.* 118) fam.¹³ (*exc.* 124) 543. 28. 517. 892. 1342: ος εαν NXYΓΠΣΦϦ 118. 22. 124. 157. 565. 579. 700. 1071 al. pler. | εν Uncs. pler. Minusc. pler., *item* Cop.ˢᵃ· ᵇᵒ·: εκ WΘ fam.¹³ (*exc.* 124), *item* ex *b c d ff i q r¹*; *cf.* unum ex *f g² l r² vg.* Sy.ʰˡ· Geo., *similiter* ex *et* unum *post* receperit *a*; *om.* DXΓ 124. 474. *l*22. *l*44. *l*184 *k* | των τοιουτων (+ τουτων 64) παιδιων (παιδιον WΘ 3) Uncs. pler. Minusc. pler. Or. ˢᵉᵐᵉˡ· των παιδιων των τοιουτων Ψ; των παιδιων τουτων ℵC Δ 85. 86. 569. 1342; = sicut hunc puerum Sy.ˢ· ᵖᵉˢʰ· | δεξηται: δεχητε *sic* 124; δεξεται 247 | επι: εν DW 69. 73. 247. *l*44, *item* in *it. vg.* | τω ονοματι

---

34. Or. ⁱⁿ ᴹᵃᵗᵗʰ· ᵀᵒᵐ· ˣᴵᴵᴵ· Μαρκος τοινυν φησιν οτι διελεχθησαν εν τη οδω οι δωδεκα τις αυτων μειζων εστι.

35. Or. ⁱᵈ· ει τις θελει πρωτος γενεσθαι εσται παντων εσχατος και παντων διακονος.

Bas. Homil. X adv. iratos. ο θελων εν υμιν ειναι πρωτος εστω παντων εσχατος.

Bas. reg. tract. Interrog. XXX. ει τις θελει εν υμιν ειναι πρωτος εστω απαντων εσχατος και παντων διακονος.

37. Or. ⁱⁿ ᴹᵃᵗᵗʰ· ᵀᵒᵐ· ˣᴵᴵᴵ· ος εαν εν των παιδιων δεξηται επι τω εμω ονοματι εμε δεχεται.

Or. ⁱᵈ· ᵖᵒˢᵗ ᵖᵃᵘˡᵘᵐ· ος εαν εν των τοιουτων παιδιων δεξηται επι τω ονοματι μου εμε δεχεται.

μου, ἐμὲ δέχεται· καὶ ὃς ἂν ἐμὲ δέχηται, οὐκ ἐμὲ δέχεται ἀλλὰ τὸν ἀποστείλαντά με. (ϙϛ/α)
³⁸ Ἔφη αὐτῷ ὁ Ἰωάνης Διδάσκαλε εἴδαμέν τινα ἐν τῷ ὀνόματί σου ἐκβάλλοντα δαιμόνια (ϙζ/η)
καὶ ἐκωλύομεν αὐτόν, ὅτι οὐκ ἠκολούθει ἡμῖν. ³⁹ ὁ δὲ Ἰησοῦς εἶπεν Μὴ κωλύετε αὐτόν,
οὐδεὶς γὰρ ἔστιν ὃς ποιήσει δύναμιν ἐπὶ τῷ ὀνόματί μου καὶ δυνήσεται ταχὺ κακολογῆσαί
με· ⁴⁰ ὃς γὰρ οὐκ ἔστιν καθ᾽ ἡμῶν, ὑπὲρ ἡμῶν ἐστίν. ⁴¹ ὃς γὰρ ἂν ποτίσῃ ὑμᾶς (ϙη/ϛ)

μου: τω εμω ονοματι Δ Or.ˢᵉᵐᵉˡ ; *om.* Geo. | ος αν
sec. BDLWΔΘΨ 28. 517. 697. 892. 1278: ος εαν
ACNXΓΠΣΦ⅂ fam.¹ 22. fam.¹³ 543. 157. 565. 579.
700. 1071 al. pler.; *nil nisi* ος ℵ *l*50 | δεχηται BL
Ψ 569. 892: δεχεται ℵ 472, *item* recipit *a f q*, sus-
cipit *r*¹· ² *aur.*, excipit *c*, *cf.* recepit *g*² ; δεξηται AC
DNWXΓΔΘΠΣΦ⅂ Minusc. pler., *item* susceperit
b d ff i l vg. | *om.* εμε δεχεται *usque ad* δεχηται
209* (*sed add. in margine*), *similiter om.* επι τω
ονοματι *usque ad* δεχηται *k* | *om.* ουκ εμε *et* αλλα
579 *f* Geo.¹ | δεχεται *sec.* (δεχητε N): + μονον Θ
fam.¹³ (*exc.* 124) 543. 28. 565 | αλλα: + δεχεται
F Cop.ᵇᵒ· ; + και Θ 13. 69. 543. 28. 565 | αποστει-
λαντα: πεμψαντα 28.

38. εφη ℵBLΔΘΨ 579. 892. 1071. 1342 Sy.ᵖᵉˢʰ·
Cop.ˢᵃ· ᵇᵒ·: αποκριθεις δε εφη C; και αποκριθεις W
fam.¹³ (*exc.* 124) 543. 565. 700, *cf.* respondens autem
a, respondens *tant. d* vg. (2 MSS) (Aeth.); απεκριθη
δε (*om.* D 51. 86. 238. 242. 517. 569. *l*47. *l*184 al.
pauc.) A(D)NXΓΣΠΦ⅂ fam.¹ 22. 124. 28. 157 al.
pler., *item* respondit autem *c f ff q r*¹, respondit *b g*²
*i k l r*² vg. (pler.), *item* Sy.ˢ· ʰˡ· ʰⁱᵉʳ· Geo. | αυτω:
om. 2. 238. 242. *l*47 *a q*; *pon. post* dixit *c* | ο: *om.*
ADNYΓΠ⅂ (*exc.* MΩ) fam.¹ (*exc.* 118) 22. fam.¹³
543. 28. 71. 157. 349. 517. 1278 al. plur. | ιωανης
(B, *sed* ιωαννης Uncs. rell. Minusc. omn.) *sine add.*
ℵBCΔΘΨ 579. 892. 1342 *k* vg. (1 MS) Sy.ᵖᵉˢʰ· Cop.
ˢᵃ· ᵇᵒ·: +λεγων ALNXΓΠΣΦ⅂ 118. 22. 124. 157.
1071 al. pler. *f l q r*² Sy.ʰˡ·; + ειπεν (και ειπεν D) (D)
W fam.¹³ (*exc.* 124) 543, *item* + dixit *a d* Sy.ˢ·, + et
dixit *c ff* Sy.ʰⁱᵉʳ· Geo.; +και (*om.* 565. 700) λεγει
fam.¹ (*exc.* 118) 28. (565). (700), *item* et dicit *b i r*¹
| διδασκαλε (= rabbi Sy.ᵖᵉˢʰ·, rabban Sy.ˢ·): *om.*
fam.¹ (*exc.* 118) | ειδαμεν (ιδαμεν ΣΨ) DVΣΨ 346.
506: ειδομεν (ιδομεν EKLVXYΔΠΦ 118. 28. 244.
253. 565. 892. *l*47) Uncs. rell. Minusc. rell. | εν
ℵBCDLNWΔΘΣΦ fam.¹ fam.¹³ 543. 157. 565. 579.
700. 892. 1071 al. plur., *item* in *it.* vg.; επι U 10.
48. 60. 127. 131. 142ᵐᵍ· 1342. *l*36. *l*48 ; *om.* AXY
ΓΠΦ⅂ (*exc.* U) 22. 28. 59. 66. 575. *l*251 al. plur.
| εκβαλοντα 472 | > δαιμονια εκβαλλοντα Ψ 255
| δαιμονια (τα δαιμονια 86. 569*. 1071) *sine add.* ℵB
CLΔΘΨ 10. 115. 579. 892. 1071. 1342. *l*44 *f aur.*
Sy.ˢ· ᵖᵉˢʰ· ʰⁱᵉʳ· Cop.ˢᵃ· ᵇᵒ· Aeth. Arm.: + ος ουκ ακο-
λουθει (ηκολουθ. W 565; ακωλ. 700) ημιν (υμιν 346;
μεθ ημων D 90 *a k*) A(D)NWXΓΠΣΦ⅂ fam.¹ 22.
fam.¹³ 543. 28. 157. 565. 700 al. pler., *item* qui
(quia *q*) non sequitur nobis (nobiscum *a d k*) *it.*
(*exc. f*) vg. Sy.ʰˡ· Geo. | *om.* και εκωλ. *usque*
ad fin. uers. 121*. 124. 131. 237. 433. 472 | εκω-
λυομεν ℵBDLΔΘΨ fam.¹ (*exc.* 118) 892: εκωλυσα-

μεν ACNWXΓΠΣΦ⅂ 118. 22 fam.¹³ (*exc.* 124) 543.
28. 157. 565. 579. 700. 1071 al. pler. *it.* vg. | οτι
ουκ ηκολουθει ημιν: *om.* DXW fam.¹ (*exc.* 118)
fam.¹³ 543. 14. 28. 106. 251. 255. 565. 697. 700.
1278* *it.* (*exc. f aur.*) vg. Geo. Arm. ; ηκολουθει
(*pro* ακολ. Uncs. rell. Minusc. omn.) ℵBΔΘ ; μεθ
ημων (*pro* ημιν) LΦ 483. 484. 1342.

39. ο δε Ιησους Uncs. pler. 22. 124. 157. 579.
700. 892. 1071 al. pler., *item* iesus autem *f l r*² vg.
Sy.ʰˡ· Cop.ˢᵃ· ᵇᵒ· Geo. : *om.* Ιησους W fam.¹ fam.¹³
(*exc.* 124) 543. 28, *item* ad ille *r*¹, = ille autem Sy.ˢ·,
= et ille Arm. ; ο δε αποκριθεις (*et om.* Ιησους) D
565, *item* ad ille respondens *a f ff i*, ille autem
respondens *k* ; *cf.* et respondens iesus *q* ; *cf. nil*
nisi iesus (*pon. post* ait illis) *c* Sy.ᵖᵉˢʰ· | ειπεν,
item dixit *f i k* (*sed* ait *it.* rell. vg.): + αυτοις 472,
item c i Sy.ˢ· ᵖᵉˢʰ· ; = +ei Cop.ᵇᵒ· | αυτον: *om.* D
115 *a i k r*¹ | ουδεις: ου Γ 349 | ουδεις *usque ad*
fin. uers.: *om.* 433 | ος: ο 349 | ποιησει *sic* 349
faciet *r*²: ποιει Δ, *item* facit vg. (aliq. *sed non*
WW); ποιησας 1071 ; ποιησασει *sic* 349; *cf.* faciat
it. (rell.) vg. (pler. *et* WW) | δυναμιν: = uirtutes
Sy.ᵖᵉˢʰ· Arm. ; = aliquid Sy.ˢ· | επι: εν WΔ
fam.¹ fam.¹³ (*exc.* 124) 543. 255. 349. 517. *l*183,
item in *it.* vg. Sy.ˢ· ᵖᵉˢʰ· ʰˡ· Cop.ˢᵃ· ᵇᵒ· Geo. | δυνη-
σεται: δυνησηται 543*; δυνησονται W | ταχυ:
om. F* fam.¹ (*exc.* 118) 28. 565 *a b c d ff i k r*¹ Sy.ˢ·
Geo. Arm. | κακολογησαι (ακολουθησαι *errore l*183)
με: > με κακολογησαι W fam.¹ (*exc.* 118) 28. 565 ;
= *om.* με Geo.¹ ; = nobis *pro* με Geo.²

40. *om. uers. l*48 (*uid. per homoeotel.*) | γαρ:
om. 59. 61 ; = igitur Sy.ᵖᵉˢʰ· | ημων υπερ ημων
ℵBCWΔΘΨ fam.¹ (*exc.* 118) fam.¹³ (*exc.* 124) 28.
157*. 565. 569. 579. 892. 1071 *k* Sy.ˢ· ʰⁱᵉʳ· Cop.ˢᵃ· ᵇᵒ·
Geo. Arm. : υμων υπερ υμων ADNΓΠΣΦ⅂ (*exc.* U)
22. 124. 543. 157². 700² al. pler. *it.* (*exc. k*) vg.
Sy.ᵖᵉˢʰ· ʰˡ· Aeth. ; ημων υπερ υμων L 700* ; υμων
υπερ ημων UX 118. 3. 59. 86. 115. 237. 247. 435.
*l*24. *l*31.

41. ος γαρ αν: *om.* αν Ψ 72 ; ος γαρ εαν ℵ ; ος
αν γαρ W ; και ος αν Θ 700 | ποτιση (ποτηση 13):
ποτισει ΗΓΔΨ 28. 244. 474. *l*183 ; ποτησει 346.
506. 579 | υδατος: ψυχρου υδατος 115, *cf.* > aquae
frigidae *b f* vg. (pauc.) ; = + solum Sy.ᵖᵉˢʰ· | εν:
επι 13. 69. 543 | ονοματι *sine add.* ℵᶜABC*KLN
Π*ΣΦΨ 1. 238. 579. 892. 1342: τω ονοματι 42. 50.
229*. 435. 1071, *item* Sy.ˢ· ᵖᵉˢʰ· ʰˡ· ᵗˣᵗ· Arm.; ονοματι
μου ℵ*C³WXYΓΠ⅂ (*exc.* HKM) 118. 209. 22. 124.
71. 157. 517. 692. 1278 al. plur. ; τω ονοματι μου
DΔΘΗΜ fam.¹³ (*exc.* 124) 543. 28. 330. 565. 697.
700 al. pler., *item* nomine meo *it.* vg. Sy.ʰˡ· ᵐᵍ· ʰⁱᵉʳ·

ποτήριον ὕδατος ἐν ὀνόματι ὅτι Χριστοῦ ἐστέ, ἀμὴν λέγω ὑμῖν ὅτι οὐ μὴ ἀπολέσῃ τὸν
(ϙθ/β) μισθὸν αὐτοῦ. ⁴² καὶ ὃς ἂν σκανδαλίσῃ ἕνα τῶν μικρῶν τούτων τῶν πιστευόντων
καλόν ἐστιν αὐτῷ μᾶλλον εἰ περίκειται μύλος ὀνικὸς περὶ τὸν τράχηλον αὐτοῦ καὶ
(ρ/ϛ) βέβληται εἰς τὴν θάλασσαν. ⁴³ Καὶ ἐὰν σκανδαλίσῃ σε ἡ χείρ σου, ἀπόκοψον αὐτήν·
καλόν ἐστίν σε κυλλὸν εἰσελθεῖν εἰς τὴν ζωὴν ἢ τὰς δύο χεῖρας ἔχοντα ἀπελθεῖν εἰς τὴν
(ρα/ι) γέενναν, εἰς τὸ πῦρ τὸ ἄσβεστον. ⁴⁴ ⁴⁵ καὶ ἐὰν ὁ πούς σου σκανδαλίζῃ σε, ἀπό-

---

Cop.ˢᵃ· ᵇᵒ· Aeth. Or. | οτι Χριστου (Χριστος W ;
εμον א*) εστε (εσται 238 ; εστιν Θ ; om. k) : om.
255; οτι Χρ͞σῑ (= Χριστιανοι) εστε 480** | αμην λεγω
υμιν : om. 59 | οτι sec. אBC*DLWΔΘΨ 56. 57.
251. 433. 473. 565. 579. 697. 892. 1071 b ff k l q
vg. (3 MSS) Sy.ˢ· ᵖᵉˢʰ· ʰˡ· Cop.ˢᵃ· ᵇᵒ· : om. AC³NX
ΓΠΣΦ⸖ fam.¹ 22. fam.¹³ 543. 28. 157. 700 al. pler.
a f i r² vg. (pler. et WW) Geo. Or. | απολεση :
απολεσει DE 11. 15. 472. 473. 474. 475. l48. l183
al. | αυτου : om. 244 | cf. peribit merces eius pro
απολεσ. τ. μισθ. αυτου q.

42. αν אBDLNVWΘΨ fam.¹ 22. 13. 69. 543. 28.
565. 892. 1071 al. plur. : om. 244 ; δ αν 346 ; εαν
ACXΥΓΔΠΣΦ⸖ (exc. V) 124. 71. 106. 157. 300.
579. 1278. 1342 al. plur. | σκανδαλιση : σκανδαλισει
H 28. 471*. 472 ; σκανδαλησει 473 ; σκανδαλιζη D
| των μικρων τουτων אABCDLM²NΔΘΦ fam.¹ 124.
28. 300. 349. 517. 565. 579. 700. 1071. 1342 al.
pauc., item c q Sy.ʰˡ· Cop.ˢᵃ· Geo.ᴮ : > τουτων των
μικρων 47. 50. 61. 68. 91. 235. l18. l19, item b d f ff
g² l r² vg. Sy.ˢ· ᵖᵉˢʰ· Cop.ᵇᵒ· Aeth., cf. ex his pusillis
his sic i ; των μικρων μου W ; cf. ex minimis uestris
a, de pusillos uestros sic k ; om. τουτων ΧΥΓΠΣΨ⸖
(exc. M²) 22. fam.¹³ (exc. 124) 543. 157. 892 al. pler.
Geo.¹ ᵉᵗ ᴬ Arm. | πιστευοντων (πιστων 256) sine add.
אΔ b ff i k Cop.ᵇᵒ· (aliq.) : πιστιν εχοντων C*ᵘⁱᵈ· D a;
+ εις εμε ABC²LNWXΓΘΠΣΦΨ⸖ Minusc. omn.
c f l q r² vg. Sy.ˢ· ᵖᵉˢʰ· ʰˡ· Cop.ˢᵃ· ᵇᵒ· (ed.) Geo. Aeth.
Arm. | εστιν αυτω μαλλον : > εστιν μαλλον αυτω
28. 44. 475 ; > αυτω εστιν μαλλον A ; om. αυτω
UW 66*. 266* ; om. εστιν (est) c d k ; om. μαλλον
(magis) a | περικειται : περιεκειτο DW, cf. cir-
cumdaretur it. (exc. suspensus esset k) vg. | μυλος
ονικος אBCDLW (μυλον ονικον) ΔΨ fam.¹ 12. 238.
433. 470. 579. 892. 1342, item mola assinaria (om.
d) it. (exc. q) vg. Sy.ˢ· ᵖᵉˢʰ· Geo.² Aeth. Arm. : λιθος
μυλικος (μυλωνικος 258) ΑΝΧΥΓΠΣΦ⸖ 22. 124.
157. 700. 1071 al. pler. Sy.ʰˡ· Cop.ˢᵃ· ᵇᵒ· Geo.¹ ;
> μυλωνικος (μυλικος 482) λιθος Θ (μυλωνικωλιθος
sic) fam.¹³ (exc. 124) 543. (482). 565 ; cf. lapis
molaris q | περι τον τραχηλον item circa (circum
k) collum b c ff k q aur. : επι τον τραχηλον D 38.
106. 251. 697. 1278, cf. collo a d f i l r² vg. (pler.),

in collo g² vg. (1 MS) | βεβληται (βεβλητο 28 ;
εβληθη WΘ) εις την θαλασσαν : > εις την θαλασσαν
εβληθη D, cf. in mare (mari ff g¹ q) mitteretur it.
(exc. k) vg. ; in marem (sic) missus esset k.

43. εαν : αν sic 579 | σκανδαλιση אBLWΔΨ
237. 238. 579 (⁓ηση). 892. 1342, cf. scandalizauerit
it. (pler.) vg. : σκανδαλισει H 28 ; σκανδαλιζη (pon.
post η χειρ σου 255) ACSDNΓΠΣΦ⸖ (exc. EH) fam.¹
22. fam.¹³ 543. 157. 700. 1071 al. pler. ; σκανδαλιζει
EXΘ 28. 470. 484. 565, item scandalizat b c d ff i
| αποκοψον (εκκοψον 125*. l184) αυτην : abscide
illam et proice abs te b Cop.ᵇᵒ· (1 MS) (Arm.) ;
amputa illam abs te c | καλον : = + enim Sy.ˢ·
Cop.ᵇᵒ· (aliq.) | εστιν σε אBCLΔΘΨ fam.¹³ (exc. 69*.
124) 28. 517. 565. 700. 892, item est te a : εστιν
σοι D 543, item est tibi it. (exc. a) vg. ; > σοι εστιν
ΑΝWΧΥΓΠΣΦ⸖ fam.¹ 22. 124. 157. 1071 al. pler. ;
nil nisi εστιν 69*. 579. 1342 ; nil nisi tibi g²
| κυλλον εισελθειν (+ σε 1342) εις την ζωην (uitam
eternam a b c d i l q r²) אABCDLΔΘΨ 282. 517.
565. 579. 700. 892. (1342) it. vg. Sy.ˢ· ᵖᵉˢʰ· Cop.ˢᵃ·
ᵇᵒ· Aeth. : > κυλλον (κυλον 118. 237. 253 ; κοιλον
157) εις την ζωην εισελθειν ΝΧΥΓΠΣΦ⸖ fam.¹ 22.
fam.¹³ 543. 28. 157. 1071 al. pler. Sy.ʰˡ· Geo. Arm.
(= + aeternitatis) ; > εις την ζωην εισελθειν κυλλον
(κυλον 472) W 472 | τας : om. D l185 | εχοντα :
εχοντι 255. l48 | απελθειν (εισελθειν א*) : βληθηναι
D 12. 61. 330, cf. mitti a d f k Cop.ᵇᵒ· (1 MS) | εις
την (om. 259. l36. l184) γεενναν (γεεναν X) : om.
W fam.¹ 28. 435 Sy.ˢ· | εις (η εις 238) το πυρ το
ασβεστον (αζβεστον N) א*ABCNWXΥΓΘΠΣΦ⸖
(exc. F) Minusc. pler., item in ignem inextinguibi-
lem (inextinctibilem a) a f l vg. (pler.) Sy.ˢ· ʰˡ·
Cop.ˢᵃ· ᵇᵒ· Geo. Arm. Aug. : του πυρος F, cf. ignis
inextinguibilis (⁓es r²) q r² vg. (1 MS) Sy.ʰˡ· ;
οπου εστιν το πυρ το ασβεστον D, item b c ff i k ;
om. אᶜLΔΨ 240. 244. 255. 700. 892 Sy.ᵖᵉˢʰ·
Aeth.

44. uers. om. אBCLWΔΨ fam.¹ 22. 28. 225.
251. 255. 565. 697. 892. 1278*. l260 k Sy.ˢ· Cop.ˢᵃ·
ᵇᵒ· Geo. Arm. : + οπου ο σκωληξ (σκολιξ Ω ; σκωλιξ
1342 ; σκωλυξ 346) αυτων ου τελευτα (τελευτησει
474) και το πυρ (+ αυτων 472. 482) ου σβεννυται

---

41. Aug. ˢᵖᵉᶜ· Quisquis enim potum dederit uobis calicem aquae in nomine meo quia Christi estis
Amen dico uobis non perdet mercedem suam.

44. Iren. ⁱⁿᵗ· ᴵᴵ· ³²· ¹· Ubi uermis ipsorum non morietur et ignis non extinguetur.

Aug. ᶜᵒⁿˢ· ᵇⁱˢ· Ubi uermis eorum non morietur et ignis non extinguetur.

Etiam cf. Aug. ᶜⁱᵘⁱᵗ· ᴰᵉⁱ ²¹· ⁹· non eum piguit uno loco eadem uerba ter dicere.

κόψον αὐτόν· καλόν ἐστίν σε εἰσελθεῖν εἰς τὴν ζωὴν χωλὸν ἢ τοὺς δύο πόδας ἔχοντα βληθῆναι εἰς τὴν γέενναν. 46 47 καὶ ἐὰν ὁ ὀφθαλμός σου σκανδαλίζῃ σε, ἔκβαλε αὐτόν· καλόν σέ ἐστιν μονόφθαλμον εἰσελθεῖν εἰς τὴν βασιλείαν τοῦ θεοῦ ἢ δύο ὀφθαλμοὺς ἔχοντα βληθῆναι εἰς γέενναν, 48 ὅπου ὁ σκώληξ αὐτῶν οὐ τελευτᾷ καὶ τὸ

(ζβεννται Θ) ADNXYΓΘΠΣΦϡ fam.[13] 543. 157. 579. 700. 1071 al. pler., *item ubi uermis eorum (illorum a b c) non moritur (morietur a b c d ff i q vg.* 4 MSS Iren. Aug., *moriuntur r²) et ignis eorum (om. a d ff i l q vg.* Iren. Aug.) *non extinguitur (extinguetur a b c d ff i q* Iren. Aug.; *om. et ignis usque ad exting. f) it. (exc. k) vg., similiter* Sy.[pesh. hl.] Iren. Aug., *sed* = > *ubi ignis non extinguitur et uermis eorum non dormit* Aeth.

45. *uers. om.* 92. 218. 255. *l19 vg.* (1 MS) | και εαν: καν D | σκανδαλιζη: σκανδαλιση W 90*. 892, *item* scandalizauerit *g² vg.* (1 MS); σκανδαλισει L; σκανδαλιζει אΧΘ 28. 247. 474. 565. 1342, *item* scandalizat *it. vg.* (pler.) | αποκοψον (εκκοψον 242. 245. 565. 1071; κοψον W) αυτον (αυτην A): +a te *c* Sy.[hl.] Cop.[sa. bo. (aliq.)]; = +proice a te Sy.[s.] Cop.[bo. (aliq.)] Arm. | καλον: +γαρ AKΠ 72. 122**. 235. 240. 252². 253. 470. 473. 474. 482. 1071 Sy.[s.] Cop.[sa. bo. (aliq.)] | εστιν σε אABCEFG HKLVXYΔΘΠΦΨΩ fam.[1] 22. fam.[13] (exc. 124) 543. 44. 122*. 435. 470. 506. 517. 565. 579. 700. 892. 1342 al. pauc.: εστιν σοι NM*UΓ 569. 575. 1071 al. plur., *item* est tibi *it. vg.* (pler.); >σοι εστιν DM²SWΣ 124. 106. 115. 157. 248. 299. 330. 349. 1278. *l184* al. pauc. *vg.* (5 MSS); *nil nisi* εστιν 3. 28 (*sed add.* σε *post* εισελθειν) 36. 40. 237. 259. *l34* | εισελθειν εις την ζωην χωλον (χολον Ω 28) ABCL NWXΔΠΣΦΨϡ (exc. F) Minusc. pler.: *om.* εισελθειν Θ; >εις την ζωην χωλον (απελθειν 71. 692) χωλον (κυλλον η χωλον א)(א)ΓΓ22. 71.251.258. 349. 433. 471. 475. 692. 697. 1278; >χωλον (χολον 565) εισελθειν εις την ζωην αιωνιον (*om.* 565) D (565), *item* claudum (*uel* clodum) introire (uenire *k*) in uitam eternam (*om. f ff k* Sy.[s.] Aeth.) *it. vg.* Sy.[s.] Aeth. Arm. | τους: *om.* 349. 517. *l48. l49. l251. l260. l184* | εχοντα: εχοντας *sic* 69* | βληθηναι (*pon. post* εις τ. γεενν. א): απελθειν W fam.[1] 28 | εις την (*om.* M* NX 13. 69. 543. 28. 106. 476) γεενναν (γεεναν E) *sine add.* אBCLWΔΨ fam.[1] 24. 28. 237. 251. 259. 697. 1342 *k* Sy.[s. pesh.] Cop.[sa. bo.] Geo. Arm.: +του πυρος F, *cf.* +ignis inextinguibilis (ᴧem *sic l*) *c l r² vg.* Sy.[hl.]; +εις το πυρ το ασβεστον ADNXΓΘΠΣΦϡ (exc. F) fam.[13] 543. 157. 565. 579. 1071 al. pler., *item* in ignem inextinguibilem *d f q* Aeth.; +ubi ignis est (*om. ff i*) inextinguibilis (inextinctibilis *a*) *a ff i*; *hab.* εις το πυρ το ασβεστον *pro* εις την γεενναν 700.

46. *uers. om.* אBCLWΔΨ fam.[1] 22. 28. 92. 218.

251. 253. 255. 472. 565. 697. 892. 1278*. *l19 k* Sy.[s.] Cop.[sa. bo.] Arm.: +οπου ο σκωληξ (σκολης Ω; σκολυξ 346. 349) αυτων ου τελευτα και το πυρ (+αυτων 106. 482) ου σβεννυται (ζβεννται Θ) ADNXYΓΘΠ ΣΦϡ fam.[13] 543. 157. 579. 700. 1071. 1278[mg.] al. pler., *cf.* +ubi uermis eorum (illorum *ff*) non moritur (morietur *a b c d ff i q vg.* 4 MSS) et ignis eorum (*om. d f ff q r² vg.* 1 MS) non extinguitur (extinguetur *a b c ff i q vg.* 4 MSS) *it. vg., similiter* Sy.[pesh. hl.] Geo. Aeth. (non dormit *pro* τελευτα i.q. *uers.* 44.) *etiam add.* omnis enim igne sallietur et omnis uictima sallietur *r²*.

47. και εαν *usque ad* σκανδ. σε: >και ο οφθαλμος ει σκανδαλιζει σε D | και εαν: καν Θ 565; και ει W, *item* et si *a k q, quod si it. rell. vg.* pler.; =*om.* et Sy.[s.]; =*om.* si *vg.* (1 MS) | o (*om.* 244) οφθαλμος σου: +ο δεξιος *l184* | σκανδαλιζη: σκανδαλιση W 579, *item* scandalizauerit (*pon. post* te) *k*; σκανδαλιζει ΧΘ 28. 565, *item* scandalizat *it.* (exc. k) vg. | εκβαλε (εκβαλον 240) αυτον: και βαλε απο σου Φ; εξελε αυτον και βαλε απο σου 579; *cf.* exime eum a te *c* Sy.[s.] | καλον: bonum enim *c, item* Sy.[s.] Cop.[bo. (ed.)] | σε εστιν אBΨ 1342: >εστιν σε LΔΘ 700; *om.* σε W 892 Geo.[1]; *om.* σε hoc loco sed add. id post εισελθειν fam.[13] (exc. 124) 543, *post* μονοφθαλμον 28; *om.* εστιν 69. 565 vg. (1 MS); σοι εστιν ACDNXYΓΠΣΦϡ (exc. M*) fam.[1] 22. 124. 157. 579. 1071 al. pler. vg. (2 MSS); >εστιν σοι M* 579 *it. vg., similiter* Sy.[s. pesh. hl.] Cop.[sa. bo.] Geo.[2] Aeth.): *cf.* | μονοφθαλμον (ᴧμος 472): *cf.* luscum *a b c ff i vg.* (pler.), cum uno oculo *d*, unum oculum habentem *f*, quacumque parte corporis debilem *k*, caecum *l q r² vg.* (1 MS) | εισελθειν (*om.* א* *l184*): *pon. post* του θεου AΦ 124. 255 | βασιλειαν του θεου: ζωην 517 | δυο: τους δυο D 255. 435. 517. 569. *l49. l184* | βληθηναι: *om.* W *vg.* (1 MS); απελθειν D fam.[1] 77. 218. 517. 569. *l18. l19. l184* al., *similiter* introire *c*, ire *d i* Sy.[s.] Geo.[1] Aeth.; incidere *k* Sy.[pesh.] | γεενναν BLΨ 28: την γεενναν Uncs. rell. Minusc. rell. | γεενναν *sine add.* אBD LWΔΨ fam.[1] 28. 330. 565. 579. 700. 892. 1342. *l260 a b c ff k* Sy.[s.] Cop.[sa. bo. (pler.)] Geo. Arm.: +του πυρος ACNXYΓΘΠΣΦϡ (exc. F) 22. fam.[13] 543. 157. 569. 575. 1071 al. pler., *item f i l q r² vg.* Sy.[pesh. hl.] Cop.[bo. (1 MS)] Aeth. | *pro* εις γεενναν *hab.* εις το πυρ το ασβεστον F.

48. *om. uers.* Cop.[bo. (1 MS)] | σκωληξ: σκολης 66; σκωλυξ 346. 349; σκωλιξ 28; σκολιξ Ω | αυτων

46. *cf.* Iren. Aug. *i.q. uers.* 44.
48. Or.[int. de princip.] ubi ignis eorum non extinguetur et uermis eorum non morietur.

(ρβ/β) πῦρ οὐ σβέννυται· ⁴⁹ πᾶς γὰρ πυρὶ ἁλισθήσεται. ⁵⁰ καλὸν τὸ ἅλας· ἐὰν δὲ τὸ ἅλας ἄναλον γένηται, ἐν τίνι αὐτὸ ἀρτύσετε; ἔχετε ἐν ἑαυτοῖς ἅλα, καὶ εἰρηνεύετε ἐν ἀλλήλοις.

X

(ργ/ϛ) ¹ Καὶ ἐκεῖθεν ἀναστὰς ἔρχεται εἰς τὰ ὅρια τῆς Ἰουδαίας καὶ πέραν τοῦ Ἰορδάνου, καὶ συνπορεύονται πάλιν ὄχλοι πρὸς αὐτόν, καὶ ὡς εἰώθει πάλιν ἐδίδασκεν αὐτούς. ² Καὶ

(= eius Aeth.): *om.* GSVXΩ 66*. 71. 122*. 201. 475. 480 al. pauc. *c* | τελευτα: τελευτησει fam.¹ (*exc.* 118), *cf.* morietur (*pro* moritur) *c d ff g¹ i q vg.* (5 MSS), morietur *a*; = dormit Aeth. | πυρ: + αυτων Ψ 262. 300. 472. 482 *b* Sy.ˢ· ᵖᵉˢʰ· ʰˡ·* Cop.ˢᵃ· ᵇᵒ· Geo.¹; = + eius Aeth. | σβεννυται (σβεννυεται W; ζβεννυται Θ): *cf.* extinguetur *a b c ff q vg.* (4 MSS) | *cf. pro tot. uers.* >ubi ignis non extinguetur et uermis non morietur *c*; ubi ubi (*sic*) ignis non extinguetur et uerum in quo oritur *k*; *cf.* Or.

49. πας (+ αρτος 11. 88. 125. 220. 230) γαρ (*om. vg.* 1 MS. Cop.ᵇᵒ· ᵃˡⁱq·) πυρι (εν πυρι ℵC 1342) πυρι αλι X) αλισθησεται (αλισγηθησεται W; αναλωθησεται Θ; δοκιμασθησεται 46. 52, *cf.* examinantur *g¹*) *sine add.* ℵBLWΔ fam.¹ 22. 61. 73. 205. 206. 229*. 251*. 258. 435. 485. 565. 697. 700. 1278*. 1342. *l*260 Sy.ˢ· Cop.ˢᵃ· ᵇᵒ· ⁽ᵃˡⁱq·⁾ Geo. Arm.: + και πασα θυσια αλι (*om.* 47. 59. 61. 225. 235**. 238. 248. 253. 259. 579. 517) αλισθησεται (αναλωθησεται Ψ) ACNXΓΘΠΣΦΨ♭ fam.¹³ 543. 28. 157. 579. 892. 1071. 1278ᵐᵍ· al. pler., *item cf.* omnis enim igne salietur et omnis uictima (omne sacrificium *f*) sale (sali *q*; *om.* r² *vg.*) salietur *f l q r² vg.*, *similiter* Sy.ᵖᵉˢʰ· ʰˡ· Cop.ᵇᵒ· ⁽ᵉᵈ·⁾ Aeth.; *nil nisi* πασα γαρ θυσια αλισθησεται D, *cf.* omnis hostia insalabitur *a*, omnis enim uictima sale (*om. c*) salietur *b c ff i*, omne enim sacrificium sali salietur *d*; *cf.* omnia autem substantia consumitur *k*.

50. καλον (καλο 124): + γαρ fam.¹³ 543 | αλας *bis* ℵ (*pr.* ℵ* *sed sec.* ℵᶜ) ABCDNXΥΓΘΠΣΦΨ♭ Minusc. pler.: αλα *bis* ℵ (*pr.* ℵᶜ *sed sec.* ℵ*) LWΔ 892. 1342 | εαν δε (*om.* V): εαν γαρ fam.¹³ (*exc.* 124) 543 | αναλον γενηται (γενησεται D): μωρανθη W 579 | εν τινι αυτο αρτυσετε: *om.* 205 | αυτο: *om.* MΓ fam.¹ 206. 232. 255. 299. 474. 517 *b* | αρτυσετε ℵBX ΓΠΦΨ♭ (*exc.* HK) 22. 124. 157. 565. 579. 892. 1071 al. pler., *item* condietis *a b ff i l r² vg.* (pler.), condies *c*, condistis *k*, salietis *q*, *similiter* Sy.ʰˡ· Cop.ˢᵃ·: αρτυσεται ACDHLNΘΣ 3. 9. 126. 220. 225. 330. 435 al. mu., *item cf.* condietur *d f vg.* (1 MS) Sy.⁽ˢ·⁾ ᵖᵉˢʰ· Cop.ᵇᵒ· Geo. Aeth. Arm.; αρτυσηται ΔW 28; αρτυσητε fam.¹³ (*exc.* 124) αρτησητε 346) 543. 237; αρτυεται 517; αρτυθησεται K fam.¹ (*praem.* αυτω

118) 14. 91. 206. 255. 299. 474 | εχετε εν εαυτοις (αυτοις L* 300): υμεις ουν εν εαυτοις εχετε (εχεται W) W Cop.ˢᵃ· Arm.; υμεις ουν εχετε εν εαυτοις fam.¹³ (*exc.* 124) 543. 565; εχετε ουν υμεις εν εαυτοις 28 | αλα ℵ*A*BDLWΔΨ fam.¹ (*exc.* 118) 28. 517. 892: αλας ℵᶜA²CNXΥΓΘΠΣΦ♭ 118. 22. fam.¹³ 543. 157. 565. 579. 700. 1071 al. pler.; το αλας 245 | ειρηνευετε: ειρηνευσατε V 22*. 29. 240. 244. 246ᵐᵍ· 258. 471. 692; ειρηνην εχετε 1342 | εν (*om.* 229. 472) αλληλοις: = *om.* Aeth. | *om.* εχετε εν εαυτοις *usque ad fin. uers.* 123.

1. και εκειθεν ℵBCDEWΔΘΣΨ fam.¹ (*exc.* 118) fam.¹³ 543. 28. 86. 299. 517. 565. 579. 892. 1342. *l*19. *l*49. *l*184: κακειθεν ALNXΥΓΠΦ♭ (*exc.* E) 118. 22. 157. 700. 1071 al. pler. | αναστας: exiens iesus *aur.* | ερχεται: ηλθεν N, *item* Sy.ˢ· ᵖᵉˢʰ· ʰˡ· Cop.ˢᵃ· ᵇᵒ· Geo. Aeth., *cf.* uenit *it. vg.* | τα (*om.* 372) ορια: τα ορη 179. 1279 | και περαν ℵBC* LΨ 892 Cop.ˢᵃ· ᵇᵒ·: δια του περαν ΑΝΧΥΓΠΣ* uid.Φ♭ (*exc.* G) 157. 569. 575. 700 al. pler. Sy.ʰˡ· Aeth.; και δια του περαν 1071; *nil nisi* περαν C²D GWΔΘ fam.¹ 22. fam.¹³ 543. 28. 225. 330. 349. 472. 517. 565. 579. 697. 1278*. 1342. *l*184 al. mu., *item* trans *c f ff i k q aur.*, ultra *a b d l r² vg.*, *similiter* Sy.ˢ· ᵖᵉˢʰ· Geo. Arm. Aug. | του: *om.* 517 | και *tert.*: *om.* N Cop.ˢᵃ· | συνπ. ℵAB*CWΔ 543. 579: συμπ. Bᶜᵒʳ· LNXΥΓΠΣΦΨ♭ Minusc. pler. | συνπορευονται (*uel* συμπ.) Uncs. (*exc.* DWΘ) 22. 124. 157. 892. 1071 al. pler., *item* conueniunt *f g² l r²* vg. Aug.: συμπορευεται (*uel* συνπ.) W fam.¹ fam.¹³ (*exc.* 124) 543. 28. 91. 299. 433; συνερχεται DΘ 700, *item* conuenit *b c d ff i k q r¹*, uenit *a*; συνερχονται 565 | παλιν *pr.*: *om.* fam.¹³ 543. 892. *l*260. *b ff i r¹* Geo. ; = illuc Sy.ᵖᵉˢʰ· | οχλοι (οι οχλοι X) Uncs. (*exc.* DWΘ) 22. 157. 892. 1071 al. pler., *item* turbae *f g² l r²* vg. Sy.ʰˡ· Cop.ᵇᵒ· Aeth. Arm. Aug.: οχλος W fam.¹³ (*exc.* 124) 543. 28 (οχλο *sic*) 71. 433. 692. 700; ο οχλος DΘ 29. 44. 565, *item* turba *a b c d ff i k q r¹*, *similiter* Sy.ˢ· Cop.ˢᵃ· Geo.²; οχλος πολυς fam.¹ 91. 299 Geo.¹; οχλοι πολλοι 124. 38. 56. 58. 579 Sy.ᵖᵉˢʰ· | και ως εισθει (ειωθη 13. 59. 506. 565. 692. *l*49) >ως ειωθει και D, *item b ff i* | παλιν *sec.*: *om.* 348 *k* Sy.ˢ· Cop.ˢᵃ· ᵇᵒ· (2 MSS) Geo.

1. Aug. ˢᵖᵉᶜ· et inde exsurgens uenit in fines iudae ultra iordanem et conueniunt iterum turbae ad eum et sicut consueuerat iterum docebat illos.

προσελθόντες Φαρισαῖοι ἐπηρώτων αὐτὸν εἰ ἔξεστιν ἀνδρὶ γυναῖκα ἀπολῦσαι, πειράζοντες αὐτόν. ³ ὁ δὲ ἀποκριθεὶς εἶπεν αὐτοῖς Τί ὑμῖν ἐνετείλατο Μωυσῆς; ⁴ οἱ δὲ εἶπαν Ἐπέτρεψεν Μωυσῆς βιβλίον ἀποστασίου γράψαι καὶ ἀπολῦσαι. ⁵ ὁ δὲ Ἰησοῦς εἶπεν αὐτοῖς Πρὸς τὴν σκληροκαρδίαν ὑμῶν ἔγραψεν ὑμῖν τὴν ἐντολὴν ταύτην· ⁶ ἀπὸ δὲ ἀρχῆς κτίσεως ἄρσεν καὶ θῆλυ ἐποίησεν αὐτούς. ⁷ ἕνεκεν τούτου καταλείψει ἄνθρωπος

2. και προσελθοντες Φαρισαιοι: οι δε φαρισαιοι προσελθοντες WΘ 406. 565, similiter Cop.ˢᵃ· Arm.; om. προσελθ. φαρισ. D, item a b k Sy.ˢ·; + αυτω post προσελθ. 38. 435, item Cop.ˢᵃ· (sed = om. eum post interrogabant) | Φαρισαιοι ABLΓΔΠΣΦΨ♭ (exc. VΩ) 118. 22. 69. 28. 71. 108. 131. 229. 433. 700 al. mu.: οι φαρισαιοι ℵCNVXWΘΣΩ fam.¹ (exc. 118) fam.¹³ (exc. 69) 543. 157. 330. 349. 517. 569. 579. 697. 1071 al. plur., etiam pon. οι φαρισαιοι post επηρ. αυτον fam.¹ (exc. 118) | επηρωτων ℵBDLMΘΨ 244. 406. 565 (επερωτων sic). 579. 892. 1342. lg. l10. l18. l49, item επηρωτουν (επηρουν sic C) C 472, επηρωτον l184, ηρωτων Δ, similiter cf. interrogabant it. (exc. q r¹, sed ⁓bat b) vg. Sy.ˢ·ᵖᵉˢʰ· Cop.ᵇᵒ· Geo. Aug., cf. interrogant r¹: επηρωτησαν ANWXYΓΠΣΦ♭ (exc. M) fam.¹ 22. fam.¹³ 543. 28. 157. 700. 1071 al. pler., item interrogauerunt q Aeth. | ανδρι: ανδρα 238 | γυναικα: uxorem suam c ff vg. (1 MS) Sy.ˢ·ᵖᵉˢʰ· Cop.ˢᵃ·ᵇᵒ· Geo.² | πειραζοντες αυτον: om. c; =pon. ante επηρωτ. αυτον Sy.ᵖᵉˢʰ· Arm.; = pon. post επηρωτ. αυτον Sy.ˢ·

3. αποκριθεις: om. 1342 Sy.ᵖᵉˢʰ· | αυτοις: om. k | υμιν: ημιν 89 | ενετειλατο: ετειλατο D* 28 | μωυσης ℵBDKMNSWYΔΘΠΣΨΩ fam.¹³ (exc. 124) 543. 28. 71. 245. 349. 470. 517. 565. 579. 692 al. pauc., item Moyses it. (exc. k) aur. vg. (plur.) Aug.: μωσης ACEFGHLUVXΓΦ fam.¹ 22. 124. 157. 700. 892. 1071 al. pler., item Moses k vg. (pler. et WW); μωσσης 472. l184 | = pon. Moses ante quid uobis praecepit? Sy.ˢ·

4. οι δε ειπ.: om. 53. 57. 61. 65. 67 | οι δε: om. c Sy.ˢ·; qui it. (exc. ck) vg. | ειπαν ℵBCDW 28. 579. 700: ειπον ALNXYΓΔΘΠΣΦΨ♭ Minusc. rell.; = dicunt Sy.ˢ·ᵖᵉˢʰ· Aeth. Arm. (= + ei) | μωυσης uel μωσης i.q. uers. 3 exc. hoc loco hab. μωσης fam.¹, μωσσης fam.¹³ (exc. 346) 543, μωησης sic 28 | επετρεψεν μω. ℵBCDLΔΨ 124. 579. 892. 1342. l18. l48. l49. l184. l185 k (iussit Mosei sic) Cop.ᵇᵒ· Aeth. Aug.ˢᵉᵐᵉˡ· > μω. επετρεψεν ANWXYΓΠΣΦ♭ 22. fam.¹³ (exc. 124) 543. 28. 157. 330. 700. 1071 al. pler. fg² l r² vg. Sy.ˢ·ᵖᵉˢʰ·ʰˡ· Cop.ˢᵃ· Geo. Arm. Aug.ˢᵉᵐᵉˡ·; μω. ενετειλατο fam.¹ 299. 472; om. μωυσης Θ 565 a cff q, etiam add. uobis c ff; om. 131 b r¹ | γραψαι (εγγραψαι 517): δουναι 61, item

dare b r¹ Geo.² Aug.ˢᵉᵐᵉ ˡ; δουναι γραψαι D, cf. dare scriptum c d ff q | και απολυσαι (et sic dimittere k): + αυτην N, item = et dare ei et dimittere eam Sy.ˢ·; = + eos Cop.ˢᵃ·; om. r¹.

5. ο δε Ιησους ℵBCLΔΘΨ 579. 892ᵐᵍ· 1342 Cop.ˢᵃ·ᵇᵒ·: om. Ιησους 892*, item c; και (= om. Sy.ˢ·ᵖᵉˢʰ· Geo. Arm.) αποκριθεις ο Ιησους (om. ο Ιησους 115. 517) ADNWXYΓΠΣΦ♭ Minusc. rell., item cf. et respondens iesus d f, respondens uero iesus ff, respondens autem iesus et k, quibus respondens iesus a b l q r¹·² vg. Aug., similiter Sy.ˢ·ᵖᵉˢʰ·ʰˡ· Geo. Aeth. Arm. | ειπεν (item dixit c ff k): ait it. rell. vg. Aug. | αυτοις: om. D 235. 252* b (+ hoc) | προς την σκληρ. υμων εγραψεν (επετρεψεν ΝΣΦ 124. 238. 579) υμιν: praem. μωσης 74. 89. 90. 234. 483. 484. 945 Sy.ˢ·; add. μωσης post εγραψεν D c g² k Cop.ˢᵃ· (ante εγραψ.) Geo.²; add. μωσης post υμιν Ψ 579. 1342. 1355. 1542 fg¹; add. moyses ad fin. uers. b | υμιν (ημιν 59): om. D fam.¹³ 543. 28. 57. 229. 255. 349 b c g² k r¹ Geo. Arm. | την εντολην ταυτην (επιστολην 506): om. ταυτην 579.

6. δε: om. 487 Cop.ᵇᵒ· (aliq.); pon. post αρχης 237. 255. 259; enim (pro δε) b q | κτισεως (κτησεως Γ 23): om. D* 255. l36 b d ff vg. (1 MS) Sy.ˢ·ᵖᵉˢʰ· Aeth. | θηλυ: θηλυν D; θηλη 346 | αυτους sine add. ℵBCLΔ 579. 1342 c Cop.ˢᵃ·ᵇᵒ· Geo.² Catt. Com. Uict. poss. et oxon.: αυτους ο θεος ANXYΓΘ ΠΣΦΨ♭ Minusc. pler., item a l q r² vg. Sy.ˢ·ᵖᵉˢʰ·ʰˡ· Geo.¹ Aug.; ο θεος (sine αυτους) DW 86*. 219 b f ff k r¹ Aeth. Arm.

7. ενεκεν (ενεκα 71): praem. και ειπεν DNWΘΣ fam.¹³ 543. 28. 38**. 61. 282. 300. 406. 474. 565. 1071. 1279. 1574. l7 b c ff g² q r¹ vg. (pler. sed non WW) Geo. Arm.; = praem. et Aeth.; praem. dicens vg. (gat.) | καταλιψει sic 28. 1342; καταλυψη sic 346 | ανθρωπος: εκαστος W | αυτου: om. DM*N 565 g² vg. (3 MSS) | μητερα (sine αυτου) Uncs. pler. Minusc. pler. k l q r¹·² vg. (pler. et WW) Sy.ʰˡ· Arm. Aug.: + αυτου ℵBD (εαυτου) MΨ 238. 489. 579. l48. l185 a b c f ff Sy.ˢ·ᵖᵉˢʰ· Cop.ˢᵃ·ᵇᵒ· Geo.¹; praeterea add. και προσκολληθησεται προς την γυναικα (τη γυναικι pro προς τ. γυν. LNΔΣ fam.¹ 67. 91. 131. 579. 1342, item uxori a c f r¹ vg. aliq.; μητερα pro γυναικα 700*; γυγυναικι sic C) αυτου

---

2. Aug. ˢᵖᵉᶜ· et accedentes Pharisaei interrogabant eum etc.
4. Aug. ˢᵖᵉᶜ· qui dixerunt Moyses permisit libellum repudii scribere et dimittere.
   Aug. Quaest. de Deut. permisit Moyses dare libellum repudii et dimittere.
6. Aug. ˢᵖᵉᶜ· ab initio autem creaturae masculum et feminam fecit eos deus.
   Catt. Uict. ᵖᵒˢˢ· ᵉᵗ ᵒˣᵒⁿ· αρσεν και θηλυ εποιησεν αυτους.

τὸν πατέρα αὐτοῦ καὶ τὴν μητέρα,   8 καὶ ἔσονται οἱ δύο εἰς σάρκα μίαν· ὥστε οὐκέτι
(ρδ/ι) εἰσὶν δύο ἀλλὰ μία σάρξ·   9 ὃ οὖν ὁ θεὸς συνέζευξεν ἄνθρωπος μὴ χωριζέτω.   10 Καὶ
(ρε/β) εἰς τὴν οἰκίαν πάλιν οἱ μαθηταὶ περὶ τούτου ἐπηρώτων αὐτόν.   11 καὶ λέγει αὐτοῖς Ὃς
ἂν ἀπολύσῃ τὴν γυναῖκα αὐτοῦ καὶ γαμήσῃ ἄλλην μοιχᾶται ἐπ᾽ αὐτήν,   12 καὶ ἐὰν
(ρϛ/β) αὐτὴ ἀπολύσασα τὸν ἄνδρα αὐτῆς γαμήσῃ ἄλλον μοιχᾶται.   13 Καὶ προσέφερον αὐτῷ

Uncs. pler. Minusc. pler. it. vg. Sy.pesh. hl. Cop.sa. bo.
Geo. Bas., sed om. haec uerba אBΨ 892*. l48 Sy.s.

8. οι δυο: om. k | εις σαρκα μιαν: in carne
una it. vg. | ωστε : + ουν 892 | ουκετι: ουκ 28.
71, item nil nisi non d ff k vg. (2 MSS) Sy.s. pesh.
Cop.bo. | εστιν: erunt k, cf. Bas. | αλλα: + και
59 | μια σαρξ BDEGHLM*NSVXΔΣΨΩ 22. 28.
157 al. plur. it. vg. (1 MS) Sy.s. pesh. hl. Geo.
Aeth. Aug.bis: > σαρξ μια אACFKM²UWYΓΘΠ
Φ fam.¹ fam.¹³ 543. 238. 349. 405. 565. 579. 697.
700. 892. 1071. 1342 al. plur. vg. (1 MS) Cop.sa. bo.
Arm.

9. ο: ον 61; και ο 697. 1278; a Or. Epiph. | ουν:
om. D (sed non d) k* Sy.hl. Or.; = quos Geo.¹;
= nunc quos Geo.² | ο θεος: om. ο AG 57. 474;
dom. k | συνεζευξεν: εζευξεν D (sed coniunxit d) W
517. 827. 1200, item iunxit (pro coniunxit) cf l vg.
(pler. et WW) Aug.spec. | ανθρωπος: praem. τουτο
Θ, item praem. hoc a | χωριζετω: χωριζεσθω Δ.

10. εις την οικιαν אBDLΨ 579. 892. 1342. l18.
l19. l36. l49. l184 et alia lectionaria, cf. in domum
b d, = quum intrasset in domum Sy.s.: εν τη οικια
ACNWXYΓΘΠΣΦϧ fam.¹ 22. fam.¹³ 543. 28. 157.
565. 700. 1071 al. pler., cf. in domo ff g² k l q r¹ vg.
(pler.), in domu r² vg. (4 MSS), similiter Sy.hl.
Cop.bo. Geo., item sed pon. post discipuli eius
Sy.pesh. Cop.sa.; domoi sic a ; om. c | παλιν : om.
c Cop.sa. | μαθηται אBCLΔΘΨ 28. 142. 242. 349.
433. 517. 579. 892. 1342. l18. l19. l36. l49. l184
a c k Cop.bo. (ed.) Arm., etiam add. secreto c k :
μαθηται αυτου ADNWXYΓΠΣΦϧ fam.¹ 22. fam.¹³
543. 157. 565. 700. 1071 al. pler. it. (pler.) vg.
Sy.s. pesh. hl. Cop.sa. bo. (2 MSS) Geo. Aeth. | περι τού-
του (sed pon. ad fin. uers. post αυτον 406. 565. 1279.
1342) ABCLMNXΓΔΣΨ fam.¹ 22. 71. 74**. 406.
470. 565. 692. 697. 700. 892. 1278. 1279. l184 al.
mu., item de hoc a ff, de hoc sermone c, de isto
sermone k, similiter = super hoc Sy.s. pesh. Cop.bo.
Geo.¹ Aeth., = de hoc sermone Cop.sa. Geo.²:
περι τουτων א; περι του αυτου ΘΦϧ (exc. KM) fam.¹³
(exc. 124. 346) 543. 28. 157. 1071 al. pler., item de
eodem b g² l q r² vg. Sy.hl., περι του αυτου λογου D
f g², et pon. haec uerba ad fin. uers. post αυτον Θ
157 g²; περι αυτου Π 124. 59. 77. 219. 252. 349.

485. l251 ; om. KW 346. 67. 116. 131. 474. l48.
l185 | επηρωτων (επερωτ. LΔ ; επηρωτουν C 472)
אBCLΔΘΨ 472. 517. 569. 579. 892. 1342. 1071.
l18. l19. l49. l184 al. lect. r¹ Geo.: επηρωτησαν
(επερ. N) ADNWXYΓΠΣΦϧ fam.¹ 22. fam.¹³ 543.
28. 157. 565. 700 al. pler. it. (exc. r¹) vg. VSS
rell., sed pon. ante οι μαθηται W c k, similiter pon.
ad init. uers. Cop.sa. | αυτον: om. MW.

11. και λεγει αυτοις (+ ο Ιησους 482, cf. q), item
et dicit (ait a g¹) illis a k l vg. (pler. et WW): et
(om. d) dixit illis (eis iesus q) it. (pler.) vg. (aliq.)
| uers. 11 et 12 transp. et leg. και λεγει αυτοις εαν
απολυση γυνη τον ανδρα αυτης και γαμηση αλλον
μοιχαται και εαν ανηρ απολυση την γυναικα (+ αυτου
και γαμηση αλλην ι) μοιχαται W ι, similiter Sy.s.
Geo.¹, etiam eadem sed om. και εαν ανηρ usque ad
μοιχαται 209 | ος αν אBCDLΔΨ 59. 229. 349. 517.
579. 892. 1071. l18. l19. l49. l184 al.: ος εαν ANXYΓ
ΠΣΦϧ 22. 118. 157. 700 al. pler., cf. quicumque b d
f k q r² vg., quisquis c, quisque ff, similiter Sy.pesh.
hl. Cop.sa. bo.; εαν ανηρ Θ fam.¹ (exc. 118) fam.¹³
543. 28. 565, sed pon. ανηρ post απολυση Θ 565, cf.
si dimiserit uir a, similiter Sy.s. Geo. Arm. | απο-
λυση: απολυσει HK 13. 346. 28. 131. 472. 474.
579. l18. l19 al. pauc. | γαμηση (∼σει Ω 28. 579
al. pauc.) αλλην : < αλλην γαμηση D it. (exc. a k)
vg. Aug. | επ αυτην : om. Θ fam.¹ 2. 28. 262. 565 ;
επ αυτη 282. 300 ; η ταυτην sic Ψ.

12. εαν (εν sic Ψ) αυτη απολυσασα אBCLΔΨ
579. 892. 1342, similiter Cop.sa. bo. Aeth.: εαν γυνη
απολυσασα 517. l18. l19. l49 bis l184 ; εαν γυνη (η
γυνη 245) απολυση (∼σει Ω 244. 474. 475*) ANXY
ΓΠΣΦϧ 22. 118. 157. 1071 al. pler., item si (om. r²)
mulier dimiserit f g² r² vg. Sy.pesh. hl. cf. Aug., cf.
mulier si reliquerit c aur. ; εαν απολυση γυνη fam.¹
(exc. 118) Geo. ; γυνη εαν (> εαν γυνη D) εξελθη
DΘ fam.¹³ 543. 28. 565. 700, item si mulier exiet
(exeat ff, exierit q, discesserit a) a b ff q, similiter
Arm. ; cf. quae relinquit mulier k, = quae mulier
quae relinquit Sy.s. | τον ανδρα αυτης (αυτου C)
Uncs. pler. Minusc. pler., item uirum suum f g² l
r² vg. Sy.s. pesh. hl. Cop.sa. bo. Geo. Aug.: om. αυτης
517. l18. l19. l49 bis c k ; τον ιδιον ανδρα αυτης 238 ;
απο (+ του D 28) ανδρος DΘ fam.¹³ 543. 28. 565.

8. Bas. Lib. de uirginitate 3. και γενησονται οι δυο εις σαρκα μιαν.

9. Or. Frag. de Catt. Ioan. xxviii. α ο θεος συνεζευξεν ανθρωπος μη χωριζετω.
   Epiph. pan. 42 et 60. α ο θεος κτλ.
   Epiph. pan. 47 et 61. ο ο θεος κτλ.

12. Aug. spec. et de adult. et si uxor dimiserit uirum suum et alii nupserit moechatur.

παιδία ἵνα αὐτῶν ἅψηται· οἱ δὲ μαθηταὶ ἐπετίμησαν αὐτοῖς. ¹⁴ ἰδὼν δὲ ὁ Ἰησοῦς
ἠγανάκτησεν καὶ εἶπεν αὐτοῖς Ἄφετε τὰ παιδία ἔρχεσθαι πρός με, μὴ κωλύετε αὐτά, τῶν
γὰρ τοιούτων ἐστὶν ἡ βασιλεία τοῦ θεοῦ. ¹⁵ ἀμὴν λέγω ὑμῖν, ὃς ἂν μὴ δέξηται τὴν
βασιλείαν τοῦ θεοῦ ὡς παιδίον, οὐ μὴ εἰσέλθῃ εἰς αὐτήν. ¹⁶ καὶ ἐναγκαλισάμενος
αὐτὰ κατευλόγει τιθεὶς τὰς χεῖρας ἐπ᾽ αὐτά. ¹⁷ Καὶ ἐκπορευομένου αὐτοῦ εἰς ὁδὸν (ρζ/β)

700, item a viro a b ff q Arm. | γαμηση αλλον
(αλλην sic Δ) ℵBC*LΔΨ 892. 1342: και γαμηση
(⁓σει Θ 28. 256) αλλον (αλλω 482) DΘ fam.¹ (exc.
118) fam.¹³ 543. 28. 36. 92. 256. (482). 565; και
(om. 579) γαμηθη (γαμηθεισα 517) αλλω ΑΝΧΥΓΠ
ΣΦϷ 118. 22. 157. 579. 700. 1071 al. pler., cf. et
alio nupserit a f ff, et alii nupserit (uel nubserit;
nubet k) c (k) q r² vg. Aug., et alium nupserit b, et
alium duxerit d | μοιχαται, item moechatur d f q
r² vg.: adulterium committit super illum a, moecha-
tur super illum (illo k) b c ff g² (k) l; praeterea add.
similiter (om. ff g²) et qui dimissam (+ a uiro a)
ducit moechatur a b ff g² l.

13. προσεφερον, item offerebant it. (exc. d) vg.
(pler.), auferebant g¹: adferunt d; = attulerunt
Sy.ˢ Cop.ˢᵃ· ᵇᵒ· | αυτω: αυτο sic 700 | παιδια:
βρεφη Or. | ινα: ιν᾽ sic F | αυτων αψηται (αψων-
ται sic 1342) ℵBCLΔΘΨ 124. 330. 517. 579.
892. (1342). l49. l184 f r² Bas.: > αψηται αυτων
ΑDNWΧΥΓΠΣΦϷ fam.¹ 22. fam.¹³ (exc. 124) 543.
28. 157. 565. 700. 1071 al. pler. it. (pler.) vg.
Sy.ᵖᵉˢʰ· ʰˡ· Cop.ᵇᵒ· Aeth. Or.; cf. = manum im-
poneret eis Sy.ˢ Cop.ˢᵃ· Arm. | μαθηται: + αυτου
DΘ 565. 700 a c f ff Sy.ˢ ᵖᵉˢʰ· Aeth. | επετιμησαν
ℵBCLΔΨ 579. 892 Sy.ˢ Cop.ˢᵃ· ᵇᵒ·: επετιμων AD
NWΧΥΓΘΠΣΦϷ Minusc. rell. it. vg. Sy.ᵖᵉˢʰ· ʰˡ·
Geo. Aeth. Arm. Bas. | αυτοις ℵBCLΔΨ 579. 892.
1342, item c k Cop.ᵇᵒ·: τοις προσφερουσιν (+ αυτα Γ,
item Sy.ˢ ᵖᵉˢʰ· Cop.ˢᵃ· Geo.ᴮ) ΑDNWΧΥ(Γ)ΠΣΦϷ
22. fam.¹³ 543. 28. 157. 565. 700. 1071 al. pler.,
item it. vg. Sy.⁽ˢ·⁾ ⁽ᵖᵉˢʰ·⁾ ʰˡ· Cop.⁽ˢᵃ·⁾ Geo. Aeth. Arm.
Bas.; τοις φερουσιν Θ fam.¹ 517. 1582. 2193; τους
προσφεροντας 255.

14. om. ο ante Ιησους U | ηγανακτησεν (επετι-
μησε 1342): = +eis Cop.ˢᵃ· Geo.²; praem. offe-
rentibus r² | και sine add. Uncs. pler. 118. 22.
157. 700. 892. 1071 al. pler. it. vg. Sy.ᵖᵉˢʰ· Cop.ˢᵃ·

ᵇᵒ· Geo. Aeth.: + επιτιμησας WΘ fam.¹ (exc. 118)
fam.¹³ 543. 28. 565, similiter Sy.ˢ· ʰˡ· Arm. | ειπεν
αυτοις, item k: > αυτοις ειπεν W fam.¹³ 543; cf.
ait illis it. (exc. k) vg.; = om. αυτοις Geo. | παιδια:
παιδαρια D*, cf. paruulos f l r² vg., infantes a,
pueros b c d ff k q | με: εμε NW | μη κωλυετε
αυτα BNM*WΧΥΓΔΠΣΦϷ (exc. M²) 22. fam.¹³ 543.
157. 238. 433. 579 al. plur. Cop.ᵇᵒ·: om. 433. 700;
praem. και ℵACDLM²ΘΦ fam.¹ 28. 330. 565. 892.
1071. 1278 al. plur. it. vg. Sy.ˢ· ᵖᵉˢʰ· ʰˡ· Cop.ˢᵃ· Geo.
Aeth. Arm. Bas. Aug.; = +uenire ad me Cop.ᵇᵒ·
| των γαρ: των γαρ των sic 69* | του θεου: των
ουρανων W 2. 5. 61. 106. 157. 255. 409*. 517. 579.
l49, item caelorum vg. (1 MS et gat.*) Cop.ᵇᵒ· ⁽¹ ᴹˢ⁾
Geo.² Bas.

15. αμην (om. 517; +γαρ 405; αμην αμην 52.
59. 73) λεγω υμιν: om. 131 | ος αν ℵBCDLWΔΘΨ
fam.¹ (exc. 118) 13. 543. 28. 517. 565. 892. 1342: ος (ο
sic N) εαν ΑΝΧΥΓΠΣΦϷ 69. 124. 346. 157. 579. 700.
1071 al. pler. Bas.ˢᵉᵐᵉˡ, cf. quisquis g² l (+ enim)
vg. (plur. et WW), quisque b d ff vg. (plur.), qui-
cumque a b k q, qui c g¹ aur. | παιδιον: το παιδιον
l49. l184. l251. l260 | εισελθη (⁓θει 13; ελθη 9.
16) εις αυτην (εν αυτη 238): > εις αυτην εισελευσεται
D; cf. non intrabit in illum (uel illud) f q vg.
(pler.), non intrauit in illum a b d l r² vg. (2 MSS),
non introibit in illum c aur. vg. (2 MSS), non intro-
iuit in illud ff k; = non poterit intrare in illud Geo.

16. εναγκαλισαμενος (εναγκ. W, εναγγ. Ω, ενεγκ.
fam.¹³ 543, ενεκ. Δ*, αγκ. 238; ⁓λεσαμενος L, ⁓λησα-
μενος X) Uncs. pler. Minusc. omn., item amplexus
b, complexus k, complexans l vg., complectens g¹
r², in sinu suo a: προσκαλεσαμενος D, item conuocans
c f ff q r¹, similiter Sy.ˢ· | αυτα: αυτοις 122*
| κατευλογει (κατηυλ. LΨ 579. 1342; ευλογει 517;
ηυλογει l36; praeterea +αυτα 1342) τιθεις (om.
uerba post τιθεις L) τας χειρας επ αυτα (αυτοις 517;

_____

13. Or. ⁱⁿ ᴹᵃᵗᵗ· ᵀᵒᵐ· ˣⱽ· ως ο Ματθαιος φησι προσηνεχθη παιδια τω Ιησου η ως ο Μαρκος, προσεφερον αυτω
και βρεφη ανεγραψαν.

Or. ⁱᵈ· κατα δε τον Μαρκον ινα αψηται αυτων.

Bas. ᵐᵒʳᵃˡ· ʳᵉᵍ· ˣⁱˣ· ¹· Μαρκος· και προσεφερον αυτω παιδια ινα αυτων αψηται, οι δε μαθηται επετιμων τοις
προσφερουσιν.

14. Bas. ᵐᵒʳᵃˡ· ʳᵉᵍ· ˣⁱˣ· ¹· ιδων δε ο Ιησους ηγανακτησε και ειπεν αυτοις· αφετε τα παιδια ερχεσθαι προς με,
και μη κωλυετε αυτα· των γαρ τοιουτων εστιν η βασιλεια των ουρανων.

Aug. ˢᵖᵉᶜ· sinite paruulos uenire ad me et ne prohibueritis eos talium est enim regnum dei (celor.
1 MS).

Aug. ᴱᵖ· sinite infantes et nolite eos prohibere ad me.

15. Bas. de bapt. I. ος εαν μη δεξηται κτλ.

Bas. de bapt. II. Quaest. IV. εαν μη τις δεξηται κτλ.

προσδραμὼν εἷς καὶ γονυπετήσας αὐτὸν ἐπηρώτα αὐτόν Διδάσκαλε ἀγαθέ, τί ποιήσω ἵνα ζωὴν αἰώνιον κληρονομήσω; ¹⁸ ὁ δὲ Ἰησοῦς εἶπεν αὐτῷ Τί με λέγεις ἀγαθόν; οὐδεὶς ἀγαθὸς εἰ μὴ εἷς ὁ θεός. ¹⁹ τὰς ἐντολὰς οἶδας Μὴ φονεύσῃς, Μὴ μοιχεύσῃς, Μὴ κλέψῃς, Μὴ ψευδομαρτυρήσῃς, Μὴ ἀποστερήσῃς, Τίμα τὸν πατέρα σου καὶ τὴν μητέρα.

αυτου *l*36) ℵBC(L)ΔΘΨ 115. 123. 218. (517). 579. 892. (1342). *l*12. *l*18. *l*19. (*l*36). *l*49. *l*184, *item* Cop.ˢᵃ· ᵇᵒ· Aeth. : τιθεις (και τιθεις 118. 209, *item l r*² *vg.* ; επιθεις 565. 700. *l*251 ; τιθων 13. 69. 346. 543. 28 ; και τιθων 1) τας χειρας επ αυτα (+ και 48. 52. 53. 61. 63. 67. 71) ευλογει (ηυλ. ΓΦ fam.¹ 28. 157. 1071 al. plur. ; κατηυλογει Νℵ*ᵘⁱᵈ· ; ευλογησεν FGK² 237. 238. 258) αυτα ΑΝΧΥΓΠΣΦ⸄ fam.¹ 22. fam.¹³ 543. 28. 157. 565. 700. 1071 al. pler., *item f l r*² *vg.*, *similiter* Sy.ˢ· ᵖᵉˢʰ· ʰˡ· Geo. Arm., *sed om.* ευλογει αυτα 346. 410 ; ετιθει (επιτιθει W) τας χειρας επ αυτα και ευλογει αυτα DW, *item b c ff k q r*¹ ; *cf. nil nisi* benedicebat illos *a* (*pro* αυτα *usque ad* επ αυτα) ; *om. haec uerba* 106.

17. εκπορευομενου αυτου εις οδον : *om.* 433 | εκπορευ.: πορευομενου Γ 475 ; cum egressi essent (esset *sic c) b c* | εις οδον, *item* in uiam *f ff g*² *vg.* (plur. *et* WW), in uicum *r*² : in uia *b d l q aur. vg.* (plur.) ; *om. a c k* | προσδραμων (προδραμων 121**. 142. 282 ; δραμων 121*) εις (τις 35. 59. 201. 222. 226**. 479. 480. 575. 1278 al.) ℵBCDNXYΓΔΣΦΨ ⸄ (*exc.* KM) fam.¹ 22. 157. 579. 892. 1278 al. pler., *item* procurrens (praec. *b*, occurrens *q r*¹, percurriens *sic r*²) unus (*a q, sed* quidam *b f ff g*² *l r*¹· ² *vg.*), *item* Sy.ˢ·ᵖᵉˢʰ·ʰˡ·ᵗˣᵗ· Cop.ᵇᵒ· Geo.¹ ; *cf.* adcurrit unus *et d*: idou τις (*om.* M) πλουσιος (*om. l*15 *c* ; + και 565) προσδραμων (*om. c*) AKMWΘΠ fam.¹³ 543. 28. 59. 229. 330. 470. 482. 565. 700. 1071 al. mu., *item cf.* ecce quidam *c*, = ecce dives quidam accurrit ad eum Geo.², = accurrit quidam dives Sy.ʰˡ· ᵐᵍ· Cop.ˢᵃ· Arm. | και: *om.* Δ 409 *it.* (*exc. d ff) vg.* Sy.ˢ· ᵖᵉˢʰ· Cop.ᵇᵒ· | γονυπετησας: γονυπετων D fam.¹³ 543. 28, *item* adgeniculans *b c d ff*, genibus prostratus *a*, ad genuam eius se uoluens *q*, genu flexo *f r*² *vg.*, genib. obsecrans illum quidam *k* **αυτον**: αυτω 37. 40. 157. 237. 472 al. pauc.

Geo.¹ ; εμπροσθεν αυτου 7, *item* ante eum *f ff g*² *l r*² *vg.* Cop.ˢᵃ· Geo.² ; *om.* W *a b c d* Sy.ˢ· ᵖᵉˢʰ· ʰˡ· Cop.ᵇᵒ· *cf.* Clem. | επηρωτα (επερ. Δ ; ηρωτα D) αυτον *sine add.* Uncs. pler. Minusc. pler., *item r*² *vg.* (plur. *et* WW) : +λεγων DWΘ fam.¹³ 543. 406. 472. 565. 700, *item* +dicens *a b* (+ et dicens) *d f k l q r*¹ *aur. vg.* (plur.) Sy.ᵖᵉˢʰ· Cop.ˢᵃ· Aeth. Arm. ; *nil nisi* dicebat *c, cf.* Clem., *nil nisi* dixit *ff* ; = et dixit ei Sy.ˢ· ; = petebat eum et interrogabat (dicebat Geo.²) Geo. | αγαθε: = *om.* Geo.¹ | ποιησω ινα : *om.* ινα 245. 543. 579. *l*184 ; ποιησας ινα 238 ; ποιησας 5, *cf.* Aug. | ζωην αιωνιον κληρονομησω : > ζωην κληρ. αιωνιον 1342 ; *om.* αιωνιον 28. 64 ; > εχω ζωην αιωνιον *l*36.

18. ο δε: et *b* Aeth. Arm. ; *om. r*¹ *uid.* Sy.ˢ· ᵖᵉˢʰ· | Ιησους: *om.* Δ ; +intuens illum *a* | ειπεν αυτω: ait illi *a k*, dicit ei *vg.* (1 MS), *cf.* Clem. ; *om.* αυτω 517. *l*36. *l*49. *l*150. *l*251. *l*260. *l*184 Clem. | εις ο θεος Uncs. pler. Minusc. omn., *item it.* (*exc. c d ff* ; *hab.* dm̄ *pro* deus *k*) *vg.* Sy.ˢ· ᵖᵉˢʰ· ʰˡ· Aeth. Or. Clem. Aug. Bas. : μονος εις θεος D, *item* solus unus deus *d*, unus solus deus *ff*, *similiter* Cop.ˢᵃ· ᵇᵒ·, *cf.* unus ac solus deus *b* ; solus deus *c vg.* (gat.) Geo. ; = unus deus pater Arm. Or.⁽ᵃˡⁱq·⁾

19. τας εντολας: = +autem Sy.ˢ· | οιδας: custodi *b c k* (*et pon.* ante mandatum) ; +ait quae *a*, +ille dixit Quae? Et dixit illi iesus *c* | μη φονευσης μη μοιχευσης μη κλεπτης ℵᵃBCΔΨ 115. 240. 244. 330. 579. 892 Sy.ˢ· Cop.ˢᵃ· ᵇᵒ· *cf.* non occides, non adulterabis non fornicaberis *c* : *om.* μη φονευσης DΓ fam.¹ 330 ; *om.* μη μοιχευσης ℵ* ; + μη πορνευσης *post* μοιχευσης D *c, post* κλεψης Γ ; *cf.* ne adulterium ammiseris ne fornicatus fueris ne furatus fueris *k, cf.* Iren. ; *om.* μη κλεψης 300 *c ff* ; > μη μοιχευσης μη φονευσης μη κλεψης ΑΝWΧΥΘΠΣΦ⸄ 22. fam.¹³ 543. 28. 157. 565. 700. 1071 al. pler. *a b d l q r*² *vg.* Sy.ʰˡ· Geo.

---

17. Clem. ᴬˡᵉˣ· Quis dives. εκπορευομενου αυτου εις οδον προσελθων τις εγονυπετει λεγων διδασκαλε αγαθε τι ποιησω ινα ζωην αιωνιον κληρονομησω.

Aug. Contra Adam. magister bone quid faciens possidebo uitam aeternam.

18. Or. in Matt. Tom. XV. *et alibi.* τι με λεγεις αγαθον ; ουδεις αγαθος ει μη εις ο θεος.

Clem. Alex. Quis dives. ο δε Ιησους λεγει τι με αγαθον λεγεις ; ουδεις αγαθος ει μη εις ο θεος.

Aug. de nat. boni *et* Epist. nemo bonus nisi unus deus.

item Epiph. pan. *et* ancor.

Or. de orat. 15. *et* contra Cels. IV. *et* Ioan. II. *et* VI. *et* de princip. ουδεις αγαθος ει μη εις ο θεος ο πατηρ.

Bas. Epist. CCXXXVI. 1. ουδεις αγαθος ει μη εις ο θεος.

19. Clem. Alex. Quis dives. τας εντολας οιδας μη μοιχευσης μη φονευσης μη κλεψης μη ψευδομαρτυρησης τιμα τον πατερα σου και την μητερα.

Aug. spec. praecepta nosti ne adulteres ne occidas ne fureris ne falsum testimonium dicas ne fraudem feceris honora patrem tuum et matrem.

Iren. int. IV. 38. 1. erant praestructi (praestricti 1 MS) non moechari nec fornicari non furari nec raudare.

²⁰ ὁ δὲ ἔφη αὐτῷ Διδάσκαλε, ταῦτα πάντα ἐφυλαξάμην ἐκ νεότητός μου. ²¹ ὁ δὲ (ρη/β) Ἰησοῦς ἐμβλέψας αὐτῷ ἠγάπησεν αὐτὸν καὶ εἶπεν αὐτῷ Ἕν σε ὑστερεῖ· ὕπαγε ὅσα ἔχεις πώλησον καὶ δὸς τοῖς πτωχοῖς, καὶ ἕξεις θησαυρὸν ἐν οὐρανῷ, καὶ δεῦρο ἀκολούθει μοι. ²² ὁ δὲ στυγνάσας ἐπὶ τῷ λόγῳ ἀπῆλθεν λυπούμενος, ἦν γὰρ ἔχων κτήματα (ρθ/β)

Aeth. Arm. Clem. Aug. ; = non adulterium committas, ne fureris, ne occidas Sy.ᵖᵉˢʰ· ; *nil nisi* non moecaueris *f* | ψευδομαρτυρησης אAB²CDNXYΓΘΦ⅄ (exc. K) fam.¹³ 543. 69ᵐᵍ· 157. 565. 892. 1071 al. pler. *it. vg.* (pler.) Sy.ᵖᵉˢʰ· ʰˡ· Cop.ˢᵃ· ᵇᵒ· Aeth. : *om.* B*KWΔ ΠΣΨ fam.¹ 69*. 28. 59. 229*. 405. 474. 579. 700 al. pauc. *vg.* (1 MS) Sy.ˢ· Geo. Arm. Clem. | σου : *om.* D 579 *ff q* | μητερα *sine add.* אᶜABDXYΓΔΠ ΦΨ⅄ (exc. F) Minusc. pler. *ff k l q vg.* (pler.) Sy.ʰˡ· Arm. Clem. Aug. : +σου א*CFNWΘΣ 124. 63. 235. 237. 238. 409. 472. 565. 569. *l*18 al. pauc. *it.* (exc. *d ff k l q*) *vg.* (3 MSS) Sy.ˢ· ᵖᵉˢʰ· Cop.ˢᵃ· ᵇᵒ· Geo. Aeth.

20. ο δε, *item* ille autem *k* Sy.ʰˡ· Cop.ˢᵃ· ᵇᵒ· Geo. : *om.* Δ Sy.ˢ· ; και C Aeth. Arm., *cf.* et ille *b l vg.* (pler. *et* WW) Aug., at (*uel* ad) ille *c d f ff q r²vg.* (plur.), qui *a* | εφη אBΔΨ 579. 892. 1342 Cop.ˢᵃ· ᵇᵒ· Geo.ᴮ : αποκριθεις ειπεν (εφη C ; λεγει Clem., *item* ait *it.* exc. *a ff q vg.*, *cf.* Aug.) A(C)DNWXY ΓΘΠΣΦ⅄ fam.¹ 22. fam.¹³ 543. 28. 157. 565. 700. 1071 al. pler. *it. vg.* Sy.ˢ· ᵖᵉˢʰ· ʰˡ· Geo.¹ ᵉᵗ ᴬ Aeth. Arm., *cf.* Clem. | αυτω : *om.* KΥΠ 11. 229*. 253. 482. 559 *c g*¹ *k q r²* aur. *vg.* (plur. *et* WW) Geo.ᴮ | διδασκαλε : *om.* KΠ fam.¹ 11. 68. 114. 229*. 253. 1342. *l*185 Clem. ; magister bone *vg.* (4 MSS) | ταυτα παντα : > παντα ταυτα DΘ *b g*² *k q r² vg.* (plur. *sed non* WW) Cop.ᵇᵒ· Clem. Or. ; = *om.* omnia Sy.ˢ· | εφυλαξαμην (*pon. post* μου 569) : εφυλαξα AD 28. 892 Clem. Or. ; εποιησα fam.¹ 565, *item* = Sy.ˢ· Arm. | εκ νεοτητος μου *sine add.* אA BCDXΓΔΦΨ⅄ (exc. KM) fam.¹ 22. 157. 579. 892. 1071 al. plur. *it.* (exc. *a c*) *vg.* Sy.ˢ· ᵖᵉˢʰ· ʰˡ· Cop.ˢᵃ· ᵇᵒ· Geo.¹ Aeth. Clem. Aug. Or. : +τι ετι υστερω (>τι υστερω ετι W) KMNWYΘΠΣ fam.¹³ 543. 28. 72. 229. 238. 248ᵐᵍ· 472. 473. 482. 565. 1071 al. mu. *a c* Sy.ʰˡ·* Geo.² (= quid deest mihi facere Geo.ᴬ) Arm.

21. ο δε : *om.* W ; = et Sy.ˢ· ᵘⁱᵈ· Aeth. Arm. | Ιησους : *om.* AKΥΔΠ 11. 15. 36*. 68. 72. 114. 116. 253. 489 | εμβλεψας (ενβλ. DW) : εμβλεψαμενος 253 ; *cf.* inuitus (*pro* intuitus) *k* | αυτω : +ετι 3. 9. 37 ; αυτον 475 ; *om.* 28 Clem. | ηγαπη-

σεν αυτον και : *om.* 579 ; *om. haec uerba et* ειπεν αυτω 11. 15 ; = amanter Sy.ˢ· | αυτον : αυτω C 1342 | ειπεν : λεγει fam.¹³ 543. 237. 259. 282. 470. 487, *item* ait *a* | αυτω *sine add.* אBCDXΓΔ⅄ (exc. KM) fam.¹ 22. 157. 579. 700. 892 al. pler. *it. vg.* Sy.ˢ· ᵖᵉˢʰ· ʰˡ·² Cop.ᵇᵒ· (ᵉᵈ·) Geo.¹ : + ει θελεις (⁓λης Υ 28) τελειος ειναι KMNWYΘΠΣ fam.¹³ 543. 28. 72. 122**. 229. 238. 253. 300. 472. 482. 565. 1071. *l*184 al. Sy.ʰˡ·* Cop.ˢᵃ· ᵇᵒ· (ᵃˡⁱᑫ·) Geo.² Aeth., *pon. haec uerba post* υστερει 4. 7. 42. 68. 408. 517. *l*18. *l*19. *l*36. *l*49. *l*251. *l*260 Clem. ; + *nil nisi* ει θελεις Φ | εν : ετι εν א 118. 116. 235. 245. 248 Cop.ˢᵃ· ᵇᵒ· | σε : אBCMW▵ΘΠ* 28. 114. 579. 892. *l*18. *l*19. *l*48. *l*49. *l*184 : σοι ADNXYΓΠ²ΣΦΨ⅄ (exc. M) fam.¹ 22. fam.¹³ 543. 157. 565. 700. 1071 al. pler., *item* tibi *it. vg.* | υπαγε : +και 1342 *aff vg.* (1 MS) | δος : διαδος fam.¹³ (exc. 124) 543, *cf.* divide *a*, distribue *k* Clem. | τοις אCDΘΦ fam.¹ (exc. 118) 28. 565. 892 al. plur. : *om.* ABNWXYΓΔΠΣΨ⅄ 118. 22. fam.¹³ 543. 157. 579. 700. 1071 al. pler. Clem. | εξεις (εξης HKΓ) : εξει G | εν ουρανω : εν ουρανοις E* W 238. 249, *item* = in caelis Geo. | δευρο (*om.* 28) ακολουθει (⁓θη 543*. 28. 700) μοι *sine add.* אBCDΔΘΨ 406. 565. 579. 892. 1342 *it.* (exc. *a q*) *vg.* Cop.ᵇᵒ· Geo.² : *add.* αρας τον σταυρον (+σου E* fam.¹³ 543. 7. 238. 472. 517. 1071. *l*184 al. Sy.ˢ·) *ante* δευρο GW fam.¹ fam.¹³ 543. 28. 299. *a* Sy.ˢ· ᵖᵉˢʰ· Cop.ˢᵃ· Geo.¹ Aeth. Arm., *cf.* Iren., *post* δευρο 330. 569. 575, *post* ακολουθει μοι ANXYΓΠΣΦ⅄ (exc. G) 22. 157. 700. 1071 al. pler. *q* Sy.ʰˡ·

22. ο δε, *item* ille autem *c ff aur.* Sy.ᵖᵉˢʰ· ʰˡ· Cop. sa. bo. Geo. : = et Sy.ˢ· Aeth. Arm. ; et ille *a b*, ad (*uel* at) ille *d q*, qui *l r²vg.* | στυγνασας : εστυγνασεν *et add.* και *ante* απηλθεν D (*b*) *c d ff q* Sy.ˢ· ᵖᵉˢʰ· Aeth. | επι : super *k* Geo. ; in *it.* (exc. *k*) *vg.* ; απο W | τω λογω Uncs. pler. fam.¹ 22. 157. 579. 700. 892. 1071 al. pler., *item* uerbo *g² l vg.* Sy.ʰˡ· Cop.ˢᵃ· ᵇᵒ· (ᵉᵈ·) Arm., uerba *r²* : τουτω τω λογω DΘ fam.¹³ 543. 28. 565, *item* hoc uerbo *it.* (exc. *g² k l*) Sy.ˢ· ᵖᵉˢʰ· Cop.ᵇᵒ· (1 MS) Aeth., illum sermonem *k* Geo., uerbo hoc *aur.* ; του λογου W | απηλθεν (απηλθον 346) : +απο αυτου W | κτηματα πολλα, *item* possessiones multas *l r² vg.* (pler.): > πολλα

20. Clem. Alex. ^Quis Dives· ο δε αποκριθεις λεγει αυτω παντα ταυτα εφυλαξα εκ νεοτητος μου.

Or. ⁱⁿ ᴹᵃᵗᵗ· ᵀᵒᵐ· ˣⱽ· αλλ επει και κατα τον Μαρκον εμβλεψας τω πλουσιω τουτω ειποντι παντα ταυτα εφυλαξα εκ νεοτητος μου.

Aug. ˢᵖᵉᶜ· et ille respondens ait illi magister haec omnia seruaui a iuuentute mea.

21. Iren. ᴵ· ⁱⁱⁱ· ⁵· Tollens crucem sequere me [*cf.* Epiph. αρας τον σταυρον ακολουθει μοι].

Clem. Alex. ^Quis Dives· ο δε Ιησους εμβλεψας ηγαπησεν αυτον και ειπεν εν σοι υστερει ει θελεις τελειος ειναι πωλησον οσα εχεις και διαδος πτωχοις.

πολλά.   ²³ Καὶ περιβλεψάμενος ὁ Ἰησοῦς λέγει τοῖς μαθηταῖς αὐτοῦ Πῶς δυσκόλως οἱ τὰ χρήματα ἔχοντες εἰς τὴν βασιλείαν τοῦ θεοῦ εἰσελεύσονται.   ²⁴ οἱ δὲ μαθηταὶ ἐθαμβοῦντο ἐπὶ τοῖς λόγοις αὐτοῦ.   ὁ δὲ Ἰησοῦς πάλιν ἀποκριθεὶς λέγει αὐτοῖς Τέκνα, πῶς δύσκολόν ἐστιν εἰς τὴν βασιλείαν τοῦ θεοῦ εἰσελθεῖν·   ²⁵ εὐκοπώτερόν ἐστιν κάμηλον διὰ τρυμαλιᾶς ῥαφίδος διελθεῖν ἢ πλούσιον εἰς τὴν βασιλείαν τοῦ θεοῦ εἰσελ-

χρηματα D 116 (χρηματα πολλα), item cf. multas possessiones c aur. vg. (3 MSS), multas possessiones et pecunias ff, multas pecunias d, multas diuitias q, magnam pecuniam a, multae (sic) diuitias et agros k, multas pecunias et agros b, cf. Clem.

23. και κτλ. : = intuitus est autem Iesus Sy.ᵖᵉˢʰ· cf. Clem. | λεγει: ελεγεν ℵ*C 1342; ειπεν Δ 29. 71. 569. 692, item dixit k q Sy.ˢ· ᵖᵉˢʰ· ʰˡ· Cop.ˢᵃ· ᵇᵒ· Geo. | pon. τοις μαθηταις αυτου ante λεγει 1071, ante et dixit Sy.ˢ· ᵖᵉˢʰ· | οι τα (om. C 229) χρηματα εχοντες: confidentes in pecuniis r²; = qui confidunt in suis opibus Sy.ˢ· | εις την βασιλειαν του θεου εισελευσονται: om. l184; > εισελευσονται εις την βασιλειαν του θεου Ψ 482 Clem. | του θεου: om. 242; coelorum Aeth. | add. ad fin. uers. ευκοπωτερον εστι καμηλον δια τρυμαλιας της ραφιδος εισελθειν η πλουσιοι εις την βασιλειαν του θεου εισελευσονται 235; etiam add. hoc loco et om. postea uers. 25 ταχειον καμηλος δια τρυμαλιδος (sic uidetur) ραφιδος διελευσεται η πλουσιος εις την βασιλειαν του θεου D, similiter a b d ff r¹· ², cf. uers. 25.

24. μαθηται: + αυτου DΔΘ fam.¹ 91. 474. 565. it. (exc. g² l) Sy.ˢ· Geo.¹ | εθαμβουντο (εθανβ. D): εθαυμαζον 472 | om. ο δε Ιησους παλιν usque ad αυτοις 579 | ο δε: = om. Sy.ˢ· | Ιησους παλιν (pon. post αποκριθεις Σ 11. 80. 258, item a c ff; cf. > παλιν δε ο Ιησ. Clem.): om. A; om. παλιν W 46. 59. 106 g² | αποκριθεις: om. b q | λεγει: ειπεν ΔΘΨ 71. 238. 517. 565. 692. 892, item dixit c ff, et pon. post αυτοις 892, cf. etiam > illis iterum dixit c ff | τεκνα ℵBCDFHMSUVWXΓΔΘΦΩ 22. fam.¹³ 543. 28. 157. 565. 579. 892. 1071 al. pler., item filii d ff q Geo. : τεκνια ΑΝΣΨ fam.¹ 50. 91. 299. 300. 405. 700, item filioli it. (exc. d ff q) vg. Aug. ; = filii mei Sy.ˢ· ᵖᵉˢʰ· ʰˡ· Cop.ˢᵃ· ᵇᵒ· ; om. EG ΚΥΠ 2. 11. 27². 72. 125*. 229. 253. 330. 433 al. | δυσκολον (∼λως X* 1342) εστιν sine add. ℵBΔΨ

k Cop.ᵇᵒ· ⁽ᵃˡⁱ𐞥·⁾ Aeth.: + τους πεποιθοτας (∼ωτας Γ 13. 28. 565) επι τοις (om. ΑCΝΧΥΓΘΠΣϚ 118. 22. 579. 700. 892. 1278. 1342 al. plur.) χρημασιν ACD ΝΧΥΓΘΠΣΦϚ Minusc. omn.ᵘⁱᵈ· (exc. επι χρηματα pro επι τοις χρημασιν 473 et τοις πεποιθωσιν pro τους πεποιθοτας 435) it. (exc. c k) vg. Sy.ˢ· ᵖᵉˢʰ· ʰˡ· Cop.ᵇᵒ· ⁽ᵉᵈ·⁾ Geo. Arm. Clem. ; + πλουσιον W (et pon. post εισελθειν) c ; = + illis Cop.ˢᵃ· | > εισελθειν εις την βασιλειαν του θεου fam.¹³ 543 Cop.ˢᵃ·

25. om. uers. 25 hoc loco D a b d ff r¹· ², cf. ad fin. uers. 23 | ευκοπωτερον (∼ οτερον Y* 13. 124. 346. 543. 471*) : + δε A q ; + γαρ 25. 55. 59. 131. 480. 483**. 575. l10 al. pauc. vg. (1 MS) Sy.ˢ· Cop.ˢᵃ· | καμηλον (καμιλον 13. 543. 28. 471*) : = funem Geo. | τρυμαλιας (τρωμαλιας W ; τρυμαλιδος D ; τρυμμαλιας 565 ; τηματος ℵ* ; τρυμηδος 28 ; τρυπηματος 13. 69. 346. 543 ; τριπηματος 346) tant. ℵAC DFKMNUWΓΔΘΠΣΨ fam.¹ fam.¹³ 543. 28. 157. 349. 517. 565. 579. 692. 700. 892. 1071. 1342 al. plur.: της τρυμ. ΒΕGΗSVXYΦΩ 22 al.pler. | ραφιδος tant. ℵACDGΚΜΝUWΔΘΠΣΦ fam.¹ 72. 106. 229. 349. 517. 579. 700. 892. 1071. 1342 al. plur. : της ραφιδος (∼ηδος 28) ΒΕFΗSVXΓΦΩ 22. 28. 157. 565. 692. 1278 al. pler. ; βελονης (∼ωνης 124) fam.¹³ 543, cf. Clem. | διελθειν ΒCΚΠ fam.¹ fam.¹³ (exc. 69) 543. 700. 892. 1071, item transire it. (exc. a k) vg. (exc. 1 MS) Sy.ʰˡ· ᵗˣᵗ· Cop.ᵇᵒ· Aeth. Arm. : εισελθειν ℵΑΝWΧΥΓΔΘΣΦΨϚ (exc. K) 22. 69. 28. 157. 565. 579. 1278 al. pler., item introire k Sy.ˢ· ᵖᵉˢʰ· ʰˡ· ᵐᵍ· Cop.ˢᵃ· Geo., et = pon. post καμηλον Sy.ˢ· ᵖᵉˢʰ· Cop.ˢᵃ·, cf. intrauit a (uid. uers. 23) | πλουσιον (pon. post του θεου W 1. 299, pon. post εισελθειν 28; πλουσιος 69. 124. 346. l184 Clem.) εις την βασιλειαν του θεου εισελθειν: om. εις την βασ. του θεου 346*; om. εισελθειν Θ 579 a d ff k vg. (1 MS) Sy.ˢ· Clem. ; των ουρανων pro του θεου 579, item = coeli Sy.ˢ·, cf. Paulin. ; cf. diuitem intrare (introire b) in (om. l) regnum dei b c fl r² vg. Aug.

---

22. Clem. Alex. ᵠᵘⁱˢ ᵈⁱᵛᵉˢ· ο δε στυγνασας επι τω λογω απηλθε λυπουμενος ην γαρ εχων χρηματα πολλα και αγρους.

23. Clem. Alex. ᵠᵘⁱˢ ᵈⁱᵛᵉˢ· περιβλεψαμενος δε ο Ιησους λεγει τοις μαθηταις αυτου πως δυσκολως οι τα χρηματα εχοντες εισελευσονται εις την βασιλειαν του θεου.

24. Clem. Alex. ᵠᵘⁱˢ ᵈⁱᵛᵉˢ· παλιν δε ο Ιησους αποκριθεις λεγει αυτοις Τεκνα πως δυσκολον εστι τους πεποιθοτας επι χρημασιν εις τ. β. του θεου εισελθειν.

Aug. ˢᵖᵉᶜ· at iesus rursus respondens ait illis filioli quam difficile est confidentes in pecuniis in regnum dei introire.

25. Clem. Alex. ᵠᵘⁱˢ ᵈⁱᵛᵉˢ· ευκολως δια της τρυμαλιας της βελονης καμηλος εισελευσεται η πλουσιος εις την βασιλειαν του θεου.

Aug. ˢᵖᵉᶜ· facilius est camelum per foramen acus transire quam diuitem intrare in regnum dei.

Paul. ᴺᵒˡᵃ ᴱᵖᵖ· camelus . . . facilius per foramen acus transit quam diues in regnum caelorum.

θειν. ²⁶ οἱ δὲ περισσῶς ἐξεπλήσσοντο λέγοντες πρὸς αὐτόν Καὶ τίς δύναται σωθῆναι; ²⁷ ἐμβλέψας αὐτοῖς ὁ Ἰησοῦς λέγει Παρὰ ἀνθρώποις ἀδύνατον ἀλλ' οὐ παρὰ θεῷ, πάντα γὰρ δυνατὰ παρὰ τῷ θεῷ. ²⁸ ἤρξατο λέγειν ὁ Πέτρος αὐτῷ Ἰδοὺ ἡμεῖς ἀφήκαμεν πάντα καὶ ἠκολουθήκαμέν σοι. ²⁹ ἔφη ὁ Ἰησοῦς Ἀμὴν λέγω ὑμῖν, οὐδείς ἐστιν ὃς (ρι/β)

---

26. περισσως: om. F | λεγοντες προς αυτον: = nil nisi in sese Sy.ˢ· | προς αυτον ℵBCΔΨ 892 Cop.ˢᵃ· ᵇᵒ·: προς εαυτους (αυτους 482) ADM²NWX ΥΓΘΠΣΦϷ (exc. M*) Minusc. pler. it. (exc. k; pon. ante dicentes c ff) Sy.ᵖᵉˢʰ· ʰˡ· Aug.; προς αλλη- λους M* k (ad inuicem et pon. ante dicentes) Geo.; εν εαυτοις 68; om. 569 Clem. | και τις: om. και α Sy.ᵖᵉˢʰ· Cop.ᵇᵒ·; +αρα 106; = τις ουν Sy.ˢ· Aeth. Arm. Clem.; = quis quidem Cop.ˢᵃ· | δυναται: δυνησεται W 28, item poterit a b d l k.

27. εμβλεψας ℵBC*ΔΨ 1. l18. l19. l49 bis l150 semel Sy.ˢ· Cop.ᵇᵒ· Geo. Arm.: εμβλεψας (ενβ. D) δε AC²DNWXΥΓΘΠΣΦϷ 118. 209. 22. fam.¹³ 543. 157. 579. 892. 1071 al. pler., item intuens autem d, contemplatus autem k, similiter Sy.ᵖᵉˢʰ· ʰˡ· Cop.ˢᵃ· Aeth., cf. et intuens it. (pler.) vg., quos intuens a; αποκριθεις δε Θ 406. 565. 700 | αυτοις (αυτους 90*, item eos uel illos it. vg. Aug.; om. 238. l251 semel a) ο ῑ̄ς λεγει (ειπεν ℵ*Γ 517; εφη 71. 569. 692, item dixit a f k q Sy.ˢ· ᵖᵉˢʰ· Cop.ˢᵃ· Geo.¹ ᵉᵗ ᴮ Aeth. Clem.): >ο Ιησους αυτοις λεγει Γ; >ο Ιησους λεγει αυτοις Θ 474. 892; = + eis Sy.ˢ· ᵖᵉˢʰ· Cop.ˢᵃ· Aeth. | παρα pr.: +μεν WΘ fam.¹³ 543. 28. 406. 565, item + qui- dem post homines a q | ανθρωποις: +τουτο C²DN WΘΣ fam.¹³ 543. 28. 29. 349. 406. 517. 700. 1071 b Sy.ˢ· ᵖᵉˢʰ· Arm., et = pon. hoc post impossibile est Cop.ˢᵃ· Geo.² Aeth. | αδυνατον: +εστιν D 2. 28. 29. 115. 157. 349. 517. 700. 1071 it. (haec impossibilia uidentur g²) vg. Cop.ˢᵃ· Geo. | αλλ ου παρα θεω usque ad fin. uers.: = nil nisi παρα δε τω (om. 157) θεω δυνατον D 157, item aput dm̄ autem (uero d; om. k) possibile est a k ff, aput dm̄ autem (uero r¹) omnia possibilia sunt b c r¹, cf. Clem.; om. παντα γαρ δυνατα παρα τω θεω ΔΨ fam.¹ (exc. 118) 69. 9*. 44. 56. 66. 74*. 89. 157. 234. 235. 253. 474. 579. l184 l Arm. (aliq.) | αλλ: αλλα W | θεω pr. ℵB CNXΥΓΔΘΣΨϷ (exc. K) fam.¹ 22. 69. 124. 346.

543. 71. 517. 565. 579. 700. 892. 1071. 1278 al.: τω θεω AKWΠΦ 13. 28. 157 al. mu. | γαρ: om. 247 | δυνατα ℵBCWΘ 124. 9. 10. 12. 28. 517. 579. 700. 892. 1342: +εστι ANXΥΓΠΦΣϷ 118. 22. 13. 346. 543. 406 (pon. ad fin. uers.) 1071 al. pler.; +εστι τω πιστευοντι 90. 483 | παρα sec.: om. W 10 | τω θεω: om. τω BΘ 124. 28. 349. 517. 892. 1071. 1278.

28. ηρξατο tant. ℵABCWXΥΓΔΘΨϷ (exc. K) 1. 22. 13. 69. 543. 59. 122*. 157. 433. 565. 579. 892 al. mu. r² vg. (plur. et WW) Cop.ᵇᵒ· (ed.) Geo. Arm. Clem. Aug.: και ηρξατο D 118. 209. 1278 al. plur. it. (exc. f r²) vg. (plur.) Sy.ᵖᵉˢʰ· ʰˡ· ᵗˣᵗ Aeth.; ηρξατο δε KNΠΣ 124. 346. 28. 71. 229. 238. 349. 700. 1071 al. plur. f Cop.ˢᵃ· ᵇᵒ· (aliq.); ηρξατο ουν 406. l184; = tunc coepit Sy.ʰˡ· ᵐᵍ | λεγειν ο Πετρος αυτω ℵBCΔΨ 1342: >λεγειν αυτω ο Πετρος Θ 28. 565 Cop.ᵇᵒ· Arm.; >ο (om. D) Πετρος λεγειν αυτω ADNXΥΓΠΣΦϷ 118. 209. 22. fam.¹³ (exc. 124) 543. 157. 579. 700. 892. 1071 al. pler. a f k q Aeth. Clem.; > αυτω λεγειν ο Πετρος W 1. 124 Geo.¹; >petrus ei dicere b l r² vg. (pler. et WW) Aug., >ei petrus dicere ff vg. (aliq.) Geo.² (+et dixit); om. αυτω (ει) c g¹ Sy.ᵖᵉˢʰ· | pro ηρξατο λεγειν ο Πετρος hab. = dixit ei Kephas Sy.ˢ· | ιδου ημεις: om. W; κυριε ημεις l5; nil nisi nos l | αφηκα- μεν παντα: >παντα αφηκ. W | ηκολουθηκαμεν BCD W: ηκολουθησαμεν ℵANXΥΓΔΘΠΣΦΨϷ Minusc. omn. | σοι (σου KΔ*): +τι αρα εσται ημιν ℵ 51. l20 b gat, cf. Matt. xix. 27; Luc. xviii. 28.

29. εφη (praem. και 1342; +αυτω ℵ 1342; +αυ- τοις 579) ο Ιησους (ℵ)BΔ (579). 892. (1342) Cop.ᵇᵒ·: αποκριθεις (= respondit ei Geo.¹) ο ῑ̄ς ειπεν (+ = eis Geo.²) AMSUVWXΥΠ²Ω 22. 59. 127. 435. 471. 569 al. mu., item respondens iesus dixit (ait b l r² vg.) a b l r² vg. Sy.ˢ· ᵖᵉˢʰ· (Geo.) Arm., quibus re- pondens iesus ait f; και αποκριθεις ο ῑ̄ς ειπεν CEF GHNΘΣΦ fam.¹ fam.¹³ 543. 90. 106. 330. 483*.

---

26. Clem. Alex. ᵠᵘⁱˢ ᵈⁱᵛᵉˢ· οι δε περισσως εξεπλησσοντο και ελεγον τις ουν δυναται σωθηναι.

Aug. ˢᵖᵉᶜ· qui magis admirabantur dicentes ad semet ipsos et quis potest saluus fieri.

27. Clem. Alex. ᵠᵘⁱˢ ᵈⁱᵛᵉˢ· ο δε εμβλεψας αυτοις ειπεν οτι παρα ανθρωποις αδυνατον παρα θεω δυνατον.

Aug. ˢᵖᵉᶜ· et intuens illos Iesus ait apud homines impossibile est sed non apud deum omnia enim possibilia sunt apud deum.

28. Clem. Alex. ᵠᵘⁱˢ ᵈⁱᵛᵉˢ· ηρξατο ο Πετρος λεγειν αυτω ιδε ημεις αφηκαμεν παντα και ηκολουθησαμεν σοι.

Aug. ˢᵖᵉᶜ· Coepit petrus ei dicere ecce nos dimisimus omnia et secuti sumus te.

29. Clem. Alex. ᵠᵘⁱˢ ᵈⁱᵛᵉˢ ˡⁱᵇᵉʳᵉ· αποκριθεις δε ο Ιησους λεγει· Αμην υμιν λεγω, ος αν αφη τα ιδια και γονεις και αδελφους και χρηματα ενεκεν εμου και ενεκεν του ευαγγελιου.

Aug. ˢᵖᵉᶜ· respondens iesus ait amen dico uobis nemo est qui reliquerit domum aut fratres aut sorores aut matrem aut patrem aut filios aut agros propter me et propter euangelium.

Bas. ʳᵉᵍ· ᶠᵘˢⁱᵘˢ ᵗʳᵃᶜᵗ· ⁱⁿᵗᵉʳʳᵒᵍ· ᴵˣ· ²· ουκ εστιν ος τις αφηκεν οικιαν η αδελφους η αδελφας η πατερα η μητερα η τεκνα η αγρους . . . ενεκεν εμου και του ευαγγελιου.

ἀφῆκεν οἰκίαν ἢ ἀδελφοὺς ἢ ἀδελφὰς ἢ μητέρα ἢ πατέρα ἢ τέκνα ἢ ἀγροὺς ἕνεκεν ἐμοῦ καὶ
ἕνεκεν τοῦ εὐαγγελίου, 30 ἐὰν μὴ λάβῃ ἑκατονταπλασίονα νῦν ἐν τῷ καιρῷ τούτῳ οἰκίας
καὶ ἀδελφοὺς καὶ ἀδελφὰς καὶ μητέρας καὶ τέκνα καὶ ἀγροὺς μετὰ διωγμῶν, καὶ ἐν τῷ αἰῶνι
(ρια/β) τῷ ἐρχομένῳ ζωὴν αἰώνιον. 31 πολλοὶ δὲ ἔσονται πρῶτοι ἔσχατοι καὶ οἱ ἔσχατοι
(ριβ/β) πρῶτοι. 32 ἦσαν δὲ ἐν τῇ ὁδῷ ἀναβαίνοντες εἰς Ἱεροσόλυμα, καὶ ἦν προάγων αὐτοὺς ὁ
Ἰησοῦς, καὶ ἐθαμβοῦντο, οἱ δὲ ἀκολουθοῦντες ἐφοβοῦντο. καὶ παραλαβὼν πάλιν τοὺς

484. 565. 697. 700. 1278 al. mu. Sy.$^{hl.}$ Aeth.; *αποκριθεις δε ο* ΙΣ (*om. ο* ΙΣ Γ) *ειπεν* (*om.* D) (D)K (Γ)Π* 28. 157. 238. 241. 253. 575. 1071 al. mu. *c* (+ad illos) *ff g*^{2} *k q*, *cf.* Clem.; =iesus autem dixit eis Cop.$^{sa.}$ | **υμιν**: +*οτι* A 472 | **οικιαν**: *οικιας* FMΨ 92. 489. 700 Sy.$^{pesh.}$ Aeth.; *om.* D *b* | *om.* **η** *ante* **αδελφους** 118 | **αδελφας η**: sororem et *k* | **μητερα η πατερα** BCWΔΘΦ 106. 565. 700 *c f q vg.* (plur. *et* WW) Sy.$^{s.}$ Cop.$^{sa. bo.}$ Geo.^{2}: >*πατερα η μητερα* ℵANXYΓΠΣΨϠ fam.^{1} 22. fam.^{13} 543. 28. 157. 579. 892. 1071 al. pler. *b g*$^{1.2}$ *l r*^{2} *vg.* (plur. *sed non* WW) Sy.$^{pesh. hl.}$ Geo.^{1} Aeth. Arm. Bas.; *om. η πατερα* D *a ff k*; *om. haec uerba r*^{1} | **η τεκνα** *tant.* ℵBDWΘ fam.^{1} (*exc.* 118) 66. 565. 700. 892 *a b c ff k l r*^{2} *vg.* Sy.$^{s.}$ Cop.$^{sa. bo.}$ Geo.^{1} Arm., *cf.* Clem. Aug.: *η γυναικα η τεκνα* ACNXYΠΣΦΨϠ 118. 22. fam.^{13} 543. 28. 157. 579. 1071 al. pler. *f q* Sy.$^{pesh. hl.}$ Geo.^{2} Aeth.; *om. η τεκνα* Δ; *nil nisi η γυναικα* Γ | **η αγρους**: *om.* Ψ | **ενεκεν εμου και** (*η* DΘ fam.^{1} 565 *d* Arm.): *om.* ℵ* | **ενεκεν** *sec.* (*ενεκα* D 71. 692) ℵB^{2}CDNWXYΓΔΘΠΣΦΨϠ (*exc.* S*) fam.^{1} 22. fam.^{13} 543. 28. 66. (71). 106. 157. 238. 565. 579. 892. 1071. 1278 al. mu. *it.* (*exc. c k*) *vg.* Sy.$^{s. pesh. hl.}$ Cop.$^{sa. bo.}$ Geo. Aeth. Arm. Clem. Aug.: *om.* AB*S* 700 al. *c k* Bas. | **του ευαγγελιου**: +*μου* 482 Sy.$^{s. pesh.}$; = euangelium hoc Geo.

30. **εαν** (*και εαν* 229) **μη** Uncs. pler. Minusc. pler., *item* Sy.$^{s.}$ Cop.$^{bo.}$ Geo. (= quin) Arm.: *os αν μη* D; *os ου μη* Θ 28. 565. 700, *item* qui non *it.* (*exc. k*) *vg.* Sy.$^{hl.}$ Cop.$^{sa.}$ Aeth. Aug.; et non *k**, *item* Sy.$^{pesh.}$ | **λαβη**: *απολαβη* ℵ fam.^{1} (*exc.* 118) 91. 299, *cf.* Clem. | *pon. εκατονταπλασιωνα sic post νυν* 28 | **νυν εν τω καιρω τουτω**: *om. k*; *om. νυν* D 255. 406 *a q* Sy.$^{s.}$ Geo.^{B} Bas.; *add. os δε αφηκεν* D, *item a b ff vg.* (1 MS) | *om.* **οικιας** *usque ad* **διωγμων** ℵ* 255 *c*, *usque ad* **αγρους** *k* | **οικιας**: *οικειαν* D, *item* domum *a b d ff* | **και αδελφους και αδελφας**: *om. και αδελφους* W; >*και αδελφας και αδελφους* D *b ff* (*etiam praem.* aut parentes) | **και μητερας** BYΓΔΦΨϠ (*exc.* KM) 22. 13. 69. 543. 28 al. mu. *r*^{2} *vg.* Sy.$^{pesh.}$ Cop.$^{sa. bo. (aliq.)}$ Arm. (ed.) Aug.: *και μητερα* ℵ^{a}ACDWΘ 91. 157. 245. 330. 473. 565. 697. 700. *l*48. *l*49 al. *it.* (*exc. r*^{2}; aut matrem *q*) Sy.$^{s. hl.}$ Geo.$^{1\ et\ B}$; *και πατερας και μητερας* NΣ 346. 51. 61. 89. 122**. 235. 349. 1071 Cop.$^{bo. (ed.)}$ Sy.$^{pesh. (1 MS)}$ Arm. (aliq.); *και πατερα και μητερα* ℵ^{c}KM XΠ fam.^{1} 92. 220. 234**. 237. 517. 575. 579. 892. 1278** al. mu. Aeth.; *και πατερα και μητερας* 124; *και μητερας και πατερας* 59. 73; = et matrem et patrem Geo.^{A}; *και πατερα* 1342 | **και τεκνα**: *praem. και γυναικα* 124. 218. 220. 349. 482. 517 | **μετα διωγμων**: *μετα διωγμου* D$^{uid.}$ 92, *item* = cum persecutione Sy.$^{s. pesh.}$ Geo.^{1} Aeth.; *μετα διωγμον* Σ 25. 72. 114. 157. 476**. *l*48. *l*184 al. pauc., *item* = post persecutionem Geo.^{2} | **και εν τω αιωνι τω ερχομενω** (*μελλοντι* 255): *om. και* D *b f ff*; *om. τω αιωνι* 9*. 409 *ff* Clem.; in futuro autem saeculo *c*, in isto saeculo. in saeculi (*sic*) autem uenturo *k* | **αιωνιον** (*αιωνιαν* B): +*λημψεται* D, *item* +accipiet *a b c ff l vg.* (1 MS), +consequetur *k*; +*κληρονομισει sic* 472, *item* Sy.$^{s.}$ (= *pon. ante αιωνιον*).

31. **πολλοι δε**: *om. δε l*184; *πολλοι γαρ* 237. 259 Sy.$^{s. pesh. (2 MSS)}$ Geo.^{1} Arm.; = et multi Aeth. | **εσονται**: *εσθησωνται sic* 579 | **οι εσχατοι** BCEF GHNSUXYΓΣΦΩ 118. fam.^{13} (*exc.* 124) 543. 892 al. plur. Clem.: *om. οι* ℵADKLMVWΔΘΠΨ fam.^{1} (*exc.* 118) 22. 124. 28. 106. 142**. 349. 435. 517. 565. 579. 692. 697*. 700. 1071. 1278. 1342 al. plur.

32. **εν τη οδω**: *om.* K* | **και ην προαγ. αυτ. ο** ΙΣ: *om. k* | **προαγων**: *προσαγων* D$^{uid.}$ | **αυτους**: *αυτοις* Ω 71. 485. 692. 579 | **και εθαμβουντο** (*εξεθαμβ.* 238), *item* et mirabantur *f*, et stupebant *r*^{2} *vg.*: *om.* 22. 251. 282. 1278 *a b c d f ff l* Cop.$^{sa.}$; et pauebant *q*, = et timebant Cop.$^{bo.}$ | **οι δε ακολουθουντες εφοβουντο** ℵBC*$^{uid.}$ LΔΘΨ fam.^{1} 565 Cop.$^{sa. (bo.)}$ Arm. (Aeth.): *και* (+*οι* C^2 579) *ακολου-*

---

30. Clem. Alex. $^{Quis\ dives}$ *libere.* *απολημψεται εκατονταπλασιονα. νυν δε εν τω καιρω τουτω αγρους και χρηματα και οικιας και αδελφους εχειν μετα διωγμων εις που . . . εν δε τω ερχομενω ζωη εστιν αιωνιος.*

Aug. $^{spec.}$ qui non accipiat centies tantum nunc in tempore hoc domus et fratres et sorores et matres et filios et agros cum persecutionibus et in saeculo futuro uitam aeternam.

Bas. *id.* *os μη λαβη εκατονταπλασιονα εν τω καιρω τουτω και εν τω αιωνι κτλ.*

31. Clem. Alex. $^{Quis\ dives}$ *bis.* *εσονται οι πρωτοι εσχατοι και οι εσχατοι πρωτοι.*

Aug. $^{spec.}$ multi autem erunt primi nouissimi et nouissimi primi.

32. Or. $^{in\ Matth.\ Tom.\ XVI.}$ *παντα τη ταξει τετηρηκε και ο Μαρκος απο του· ησαν δε εν τη οδω αναβαινοντες εις Ιεροσολυμα μεχρι του· ευθεως αυτον αποστελει παλιν ωδε.*

etiam cf. ad uers. 34.

δώδεκα ἤρξατο αὐτοῖς λέγειν τὰ μέλλοντα αὐτῷ συμβαίνειν ³³ ὅτι Ἰδοὺ ἀναβαίνομεν
εἰς Ἱεροσόλυμα, καὶ ὁ υἱὸς τοῦ ἀνθρώπου παραδοθήσεται τοῖς ἀρχιερεῦσιν καὶ τοῖς
γραμματεῦσιν, καὶ κατακρινοῦσιν αὐτὸν θανάτῳ καὶ παραδώσουσιν αὐτὸν τοῖς ἔθνεσιν
³⁴ καὶ ἐμπαίξουσιν αὐτῷ καὶ ἐμπτύσουσιν αὐτῷ καὶ μαστιγώσουσιν αὐτὸν καὶ ἀποκτενοῦ-
σιν, καὶ μετὰ τρεῖς ἡμέρας ἀναστήσεται. ³⁵ Καὶ προσπορεύονται αὐτῷ Ἰάκωβος καὶ (ριγ/ϛ)
Ἰωάνης οἱ δύο υἱοὶ Ζεβεδαίου λέγοντες αὐτῷ Διδάσκαλε, θέλομεν ἵνα ὃ ἐὰν αἰτήσωμέν

θουντες εφοβουντο (εθαμβουντο 485) A(C²)ΝΧΓΠΣ
Φϧ(exc. K) 118. 22. (579). 892. 1071 al. pler., item l q
r² vg., similiter Sy.pesh. hl. Geo.; και ακολουθουντες
αυτον εφοβ. fam.¹³ 543 f; = qui erant cum eo mira-
bantur timentes Sy.ˢ· Arm.; nil nisi qui sequebantur
eum (illum k) c k aur.; et pauebant sequentes ff;
om. omnia haec uerba DK 11. 28. 37. 38. 57. 61.
66. 122*. 125**. 157. 251. 408. 474. 697. 700.
1278*. 1342 a b vg. (1 MS) | παλιν: om. 40. 91.
237. 259. 299. 433 b Sy.ˢ· pesh· hier· Cop.ˢᵃ·; + ο ιϲ̄
FΗΓ 61. 157. 330. 475. l251 Sy.hier· (= Dominus
Iesus pro uss 2); ο Ιησους παλιν 2 | δωδεκα (δεκα
δυο 565): + μαθητας αυτου 124. l49· l54; = + eius
Sy.ˢ· pesh· | ηρξατο: και ηρξατο 474. 485 aur. Sy.ˢ·
pesh· Geo. Aeth. Arm. | αυτοις λεγειν: om. αυτοις
157; > λεγειν αυτοις 700 | τα μελλοντα (μελοντα
472): cf. euentura a ff l δ vg. (plur. et WW),
uentura b c d f g¹· ² k q r¹· ² aur. vg. (plur.), futura
vg. (1 MS) | αυτω: cf. eis (a), eius b | uerss. 32
et 33. Ιεροσολυμα: cf. hierosolyma (uel ∼ima) bis
b d ff k q r² vg. (pler. et WW uid.), similiter = Cop.
ˢᵃ· Geo.; hierosolymis bis a; ∼mis pr. et ∼mam
sec. c, ∼mis pr. et ∼ma sec. l, ∼mam pr. et ∼ma
sec. f; = Urishlem Sy.ˢ· pesh· hl· hier· Cop.bo·

33. οτι (= om. Cop.ˢᵃ· bo·; dicens k) ιδου αναβαι-
νομεν: om. 63 | αναβαιναμεν 474. 506; = ascendi-
tis Geo.¹ | παραδοθησεται: παραδιδοται K 892,
item traditur vg. (1 MS*) | και τοις γραμματευσιν
Νᶜ ABHLΥΔΘΣΦΨ fam.¹ (exc. 118) fam.¹³ (exc. 124)
543. 28. 579. 692. 892 al. plur.: om. Ν* 259. 700
Cop.ˢᵃ·; om. τοις CDNWΧΓΠϧ (exc. H) 118. 22.
124. 131. 157. 299. 349. 406. 517. 565. 1071. 1278.
1342 al. plur.; et scribis et senioribus c l aur. vg.
(plur. sed non WW) | αυτον pr.: ∼αυτω 13. 435. 506;
αυτοις 282 | θανατω: θανατου D* | και παραδωσου-
σιν (παραδοσ. 69) αυτον (om. W a r²; αυτω 517):
om. 235; = tradetur Geo.²

34. εμπαιξουσιν (εμπεξ. ΝCLXΘΩ 13. 69. 543.
28. 471*. l183; ενπεξ. DW): εμπαιξωσιν Δ | αυτω
pr.: αυτον 28. 71. 238. 245. 282. 517. 692. l184;
om. 569 | και εμπτυσουσιν (εμπτυουσιν Ν*; ∼σωσιν

ΔΨ 565; ενπτυξουσιν D*) αυτω (om. Δ) και μαστι-
γωσουσιν αυτον ΝBCLΔΘΨ 237. 259. 406. 465.
579. 892. 1071. 1342 a b c f i l q r¹ vg. Sy.hier· Cop.
ˢᵃ· bo· Aeth. : > και μαστιγωσουσιν αυτον (om. N
282; αυτω 346; αυτων sic 13. 69*) και εμπτυσουσιν
(∼σωσιν VΦ 124. 472; ενπτυσωσιν W) αυτω (αυτον 69.
71. 251. 282. 472. 475. 517. l183; = in faciem eius Sy.
ˢ· pesh·) ANWΧΥΓΠΣΦϧ fam.¹ 22. fam.¹³ (exc. 346)
543. 700 al. pler. Sy.ˢ· pesh· hl· Geo. Arm.; om. και
εμπτυσ. αυτω 346. 2. 12. 28. 40. 61. 115. 157. 258. 330.
692. l44; om. και μαστιγ. αυτον D 47. 115. 237. 258.
259 ff g² r²; om. omnia haec uerba k | και αποκτενου-
σιν sine add. ΝBLΔΘ fam.¹ (exc. 118) 565. 892. l13
b c: + αυτον A*CNWΧΥΓΠΣΦΨϧ 118. 22. fam.¹³
543. 28. 579. 700. 1071 al. pler. it. (pler.) vg.; om.
haec uerba A²D 157. 225. 475. l44 g² | μετα τρεις
ημερας ΝBCDLΔΨ 579. 892. 1342, item post tres
dies b d ff i r¹, post tertium diem a c q, postriduum
k, similiter Sy.hl· mg· Cop.ˢᵃ· bo· : τη τριτη ημερα AN
WΧΥΓΘΠΣΦϧ fam.¹ 22. fam.¹³ 543. 28. 157. 565.
700. 1071 al. pler., item tertia die f l r² vg. Sy.ˢ·
pesh· hl· txt· hier· Geo. Aeth. Arm. Or. | αναστησε-
ται: εγερθησεται 517. 1675 al. pauc.

35. προσπορευονται, item accedunt k l r² δ vg. :
παραπορ. Ν*, similiter Cop.bo· (2 MSS) Aeth. ; προπορ.
SΔ 50. 472. 697; προσελθοντες W* (προσηλθον
Wᶜᵒʳ·); προσερχονται 273; accesserunt it. (exc. k l
r² δ) aur. Aug. | Ιωανης BL : Ιωαννης Uncs. rell.
Minusc. omn. | οι δυο υιοι BC 579. 1342 Cop.ˢᵃ· bo·
Aeth., cf. Aug. : οι υιοι ΝDEFGHLSVWΓΔΠ²ΦΨ
Ω fam.¹ 22. fam.¹³ 543. 330. 892. 1071 al. plur. ;
υιοι AKMNUXΥΘΣΠ* 28. 71. 157. 225. 234. 349.
471. 517. 565. 697. 700 al. plur., cf. filii (uel fili) it.
vg. Sy.ˢ· pesh· hl· hier· Geo. Arm. | ζεβεδαιου (ζεβεδδ.
Γ): του ζεβεδ. 238. 1071 | λεγοντες: και λεγουσιν
DΘ 406. 565, item et dicunt d Sy.ˢ· pesh·, et dixerunt
a Geo. | αυτω ΝBCDLΔΘ 517. 565. 579. 892.
1071 a Sy.ˢ· pesh· hier· Cop.ˢᵃ· bo· Geo.ᴮ Aeth. Arm. :
om. ANWΧΥΓΠΣΦΨϧ fam.¹ 22. fam.¹³ 543. 28. 157.
700 al. pler. it. (exc. a d) vg. Sy.hl· Geo.¹ et A Aug.
| διδασκαλε (= rabbi Sy.ˢ·): om. 238 | θελομεν :

34. Or. in Matth. Tom. XVI. παρα τω Μαρκω ... ησαν δε εν τη οδω αναβαινοντες εις Ιεροσολυμα και ην προαγων
αυτοις ο Ιησους, και τα εξης, εως του : και τη τριτη ημερα αναστησεται.

35. Aug. contr. litt. Petil. (pro uerss. 35–39 libere) accesserunt ad eum duo discipuli filii Zebedaei dicentes
domine cum ueneris in regnum tuum fac nos sedere unum ad dexteram tuam et alterum ad sinistram
respondit eis iesus difficilem rem petitis numquid calicem quem ego bibiturus sum potestis bibere et
baptismum quod ego baptizor baptizari dixerunt illi possumus et ait illis calicem quidem quem ego bibi-
turus sum bibere potestis et baptismum quod ego baptizor baptizabimini.

σε ποιήσῃς ἡμῖν. ³⁶ ὁ δὲ εἶπεν αὐτοῖς Τί θέλετε ποιήσω ὑμῖν; ³⁷ οἱ δὲ εἶπαν αὐτῷ Δὸς ἡμῖν ἵνα εἷς σου ἐκ δεξιῶν καὶ εἷς ἐξ ἀριστερῶν καθίσωμεν ἐν τῇ δόξῃ σου. ³⁸ ὁ δὲ Ἰησοῦς εἶπεν αὐτοῖς Οὐκ οἴδατε τί αἰτεῖσθε· δύνασθε πιεῖν τὸ ποτήριον ὃ ἐγὼ πίνω, ἢ τὸ βάπτισμα ὃ ἐγὼ βαπτίζομαι βαπτισθῆναι; ³⁹ οἱ δὲ εἶπαν αὐτῷ Δυνάμεθα. ὁ δὲ Ἰησοῦς εἶπεν αὐτοῖς Τὸ ποτήριον ὃ ἐγὼ πίνω πίεσθε καὶ τὸ βάπτισμα ὃ ἐγὼ βαπτίζομαι βαπτισθήσεσθε, ⁴⁰ τὸ δὲ καθίσαι ἐκ δεξιῶν μου ἢ ἐξ εὐωνύμων οὐκ ἔστιν ἐμὸν

θελωμεν WΩ 346. 59. 470. 473. 565. 892. l184; om. k | ινα : om. D 118. 15. 245. 258. l15 ik r¹ vg. (1 MS) | ινα ο εαν usque ad δος ημιν uers. 37 : om. ℵ* (sed suppl. ℵᶜ) | ο εαν : ο αν DW 63. 69; οτι αν C*; οτι εαν 1342; nil nisi ο 71. 692 | αιτησωμεν BCLNXYΓΔΠΣΦΨ⸆ Minusc. pler. : αιτησομεν ℵᶜA ; αιτησωμεθα W ; ερωτησαμεν D*Θ 1. 63. 565 | σε hoc loco ℵᶜABCLΔΨ 238. 892. 1342 a d ff Sy.ʰˡ· Cop.ˢᵃ· ᵇᵒ· (2 MSS) Geo. Aeth. Arm. : pon. ante αιτησ. (uel ερωτησ.) DKNWYΘΠ Σ 1. 118. 209. fam.¹³ 543. 240. 299. 472. 517. 565. 579. 697 al. pauc. b f ; om. ΧΓΦ⸆ (exc. K) 22. 28. 157. 700. 1071 al. pler. c i k l q r¹· ² vg. Sy.ᵖᵉˢʰ· Cop.ᵇᵒ· | ποιησης (συ ποιησης 1071) : ποιησεις H 346. 157. 248*. 251.

36. uers. om. k | ο δε (οι δε errore Δ*) : = om. Sy.ˢ· ᵖᵉˢʰ· ; = et Aeth. Arm. ; +Ιησους ΣΦ 517 | ειπεν (ειπαν errore Δ*) : λεγει D (sed dixit d*) Θ 565, item ait vg. (5 MSS sed non WW) Sy.ˢ· ᵖᵉˢʰ· Aeth. Arm. | αυτοις : om. 28. 1038 b c ff i r¹ | τι θελετε : om. D ; om. θελετε a b i | ποιησω CDΘ fam.¹ fam.¹³ (exc. 124) 543. 91. 299. 565. l27, item faciam a b i q Sy.ᵖᵉˢʰ· Cop.ᵇᵒ· Aeth., similiter ποιησομαι l184; με ποιησω ℵᶜBΨ Arm. ; ινα ποιησω 106. 251. 697. 1278, item ut faciam c f ff l r² vg. Sy.ˢ· ʰˡ· ; ποιησαι με ΑΝΧΥΓΠΣΦ⸆ 22. 124. 28. 157. 700. 1071 al. pler. Cop.ˢᵃ· ; ＞ με ποιησαι ℵᶜLW² 1342 ; ποιησαι tant. W*Δ 282. 472. 569. l29 ; = a me fieri Geo.¹, = a me et faciam Geo.ᴬ, = et faciam Geo.ᴮ.

37. οι δε, item illi autem c f ff Geo.² : και D b k l r² vg. (pler.) ; qui a i q r¹ δ vg. (3 MSS) ; = om. Sy.ˢ· ᵖᵉˢʰ· ʰⁱᵉʳ· Geo.¹ (= nil nisi illi) | ειπαν BC*D LΔΨ : ειπον ℵᶜAC³NWXYΓΘΠΣΦ⸆ Minusc. omn.; = dicunt Sy.ˢ· ᵖᵉˢʰ· | αυτω : αυτον 118 ; om. q r¹· ² vg. (pler. et WW) Geo.ᴮ | ημιν : υμιν errore 700 | εις bis : om. bis fam.¹ (exc. 118) Sy.ˢ· Geo.¹ ; unus pr. et alius sec. b c f ff i l q r¹· ² vg. | σου εκ δεξιων ℵBC*LΔΨ 892*. 1342 : ＞ εκ δεξιων σου AC³DNW ΧΥΓΘΠΣΦ⸆ Minusc. rell. it. (pler.) vg. ; om. σου g¹ k | εξ αριστερων BDΨ : εξ ευωνυμων DWΘ 1. 72. 565. 579, item ad sinistram b ff g¹· ² i q r¹ vg. (1 MS) Arm., a sinistris c, a sinistra k Geo. ; σου εξ ευωνυμων ℵ 1342 ; ＞ εξ ευωνυμων σου ACNXYΓ ΠΣΦ⸆ 118. 209. 22. fam.¹³ 543. 28. 157. 700. 1071 al. pler. a f l r² vg. (pler.) Sy.ˢ· ᵖᵉˢʰ· ʰˡ· Cop.ˢᵃ· ᵇᵒ· Aeth.

| καθισωμεν (καθησωμεν HV²ΓΘ 346. 28. 157. 349. 471*. l48) : καθισομεν Δ | εν τη δοξη (δοξει 565) σου : εν τη βασιλεια της δοξης σου (om. W) W fam.¹³ 543 ; = in gloria tui regni Cop.ˢᵃ· ; = in die gloriae Geo.²

38. ο δε Ιησους : = om. δε Sy.ˢ· ; om. Ιησους ΔΘ 11. 59. 74. l183 aur. Sy.ᵖᵉˢʰ· Cop.ᵇᵒ· (1 MS) | ειπεν tant. Uncs. pler. 118. 22. 157. 579. 700. 892. 1071 al. pler., item dixit c Sy.ᵖᵉˢʰ· ʰˡ· Cop.ᵇᵒ· Geo.², ait f l r² vg. Aeth. : αποκριθεις ειπεν DWΘ fam.¹ (exc. 118) fam.¹³ 543. 28. 91. 565, item respondens dixit a k q, respondens ait b d ff i, similiter Sy.ˢ· ʰⁱᵉʳ· Cop.ˢᵃ· Geo.¹ Arm. | αυτοις : αυτω W | τι αιτεισθε : το αιτισθαι sic W | πιειν (πειν D) : ποιειν sic 13. 346. 252. 349. 697 | το ποτηριον : om. το Δ | πινω : πεινω BDΦ ; πιννω Δ ; cf. bibiturus sum it. (exc. bibo k l r²) vg. (2 MSS) Aug. Ruf. | η ℵBC*DLNWΔΘΣΨ fam.¹ (exc. 118) fam.¹³ 543. 28. 330. 517. 579. 892. 1342 it. vg. Sy.ˢ· ʰˡ· ᵐᵍ· Cop.ˢᵃ· ᵇᵒ· Geo. Arm. : και AC³ΧΥΠΦ⸆ 118. 22. 157. 565. 700. 1071 al. pler. Sy.ᵖᵉˢʰ· ʰˡ· ᵗˣᵗ· ʰⁱᵉʳ· Aeth. | ο εγω βαπτιζομαι (βαπτιζω 209*) : = om. Sy.ˢ·

39. οι δε ειπαν ℵBDLWΔΘ : οι δε ειπον ACNX ΥΓΠΣΦ⸆ Minusc. pler. ; οι δε λεγουσιν Ψ, item = ipsi autem dicunt Sy.ʰˡ· ; λεγουσιν 579, item = dicunt Sy.ˢ· ᵖᵉˢʰ· ʰⁱᵉʳ· ; illi dixerunt g¹ Geo.¹ | αυτω : om. DWΘ fam.¹ (exc. 118) 28. 49. 238. 349. 517. 565. 700. 892. l18 it. (exc. c f r²) | δυναμεθα : δυνομεθα B* | ο δε Ιησους ειπεν αυτοις, item iesus autem dixit illis a k Cop.ˢᵃ· ⁽ᵇᵒ·⁾ : om. W ; om. Ιησους 238. 240. 244. 245. 579. l50 ; ait illis iesus b c q, item Sy.ˢ· ᵖᵉˢʰ·, et ait illis iesus ff, iesus autem ait eis (illis f) f vg. | το ποτηριον ℵBC*LΔ r¹· ² (2 MSS) Sy.ˢ· ᵖᵉˢʰ· Cop.ᵇᵒ· Geo.¹ Aeth. Arm. : το μεν ποτηριον AC³DNWXYΓΘΠΣΦΨ⸆ Minusc. omn. it. (exc. r¹· ²) vg. (pler.) Sy.ʰˡ· ʰⁱᵉʳ· Cop.ˢᵃ· ᵇᵒ· (1 MS) Geo.² (= poculum sane meum) | ο εγω πινω : μου 349. 1342 | πινω : πεινω B*DΦ ; = add. potestis post πινω et post βαπτιζομαι Sy.ˢ· | ο εγω βαπτιζομαι (βαπτιζωμαι 28) : om. k | βαπτισθησεσθε : βαπτισεσθε l184.

40. καθισαι : καθησαι EFLΓΘΩ | η εξ (om. 124*) ℵBDLWΔΨ 3. 73. 92. 892. 1342. l17 it. vg. Sy.ˢ· Cop.ˢᵃ· ᵇᵒ· : και εξ ACNXΥΓΘΠΣΦ⸆ Minusc. rell. Sy.ᵖᵉˢʰ· ʰˡ· ʰⁱᵉʳ· Geo. Aeth. Arm. | ευωνυμων sine

---

38. Ruf. potestis bibere calicem quem ego bibiturus sum et baptismo quo ego baptizor baptizari.
40. Catt. ᵒˣᵒⁿ· ᵉᵗ ᵐᵒˢᵠ· οθεν και ο μαρκος ουδε ειρηκεν (+το oxon.) υπο του πατρος μου.

δοῦναι, ἀλλ' οἷς ἡτοίμασται.   [41] Καὶ ἀκούσαντες οἱ δέκα ἤρξαντο ἀγανακτεῖν περὶ (ριδ/β)
Ἰακώβου καὶ Ἰωάνου.   [42] καὶ προσκαλεσάμενος αὐτοὺς ὁ Ἰησοῦς λέγει αὐτοῖς Οἴδατε
ὅτι οἱ δοκοῦντες ἄρχειν τῶν ἐθνῶν κατακυριεύουσιν αὐτῶν καὶ οἱ μεγάλοι αὐτῶν κατεξου-
σιάζουσιν αὐτῶν.   [43] οὐχ οὕτως δέ ἐστιν ἐν ὑμῖν· ἀλλ' ὃς ἂν θέλῃ μέγας γενέσθαι
ἐν ὑμῖν, ἔσται ὑμῶν διάκονος,   [44] καὶ ὃς ἂν θέλῃ ἐν ὑμῖν εἶναι πρῶτος, ἔσται πάντων

---

add. Uncs. pler. 1. 22. fam.[13] 543. 28. 71. 517.
565. 692. 697. 700. 892. 1278. 1342 al. plur. *it. vg.*
Sy.[hl] Cop.[bo] Geo.[1] Arm. : + μου Ψ 118. 209. 157.
575. 1071 al. Sy.[s. pesh. hier.] Cop.[sa] Geo.[2] Aeth. ;
+ ημων *sic* 579 ; ευων· υμων *sic* Δ (sinistram uobis
δ) | δουναι : dare uobis *c f g*[1. 2] *k* (dare nobis) *l r*[2]
vg. (plur. *sed non* WW) Aeth. | ἀλλ' οἷς : ἄλλοις
sic 225, *item* aliis *a b d ff k* Cop.[sa] Aeth., *similiter*
= aliis autem Sy.[s] | ητοιμασται (ητοιμασθαι D* ?
*l*183) *sine add.* Uncs. pler. fam.[13] 543. 28. 157.
565. 700. 892. 1071 al. pler. *it.* (*exc. a*) *vg.* Sy.[s.
pesh. hl. txt.] Cop.[sa. bo.] Geo. Aeth. Arm. Catt. : + υπο
του πατρος μου ℵ*Φ fam.[1] 91. 299. 1071. 1342 ;
+ παρα του πατρος μου Θ 22. 251. 697. 1278, *cf.*
+ a patre meo *a* Sy.[hl. mg.]

41. και *pr.* : *om.* D[uid.] 64 Cop.[bo.] (3 MSS), *item
sine coniunc. b c ff i r*[1] | οι δεκα : οι λοιποι δεκα
DΘ, *item* ceteri decem *a b c ff i q* Sy.[hier.] Cop.[bo.]
| ηρξαντο αγανακτειν : ηγανακτησαν A 91, *item* in-
dignati sunt *q vg.* (aliq. *sed non* WW) Aeth.
| περι : και περι ℵ | ιωανου B : ιωαννου Uncs. rell.
Minusc. omn.[uid.] | περι ιακωβου (του ιακωβου D)
και ιωαν. : > περι ιωαννου και ιακωβου 122. *l*63 ;
περι των δυο αδελφων A 91. 1012 ; = de duobus
fratribus iacobo et iohanne Aeth. ; = aduersus iacob.
et aduersus iohann. Sy.[s. hier.] Geo.[1]

42. και προσκαλεσαμενος αυτους (*om.* 579. 892)
ο (*om.* ℵ*) ιησους ℵBCDLΔΘΨ 406. 565. (579).
(892). 1342, *item et uocauit eos iesus a* Sy.[pesh.
hier.] Cop.[bo.] Aeth. Arm., quos cum aduocasset iesus
b c d ff i, et conuocatis eis iesus *k* : = *om.* iesus
Sy.[s] ; ο δε Ιησους (*om.* Geo.[1] ; κυριος 69) προσκαλεσ.
αυτους (αυτοις 474) ΑΝΧΥΓΠΣ𝔏 118. 22. fam.[13]
543. 28. 157. 1071 al. pler. *f l q r*[2] *vg.* Sy.[hl.] (Geo.),
similiter Cop.[sa] ; ο δε Ιησους προσκαλεσαμενος fam.[1]
(*exc.* 118) 299. 569 ; ο δε προσκαλεσαμενος W 238
| λεγει : ελεγεν 700, *cf.* dixit *a* | οιδατε : ουκ οιδατε
fam.[13] 543. 108. 127 Cop.[bo. (1 MS)] Aeth., = scitisne
Geo.[2] | οι δοκουντες αρχειν : = principes Sy.[s]
| εθνων : θεων *sic* Δ | κατακυριευουσιν (και κατακυρ.
D*) : κατακυριευσουσιν DY* 59. 472. 485. *l*184 | οι
(ου errore W) μεγαλοι αυτων (*om.* Νℇ fam.[1] 28. 71.
299. 517. 692 *k*) : οι βασιλεις ℵC*[uid.] | κατεξουσια-
ζουσιν (εθνων κατεξ. 471*) : κατεξουσιν 69 | αυτων
tert. : *om.* W 1342 | *om.* και οι μεγαλοι αυτων
κατεξ. αυτων 245. 259. 597 Sy.[s]

43. ουτως Uncs. pler. fam.[1] 22. fam.[13] (*exc.* 346)
28. 157. 349. 565. 692. 700. 892. 1278 al. mu. :
ουτω 1071 al. plur. ; ουτος ΓΘ 346. 543. 579 | δε :
om. DWΘ 229*. 565. *l*251 *a b f ff i q r*[1. 2] *vg.*
(1 MS) Sy.[s.] Cop.[sa. bo. (1 MS)] Arm. | εστιν ℵBC*
DLWΔΘΨ 700, *item* est *it.* (*exc. q*) *vg.* Cop.[sa. bo.]
(pler.) Aeth. : εσται AC³ΝΧΥΓΠΣΦ𝔏 Minusc. rell.
q Sy.[s. pesh. hl.] Cop.[bo. (1 MS)] Geo. Arm. | εν : *om.*
G 3. 9. 71. 245. 559 | ος αν ℵBDLΔΨ fam.[13] (*exc.*
124) 543. 299. 349. 517. 892. 1342 : ος εαν ΑСΥΘ
ΠΣΦ𝔏 (*exc.* Ω) fam.[1] 22. 124. 28. 157. 565. 579.
700. 1071 al. pler. ; οστις εαν 485 ; οστις αν W ; ως
εαν ΧΓΩ | θελη (+ υμων 258) : θελει H 472. 474.
*l*184 ; θεληση Δ | μεγας γενεσθαι εν υμιν ℵBC*LΔ
Ψ fam.[1] (*exc.* 118) fam.[13] 543. 299. 349. 433. 517.
565. 579. 892. 1071. 1342, *item* Geo.[2], *similiter*
maior esse in uobis *f ff q* : > γενεσθαι μεγας εν
υμιν AC³ΧΥΓΠΣΦ𝔏 118. 22. 157. 569. 575 al. pler.
Sy.[hl.] Cop.[sa. bo.], *similiter* Geo.[1] ; > εν υμιν μεγας
γενεσθαι W 28. 330. *l*251 Sy.[s. pesh.] Arm. ; > εν
υμιν ειναι πρωτος Θ ; > εν υμιν ειναι μεγας 700, *item*
in uobis esse magnus *k*, *cf.* in uobis maior esse *a b
c* (> esse maior) ; in uobis uoluerit maior esse *i* ;
> μεγας εν υμιν ειναι D ; fieri maior (*om.* in uobis)
l vg. | εσται ABDLWYΓΘΠΣΦΨ𝔏 Minusc. pler.:
εστω ℵCXΔ 69. 91. 299. 349. 435. 565 al. pauc.
Geo.[1] | υμων διακονος Uncs. pler. Minusc. pler.,
item uester minister (diaconos *k*) *it.* (*exc. r*[2]) *vg.* :
uester seruus *r*[2] ; > διακονος υμων 372 al. pauc. ;
παντων δουλος Θ.

44. ος αν ℵBDWΔΘΦΨΩ 346. 71. 349. 517. 892
al. mu. : ος εαν ΑСLΧΥΓΠΣ𝔏 (*exc.* Ω) fam.[1] 22.
fam.[13] (*exc.* 346) 543. 157. 565. 579. 700. 1071.
1278. 1342 al. plur. | θελη : θελει X 472. 579.
*l*184 ; θεληση Δ | εν υμιν ειναι πρωτος (μεγας Θ)
ℵBC*ΘL 12. 28. 61. 517. 579. 700. 892. 1342 *b ff* :
> εν υμιν πρωτος ειναι Δ *f i k l q r*[1] *vg.* ; > ειναι
πρωτος εν υμιν Ψ ; γενεσθαι εν υμιν πρωτος 238 ;
υμων γενεσθαι πρωτος AC³ΧΥΓΠΦ𝔏 22. fam.[13] 543.
157. 1071 al. pler. ; υμων ειναι πρωτος DW fam.[1]
91. 299. 406. 565 ; γενεσθαι υμων πρωτος Σ 234.
482. 483. 484, *cf.* esse inter uos primus *a* | εσται :
εστω 64. 237 Geo.[1] Bas. | παντων δουλος, *item it.*
(*exc. a d*) *vg.* Sy.[s. pesh.] Cop.[bo.] Geo.[1 et B] Arm.
(aliq.) : υμων δουλος D 40. 565. 700. 1342 *a g*[2]
Aeth. ; υμων παντων δουλος W 238 (> παντ. υμ.
δουλ.) Sy.[hl. hier.] Cop.[sa. bo. (1 MS)] Arm. (ed.).

---

44. Bas. [reg. breuius tract. Interrog. CXV.] ο θελων εν υμιν ειναι μεγας εστω παντων εσχατος και παντων
δουλος.

(ριε/δ) δοῦλος·   ⁴⁵καὶ γὰρ ὁ υἱὸς τοῦ ἀνθρώπου οὐκ ἦλθεν διακονηθῆναι ἀλλὰ διακονῆσαι καὶ
(ριϛ/β) δοῦναι τὴν ψυχὴν αὐτοῦ λύτρον ἀντὶ πολλῶν.   ⁴⁶Καὶ ἔρχονται εἰς Ἰερειχώ. Καὶ
ἐκπορευομένου αὐτοῦ ἀπὸ Ἰερειχὼ καὶ τῶν μαθητῶν αὐτοῦ καὶ ὄχλου ἱκανοῦ ὁ υἱὸς
Τιμαίου Βαρτίμαιος τυφλὸς προσαίτης ἐκάθητο παρὰ τὴν ὁδόν.   ⁴⁷καὶ ἀκούσας ὅτι
Ἰησοῦς ὁ Ναζαρηνός ἐστιν ἤρξατο κράζειν καὶ λέγειν Υἱὲ Δαυεὶδ Ἰησοῦ, ἐλέησόν με.
⁴⁸καὶ ἐπετίμων αὐτῷ πολλοὶ ἵνα σιωπήσῃ· ὁ δὲ πολλῷ μᾶλλον ἔκραζεν Υἱὲ Δαυείδ,
ἐλέησόν με.   ⁴⁹καὶ στὰς ὁ Ἰησοῦς εἶπεν Φωνήσατε αὐτόν. καὶ φωνοῦσι τὸν τυφλὸν

---

45. και γαρ (και γαρ και sic 433): om. γαρ 66*;
= sicut Sy.ˢ· | λυτρον: λουτρον sic W.

46. και ερχ. εις ιερ.: om. B* 63 | και pr.: om.
i; tunc a b r¹, et tunc ff | ερχονται Uncs. pler.
Minusc. pler., item ueniunt k l q vg. (pler.) Sy.ʰˡ·
Aeth. Arm., uenerunt c f r² vg. (2 MSS) Sy.ᵖᵉˢʰ·
Cop.ˢᵃ· ᵇᵒ· Geo.: ερχεται D 61. 258. 481 a b ff g²i r¹
Sy.ˢ· (= uēnit) Or.ᵇⁱˢ | ιερειχω BCFLΨ 565. 579:
ιεριχω ℵADWXYΓΔΘΠΣΦᵇ Minusc. rell. | om.
και εκπορ. usque ad μαθητων αυτου k | εκπορευο-
μενων αυτων 472 | αυτου: = iesu Sy.ᵖᵉˢʰ· | απο
Ιερειχω (ιερ. ut prius exc. ιεριχω ℵ et ιεριχω F hoc
loco; ιεριχω bis 346): om. Θ 700; εκειθεν D a b f
ff i q r¹; etiam add. εκειθεν post μαθητων αυτου
(om. Θ) Θ 565. 700 | και των, item et r² vg. Sy.ˢ·
ᵖᵉˢʰ· ʰˡ·: μετα των DΨ, item cum it. (exc. r²) Cop.ˢᵃ·
ᵇᵒ· Geo. Arm. | om. και των μαθητων αυτου 472 c
| ο υιος τιμ. βαρτ.: om. k; = Timaeus bar Timaeus
Sy.ˢ· ᵖᵉˢʰ· | ο υιος ℵBCDLSWΔΘΣΨΩ fam.¹ fam.¹³
543. 28. 238. 472. 517. 565. 579. 700. 892. l184 al.
plur.: om. ο ΑΧΥΓΠΦᵇ (exc. SΩ) 22. 157. 330.
569. 1071 al. pler.; ιδου ο υιος fam.¹³ 543. 28. 472.
700, cf. > ecce quidam (om. l) caecus filius c f (l)
aur., cf. Or. | βαρτιμαιος (cf. περι βαλτιμαιου in
indice et inscrip. A, sed non in textu): om. W
| τυφλος ℵBDLWΔΨ 124. 66. 517. 579. 892*. l18.
l36. l49. l184: ο τυφλος ACXYΓΘΠΣΦᵇ fam.¹ 22.
fam.¹³ (exc. 124) 543. 28. 157. 565. 700. 892ᵐᵍ·
1071 al. pler. | προσαιτης (και προσαιτης ℵ) ℵBL
ΔΨ 892. 1342 k Cop.ᵇᵒ· Arm.: om. C* 1070;
προσαιτων (επαιτων DΘ 565) et pon. post οδον AC²
(D)WXYΓ(Θ)ΠΣΦᵇ fam.¹ 22. fam.¹³ 543. 28. 157.
(565). 700. 1071 al. pler., item mendicans it. (exc.
k) vg. Sy.ʰˡ· Cop.ˢᵃ· Geo.¹ (pon. post sedit Geo.²),
= et mendicabat ad fin. uers. Sy.ˢ· ᵖᵉˢʰ· | εκαθητο:
ος εκαθητο l48; εκαθεζετο 892 | om. παρα την οδον
544.

47. Ιησους: om. 118* (sed spat. relict. post o)
| ναζαρηνος (∽ινος 28) BLWΔΘΨ fam.¹ (28). 892
Or., item nazarenus a b c d f i k r² vg. (pler.) Cop.
ˢᵃ· ᵇᵒ·, similiter ναζορηνος D* (ναζωρ. D²), item

nazorenus l q**: ναζωραιος ℵACXΥΠΣΦᵇ (exc. E)
22. fam.¹³ 543. 157. 565. 1071 al. pler., similiter
ναζοραιος ΕΓ 579. 700, item cf. nazoraeus ff q* Sy.ˢ·
ᵖᵉˢʰ· ʰˡ· Cop.ᵇᵒ· (2 MSS) Geo.¹, similiter ναζαραιος 4.
38 aur. vg. (2 MSS) | εστιν: pon. post Ιησους B
Sy.ˢ· ᵖᵉˢʰ· Cop.ˢᵃ·; παρερχεται 12. 61. 330, cf. esset
qui transiebat c; παραγει 1654; φησιν 1542 | και
λεγειν: om. 28 Cop.ˢᵃ· (1 MS) Or.ᵘⁱᵈ·; = dicens
Cop.ˢᵃ· ᵇᵒ· | υιε ℵBCLMᵐᵍ·ΔΘΣΨ 517. 579. 892.
1342. l18. l19. l48. l49. l184 al. pauc., item fili it.
vg.: ο υιος ΑWXΥΓΠΦᵇ (exc. KMᵐᵍ·) fam.¹ 22.
157. 330. 700. 1071 al. pler.; υιος DK fam.¹³ 543.
245. 349. 409. 565 Or. | δανειδ BDΨ 579: δαβιδ uel
δᾱδ Uncs. pler. Minusc. pler. | Ιησου: om. L 47.
108. 127. 131. 238. 247. 579. l18. l19. l184 i Sy.ˢ· ᵖᵉˢʰ·
Geo.; = pon. post ελεησον με k; pon. ante υιε (uel
υιος uel o υιος) fam.¹³ 543. 86. 406. 565. 569. l48 a c
f ff | ελεησον (ελησον 565) με: pon. ante iesu fili
dauid c Aeth.; nil nisi misserere sic r².

48. uers. om. W 14 Sy.ᵖᵉˢʰ· (1 MS) | και: = om.
Geo.¹ | επετιμων (∽μουν 472): = obiurgauerunt
Sy.ˢ· Cop.ˢᵃ· Aeth. | αυτω: αυτοι B*; αυτον B³ 52.
1342. l48. l184 semel, item eum (uel illum) a k q, sed
ei (uel illi) it. rell. vg. | πολλοι, item multi it. (pler.)
vg. (pler.): οι οχλοι 52, item multitudo vg. (2 MSS);
πολλα 346. 473. 892. l48; om. 235. 300 c k l vg.
(2 MSS) | σιωπηση: σιωπιση Ω 13; σιωπισει 474
| ο δε: αυτος δε 1071 | εκραζεν (ανεκραζεν 9): εκρα-
ξεν D (sed non d), item clamauit vg. (2 MSS) Cop.
ˢᵃ·; = + et dicebat Sy.ᵖᵉˢʰ· Geo.¹; = + dicens
Cop.ˢᵃ· | υιε Uncs. pler. 22. 157. 565. 579. 700.
892. 1071 al. pler., item fili (uel filii sic r² vg. aliq.)
it. vg.: υιος DF; ο υιος fam.¹; Ιησου υιε fam.¹³ (exc.
124) 543. 1342; κυριε υιε 218; κυριος υιος 124. 108.
28 | δανειδ uel δᾱδ etc. uid. supra uers. 47.

49. και στας (αναστας 14): και σταθεις 67. 517;
respiciens uero c | ειπεν, item dixit d k Sy.ˢ· ʰˡ·
Cop.ᵇᵒ· Geo.¹ Aeth.: εκελευσε 472. l48, item iussit
a b c f ff ig¹ q aur., praecepit l vg. (pler.), similiter
Sy.ᵖᵉˢʰ· Cop.ˢᵃ· Geo.² Arm.; praecipit r² vg. (4
MSS) | φωνησατε αυτον ℵBCLΔΨ 7. 299. 517.

---

45. Bas. id. ωσπερ ο υιος του ανθρωπου ουκ ηλθε διακονηθηναι αλλα διακονησαι.
46. Or. ⁱⁿ Matth. Tom. XVI. και ερχεται εις Ιεριχω· και εκπορευομενου αυτου εκειθεν, και των μαθητων αυτου
και οχλου ικανου ιδου ο υιος Τιμαιου Βαρτιμαιος τυφλος.
Or. ⁱᵈ· ο δε Μαρκος· και ερχεται εις Ιεριχω και εκπορευομενου αυτου εκειθεν.
47. Or. ⁱⁿ Matth. Tom. XVI. ο δε κατα τον Μαρκον ακουσας οτι Ιησους ο Ναζαρηνος εστιν ηρξατο κραζειν.
Or. ⁱᵈ· υιος Δαβιδ ελεησον με.

λέγοντες αὐτῷ Θάρσει, ἔγειρε, φωνεῖ σε. ^{50} ὁ δὲ ἀποβαλὼν τὸ ἱμάτιον αὐτοῦ ἀναπη-
δήσας ἦλθεν πρὸς τὸν Ἰησοῦν. ^{51} καὶ ἀποκριθεὶς αὐτῷ ὁ Ἰησοῦς εἶπεν Τί σοι θέλεις
ποιήσω; ὁ δὲ τυφλὸς εἶπεν αὐτῷ Ῥαββουνεί ἵνα ἀναβλέψω. ^{52} καὶ ὁ Ἰησοῦς εἶπεν
αὐτῷ Ὕπαγε, ἡ πίστις σου σέσωκέν σε.   καὶ εὐθὺς ἀνέβλεψεν, καὶ ἠκολούθει αὐτῷ ἐν
τῇ ὁδῷ.

579. 892. 1342. l18. l19. l184 ^{semel} al. pauc. k Sy.
$^{hl. mg.}$ Cop.$^{bo.}$: αυτον (αυτω Y 69. 14. 106. 473. 700
al. pauc.) φωνηθηναι ADWX(Y)ΓΘΠΦ⅄ 22. fam.^{13}
543. 28. 157. 565. (700). 1071 al. pler. b cf ff i l q r²
vg.; >φωνηθηναι αυτον Σ fam.^{1} l48. l49 a, similiter
Sy.$^{hl. txt.}$ Aeth.; cf. uocare eum Cop.$^{sa.}$ Geo.;
= ut afferrent eum Sy.$^{s.}$ | και φωνουσι τον τυφλον,
item et uocant caecum l r² vg. : om. 579; et dicunt
caeco aur., qui dicunt caeco b ff, et uocauerunt
caecum f; et abierunt uocare illum c; et clamaue-
runt k; οι δε λεγουσι (ειπων sic 565) τω τυφλω D
(565), item ad illi dicunt caeco i, cf. illi autem (ad
illi a) dixerunt caeco (a) d q | τον τυφλον: αυτον
28*, item c; om. k | λεγοντες αυτω (om. W l48 k):
om. 565, item a b d ff q aur. | θαρσει Uncs. pler.
22. 124. 157. 565. 579. 700. 892. 1071 al. pler.:
θαρρων W 28, item θαρσων fam.^{1} fam.^{13} (exc. 124)
543; = ne timueris Sy.$^{s.}$ Geo. (pon. post surge)
| εγειρε Uncs. pler. 124. 71. 473. 579. 692. 892.
1342. l184* al. plur.: εγειραι U 22. 157. 517. 565 (και
εγειραι) 697. 700. 1071 al. plur.; εγερου fam.^{1} fam.^{13}
(exc. 124) 543. 28; om. 59 k | φωνει: φωνη EGK
69*. 115. 157 | σε (σαι 13): om. 108.

50. ο δε: = +caecus Sy.$^{pesh.}$ | αποβαλων (απο-
βαλλων Δ 157): επιβαλων 157 | το ιματιον (ιματι-
διον 892): τα ιματια 61. l48, item uestimenta c
| αναπηδησας ℵBDLM$^{mg.}$ΔΘΨ 565. 579. 892. 1071.
1342. l34. l48, item exsiliens⸗ (uel exiliens; exiuit
k) it. (exc. r²) vg. Sy.$^{hl. mg.}$ Cop.$^{bo.}$ Or.: αναστας
ΑCWXYΠΣΦ 069 ⅄ (exc. M$^{mg.}$) fam.^{1} 22. fam.^{13}
543. 28. 157. 700 al. pler., item exurgens r²,
similiter Sy.$^{pesh. hl. txt.}$ Geo. Aeth. Arm.; = cucur-
rit statim Cop.$^{sa.}$; om. Γ | ο δε αποβαλ. usque ad
αναπηδ.: cf. = et stetit sustulit res eius Sy.$^{s.}$;
ille uero ut audiuit proiecit uestimenta sua et exi-
liens c | τον Ιησουν, item fq Or.: αυτον DΘ 66.
565. l184^{semel} it. (exc. f q) vg.; αυτον τον Ιησουν 238.

51. και: ο δε Θ 565; =om. Sy.$^{s.}$ Geo.² Arm. | απο-
κριθεις: om. c aur. vg. (1 MS) Sy.$^{pesh.}$ | αυτω ο ι̅ς̅
ειπεν ℵBCDLΔΨ 115. 579. 892. 1071. 1342 g² i q r²
vg. (plur. sed non WW), item Cop.$^{bo.}$ Arm., similiter
cf. > cui dixit iesus c aur. : > λεγει αυτω ο (om. 13)
ι̅ς̅ (om. ο ι̅ς̅ Θ 36) AWXΓ(Θ)Π$^{mg.}$ΣΦ 069 ⅄ (exc. K)
fam.^{1} 22. fam.^{13} 543. 28. 157 al. pler., item ait illi
iesus a b; cf. dixit illi iesus f ff Sy.$^{pesh.}$; ο ι̅ς̅ λεγει

αυτω ΚΠ*Υ 11. 220. 237. 474. 559. 700 al. pauc.
Sy.$^{hl.}$, cf. iesus dixit illi k l vg. (plur. et WW) Cop.$^{sa.}$
| σοι θελεις ποιησω ℵBCKLYΔΘΠ*Ψ 11. 229. 349.
473. 517. 559. 565. 892. 1071. 1342. l18. l19. l48.
l49. l184 al. pauc., item tibi uis faciam i, cf. uis tibi
faciam k l q r² vg. (pler.): > θελεις ποιησω σοι AD
WXΠ$^{mg.}$ΣΦ 069 ⅄ (exc. K) fam.^{1} 22. fam.^{13} 543.
28. 157. 579. 700 al. pler. a f ff Sy.$^{s. pesh. hl.}$ Cop.
$^{sa. bo.}$ Aeth.; =uis et faciam tibi Geo.^{1}, uis quid
faciam tibi Geo.^{2}; θελεις ποιησαι σοι Γ; θελεις ινα
ποιησω σοι 106. 251. 697, item uis ut faciam tibi b c
aur., uis ut faciam tibi vg. (aliq.); om. σοι Or.
| ειπεν, item dixit it. (exc. a) vg. : ait a | ραββουνει
BC: ραββωνει Δ; ραββουνι ℵALWXYΓΘΠΣΦ⅄
(exc. E*U) fam.^{1} 22. 124. 157. 517. 565. 579. 692.
697. 892. 1278$^{mg.}$ al. plur., similiter Cop.$^{sa. bo.}$ Or.;
ραββονι 1071 al. pauc., item rabboni c f l r² vg.
(pler.) Geo.$^{1 et B}$; rabboni g²; ραβουνι E*UΨ
fam.^{13} (exc. 124) 543. 28. 72. 238. 349. 700. 1342
al. mu. Sy.$^{hl.}$; ραββι 38 g¹ k q Sy.$^{pesh.}$; κυριε 409,
= magister Geo.^{A}: κυριε ραββει D, item domine
rabbi a b ff i; = rabbuli Sy.$^{s.}$

52. και ο Ιησους ℵ^{c}BLΔΨ 517. 579. 892. 1342.
l48. l49. l184^{semel} l251 q Sy.$^{pesh.}$ Aeth. Arm.: ο δε
Ιησους (om. W) ℵ*AC$^{uid.}$D(W)XYΓΘΠΣΦ⅄Minusc.
pler. it. (exc. q) vg. Sy.$^{hl.}$ Cop.$^{sa. bo.}$ (aliq.); = om.
Sy.$^{s.}$; =και Cop.$^{bo. (ed.)}$; = nil nisi et Geo.^{1}; και
αποκριθεις ο Ιησους 242 | ειπεν, item dixit c ff g² k q
aur. vg. (aliq.) Or.: λεγει ΚΠ 42. 63. 229. 253,
item ait a b d f i l r² vg. (plur. et WW) | αυτω:
om. b i k q; +raboni (sic) r² | υπαγε: om. 235;
αναβλεψον 61. 229**; = uide Sy.$^{pesh.}$ | ευθυς
ℵBLΔΨ 892. 1342: ευθεως ACDWXYΓΘΠΣΦ⅄
Minusc. pler.; om. 61 | ανεβλεψεν: = oculi eius
aperti sunt Sy.$^{s.}$ | ηκολουθει (∼θη 13. 28. 349.
471* 482 al.) Uncs. omn. Minusc. pler. it. (exc. q)
vg. Sy.$^{s.}$ Cop.$^{bo.}$ Geo. Or.: ηκολουθησεν 346. 71.
121. 409. 410. 485. 569. l184 al. pauc. q Cop.$^{sa.}$
| αυτω (αυτον 1342) ℵABCDLM$^{mg.}$*WΔΨ fam.^{1}
(exc. 118) fam.^{13} 543. 28. 66. 218. 299. 349. 470.
517. 565. 579. 892. 1071. (1342) al. it. vg. Sy.$^{s. hl.}$
$^{mg.}$ Cop.$^{sa. bo.}$ Aeth. Arm. Or.^{semel}: τω Ιησου ΧΥΓ
ΘΠΣΦ⅄ (exc. M$^{mg.}$) 118. 22. 157. 1278 al. pler. Sy.
$^{hl. txt.}$ Or.^{semel}; om. Sy.$^{pesh.}$ Pers. | εν τη οδω:
= om. Geo.$^{1 et A.}$

50. Or. $^{in Matth. Tom. XVI.}$ φησιν ο Μαρκος οτι αποβαλων το ιματιον αναπηδησας ηλθε προς τον Ιησουν.
51. Or. $^{in Matth. Tom. XVI.}$ τι θελεις ποιησω . . . ραββουνι.
52. Or. $^{in Matth. Tom. XVI.}$ ειπεν αυτω υπαγε η πιστις σου σεσωκε σε . . . ου γαρ απεληλυθεν αλλα ηκολουθει
τω Ιησου εν τη οδω επει ευθεως ανεβλεψεν.
Or. $^{id.}$ και ηκολουθει αυτω εν τη οδω.

XI

(ριζ/β) ¹ Καὶ ὅτε ἐγγίζουσιν εἰς Ἱεροσόλυμα εἰς Βηθφαγὴ καὶ Βηθανίαν πρὸς τὸ Ὄρος τῶν Ἐλαιῶν, ἀποστέλλει δύο τῶν μαθητῶν αὐτοῦ ² καὶ λέγει αὐτοῖς Ὑπάγετε εἰς τὴν κώμην τὴν κατέναντι ὑμῶν, καὶ εὐθὺς εἰσπορευόμενοι εἰς αὐτὴν εὑρήσετε πῶλον δεδεμένον ἐφ' ὃν οὐδεὶς οὔπω ἀνθρώπων ἐκάθισεν· λύσατε αὐτὸν καὶ φέρετε. ³ καὶ ἐάν τις ὑμῖν εἴπῃ Τί ποιεῖτε τοῦτο; εἴπατε Ὁ κύριος αὐτοῦ χρείαν ἔχει· καὶ εὐθὺς αὐτὸν ἀποστέλλει

1. εγγιζουσιν (ενγ. W; εγγειζ. 28; ηγγιζουσιν Φ) Uncs. pler. fam.¹ 22. 28. 157. 565. 579. 700. 892. 1071 al. pler. Or.: ηγγιζον Σ; ηγγισαν M fam.¹³ (exc. 13*) 543. 472. l48; cf. adpropinquassent a, adpropinquarent aur. vg. (pler. et WW), similiter Sy.ˢ· ʰˡ· Cop.ˢᵃ· ᵇᵒ· (aliq.) Geo. Aeth. Arm.; ηγγιζεν D l7. l12. l13. l14. l49. l251; ηγγισεν 13*. l184; cf. adpropinquaret (app. ci) it. (exc. a; appropiaret sic b), similiter Sy.ᵖᵉˢʰ· Cop.⁽ᵇᵒ·⁾; etiam + ο Ιησους l49. l251; + ο Ιησους και οι μαθηται αυτου 1071 | Ιεροσολυμα ℵBCDLWΔΘΣΨ fam.¹ (exc. 118) fam.¹³ 543. 28. 50. 61. 91. 121. 218. 435. 517. 565. 579. 892. 1071. 1342, similiter it. vg. Cop.ˢᵃ· Geo. Or.: ιερουσαλημ ΑΧΓΠΦ⅊ 118. 22. 157. 700 al. pler. Sy.ˢ· ᵖᵉˢʰ· ʰˡ· Cop.ᵇᵒ· | om. εις Ιεροσολυμα 235 | Ιερ.: + και Α 74**; + και ηλθον (ηλθεν 1071. l49. l251) 3. 76. 77. 218. 349. 517. 892. (1071). (l49). (l251) | βηθφαγη ℵΑCWΧΔΘΠΦ⅊ (exc. FUΩ) 28. 565. 579. 892 al. pler.: βιθφαγη Ω 1071; βηθφαγειν L; βηδφαγη B*; βηφαγη 69; βηθσφαγη 22. 13; βηθσφαγη B³FUΓΣ fam.¹ 124. 346. 543. 71. 108. 131. 157. 517. 1342 al. mu.: βηθσφαγει 349 | om. εις βηθφαγη D 700 ffg²ikr¹·² vg. (pler. et WW) Or. | και (+ εις ℵCDΘ 1342 Or.; in pro και k) βηθανιαν (βιθανιαν ΘΩ 474. 475; βηθανια B* 124) Uncs. pler. Minusc. pler.: om. Ψ l184 | των ελαιων (ελεων W): το ελαιων B; το καλουμενον ελαιων Σ; eleon k; oliueti it. (exc. a k) vg. (1 MS); oliuarum a vg. (pler.) | αποστελλει (και αποστ. l49. l251) Uncs. pler. Minusc. pler., item mittit i k l r² vg. (pler.) Sy.ʰˡ·, mittet q vg. (1 MS): απεστειλεν FH 20. 46. 91. 125. l184, item misit a b c d fg² aur. Sy.ˢ· ᵖᵉˢʰ· Cop. sa. bo. Geo.; επεμψεν C; etiam = +iesus Sy.ᵖᵉˢʰ· (MSS aliq.) | δυο: + εκ 61, item ex it. vg.

2. και λεγει Uncs. pler. 118. 22. 124. 157. 565. 579. 892. 1071 al. pler.; item ait (dicit k) it. (exc. a) vg. Sy.ʰˡ· Cop.ᵇᵒ· Aeth. Arm. Or.: και ειπεν D Sy.⁽ˢ·⁾ ᵖᵉˢʰ· Geo.; λεγων WΘ fam.¹ (exc. 118) fam.¹³ (exc. 124) 543. 28. 91. 700** (λεγον*) a Cop.ˢᵃ·

| αυτοις: om. fam.¹ (exc. 118) 28 Sy.ˢ· Geo.ᴬ | κωμην: πολιν 4. 11. 15. 27**. 39. 49. 68. 235. 435. l13. l15. l184, cf. municipium a (hab. castellum it. rell. vg.) | εις την κωμην την κατεναντι (απεναντι M 61. 62. 245. 246. 472. 473. l48) υμων (ημων 349, similiter Sy.ᵖᵉˢʰ·): om. την κατεναντι υμων ℵ*; εις την κατεναντι κωμην W | ευθυς ℵBLΔΨ 579. 892. 1342 Or.: ευθεως ΑCDWΧΥΓΘΠΣΦ⅊ Minusc. rell. | εισπορευομενοι (εκπορ. sic 50): πορευομενοι 28. 569. 692. Or. | εις αυτην, item in eum f, in illud k, illud r² vg. (plur. et WW), illuc l aur. vg. (plur.): om. D a b c ff i q r¹ Aeth. | ευρησετε: ευρησητε fam.¹ (exc. 118*) | εφ ον: ω W; εφ ω l48 | ουδεις ουπω (πωποτε A 569. 1342. l36) ανθρωπων (A)BLΔΨ (569). 892 (1342). (l36) b ff i l q Or.: > ουπω (ουδεπω 68. 238) ουδεις ανθρωπων ΚWΥΠΣΦ 4. 15. 46. 52. (68). 106. (238). 251. 253. 474. 697. 1278 al. Sy.ʰˡ· Cop.ˢᵃ· ᵇᵒ· (aliq.); > ουδεις ανθρωπων (ανθρωπος 579) ουπω (ποτε 472) ℵC fam.¹³ 543. (472). (579); pon. ουπω post εκαθισεν 517; om. ουπω DX ΓΘ⅊ (exc. K) fam.¹ 22. 28. 157. 565. 700. 1071 al. pler. a c g¹·² k r² Sy.ˢ· ᵖᵉˢʰ· Geo. Aeth. Arm. | εκαθισεν (εκαθησεν LΘ) ℵBCLΔΘΨ 517. 565. 579. 700. 892. 1342. l36 Or.: κεκαθικεν (↪ηκεν ΕΜΓΣΩ fam.¹³ 28. 238. 472 al.) ΑΧΠΦ⅊ fam.¹ 22. fam.¹³ 543. 28. 157. 1071 al. pler., cf. sedit it. vg.; καικαθεκεν sic D²; επικεκαθεικεν W | λυσατε (λυσαντες L 892) αυτον και φερετε (↪αται Δ*) ℵBC(L)ΔΨ 579. (892). 1342 it. vg. Or.: λυσαντες (και λυσαντες 13. 69. 346. 543. 28) αυτον (om. 472. 517) αγαγετε (και αγαγετε D*; αγαγεται 28; απαγαγετε 565; + μοι 247. 330. 472. 1071) ΑDWΧΥΓΘΠΣΦ⅊ fam.¹ 22. fam.¹³ 543. 28. 157. (565). 700. (1071) al. pler.

3. εαν: αν D | υμιν ειπη: > ειπη υμιν Δ | τι ποιειτε (ποιητε ΗΚΧ l184; ποιει 697; εποιησατε l48) τουτο Uncs. pler. 22. 157. 579. 700. 892 al. pler., item quid hoc facitis q, quid facitis hoc vg. (3 MSS), similiter Sy.ᵖᵉˢʰ· ʰˡ· Cop.ᵇᵒ·, =quid facitis huic Cop.ˢᵃ·: τι ποιειτε; τουτο (τουτω 11. 237. 238) κτλ.

---

1. Or. ⁱⁿ ᴹᵃᵗᵗʰ· Tom. XVI. *και οτε εγγιζουσιν εις Ιεροσολυμα και εις βηθανιαν προς το ορος των ελαιων.*

2. Or. ⁱⁿ ᴵᵒᵃⁿⁿ· Tom. X. *και λεγει αυτοις· υπαγετε εις την κωμην την κατεναντι υμων και ευθυς πορευομενοι εις αυτην ευρησετε πωλον δεδεμενον εφ ον ουδεις ανθρωπων εκαθισε· λυσατε αυτον και φερετε.*

3. Or. ⁱⁿ ᴹᵃᵗᵗʰ· Tom. XVI. *και ευθεως αυτον αποστελει παλιν ωδε.*

Or. ⁱⁿ ᴵᵒᵃⁿⁿ· Tom. X. *και εαν τις υμιν ειπη τι ποιειτε τουτο; ειπατε οτι ο κυριος αυτου χρειαν εχει, και ευθυς αυτον αποστελει ωδε.*

πάλιν ὧδε. ⁴ καὶ ἀπῆλθον καὶ εὗρον πῶλον δεδεμένον πρὸς θύραν ἔξω ἐπὶ τοῦ (ριη/β)
ἀμφόδου, καὶ λύουσιν αὐτόν. ⁵ καί τινες τῶν ἐκεῖ ἐστηκότων ἔλεγον αὐτοῖς Τί ποιεῖτε
λύοντες τὸν πῶλον; ⁶ οἱ δὲ εἶπαν αὐτοῖς καθὼς εἶπεν ὁ Ἰησοῦς· καὶ ἀφῆκαν αὐτούς.

LΓ (11). 53. 72. 131. 220. 229. (237). (238); *om.*
τουτο 245, *item* c g² k l *vg.* Aeth., *quid petitis* r² ;
τι λυετε τον πωλον DΘ fam.¹³ 543. 28. 565. 700. 1071
a b f ff i r² Arm. ; *nil nisi* τι W fam.¹ (τι 1 ; τι 118.
209) 91. 299. 1542 Sy.ˢ· Geo. | ειπατε (και ειπατε
C*ᵘⁱᵈ·, *cf.* ff) *sine add.* BΔ 239. 433. 472, *item*
dicite b c i k, dicitis a, et dicetis ff : + οτι ℵACDL
WXYΘΠΣΦΨↄ Minusc. pler. f g² l q r² *vg.* Sy.ʰˡ·
Geo. Or. ; + τουτω οτι 237. 247 Sy.ᵖᵉˢʰ· ; = + ei
tant. Sy.ˢ· | o (*om.* 13) κυριος αυτο: *om.* αυτου
it. (*exc.* a) *vg.* Sy.ʰˡ· Cop.ˢᵃ· (aliq·) Geo.ᴮ ; = domi-
nus noster Sy.ᵖᵉˢʰ· | και *sec.: om.* E | ευθυς ℵB
CDLΔΨ 579. 892. 1342 Or.ˢᵉᵐᵉˡ : ευθεως AWXYΓ
ΘΠΣΦ(*pon. post* αυτον)ↄ Minusc. rell. Or.ˢᵉᵐᵉˡ
| αυτον: *om.* Δ ; αυτους 258. *l*48 (*pon. post* απο-
στελλει)*l*184 *semel* | αποστελλει ℵABCDLXYΓΔ
ΘΣↄ 118. fam.¹³ 543. 28. 70. 90. 108. 131. 157. 349.
517. 565. 579. 892. 1278. 1342 al. mu., *item* remittit c,
dimittit (dimitsit *sic* k) b g¹ (k) l *vg.* (1 MS) Sy.ˢ·
ᵖᵉˢʰ·ʰˡ·: αποστελει GUWΠΦΨ fam.¹ (*exc.* 118) 22.
506. 569. 700. 1071 al. plur. ; *item* dimittet (remit-
tet a q) (a) d f ff i (q) r² *vg.* (pler.) Cop.ˢᵃ· ᵇᵒ· Geo.
| αυτον αποστ. παλιν ℵDL 579. 892. *l*18. *l*49. *l*251.
*l*184 al. lectionaria, *cf.* Cop.ˢᵃ· : > αποστ. παλιν αυτον
B ; αυτον παλιν αποστ. C*ᵘⁱᵈ· ; παλιν αποστ. αυτον Θ
Aeth. ; αποστ. παλιν Δ ; αποστ. αυτον Φ c ff g¹·² ;
αυτον αποστ. AC²WXYΓΠΣΨↄ fam.¹ 22. fam.¹³
543. 28. 157. 565. 700. 1071 al. pler. *it.* (pler.) *vg.*
Sy.ˢ· ᵖᵉˢʰ· ʰˡ· Cop.ᵇᵒ· Or. ; = ad me dimittit illum
Geo.¹ | ωδε : *om. l*184 c k *vg.* (1 MS).

4. και απηλθον ℵBLΔΨ 892. 1342, *item* et abie-
runt c (+ illi duo) k Sy.ˢ· ᵖᵉˢʰ· Cop.ᵇᵒ· Geo.² Aeth. :
απηλθον δε ACWXYΓΠΣΦↄ 22. 157. 579. 1071 al.
pler. Sy.ʰˡ· Cop.ˢᵃ· Geo.² ; απηλθον ουν fam.¹ fam.¹³
543. 28. 91. 299. 433 ; απηλθον *tant.* 38. 245 ; και
απελθοντες DΘ 565. 700, *item* et abeuntes b f ff i l q
r¹·² *vg.* Geo.¹ Or.ˢᵉᵐᵉˡ, exeuntes *tant.* a | *post*
abierunt (απηλθον) *om. omnia uerba usque ad fin.*
uers. 5 k | και *sec.: om.* DΘ 565. 700 *it. vg.* Sy.ᵖᵉˢʰ·
Cop.ˢᵃ· | ευρον: ηυρον Σ | πωλον ABDLWXYΓΠΣ
ΦΨↄ fam.¹ fam.¹³ 543. 106. 131. 157. 349. 435.
517. 565. 579. 700. 892. 1278 al. mu. Cop.ᵇᵒ·
Or.ᵇⁱˢ : τον πωλον ℵCΔΘ 22. 28. 569. 575. 692. 1071
al. plur. Cop.ˢᵃ· Or.ˢᵉᵐᵉˡ | *pon.* δεδεμ. *post* αμφοδου

1342 | > δεδεμενον τον πωλον 1071 | θυραν BL
WΔΘΨ 565. 892 Or.ᵇⁱˢ : την θυραν ℵACDXYΓΠ
ΣΦↄ Minusc. rell. Or.ˢᵉᵐᵉˡ | εξω: *pon. ante* προς
237. 259. 472. 1342 ; *om. vg.* (tol.) Geo.¹ | επι :
om. Φ 435. 482 | του: της 235 | και (*om.* 259)
λυουσιν αυτον, *item* l *vg.* (pler.): et soluerunt eum
it. (*exc.* c l) *vg.* (3 MSS); et cum uellent illum
soluere c ; = et quum soluerent eum Sy.ˢ· ᵖᵉˢʰ·,
etiam coniung. ad uers. seq. c Sy.ˢ· ᵖᵉˢʰ·

5. και : = *om.* c Sy.ˢ· ᵖᵉˢʰ· *uide ad fin. uers.* 4
| και τινες Uncs. pler. 118ᵐᵍ· 22. 124. 157. 565.
579. 700. 892 al. pler. VSS pler. : τινες δε WXΣ
fam.¹ (*exc.* 118ᵐᵍ·) fam.¹³ (*exc.* 124) 543. 28 Cop.ˢᵃ·
| εκει: *item ibi* a ff, *illic it.* (pler.) *vg.*, *illis foris* b :
om. 565 c Sy.ᵖᵉˢʰ· | εστηκοτων (εστηκ. 59. 157.
506 al.): εστωτων MWΓΣ 106. 238. 300. 349. 472.
483*. 517. 1071. *l*48. *l*184 *semel* al. Or. | ελεγον
Uncs. omn. Minusc. omn., *item* dicebant f l r² (dice-
bat *sic*) *vg.* Cop.ᵇᵒ· Geo.: dixerunt a b c d ff i q Sy.ᵖᵉˢʰ·
Cop.ˢᵃ· ; = dicunt Sy.ˢ· ʰˡ· | αυτοις: *om.* b Sy.ˢ·
Cop.ᵇᵒ· (2 MSS) | τι ποιειτε λυοντες τον πωλον:
> τι λυοντες τ. πωλον ποιειτε 251 ; = quid facitis :
cur soluitis pullum istum Geo.¹ ; = quid facitis et
soluitis pullum istum Sy.ˢ· Geo.²

6. οι δε, *item* Sy.ᵖᵉˢʰ· ʰˡ· Cop.ˢᵃ· Geo.: et a b i k
Sy.ˢ· Cop.ᵇᵒ· Aeth. Arm., at (ad d) illi d f q, qui c ff
l r² *vg.* | ειπαν ALΔΠ*Ψ 59. 72. 517. *l*184 *semel*:
ειπον ℵBCDWXYΓΘΠΣΦↄ Minusc. rell. | αυτοις
(αυτω M, *item* illi a, ei tol.*): *om.* D *l*48 b c ff i k r²
vg. (1 MS) | καθως: + και 248 | ειπεν ℵBCLWΔΨ
fam.¹ (*exc.* 118) 124. 28. 91. 115. 892. 1342. *l*20,
item dixerat b c ff i q, dixit k Sy.ˢ· Cop.ˢᵃ· ᵇᵒ· Arm.
Or., *similiter* ειρηκει D, ειρηκεν 579 : ενετειλατο AX
ΓΘΠΣΦↄ 118. 22. fam.¹³ (*exc.* 124) 543. 157. 565.
700. 1071 al. pler., *item* praeceperat a d f l r² *vg.*
Sy.ᵖᵉˢʰ· ʰˡ· Geo. ; *etiam add.* αυτοις DMWΘΦ fam.¹
fam.¹³ (*exc.* 346) 28. 59. 60. 73. 245. 282. 565. 579.
700. 1071. *l*48. *l*184 al. pauc. *it. vg.* Sy.ˢ· ᵖᵉˢʰ· Cop.
ˢᵃ· ᵇᵒ· Geo. Aeth. | *om.* ο Ιησους *l*36 | και αφηκαν
αυτους, *item* at illi remiserunt eos c, et dimiserunt
eos (eis l r² *vg.*) f k l r² *vg.*, et permiserunt illis a b
ff i² q, *cf. uers.* 7 *ad fin.* : = *om.* Sy.ˢ· Cop.ᵇᵒ· (1 MS)
| αυτους: αυτον 69² ; αυτοις 69* ? 565.

---

4. Or. ⁱⁿ Matth. Tom. XVI. *και απελθοντες ευρον πωλον δεδεμενον προς την θυραν εξω επι του αμφοδου· και*
λυουσιν αυτον.

Or. ⁱⁿ Ioann. Tom. X. *και απηλθον και ευρον πωλον δεδεμενον προς θυραν εξω επι του αμφοδου· και λυουσιν*
αυτον.

Or. ⁱⁿ Ioann. Tom. X. *προστιθησι δε ο Μαρκος οτι ευρον τον πωλον δεδεμενον προς θυραν εξω επι του αμφοδου.*

5. Or. ⁱⁿ Ioann. Tom. X. *και τινες των εκει εστωτων κτλ.*

6. Or. ⁱⁿ Ioann. Tom. X. *οι δε ειπον αυτοις καθως ειπεν ο Ιησους· και αφηκαν αυτους.*

⁷ καὶ φέρουσιν τὸν πῶλον πρὸς τὸν Ἰησοῦν, καὶ ἐπιβάλλουσιν αὐτῷ τὰ ἱμάτια αὐτῶν, καὶ
ἐκάθισεν ἐπ᾽ αὐτόν. ⁸ καὶ πολλοὶ τὰ ἱμάτια αὐτῶν ἔστρωσαν εἰς τὴν ὁδόν, ἄλλοι δὲ
(ριθ/α) στιβάδας κόψαντες ἐκ τῶν ἀγρῶν. ⁹ καὶ οἱ προάγοντες καὶ οἱ ἀκολουθοῦντες ἔκραζον
Ὡσαννά· Εὐλογημένος ὁ ἐρχόμενος ἐν ὀνόματι Κυρίου· ¹⁰ Εὐλογημένη ἡ ἐρχομένη

7. καὶ φέρουσιν ℵᶜBLΔΨ 892. 1071 Or.: καὶ αγουσιν ℵ*CWΘ fam.¹ (exc. 118) fam.¹³ 543. 28. 91. 299. 1342 Arm. (ed.); καὶ ηγαγον ADXYΓΠΣΦϷ 118. 22. 157. 565. 579. 700 al. pler., item c f l q r² vg. Sy.ˢ· peʰʰ· hl· Cop.ˢᵃ· ᵇᵒ· Geo. Aeth. Arm. (aliq.); ducere a b ff i | προς: επι 234 | επιβαλλουσιν ℵBCDLWΔΘΨ fam.¹ (exc. 118) 28. 91. 299. 565. 579. 700 (επιβαλουσιν sic) 892. 1342 b ff i l r² vg. (pler. et WW) Cop.ᵇᵒ· Arm. (ed.) Or.: επεβαλον ΑΧΥΠΣΦϷ 118. 22. fam.¹³ 543. 1071 al. pler., item imposuerunt c f g² q vg. (3 MSS) Sy.ˢ· peʰʰ· hl· Cop.ˢᵃ· Geo. Aeth. Arm. (aliq.), similiter miserunt k, strauerunt a; επεβαλλον 59. 61. 157. 234. 240. 248; επεθηκαν 472; imponentes aur. vg. (pauc.) | αυτω: επ αυτω 61; επ αυτον l48, item super eum c k; επ αυτα 256; om. 258. 565 q Sy.ˢ· | τα ιματια αυτων (εαυτων ΒΘ 892; αυτου D 256; om. 299, item om. τα et αυτων 1. 209. 28 b ff i k q): > αυτων τα ιματια ℵ* 565, et pon. haec uerba ante αυτω ℵ* c | εκαθισεν (∼ησεν ΗΚΘΩ 238. l48) Uncs. pler. 22. fam.¹³ 543. 157. 579. 892. 1071 al. pler. it. (pler.) vg. Sy.ˢ· peʰʰ· hl· Cop.ˢᵃ· ᵇᵒ· Geo. Arm.: εκαθησαν ℵ*? 471*. l184 (Aeth.); cf. sedebat d; καθιζει DW fam.¹ (exc. 118) 28. 91. 241. 299. 565. 700 | επ αυτον (αυτων sic 106) ℵBCDLΔΘΨ 2. 59. 218. 238. 349. 517. 565. 579. 700. 892. 1342, item cf. super eum (uel illum) it. (pler.) vg., supra c: επ αυτα 256; επ αυτω ΑΝWΧΥΓΠΣΦϷ fam.¹ 22. fam.¹³ 543. 28. 157. 1071 al. pler.; etiam +iesus c Sy. peʰʰ· Geo.ᴮ

8. και πολλοι ℵBCLΔΨ 579. 892. 1071. 1342 k q Sy.ˢ· Cop.ᵇᵒ· Geo. Arm.: πολλοι δε ADNWX ΥΓΘΠΣΦϷ fam.¹ 22. fam.¹³ 543. 28. 157. 565. 700 al. pler. it. (exc. k q) vg. Sy.peʰʰ· hl· Cop.ˢᵃ· Aeth. | τα (om. 218) ιματια αυτων (εαυτων Β 118*. 892; αυτων 565; αυτου Κ): om. αυτων LW; τους (om. 506) χιτωνας αυτων 5. 24. 36. 40. 53. 237. 252. 259. 470. 487. 506 | εστρωσαν Uncs. pler. 118². 22. fam.¹³ 543. 157. 579. 892. 1071 al. pler. f l (r²) vg. Sy.hl· Cop.ˢᵃ· ᵇᵒ· Aeth.: εστρωννυον (∼ναν Θ) DWΘ fam.¹ (exc. 118) 28. 63. 91. 299. 565. 700 it. (exc. f l) aur. Sy.ˢ· peʰʰ· Geo. Arm. | εις την οδον ℵBCDL WΧΓΔΘΦϷ (exc. KM) fam.¹ 22. fam.¹³ (exc. 69) 543. 157. 565. 579. 892. 1071 al. pler., item in uiam b ff i: εν τη οδω ΑΚΜΝΥΣΠ 69. 28. 63. 91. 299.

300. 435. 517. 700 al. pauc., item in uia it. (pler.) vg. | αλλοι δε usque ad αγρων: om. W i Sy.ˢ· | δε: om. Π* fam.¹ (exc. 118) 38. 72. 106. 229*. 238. 299. 697. 1278*. l48 al. pauc. b Sy.hl· | στιβαδας (στειβ. EG; εστιβ. D*) ℵBDLΔΘΠΨϷ (exc. SVΩ) fam.¹³ (exc. 124) 543. 28. 71. 349. 473. 517. 565. 579. 892. 1342: στοιβαδας ACSVXYΣΦΩ fam.¹ 22. 124. 157. 700. 1071 al. pler.; στυβαδας Ν 80. 478. l15. l184 | κοψαντες (εκοπτον C) εκ των αγρων sine add. ℵB(C)LΔΨ 892*, similiter Cop.ˢᵃ· ᵇᵒ· (aliq.): +εστρωννυον εις την οδον 1342; εκοπτον εκ (απο 245. 282. l36) των (om. Θ 28. 565; om. εκ των 473) δενδρων (αγρων 579) και εστρωννυον εις (om. D) την οδον (εν τη οδω pro εις την οδον ΚΜΝΥΘΣΠ 229. 473. 579. 700, item in uia a b f l q r² vg.; τη οδω tant. 565) ΑΔΝΧΥΓΘΠΣΦϷ Minusc. pler., item caedebant (concidebant k) de arboribus (> de arboribus cedebant a; cedentes de arboribus l) et sternebant in uia (uiam d ff; itinera c; om. in uia k) it. vg. Sy.peʰʰ· hl· Cop.ᵇᵒ· (ed.) Geo.

9. και οι προαγοντες (προσαγοντες D): +δε Γ 39 Aeth.; et qui praecedebant eum k | εκραζον sine add. ℵBCLΔ 115. 892. 1342. l20 c ff k Cop.ˢᵃ· ᵇᵒ· (ed.) Or., item ελεγον sine add. Ψ 495: +λεγοντες ΑDN WΧΥΓΘΠΣϷ Minusc. pler. it. (exc. c ff k) vg. Sy.ˢ· peʰʰ· hl· Cop.ᵇᵒ· (aliq.) Geo. Aeth. Arm. Hier.; ελεγον κραζοντες Φ | ωσαννα usque ad fin. uers.: om. l184 | ωσαννα sine add. Uncs. pler. fam.¹ 22. 157. 579. 892 al. pler., item f l q r² vg. Sy.ˢ· peʰʰ· hl· Cop.ˢᵃ· ᵇᵒ· Or.: om. DW b ff r¹; +τω υψιστω Θ fam.¹³ 543. 28. 50. 300. 565. 700. 1071, item +eminentissimo k, in excelso a; +εν τοις υψιστοις 299, item +in excelsis a c i; = gloria in excelso Geo.¹, = Osanna in excelso (∼sis Geo.ᴮ) Geo.² | om. ο ερχομενος Χ 692ᵗˣᵗ (suppl. in mg.) | om. in nomine dm̄ī k.

10. ευλογημενη usque ad βασιλεια: om. 251; nil nisi in regnum k | ευλογημενη tant. ℵBC D²LNWΧΥΓΔΘΣΦϷ (exc. ΚΜ) Minusc. pler.: praem. και AD*ΚΜΠ 4. 72. 116. 247. 473. 506. 1071 al. pauc. d Sy.peʰʰ· | ερχομενη: om. Δ fam.¹ (exc. 118) 53. 71. 299. 579. l20 a | βασιλεια sine add. ℵBCDLUWΔΘΨ fam.¹ (exc. 118) fam.¹³ 543. 28. 115. 238. 472. 565. 569. 700. 892. 1342. l20. l48. l184 it. (exc. q) vg. Sy.ˢ· peʰʰ· Cop.ˢᵃ· ᵇᵒ· Geo. Arm. Or.ᵇⁱˢ: +εν ονοματι κυριου (+η

7. Or. ⁱⁿ Ioann. Tom. X. και φερουσι τον πωλον προς τον Ιησουν και επιβαλλουσιν αυτω τα ιματια αυτων, et tunc om. uerba sqq. usque ad αλλοι δε στοιβαδας uers. 8.

8. Or. ⁱⁿ Ioann. Tom. X. αλλοι δε στοιβαδας κοψαντες εκ των αγρων εστρωσαν εις την οδον.

9. Or. ⁱⁿ Ioann. Tom. X. και οι προαγοντες και οι ακολουθουντες εκραζον· ωσαννα ευλογημενος κτλ. Hier. ᴱᵖⁱˢᵗ· clamabant dicentes osanna etc.

10. Or. ⁱⁿ Matth. Tom. XVI. ο δε Μαρκος . . . ευλογημενη η ερχομενη βασιλεια του πατρος ημων δαβιδ.

βασιλεία τοῦ πατρὸς ἡμῶν Δαυείδ· Ὡσαννὰ ἐν τοῖς ὑψίστοις.   ¹¹ Καὶ εἰσῆλθεν εἰς (ρκ/ϛ)
Ἱεροσόλυμα εἰς τὸ ἱερόν· καὶ περιβλεψάμενος πάντα ὀψὲ ἤδη οὔσης τῆς ὥρας ἐξῆλθεν
εἰς Βηθανίαν μετὰ τῶν δώδεκα.   ¹² Καὶ τῇ ἐπαύριον ἐξελθόντων αὐτῶν ἀπὸ Βηθανίας
ἐπείνασεν.   ¹³ καὶ ἰδὼν συκῆν ἀπὸ μακρόθεν ἔχουσαν φύλλα ἦλθεν εἰ ἄρα τι εὑρήσει
ἐν αὐτῇ, καὶ ἐλθὼν ἐπ᾽ αὐτὴν οὐδὲν εὗρεν εἰ μὴ φύλλα, ὁ γὰρ καιρὸς οὐκ ἦν σύκων.

βασιλεια 106) ΑΝΧΥΓΠΣΦ ϧ (exc. U) 118. 22. 157.
1071 al. pler. q Sy.ʰˡ· Aeth. Catt.ᵒˣᵒⁿ· | om. του
ante πατρος 229* | δανειδ BDΨ 579: δαυιδ N ;
δαβιδ uel δᾱδ Uncs. rell. Minusc. rell. | ωσαννα
(οσσαννα D*, ωσσ. D**; ωσανα L) εν τοις υψιστοις
Uncs. pler. Minusc. pler. it. vg. Sy.ᵖᵉˢʰ· Cop.ˢᵃ· ᵇᵒ·|
ειρηνη εν τοις υψιστοις W 28. 700 Sy.ˢ·; ειρηνη εν
ουρανω και δοξα εν υψιστοις Θ, item Geo. ; ante
ωσαννα add. ειρηνη εν ουρανω και δοξα 251. 697.
1278, item = pax in caelo et gloria in excelsis
Sy.ʰˡ·* (sed in margine notatur 'non in omnibus
exemplaribus Graecis inuenitur, neque in illo Mar
Xenaiae; in nonnullis autem accuratis, ut putamus,
inuenimus'); post υψιστοις add. ειρηνη εν ουρανω και
δοξα (+ ωσαννα 22ᵐᵍ·) εν υψιστοις fam.¹ 22.
   11. και: = om. Cop.ˢᵃ· | εισηλθεν Uncs. pler.
Minusc. pler., item intrauit g¹ q r², introiuit l vg.
Sy.ᵖᵉˢʰ· ʰˡ· Cop.ˢᵃ· ᵇᵒ· Aeth. Arm., cf. introierunt k
Sy.ˢ· Geo.¹: εισελθων DΘ 565 (εισηλθων sic) 700,
item cum introisset (⁀sent i) a b c d f ff (i) r¹
aur.; + ο Ιησους 247 cf Sy.ᵖᵉˢʰ· Aeth. Arm. | εις
Ιεροσολυμα (om. εις Ιερ. 1342) sine add. אBCDL
WΔΘΨ fam.¹ 559. 565. 700. 892, item a b ff i k l
r¹· ² vg. Sy.ˢ· Cop.ˢᵃ· ᵇᵒ· Geo. Or.: + ο Ιησους ΑΝΧ
ΥΓΠΣΦ 22. fam.¹³ 543. 28. 157. 579. 1071 al.
pler. q Sy.ʰˡ· | εις το ιερον (ναον Δᵐᵍ·) אBCLMW
ΔΘΨ fam.¹³ (exc. 124) 543. 28. 60. 115. 225. 470.
517. 579. 892. 1071. 1342, item in templum a f g²i
k q r¹· ² aur. vg. (pler.), similiter Sy.ᵖᵉˢʰ· Cop.ˢᵃ· ᵇᵒ·
Geo. Aeth. Or., cf. in templo b ff g¹ l, in sanctam
ciuitatem c: praem. και ΑΔΝΧΥΓΠΣΦϧ (exc.
M) fam.¹ 22. 124. 157. 565. 700 al. pler., item q
Sy.ʰˡ· Arm.; = et intrauit in templum Sy.ˢ· Geo.¹
ᵉᵗ ᴮ | και sec.: om. D 700 a b c f ff i r¹ | παντα:
παντας 91. 565. l48. l184, item omnes q | οψε
(praem et c f q) אCLΔ (+ δε) 892. 1342 (+ δε):
οψιας Uncs. rell. Minusc. rell. | ηδη (om. W ; ετι
71. 692. 1071) ουσης (ουσας D*) : > ουσης ηδη fam.¹
(exc. 118) 299 | της (om. D 245. 565) ωρας: om.
B 349. 517; της ημερας fam.¹³ 543. 28 ; add. in
margine αναξιων οντων των Ιουδαιων 40. 72 | εξηλ-

θεν: και εξηλθεν H, item et exiuit b | βηθανιαν (βιθ.
ΨΩ): την βηθανιαν 485**; δωδεκα (ενδεκα 1342):
+ μαθητων D 53. 506². l7. l9. l10. l12. l13. l14. l49
semel l184 a f i q, + μαθητων αυτου l18. l19. l49
semel, item b c g² r¹ aur. vg. (2 MSS).
   12. και (om. 506) τη επαυριον (+ ον D*): και
τη αυριον W ; in crastino autem a Cop.ˢᵃ· | εξελ-
θοντων αυτων: om. αυτων fam.¹³ (exc. 124) 543.
482. 565. l48 ; εξελθοντα αυτων (om. D) DΓ, item
cum exisset b ff q r¹, cum exiret g² vg. (4 MSS),
similiter = quum egrederetur Sy.ˢ· ᵖᵉˢʰ· Cop.ᵇᵒ· (1
MS) | απο βηθανιας (βιθ. ΨΩ 13. 474; βηθανια H):
εις βηθανιαν W Sy.ᵖᵉˢʰ· (1 MS) Cop.ᵇᵒ· (aliq.) ; απο
βηθανιαν sic 28 ; om. fam.¹ (exc. 118) 299 | επει-
νασεν: om. א* (suppl. sup. lin. אᵃ).
   13. συκην sine add. ABCDLNWXYΓΔΘΣΦϧ
(exc. KM) 0188 Minusc. pler. it. vg. Sy.ˢ· ʰˡ· Cop.ˢᵃ·
ᵇᵒ· Geo. Aeth., et pon. post μακροθεν DW a b ff i l
q r¹· ² vg. Or.: + אKMYΠ 11. 15. 68. 229.
234**. 473. 482 al. pauc. Sy.ᵖᵉˢʰ· Arm. | μιαν συκην
472 (et pon. post μακροθεν) | απο μακροθεν (⁀ωθεν
28) אABCDLM*NWΔΘΣΨ 0188 fam.¹ (exc. 118)
fam.¹³ 543. 28. 33. 91. 238. 299. 433. 472. 517.
565. 579. 700. 892. 1071. 1342. l184 al. pauc.,
similiter a longe (de longinquo k) it. vg. Sy.ˢ· ᵖᵉˢʰ·
ʰˡ· Geo. Aeth. Arm. Or.: om. απο ΧΥΓΠΦ (exc.
M*) 118. 22. 157. 1278 al. pler. Cop.ˢᵃ· ᵇᵒ· | εχουσαν:
εχουσα sic Δ 349. 506. 517 | φυλλα pr.: = + solum
Geo.¹ | ηλθεν (ηλθον 124): + εις αυτην W fam.¹³
543. 225 Sy.ˢ· ᵖᵉˢʰ· Cop.ˢᵃ· ᵇᵒ· (2 MSS) Geo.¹ ᵉᵗ ᴮ | ει
(om. 482. 517) αρα τι ευρησει אABCKLNUWΔ
Π*ΣΦΨ fam.¹ 28. 33. 71. 299. 300. (482). (517).
579. 892. 1071. 1342. l184 al. pauc., item si (uidere
si aur. vg. 2 MSS) quid forte inueniret l aur. vg.
(pler.): ει αρα ευρησει (⁀ση 13) τι (om. 433) ΧΥΓ
Π²ϧ (exc. KU) 22. fam.¹³ 543. 157 al. pler., similiter
Sy.ˢ· ᵖᵉˢʰ· ʰˡ· Cop.ˢᵃ· ᵇᵒ· Geo. Aeth. Arm. | ει δειν εαν
τι εστιν D, item uidere si quid esset b c ff i k r¹ ; ως
ευρησων τι Θ 0188. 565. 700, item quasi inuenturus
aliquid (> aliquid inuenturus f) a f q Or. | εν
αυτη: εις αυτην W, in eam b ff ; επ αυτην 892 ; επ

Or. ⁱⁿ Ioann. Tom. X. ευλογημενη η ερχομενη βασιλεια του πατρος ημων δαβιδ ωσαννα εν τοις υψιστοις.

Catt. ᵒˣᵒⁿ· ᵖ· ³⁹⁰· το δε ευλογημενη η ερχομενη βασιλεια εν ονοματι Κυριου του πατρος ημων δαβιδ αριστα
ειρηται.

11. Or. ⁱⁿ Ioann. Tom. X. και εισηλθεν εις Ιεροσολυμα εις το ιερον και περιβλεψαμενος παντα οψε ηδη ουσης
της ωρας εξηλθεν εις βηθανιαν μετα των ιβ.

13. Or. ⁱⁿ Matth. Tom. XVI. ο δε Μαρκος .... ιδων δε ο ιϲ απο μακροθεν συκην εχουσαν φυλλα ηλθεν ως
ευρησων τι εν αυτη· ελθων δε επ αυτην και μηδεν ευρων ει μη φυλλα μονον, ου γαρ ο καιρος συκων.

Or. ⁱᵈ· ᵖᵒˢᵗᵉᵃ· ου γαρ ο καιρος των συκων.

¹⁴ καὶ ἀποκριθεὶς εἶπεν αὐτῇ Μηκέτι εἰς τὸν αἰῶνα ἐκ σοῦ μηδεὶς καρπὸν φάγοι. καὶ
(ρκα/α) ἤκουον οἱ μαθηταὶ αὐτοῦ.   ¹⁵ Καὶ ἔρχονται εἰς Ἱεροσόλυμα. Καὶ εἰσελθὼν εἰς τὸ
ἱερὸν ἤρξατο ἐκβάλλειν τοὺς πωλοῦντας καὶ τοὺς ἀγοράζοντας ἐν τῷ ἱερῷ, καὶ τὰς
τραπέζας τῶν κολλυβιστῶν καὶ τὰς καθέδρας τῶν πωλούντων τὰς περιστερὰς κατέστρεψεν
¹⁶ καὶ οὐκ ἤφιεν ἵνα τις διενέγκῃ σκεῦος διὰ τοῦ ἱεροῦ,   ¹⁷ καὶ ἐδίδασκεν καὶ ἔλεγεν

αυτη 565 | και ελθων (ελθων δε 0188. 565 a f Or.; και επελθ. E* uid.) επ αυτην, item l q r² vg. : om. D 579. 700. 892 b c ff i k (r¹) ; om. επ αυτην 0188 a g¹ Sy.ˢ· pesh. | ουδεν (και ουδεν 579. 892, item et nihil b c ff i k r¹ ; ουδεν ουχ L) ευρεν, cf. nihil inuenit in ea g² : και μηδεν ευρων D 565 Or., cf. nihil inuenisset a q | φυλλα (post φυλλα hab. μ erasum E) : + μονον C²NWΣΦ fam.¹³ 543. 33. 61. 565. 579. 1071, item b c q r¹ Cop.ˢᵃ· Geo. Aeth. Arm. Or. | ο γαρ καιρος ουκ ην συκων אBC* uid· LΔΨ 892. 1342 Sy.pesh· Cop.ˢᵃ· bo· : ου γαρ καιρος ην συκων 473 ; ου γαρ ην (om. N) καιρος (ο καιρος DWΦ 700 Or.bis ; καρπος 0188) συκων AC²DNWXYΓΘΠΣΦ (0188) ƀ Minusc. pler., item non enim erat (> erat enim b ; om. enim g² Sy.ˢ·) tempus ficuum (ficum d, ficorum f l r² vg. ; ficus a c) it. vg. Sy.(ˢ·) hl· Geo. Aeth. Arm. Or. ; ουπω γαρ ην καιρος συκων fam.¹ (exc. 118) 91 vg. (1 MS).
14. και (om. D 565 a² q Or.) αποκριθεις ειπεν sine add. אABC(D)KLMNΔΘΠ*ΣΦΨ fam.¹ (exc. 118) fam.¹³ (exc. 124) 543. 28. 33. 91. 106. 238. 472. 517. (565). 579. 700. 892. 1071. 1342. l184 aliq. f l (q) r² vg. Sy.hl· Cop.bo· Or. : + ο Ιησους post αποκριθεις ΧΥΓΠ²ƀ (exc. KM) 118. 22. 124. 157 al. pler. Cop.ˢᵃ· (respondit autem iesus dicens) ; + ο Ιησους post αυτη W ; ο δε Ιησους ειπεν 0188 ; cf. qui dixit a* b i r¹ aur., = et dixit Sy.pesh· Geo. ; ait ff, et ait c, et maledixit dicens k ; = respondit et dixit Sy.ˢ· Aeth. Arm. | αυτη : ad arborem c | εις τον αιωνα εκ σου (εξ ου sic D*Δ) אBCDLWΔΘΨ fam.¹ 28. 299. 565. 892. 1071. 1342 Or. : praem. καρπος γενηται 368. 1555 (et pon. εκ σου post μηδεις) ; > εκ σου εις τον αιωνα ANXYΓΠΣΦƀ (exc. M*) 22. fam.¹³ 543. 33. 157. 579. 700 al. pler. Sy.hl· | om. in aeternum (εις τον αιωνα) c | μηδεις (ουδεις Minusc. aliq. uid.; om. Δ 273) καρπον : > καρπον μηδεις W fam.¹ 299. 1071 | φαγοι אABCLNX ΥΓΔΘΠΣΦ 0188 ƀ (exc. U) 22. 124. 33. 157. 565. 700. 892. 1071. 1278* al. pler. : φαγη DUWΨ fam.¹ fam.¹³ (exc. 124) 543². 28. 91. 349. 482. 517. 1278² al. pauc. Or. ; φαγει 472. 506. 543*. 579 | εις τον αιωνα usque ad φαγοι : εκ σου καρπον εις τον

αιωνα μηδεις φαγοι M* ; μηδεις απο σου καρπον φαγοι εις τον αιωνα 0188 ; εκ σου καρπος εις τον αιωνα γενηται 1515 | εκ σου μηδεις καρπ. φαγ., item ex te quisquam fructum manducet d : cf. quisquam fructum ex te manducet b c i (k) l q r² aur. vg. (pler.), nemo fructum ex te edat a ; quisquam ex te fructum manducet f ff g¹ vg. (1 MS), similiter Sy.pesh· Aug. ; = quisquam ex fructibus tuis manducet Sy.ˢ· | ηκουον : ηκουσαν W 12. 28. 63. 253. 330. 506. 517. 575. 579. 892* k Sy.ˢ· pesh. Geo.
15. και ερχονται (ηρχοντο C ; uenerunt a c f ff r² Sy.pesh· Cop.ˢᵃ·, intrauerunt d ; ερχεται 700, item uenit b i r¹ aur. ; = uenit iesus Geo. ; + παλιν ΝΣ 517. 892. l18. l19. l184 al. lectionaria b f ff i r² aur.) εις Ιεροσολυμα : και εισελθων εις Ιερ. D, similiter Sy.ˢ· ; om. 28 | εισελθων (ελθων X 482 ; οτε ην D) sine add. אBCDLWΔΨ 0188 fam.¹ (exc. 118) 124. 28. 33. 91. 238. 565. 579. 692. 700. (1342) it. (exc. f q) vg. Sy.ˢ· Cop.ˢᵃ· bo· Aeth. Arm. Or. : + ο Ιησους ANXYΓΘΠΣΦƀ 118. 22. fam.¹³ (exc. 124) 543. 157. 892. 1071 al. pler. f q Sy.pesh· hl· | εις το ιερον : εν τω ιερω D, item in templum q ; = + Dei Sy.ˢ· pesh. | εκβαλλειν (εκβαλειν X 262) : + εκειθεν D, item b | + και ante τους πωλουντας A | om. τους αγοραζοντας W | τους sec. אABCKLMNUΣΠ 42. 46. 238. 330. 472. 517. 892. 1071. 1342. l184 al. pauc. : om. DEGHSVXYΓΔΘΦΨΩ 0188 Minusc. pler. Or. | εν τω ιερω (in templum sic l) : εν αυτω A ; = templo Geo.; om. 255 c | κολλυβιστων (κολυβ. Y 474. 478. 485. 517. 892²) : + εξεχεεν (εξεχεσεν Σ) ΝWΘ(Σ) fam.¹³ 543. 28. 565. 700 Geo. (=dispersit) | καθεδρας : τραπεζας 245. l184, item = mensas Sy.ˢ· | κατεστρεψεν (ανεστρεψεν 0188) : om. D k Sy.ˢ· ; pon. post κολλυβ. א*, cf. Or.
16. ηφιεν : εφιεν Θ ; ειφεν Δ | ινα τις διενεγκη σκευος, item ut quisquam (aliquis a) transferret uas (> uas transferret l r² vg. aliq.) it. (exc. c k) vg. : διενεγκειν τινα σκευος 0188, item cf. quemquam uas transferre c ; ut qui circumferret uas k | δια του ιερου : δια το ιερον 579 ; = e templo Geo.
17. και εδιδασκεν (+ αυτους 124, item + eos aur.,

---

14. Or. in Matth. Tom. XVI. αποκριθεις ειπεν αυτη μηκετι εις τον αιωνα εκ σου μηδεις καρπον φαγη.
Or. id. postea. μηκετι εις τον αιωνα εκ σου μηδεις καρπον φαγη.
Aug. Cons. iam non amplius in aeternum quisquam ex te fructum manducet.
15. Or. in Ioann. Tom. X. και (om. semel) ερχονται εις Ιεροσολυμα και εισελθων εις το ιερον ηρξατο εκβαλλειν τους πωλουντας και αγοραζοντας εν τω ιερω.
Or. i. q. supra et add. και τας τραπεζας των κολλυβιστων ανεστρεψε και τας καθεδρας των πωλουντων τας περιστερας.

Οὐ γέγραπται ὅτι Ὁ οἶκός μου οἶκος προσευχῆς κληθήσεται πᾶσιν τοῖς ἔθνεσιν; ὑμεῖς δὲ πεποιήκατε αὐτὸν σπήλαιον λῃστῶν. [18] καὶ ἤκουσαν οἱ ἀρχιερεῖς καὶ οἱ γραμματεῖς, (ρκβ/α) καὶ ἐζήτουν πῶς αὐτὸν ἀπολέσωσιν· ἐφοβοῦντο γὰρ αὐτόν, πᾶς γὰρ ὁ ὄχλος ἐξεπλήσσετο ἐπὶ τῇ διδαχῇ αὐτοῦ. [19] καὶ ὅταν ὀψὲ ἐγένετο, ἐξεπορεύοντο ἔξω τῆς πόλεως. [20] Καὶ (ρκγ/ι) παραπορευόμενοι πρωὶ εἶδον τὴν συκῆν ἐξηραμμένην ἐκ ῥιζῶν. [21] καὶ ἀναμνησθεὶς ὁ

cf. Cop.ˢᵃ· ᵇᵒ· Geo.¹ ᵉᵗ ᴮ; et ait illis c): om. ο188 | και ελεγεν אBCLΔΨ οι88 fam.¹³ (exc. 124) 543. 6. 892. 1342 k Syˢ· ᵖᵉˢʰ· Cop.ᵇᵒ· Aeth. Arm. Or.: λεγων ADNWXYΘΠΣΦϧ fam.¹ 22. 124. 28. 33. 157. 565. 579. 700. 1071 al. pler. it. (exc. k) vg. Sy.ʰˡ· Cop.ˢᵃ· Geo.; haec uerba sine add. BΨ 28 b cg¹ aur. vg. (1 MS) Sy.ˢ· Cop.ˢᵃ· Geo.; add. αυτοις Uncs. rell. Minusc. rell. it. vg. (pler.) Sy.ᵖᵉˢʰ· ʰˡ· Cop.ᵇᵒ· Aeth. Arm. (aliq. MSS) Or. | ου γεγραπται: praem. οτι 69 Geo.² ; om. ου DΘ οι88 fam.¹ 28. 579. 700 b c ff i k Cop.ˢᵃ· ᵇᵒ· Geo. Arm. Hier.; cf. scriptum esse b | om. ου γεγραπται οτι 435 | om. γεγραπται οτι 38 | οτι אABLNWXYΓΘΠΣΦϧ Minusc. pler. f l r² vg. Sy.ˢ· ᵖᵉˢʰ· ʰˡ· Cop.ᵇᵒ· Geo.¹ Or.: om. CDΨ οι88. 69. 251. 330. 440. 472. 476. 506. l16 b c ff i k q Cop.ˢᵃ· Geo.² | μου (μοι fam.¹³): του πατρος μου 569 Hier. | πασιν τοις εθνεσιν: om. k | πεποιηκατε αυτον BLΔΨ 892. 1342 Or.: εποιησατε αυτον (αυτην D*) אCDNWXYΓΠ²ΣΦϧ (exc. M) 118. 22. fam.¹³ 543. 157. 28. 1071 al. pler. it. (exc. a) vg. ; ⟩ αυτον εποιησατε AMΠ*Θ fam.¹ (exc. 118) 33. 59. 72. 90. 299. 300. 483. 484. 517. 565. 579. 700. l184 al. a ; ποιειτε αυτον 238 ; nil nisi εποιησατε 253. 435 | σπηλαιον sic 28.

18. και ηκουσαν, item et audierunt d k, cf. et cum audissent a, quo audito b c f ff i l q r² vg.: και ηκουον ΔΨ 472. 892 ; + αυτου 700 | οι (om. Δ) αρχιερεις και οι γραμματεις אABCDKLWΔΘΠΨ fam.¹ (exc. 118) 124. 28. 33. 72. 238. 433. 472. 559. 565. 579. 700. 892. 1071. 1342ᵐᵍ· al. it. vg. Sy.ˢ· ᵖᵉˢʰ· Cop.ˢᵃ· ᵇᵒ· Geo. Aeth. Arm. Or.: ⟩ οι γραμμ. και οι (om. 245) αρχιερ. NXYΓΣΦϧ (exc. KMᵐᵍ·) 118. 22. fam.¹³ (exc. 124) 543. 157 al. pler. Sy.ʰˡ·; οι γραμμ. και οι φαρισαιοι Mᵐᵍ· 122. 252ᵐᵍ· 506. 517. l48 ; οι γραμμ. και οι φαρισ. και οι αρχιερ. 131. 476. l18. l19. l34. l49. l184. l251. l260 | και εζητουν: om. και D it. (exc. k) vg. Cop.ˢᵃ· ᵇᵒ· | πως αυτον: ⟩ αυτον πως Γ | απολεσωσιν אABCDLNWXYΓΣΠΦΨϧ (exc. KM* S) fam.¹ fam.¹³ 543. 28. 33. 73. 91. 125*. 299. 300. 433. 517. 565. 579. 700. 892. 1342 al. plur., item perderent it. vg.: απολεσουσιν ΔKM*S 22. 157. 201. 470. 480. 1071 al. plur. | γαρ pr.: δε Θ 565, item autem b ff; = et (ante

timebant) a Geo. | αυτου sec.: om. AKΠ 59. 116. 229*. 253. 300. 472. 482 al. pauc. c aur. ; τον (?) λαον 1342, populum a | πας γαρ אBCWΔΨ 1. fam.¹³ (exc. 124) 543. 28. 892. 1342 (Sy.ˢ·) Cop.ˢᵃ· ᵇᵒ·: οτι πας ADLNXYΘΠΣΦϧ 118. 209. 22. 124. 33. 157. 565. 579. 700. 1071 al. pler. it. vg. Sy.ᵖᵉˢʰ· ʰˡ· Geo. | οχλος: λαος Θ 700 Or., cf. populus f k, sed turba it. (rell.) vg. | εξεπλησσετο ABCDL (∼ησετο) NWXYΓΠΣΦΨϧ (exc. M) Minusc. pler., item it. (exc. c) vg. (pler.) Sy.ʰˡ· Cop.ᵇᵒ· (allᵠ·) Geo. Arm. Or.: εξεπλησσοντο אΔM 61. 91. 108. 299. 300. 473. 474. 579. 892. 1278* c Cop.ˢᵃ· ᵇᵒ· (pler.) Sy.ˢ· ᵖᵉˢʰ· Aeth. | επι: εν 33, item in a.

19. οταν אBCKLWYΔΘΠ*Ψ 28. 33. 72. 229. 253. 474. 482. 565. 579. 892. 1071. 1342. l48 al. pauc.: οτε ADNXΓΠ²ΣΦϧ (exc. K) fam.¹ 22. fam.¹³ 543. 157. 700 al. pler. | οψε (pon. post εγενετο 569): οψαι 28 ; οψια 72ᵐᵍ· | εγενετο אBCDE*KLMNSU V*WΓΔΘΠΣΦΨϧ Minusc. pler.: εγινετο (εγειν. AW) AE²GHV²WXY 13. 69. 543. 3. 50. 256. 476 (?). l48 | εξεπορευοντο (pon. post πολεως W 28) ABKM*WΔΠΨ 124. 11. 28. 72*. 108. 300. 330. 472. 474. 482. 565. 700. 1071, item egrediebantur c d aur. vg. (4 MSS) Sy.ᵖᵉˢʰ· ʰˡ· ᵐᵍ· Geo.¹ Arm.: εξεπορευετο (pon. post πολεως fam.¹) אCDMᵐᵍ·NX YΓΘΣΦϧ (exc. KM*) fam.¹ 22. fam.¹³ (exc. 124) 543. 33. 157. 579. 892 al. pler., item egrediebatur (ueniebat k) it. (exc. c d) ; et exiebat a) vg. (pler.) Sy.ˢ· ʰˡ· ᵗˣᵗ· Cop.ᵇᵒ· Geo.² ; = erat Cop.ˢᵃ·; om. L | εξω (item extra a): εκ D, cf. de it. (exc. a) vg.

20. και παραπορευομενοι (πορευομενοι l19) πρωι (πρωει W ; το πρωι D) אᶜBCDLWΔΨ fam.¹ 28. 33. 579. 892. 1071. 1342. l18. l19. l49. l184, item cum transirent b ff i Sy.ˢ· Cop.ᵇᵒ· Geo.: και πρωι (πρωει N) παραπορ. (πορευομενοι 46. 52. 72) ANXY ΓΠΣΦϧ 22. fam.¹³ 543. 157. al. pler., item cum mane transirent f l r² vg. (pler.) Sy.ᵖᵉˢʰ· ʰˡ· ; om. πρωι 517 a (et transeuntes discipuli) c k (et prae-tereuntes illi qui cum eo erant); και παρεπορευετο πρωι א*, cf. et cum transiret mane (⟩ mane transiret vg. 3 MSS) q r¹ vg. (3 MSS); παραπορευομενοι δε πρωι Θ 565. 700, similiter Cop.ˢᵃ· | ειδον BDEG HSUVWYΓΠᵐᵍ·ΨΩ fam.¹ 22. 124. 543. 33. 157.

---

17. Or. ⁱⁿ ᴵᵒᵃⁿⁿ· Tom. X. και εδιδασκε και ελεγεν αυτοις Ου γεγραπται οτι ο οικος μου οικος προσευχης κλη-θησεται πασιν τοις εθνεσιν ; υμεις δε πεποιηκατε αυτον σπηλαιον λῃστων.

Hier. ⁱⁿ ᴴⁱᵉʳᵉᵐ· scriptum est domus patris mei domus orationis uocabitur uos autem fecistis eam speluncam latronum.

18. Or. ⁱⁿ ᴹᵃᵗᵗʰ· Tom. XVII. και ηκουσαν οι αρχιερεις και οι γραμματεις και εζητουν πως αυτον απολεσωσιν· εφοβουντο γαρ αυτον οτι πας ο λαος εξεπλησσετο επι τη διδαχη αυτου.

(ρκδ/ϛ) Πέτρος λέγει αὐτῷ Ῥαββεί, ἴδε ἡ συκῆ ἣν κατηράσω ἐξήρανται.　²²καὶ ἀποκριθεὶς
ὁ Ἰησοῦς λέγει αὐτοῖς Ἔχετε πίστιν θεοῦ·　²³ἀμὴν λέγω ὑμῖν ὅτι ὃς ἂν εἴπῃ τῷ ὄρει
τούτῳ Ἄρθητι καὶ βλήθητι εἰς τὴν θάλασσαν, καὶ μὴ διακριθῇ ἐν τῇ καρδίᾳ αὐτοῦ ἀλλὰ
(ρκε/δ) πιστεύῃ ὅτι ὃ λαλεῖ γίνεται, ἔσται αὐτῷ.　²⁴διὰ τοῦτο λέγω ὑμῖν, πάντα ὅσα προσεύ-
(ρκϛ/ϛ) χεσθε καὶ αἰτεῖσθε, πιστεύετε ὅτι ἐλάβετε, καὶ ἔσται ὑμῖν.　²⁵καὶ ὅταν στήκετε

700. 892. 1071 al. pler. : ιδον (και ιδου ℵ*) ℵACK
LMNXΘΠ*ΣΦ fam.¹³ (exc. 124) 543. 28. 565. 579
al. ; ιδοντες Δ ; cf. πρωιδον L (pro πρωι ιδον) | εξη-
ραμμενην (εξηρανμενην W) : εξηραμενην ΝΘ* 69*.
59. 237. 259. 517. 700 | εκ ριζων : = a radicibus
suis Cop.ˢᵃ· ; = a radice Geo. ; = a radice sua
Sy.ˢ· ᵖᵉˢʰ· ʰˡ· Cop.ᵇᵒ·

21. αναμνησθεις : αποκριθεις 579 | ο Πετρος :
= Kepha Sy.ˢ· ; = Simon Sy.ᵖᵉˢʰ· | λεγει : ειπεν
ΘΨ 565. 700, item dixit k vg. (3 MSS) Sy.ˢ· ᵖᵉˢʰ·
Cop.ˢᵃ· ᵇᵒ· (ᵉᵈ·) Geo. | αυτω : τω ιυ Mᵐᵍ· 33. 91.
299. 579. l48 Geo.ᴮ ; om. b Cop.ᵇᵒ· (1 MS) | ραββει
ℵBCDEHWXY 28. 579 : ραββι ALNΓΔΘΣΠΦΨϷ
(exc. EH) Minusc. pler. ; om. 1342 | ιδε (ειδε ℵC
WΔ) : ιδου D 142. 435. 485. 565. 1071, item ecce
it. vg. Sy.ᵖᵉˢʰ· ʰˡ· Cop.ᵇᵒ· Geo. Aeth. Arm. Or. ;
om. Sy.ˢ· | η συκη : om. η M (157). 433 | κατη-
ρασω : εκατηρασω 245 | εξηρανται ℵABCWYΓΠ
ΦϷ fam.¹³ (exc. 69) 543. 28. 892. 1071 al. pler. :
εξηρανται X 22*. 69. 72. 90. 157. 265**. 470. 483*.
484 al. pauc. ; εξηρανθη DLNΔΘΣΨ fam.¹ 22². 33.
245. 349. 433. 485. 517. 565. 569. 579. 700. 1342
al. pauc. Or.

22. και (om. 440) αποκριθεις ο (om. 372 al. pauc.
uid.) Ιησους (om. ο ιϲ 517) Uncs. omn. Minusc.
omn. it. (exc. k) vg. : = et (om. Sy.ˢ· Geo.) respon-
dit iesus et (om. k) k Sy.ˢ· ᵖᵉˢʰ· ʰⁱᵉʳ· Geo. ; = respon-
dit autem iesus et Cop.ˢᵃ· | λεγει : ειπεν Θ 38. 435.
517. 565. 700 k vg. (3 MSS) Sy.ˢ· ᵖᵉˢʰ· ʰⁱᵉʳ· Cop.ᵇᵒ·
Geo. ; = dicens Cop.ˢᵃ· | αυτοις : om. Cop.ˢᵃ· ;
= ei Geo.¹ ᵉᵗ ᴮ | εχετε : ει εχετε ℵDΘ fam.¹³ 543.
28. 33**. 61. 565. 700. 1071, item si habueritis
a b d i r¹ Sy.ˢ· Geo.¹ Arm. ; εχεις 28, similiter = habes
Geo.² | θεου : του θεου DW ; θεου ; sic 9. 478 ;
om. 28 a c k Cop.ᵇᵒ· (1 MS).

23. αμην sine add. ℵBDNΘΨ fam.¹ 124. 28. 51.
106. 157. 225. 251. 472. 565. 579. 700. 1278* it.
(exc. q) vg. Sy.ˢ· ᵖᵉˢʰ· (3 MSS) ʰⁱᵉʳ· Cop.ˢᵃ· ᵇᵒ· (2 MSS)
Geo. Arm. : +γαρ ACLWXYΓΔΣΦϷ 22. fam.¹³
(exc. 124) 543. 33. 892. 1071 al. pler. q Sy.ᵖᵉˢʰ·
(pler.) ʰˡ· Cop.ᵇᵒ· (pler.) ; = et amen Aeth. | οτι pr. :
om. ℵDW 61. 62. 115. 565. 482. 1342 g² k vg.
(aliq.) Aeth. Arm. | ος αν ειπη Uncs. pler. 22.
124. 28. 157. 565. 579. 700. 892. 1071 al. pler. :
ος εαν ειπη ΑΦ fam.¹ fam.¹³ (exc. 124) 543. 481.

1278 ; ος ειπη 37, cf. qui dixerit k Sy.ᵖᵉˢʰ· ; οστις ειπη
l55 ; εαν ειπητε 33 Sy.ˢ· Aeth. ; cf. libere si habueritis
fidem sicut granum sinapis dicetis c | ορει (ορι
28) : ορη 346 | τουτω : τουτο 59. 472. 700 | αρθητι
και βληθητι Uncs. pler. 118². fam.¹³ (exc. 124) 33.
157. 579. 700. 892. 1071 al. pler., cf. tolle et mitte
te c vg. (2 MSS) : om. και βληθητι 543 ; αρθηναι
και βληθηναι W fam.¹ (exc. 118²) 124. 28, item
tollere (+ hinc f) et mittere it. (exc. c) vg. (pler.)
| μη (om. 349) διακριθη (+ το 579) : μη διακριθης D*
| αυτου : εαυτου Δ | om. αλλα πιστευη 700 | πι-
στευη ℵBLΘΨ 476. 892 : πιστευει Δ 349. 472. 517.
565. l184 bis ; πιστευση ACDNWΠΣΦϷ fam.¹ 13.
346. 543. 33. 157. al. plur. ; πιστευσει XΓ 22. 124.
28. 59. 122. 238. 474. 475*. 506. 579. 692 al. pauc. ;
πιστευσητε 69 ; πιστευσετε 1071 | οτι θελει pro οτι
ο λαλει 472 | οτι : om. 579 b c d ff g² k | ο ℵBLN
ΔΣΨ 33. 579. 892. 1342. l48, item quodcumque b d
f k l r² vg. Sy.ˢ· ᵖᵉˢʰ· Cop.ˢᵃ· ᵇᵒ· Geo. Aeth. Arm. :
α ACWXYΓΘΠΦϷ fam.¹ 22. fam.¹³ 543. 28. 157.
565. 700. 1071 al. pler., item quae a q Sy.ʰˡ· | λαλει
ℵB(L)NΔΘΣΨ 33. 565. 579. 892. l48, cf. a k : λεγει
ACWXYΓΠΦϷ fam.¹ 22. fam.¹³ 543. 28. 157. 565.
700 al. pler., item dicit q ; cf. dixerit it. (pler.) vg.,
similiter Sy.ˢ· ᵖᵉˢʰ· ʰˡ· Cop.ˢᵃ· ᵇᵒ· Geo. (Geo.ᴬ = di-
cunt) ; ειπη 238 ; λεγετε 1071 | γινεται εσται (και
εσται Δ) : om. γινεται 11 ; γινονται εσται 238 ;
εσται γενηται 565 ; εσται γενησεται Θ 700 | αυτω
(= om. Sy.ˢ· Geo. Aeth.) sine add. ℵBCDLWΔ
fam.¹ (exc. 118) 28. 892 fl r² vg. Sy.ˢ· ʰⁱᵉʳ· Cop.ˢᵃ· ᵇᵒ·
Geo. Aeth. : + ο εαν (οσα αν 472. 565. 700 a) ειπη
ANXYΓΘΠΣΦΨϷ 118. 22. fam.¹³ 543. 33. 157.
(565). 579. (700). 1071 al. pler. a b (c) ff i k q Sy.
ᵖᵉˢʰ· ʰˡ· Arm. | οτι ο λαλει usque ad αυτω : το μελλον
ο αν ειπη γενησεται αυτω D.

24. δια : και δια Φ Cop.ᵇᵒ· (1 MS) Aeth. | υμιν :
+οτι 91. 131. 483*. 1047. 1071 | παντα : om.
71. l184 | οσα ℵBCDLWΔΨ 61. 157. 892. 1342 :
οσα αν AXYΓΘΦϷ (exc. K) fam.¹ 22. fam.¹³ 543. 28.
33. 565. 579. 700. 1071 al. pler. ; οσα εαν ΚΝΠΣ
253. 265. 433. 474 | παντα οσα : = omne quod
Sy.ˢ· ᵖᵉˢʰ· ʰⁱᵉʳ· Geo. | προσευχεσθε και ℵBCDLΔΨ
579. 892. 1071 a c ff k Sy.ˢ· ᵖᵉˢʰ· Cop.ˢᵃ· Aeth. Cyp. :
προσευχομενοι (ευχομενοι 471) ANWXYΓΘΠΣΦϷ
fam.¹ 22. fam.¹³ 543. 28. 33. 157. 565. 700 al. pler.

---

21. Or. ⁱⁿ Matth. Tom. XVI. ο δε κατα τον Μαρκον ιδων την συκην εξηραμμενην εκ ριζων ειπε τω σωτηρι ιδου
η συκη ην κατηρασω εξηρανθη.

24. Or. ⁱⁿ Matth. Tom. XIV. εαν στηκητε προσευχομενοι πιστευετε οτι λαμβανετε και ληψεσθε.

Cyp. ᵀᵉˢᵗⁱᵐ· III. 42· Omnia quaecumque oratis et petitis credite quia accipietis et erunt uobis.

προσευχόμενοι, ἀφίετε εἴ τι ἔχετε κατά τινος, ἵνα καὶ ὁ πατὴρ ὑμῶν ὁ ἐν τοῖς οὐρανοῖς ἀφῇ ὑμῖν τὰ παραπτώματα ὑμῶν. [26]   27 Καὶ ἔρχονται πάλιν εἰς Ἱεροσόλυμα. (ρκζ/β) Καὶ ἐν τῷ ἱερῷ περιπατοῦντος αὐτοῦ ἔρχονται πρὸς αὐτὸν οἱ ἀρχιερεῖς καὶ οἱ γραμματεῖς καὶ οἱ πρεσβύτεροι   28 καὶ ἔλεγον αὐτῷ Ἐν ποίᾳ ἐξουσίᾳ ταῦτα ποιεῖς; ἢ τίς σοι ἔδωκεν τὴν ἐξουσίαν ταύτην ἵνα ταῦτα ποιῇς;   29 ὁ δὲ Ἰησοῦς εἶπεν

Sy.hl· Arm., *similiter* = in prece Cop.bo·, = in precibus Geo. | αιτεισθε (αιτισθαι 28 ; αιτισθε N) : αιτησθε ΓΠ fam.1 (*exc.* 118) 72. 90. 157. 569. 692. 697 al. pauc. ; αιτησησθε Θ, αιτησεσθε 108. 238. 472 ; αιτησητε 565. 700 ; = *om.* Sy.s· | > αιτετε (*sic*) και προσευχεσθε 1342 | ελαβετε ℵBCLWΔΨ 892. 1342 Cop.sa· bo· (1 MS) : λαμβανετε ΑΝΧΥΓΠΣΦϬ fam.13 543. 28. 33. 157. 579. 1071 al. pler. Sy.s· pesh. hl. hier. Aeth. Arm. ; ληµψεσθαι DΘ fam.1 22. 565. 700, *item* accipietis *it. vg.* Geo. | εσται, *item* erit *c ff i* : *cf.* erunt *k*, erint *sic a* ; euenient *b vg.* (pauc.), uenient *d f l r2 vg.* (aliq.), ueniet *vg.* (aliq.) ; fiet *q* | *cf.* Or. *libere* (= *uers.* 24 *et* 25).

25. οταν : οτε 238 ; = si Cop.sa· bo·, *item* εαν Or.bis | στηκετε (στηκεται 28. 251 ; εστηκετε L) ACDH(L)M2VXΘΨ fam.1 543. 28. 33. 59. 122*. 238. 300. 330. 472. 485. 579. 700. 1071 al. mu. : στηκητε (στηκειτε Ε 474. 475*) ΒΝWΥΓΠΣΦϬ (*exc.* HM2V) 22. 157. 565 al. pler. ; εστηκητε (〜ται Δ) Δ 892 ; στητε ℵ ; *cf.* stabitis *a d f i q r2 vg.*, stibitis *l*, statis *b c ff*, steteritis *k* Cyp. | αφιετε : αφετε C* | ει τι εχετε (εχητε *l*20 Or.semel) : = quod-cumque sit uobis (*om.* Geo.1) Sy.pesh. hier. Cop.sa· bo· Geo.1 | εκαστα *pro* κατα 565 | υμων *pr.* : ημων 346. 9. 106 | ο (+ ων D) εν τοις (*om.* K 544) ουρανοις : ο ουρανιος 125. 1342. 1542. *l*48. *l*84 ; *om. i* | αφη : αφιη X ; αφησει DΘ 346. 66. 157. 700, αφισει 13. 565, αφησι *sic* 238. *l*184 ; ανη W fam.1 (*exc.* 118) | υμιν : *om.* 66. 157. 700 *aff i k* | υμων *sec.* : *om.* D 76. *l*18.

26. *uers. om.* ℵBLSWΔΨ 2. 27**. 63. 64. 66. 121*. 157. 179. 258. 265*. 348. 440. 475* (*hab. in mg.*) 482. 565. 700. 892. 1216. 1574. 1606 *g2 k l r2 vg.* (1 MS) Sy.s· pesh. (1 MS) Cop.sa· bo· Geo. Arm. : *add.* ει δε υμεις ουκ αφιετε ουδε ο πατηρ υμων ο εν τοις (*om.* CDKMΠ* 1. 209. 11. 72. 253. 433. 474) ουρανοις (*om.* ο εν τοις ουρανοις 33. 517. 579. *l*18. *l*19. *l*48. *l*49. *l*184 al. *lectionaria* ; ο εν ουρανω ΝΣ ; ο ουρανιος 142. 569) αφησει (αφη 238. 945 ; + υμιν D 13. 69. 346. 543. 33. 53. 90. 238. 483. 484 al. pauc. *a b c f ff q vg.* Sy.pesh. hl.) τα παραπτωματα υμων

ACDNXΥΓΘΠΣΦϬ (*exc.* S) fam.1 22. fam.13 543. 28. 33. 579. 1071 al. pler. *it.* (*exc.* g2 *k l r2*) *vg.* (*exc.* 1 MS) Sy.pesh. hl. Aeth. Cyp. Aug. ; *etiam add.* λεγω δε υμιν αιτειτε και δοθησεται υμιν ζητειτε και ευρησετε (*om.* ζητ. και ευρ. 579) κρουετε και ανοιγη-σεται υμιν· πας γαρ ο αιτων λαμβανει και ο ζητων ευρισκει και τω κρουοντι ανοιγησεται Μ 346. 11. 46. 52. 54. 76. 80. 88. 108. 125. 219. 238. 247. 274mg. 579. *l*24. *l*31. *l*32 bis *l*33. *l*46, *cf.* Matt. vii. 7 *sq.*

27. ερχονται *pr.*, *item* ueniunt *l r2 vg.* Sy.hl· Cop.bo· (ed.) : ερχεται DX 225. 252mg· 565, *item* uenit *b c ff i q aur.* Cop.bo· (1 MS), *cf.* exiit *k* ; ερχεται ο Ιησους *l*251. *l*260 ; uenerunt *a f g1* Sy.s· pesh. Cop.sa· Geo. | παλιν : *om.* F | τα Ιεροσολυμα 237 | ερχονται *sec.*, *item* ueniunt *k* : *cf.* uenerunt *a c f ff*, accesserunt *b g2 aur. vg.* (3 MSS), sed accedunt *d l q r2 vg.* (pler.) | οι αρχιερεις και : *om.* 106 | και οι πρε-σβυτεροι : *om.* fam.1 (*exc.* 118) 91 ; + του λαου D 892 | οι γραμματεις και οι πρεσβυτεροι : > οι πρεσβ. και οι γραμμ. 517, *item i r2 vg.* (2 MSS) Cop.sa· (2 MSS) ; *om.* Cop.bo· (1 MS).

28. και (= *om.* Cop.sa·) ελεγον ℵBCLWΔ 𝔭45 fam.1 (*exc.* 118) 892. 1342, *cf.* et dixerunt *a b c f* Cop.sa· bo· Geo. (= et dicebant) : και λεγουσιν AD ΝΧΥΓΘΠΣΦϬ 118. 22. fam.13 543. 28. 33. 157. 565. 579. 700. 1071 al. pler. *it.* (pler.) *vg.* Sy.s· pesh. hl. Aeth. Arm. ; λεγοντες Ψ | αυτω : *om.* Geo.1 | η τις *usque ad fin. uers.* : *om.* D 17. 51. 57. 238. 258. *l*18. *l*19 *k* | η ℵBLΔΘΨ 124. 142. 472. 517. 892. 1071. 1342. *l*12. *l*36. *l*184 Sy.hl· mg· Cop.sa· bo· (ed.) : και ANWXΥΓΠΣΦϬ Minusc. rell. *it. vg.* Sy.s· pesh. hl. txt. Cop.bo· (1 MS) Geo. Aeth. Arm. | σοι (σου *sic* 346) : = *pon.* tibi *post* dedit *aur.* Sy.s· pesh. Cop.sa· bo· Geo. Arm. | εδωκεν την εξουσιαν ταυτην ℵBCLM2ΔΘΨ 124. 33. 71. 80. 115. 330. 472. 474. 517. 565. 579. 892. 1071. 1342. *l*251. *l*260 *a b c f l r*1· 2 *vg.* Sy.s· pesh. Cop.sa· bo· Geo. Arm. : εδωκεν ταυτην την εξουσιαν fam.1 (*exc.* 118) 299 ; > την εξουσιαν ταυτην εδωκεν (δεδωκεν UΓΩ 𝔭45 69. 346. 14. 122. 131. 237. 433. 482 al. pauc.) ΑΝΧΥ ΓΠΣΦϬ (*exc.* M2) 𝔭45 uid· 118. 22. fam.13 (*exc.* 124)

---

25. Or.de orat. εαν στηκητε προσευχομενοι αφιετε ει τι αν εχητε κατα τινος.

Or. id· εαν στηκητε προσευχομενοι αφιετε ει τι εχετε κατα τινος.

Cyp. Test. III. 22 et de cathol. eccles. unit· et cum steteritis ad orationem, remittite si quod habetis aduersus aliquem, ut et pater uester qui in caelis est remittat peccata uobis.

26. Cyp. Test. III. 22· si autem uos non remiseritis, neque pater uester qui in caelis est remittet uobis peccata uestra.

Aug. lib· de diu. scrip· si autem uos non dimiseritis neque pater uester qui est in caelis dimittet uobis peccata uestra.

αὐτοῖς Ἐπερωτήσω ὑμᾶς ἕνα λόγον, καὶ ἀποκρίθητέ μοι, καὶ ἐρῶ ὑμῖν ἐν ποίᾳ ἐξουσίᾳ ταῦτα ποιῶ· ³⁰ τὸ βάπτισμα τὸ Ἰωάνου ἐξ οὐρανοῦ ἦν ἢ ἐξ ἀνθρώπων; ἀποκρίθητέ μοι. ³¹ καὶ διελογίζοντο πρὸς ἑαυτοὺς λέγοντες Ἐὰν εἴπωμεν Ἐξ οὐρανοῦ, ἐρεῖ Διὰ τί οὖν οὐκ ἐπιστεύσατε αὐτῷ; ³² ἀλλὰ εἴπωμεν Ἐξ ἀνθρώπων;—ἐφοβοῦντο τὸν ὄχλον, ἅπαντες γὰρ εἶχον τὸν Ἰωάνην ὄντως ὅτι προφήτης ἦν. ³³ καὶ ἀποκριθέντες

543. 28. 157. 700 al. pler. *ff i q* Sy.ʰˡ·; ταυτην την εξουσιαν εδωκεν W | ινα ταυτα ποιης: om. WΘ 28. 565 *a b ff i aur.* Sy.ˢ· Geo. Arm. | ταυτα: αυτα *l*17 | ποιης ℵABEFGMSVYΔΠΣΦΨΩ fam.¹ 22. 124ᶜᵒʳ· 33. 579. 700. 892. 1071 al. pler.: ποιεις HK LNUXΓ fam.¹³ (*exc.* 124ᶜᵒʳ·) 513. 59. 157. 235. 472. 475*. 506. 697. 1278. *l*184 al. pauc.

29. ο δε (= *om.* Sy.ˢ· Cop.ᵇᵒ· 1 MS Arm.) Ιησους (*om.* 36. 40. 53. 61. 259. 435. 482. 1071. *l*48) *sine add.* ℵBCLΔΨ 𝔭⁴⁵ ᵘⁱᵈ· 33. 579. 892. 1342 *g*¹ *k* Sy.ᵖᵉˢʰ· Cop.ˢᵃ· ᵇᵒ· Aeth.: =αποκριθεις ADN WXΥΓΘΠΣΦϷ fam.¹ 22. fam.¹³ 543. 28. 157. 565. 700. 1071 al. pler. *it.* (*exc. g*¹ *k*) *vg.* Sy.ˢ· ʰˡ· Geo. | ειπεν, *item dixit a r*²: *cf.* ait *b f ff l q r*¹ *vg.*, dicit *i k, similiter* Aeth. | επερωτησω (επερωτω W 𝔭⁴⁵, ⏘τισω 28; επερω 118): ερωτησω 61. 579. 1342, *cf.* interrogabo *c r*² *vg.* (pler.), *sed* interrogo *it.* (pler.) *aur. vg.* (1 MS) | υμας *sine add.* BCLΔΨ 482. 483 *k** Cop.ˢᵃ· ᵇᵒ·: καγω υμας AKΥΠ 11. 72. 473. 517. 559 *g*² *k*³, *similiter* Sy.ˢ· Geo.; υμας καγω (και εγω EFHSUVX fam.¹³ 543. 700 al. mu.) ℵDNW XΓΘΣΦϷ 𝔭⁴⁵ ᵘⁱᵈ· fam.¹ fam.¹³ 28. 33. 157. 565. 579. 700. 892. 1071 al. pler. *it.* (*exc. k*) *vg.* Sy.ᵖᵉˢʰ· ʰˡ· | ενα λογον: > λογον ενα Θ fam.¹ (*exc.* 118) 124. 28. 299, *item* uerbum unum *q* Sy.ˢ· ᵖᵉˢʰ· Geo.²; *nil nisi* uerbum Cop.ˢᵃ· ᵇᵒ· | και *pr.*: *om.* DWΘ 28. 565 *it.* (*exc. l*) Geo.¹ Cop.ˢᵃ· ᵇᵒ· Arm.; =ut Sy.ˢ· ᵖᵉˢʰ· | αποκριθητε: εαν αποκριθειτε *sic* 472 (*et om.* και *post* μοι) | και (καγω ℵᶜ) ερω υμιν Uncs. pler. Minusc. pler., *item* et dicam uobis *it.* (pler.) *vg.*, *similiter* Cop.ˢᵃ· ᵇᵒ·: καγω υμιν ερω LΔΨ 33. 517 *c*; και εγω λεγω υμιν D Sy.ˢ· ᵖᵉˢʰ· ʰˡ·; = et narrabo uobis ego quoque Geo.¹, = et ego quoque (*om.* Geo.ᴬ) narrabo uobis Geo.² | ποια: τινι W | *om.* και ερω *usque ad fin.* uers. 30 (*per homoeotel.*) 69 | *pro tot.* uers. hab. nil nisi επερωτησω υμας ενα λογον και αποκριθητε μοι 251.

30. το βαπτισμα: *praem.* ει Δ | το Ιωανου (B; Ιωαννου Uncs. rell. et Minusc. omn.; τον Ιωαν. 579) ℵABCDLΔΘ 33: *om.* το NXΥΓΠΣΦΨ Minusc. rell.; *etiam add.* ποθεν ην (εν *sic* Φ) ℵCΦ 33. 59. 299. 517. 579. 1071. 1342, *item* + unde erat *r*² Sy.ᵖᵉˢʰ· Cop.ˢᵃ· Aeth., *add.* ποθεν εστιν 77. 218; *cf. add.* unde fuit *ante* baptizma *k* | εξ *pr.*: απ fam.¹ (*exc.* 118) | ουρανου: ουρανων D | ην: *om.* ℵCLΦ 33. 59. 299. 517. 579. 1071. 1342 *k r*² | η: *om.* Δ | εξ *sec.*: απο 299 | αποκριθητε μοι, *cf.* dicite mihi (*pro* respondete mihi *it.* rell. et *vg.*) *k, similiter* Sy.ˢ· ᵖᵉˢʰ· Cop.ˢᵃ· Geo.: *om.* 18. 35. 56. 58. 59. 62. 66. 201. 241. 246*. 252*. 479. 482. 575. 1278.

31. και, *item* et *d g*² *k*: οι δε NΣ, *item* at (*uel* ad)

illi *a b f i l q r*¹· ² *vg.*, illi uero *c ff* | διελογιζοντο ℵᶜ (προσελ. ℵ*)BCD*(διελογιζον D²)GKLMWΔΘΠΨ fam.¹ fam.¹³ 543. 28. 33. 238. 257. 299. 482. 517. 565. 892. 1071. 1342 al. mu.: ελογιζοντο ANXΥΓ ΣΦϷ (*exc.* GKM) 22. 579. 700 al. pler. | προς εαυτους (αυτους W 157; αλληλους 1342) εν εαυτοις 33. 579; = *om.* Sy.ˢ· | λεγοντες (*om.* 69 *c*; = et dixit Sy.ˢ· ᵖᵉˢʰ·): *add.* τι ειπωμεν DΘΦ fam.¹³ 543. 28. 565. 700, *item a b c ff i k r*¹; +οτι W | εαν ειπωμεν (ειπομεν ΗΓ): +οτι Θ; = +ei Sy.ᵖᵉˢʰ· Aeth. | ερει (λεγει D, *item* dicit *b l*; *om. k*) *sine add.* Uncs. pler. Minusc. pler. *l r*² *vg.* (plur. *et* WW) Sy.ʰˡ· Cop.ᵇᵒ·: +ημιν DMWΘ fam.¹ fam.¹³ (υμιν 346) 543. 225. 299. 565. 700² (υμιν 700*) *it.* (*exc. k l r*²) *aur. vg.* (plur.) Sy.ˢ· ᵖᵉˢʰ· Cop.ˢᵃ· Geo. Aeth. Arm. | ουν ℵBC²DNΥΓΘΠΣΦϷ (*exc.* MS) Minusc. pler., *item f g*² *l vg.* (pler.) Sy.ʰˡ· Cop.ˢᵃ· ᵇᵒ· (aliq.) (Arm.): *om.* AC*LMSWXΔΨ 346. 28. 59. 91. 108. 229. 238. 299. 330. 517. 565. 892. 1071. *l*184 al. pauc. | αυτω: εις αυτω *sic* 28.

32. αλλα ℵABCLΔΣ 33. 517. 579. 892. 1342: αλλ NWXΥΓΘΠΦΨϷ 1. 131. 22. fam.¹³ 543. 28. 157. 229. 299. 300. 506. 1071 al. pler.; *om.* D 118. 209. 59. 71. 248. 700 al. pauc. *g*² *q vg.* Geo.¹; et *i* Sy.ˢ· ᵖᵉˢʰ· Geo.² | ειπωμεν *sine add.* ℵABCLNXΥ ΓΔΠΣΦΨϷ 1. 22. 33. 157. 579. 892. 1071. 1342 al. mu. *k** Sy.ᵖᵉˢʰ· Cop.ˢᵃ· ᵇᵒ·: εαν (αν 118*. 209; +δε 565; ει δε *l*34, *item* si autem *c f ff*, si uero *b*) ειπωμεν DWΘ 118. 209. fam.¹³ 543. (565). 700 al. pler. *it.* (*exc. k**) *vg.* Sy.ˢ· ʰˡ· Geo. Aeth. Arm. | εφοβουντο (και εφοβ. 229**) Uncs. pler. fam.¹ 22. 33. 157. 579. 892. 1071 al. pler., *item* metuebant *k*, timebant *l vg.* (plur. *et* WW) Sy.ˢ· Cop.ˢᵃ· Geo.¹: φοβουμεθα (φοβουμεν D*) DNWΘΣΨᵘⁱᵈ· fam.¹³ 543. 28. 61ᵐᵍ· 106. 253. 472. 481. 565. 700 *it.* (*exc. k l*) *aur. vg.* (plur.) Sy.ʰˡ· Cop.ᵇᵒ· Geo.² Aeth. Arm. | οχλον ℵBCNΣΦ 33. 106. 517. 579. 1342, *item* plebem *b d i q* Cop.ᵇᵒ· Sy.ʰˡ· ᵐᵍ·: λαον ADLWXY ΓΔΘΠΨϷ fam.¹ 22. fam.¹³ 543. 28. 157. 565. 700. 892. 1071 al. pler., *item* populum *it.* (pler.) *vg.* Sy. ˢ· ᵖᵉˢʰ· ʰˡ· txt. Cop.ˢᵃ· Geo. Aeth. Arm. | απαντες ℵᶜ ABLXΥΓΔΠΦΨϷ 22. fam.¹³ 543. 157. 565. 579. 892. 1071 al. pler.: παντες ℵ*CDNWΘΣ fam.¹ 28. 33. 63. 91. 299. 700. (1342) | ειχον (ειχοσαν 28), *item* habebant *l r*² *vg.*: = εχουσιν Σ; ηδεισαν DWΘ 565, *item* sciebant *it.* (*exc. l r*²) Arm.; οιδασι 700 | ιωανην B; ιωαννην Uncs. rell. Minusc. omn. | οντως οτι προφητης ην ℵᶜBCLΨ fam.¹³ (*exc.* 124) 543. 892: > οτι οντως (αληθως D) προφητης ην AD WXΥΓΠΦϷ 33. 157. 1071 al. pler., *item a f l q r*² *vg.* Sy.ᵖᵉˢʰ· ʰˡ· Cop.ˢᵃ· ᵇᵒ· Geo., *cf.* uere prophetam

τῷ Ἰησοῦ λέγουσιν Οὐκ οἴδαμεν.   Καὶ ὁ Ἰησοῦς λέγει αὐτοῖς Οὐδὲ ἐγὼ λέγω ὑμῖν ἐν
ποίᾳ ἐξουσίᾳ ταῦτα ποιῶ.

XII

¹ Καὶ ἤρξατο αὐτοῖς ἐν παραβολαῖς λαλεῖν Ἀμπελῶνα ἄνθρωπος ἐφύτευσεν, καὶ (ρκη/β)
περιέθηκεν φραγμὸν καὶ ὤρυξεν ὑπολήνιον καὶ ᾠκοδόμησεν πύργον, καὶ ἐξέδετο αὐτὸν
γεωργοῖς καὶ ἀπεδήμησεν.   ² καὶ ἀπέστειλεν πρὸς τοὺς γεωργοὺς τῷ καιρῷ δοῦλον,
ἵνα παρὰ τῶν γεωργῶν λάβῃ ἀπὸ τῶν καρπῶν τοῦ ἀμπελῶνος·   ³ καὶ λαβόντες αὐτὸν

fuisse (esse *ff*) *b ff i* ; *om.* οντως ℵ*Θ fam.¹ 22. 124.
7. 28. 38. 60. 91. 299. 517. 565. 579. 700. *l184 al.*
lectionaria c k Sy.ˢ· ; οντως (*om.* ℵΣ) ως προφητην
(ℵ)Δ(Σ).

33. αποκριθεντες: et respondens *sic k* ; = *om.*
Sy.ˢ· | τω Ιησου λεγουσιν ℵBCLNWΔΘΣΨ fam.¹³
543. 28. 33. 579. 892. 1071, *cf.* ad iesum dixerunt
a f ff vg. (1 MS), = iesu (= *om.* Geo.²) dixerunt
Geo. : > λεγουσιν τω Ιησου ADXΥΓΠΦꝬ fam.¹ 22.
157. 565. 700 *al. pler.*, *item* dicunt ad iesum *q*,
dicunt iesu *vg.* (plur. *et* WW), *similiter* Sy.ᵖᵉˢʰ· ʰˡ·,
dixerunt ad (*om.* *g² r²*) iesum (iesu *aliq.*) *b c d g² i l
r² vg.* (plur.); λεγουσιν αυτω 59. 73 Sy.ˢ· Aeth. ;
et dixerunt ad iohannem *sic k* ; = dicentes iesu
(*om.* Cop.ˢᵃ· ᵃˡⁱ𐞥·) Cop.ˢᵃ· ᵇᵒ· | οιδομεν W* (οιδαμεν
Wᶜᵒʳ·) | και ο Ιησους (*om. haec uerba* Sy.ᵖᵉˢʰ·) *sine
add.* ℵBCLNΓΔΣΨ 33. 71. 475. 569. 579. 892. 1342
a c f k l, *similiter* Cop.ˢᵃ· ᵇᵒ· : και αποκριθεις ο Ιησους
ADKMΥΠΦ 𝔭⁴⁵ ᵘⁱᵈ· fam.¹(*exc.* 118) fam.¹³(*exc.* 124)
543. 66. 72. 238. 299. 330. 473. 474. 506. 559 *al. pauc.*
b (*ff*) *i q r² vg.* (plur.), *similiter* Sy.ˢ· ʰˡ· Geo.¹ ; *cf.*
respondens iesus *d vg.* (plur. *et* WW); αποκριθεις
δε ο Ιησους 61, *item g¹, similiter* Geo.ᴮ (= respondit
autem iesus) ; και ο Ιησους αποκριθεις WXΘꝬ (*exc.*
KM) 118. 22. 124. 157. 565. 700. 1071 *al. pler.*
| λεγει: ειπεν 517, *item* dixit *a f* Sy.ˢ· Cop.ˢᵃ· Geo.
| αυτοις (αυτω D): *om. k* | εν ποια εξουσια : εις
ποιαν εξουσιαν D* (*cor.* D²) | ταυτα ποιω, *item* haec
facio *it.* (*exc. a b l*) *vg.* (2 MSS): *cf.* haec faciam
a b l vg. (pler.); > = facio haec (hoc Geo.) Sy.ˢ·
Geo.¹

1. και (*om. r²*) ηρξατο (+ iesus *c ff*): coepit
autem *a b* | αυτοις: *om.* 474 *c g¹* Sy.ˢ· Geo.ᴮ; *pon.
post* λεγειν (*uel* loqui) ℵΣ *ff* Sy.ᵖᵉˢʰ· ʰˡ· Cop.ᵇᵒ·
Geo.¹ | εν παραβολαις: = per parabolam Geo.;
om. a | λαλειν ℵBGLWΔΨ fam.¹ fam.¹³ 543. 892.
1342, *item* loqui *it.* (*exc. k*; + dicens *c*, + ita dicens
b) *vg.* Sy.ˢ· ᵖᵉˢʰ· ʰˡ· ᵐᵍ· Cop.ˢᵃ· ᵇᵒ· Geo. Arm.: λεγειν
ACDNXΘΣΠΦꝬ (*exc.* G) 22. 28. 33. 157. 565. 579.
700. 1071 *al. pler. k* Sy.ʰˡ· ᵗˣᵗ· | αμπελωνα ανθρω-
πος εφυτευσεν (εποιησεν L 892) ℵBC(L)ΔΦΨ 33.
262. 517. 579. (892). 1071. 1342. *l48*: > αμπελωνα
(αμπελον Γ) εφυτ. ανθρ. ADXΓΠꝬ fam.¹ 22. 124.

28. 157. 700 *al. pler. it.* (*exc. c*) *vg.* Sy.ʰˡ· Geo.¹ ;
> ανθρ. εφυτ. αμπελ. ℵΣ 433 Sy.ˢ· Cop.ˢᵃ· ᵇᵒ· (3 MSS)
Aeth. ; > ανθρ. τις εφυτ. αμπελ. WΘ fam.¹³ (*exc.*
124) 543. 565 *c* Sy.ᵖᵉˢʰ· Cop.ᵇᵒ· (ᵖˡᵉʳ·) Geo.² Arm.
Or. | περιεθηκεν : + αυτω C²NWΘΣΨ 28. 472
(αυτου) 565. 892 Sy.ˢ· ᵖᵉˢʰ· ʰˡ·* Cop.ˢᵃ· ᵇᵒ· Aeth. Arm.
Or., *item* + ei *post* sepem *r²* | και ωρυξεν (ορυξ. Θ) :
εξωρυξεν W | υποληνιον (∿λυνιον 346) : = + in eo
Cop.ˢᵃ· ᵇᵒ·, = *praem.* in eo Sy.ˢ· ᵖᵉˢʰ· | και ωκοδομη-
σεν (οικοδ. L* ᵘⁱᵈ· fam.¹³ 543) πυργον: *om.* Σ ;
+ αυτω *post* ωκοδομ. 1071 ; = + in eo Sy.ˢ· ᵖᵉˢʰ·
Cop.ᵇᵒ· | και (*om.* Cop.ˢᵃ·) εξεδετο αυτον γεωργοις :
om. G | εξεδετο ℵAB*CKLΘ 346. 579: εξεδοτο
(∿ωτο F²H 124) B²DNWXΓΔΠΣΦΨꝬ (*exc.* K *et
om.* G) fam.¹ 22. fam.¹³ (*exc.* 346) 543. 28. 33. 157.
565. 700. 892. 1071 *al. pler.* | αυτον: *om. k*
| + τοις *ante* γεωργοις D.

2. απεστειλεν: αποστελλει 244 | προς τους
γεωργους: *om.* W | τω (εν τω 69²) καιρω (*om.*
τω καιρω 1342) : = in tempore fructus Sy.ˢ· Cop.ˢᵃ·
Geo.ᴮ; = *pon. ante* προς τους γεωργ. Sy.ˢ· | τω καιρω
δουλον ℵABCDLWXΓΔΘΦΨꝬ (*exc.* K) Minusc.
pler., *item* in tempore seruum *it. vg.* Cop.ᵇᵒ· Geo.¹
et ᴬ Arm.: > δουλον (= + suum Sy.ᵖᵉˢʰ·) τω καιρω
KNΥΠΣ 11. 15. 72. 253. 473. 474. 517. *l48* Sy.ᵖᵉˢʰ·
| παρα (πω sic Δ) των γεωργων : παρα αυτων Θ 33.
565. 579. 700 *et pon. haec uerba post* λαβη 579. 700;
om. Ψ 1342 Sy.ᵖᵉˢʰ· ; *item cf. infra* D *it.* (*exc. g² l
r²*) | λαβη : λαβοι ℵ* 238. 579 ; λαβει 28 | απο
των καρπων ℵBCLNΔΨ 33. 349. 433. 517. 575. 892.
1071. *l48. l49*: απο του καρπου ADWXΠΣΦꝬ fam.¹
22. fam.¹³ 543. 28. 157. 330. 565. 569. 700. 1342
al. pler., *item* de fructu *g² l r²*; *om.* των καρπων Γ;
τους καρπους Θ 579 ; = fructum Geo. | ινα παρα τ.
γεωργ. *usque ad* αμπελωνος : ινα απο του καρπου
του αμπελωνος δωσουσιν αυτω D, *item cf.* ut fructum
(de fructibus *d*, ex fructibus *f*) ex (*om. f*) uinea
(uineae *f*) darent illi (ei *b i*) *a b d f i r¹*, ut darent
illi ex uinea fructum *c ff*, ut darent illi fructus *k*,
ut fructum ex uinea daretur ei *q*, ut darent illi ex
uinea fructum *c*, ut darent illi de fructibus uineae
aur. ; = ut mitterent ei de fructu uineae Sy.ˢ·
Aeth.

---

1. Orig. ⁱⁿ Matth. XVII. 6. Μαρκος φησιν ανθρωπος τις εφυτευσεν αμπελωνα και περιεθηκεν αυτω φραγμον.

ἔδειραν καὶ ἀπέστειλαν κενόν. ⁴ καὶ πάλιν ἀπέστειλεν πρὸς αὐτοὺς ἄλλον δοῦλον·
κἀκεῖνον ἐκεφαλίωσαν καὶ ἠτίμασαν. ⁵ καὶ ἄλλον ἀπέστειλεν· κἀκεῖνον ἀπέκτειναν,
καὶ πολλοὺς ἄλλους, οὓς μὲν δέροντες οὓς δὲ ἀποκτεννύντες. ⁶ ἔτι ἕνα εἶχεν, υἱὸν
ἀγαπητόν· ἀπέστειλεν αὐτὸν ἔσχατον πρὸς αὐτοὺς λέγων ὅτι ἐντραπήσονται τὸν υἱόν

3. και ℵBDLΔΨ 33. 349. 517. 579. 892. 1342.
l9. l10. l12. l19. l48. l49. l184 it. (pler.) Sy.ˢ· Cop.
 sa. (pler.) bo· Aeth. Arm.: οι δε ACNWXΓΘΠΣΦϷ
fam.¹ 22. fam.¹³ 543. 28. 157. 565. 700. 1071 al.
pler. Sy.ᵖᵉˢʰ· ʰˡ· Cop.ˢᵃ· (aliq.) Geo.; qui f g² (cui) l
r² vg., quem c | λαβοντες: ελαβον Γ; om. Sy.ᵖᵉˢʰ·
| αυτον: om. l184 | εδειραν (εδηραν UΩ 157. 241.
242. 474. 1342 al. plur.): + και απεκτειναν 346
| κενον BLNWΓΔΘΣΠ²ΦΨϷ Minusc. pler.: καινον
ℵACKMXΠ* 124*. 28. 474. 697; καινον προς αυτον
D a b ff.

4. uers. om. Sy.ˢ· | και pr.: om. 28. 697 c aur.
Cop.ˢᵃ· Geo.² | παλιν: om. WX Cop.ˢᵃ· (pler.)
| προς αυτους (αυτον Σ): om. fam.¹ (exc. 118) 565.
l48 Cop.ᵇᵒ (1 MS) Arm. | αλλον: om. fam.¹ (exc.
118) | δουλον: om. ℵ* 59 | κακεινον: και εκεινον
DΔΨ 28. 892; οι δε κακεινον 517. 700; om. c | εκεφα-
λιωσαν ℵBLΨ 579. 892: εκεφαλαιωσαν (⌒εωσαν Θ)
ACDNXΓΔΘΠΣΦϷ 22. fam.¹³ 543. 33. 157. 1071
al. pler.; κεφαλαιωσαντες (⌒εωσαντες W) et om.
και seq. W fam.¹ 28. 565. 700 | εκεφ. (uel κεφ.)
tant. ℵBDLWΔΨ fam.¹ 28. 33. 91. 299. 565. 579.
700. 1342, item in capite uulnerauerunt it. (pler.)
vg., similiter Cop.ˢᵃ· ᵇᵒ· Arm., multauerunt c, de-
collauerunt k, ceciderunt q: praem. λιθοβολησαντες
(⌒λισαντες Γ 13. 69. 346. 485. 1278) ACNXΓΘΠΣ
ΦϷ 22. fam.¹³ 543. 157. 892. 1071 al. pler. Sy.ᵖᵉˢʰ·
ʰˡ· Aeth.; om. Geo. | και ητιμασαν (ητωμασαν Δ)
ℵBL(Δ)Ψ 33. 579. 892. 1342: και απεστειλαν (εξαπ.
565; απελυσαν 92) ητιμωμενον (ητιμασμενον W
fam.¹ 28. 91. 565. 700) ACNWXΓΘΠΣΦϷ fam.¹ 22.
fam.¹³ 543. 28. 157. 565. 700. 1071 al. pler., cf. et
contumeliis adfecerunt (uel affec., afflixerunt c) it.
(exc. a) vg., et iniuriose tractauerunt a; = dimise-
runt cum ignominia Geo.¹, iterum eiecerunt Geo.ᴬ,
non reputauerunt Geo.ᴮ.

5. και pr. (om. Cop.ˢᵃ·) sine add. ℵBCDLΔΨ
33. 579. 892*. 1342 a b c ff i k Cop.ˢᵃ· ᵇᵒ· Aeth.:
+ παλιν ANWXΓΘΠΣΦϷ fam.¹ 22. fam.¹³ 543. 28.
157. 565. 700. 892². 1071 al. pler. f l q r² Sy.ˢ·ᵖᵉˢʰ·
ʰˡ· Geo. Arm. | αλλον: om. X; δουλον 435; et
+ δουλον (post απεστειλεν) D a b i q r¹; cf. = illis
seruum alium misit Sy.ˢ· | κακεινον (praem. οι δε
700) απεκτειναν: om. W; et (om. illum) occiderunt
k | πολλους αλλους: > αλλους πολλους L; πολλους
δουλους 238; = et multos seruos alios misit Sy.
ᵖᵉˢʰ·; om. αλλους 517 | ους μεν ... ους δε ℵBLΔΘ
Ψ fam.¹ (exc. 118) 11. 33. 472. 517. 565. 579. 700.
892. 1342. l48. l49 al. pauc.: τους μεν ... τους δε
ACNXΓΠΣϷ 118. 22. fam.¹³ 543. 28. 157. 1071 al.
pler.; ους μεν ... αλλους δε D, item cf. quosdam
... alios uero r²; ους μεν ... τους δε Φ | δεροντες:

δαιροντες ΥΣ 69. 157. 247. 248. 479. 480. 1342 al.
plur.; δακοντες 76; εδειραν 71. 240, εδηραν 244,
item ceciderunt it. (pler.) | αποκτεννυντες B 892.
l150. l251. l258: αποκτειννυντες l48*. l184, αποκτει-
νοντες 330. 569. 1071 al., αποκτεννοντες ℵ* (απο-
κτιννοντες ℵᶜ) ACDEUVYΓΘ(απεκτενν.)ΣΨ 247.
476. 565. 700 al. mu., αποκτενοντες FGHKNXΠΦ
fam.¹ 22. fam.¹³ 543. 28. 33. 157. 517. 1278. 1342
al. mu., αποκτιννυντες L, αποκτινοντες W, αποκτι-
ναντες Δ; απεκτειναν 71. 240. 244, item occiderunt
(interfecerunt q) it. (pler.), sed occidentes r² vg.

6. ετι ℵBLΔΨ fam.¹ (exc. 118) 33. 579. 892.
1342, item adhuc b i r¹· ² Cop.ᵇᵒ· (= rursus): + ουν
ACDNXΓΠΣΦϷ 118. 22. 157. 892² al. pler. l q vg.
Sy.ʰˡ·; adhuc autem ff; autem adhuc post cum
haberet a; υστερον δε WΘ 565 Sy.ᵖᵉˢʰ· Cop.ˢᵃ·, cf.
= et postremo Geo.²; υστερον δε ετι fam.¹³ 543.
28. 472. 700; = et Aeth.; om. Sy.ˢ· | ενα ειχεν
υιον ℵBC²LΔΨ 33. 517. 579. 892. 1071 (et + και)
1342. l48 (cf. > ενα υιον ειχεν 485): ενα υιον εχων
NWXΓΠΣΦϷ fam.¹ (exc. 118) 22. fam.¹³ 543. 28.
157. 565. 700 al. pler.; > ενα εχων υιον AC*DΘ
118. 330. 575. l251; > υιον ενα εχων 478 | αγαπη-
τον tant. ℵBCDLΔΘΨ 565. 700. 892. 1342 it. vg.
Sy.ˢ·ᵖᵉˢʰ· Cop.ˢᵃ· ᵇᵒ· Geo. Arm.: + αυτου ANXΓΠ
ΣΦϷ 118. 22. 33. 157. 517 (εαυτου) 579. 1071. l48
(εαυτου) al. pler.; τον αγαπ. αυτου W fam.¹ (exc.
118) fam.¹³ 543. 28; αγαπ. αυτω 251. 697, item = ei
dilectum Sy.ʰˡ· Aeth. | απεστειλεν (praem. και Ψ
1342) αυτον ℵBLX²ΔΘ(Ψ) fam.¹ (exc. 118) 700.
892*. 1071. (1342) Cop.ˢᵃ· ᵇᵒ· Arm.: απεστ. και
αυτον ACNX*ΓΠΣΦϷ 118. 22. fam.¹³ 543. 33. 157.
892² al. pler.; κακεινον απεστ. D, item et illum misit
ff i l vg. Sy.ᵖᵉˢʰ· Aeth., cf. illum misit (post nouis-
sime) a, cf. misit filium (post nouissimum) k;
απεστειλεν tant. W 28. 91. 299. 471. 565. 575. 579
Sy.ˢ· Geo.¹ ᵉᵗ ᴮ; = misit ad eos filium suum Geo.ᴬ;
et filium misit q | ετι ενα usque ad προς αυτους:
nouissime autem filium suum misit (pon. ante filium
aur.) quem habebat unicum dilectissimum c aur.
| εσχατον προς αυτους ℵBCLYΔΘΨ fam.¹³ (exc.
124) 543. 33. 349. 474. 481. 482. 517. 571. 579.
892. 1071. 1342. l49. l184: > προς αυτους εσχατον
ANWXΓΠΣΦϷ fam.¹ 22. 28. 157. 565. 700 al.
pler. r² vg. (exc. 1 MS); om. προς αυτους D it.
(pler.) vg. (1 MS) Geo.¹ ᵉᵗ ᴬ; om. εσχατον 63. 72.
253 b Sy.ˢ· | λεγων: = et dixit Sy.ˢ· Geo.¹ Arm.;
= dixit enim Sy.ᵖᵉˢʰ·, quia dixit Geo.² | οτι:
om. LNWΔΣ 1. 33. 90. 229. 473. 484. 892* al.
mu. a b c Geo.²; ισως pro οτι 56. 58 a b q Sy.ˢ·ᵖᵉˢʰ·
Arm.; quia forte vg. (1 MS) | > τον υιον μου
εντραπησονται D 565. 700 a b ff i q r¹.

μου. ⁷ ἐκεῖνοι δὲ οἱ γεωργοὶ πρὸς ἑαυτοὺς εἶπαν ὅτι Οὗτός ἐστιν ὁ κληρονόμος· δεῦτε
ἀποκτείνωμεν αὐτόν, καὶ ἡμῶν ἔσται ἡ κληρονομία.   ⁸ καὶ λαβόντες ἀπέκτειναν αὐτόν,
καὶ ἐξέβαλον αὐτὸν ἔξω τοῦ ἀμπελῶνος.   ⁹ τί ποιήσει ὁ κύριος τοῦ ἀμπελῶνος;
ἐλεύσεται καὶ ἀπολέσει τοὺς γεωργούς, καὶ δώσει τὸν ἀμπελῶνα ἄλλοις.   ¹⁰ οὐδὲ τὴν
γραφὴν ταύτην ἀνέγνωτε Λίθον ὃν ἀπεδοκίμασαν οἱ οἰκοδομοῦντες, οὗτος ἐγενήθη εἰς
κεφαλὴν γωνίας·   ¹¹ παρὰ Κυρίου ἐγένετο αὕτη, καὶ ἔστιν θαυμαστὴ ἐν ὀφθαλμοῖς
ἡμῶν;   ¹² καὶ ἐζήτουν αὐτὸν κρατῆσαι, καὶ ἐφοβήθησαν τὸν ὄχλον, ἔγνωσαν γὰρ (ρκθ/α)
ὅτι πρὸς αὐτοὺς τὴν παραβολὴν εἶπεν. καὶ ἀφέντες αὐτὸν ἀπῆλθαν.   ¹³ Καὶ (ρλ/β)

---

7. εκεινοι δε οι (om. 480) γεωργοι, *item* coloni
autem illi *c q*, *similiter* Sy.ˢ· ᵖᵉˢʰ· ʰˡ· Geo. : οι δε
γεωργοι D *it.* (*exc. q*) *vg.* Aeth. Arm. ; *add.* ιδοντες
αυτον ΝΣ 12. 61. 330, θεασαμενοι αυτον *l*24. *l*31,
item cum uidissent eum *c* Sy.ᵖᵉˢʰ· (1 MS) ; *add.*
θεασαμενοι αυτον ερχομενον Θ fam.¹³ 543. 28. 349.
472. 517. 565. 700. 1071. *l*36. *l*48. *l*49. *l*184. *l*251.
*l*260 al. pauc. Sy.ʰˡ·* Geo. Arm., *etiam add.* (*post*
ερχομενον*) προς αυτους fam.¹³ 543. 28. 349. 517.
*l*36. *l*48. *l*49. *l*251. *l*260 Geo.¹ ᵉᵗ ᴮ | προς εαυτους
(αυτους Δ 209) ειπ. ℵBCLWΔΨ fam.¹ (*exc.* 118)
33. 218. 220. 579. 892. 1071. 1342. *l*18. *l*184 :
> ειπ. προς εαυτους ADNXΓΘΠΣΦ⁵ 118. 22. 157.
330. 565. 569. 575. 700 al. pler. *it. vg.* Sy.ˢ· ᵖᵉˢʰ· ʰˡ·
Cop.ˢᵃ· ᵇᵒ· Geo.² ; ειπ. εν εαυτοις 474 ; *om.* προς
εαυτους fam.¹³ 543. 28. 349. 517. *l*36. *l*48. *l*49. *l*251.
*l*260 Geo.¹ ᵉᵗ ᴮ Aeth. | ειπαν ℵBCDLWΔΨ 28.
700 : ειπον ANXΓΘΠΣΦ⁵ Minusc. rell. | οτι : *om.*
DNΘΣ 1. 209. 28. 565 *it. vg.* Cop.ˢᵃ· ᵇᵒ· Sy.ᵖᵉˢʰ·
Geo.² | ουτος εστιν : ο υιος εστιν Δ, *cf.* = hic est
filius eius Sy.ˢ· | δευτε : = et Geo. | αποκτεινω-
μεν : αποκτεινομεν ΜΓΘΣ 485. 565. 1342 | αυτον :
filium *b* | ημων εσται (+ ημων 346) η κληρονομια :
κατασχομεν αυτου την κληρονομιαν 157.

8. *Tot. uers.* : και εκβαλοντες αυτον εξω του αμπε-
λωνος απεκτειναν 127. 131. *cf.* Luc. xx. 15 | και
λαβοντες απεκτειναν αυτον : quem (et *c d ff*) adprehen-
sum (+ eum *d*) occiderunt (+ eum *i q*) *a b c d ff*
*i q r*¹, et adprehendentes eum occiderunt (= + eum
Cop.ᵇᵒ·) *l r*² *vg.* Cop.ᵇᵒ·, et acceperunt et occide-
runt illum *k*, = et acceperunt occiderunt eum Sy.
ˢ· ᵖᵉˢʰ· Aeth. (Arm.), = et quum apprehendissent
eum occiderunt eum Sy.ʰˡ·, = illi autem apprehen-
derunt eum occiderunt eum Cop.ˢᵃ·, = et apprehen-
derunt et occiderunt Geo. | απεκτειναν αυτον ℵBC
LΔΨ 517. 892. *l*18. *l*19. *l*31. *l*184. *l*251. *l*260 : > αυτον
απεκτειναν (◠κτεναν X) ADNWXΓΘΠΣΦ⁵ fam.¹
22. 28. 33. 157. 565. 579. 700. 1071 al. pler. ; *om.*
αυτον *l*49, *item c* Arm. Geo. | απεκτειναν *usque ad*
αμπελωνος : > εξεβαλον εξω του αμπελωνος και (*om.*
218. *l*12) απεκτειναν fam.¹³ 543. 218. *l*12 | και εξεβα-
λον (◠λαν B) αυτον ABCDMNΓΘΠΣΦΨ 157. 330.
472. 517. 565. 1071. 1342. *l*49. *l*184 al. pauc. *a c ff q* :
om. αυτον ℵLWXΔ⁵ (*exc.* M) fam.¹ 22. fam.¹³ 543.
28. 33. 579. 700. 892 al. pler. *i k l r*¹ *vg.* ; εκβα-
λοντες αυτον 157 ; et iecitur *r*² ; *om.* *l*12 *b*.

9. τι ποιησει *usque ad* ελευσεται και : tunc

---

dominus indignatus ueniet et *k* ; = quum uenit
dominus uineae quid faciet ? Sy.ˢ· | τι *sine add.*
BL 892* 1342 *g*² Sy.ˢ· Cop.ˢᵃ· ᵇᵒ· : + ουν Uncs.
rell. Minusc. rell. *it.* (*exc. g*² *k*) *vg.* Sy.ᵖᵉˢʰ· ʰˡ· Geo.
Aeth. Arm. | ελευσεται *usque ad finem uers.* :
cum uenerit ? ad illi dixerunt ei illos male pendet
et uineam suam locauit aliis colonis *b* | και *pr.* :
om. Sy.ᵖᵉˢʰ· | απολεσει : απολεση 244 | τους
γεωργους *tant.* Uncs. pler. 22. fam.¹³ 543. 28. 157.
565. 700. 892. 1071 al. pler. *it.* (*exc. c*) *vg.* Sy.ˢ·
Cop.ˢᵃ· ᵇᵒ· : + τουτους C² 7. 33. 579. *l*18. *l*19. *l*49.
*l*184. *l*251 al. pauc. lect. ; + εκεινους GNΣ fam.¹ 10.
11. 15. 68. 80. 91. 218. 299. 472. 517. *l*15, *item c*
aur. Geo.² Aeth., *item* = praem. illos Sy.ᵖᵉˢʰ· ʰˡ· ;
= + illos illius uineae Geo.¹ | αμπελωνα : + αυτου
892 *b* | αλλοις : aliis colonis *b c ff i* Cop.ˢᵃ· (1 MS).

10. ουδε (οιδε *sic* L *apud Tisch. ed. sed prob.*
errore ; ο δε Θ) : *praem.* και λεγει αυτοις ο Ιησους
472 ; = atque etiam non Sy.ˢ· ᵖᵉˢʰ· Aeth. | > ταυ-
την την γραφην 470 ; *om.* ταυτην 485 | ανεγνωτε
(◠ται 28) : ανεγνωκατε W ; εγνωτε 251. 697. 1278 ;
pon. ante ταυτην 80 | απεδωκιμασαν 346 ; απεδοκη-
μασαν 28 | ουτος : ουτως 13 ; hic et *b* | εγενηθη
(◠θει Θ) : εγεννηθη LΠ* 157. 433. 474. *l*185
| γωνιας : γονιας E*K*X 28.

11. παρα κυριου εγενετο αυτη : *om.* Δ | αυτη
(αὐτη 13. 346), *item* = haec Sy.ˢ· ᵖᵉˢʰ· ʰˡ· : hic *a c*
*ff g*¹ *i k*, iste (istae *q*) *d q vg.* (1 MS), istud *g*² *l r*²
vg. (pler.) ; = hoc Geo. ; *om. b* | και : hoc *g*²
| εστιν (εστην 346) : εστη 9. 330. 474. 481. 485.
700. 1342 | θαυμαστη : mirabile *l r*² *vg.* (pler.)
Geo. | εν οφθαλμοις ημων Uncs. omn. Minusc.
pler. *it. vg.* Sy.ˢ· ᵖᵉˢʰ· ʰˡ· Cop.ᵇᵒ· Aeth. Arm. : εν
οφθ. υμων 10. 56. 58. 61. 74². 201. 485. 1071. 1342 ;
= ante oculos Cop.ˢᵃ· ; = ante oculos nostros Geo.

12. και *pr.* : = autem *post* εζητ. Cop.ˢᵃ· | εζητουν :
εζητησαν 565, *item* Cop.ˢᵃ· | > κρατησαι αυτον 472
| και *sec.* (autem *post* timuerunt *k*) : *om. r*² *vg.* (1 MS)
Cop.ˢᵃ· | εφοβηθησαν : εφοβουντο 282. 1071 | γαρ :
om. 349 *r*¹ | προς αυτους : de eis *i*, de illis *r*¹, *item*
Cop.ˢᵃ· ᵇᵒ· Aeth. | την (*om.* 131) παραβολην : *pon.*
ante προς αυτους A ; + ταυτην 108. 127. 131. 218.
262. 483*. 484. 1071. *l*15. *l*17, *item* +hanc *b g*² *k*
(istam) *l r*² *vg.* Sy.ˢ· ᵖᵉˢʰ· Cop.ˢᵃ· ᵇᵒ· Geo.¹ (illam
Geo.²) ; *praem.* hanc δ *vg.* (1 MS) | και αφεντες
αυτον απηλθ. : *om.* W | απηλθαν D : απηλθον
Uncs. rell. Minusc. omn.

ἀποστέλλουσιν πρὸς αὐτόν τινας τῶν Φαρισαίων καὶ τῶν Ἡρῳδιανῶν ἵνα αὐτὸν ἀγρεύσωσιν λόγῳ. ¹⁴ καὶ ἐλθόντες λέγουσιν αὐτῷ Διδάσκαλε, οἴδαμεν ὅτι ἀληθὴς εἶ καὶ οὐ μέλει σοι περὶ οὐδενός, οὐ γὰρ βλέπεις εἰς πρόσωπον ἀνθρώπων, ἀλλ᾽ ἐπ᾽ ἀληθείας τὴν ὁδὸν τοῦ θεοῦ διδάσκεις· ἔξεστιν δοῦναι κῆνσον Καίσαρι ἢ οὔ; δῶμεν ἢ μὴ δῶμεν; ¹⁵ ὁ δὲ εἰδὼς αὐτῶν τὴν ὑπόκρισιν εἶπεν αὐτοῖς Τί με πειράζετε; φέρετέ μοι δηνάριον ἵνα ἴδω. ¹⁶ οἱ δὲ ἤνεγκαν. καὶ λέγει αὐτοῖς Τίνος ἡ εἰκὼν αὕτη καὶ ἡ ἐπιγραφή; οἱ δὲ εἶπαν αὐτῷ Καίσαρος. ¹⁷ ὁ δὲ Ἰησοῦς εἶπεν Τὰ Καίσαρος ἀπόδοτε

13. και: om. Cop.ˢᵃ· | αποστελλουσιν (αποστελουσιν NX): miserunt c k, item Sy.ˢ· ᵖᵉˢʰ· Cop.ˢᵃ· ᵇᵒ· Geo., immiserunt a; + οι αρχιερεις και οι γραμματαιοι (⁓εις l251) l2. l251 | προς αυτον (Ιησουν l251): om. D a c ff i k q r¹ Cop.ˢᵃ· | τινας: + εκ fam.¹³ (exc. 124) 543. 71, item + ex (de k) it. (exc. d) vg. | των φαρισαιων: = ex scribis Sy.ᵖᵉˢʰ· | και των (om. 483*) ηρωδιανων: om. 472 | αγρευσωσιν (αγορευσωσιν 435): παγιδευσωσιν DΘ 565. 700 | λογω: λογιον 118*. 69*. 258. 483. 484 ; εν λογω 33. 435, item in uerbo c g² k l r² vg., similiter Aeth. ; = uerbis Arm.

14. και pr. אBCDLΔΨ 33. 472. 579. 892. 1071. 1342 it. (qui l r²) vg. (qui) Sy.ˢ· Cop.ˢᵃ· ᵇᵒ· Aeth. Arm.: οι δε ANWXΓΘΠΣΦ꜔ fam.¹ 22. fam.¹³ 543. 28. 157. 565. 700 al. pler. Sy.ᵖᵉˢʰ· ʰˡ· Geo. | ελθοντες (ελθωντες 13) λεγουσιν αυτω (αυτον Γ) אABCL NXΓΔΠΣΦ꜔ (exc. G) 33. 157. 579. 892 al. pler. g² l r² vg. Sy.ʰˡ· Aeth., item = quum uenissent ei dixerunt Cop.ˢᵃ· ᵇᵒ·: ελθ. ηρξαντο ερωταν (επηρωτων Θ 76. 216. 262. 565, επηρωτησαν 700 pro ηρξ. ερωταν) αυτον (om. 76. 216) εν δολω λεγοντες (om. W 22. 251. 1278; και λεγουσιν 76. 216. 262) GWΘ fam.¹ 22. fam.¹³ 543. 28. 76. 91. 216. 245. 248. 251. 262. 565. 697. 700. 1278, item uenientes interrogabant eum (illum a) subdole (= dolo Geo.; om. a; + dicentes b; = + et dixerunt Geo.) a b i q r¹ Geo. (= coeperunt interrogare pro interrogabant); = coeperunt dicere ei subdole Sy.ˢ·; επηρωτων αυτον οι φαρισαιοι D k (+ dicentes), cf. Pharisaei interrogabant eum c ff (+ subdole); ελθοντες οι φαρισαιοι επηρωτων (sic) αυτον λεγοντες 472 | ου (ante μελει): om. W | μελει: μελλει E*FGXYΩ 118. 209. 69. 157. 470. 471**. 1342 al. pauc. | ου γαρ, item nec enim it. (pler.) vg., non enim k d: ουδε 472 | βλεπης K | ανθρωπων: ανθρωπου GK fam.¹ 28. 91. 116. 242. 253. 299. 349. 435. 517 al. b r² vg. (aliq. sed hominum pler. et WW) Sy.ˢ· Cop.ˢᵃ· Geo. Aeth. | αλλ Uncs. pler. Minusc. omn.: αλλα DLΔ | τον οδον Δ | του θεου, item dei it. (pler.) vg. (plur. et WW): domini d k r¹ vg. (plur.) | εξεστιν tant. אABLXΓΔΠΨ꜔ (exc. M) p⁴⁵ ᵘⁱᵈ· fam.¹ 22. fam.¹³ (exc. 124) 28. 157. 579. 892 al. pler., item l r² vg. (pler. et WW) Sy.ˢ· ᵖᵉˢʰ· ʰˡ· ᵐᵍ· Cop.ˢᵃ· ᵇᵒ·: praem. ειπε (ειπον C*ᵘ·ᵈ· MWΘ 124. 28. 565. 700. l19. l49) ουν (om. l19 k) ημιν (+ ει C*D 433. l18; + τι σοι δοκει 330) CDMNWΘΣΦ 124. 7. 28. 53. 61. 330. 349. 433. 472. 517. 565. 700. 1071. l18. l49. l184, item praem. dic ergo nobis (+ si b c d ff i q r¹) it. (exc. k l r¹)

aur. vg. (5 MSS) Sy.ʰˡ·*; praem. dic nobis quid tibi uidetur k; = praem. dic nobis Geo.², nunc dic nobis si Geo.¹ | δουναι κηνσον (επικεφαλαιον Θ 565, item capitularium k, = argentum capitationis Sy.ˢ· ᵖᵉˢʰ·) καισαρι אBCLΔ(Θ)Ψ 33. 80. 115. 472. 474. 517. (565). 579. 892. 1342. l18. l19. l49 al. a ff i k Sy.ˢ· ᵖᵉˢʰ· Cop.ˢᵃ· ᵇᵒ· Geo.²: praem. ημας D; om. κηνσον W* (add. sup. lin.); > κηνσον (επικεφαλαιον 124) καισαρι δουναι ANXΓΠΣΦ꜔ fam.¹ 22. fam.¹³ 543. 157. 700 al. pler. Geo.¹; > επικεφαλαιον δουναι κηνσον καισαρι 1071; > κηνσον δουναι καισαρι 28; cf. dari tributum (> trib. dari c q r¹ vg. 2 MSS) caesari b c d q r¹· ² vg. (pler. et WW) | η (om. L) ου δωμεν (+ ουν p⁴⁵) η μη δωμεν Uncs. pler. Minusc. pler. Sy.ᵖᵉˢʰ· ʰˡ· Cop.ˢᵃ· ᵇᵒ·: nil nisi η ου D 346 it. (exc. q r²) aur. vg. (2 MSS); nil nisi δωμεν η μη δωμεν Σ Geo.ᴬ; nil nisi η ου δωμεν 517; an non dabimus r² vg. (pler. et WW) Sy.ˢ· Geo.¹ ᵉᵗ ᴮ; demus aut non demus q.

15. ο δε sine add. Uncs. pler. 22. 33. 157. 579. 892. 1071 al. pler. k Sy.ᵖᵉˢʰ· ʰˡ· Cop.ˢᵃ· ᵇᵒ· Geo., cf. qui l r² vg., = et ille Sy.ˢ·: + Ιησους DGΘ fam.¹ fam.¹³ 543. 28. 299. 565. 700 it. pler. Aeth. Arm. | ειδως אᶜABCLNWXΓΔΘ (ιδος) ΠΣ(ειδως δε pro ο δε ειδως)ΦΨ꜔ fam.¹ 22. 124. 33. 157. 579. 700. 892. 1071 al. pler., item a g² k l r² vg. Sy.ˢ· ᵖᵉˢʰ· ʰˡ· Cop. ˢᵃ· ᵇᵒ· Geo.: ιδων (uel ειδων) א*D 13. 69. 346. 543. 28. 565. 1342, item uidens c d ff, cum uidisset b i q r¹ | πειραζετε sine add. אABCDLXΓΔΠΦΨ꜔ (exc. FG) 22. 157. 700. 1071 al. pler. it. (exc. q) vg. pler. Sy.ˢ· ᵖᵉˢʰ· ʰˡ· ᶜᵒʳ· Cop.ᵇᵒ· Aeth.: + υποκριται FGNW ΘΣ p⁴⁵ fam.¹ fam.¹³ 543. 28. 33. 61. 91. 299. 565. 579 q vg. (2 MSS) Sy.ʰˡ·* Cop.ˢᵃ· Geo. Arm. | δηναριον: + ωδε א* | ιδω ABLNXΓΘΠΦΨ꜔ Minusc. pler.: ειδω אCDWΔΣ 565. l48.

16. οι δε ηνεγκαν: + αυτω l48, cf. ille (sic) autem attulerunt illi k, item + ei g² vg. (plur. sed non WW) Cop.ˢᵃ· (aliq.) ᵇᵒ· (2 MSS) Sy.ˢ· ᵖᵉˢʰ· Aeth. | και λεγει (ειπε 565, item = dixit Cop.ˢᵃ· ᵇᵒ· Geo.) αυτοις: om. 1; om. και b g¹ Sy.ˢ· ᵖᵉˢʰ·; = + Iesus Geo.² | τινος: + εστιν N 433, item it. vg. | αυτη: om. c Sy.ʰˡ· | η εικων αυτη και η: om. 579 | και sec.: = aut Geo.¹ | om. η sec. Δ | επιγραφη: + αυτη 579 Sy.ʰˡ· Cop.ˢᵃ· ᵇᵒ· | οι δε ειπαν אBCLWΔΨ 28. 33. 700. l12: οι δε ειπον NXΓΘΠΣΦ꜔ p⁴⁵ fam.¹ 22. fam.¹³ 543. 157. 565. 892. 1071 al. pler., item illi autem (uero c) dixerunt c ff k, item Sy.ᵖᵉˢʰ· ʰˡ· Cop. ˢᵃ· ᵇᵒ·: ειπαν tant. D, item a Geo. (illi dixerunt);

Καίσαρι καὶ τὰ τοῦ θεοῦ τῷ θεῷ. καὶ ἐξεθαύμαζον ἐπ᾽ αὐτῷ. ¹⁸Καὶ ἔρχονται
Σαδδουκαῖοι πρὸς αὐτόν, οἵτινες λέγουσιν ἀνάστασιν μὴ εἶναι, καὶ ἐπηρώτων αὐτὸν
λέγοντες· ¹⁹Διδάσκαλε, Μωυσῆς ἔγραψεν ἡμῖν ὅτι ἐάν τινος ἀδελφὸς ἀποθάνῃ καὶ
καταλίπῃ γυναῖκα καὶ μὴ ἀφῇ τέκνον, ἵνα λάβῃ ὁ ἀδελφὸς αὐτοῦ τὴν γυναῖκα καὶ
ἐξαναστήσῃ σπέρμα τῷ ἀδελφῷ αὐτοῦ. ²⁰ἑπτὰ ἀδελφοὶ ἦσαν· καὶ ὁ πρῶτος ἔλαβεν

λεγουσιν *tant.* A 579. 1342, *item* dicunt *b d i l q r*¹·²
vg. Sy.ˢ Aeth. Arm. | αυτω Uncs. pler. 22. 124.
33. 157. 565. 579. 700. 892. 1071 al. pler. *b i l q r*¹·²
vg. Sy.ˢ· ʰˡ· Cop.ˢᵃ· ᵇᵒ·: *om.* W fam.¹ fam.¹³ (*exc.*
124) 543. 28. 299. 517. 700*. *l*9. *l*12. *l*49. *l*184 *a c*
ff k Sy.ᵖᵉˢʰ· Geo.
   17. ο δε Ιησους (*om.* 1342) ℵBCLΔΨ 33. 579.
892. (1342) Cop.ˢᵃ· ᵇᵒ· (1 MS): *om.* *k r*¹; = *om.* δε
Sy.ᵖᵉˢʰ·; = *om.* Iesus Cop.ᵇᵒ·; και (*om.* 433 Sy.ˢ·
Arm.) αποκριθεις ο ι̅ς̅ (*om.* ο ι̅ς̅ W 238. 517.
Geo.ᴬ) ΑΝ(W)ΧΓΠΣΦⸯ 𝔓⁴⁵ ᵘⁱᵈ· fam.¹ 22. fam.¹³
543. 28. 157. (517) al. pler. Sy.(ˢ·) ʰˡ· (Geo.) Aeth.
(Arm.); αποκριθεις δε ο ι̅ς̅ (*om.* ο ι̅ς̅ Θ 565) D(Θ)
(565). 700 *it.* pler. *vg.* pler. Aug.; et Iesus (*et*
pon. post ait illis) *c* | ειπεν *sine add.* BD 𝔓⁴⁵, *cf.* ait
*tant. d r*¹: + αυτοις Uncs. rell. Minusc. omn. *it. vg.*
Sy.ˢ· ᵖᵉˢʰ· ʰˡ· Cop.ˢᵃ· ᵇᵒ· Geo. Aeth. Arm. Aug.;
λεγει αυτοις 28, *item* dicit illis *k*, ait illis *c d* | τα
καισαρος (+ ουν Θ 565. 700) αποδοτε (+ τω Θ 565)
καισαρι ℵBCLWΔ(Θ)Ψ 28. 517. (565). (700). 892
Sy.ᵖᵉˢʰ· Cop.ᵇᵒ· Aug. *semel*: > αποδοτε (+ ουν M
fam.¹³ 543. 251. 330. 472. 483. 484. 579. 697.
1278. *l*184 al. *it. exc. i k*, *vg.* Sy.ʰˡ· Aug. *semel*)
τα (+ του D 579) καισαρος (+ τω D 330. 1071) και-
σαρι ΑΔΝΧΓΠΣΦⸯ fam.¹ 22. (fam.¹³ 543). 33. 157.
(579) al. pler. *it. vg.* Sy.ˢ· ʰˡ· Cop.ˢᵃ· Geo. Aeth.
Arm. Aug. *semel* | εξεθαυμαζον ℵBΨ 1342, *cf.*
mirabantur uehementer *b*: εθαυμαζον D² (∼οντο
D*)LΔΘ 565. 571. 892. 1071 *it.* (*exc. k*) *vg.* Sy.ᵖᵉˢʰ·
(1 MS) Cop.ᵇᵒ· Geo.: εθαυμασαν ΑΓΝWΧΓΠΣΦⸯ
fam.¹ 22. fam.¹³ 543. 28. 33. 157. 579. 700 al. pler.
k Sy.ˢ· ᵖᵉˢʰ· (pler.) ʰˡ· Cop.ˢᵃ· Aeth. Arm. | επ αυτω:
επ αυτον (∼ων K) DK ? 28. 330, *item* super eum
a ff k l q aur., eum *tant. i.*
   18. και ερχονται Σαδδουκαιοι (οι Σαδδ. 71. 565.
569) προς αυτον Uncs. pler. Minusc. pler., *item* et
ueniunt Sadd. ad eum *k* Sy.ʰˡ·, *cf.* et uenerunt Sadd.
ad illum *a* Sy.ᵖᵉˢʰ· Geo.¹: > και ερχονται προς αυτον
Σαδδ. DΨ 106. *cf.* et uenerunt ad eum Sadd. *b ff g*²
*i l q r*² *vg.* Sy.ˢ· Cop.ˢᵃ· ᵇᵒ· Geo.²; et ecce uenerunt ad
illum Sadd. *c* | *om.* οιτινες *usque ad* επηρωτων 255
| *om.* λεγουσιν 69 | αναστασιν μη ειναι Uncs.
omn. 118. 22. 33. 157. 565. 579. 700. 892. 1071 al.
pler.: > μη ειναι αναστασιν 253*. 1278. *l*184 *vg.*
(1 MS) aur.; αναστασις (∼ης 28) ουκ εστιν fam.¹
(*exc.* 118) fam.¹³ 543. 28 | επηρωτων (επηρωτουν C)

ℵB(C)DLΔΘΨ 33. 517. 565. 571. 579. 700. 892.
1071. 1342. *l*18. *l*19 *it.* (*exc. c l*) *vg.* (*exc.* 2 MSS)
Sy.ˢ· ᵖᵉˢʰ· Cop.ᵇᵒ· Geo.² Arm.: επηρωτησαν ΑΝW
ΧΓΠΣΦⸯ fam.¹ 22. fam.¹³ 543. 28. 157 al. pler.,
item interrogauerunt *c l* (interrouerunt *sic*) aur.
vg. (2 MSS) Sy.ʰˡ· Cop.ˢᵃ· Geo.¹ Aeth.
   19. *om.* διδασκαλε *k* | μωυσης ℵBDKMNSWΔ
ΘΠΣΨΩ fam.¹³ 543. 11. 69. 28. 33. 252². 253. 349.
473. 474. 482. 485*. 565. 579. 892. *l*48. *l*49, *item*
Moyses *it.* (*exc. b k*) *vg.* Cop.ˢᵃ· ᵇᵒ·: μωσης ℵᶜᵃ
ACEFGHLUVXΓΦ 𝔓⁴⁵ fam.¹
22. 157. 700. 1071 al. pler. *k vg.* (plur. *et* WW),
cf. Moeses *b*, = Môshé Sy.ˢ· ᵖᵉˢʰ· ʰˡ· | εγραψεν
ημιν (υμιν 69): > ημιν εγραψεν D 235, *item b g*²
*i l r*² *vg.* (*exc.* 3 MSS) | οτι: *om.* D 69. 108 *vg.*
(1 MS) Geo. | *om.* αδελφος pr. 1 | αποθανει *l*184
| και καταλιπη (καταλειπη AFMSXYΩ 69. 33. 330.
475**. 565. 892. *l*48; καταλειπει EH, καταλιπει Γ)
Uncs. pler. Minusc. pler., *item* et dimiserit (*uel*
dimiss.) *g*² *l r*² *vg.* Sy.ᵖᵉˢʰ· ʰˡ· Cop.ˢᵃ· ᵇᵒ·: και κατα-
ληψει 433; και καταλιψει (∼ψη ℵ) (ℵ)C; και εχη
(σχη Θ, εχει 28) DW(Θ) (28), *item* et habuerit *it.*
(*exc. l r*²) Sy.ˢ· Geo.; εχων 700 | τεκνον ℵᶜᵃBLW
ΔΘΨ fam.¹ 241. 299. 579. 700. 892. 1342, *item*
filium *a c ff k* Cop.ˢᵃ· ᵇᵒ· Geo.: τεκνα ℵ*ACDXΓΠΣ
Φⸯ 22. fam.¹³ 543. 28. 33. 157. 565. 1071 al. pler.,
item filios *b g*² *i l q r*² *vg.* Sy.ᵖᵉˢʰ· ʰˡ· Aeth. | μη αφη
τεκν. ℵBCLΔΨ 33. 579. 892. 1342 *ff* Sy.ˢ· Cop.ˢᵃ·
ᵇᵒ· Aeth.: > τεκν. μη αφη (εχων F*) ADWXΓΘΠ
ΣΦⸯ Minusc. rell. *it.* (*exc. ff*) *vg.* Sy.ᵖᵉˢʰ· ʰˡ· Geo.
Arm. | λαβη (λαβοι 579): + και 247 | αυτου (*post*
αδελφ.): *om.* W 𝔓⁴⁵ *b q* Geo.¹ | γυναικα sec. *sine*
add. ℵBCLWΔΘΨ 𝔓⁴⁵ fam.¹ ((*exc.* 118) 61. 330.
565. 700. 892. 1342 *k* (illam mulierem) Cop.ᵇᵒ· (pler.)
Geo.ᴮ: + αυτου ADXΓΠΣΦⸯ 118. 22. fam.¹³ 543.
28. 33. 157. 579. 1071 al. pler., *item* uxorem eius
(illius *r*², ipsius *c ff g*² *l vg.*) *it. vg.* Sy.ᵖᵉˢʰ· ʰˡ· Cop.ˢᵃ·
ᵇᵒ· (1 MS) Geo.¹ *et* ᴬ Aeth. Arm. | εξαναστηση ℵB
DLWΧΔΘΠΣΦⸯ (*exc.* FH) fam.¹ (*exc.* 118) 22.
33. 157. 579. 892. 1071 al. pler.: εξαναστησει ACH
118 fam.¹³ (∼σεις 124) 543. 12. 28. 53*. 61. 65.
349. 472. 474. 475*. 481. 565. 700. *l*48. *l*184;
εξαναστη F; αναστησει Γ, *cf.* suscitet (*pro* resusci-
tet) *c* | σπερμα (*pon. post* τω αδελφω αυτου L):
τεκνα 565; *om.* 259.
   20. επτα αδελφοι ησαν *sine add.* ℵ*ABC*LW

---

17. Aug. ˢᵖᵉᶜ· Respondens autem Iesus dixit illis reddite igitur quae sunt Caesaris Caesari et quae
sunt dei deo.
   Aug. ᴱᵖⁱˢᵗ· Reddite Caesari quae Caesaris sunt et deo quae dei sunt.

γυναῖκα, καὶ ἀποθνῄσκων οὐκ ἀφῆκεν σπέρμα· ²¹ καὶ ὁ δεύτερος ἔλαβεν αὐτήν, καὶ ἀπέθανεν μὴ καταλιπὼν σπέρμα, καὶ ὁ τρίτος ὡσαύτως· ²² καὶ οἱ ἑπτὰ οὐκ ἀφῆκαν σπέρμα· ἔσχατον πάντων καὶ ἡ γυνὴ ἀπέθανεν. ²³ ἐν τῇ ἀναστάσει τίνος αὐτῶν ἔσται γυνή; οἱ γὰρ ἑπτὰ ἔσχον αὐτὴν γυναῖκα. ²⁴ ἔφη αὐτοῖς ὁ Ἰησοῦς Οὐ διὰ

XYΓΔΠΦΨ♭ (exc. M) fam.¹ 22. 157. 579. 1071 al. pler. k Sy.ˢ· ᵖᵉˢʰ· Geo.¹: + δε post επτα 106. 892. l14 Sy.ʰˡ· Cop.ˢᵃ· ᵇᵒ·; + ουν post επτα C²ΜΣ 33. 252². 349. 472. 476. 477. 482. 486. 517. l48. l49. l184. l251 c g² l vg. Aeth. Arm.; etiam + παρ ημιν post ησαν ℵᵃ* ᵐᵍ· Θ fam.¹³ 543. 28. 61. 330. 474. 565. 700 c aur. vg. (4 MSS) Cop.ᵇᵒ· Geo.² Arm.; > ησαν ουν παρ ημιν ζ αδελφοι D b ff i r¹, cf. erant (fuerunt q) apud nos septem fratres a f q | και pr.: om. Sy.ᵖᵉˢʰ· Arm. | πρωτος: εις ℵ* 1342 | αποθνησκων (om. 1342) ουκ αφηκεν σπερμα Uncs. pler. 22. fam.¹³ 543. 33. 157. 579. 892. 1071. (1342) al. pler.: απεθανε και ουκ αφηκεν σπερμα DWΘ fam.¹ 28. 91. 92. 299. 565. 700 a ff i r¹ Sy.ˢ· ᵖᵉˢʰ· ʰˡ· Geo. Arm., cf. et priusquam generaret filium decessit et non remisit semen k; cf. et mortuus est (obiit c) non relicto semine b c g² l q r² vg. | σπερμα: = heredem Geo.¹, = filium Geo.²

21. om. uers. 21 et incip. uers. 22 similiter acceperunt i; om. και ο δευτερος usque ad σπερμα 244. 485*. δ; habet spatium uacuum et tum legit pro uers. 22 = et erat septem illorum nec reliquerunt semen Sy.ˢ· | και: om. W | ελαβεν αυτην: + suscitare (ad suscitandum c) semen fratri suo c k | και απεθανεν: om. Cop.ˢᵃ· | μη καταλιπων (καταλειπων 33. 892. 1071) σπερμα ℵBCLΨ 33. 579. 892. 1071. 1342, cf. non relicto semine c: και ουδε (ουδ X) αυτος (ουτος 28. 300. 435. 692) αφηκεν (ουκ αφηκεν D l36) σπερμα ADWXΓΔΘΠΣΦ♭ Minusc. rell. it. pler. vg. Sy.ᵖᵉˢʰ· ʰˡ· Geo., item = et hic alter non reliquit semen Cop.ˢᵃ· | και (om. W) ο τριτος ωσαυτως (ως αυτος ΔΘ), item a c k q l r² vg.: + ελαβεν αυτην Θ; om. ο τριτος D b ff; > ωσαυτως και ο τριτος ελαβεν αυτην 565; και ο τριτος ελαβεν αυτην και ουκ αφηκεν σπερμα 91. 299; trahunt ωσαυτως ad uers. 22 D (και ωσαυτως) XΨ fam.¹ (exc. 118) 28. 208. 700 ff b (similiter ac) (et similiter) i.

22. και (om. W) οι επτα (+ και Μ*W fam.¹³ 543) ουκ αφηκαν (⌐κεν ℵ*) σπερμα ℵBCLWΔ*ΘΨ fam.¹³ 543. 33. 579. 892. 1342 Geo. (Arm.): και οι επτα ελαβον αυτην και ουκ αφηκ. σπερμα 238. 1071; και (om. X) ελαβον αυτην (+ ωσαυτως και Α 46. 52; + και Ω; + similiter vg. Sy.ʰˡ·) οι επτα και (om. Δᵐᵍ·) ουκ αφηκαν σπερμα (Α)Μᵐᵍ·ΧΓ(Δᵐᵍ·)ΠΣΦ♭ (exc. M*) 118. 22. 157 al. pler. (vg.) Sy.ᵖᵉˢʰ· (ʰˡ·); και (om. i) ωσαυτως ελαβον αυτην οι ζ και ουκ αφηκαν σπερμα D a ff (i) r¹, item cf. ad fin uers. 21 ωσαυτως (+ και 700) οι επτα και ουκ αφηκ. σπερμα fam.¹ (exc. 118) 28. 208. 700; cf. et acceperunt eam similiter septem et mortui sunt non relinquentes g²; = usque ad septimum nec unusquisque reliquit semen Cop.ˢᵃ·; = et septimus, non reliquerunt semen Cop.ᵇᵒ·;

cf. deinde omnes septem (+ acceperunt eam aur.) et non reliquerunt semen c aur.; cf. nil nisi et omnes septem k; similiter acceperunt eam septem b q | εσχατον ℵBCGHKLWYΔΘΣΠΨ fam.¹ fam.¹³ (exc. 124) 543. 28. 33. 259. 470. 473. 565. 579. 700. 892. 1071. 1342 al. it. (pler.) aur. Aeth.: εσχατη AEFMSUVXΓΦΩ 22. 124. 157 al. pler. l vg. Sy. ˢ· ᵖᵉˢʰ· ʰˡ· Geo.; om. D (om. etiam παντων) | εσχατ.: + δε GMUΘΣ fam.¹ (exc. 118) fam.¹³ (exc. 124) 543. 28. 33. 208. 242. 299. 433. 472. 485. 565. 700, item + uero b, + autem q vg. (3 MSS); + γαρ Δ | και (om. W. 579) η γυνη απεθανεν ℵBCDL(W)ΔΘΨ fam.¹ (exc. 118) fam.¹³ (exc. 124) 543. 28. 33. 565. (579). 892. 1071. 1342. l184 a b ff i r²: απεθανεν και (om. vg. plur. sed non WW) η γυνη ΑΧΓΠΣΦ ♭ 118. 22. 124. 157. 700 al. pler. l q r¹ (vg.); cf. et mulier relicta est sine filiis c, si mulier mortua est et mulier sine filiis cui remanet mulier munda k (cf. uers. 23).

23. εν τη αναστασει (sine ουν) ℵBC*LXΓΔΦΨ♭ (exc. GKM) 22. 2. 9. 10. 106. 108. 157. 349. 517. 692. 697. 1278. 1342 al. plur. k q Sy.ʰˡ· 2 Cop.ᵇᵒ· (ed.) Geo.: + ουν post τη AC²KMΠ 124. 543. 33. 242. 579 al. plur., + ουν post αναστασει DGWΘΣ fam.¹ 28. 73. 299. 565. 700. 892. 1071 a b ff g² i l r¹· ² vg. Sy.ˢ· ᵖᵉˢʰ· ʰˡ·* Cop.ˢᵃ· Arm.; cf. in resurrectione autem c; etiam + οταν (οτε 157) αναστωσιν ΑΧΓΘΠΣΦ♭ fam.¹ 22. 124. 28. 157. 565. 700. 1071 al. pler. it. pler. vg. Sy.ˢ· ʰˡ· Geo. Arm. (sed om. haec uerba ℵBCDLWΔΨ 33. 579. 892. l13. l18 c k r¹ Sy.ᵖᵉˢʰ· Cop.ˢᵃ· ᵇᵒ·); > οταν ουν αναστωσιν εν τη αναστασει fam.¹³ (exc. 124) 543 | τινος αυτων (αυτη 692) εσται (εστιν 579; γινεται Θ 1342; εστω E) Uncs. pler. 118. 22. fam.¹³ 543. 28. 33. 157. 700. 892. 1071. 1342 al. pler.: > αυτων τινος εσται W; om. αυτων Δ 579 r¹; > τινος εσται τουτων 565; τινος των επτα εσται fam.¹ (exc. 118) 91. 299 | γυνη (η γυνη AD* 13. 543. 579): om. 472; οι γαρ επτα: παντες γαρ fam.¹ (exc. 118) 299. 472; = ecce enim septem illorum Sy.ˢ· | εσχον: ειχον 240 | αυτην γυναικα: > γυναικα αυτην 209; om. γυναικα 106 Sy.ˢ· ᵖᵉˢʰ·

24. εφη αυτοις ο Ιησους ℵBCDΔΨ 33. 579. 892. 1342 Sy.ᵖᵉˢʰ· Cop.ᵇᵒ·, cf. = iesus autem dixit eis Cop. ˢᵃ·: και αποκριθεις ο ΙΣ ειπεν αυτοις ΑΧΓΠΣΦ♭ 118. 22. 157. 330. 569. 573. 1071 al. pler. i Sy.ʰˡ·, item cf. et respondens iesus ait illis b vg.; αποκριθεις δε ο ΙΣ ειπεν αυτοις DWΘ fam.¹ (exc. 118) fam.¹³ 543. 28. 299. 565. 700, item cf. respondens autem iesus ait (dixit a) illis (eis a) a d l q r²; cf. ad quos iesus respondens dixit c, ad quos respondit iesus dixit ff; nil nisi respondit illis k; = respondit iesus et

τοῦτο πλανᾶσθε μὴ εἰδότες τὰς γραφὰς μηδὲ τὴν δύναμιν τοῦ θεοῦ; ²⁵ ὅταν γὰρ ἐκ
νεκρῶν ἀναστῶσιν, οὔτε γαμοῦσιν οὔτε γαμίζονται, ἀλλ' εἰσὶν ὡς ἄγγελοι ἐν τοῖς
οὐρανοῖς. ²⁶ περὶ δὲ τῶν νεκρῶν ὅτι ἐγείρονται οὐκ ἀνέγνωτε ἐν τῇ βίβλῳ Μωυσέως
ἐπὶ τοῦ βάτου πῶς εἶπεν αὐτῷ ὁ θεὸς λέγων Ἐγὼ ὁ θεὸς Ἀβραὰμ καὶ θεὸς Ἰσαὰκ καὶ
θεὸς Ἰακώβ; ²⁷ οὐκ ἔστιν θεὸς νεκρῶν ἀλλὰ ζώντων· πολὺ πλανᾶσθε. ²⁸ Καὶ (ρλα/ϛ)

---

dixit eis Sy.ˢ· Geo. | ου: *om.* Δ 495. 544. 1342
*a c i k r*¹ Sy.ˢ· Arm. (aliq.) | δια τουτο: *om. c* | μη
ειδοτες (ιδοτες ALΣ 1342, ειδωτες 28): μη γεινω-
σκοντες D | του θεου (*om. errore* 579; domini *vg.*
1 MS): + οιδατε D (scitis *d*).

25. οταν: οτε 472 | γαρ: autem *g*² | εκ νεκρων
αναστωσιν (αναστησουσιν D*) Uncs. omn. 22. fam.¹³
543. 33. 157. 565. 700. 892. 1071 al. pler. *it.* (*exc. k*)
vg. Sy.ʰˡ· Aeth.: > αναστωσιν εκ νεκρων fam.¹ 28.
299. 1342 *g*² *k* Sy.ˢ· ᵖᵉˢʰ· Cop.ˢᵃ· ᵇᵒ· Arm.; *om.* εκ
νεκρων 63. 579 | ουτε (ου D; ουδε Σ) γαμουσιν:
om. ℵ* (*suppl. in mg.*) | ουτε *sec.*: ουδε DΣ
| γαμιζονται (γαμιζωται *l*36) ℵBCGLUΔΘΨ fam.¹
(*exc.* 118) 124. 91. 299. 517. 892. 1342. *l*49 al.:
γαμισκονται (~κοντε 543; ~κωνται S 13) EKMSV
WΧΓΠΣΦ 118. 22. fam.¹³ (*exc.* 124) 543. 28. 33.
157. 330. 569. 575. 579. 700. 1071 al. pler.; εκγα-
μισκονται AFH 2. 51. 61. 90. 125. 142**. 235. 240.
242. 244. 247. 435. 483*. 484; εκγαμιζονται 433.
473; γαμιζουσιν D 565; γαμωσιν 472 | αλλ': αλλα
DΔ | εισιν: erunt (*pro* sunt *rell.*) *b d ff g*² *i r*¹ *vg.*
(5 MSS) | ως (εις *sic* Δ): ως οι BWΘ 892 Orig.
| αγγελοι *sine add.* ℵCDFKLMUΔΠΣ fam.¹ 127.
157. 237. 241. 252. 349. 517. 579. 700. 1278. 1342.
*l*184 al. plur. *it. vg.* Sy.ʰˡ· Cop.ᵇᵒ· Geo. Aeth.: + οι
ABEGHSVWΧΓΘΦΨ 22. 124. 28. 565 al. pler.
Sy.ˢ· ᵖᵉˢʰ· Cop.ˢᵃ· Arm. Orig.; + θεου 69. 238 (*et*
pon. αγγελοι θεου *ante* εισιν) 330. 472. *l*260 *l*; + του
θεου 33; + θεου οι fam.¹³ (*exc.* 69. 124) 543. 61. *l*2.
*l*18 | τοις ουρανοις: τω ουρανω 330. 1342. *l*260 *g*²
l vg. (3 MSS).

26. δε: *om.* Sy.ʰˡ· | των νεκρων: εκ των νεκρων
349; της αναστασεως τ. νεκρ. fam.¹³ 543. 33 Arm.
Or.ⁱⁿᵗ· | οτι: ει W | ανεγνωτε (~ται 13. 69. 28.
245): ανεγνωκατε W | βιβλω (βλω *sic* 124): βυβλω
D | μωσεως (μωσεος 118. 209. 349) ℵBDKMYΔ
ΘΠΣ 1. 22. 124. 28. 33. 238. 473. 474. *l*48. *l*49 al.
plur., *cf. it.* (*exc. k*) *vg.* (plur.) Cop.ˢᵃ· ᵇᵒ· Geo.:
μωσεως ACEFGHLSUVWΧΓΦΨ fam.¹³ (*exc.* 124)

157. 517. 892. 1071 al. pler. *k* (moseos) *vg.* (mosi
plur. *et* WW), *cf.* = môshê Sy.ˢ· ᵖᵉˢʰ· ʰˡ· | του βατου
ℵABCLXYΓΔΠΦ᾿ (*exc.* M) fam.¹ 22. fam.¹³ (*exc.*
124) 543. 28. 349. 692. 697. 892. 1071. 1278 al.
plur.: της βατου DMWΘΣΨ 124. 33. 565. 579. 700
al. pler. Or.; τη βατω 157 | πως ℵBCLUΔΨ 108.
115. 127. 131. 433. 435. 517. 892. 1342 al.: ως AD
WΧΓΘΠΣΦ᾿ (*exc.* U) fam.¹ 22. fam.¹³ 543. 28. 33.
157. 330. 565. 579. 700. 1071 al. pler. Or. | ειπεν:
λεγει 579 | αυτω: *om.* 1. 209. 579 (*etiam om. o*
θεος λεγων) Sy.ˢ· | λεγων: *om.* 28 Sy.ˢ· ᵖᵉˢʰ· | > ο
θεος λεγων αυτω W | εγω: + ειμι MUΔ 11. 28. 131.
240. 244. 472. 1071. 1342. *l*184 *it. vg.* Sy.ᵖᵉˢʰ· Cop.
ˢᵃ· ᵇᵒ· Geo. Aeth. Arm. Or. *semel* | ο θεος Ἀβρ.
(᾿Αβρ. fam.¹ fam.¹³ 543. 700. 1278): *om.* ο *ante*
θεος DW 157. 482. 579 | θεος *bis* BDW Or. *semel*:
ο θεος *bis* ℵACLXΓΔΘΠΣΦΨ᾿ fam.¹ 22. fam.¹³ 543.
28. 33. 565. 579. 892. 1071 al. pler. Or. *semel*
| Ισαακ: Ισαι ℵ*D, *item* isac *a b d ff i k r*¹ *vg.* (2
MSS), *sed* isaac *q l vg.* (pler.), Ysahac *c* | > ο θεος
Ιακωβ και ο θεος Ισαακ 1071.

27. ουκ εστιν θεος: = et ecce Deus non Sy.ˢ·.
| θεος BDKLMᵐᵍ·WΧΥΔΠΦ 28. 36. 40. 238. 248.
474. 482. 569. 892. 1071 al. Or. *semel*: *om.* 259.
435; ο θεος ℵACΓΣΨ᾿ (*exc.* K Mᵐᵍ·) fam.¹ 22. 157.
565. 700. 1278 al. pler. Or. *semel*: ο θεος θεος Θ
fam.¹³ 543. 33. 108. 1342 | ζωντων *tant.* ℵABCD
FKLMᵐᵍ·UWΧΔΘΠΣΨ fam.¹ fam.¹³ 543. 28. 33.
157. 517. 565. 579. 700. 892. 1071. 1342. *l*49 al.
plur. *it.* (*exc. q*) *vg.* Cop.ˢᵃ· ᵇᵒ· Geo.
Arm. Or.: ο θεος ζωντων EGHMᵗˣᵗ·SVΓΦ 22.
569. 1278 al. pler. *q vg.* (1 MS) Sy.ʰˡ· Aeth. | πολυ
πλανασθε ℵBCLWΔΨ 892* *k* Cop.ˢᵃ· ᵇᵒ·: υμεις ουν
πολυ (πολλοι FH 258. 478. 579 *om.* 472) πλανασθε
ADΧΘΠΣΦ᾿ (*exc.* G) 22. fam.¹³ 543. 28. 33. 157.
(579). 892² ᵐᵍ· 1071 al. pler. *a b i q l vg.* Sy.ᵖᵉˢʰ· ʰˡ·
Geo.¹ Arm.; υμεις δε πολυ (πολλοι 229; *om.* G)
πλανασθε (G) fam.¹ (229). 299. 565. 700 *c ff r*² Sy.ˢ·
Geo.² Aeth.

---

25. Orig. ⁱⁿ Matth. Vol. XVII. (3. 825.) οταν γαρ εκ νεκρων αναστωσιν ουτε γαμουσιν ουτε γαμισκονται αλλ εισιν
ως οι αγγελοι οι εν τοις ουρανοις.

26. Or. ⁱⁿ Ioann. Vol. XX. (4. 341.) κατα Μαρκον· περι των νεκρων ουκ ανεγνωτε οτι εγειρονται εν τη βιβλω
Μωσεως ως ειπεν επι της βατου αυτω ο θεος λεγων· εγω ειμι ο θεος Αβρααμ και ο θεος Ισαακ και ο θεος Ιακωβ.

Or. ⁱⁿ Ioann. Vol. II. (4. 69.) liberius η ουκ ανεγνωτε το ρηθεν επι της βατου εγω θεος Αβρααμ και θεος Ισαακ
και θεος Ιακωβ.

Or. ⁱⁿᵗ· Genes. de resurrectione autem mortuorum non legistis quomodo dicit in rubo deus abraham et
deus isaac et deus iacob.

27. Or. ⁱⁿ Ioann. XX. ουκ εστιν ο θεος νεκρων αλλα ζωντων.

Or. ⁱⁿ Ioann. II. ουκ εστι θεος νεκρων αλλα ζωντων.

προσελθὼν εἷς τῶν γραμματέων ἀκούσας αὐτῶν συνζητούντων, εἰδὼς ὅτι καλῶς ἀπεκρίθη
αὐτοῖς, ἐπηρώτησεν αὐτόν Ποία ἐστὶν ἐντολὴ πρώτη πάντων;   ²⁹ ἀπεκρίθη ὁ Ἰησοῦς
ὅτι Πρώτη ἐστίν Ἄκουε, Ἰσραήλ, Κύριος ὁ θεὸς ἡμῶν κύριος εἷς ἐστίν,   ³⁰ καὶ ἀγα-
πήσεις Κύριον τὸν θεόν σου ἐξ ὅλης καρδίας σου καὶ ἐξ ὅλης τῆς ψυχῆς σου καὶ ἐξ ὅλης

28. και: om. Cop.ˢᵃ· | προσελθων: +τω Ιησου
76. 247. l18. l19. l49; = +ad eum Cop.ˢᵃ· ᵇᵒ· Geo.¹;
προελθων W; om. Sy.ˢ· | εις (τις 131. l18. l19)
των γραμματεων: εις γραμματευς F 59. 91. 245.
299; τις γραμματευς 472; γραμματευς τις 251. l49
| ακουσας αυτ. συνζ.: om. 61. l19 | ακουσας
(ακουσαι K) Uncs. pler. 22. fam.¹³ 543. 33. 157.
579. 892. 1071 al. pler.: ακουων WΘ fam.¹ 28.
299. 700; ακουοντων 565 | συνζ. ℵABCDGLWΔ
ΘΣΦ fam.¹³ (exc. 69. 124²) 543. 33. 579: συζ. ΧΓΠ
Ψϧ (exc. G) fam.¹ 22. 69. 124². 28. 157. 565. 700.
892. 1071 al. pler. | αυτων (αυτω D) συνζ.: om.
k; +προς αλληλους Δ; αυτου pro αυτων l49. l251.
l260; των Σαδδουκαιων μετ αυτου συνζ. l9. l10. l12.
l19. l49 | ειδως ℵᶜΑΒΧΓΔΨϧ 22. 124. 33.¹ 157.
579. 1278 al. pler. Cop.ˢᵃ· ᵇᵒ· Geo.ᴮ: ιδων ℵ*CDL
WΘΣΦ fam.¹ fam.¹³ (exc. 124) 543. 7. 28. 91. 299.
472. 565. 700. 1342. l18. l19. l49. l251 al. a c ff
Sy.ᵖᵉˢʰ· ʰˡ· Geo.¹ Aeth. Arm.; om. k Sy.ˢ·; και
ιδων D, item it. (exc. a c ff) vg. | οτι: τι 482
| απεκριθη (∼θει 28) αυτοις ℵBCLUWΔΘΨ fam.¹
fam.¹³ (exc. 124) 543. 28. 33. 127. 131. 251. 349.
517. 579. 892. 1342 al. vg. (1 MS): >αυτοις
απεκριθη ΑΔΧΓΠΣΦϧ (exc. U) 22. 124. 157. 565.
700. 1071 al. pler. it. vg. (exc. 1 MS); om. αυτοις
72. 229. 253. 472 | επηρωτησεν αυτον (αυτω 251):
+λεγων 255 vg. (1 MS); λεγων διδασκαλε D it.
(exc. a l q r¹·²) vg. (1 MS) | εστιν εντολη πρωτη
παντων ℵBCLUΔΨ 33. 108. 125. 127. 131. 157.
579. 892. 1342 Sy.ᵖᵉˢʰ· ʰˡ· ʰⁱᵉʳ· Cop.ᵇᵒ· Aeth.: >εστιν
πρωτη (praem. η 255. 435) παντων (πασων M* 1278
al. pauc.) εντολη (+και μεγαλη 44) ΑΧΥΓΠΣΦϧ
(exc. U) 118. 22. 124. 1071 al. pler., item vg.;
εστιν εντολη πρωτη DΘ 565 it. (exc. l) Sy.ˢ· Arm.;
>εστιν πρωτη εντολη W fam.¹ (exc. 118) fam.¹³
(exc. 124) 543. 28 Cop.ˢᵃ· Geo.; >εντολη εστιν
πρωτη 700; εντολη εστι πρωτη παντων 349. 517.

29. απεκριθη ο (om. Ψ 1342) Ιησους ℵBLΔΨ 33.
892. 1342 Cop.ᵇᵒ·: +και ειπεν 579; ο δε Ιησους
απεκριθη (απεκρινατο 255) αυτω ΑϹΧΓΠΣΦϧ 118.
22. 124. 157. 1071 al. pler. g² l r² vg. Sy.ʰˡ· Aug.;
ο δε Ιησους (om. W 19) ειπεν αυτω (W)Θ fam.¹³
(exc. 124) 543. (19). 28. 299. 565. l184 k, cf. et Iesus
ait illi a Arm.; αποκριθεις δε ο ιϲ ειπεν αυτω D b ff
i q r¹, cf. Eus.ᴹᵃʳᶜ·; respondit illi (om. Cop.ˢᵃ·)

Iesus dicens (= et dixit Sy.ˢ·) c Sy.ˢ· Cop.ˢᵃ·; ο δε
ιϲ αποκριθεις ειπεν αυτω 700; = dixit ei Iesus Geo.
| οτι Uncs. pler. 118. 22. fam.¹³ 543. 33. 157. 579·
892 al. pler. l r² vg. Sy.ʰˡ·: om. DWΘ fam.¹ (exc.
118) 28. 61. 238. 565. 700 it. (exc. l r²) Sy.ˢ· ᵖᵉˢʰ· ʰⁱᵉʳ·
Cop.ˢᵃ· ᵇᵒ· Geo. | πρωτη εστιν ℵBLΔΨ 579. 892*
(+εντολη in mg.) 1342 Cop.ᵇᵒ· (=primum est hoc):
om. 229 k Cop.ˢᵃ·; πρωτη παντων (πασων 157. 1278
al. pauc.) των (om. V 543. 255. 258. 349. 471. 485.
l184) εντολων (+εστιν 13. 69. 346. 543. 157) EFG
HSVUΓ 118. 22. fam.¹³ 543. 157. 300. 330. 575 al.
plur. Sy.ᵖᵉˢʰ·; πρωτη παντων (πασων M*) εντολη
(+εστιν αυτη C) Α(Ϲ)ΚΜΠΣΦ 33. 131. 15. 27.
108. 240. 472. 482. 517. 1071 al. plur. l r² vg. Sy.ʰˡ·
(=primum mandatum omnium), cf. omnium pri-
mum mandatum (+hoc est ff) ff q; αυτη πρωτη
πασων εντολη 238; πρωτη παντων X 209. 299 Sy.ˢ·
Arm.; >παντων πρωτη DWΘ 91. 565 a b i; πρωτον
παντων fam.¹ (exc. 118); >παντων πρωτον 28. 700;
= ante omnia Geo.¹ (+hoc est Geo.²) | Ισραηλ:
Ιστραηλ DW, item istrahel a b ff, isdrahel k | ημων
Uncs. pler. Minusc. pler.: υμων 10. 35. 66. 240. 258.
349. 480**. 483*. 517. 565 al., item uester i; σου
Ψ 27**. 255. 282 al., item tuus c r² vg. (plur. sed
non WW) Sy.ʰⁱᵉʳ· Cop.ᵇᵒ· Geo.² Aeth. Arm.
Cyp. | κυριος sec.: om. F l184 a b k vg. (2 MSS)
Sy.ˢ· Cop.ᵇᵒ· ⁽¹ ᴹˢ⁾ Geo.¹ | εις: om. W; εις εις
sic Σ.

30. και pr.: om. Δ 238. l183 | αγαπησης 13. 28.
157; diligit sic k | τον θεον σου: = +et Sy.ʰˡ·
| om. εξ ολης καρδιας σου και 349 | καρδιας BD*
XΨ 346. 543: praem. της Uncs. rell. Minusc. rell.
| της pr. et sec.: om. bis B; om. pr. (ante ψυχης)
346 | και εξ ολης της ψυχης σου (om. 543): om.
ΚΠ* 63. 72. 157. 229. 248. 253. 472. 474 k Bas.
semel | και εξ ολης της διανοιας σου: pon. post
καρδιας σου A; = pon. post ισχυος σου Geo.¹; om.
DH 157. 149 cg² k r² Sy.ʰⁱᵉʳ· Clem. Alex. Euseb.
Marc. Cyp. Aug.; cf. et ex totis uirtutibus tuis a b
ff i | sine add. ad fin. uers. ℵBELΔΨ 1342 a Cop.
ˢᵃ· ᵇᵒ·: +αυτη πρωτη (+μεγαλη l183) εντολη ΑΔΧ
ΓΣϧ (exc. EKU) fam.¹ 22. fam.¹³ 543. 157. 700.
892 al. pler. it. vg. Sy.ˢ· ᵖᵉˢʰ· ʰˡ· ʰⁱᵉʳ· Geo. Aeth.
Arm. Hil.: +αυτη πρωτη παντων εντολη (εντολων
229) ΚΥΠΦ 11. 33. 76. 108. 127. 131. 247. 253.

28. Euseb.ᴹᵃʳᶜ· ꜰʳᵃᵍ· ⁷⁷· cf. uers. 30.

29. Aug.ˢᵖᵉᶜ· ¹⁷⁷· ²²· Iesus autem respondit ei quia primum omnium mandatum est audi Israhel
dominus deus noster dominus unus est.
Cyp.ᵃᵈ ꜰᵒʳᵗᵘⁿ· ²· Audi Israel dominus tuus dominus unus est.
Euseb.ᴹᵃʳᶜ· ꜰʳᵃᵍ· ⁷⁷· cf. uers. 30.

τῆς διανοίας σου καὶ ἐξ ὅλης τῆς ἰσχύος σου.   ³¹ δευτέρα αὕτη Ἀγαπήσεις τὸν πλη-
σίον σου ὡς σεαυτόν. μείζων τούτων ἄλλη ἐντολὴ οὐκ ἔστιν.   ³² Εἶπεν αὐτῷ ὁ (ρλβ/ι)
γραμματεύς Καλῶς, διδάσκαλε, ἐπ' ἀληθείας εἶπες ὅτι εἷς ἐστιν καὶ οὐκ ἔστιν ἄλλος

473. 482. 517. 579 al. plur. ; + αυτη πρωτη WΘ 28.
565 Euseb. Marc. Cyp.

31. δευτερα αυτη αγαπησεις: om. a | δευτερα
(η δευτερα ΔΨ) אBL(Δ)(Ψ) 485. 1342 b Cop.bo. (ed.)
Hil. : και δευτερα AWXΠΣΦϷ fam.¹ 22. fam.¹³ 543.
28. 157. 1071 al. pler. c (et secundum mandatum)
q Sy.s. pesh. hl. hier. Geo. Aeth. Arm. Cyp. Eus. Marc.;
δευτερα δε DΘ 33. 565. 700. l15. l17. l183 ff il r¹· ²
vg. Cop.sa. bo. (aliq.) Aug. ; και δευτερα δε Γ 475;
deinde secunda k Hil. | αυτη (+ εστιν א 1342)
(א)BLΔΨ 579. 892. (1342) Cop.sa. bo.: ομοια αυτη
(αυτης A* uid. 517. 1071; ταυτη D 69 Euseb.) A(D)
XΓΘΠΣΦϷ fam.¹ 22. fam.¹³ 543. 28. 33. 157. 565.
700. (1071) al. pler., item Sy.s. pesh. hl. hier. Geo.
Aeth. Arm., item cf. simile est huic c ff g², simile
(similem i, similis k) huic (i) (k) q r² aur., simile
illi b d l r¹ vg. (plur.), simile est illi vg. (plur. et
WW, etiam > illi est vg. aliq.) Hil. ; ομοιως αυτη
W | σεαυτον Uncs. pler. Minusc. pler.: εαυτον
HXΠ*Σ 69. 124. 1582. 108. 157. 220. 237. 238.
l49 al. plur. | μειζων (μειζω 475. l184 ; + δε אL b i
892 Hil.) τουτων αλλη (om. b i r¹ Aeth. Hil.) εντολη
(om. U 13 ; > εντολη αλλη D) ουκ εστιν: cf. maius
his aliud mandatum non est k, maius his praeceptis

alium non est c, maius horum praeceptorum aliud
non est ff, maius horum aliud praeceptum non est
q, maius horum aliud mandatum non est l r² vg.
Aug., hoc est magnum mandatum a ; om. omnia
haec uerba 1342.

32. ειπεν B Sy.s. pesh. Cop.sa. bo. Geo.²: και ειπεν
Uncs. rell. Minusc. omn. it. vg. Sy.hl. hier. Cop.bo.
(2 MSS) Geo.¹ Aeth. Arm. Euseb. Marc. Aug. | o:
om. Δ | επ αληθειας (αληθει sic 579): om. 892 a
| ειπες (pon. post καλως D a b c ff i q r¹ Aeth. Hil.)
א*DEFHLVXYΔΣΠ² 34. 36. 92. 240. 244. 258.
259. 471*. 478. 481. 482. 485: ειπας אᶜABGKMS
UWΓΘΠ*ΦΨ 092 Minusc. rell. (exc. λεγεις l183)
| οτι: enim c Geo.¹ | εις εστιν sine add. אABKLM
SUVXYΓΔΠΣΦΨ fam.¹ 22. 33. 157. 349. 517. 892.
1278. 1342 al. plur. l r² vg. (plur. et WW) Sy.pesh.
Cop.bo. (1 MS) Geo.¹ (= unus enim est pro οτι εις εστιν)
Aeth. Aug.: + θεος EFHW (pon. post εις) 092.
1071 al., + o θεος DGΘ fam.¹³ 543. 28. 61. 300.
472. 565. 700, item + Deus (dom̅ k) it. (exc. l r²) vg.
(plur.) Sy.s. hier. Cop.sa. bo. Geo.² Arm. Euseb. Marc.
Hil. ; > o θεος εις εστιν 579 Sy.hl.* | αλλος: om.
D a Euseb. Marc. ; = + deus Geo.B.

---

30. Clem. Alex. Quis dives 27. αγαπησεις κυριον τον θεον σου εξ ολης της ψυχης σου και εξ ολης της δυναμεως
σου.
Euseb. Marc. Frag. 77. κατα Μαρκον ευαγγ. κηρυττει· ενος γαρ τινος γραμματεως προσελθοντος αυτω και
πυνθανομενου τις ειη πρωτη των εντολων, απεκρινατο προς αυτον ουτως ειπων παντων πρωτον· ακουε Ισραηλ,
κυριος ο θεος ημων κυριος εις εστιν, και αγαπησεις κυριον τον θεον σου εξ ολης της ψυχης σου και εξ ολης της
ισχυος σου αυτη πρωτη.
Cyp. de cath. eccles. unit. diliges dominum deum tuum de toto corde tuo et de tota anima tua et de tota
uirtute tua, hoc primum (+ mandatum 1 MS).
Aug. Ep. bis diliges dominum deum tuum ex toto corde tuo et ex tota anima tua et ex tota mente tua.
Aug. Ep. semel id. sed om. et ex tota mente sua.
Aug. spec. et diliges dominum deum tuum ex toto corde tuo et ex tota anima tua et ex tota mente tua
et ex tota uirtute tua hoc est primum mandatum.
Hil. de Trinit. IX. et diliges Dominum Deum tuum ex toto corde tuo, et ex tota anima tua et ex totis
uisceribus tuis, et ex tota uirtute tua.   Hoc est primum mandatum.
Bas. reg. brevius tract. Interrog. CLXI. αγαπησεις κυριον τον θεον σου εξ ολης της καρδιας σου και εξ ολης της
ισχυος σου και εξ ολης της διανοιας σου.
Bas. Homil. in psalm. XLIV. 2. om. και εξ ολης της ισχυος σου.
31. Euseb. Marc. και δευτερα ομοια ταυτη· αγαπησεις κτλ.
Cyp. et secundum simile diliges etc.
Hil. Secundum simile illi : diliges proximum tuum tamquam te ipsum.   Maius autem horum manda-
tum non est.
Aug. spec. secundum autem simile illi diliges proximum tuum tamquam te ipsum.   Maius horum
aliud mandatum non est.
32. Euseb. Marc. και ειπεν αυτω ο γραμματευς· καλως διδασκαλε, επ αληθειας ειπες οτι εις εστιν ο θεος και
ουκ εστιν πλην αυτου.
Aug. spec. et ait illi scriba bene magister in ueritate dixisti quia unus est et non est alius praeter eum.
Hil. Bene dixisti magister in ueritate quod unus sit Deus nec est alius praeter illum.

πλὴν αὐτοῦ· ³³ καὶ τὸ ἀγαπᾶν αὐτὸν ἐξ ὅλης καρδίας καὶ ἐξ ὅλης τῆς συνέσεως καὶ ἐξ ὅλης τῆς ἰσχύος καὶ τὸ ἀγαπᾶν τὸν πλησίον ὡς ἑαυτὸν περισσότερόν ἐστιν πάντων τῶν ὁλοκαυτωμάτων καὶ θυσιῶν. ³⁴ καὶ ὁ Ἰησοῦς ἰδὼν αὐτὸν ὅτι νουνεχῶς ἀπεκρίθη
(ρλγ/β) εἶπεν αὐτῷ Οὐ μακρὰν εἶ ἀπὸ τῆς βασιλείας τοῦ θεοῦ. Καὶ οὐδεὶς οὐκέτι ἐτόλμα αὐτὸν
(ρλδ/β) ἐπερωτῆσαι. ³⁵ Καὶ ἀποκριθεὶς ὁ Ἰησοῦς ἔλεγεν διδάσκων ἐν τῷ ἱερῷ Πῶς λέγουσιν οἱ γραμματεῖς ὅτι ὁ Χριστὸς υἱὸς Δαυεὶδ ἐστιν; ³⁶ αὐτὸς Δαυεὶδ εἶπεν ἐν τῷ πνεύματι

---

33. και pr.: om. vg. (1 MS) Sy.ˢ· | εξ ολης καρδιας BUXΨ 238. 435: εξ ολης της καρδιας (+ σου אL 59. 697; = +uestro Sy.ʰⁱᵉʳ·, = +eius Sy.ˢ·) Uncs. rell. Minusc. rell.; om. g² | και sec.: κα το W | και εξ ολης της (om. 435) συνεσεως (δυναμεως DΘ 565, item uirtute a q r¹, uiribus i) sine add. אB (D)LWΔ(Θ)Ψ 28. 565. 892. 1342 Cop.ˢᵃ·; om. 579; pon. post ισχυος fam.¹ Cop.ᵇᵒ· Geo. Arm.; + εξ ολης της ψυχης (+ σου 346) ΑΧΓΠΣΦ 092 ƀ 22. fam.¹³ 543. 157. 349 (et pon. post καρδιας και, item 517) 700. 1071 al. pler. vg. Sy.ᵖᵉˢʰ·ʰˡ· Aeth. Aug. Hil.; hab. ex tota anima pro ex toto intellectu b c ff Sy.ˢ·; και εξ ολης της διανοιας και εξ ολης της ψυχης et pon. post ισχυος 33; hab. και εξ ολης της ψυχης αυτου pro και εξ ολης της ισχυος D; cf. et ex totis uiribus et ex tota anima sua (et om. ex tota uirtute) i Hil. | της ισχυος: om. της א*; = +eius Sy.ˢ· | τον πλησιον: +σου א*ΔW 827 Cop.ˢᵃ·ᵇᵒ·; +αυτον 258 Sy.ˢ·ᵖᵉˢʰ· | εαυτον BGX Δ*ΘΠΣΦ 092 ƀ (exc. S) Minusc. pler. a b c g² l q vg. Sy.ˢ·ᵖᵉˢʰ·ʰˡ· Geo. Arm. Aug. Hil.; σεαυτον אADL SWΓΔ² 45. 46. 56. 58. 471. 473. 475. 478. 1342 ff i r² vg. (1 MS*) Cop.ˢᵃ·ᵇᵒ· | περισσοτερον (∽ρα Ψ) אBLΔ(Ψ) 579. 892. 1342: πλειον ADWXΓΘΠΣΦ 092 ƀ Minusc. rell.; κρεισσον 1093 παντων: απαντων 300 | των ολοκαυτωματων (ολοκαυστ. Δ*): om. των W 122. 435 | > πλειον παντων εστιν ολοκαυτ. l184 | θυσιων ABDWXΓΘΠΣΦΨ 092 ƀ (exc. M) 22. 124*. 28. 157. 692. 697. 700. 1278. al. plur.: των θυσιων אLMΔ fam.¹ fam.¹³ (exc. 124*) 543. 33. 349. 470. 565. 579. 892. 1071 al. plur.

34. και ο Ιησους ιδων (ειδων אDH² l183; ειδως H*Ψ 36. 90. 473*. 483*. 484. 579. 692. 700; ιδως 28), item q, cf. et cum uidisset eum Iesus a: > και ιδων ο Ιησους fam.¹³ (exc. 69. 124) 543 c; cf. Iesus autem uidens l r² vg. Aug., uidens autem Iesus b ff i Hil., cum uidisset autem Iesus k | αυτον AB XΓΠΣΦΨ 092 ƀ (hiat F) 22. fam.¹³ 543. 157. 700 al.

pler. a Sy.ᵖᵉˢʰ· Cop.ᵇᵒ·: om. אDLWΔΘ fam.¹ 28. 33. 91. 565. 579. 892. 1342. l49 al. pauc. it. (exc. a) vg. Sy.ˢ·ʰˡ· Geo. Aeth. Arm. Hil. | νουνεχως: συναιτως 28 | ειπεν: = respondit et dixit Sy.ˢ·ᵖᵉˢʰ· | αυτω: +οτι WΘ 157. 565 | ει (pon. post βασιλειας אᶜ· ΔΨ 892): om. א* et cb L; et k (errore pro ες ?) | του θεου: των ουρανων 237. 1223 | ουκετι (ουκ 472. 1071) ετολμα: om. ουκετι D 9. 53*. 92. 433 (+ ετι post επερωτ.) 579. l185 al. Cop.ᵇᵒ· (2 MSS); = iam (exc. amplius a c) audebat it. vg. (pler.) Aug. Hil.; > ετολμα ουκετι W (ετολμα αυτον ουκετι) fam.¹³ 543. 1432 a | αυτον επερωτησαι (ερωταν WΘ 13. 69. 346. 543. 700): > επερωτησαι αυτον א* 349. 517. 579 c aur.; αυτον τι επερωταν 28, cf. eum interrogare quicquam b | > επερωτησαι αυτον ουκετι l183.

35. και αποκριθεις: = respondit autem Cop.ˢᵃ·; om. Sy.ˢ· | om. ο Ιησους W 700 | ελεγεν (dicebat a l r² vg. Sy.ʰˡ· Cop.ᵇᵒ· Geo.): ειπεν (et pon. post εν τω ιερω D b) D b i k q r¹ Sy.ᵖᵉˢʰ· Hil.; λεγει W, item ait (et pon. post in templo c ff) c ff Sy.ˢ·; = dicens (et pon. post in templo) Cop.ˢᵃ· | διδασκων: = doctrinam Geo.¹; om. vg. (1 MS); pon. post εν τω ιερω 253 | ο Χριστος: om. W | υιος (ο υιος 69) Δα. εστιν אBDLM²UΔΘΨ 092 fam.¹ fam.¹³ (exc. 124) 543. 33. 106. 127. 241. 252. 299. 517. 565. 579. 892. 1071. l48. l49. l1353 al. pauc. k Cop.ˢᵃ·ᵇᵒ· Geo.ᴮ Arm.: > υιος εστιν (+ του Σ 22. 61. 237. 238. 471. 474) Δα. AWXΓΠΣΦƀ (exc. M²U) 22. 124. 28. 157. 700 al. pler. it. (exc. k) vg. Sy.ˢ·ᵖᵉˢʰ·ʰˡ· Geo.ᴬ Hil.; > εστιν υιος του Δα. 244; cf. = filius Dauid est Christus Aeth. | Δαυειδ, uel Δαυιδ, uel Δαβιδ, uel Δᾱ̄δ: cf. cap. xi. 10.

36. αυτος tant. אBLWΔΨ 13. 69. 543. 28. 59. 565. 1342. l1353 a k Cop.ˢᵃ·ᵇᵒ· Geo.²: +γαρ ΑΧΓ ΘΠΣΦ 092 ƀ fam.¹ 22. 124. 346. 33. 157. 700. 892. 1071 al. pler. b i l q r¹·² vg. (exc. 1 MS) Sy.ᵖᵉˢʰ·ʰˡ· ʰⁱᵉʳ· Geo.¹ Hil.; ipse autem c ff vg. (1 MS) Cop.

---

33. Aug.ˢᵖᵉᶜ· et ut diligatur ex tota corde et ex toto intellectu et ex tota anima et ex tota fortitudine et diligere proximum tamquam se ipsum maius est omnibus holocaustomatibus et sacrificiis.

Hil. ita diligendus ex toto corde et ex totis uiribus et ex tota anima : et diligere proximum tamquam se ipsum, hoc maius est omnibus holocaustomatibus et sacrificiis.

34. Aug.ˢᵖᵉᶜ· Iesus autem uidens quod sapienter respondisset dixit illi non es longe a regno dei et nemo iam audebat eum interrogare.

Hil. Uidens autem Iesus quod sapienter respondisset, dixit illi, non es longe a regno dei et nemo iam audebat eum interrogare.

35. Hil. Et respondens Iesus dixit docens in templo, quomodo dicunt Scribae Christum filium esse Dauid.

τῷ ἁγίῳ Εἶπεν Κύριος τῷ Κυρίῳ μου Κάθου ἐκ δεξιῶν μου ἕως ἂν θῶ τοὺς ἐχθρούς σου
ὑποκάτω τῶν ποδῶν σου· ³⁷ αὐτὸς Δαυεὶδ λέγει αὐτὸν κύριον, καὶ πόθεν αὐτοῦ ἐστιν
υἱός; καὶ ὁ πολὺς ὄχλος ἤκουεν αὐτοῦ ἡδέως. ³⁸ Καὶ ἐν τῇ διδαχῇ αὐτοῦ ἔλεγεν (ρλε/β)
Βλέπετε ἀπὸ τῶν γραμματέων τῶν θελόντων ἐν στολαῖς περιπατεῖν καὶ ἀσπασμοὺς ἐν
ταῖς ἀγοραῖς ³⁹ καὶ πρωτοκαθεδρίας ἐν ταῖς συναγωγαῖς καὶ πρωτοκλισίας ἐν τοῖς
δείπνοις· ⁴⁰ οἱ κατέσθοντες τὰς οἰκίας τῶν χηρῶν καὶ προφάσει μακρὰ προσευχόμενοι· (ρλϛ/η)

bo. (1 MS) Aeth. ; και ουτος D, και αυτος 579, *item et
ipse* d Sy.ˢ· Arm. | Δαυειδ (*cf.* xi. 10): ο Δαβιδ
124. 237. 245 ; *om.* 71. 242. 282 | ειπεν *pr.* Uncs.
pler. Minusc. pler. q Sy.ˢ· pesh· hl·* Cop.bo· Geo.¹ :
λεγει (*et pon. post* αγιω X 330. 471 a b i Arm.) X
092. 124. 37*. 40*. 282. 330. 471. 473 a b c ff i k l r¹·²
vg. (pler.) Cop.ˢᵃ· bo· (1 MS) Geo.² | εν: *om.* B 1342
| τω πνευμ. τω αγιω ℵBDLUΔΘΨ 33. 565. 579. 892
al. plur.: *om.* τω *pr.* l1353; *om.* τω *sec.* Φ; *om.*
τω *bis* AWXΥΓΠΣ 092 ᑊ (*exc.* U) fam.¹ 22. fam.¹³
543. 28. 71. 157. 349. 692. 700. 1071 al. plur. | ειπεν
sec. ℵBLM²UWXΓΔΘΣΨ 092 fam.¹ (*exc.* 118)
fam.¹³ 543. 28. 33. 157· 471· 473. 565· 579· 700.
892. 1071 al. plur. *it.* (*exc.* a ff k q) *vg.* Sy.ˢ· pesh· hl·
Cop.ˢᵃ· bo· Geo. Arm. Hil.: λεγει ΑΔΥΠΦᑊ (*exc.*
M²U) 118. 22. 71. 569. 575. 692. 697. 1278. l251
al. plur. a²ff k q aur. Aeth. | κυριος *tant.* BDΨ
472. 579: ο κυριος ℵALWXΓΔΘΠΣΦ 092 ᑊ (*hiat*
F) Minusc. rell. | καθου: καθισο B | αν: *om.* D
| θω: θωσω D*, θησω D² | υποκατω BDWΨ 28.
l1353 Sy.ˢ· Cop.ˢᵃ· bo· Geo.: υποποδιον ℵALXΓΔΘ
ΠΣΦ 092 ᑊ Minusc. rell. *it. vg.* Aeth. Arm. Hil.;
cf. sub scabellum c, *infra* scabellum b, *etiam* = sca-
bellum sub Sy.pesh· hl· hier.

37. αυτος ℵBDLWΔΘ 28. 106. 251. 565. 697.
1278*. 1342. l1353 a k q r¹ Cop.ˢᵃ· bo· (aliq·) Geo. Hil.:
+ ουν ΑΧΠΦ 092 ᑊ fam.¹ 22. fam.¹³ 543. 33. 157.
579· 700. 892. 1071. 1278** al. pler. l r² *vg.* Sy.
pesh· hl·* Cop.bo· (1 MS) Aeth. ; *si ipse* ff, *si ergo* b
Sy.hier·, *nil nisi si* c ; = *et si* Sy.ˢ·; = ipse autem
Cop.bo· (aliq·) | Δαυειδ (*cf.* xi. 10): ο δαβιδ 251. 697
| λεγει Uncs. pler. Minusc. pler. *it.* (*exc.* c) *vg.*
Sy.hl· Cop.ˢᵃ· bo· (pler.) Geo.¹ Arm. Hil.: καλει M²U
ΦΨ (εν πνευματι καλει) 33. 61. 108. 127. 349. 517.
565. 579. l34. l48, *item* appellat c Sy.ˢ· pesh· Cop.bo·
(3 MSS) Geo.² Arm. | και ποθεν Uncs. pler. 22. 124.
157. 700. 892 al. pler., *item et unde it.* (*exc.* b, *et
unde tant.* c) *vg.* Sy.hl· Cop.bo· Hil. | και πως ℵ*M*
WΘΣΨ fam.¹ fam.¹³ (*exc.* 124) 543. 27. 28. 33. 91.
108. 435. 565. 579. 1071. l13 al. b (quomodo *tant.*)
Sy.ˢ· (=*om.* και) pesh· Cop.ˢᵃ· bo· (1 MS) Aeth. Arm. ; πως
ουν 238 | αυτου εστιν υιος BLΘ 565. 892. 1342: εστιν
αυτου υιος Δ k; αυτου υιος εστιν 569; υιος αυτου εστι
ℵAWXΓΠΣΦΨᑊ fam.¹ 22. fam.¹³ 543. 28. 33. 157.
330. 575· 579· 700. 1071 al. pler. b Sy.ˢ· pesh· hl· Cop.

sa· bo· Aeth. Arm. (aliq·) ; εστιν υιος αυτου D a c ff i l
q r¹·² *vg.* Arm. (ed.) Hil. | και (*om.* c) ο πολυς:
om. ο ℵDWΘ 28. 565. 700 | ηκουεν: ηκουσεν ℵΜΓ
300, *item* audiuit l r² *vg.* (pler. *et* WW); ηκουον 106.
251. 472. 482. 697. l2, *item* audiebant b c r¹ | ηκ.
αυτου ηδεως (ηκ. ιδεως *sic* αυτου 28): > ηδεως (και
ηδεως D d*) αυτου ηκ. D b ff i l q r² *vg.* (3 MSS) ;
= libenter eum audiebat Sy.ˢ·; *om.* αυτου 71. 692.

38. και εν τη διδαχη αυτου ελεγεν (+ αυτοις 33.
579· 892 Sy.pesh·) ℵBLΔΨ 33. 579. 892. 1342 Sy.
pesh· Cop.bo·, *similiter cf.* et in doctrina docebat e,
et in docendo dicebat k : > και ελεγεν αυτοις (αυτους
F 71. 474. 692; *om.* W l. 209. 124. 28. 299. Geo.²)
εν τη διδαχη (διδασκαλια 282) αυτου AWXΓΠΣΦᑊ
fam.¹ 22. fam.¹³ 543. 28. 157. 700. 1071 al. pler. l q
r² *vg.* Sy.hl· Cop.ˢᵃ· Geo. Aeth., *similiter* = et dice-
bat docens Sy.ˢ·; ο δε διδασκων αμα (*om.* Θ 565)
ελεγεν αυτοις D Θ 565, ad ille docens simul dicebat
eis a, *cf.* ad ille docens dicebat eis b, ad ille docens
dicit r¹, ipse autem docebat illos (eos ff aur.)
dicens ff i aur. | *om.* βλεπετε 237 | γραμματεων:
+ και 131 d ; + και των τελωνων D | των θελοντων:
om. D c (*om.* hoc loco sed pon. uolunt *ante* salutari)
| εν στολαις (εντολαις *sic* 69): εν ταις στολαις W
| ασπασμους *tant.* Uncs. pler. Minusc. pler. *it. vg.*
Sy.hl· Cop.bo· Aeth. : *praem.* ζητουντων Ψ ; *praem.*
φιλουντων 346. 11. 76. 220. 238. 247. 470. 482.
483*. 484 al. pauc. Sy.ˢ· pesh· Cop.ˢᵃ·; = saluta-
tionem gestiunt Geo.¹ | αγοραις (in foro *it. vg.*):
+ ποιεισθαι DΘΦ 565, *item* + facitis d.

39. *Tot. uers.*: ei (*sic*) sessionem primam locum k
| *om.* και πρωτοκαθ. *usque ad* συναγωγαις 1342
| πρωτοκαθεδριας: πρωτοκαθεδριαις 69. 346. 28. 237.
473 ; *cf.* in (*om.* c *vg.* 1 MS) primis cathedris
sedere *it.* (*exc.* a d e) *vg.* ; primos consessus a,
sessionem primam e | πρωτοκλισιας (⌐κλησιας
AFHKLUXΓ 13. 69. 346. 33. 565 al. mu.): πρωτο-
κλισιαις (⌐κλησιαις 28) 28. 237. 253.

40. οι: οἱ (*accent. sic*) fam.¹ fam.¹³ 543 ; = et Sy.ˢ·
| κατεσθοντες B (*cf.* Marc. i. 6 ; Luc. vii. 33) :
κατεσθιοντες (κατασθ. *errore* Δ) Uncs. pler. 22.
fam.¹³ 543. 28. 33. 157. 565. 579. 700. 892. 1071
al. pler.; κατεσθιουσιν D fam.¹ 91. 299. *it. vg.*
| τας: *om.* DW 229 | των (*om.* DW) χηρων: + και
(+ των 28) ορφανων DW fam.¹³ 28. 565 *it.* (*exc.* e k

---

36. Hil. Ipse enim Dauid dicit in Spiritu Sancto, dixit Dominus Domino meo sede a dextris meis,
donec ponam inimicos tuos scabellum pedum tuorum.

37. Hil. Ipse Dauid dicit eum Dominum ; et unde est filius eius ?

οὗτοι λήμψονται περισσότερον κρίμα.   [41] Καὶ καθίσας κατέναντι τοῦ γαζοφυλακίου ἐθεώρει πῶς ὁ ὄχλος βάλλει χαλκὸν εἰς τὸ γαζοφυλάκιον· καὶ πολλοὶ πλούσιοι ἔβαλλον πολλά·   [42] καὶ ἐλθοῦσα μία χήρα πτωχὴ ἔβαλεν λεπτὰ δύο, ὅ ἐστιν κοδράντης. [43] καὶ προσκαλεσάμενος τοὺς μαθητὰς αὐτοῦ εἶπεν αὐτοῖς Ἀμὴν λέγω ὑμῖν ὅτι ἡ χήρα αὕτη ἡ πτωχὴ πλεῖον πάντων ἔβαλεν τῶν βαλλόντων εἰς τὸ γαζοφυλάκιον·   [44] πάντες γὰρ ἐκ τοῦ περισσεύοντος αὐτοῖς ἔβαλον, αὕτη δὲ ἐκ τῆς ὑστερήσεως αὐτῆς πάντα ὅσα εἶχεν ἔβαλεν, ὅλον τὸν βίον αὐτῆς.

l r²) Sy.hier. | και: om. D it. (exc. e) vg. Sy.s. pesh. Cop.bo.(1 MS) Arm. | προφασει (προφαση sic 346) μακρα (μακρᾶ sic ΒΚΜΓ 247. 253. 259. l251 al.; μακραν LΔ 46. 258. 579) προσευχομενοι: cf. oratione longa orantes i, occasione (ansione sic r¹) longa orantes a ff q r¹, oracione prolixa orantes et haec in oracione faciunt c, occasione longam orationem orantes b, sub obtentu prolixae orationis l r² vg., item Sy.s. pesh. Aeth. Arm., ista faciunt in excusatione longa k | ουτοι: οιτινες W fam.¹³ (exc. 124) 543. 28 Geo. (= qui); + γαρ 481 Arm.; και ουτοι 565 Sy.s.; ουτω 472 | λημψονται ℵΑΒ²DLWXΔ ΘΣ: ληψονται Β*ΓΠΦΨ♭ Minusc. omn. (και ληψ. 565) | περισσοτερον (∼ωτερον 13): περισσον WΔ.

41. και: om. Geo.¹; autem (pon. post Iesus) b Cop.sa. | καθισας sine add. ℵBLΔΨ 892. 1342 Cop.bo., item cf. sedens a, cum sederet k, cum sedisset r¹: + o Ιησους ΑΧΓΠΣΦ♭ 118. 22. 124. 33. 579. 700. 1071 al. pler., item it. pler. vg. Sy. pesh. hl. txt. Cop.sa. Aeth. ; εστως o Ιησους WΘ fam.¹ (exc. 118) fam.¹³ (exc. 124) 543. 28. 91. 299. 565. Sy.s. hl. mg. hier. Arm. Geo. Or. ; καθεζομενος o Ιησους et pon. post γαζοφυλ. D q | κατεναντι ℵΑDLW ΧΓΔΘΠΣΦ♭ (exc. U) fam.¹ 22. 69. 124. 28. 565. 700. 892. 1071 al. pler. Or.: απεναντι BUΨ 33. 71. 108. 127. 300. 517. 544. 579. 692. 697. 1278. 1424. l18. l19 al. ; κατενωπιον 13. 346. 543 | γαζοφυλα-κιου ℵABDKLUV*WΓΔΘΠ*ΣΦΨ Minusc. pler.: ∼λακειου EGMSV²ΧΥΠ²Ω 238. l48. l49 | εθεωρει: θεωρει ℵ* (praem. ε sup. lin. ℵᶜ); + παντας W | om. εθεωρει usque ad γαζοφυλακιον g² i | om. βαλλει usque ad πλουσιοι D | βαλλει (mittit a k): εβαλλεν fam.¹³ (εβαλε 69*) 543, item mittebant c ff, mitterent d, iactabant b, iactaret (∼ent q r¹) l q r¹. ² vg. | χαλκον Uncs. pler. 22. 33. 157. 579. 892. 1071 al. pler.: τον χαλκον ℵWΘ fam.¹ fam.¹³ 543. 28. 565. 700 | γαζοφυλακιον Uncs. pler. Minusc. pler.: ∼κειον EFGMVΧΥΣΦΩ 238. 259. 565. l48. l49 al. pauc. | πλουσιοι: honesti k | εβαλλον (εξεβαλλον ℵ*) Uncs. pler. Minusc. pler.: εβαλον FMUVΠ* 71. 131. 237. 245. 349. 470. 692. 892. 1278. 1342 al. plur.

42. και ελθουσα (προσελθουσα Δ) Uncs. pler. Minusc. pler. Sy.s. pesh. hl.* Cop.bo. (aliq.) Geo. Aeth. : ελθουσα δε DΘ 565. 700, item cum uenisset autem it. vg. Cop.sa. bo. (ed.) Or. | μια (om. 61 r² Cop.sa. bo.) χηρα (γυνη χηρα ℵ 1342): >χηρα μια 247 vg. (1 MS) Sy.s. pesh. Geo.² | πτωχη: om. DΘ 565 it. (exc. l r²) Arm. | εβαλεν: εβαλλεν Κ 118. 69. 61. 157. 251. 282. 697 ; praem. και (et) d Sy.pesh.(1 MS) | κοδραντης: κοδραντες l184, κοδραντις 346. 28, κοραντης 579.

43. και: = om. Sy.s.; = autem Cop.sa. | προσ-καλεσαμενος: + o ΙΣ 59. 238. 262. 330. l184 k Sy. s. pesh. Geo.A | τους μαθητας αυτου (om. W Arm. aliq.): τοις μαθηταις αυτου 69 Or. | ειπεν ℵABDK LUΔΘΠΣΨ 33. 72. 108. 127. 229. 253. 349. 433. 470. 482. 517. 565. 579. 700. 892. 1342. l18. l19. l49 al. mu. a k Sy.s. pesh. hl. hier. Cop.sa. bo. Geo. Or. : λεγει WΧΓΦ♭ (exc. KU) fam.¹ 22. fam.¹³ 543. 28. 157. 330. 569. 575. 1071 al. pler. it. (exc. a k) vg. Aeth. Arm. | om. αυτοις l184 | οτι: om. W ff | η χηρα αυτη η πτωχη (om. η πτωχη 1342 k) Uncs. pler. Minusc. pler. c ff g² l vg.: >η χηρα η πτωχη αυτη DΘΦ 517. 565. 700. l49. l184. l251 a b i q Or. ; >αυτη η χηρα η πτωχη 28 | πλειον Uncs. pler. Minusc. pler.: πλεον ℵ 892 ; πλειω U 2. 33. 73. 108. 127. 245. 435. 517. 579 | εβαλεν (εβαλλεν ℵ*) ℵᶜABDLΔΘΣΨ 13. 33. 92. 108. 127. 245. 474. 517. 565. 579. 892. 1342. l18. l19. l49 al. mu. Or.: βεβληκεν (βεβλικ. G) WΧΓΠΦ♭ (exc. M*) fam.¹ 22. fam.¹³ (exc. 13) 543. 28. 157. 330. 569. 575. 700. 1071 al. pler. ; om. M* (add. βεβληκε in mg.) | των βαλλοντων ℵABDLXΥΓΔΘΠΣΦ♭ (exc. FHΩ) fam¹³. (exc. 13) 543. 33. 157. 241. 242. 253. 517. 565. 579. 700. 892. 1342 al. plur., item mittentium (uel ∼tes) a, mittentibus d, item = Sy.pesh. Cop.sa. bo. Or.: των βαλοντων FHΦΩ 22. 569. 1071 al. pler., item qui miserunt k l vg., item = Sy.hl. hier.; om. W fam.¹ 13. 248 b c ff g² i q aur. Sy.s. Geo. | γαζοφυλακιον (pro forma cf. uers. 41): +τα δωρα 700, item +munus b ff.

44. παντες γαρ sine add. Uncs. pler. 22. fam.¹³ 543. 28. 157. 700. 892. 1071 al. pler. it. vg. Sy.s.

41–42. Or.in Ioan. Tom. XIX. απο δε του κατα Μαρκον· και εστως ο Ιησους κατεναντι του γαζοφυλακιου εθεωρει. και πας εβαλλε χαλκος εις το γαζοφυλακιον και πολλοι πλουσιοι εβαλλον πολλα. ελθουσα δε μια χηρα πτωχη εβαλε λεπτα δυο ο εστι κοδραντης.

43. Or. και προσκαλεσαμενος τοις μαθηταις αυτου ειπεν αυτοις· αμην λεγω υμιν οτι η χηρα η πτωχη αυτη πλειον παντων εβαλε των βαλλοντων εις το γαζοφυλακιον.

XIII

¹ Καὶ ἐκπορευομένου αὐτοῦ ἐκ τοῦ ἱεροῦ λέγει αὐτῷ εἷς τῶν μαθητῶν αὐτοῦ Διδάσκαλε, (ρλζ/β) ἴδε ποταποὶ λίθοι καὶ ποταπαὶ οἰκοδομαί. ² καὶ ὁ Ἰησοῦς εἶπεν αὐτῷ Βλέπεις ταύτας τὰς μεγάλας οἰκοδομάς; οὐ μὴ ἀφεθῇ ὧδε λίθος ἐπὶ λίθον ὃς οὐ μὴ καταλυθῇ. ³ Καὶ (ρλη/β) καθημένου αὐτοῦ εἰς τὸ Ὄρος τῶν Ἐλαιῶν κατέναντι τοῦ ἱεροῦ ἐπηρώτα αὐτὸν κατ' ἰδίαν

pesh. hl. hier. Cop.bo. Geo.² : + ουτοι D fam.¹ 33. 67. 91. 299. 433. 579 Cop.sa. Geo.¹ (= + illi) | περισσευοντος αυτοις Uncs. pler. Minusc. pler. : περισσευματος αυτων UWΔ 7. 61. 67. 349. 517. 433. l184. l251; περισσευματος Γ 66. 108. 127*. 435. 487. l49 al. pauc. | εβαλον: εβαλλον F 118. 251. 282. 697 | εκ της υστερησεως (υστερεσεως A; του υστερηματος 282) αυτης (om. 56. 58) : = om. Sy.s. | παντα οσα ειχεν (ηχεν ΘΩ) : = om. W | παντα οσα usque ad βιον αυτης : cf. omnem uictum suum quem habuit misit aur. | εβαλεν Uncs. omn. 1. 22. fam.¹³ (exc. 69²) 543. 28. 33. 565. 579. 700. 892. 1071 al. pler. : εβαλλεν 118. 209. 69². 59. 61. 157. 251. 256. 282. 474. 697 | ολον (και ολον Ψ; om. 579) τον βιον (πλουτον 36. 40*. 259) αυτης (αυτοις sic 346) : = om. Sy.s. | Ad fin. uers. add. ταυτα λεγων εφωνει ο εχων ωτα ακουειν ακουετω l17.

1. εκπορευομενου αυτου (= iesu Sy.s. pesh.) εκ: εκπορευομενων αυτων απο Ψ | om. de templo (εκ τ. ιερ.) ff | λεγει: ειπεν 1071 | αυτω: om. 346 | εις sine add. אΒLWΓΠΣΦΨ♭ (exc. F) 22. 346. 33. 157. 1071 al. pler. : + εκ ADFXΔΘ fam.¹ fam.¹³ (exc. 346) 543. 28. 59. 61. 106. 241. 300. 474. 565. 579. 700. 892 al. pauc., item it. vg. Sy.s. pesh. hl. Cop.sa. bo. Geo.¹ | διδασκαλε (= rabbi Sy.s; rep. bis א*) : om. 472 | ιδε: om. W 59* | ποταποι (ποδαπ. D* 22. 59. 697) λιθοι (οι λιθοι 565) και (+ ιδε 238) ποταπαι (ποδαπ. D* 22. 59. 697) οικοδομαι (αι οικοδ. 565) : + του ιερου D, item + templi b c ff g² k l q r¹ vg. (aliq.).

2. και (= om. Sy.s.) ο Ιησους (= >Iesus autem Sy.pesh.) ειπεν αυτω אΒLΨ 33. 115. 237. 255. 579. 892. 1342, cf. ~ tem dixit illis e (post lacunam) Sy.s. pesh. Cop.bo.; και (om. 59) ο Ιησους (ο δε Ιησους 240. 244) αποκριθεις ειπεν αυτω (= >ei dixit Arm.) ΧΓ ΦΨ (exc. K) 22. 157. (240). (244) al. pler. Aeth. (Arm.), cf. et iesus respondens ait illis q; και (= om. Cop.sa. Geo.²) αποκριθεις ο Ιησους (om. ο ⲓ̅ⲥ̅ WΘ 565. 700 a b i vg. 2 MSS) ειπεν (ait a b c ff i l r² aur. vg., dicit k) αυτω (αυτοις 299 a b ff i k Geo.¹ et A; om. Geo.B) ΑΚWΥΔΘΠΣ fam.¹ fam.¹³ 543. 28. 106. (299). 330. 482. (565). (700). 1071 al. mu., similiter it. (exc. d q) vg. Sy.hl. Cop.sa. Geo., cf. ad quem respondens Iesus ait e; και αποκριθεις ειπεν

αυτοις ο Ιησους D, item d | βλεπεις Uncs. pler. Minusc. pler., item l r² vg. (pler.) Sy.pesh. hl. Cop.bo.: βλεπετε DMmg· l48, cf. uidete d, uidetis a e q vg. (2 MSS) Geo.¹ et A; ου βλεπεις Θ 565 Cop.sa.; cf. nonne (non k) uidetis (uidistis c) b (c) ff i (k), similiter Geo.B | ταυτας (om. 92) τας (om. 565) μεγαλας οικοδομας Uncs. pler. 1. 22. 28. 33. 157. 565. 579. 700. 892. 1071 al. pler. d g² r¹ vg. (1 MS) Cop.sa. Geo.: om. μεγαλας Γ 487. 517; > τας μεγαλ. ταυτ. οικοδ. 118. 209. l184; > ταυτ. τας οικοδ. τας μεγαλ. fam.¹³ 543. 258 a Sy.pesh. hl.; cf. ista magna et aedificia uestra e; haec omnia (> omnia haec b i) magna aedificia (b) c ff (i) q; omnes has aedificationes l, has omnes magnas aedificationes vg. (pler.); = hoc aedificium Sy.s.; = hos magnos lapides Cop.bo. | ου μη: praem. λεγω υμιν fam.¹ 299; praem. αμην λεγω σοι (υμιν D 90, et + οτι D) DGΘΣ fam.¹³ 543. 28. 61. (90). 91. 565. 700, item praem. amen dico uobis (tibi l) quia (quod cff, quoniam aur.; om. a q Arm.) it. Arm. | ωδε אΒDGLM²UWΔΘΣΨ fam.¹ fam.¹³ (exc. 69) 543. 28. 33. 108. 299. 480. 517. 565. 579. 700. 892. 1071. 1342 al. mu. a b g² q aur. Sy.s. pesh. hl. Cop.sa. bo., cf. in (+ isto c) templo (pro hic) c e k Cyp.: om. ΑΧΥΓΠΦ (exc. GM²U) 22. 69. 157 al. plur. ff i l r¹· ² vg. | επι λιθον אΒGLMUWXΓ ΔΘΨ fam.¹ fam.¹³ 543. 28. 33. 131. 299. 435. 579. 700. 892 al. mu., item super lapidem it. vg.: επι λιθω ADEFHKSVΥΣΦΩ 22. 565. 1071 al. plur. | ος ου μη: om. μη א*LΘ 106. 157. 495. 1148. 1342 | καταλυθη אcΑΒDΧΥΓΔΠΣΦΨ♭ Minusc. pler.: καταλυθησεται א*L uid. Θ 69. 124. 543. 106. 1342; καταλιθησεται 346; καταληλιθησεται 13; αφεθη ουδε διαλυθησεται W: praeterea add. και δια τριων ημερων αλλος αναστησεται ανευ χειρων DW it. (exc. l q r²) Cyp.

3. και καθημενου: om. και L | καθημ. δε W 579; καθημ. ουν 40 | αυτου: = iesu Sy.pesh.; om. 61 | εις το opos, item in (ad a) montem it. (pler.) vg. (plur. et WW): επι το ορος 474; επι του ορους 248, cf. in monte d r² δ vg. (plur.) | om. κατεναντι του ιερου (ορου sic K) 255 Geo.¹ | επηρωτα אΒLWΨ 13. 69. 346 (επειρωτα) 543. 28. 33. 49. 299. 579. 892, item introgabat sic r², similiter Sy.hl. mg. Cop.bo. (aliq.): επηρωτων (επερωτ. AEFGH; επιρωτ. Δ) ΑΔΧΥΓΔ

---

2. Cyp. Test. I. 15. Non relinquetur in templo lapis super lapidem, qui non dissoluatur. Et: Post triduum aliud excitabitur sine manibus.

Πέτρος καὶ Ἰάκωβος καὶ Ἰωάνης καὶ Ἀνδρέας   ⁴ Εἰπὸν ἡμῖν πότε ταῦτα ἔσται, καὶ τί
τὸ σημεῖον ὅταν μέλλῃ ταῦτα συντελεῖσθαι πάντα.   ⁵ ὁ δὲ Ἰησοῦς ἤρξατο λέγειν
αὐτοῖς Βλέπετε μή τις ὑμᾶς πλανήσῃ·   ⁶ πολλοὶ ἐλεύσονται ἐπὶ τῷ ὀνόματί μου
λέγοντες ὅτι Ἐγώ εἰμι, καὶ πολλοὺς πλανήσουσιν.   ⁷ ὅταν δὲ ἀκούσητε πολέμους καὶ
ἀκοὰς πολέμων, μὴ θροεῖσθε· δεῖ γενέσθαι, ἀλλ' οὔπω τὸ τέλος.   ⁸ ἐγερθήσεται

ΘΠΣΦʰ fam.¹ 22. 124. 157. 565. 700. 1071 al. pler.,
item interrogabant *it.* (pler.) *vg.* Sy.ʰˡ·ᵗˣᵗ· Cop.ᵇᵒ·
⁽ᵉᵈ·⁾ Geo. Aeth. Arm. ; επηρωτησεν *l*48, *item* = in-
terrogauit Cop.ˢᵃ·; *cf.* interrogauerunt *c ff* Sy.ˢ·ᵖᵉˢʰ·
| κατ (καθ B*) ιδιαν: κατ ιδια M ; *om.* 251. 579 *c*
Cop.ˢᵃ· Geo.ᴮ | Πετρος (= Kepha Sy.ˢ·ᵖᵉˢʰ·): ο
Πετρος אDΘ 565. 1342 ; ο τε Πετρος 115. 569 | Ιωα-
νης B: Ιωαννης Uncs. rell. Minusc. omn.ᵘⁱᵈ· | >
Ιωαν. και Ιακωβ. U fam.¹³ 543. 28. 435. 545 | *add.*
ad fin. uers. dicentes *b c* Cop.ˢᵃ·

4. ειπον אBDLWΘΨ 1 fam.¹³ (*exc.* 124) 543. 28.
33. 565. 700. 1342: ειπε (+ και 237) ΑΧΥΓΔΠΣΦʰ
118. 209. 22. 124. 579. 892. 1071 al. pler. | ημιν:
υμιν *sic* 13. 69 ; *om.* 517. 1424 | εσται: εστι Γ,
cf. fiunt *g*² *q vg.* (2 MSS) | τι το σημειον, *item*
quod signum *a d n q*: quod signum erit *b c ff i l r*¹·²
vg. | οταν: οτε MΔ ; οτι 124 ; οπερ 255 ; = quo
Sy.ˢ·, *cf. k uid. infra* | μελλη אABLWΥΘΠΦΨʰ
(*exc.* EM) fam.¹ 22. 124². 543. 28. 157. 565. 579. 892.
1071 al. pler. : μελλει (μελει Σ) DEMXΓΔ(Σ) fam.¹³
(*exc.* 124². 346) 33. 124*. 435. 472. 475*. *l*184 al.
pauc. | μελλ. ταυτα συντελεισθαι παντα אB 1342:
om. παντα WΔΘ 209. 13. 229*. 255. 435. 565. 579.
*l*184 (*k*), *similiter* Sy.ˢ·; ταυτα μελλ. συντελ. παντα
(απαντα Ψ) LΨ 892 ; ταυτα μελλ. συντελ. 517 ;
μελλ. παντα ταυτα συντελ. DEFSUVXΦΩ 118. 124.
28 al. plur. *n*, *cf.* omnia haec consummabuntur *d* ;
μελλ. (μελει *sic* Σ) ταυτα παντα συντελ. AGHKMY
ΓΠ(Σ) 1. 22. 69. 346. 543. 33. 71. 127. 157. 330.
472. 485. 569. 700. 1071 al. mu. *a q*, *similiter* Sy.
ᵖᵉˢʰ·ʰˡ· Cop.ˢᵃ·ᵇᵒ· Aeth. Arm., *cf.* haec omnia con-
summabuntur *b ff i* ; *cf.* omnia incipient haec con-
summari *c*, haec omnia incipient (incipiunt *r*²)
consummari *l r*² *aur. vg.* | *pro* τι το σημειον *usque
ad* παντα *hab.* quo signa haec incipiunt perfici *k*.

5. ο δε Ιησους (*om.* 579) אBLΨ 33. (579). 892.
1342 Sy.ᵖᵉˢʰ· Cop.ˢᵃ·ᵇᵒ·, = iesus *tant. et pon. post*
dixit eis Sy.ˢ·: ο δε Ιησους (*om.* 237. 238) αποκριθεις
ΑΧΥΓΔΠΣΦʰ (*exc.* G) 22. 157. 1071 al. pler. Sy.ʰˡ·,
item respondens autem iesus *ff*, *cf.* respondens
iesus (*sine coniunc.*) *c r*² *vg.* (1 MS) ; και αποκριθεις
(+ αυτοις *et om.* id postea GW 1. 28. 299. Geo.¹
Aeth. ο Ιησους D(G)(W)Θ fam.¹ fam.¹³ 543. 28. 91.
(299). 565. 700, *item et* respondens iesus *b i l q vg.*
(pler.) Geo. Aeth., *cf. et* respondens (*om.* iesus)
a k | ηρξατο λεγειν αυτοις אBLUΨ 118. 209. 13.
11. 33. 115. 157. 892. 1071. 1342. *l*2. *l*13. *l*18. *l*49

---

*b c i l q r*² *vg.* Sy.ᵖᵉˢʰ· Cop.ˢᵃ·ᵇᵒ· Aeth.: αυτοις ηρξατο
λεγειν ΑWΧΥΓΠΣΦʰ (*exc.* GM²U) 22. 1071 al.
pler. Sy.ʰˡ·; ηρξατο αυτοις λεγειν ΔM²69. 124. 346.
543. 60. *l*48. *l*251 *ff*; αυτοις λεγειν ηρξατο 157 ;
ηρξατο λεγειν (*om.* αυτοις) 291. 495. 544. al. pauc.;
ειπεν αυτοις DΘ 68. 108. 218. 219. 237. 349. 487.
517. 565. 700. *l*18. *l*19 *k*, *similiter* Sy.ˢ· Geo.² Arm.,
cf. ait illis *a d n* | βλεπετε: ορατε 1071 | μη τις:
μηδεις Σ | πλανηση (πλανησει DHΓΨ 13. 12. 28.
225. 433. 472. 474. 579. *l*18): απατηση 349. 517.
1675, *cf.* decipiat (*pro* seducat) *k* | *pro* τις υμας
πλανησ. *hab.* πλανηθητε 827. *l*184.

6. πολλοι *sine add.* אBLWΨ Cyp.: + γαρ AD
ΧΥΓΔΘΠΣΦʰ Minusc. omn. VSS omn. | επι: εν
G 349. 495, *item in it. vg.* | τω ονομ. μου: + pseudo-
profetae *k* | λεγοντες: = et dicent (dicunt Geo.²)
Sy.ˢ·ᵖᵉˢʰ· Geo. Arm. | οτι: *om.* DΘ 33. 544. 700.
*l*13. *l*15. *l*17 *b c ff k q* Cyp. | ειμι *sine add.* Uncs.
pler.¹ 22. 33. 157. 892 al. pler. *a ff i k n q r*²
aur. vg. (pler. *et* WW) Sy.ˢ·ᵖᵉˢʰ·ʰˡ· Geo.¹ᵉᵗ ᴬ
Aeth.: + ο Χριστος WΘ fam.¹³ 543. 28. 61. 91. 115.
255. 299. 565. 579. 700. 1071 *b c g*² *l vg.* (aliq.)
Cop.ˢᵃ·ᵇᵒ· Geo.ᴮ Arm. Cyp. | *pro* πολλους πλανη-
σουσιν *hab.* ο καιρος ηγγικεν 474.

7. δε: γαρ 53. 259 ; *om.* 59* Cop.ᵇᵒ·⁽ᵖᵃᵘᶜ·⁾
| ακουσητε (ακουσετε 69): ακουητε B ; ακουετε
(ακουεται *sic* 346) fam.¹³ (*exc.* 69) 543 | ακοας
πολεμων: ακαταστασιας 118. 209. 245. *l*184 ; *praem.*
ακαταστασιας και 827. 1279 | μη: ορατε μη א 330.
700 | θροεισθε (θροησθε 240. 244. 483*. 484. 517.
697): θορυβεισθε D 12. 57. 122. 225 ; πτοηθητε 245 ;
πτοεισθε 827. 1675 | δει *sine add.* א*BWΨ Sy.
ᵖᵉˢʰ·⁽ᵉᵈ·⁾ Cop.ˢᵃ·ᵇᵒ·: + γαρ אᵃADLΧΥΓΔΘΠΣΦʰ
Minusc. omn. *it. vg.* Sy.ˢ·ᵖᵉˢʰ·⁽ᵃˡⁱq·⁾ʰˡ· Geo. (= *praem.*
quia) Aeth. Arm. | γενεσθαι: παντα γενεσθαι 157;
ταυτα γενεσθαι 38. 122. 248. 255. 435. 1342, *item*
haec fieri *ff aur. vg.* (aliq.), haec omnia fieri *b* ;
> γενεσθαι ταυτα 238 | αλλ: αλλα D | ουπω το
τελος, *item* nondum finis *ff i k l q aur. vg.* (pler.) :
ουπω εστι το τελος 1342, *item* nondum est finis *a b
d n r*² *vg.* (3 MSS), nondum finis est *c*.

8. εγερθησεται (∼σονται 46. 52): αναστησεται Θ
565. 700 | γαρ: *om.* W 245. 247. *l*184 Cop.ˢᵃ·
Geo.¹; autem (*pro* enim) *b i k l q* | επ εθνος אBKI.
ΥΔ²ΘΠ*ΣΦΨ fam.¹ fam.¹³ (*exc.* 124) 543. 28. 472.
474. 565. 579. 892. *l*184: επι εθνος ΑDWΧΓΠ²ʰ
(*exc.* K) 22. 124. 33. 157. 700. 1071 al. pler. ; αντι

---

6. Cyp. *de cath. eccles. unit. et* Epist. LXXIII. 16 *et* Epist. LXXV. 9. multi uenient in nomine meo dicentes:
ego sum Christus et multos fallent.

γὰρ ἔθνος ἐπ' ἔθνος καὶ βασιλεία ἐπὶ βασιλείαν, ἔσονται σεισμοὶ κατὰ τόπους, ἔσονται
λιμοί·   ⁹ ἀρχὴ ὠδίνων ταῦτα.   βλέπετε δὲ ὑμεῖς ἑαυτούς· παραδώσουσιν ὑμᾶς εἰς συνέ- (ρλθ/α)
δρια καὶ εἰς συναγωγὰς δαρήσεσθε καὶ ἐπὶ ἡγεμόνων καὶ βασιλέων σταθήσεσθε ἕνεκεν ἐμοῦ
εἰς μαρτύριον αὐτοῖς.   ¹⁰ καὶ εἰς πάντα τὰ ἔθνη πρῶτον δεῖ κηρυχθῆναι τὸ εὐαγγέλιον. (ρμ/ς)
¹¹ καὶ ὅταν ἄγωσιν ὑμᾶς παραδιδόντες, μὴ προμεριμνᾶτε τί λαλήσητε, ἀλλ' ὃ ἐὰν δοθῇ (ρμα/β)

εθνον Δ*; om. 245; cf. super gentem a ff i k n aur.
vg. (pler. et WW), supra gentem l, contra gentem
b c d δ vg. (plur.), in gentem r², aduersus gentem q
| και: om. 124 | επι βασιλειαν, item super regnum
it. (pler.) vg.: cf. contra regnum b d r¹, aduersus
regnum g² | εσονται pr. ℵBDLWΨ 124. 28. 299.
892 Cop.ˢᵃ·ᵇᵒ·: και εσονται ΑΧΥΓΔΘΠΣΦ♭
Minusc. pler. it. (exc. d) vg. Sy.ˢ·ᵖᵉˢʰ·ʰˡ· Geo. Aeth.
Arm. | τοπους: τοπον 29. 71. 692 Epiph. | om.
κατα τοπους εσονται λιμοι ℵ* (suppl. ℵᵃ) | εσονται
sec. ℵᵃBLΨ 28 Cop.ˢᵃ·ᵇᵒ·: και εσονται ΑΧΥΓΔΠΣ
Φ♭ Minusc. pler. q Sy.ᵖᵉˢʰ·ʰˡ· Geo.¹ᵉᵗ ᴬ Aeth.
Arm.; nil nisi και DΘ 565. 700 it. (exc. q) vg. Geo.ᴮ;
om. W Sy.ˢ· | λιμοι (λοιμοι Θ sine add. ℵᵃBDLΨ
579 it. (exc. q) vg. Cop.ˢᵃ·ᵇᵒ· Aeth.: + και (om. W)
ταραχαι (+ κατα τοπους 122*) ΑΧ(W)ΥΓΔΘΠΦ♭
Minusc. rell. q Sy.ˢ·ᵖᵉˢʰ·ʰˡ· Geo. Or.ⁱⁿᵗ·; + και
λοιμοι και ταραχαι Σ 1342 Arm.; cf. + λοιμοι tant.
Hip. Epiph.

9. αρχη ℵBDE*ᵘⁱᵈ·KLS*UΔΘΠ*Ψ fam.¹³ (exc.
69) 543. 28. 33. 131. 299. 349. 435. 470. 482. 517.
565. 579. 892. 1071. 1342. l48. l49 al. pauc., item
initium it. (exc. l) vg. VSS rell.: αρχαι ΑΕ²FG
HMS²VXΥΓΠ²ΣΩ fam.¹ 22. 157. 700 al. pler.,
item initia g² l | αρχ. ωδινων ταυτα Uncs. pler.
118. 209. 22. 33. 157. 579. 700. 892. 1071 al. pler.,
item d ff i k l r¹·² vg. Sy.ʰˡ· Cop.ᵇᵒ·: >ταυτα αρχ.
ωδινων 433 Sy.ᵖᵉˢʰ·, cf. haec autem initium dolo-
rum aur. Cop.ˢᵃ·, cf. = hoc autem (enim Geo.ᴮ;
om. Geo.ᴬ) erit principium dolorum Geo.; ταυτα
δε (om. 472) παντα αρχ. ωδινων Θ fam.¹³ 543. 28. 91.
299. (472). 565, cf. omnia haec inicia dolorum g²,
initium dolorum (praessurae b) omnia haec a (b) n;
nil nisi αρχαι ωδινων 1, similiter Sy.ˢ·; plane om.
WΦ c | βλεπετε δε (τε 69) υμεις εαυτους (αυτους
Δ; om. ℵ*) Uncs. pler. 118. 209. 22. fam.¹³ (exc.
124) 543. 33. 157. 579. 892. 1071 al. pler., item
uidete autem (deinde k; om. q) uosmet (uos ipsos
aur.; + ipsos r²) c (k) l (q) r² aur. vg., item Sy.ᵖᵉˢʰ·
ʰˡ· Cop.ˢᵃ·ᵇᵒ· Aeth.: om. DWΘ 1. 124. 28. 91. 565.
700 a b ff i n Sy.ˢ· Geo. Arm. | παραδωσουσιν υμας
BLΨ 124. Cop.ˢᵃ·ᵇᵒ·: παραδωσουσιν (∼σωσιν Φ 245)
γαρ υμας ℵΑΧΥΓΔΠΣΦ♭ 118. 209. 22. fam.¹³ (exc.
124) 543. 33. 157. 579. 892. 1071 al. pler. c l q r²

aur. vg. Sy.ᵖᵉˢʰ·ʰˡ·; και παραδ. υμας 1. 28. 299 Sy.ˢ·
Geo. Aeth.; ειτα (+ δε 565) υμας αυτους παραδωσ.
D (565). 700, item a b ff i k n; ετι δε υμας αυτους
παραδ. Θ | >εις συναγ. και εις συνεδρ. 565 | εις
συνεδρια, item in concilia a n, in conciliabula k:
in conciliis it. (exc. a k) vg. (plur.), conciliis vg.
(plur. et WW); = in gentes Sy.ˢ· | εις συναγωγας:
εν ταις συναγωγαις αυτων l18. l19. l49. l183 alia
lection., item in synagogis suis g² vg. (1 MS), cf.
in synagogis it. vg. (pler.) | δαρησεσθε (∼σηθε
X): και δαρησ. Θ (et pon. post σταθησεσθε) 565. 700;
ducent b | και (om. 157. 235) επι ηγεμονων (+ δε
ΑΚΓΠ* 11. 72. 473. 481 al. pauc.) και (+ επι l184,
item + ad a n) βασιλεων (βασιλειων 71. 692): και
επι ηγεμονας και βασιλεις 1071. 1342; = ante reges
et praesides Sy.ᵖᵉˢʰ·; om. (et om. σταθ. sq.) X 73.
299. 435 | σταθησεσθε (στησεσθε 565): αχθησεσθε
GU fam.¹ 33. 479. 480. 517. 579. 1278** al. mu.
| ενεκεν: ενεκα B | pro δαρησεσθε usque ad σταθη-
σεσθε hab. = et ante reges stabitis et flagellabimini
ante praesides Sy.ˢ·

10. και εις παντα (+ δε 1342) τα (om. D*) εθνη:
haec uerba trahunt ad praecedentia WΘ 124. 108.
127. 131. 157, item uid. c d ff g² i r¹ vg. (1 MS) Sy.ˢ·
Cop.ᵇᵒ·⁽ᵖˡᵉʳ·⁾ Geo. Arm.; praeterea + sed conforta-
mini k, + sed constantes estote (state tol.) b g² r¹
vg. (tol.) | πρωτον δει ℵ (hab. λαον ante δει ℵ*) BD
Ψ 28. 59. 299. 517. 892. 1071. l53 a l n r² aur. vg.
Aug.: >δει πρωτον ΑΛΧΥΓΔΠΣΦ♭ fam.¹ 22. fam.¹³
(exc. 124) 543. 33. 157. 579. 700 al. pler. q Sy.ʰˡ·
Cop.ᵇᵒ·; πρωτον δε δει WΘ 108. 124. 127. 131. 565
b c d ff g² i r¹ vg. (1 MS) Sy.ᵖᵉˢʰ· Cop.ˢᵃ· Geo.; prius
enim oportet k Sy.ˢ· Geo.² | ευαγγελιον (pon. post
κηρυχθηναι 122. 300): + εν πασι τοις εθνεσιν D (b)
ff g² vg. (tol.).

11. και οταν ℵBDLΨ 33. 579. 892. 1342 a c i k l
n r¹·² aur. vg. Cop.ᵇᵒ· Geo. Aeth.: οταν δε AWX
ΥΓΔΘΠΣΦ♭ fam.¹ 22. fam.¹³ 28. 157. 565. 700.
1071 al. pler. (b) ff q Sy.ˢ·ᵖᵉˢʰ·ʰˡ· Cop.ˢᵃ· Arm.
| αγωσιν ℵΑBDGKLMUWXΥΔΘΠΦΨ fam.¹ 13.
69. 543. 33. 108. 127. 131. 229**. 349. 480. 565.
579. 700. 892. 1278. 1342 al. mu.: αγουσιν 346;
αγαγωσιν EFHSVΓΣΩ 22. 124. 28. 157. 1071 al.
pler.; cf. duxerint i l r² aur. vg. Aug., duxerunt r¹,

8. Or.ⁱⁿᵗ· ⁱⁿ ᴹᵃᵗᵗ· Aˡ· ᵀʳᵃᶜᵗ· XXVIII. *Marcus eadem, addit autem et turbelas.*

Hip.ᴰᵃⁿ· εγερθησεται γαρ εθνος επι εθνος και βασιλεια επι βασιλειαν και εσονται σεισμοι κατα τοπους και
λιμοι και λοιμοι.

Epiph.ᵖᵃⁿ· ᴸˣⁱ· εσονται σεισμοι κατα τοπον και λιμοι και λοιμοι.

10. Aug.ᶜᵒⁿˢ· in omnes gentes primum oportet praedicari euangelium.

ὑμῖν ἐν ἐκείνῃ τῇ ὥρᾳ τοῦτο λαλεῖτε, οὐ γάρ ἐστε ὑμεῖς οἱ λαλοῦντες ἀλλὰ τὸ πνεῦμα τὸ
ἅγιον. ¹² καὶ παραδώσει ἀδελφὸς ἀδελφὸν εἰς θάνατον καὶ πατὴρ τέκνον, καὶ ἐπανα-
στήσονται τέκνα ἐπὶ γονεῖς καὶ θανατώσουσιν αὐτούς· ¹³ καὶ ἔσεσθε μισούμενοι ὑπὸ
(ρμβ/ς) πάντων διὰ τὸ ὄνομά μου. ὁ δὲ ὑπομείνας εἰς τέλος οὗτος σωθήσεται. ¹⁴ ὅταν δὲ
(ρμγ/β) ἴδητε τὸ βδέλυγμα τῆς ἐρημώσεως ἑστηκότα ὅπου οὐ δεῖ, ὁ ἀναγινώσκων νοείτω, τότε οἱ
ἐν τῇ Ἰουδαίᾳ φευγέτωσαν εἰς τὰ ὄρη· ¹⁵ ὁ ἐπὶ τοῦ δώματος μὴ καταβάτω μηδὲ εἰσελ-

perduxerint b c ff q, produxerint d g², adducent a n,
optulerunt k | παραδιδοντες: om. b ff | προμεριμνατε (προμεριμνησηται Θ 1071): μεριμνατε ΜΓ 33.
59. 71. 108. 131. 349. 482. 692. 892. 1278* al. mu.,
item nolite cogitare (pro praecogitare) b d ff i q l r¹
vg. (pauc.), similiter Sy.ˢ· | τι (πως η τι fam.¹³ 543)
λαλησητε (λαλησετε U 71. 157. 349. 482. 517. 565.
700. 1278ᶜᵒʳ· al. mu.) tant. אBDLWΣΨ fam.¹ (exc.
118) 69. 33. 157. 579. 892. 1342. l32 it. (exc. a n)
vg. Sy.ˢ· Cop.ˢᵃ· ᵇᵒ· Geo.: praem. μηδε μελετατε
(προμελετατε Θ) Θ 28. 299. 433. 565. 700. l251.
l260 a n Arm.; + μηδε μελετατε (προμελετατε 38)
ΑΧΥΓΔΠΦϮ 118. 22. fam.¹³ (exc. 69) 543. 28 al.
pler.; = + neque meditemini Sy.ᵖᵉˢʰ· ʰˡ· | αλλ:
αλλα D | ο εαν: ο αν ADW 229. 1342 | ωρα:
ημερα 106 | τουτο: αυτο D | εκεινο W fam.¹³ 543. 28.
91. 299. 565; om. l18 | λαλειτε: λαλησετε fam.¹ 90.
484; λαλησητε l183 | εστε (εσται sic 28) υμεις:
> υμεις εστε ΜΥΣΦ 59. 90. 108. 472. 517. 579. 700.
1278. 1342. l183 al. pauc. a b c ff n vg. (aliq.) | οι
λαλουντες, item qui loquentes l q r², loquentes aur.
vg. (pler.), cf. qui loquimini it. rell. vg. (1 MS).

12. και παραδωσει אBDLΨ 1342, item a c k n
Cop.ᵇᵒ·: om. και V* 543. 481. 517; παραδωσει δε
ΑWΧΥΓΔΘΠΣΦϮ Minusc. rell., item ff i l q r¹· ²
aur. vg. Sy.ᵖᵉˢʰ· ʰˡ· Cop.ˢᵃ· Geo.¹ Aeth. Or.;
= tradet enim Sy.ˢ· Geo.² | αδελφος: om. 13
| αδελφον: = fratrem suum Sy.ˢ· ᵖᵉˢʰ·Aeth. | τεκνον:
= filium suum Sy.ˢ· ᵖᵉˢʰ· | επαναστησονται (⁓σεται
B, cf. exsurgebit k): αναστησονται W; cf. consur-
gent l r² vg. (pler.), insurgent a c d ff n r¹ vg. (1 MS).
exsurgent aur., surgent i q | γονεις (parentes suos
Sy.ᵖᵉˢʰ· Cop.ˢᵃ· ᵇᵒ· ᵃˡⁱᵠ·): + και οι γονεις επι τα τεκνα
579.

13. pro και εσεσθε usque ad παντων hab. = erit
habens uos in odio omnis Sy.ˢ· | υπο παντων:
cf. ab omnibus d, omnibus a i k l n aur. vg. (pler.),
omnibus hominibus c ff q r² vg. (2 MSS), omnibus
gentibus r¹ vg. (1 MS) | το: τον errore Δ* | ο δε: =
om. δε Sy.ˢ· ᵖᵉˢʰ· (1 MS); = et qui Geo.¹ | ουτος:
ουτως Χ 13. 346; om. WΣ vg. (1 MS)

14. ιδητε: ειδητε (⁓ται W) DWΣ | το βδελυγ-
μα (βδελλ. 238. 579) της ερημωσεως sine add. אBD
LWΨ 565. 700. 892 affin* r² vg. (pler. et WW)
Sy.ˢ· Cop.ˢᵃ· ᵇᵒ· Geo. Arm. Aug.: +το ρηθεν υπο
(δια Φ fam.¹ 28. 91. 106. 108. 238. 259. 579) δανιηλ
του προφητου ΑΧΥΓΔΘΠΣΦϮ fam.¹ 22. fam.¹³ (om.
της ερημ. 69) 543. 28. 157. 579. 1071 al. pler. c l n**
aur. vg. (2 MSS) Sy.ᵖᵉˢʰ· ʰˡ· Aeth., cf. + quod dic-
tum est ante (a k**) profeta k*; το δια δανιηλ του
προφητου ρηθεν l184 | εστηκοτα אBL: εστηκος DΨ
579; στηκον W fam.¹³ (exc. 124) 543. 28.
91. 299. στηκοντα 892; εστος AEFGHSVΔΘΠ*ΣΦ
70. 258. 330. 435. 475. 478. 565. 700. 1071. l251 al.;
εστως ΚΜUΧΓΠ²Ω 22. 124. 71. 157. 349. 517. 692
al. | οπου: εν τοπω αγιω (αγνω 544) U*ᵘⁱᵈ· 544,
similiter Aeth., cf. in loco sancto (pro ubi non
oportet) g¹; εν τοπω οπου 24. 63. 72ᵐᵍ· 244. 349.
517. 1071: εν τοπω ου Θ; εν τοπω ω 238 | ου δει
(ουδεις pro ου δει l184): +τοτε 47. 54 | νοειτω
(νοητω Γ): +τι αναγεινωσκει D g², similiter + quid-
quid legit a, +quid dicit n | εστι: επι U 127. 131.
435. 565. 700 | τα ορη (ορει 346): τον ερημον 122;
cf. montem d i Sy.ˢ· ᵖᵉˢʰ·

15. ο tant. BFH 238. 259. 1342, item qui c Cop.
ˢᵃ· ᵇᵒ·: και ο DΘ 565. 700, item et qui a ff i k l n q r¹· ²
aur. vg. Sy.ˢ· ᵖᵉˢʰ· Geo.²Aeth. Arm. Aug.; ο δε אA
LWΧΥΓΔΠΣΦϮ (exc. FH) fam.¹ 22. fam.¹³ 543.
28. 157. 579. 892. 1071 al. pler. Sy.ʰˡ·; cf. = et
qui et seq. erunt Geo.¹ Cop.ᵇᵒ· (1 MS) | δοματος sic
UΓ 506. 697. 1278* | καταβατω (⁓βητω ΧΔ;
καταβαινετω M) sine add. אBLΨ 61. 245. 330. 435.
892. 1342 c k Sy.ᵖᵉˢʰ· Cop.ˢᵃ· ᵇᵒ· Aug. semel: + εις
(επι 237) οικιαν (+αυτου 565. 569) ADWΧΥΓΔΘΠ
ΣΦϮ fam.¹ 22. fam.¹³ 543. 28. 157. 565. 579. 700.
1071 al. pler. a ff i l n q r¹· ² aur. vg. Sy.ˢ· ʰˡ· Aeth.
Arm. Aug. semel | om. μηδε εισελθ. usque ad fin.
uers. 565 | om. μηδε εισελθ. 245. 435 c k Aug. semel
| εισελθατω אADLΔ fam.¹³ (exc. 69) 543. 28:
εισελθετω ΒWΧΥΓΘΠΣΦΨϮ Minusc. rell. | τι
αραι BKLΠ*Ψ 72. 253. 892: > αραι τι (τα l17)
אADΧΥΓΔΘΠ²ΣΦϮ (exc. K) Minusc. rell., item it.

---

11. Aug. ˢᵖᵉᶜ· et cum duxerint uos tradentes nolite praecogitare quid loquamini sed quod datum
fuerit uobis in illa hora id loquimini non enim estis uos loquentes sed spiritus sanctus.

12. Or. ᴱˣʰᵒʳᵗ· ᵃᵈ ᴹᵃʳᵗ· παραδωσει δε κτλ.

14. Aug. ᶜᵒⁿˢ· ᵉᵗ ᴱᵖⁱˢᵗ· cum autem uideritis abominationem desolationis stantem ubi non debet qui
legit intellegat.

15. Aug. ᶜᵒⁿˢ· et qui super tectum non descendat tollere aliquid de domo.
Aug. ᴱᵖⁱˢᵗ· et qui super tectum ne descendat in domum nec introeat ut tollat quid de domo sua.

θάτω τι ἆραι ἐκ τῆς οἰκίας αὐτοῦ, ¹⁶ καὶ ὁ εἰς τὸν ἀγρὸν μὴ ἐπιστρεψάτω εἰς τὰ
ὀπίσω ἆραι τὸ ἱμάτιον αὐτοῦ. ¹⁷ οὐαὶ δὲ ταῖς ἐν γαστρὶ ἐχούσαις καὶ ταῖς θηλαζούσαις (ρμδ/β)
ἐν ἐκείναις ταῖς ἡμέραις. ¹⁸ προσεύχεσθε δὲ ἵνα μὴ γένηται χειμῶνος· ¹⁹ ἔσονται (ρμε/ς)
γὰρ αἱ ἡμέραι ἐκεῖναι θλίψις οἵα οὐ γέγονεν τοιαύτη ἀπ' ἀρχῆς κτίσεως ἣν ἔκτισεν ὁ (ρμϛ/β)
θεὸς ἕως τοῦ νῦν καὶ οὐ μὴ γένηται. ²⁰ καὶ εἰ μὴ ἐκολόβωσεν Κύριος τὰς ἡμέρας, οὐκ (ρμζ/ς)

vg. | αυτου: om. k | > αραι εκ της οικειας αυτου
τι W.

16. om. uers. 106 | και: om. l251 Geo.¹ | ο εις
τον αγρον sine add. אBDLΔΨ fam.¹ (exc. 118) 28.
59*. 245. 299. 472. 565. 700. 892*. 1342 ff q Cop.
sa. bo.: + ων AWXYΘΠΣΦ⸲ 118. fam.¹³ 543. 157.
579. 1071 al. pler., similiter Sy.s. pesh. hl. Aeth. Arm.,
cf. + est k, + fuerit a n, + erit b c i l r² aur. vg.,
item Geo. Aug.; cf. qui in agro sunt g¹ | επιστρε-
ψατω (∼ψετω sic D*): cf. στραφητω (στραφετω ed.)
Or. | εις (επι M) τα οπισω: nil nisi οπισω אD 11. 579,
item retro it. (pler.) vg. (pler.); om. l15 a i* vg. (2
MSS) | το ιματιον: τα ιματια W 61. 435.

17. δε: om. D (sed hab. autem d) Cop.sa. | εν
γαστρι: εγγαστρι sic A 543 | ταις sec.: om. W
| θηλαζουσαις (ενθηλ. L): θηλαζομεναις D 28, cf.
quae lactant k, lactantibus a l n, nutrientibus it.
(rell.) vg.

18. προσευχεσθε (προσευχες Ω) δε: om. δε Ψ 71.
692 Cop.bo. (aliq.) Arm. Aug. semel; και προσευχ. D
a (b) i n r¹ Aeth.; orate ergo c ff aur. | ινα μη
γενηται (γενη sic 579) χειμωνος (εν χειμωνος sic
errore 579) א*BW, cf. ut non fiant hieme ff, simili-
ter sine add. ινα μη χειμωνος γενωνται D (ut non
hieme ueniant d), cf. ut non hieme fiat c, ne hieme
fiant i, ut hieme non fiant l aur. vg. (pler. et WW),
similiter sine add. Sy.s. Aug.: ινα μη γενηται η φυγη
υμων (ημων 474) χειμωνος א°AXYΓΔΠΣΦΨ⸲ fam.¹
22. 124. 346. 157. 579. 700. 892. 1071 al. pler.,
similiter k r² vg. (pauc.) Sy.pesh. hl. Cop.sa. bo. Geo.¹
et B Aeth.; ινα μη χειμωνος ταυτα γενηται (γινεται L)
LΘ 50. 262 a (b) g² n* q; ινα μη γενηται ταυτα χει-
μωνος (χιμ. 28. 565) 13. 69. 543. 28. 299. 565,
similiter (sed = hoc pro ταυτα) Geo.B Arm.; prae-
terea add. μηδε σαββατου Σ 274mg. 349. 1342, add.
μηδε σαββατω 12. 247. 330. 1071, similiter Cop.bo.
(1 MS), add. μηδε σαββατων 59. 61. 67, add. η εν
σαββατω 346. 11. 15. 68. 238. 474. 517. 892,
similiter Cop.sa. (1 MS), add. η σαββατου L 235 g²
k n².

19. εσονται γαρ αι (om. Δ 892) ημεραι εκειναι:

εσται γαρ εν ταις ημεραις Γ, item cf. erunt (erint sic
a*) enim in (om. d q vg. 1 MS) diebus illis a b d k
n q r¹ vg. (1 MS), similiter Sy.pesh. Cop.bo. (3 MSS),
similiter (sed = pon. in diebus illis post tribulatio)
Sy.s. | θλιψις Uncs. pler. fam.¹ 22. 69². 157. 700.
892. 1071 al. pler., similiter Sy.s. pesh. hl. Cop.sa. bo.
Aeth.: θλιψης 124. 28; θλιψεις ADWΘΦ fam.¹³
(exc. 124) 543. 299. 565. 579. 1342. l184, cf. tribu-
lationes a b c (+ pressurae) d n q r¹. ² vg. (plur. et
WW), tribulationis ff i k l δ aur. vg. (plur.) Aug.,
= afflictionis Geo. | οια ου γεγονεν (+ ποτε 700)
τοιαυτη (ταυτη 579): pon. post κτισεως 474; om.
11. 892) Uncs. pler. Minusc. pler.: οιαι ουκ εγενον-
το (γεγοναν l184; γεγονασιν ποτε 565) τοιαυται D
299. 565. l184, item cf. quales non fuerunt c d ff i k,
tales quales non fuerunt b l q r¹. ² vg. Arm. Aug.,
quales non fuerunt nunquam tales a n | απαρχη
sic Δ | κτισεως (κτησεως 13. 71): om. W 28. 299.
Geo.; + κοσμου 1071 | ην εκτισεν (εκτησεν 346.
28) ο θεος אBC*LΣΨ 28. 579. 892, item quam
condidit deus (om. r²) l r² aur. vg. Aug.: ης εκτι-
σεν ο θεος (+ τον κοσμον 115. 473) AC²WXYΓΔΠ
ΦΨ⸲ fam.¹ 22. fam.¹³ 543. 157. 700. 1071. 1342 al.
pler.; cf. ex quo omnia condidit deus b, ex quo
condidit deus q; om. DΘ 27. 565 a c ff i k n r¹ Arm.
| και ου μη γενηται Uncs. pler. 22. 124. 28. 579.
700. 892. 1071 al. pler.: ουδε (+ ου 565, ουδ ου Θ)
μη γενωνται DΘ 565, cf. neque erunt post haec (hoc
c) b (c) d ff q aur., neque fient (fiant r² vg. 1 MS)
l r² vg. (pler.) Aug., sed neque fient a i n r¹; ουδ
ου μη γενηται FGΣ fam.¹ fam.¹³ (exc. 124) 543. 157.
253; = iterumque non erit Geo.¹; et non erit
numquam k, similiter numquamque (= om. que
Geo.A) erit Geo.²

20. εκολοβωσεν κυριος (ο θεος Ψ 1071 c ff k) hoc
ordine אBLΨ 892. 1071 b c ff i k l r¹. ² vg. Aeth.
Arm.: > κυριος (ο θεος Θ 13. 69. 346. 543. 28. 64.
91. 299. 565) εκολοβωσεν (εκωλ. 346; εκολωβ.
ΥΩ; εκολομησεν sic Δ) hoc ordine ACDXYΓΔΘΠΣ
ΦΨ⸲ fam.¹ 22. fam.¹³ 543. 28. 157. 565. 579. 700 al.
pler. a q aur. Sy.pesh. hl. Cop.sa. bo. Geo.² Aug.; om.

16. Or. Hom. Ierem. XIII. μη στραφετω εις τα οπισω αραι το ιματιον αυτου.

Aug. Epist. et qui in agro erit non reuertatur retro tollere uestimentum suum.

18. Aug. cons. orate uero . . . ut hieme non fiant.

Aug. Epist. orate ut hieme non fiant.

19. Aug. Epist. erunt enim dies illi tribulationis tales quales non fuerunt ab initio creaturae quam con-
didit deus usque nunc neque fient.

20. Aug. Epist. et nisi breuiasset dominus dies illos non fuisset salua omnis caro sed propter electos
quos elegit breuiauit dies.

(ρμη/β)
(ρμθ/ς)

(ρν/β)

ἂν ἐσώθη πᾶσα σάρξ. ἀλλὰ διὰ τοὺς ἐκλεκτοὺς οὓς ἐξελέξατο ἐκολόβωσεν τὰς ἡμέρας. 21 καὶ τότε ἐάν τις ὑμῖν εἴπῃ Ἴδε ὧδε ὁ Χριστός Ἴδε ἐκεῖ, μὴ πιστεύετε· 22 ἐγερθή- σονται γὰρ ψευδόχριστοι καὶ ψευδοπροφῆται καὶ δώσουσιν σημεῖα καὶ τέρατα πρὸς τὸ ἀποπλανᾶν εἰ δυνατὸν τοὺς ἐκλεκτούς· 23 ὑμεῖς δὲ βλέπετε· προείρηκα ὑμῖν πάντα. 24 Ἀλλὰ ἐν ἐκείναις ταῖς ἡμέραις μετὰ τὴν θλίψιν ἐκείνην ὁ ἥλιος σκοτισθήσεται, καὶ ἡ σελήνη οὐ δώσει τὸ φέγγος αὐτῆς, 25 καὶ οἱ ἀστέρες ἔσονται ἐκ τοῦ οὐρανοῦ πίπτοντες,

κυριος W 12. 435. 1342. *l*251 Geo.¹; εκολοβωθησαν et seq. αι ημεραι εκειναι *l*184 Sy.ˢ· | τας ημερας sine add. אBCHKLSUVWXYΓΠΦΩ 22. 157. 700. 892. 1071 al. pler. it. (exc. c g¹· ²) vg. (pler. et WW) Sy.ʰˡ·: + εκεινας EFGMΔΘΣΨ fam.¹ fam.¹³ 543. 28. 330. 349. 472. 517. 579 al. mu. c g¹· ² vg. (aliq.) Sy.(ˢ·) pesh· Cop.ˢᵃ· ᵇᵒ· Geo. Aeth. Arm. Aug.; + δια τους εκλεκτους αυτου D 565. *l*251 a b ff i q r¹ Arm. | αλλα δια Uncs. omn. Minusc. pler., item sed (et k) propter it. vg.: δια δε fam.¹ fam.¹³ (exc. 124) 543. 9. 28. 91. 299. 1542 | ους (om. 579) εξελεξατο: om. k | εκολωβωσεν sic YΩ | τας ημερας sec.: + εκεινας ΘΣ 349. 517 | pro εκολοβ. τας ημερας hab. εκολο- βωθησαν αι ημεραι εκειναι 1342, cf. breuiabuntur dies illi (om. g²) a b (g²), cf. = breuiantur dies Sy.ˢ·

21. και: om. UΘΣ fam.¹ 56. 58. 60. 201. 241. 246. 252. 479. 480. 483. 517. 565. 1278 c Sy.pesh· Geo.² Arm. | εαν: αν DL 349. 517 | τις υμιν ειπη: > quis dixerit uobis Cop.ˢᵃ· ᵇᵒ· Geo.²; = > dixerit uos uobis Geo.¹ | ιδε (ειδε א) pr. אB LΨ 28. 892. 1342: ιδου ACDWXYΓΔΘΠΣΦ Minusc. rell. VSS omn. | ο Χριστος (ο κυριος W) sine add. אLUWΨ fam.¹³ (exc. 124) 543. 40. 71. 127. 157. 349. 472. 517. 565. 579. 700. 892. 1071 al. mu. k l r² δ aur. vg. Sy.ˢ·: + η ACDXYΓΘΠ ΣΦ (exc. U) fam.¹ 22. 124. 28. 1278 al. plur. it. (exc. k l r¹· ² δ aur.) vg. (1 MS) Sy.ʰˡ· Cop.ᵇᵒ· Geo. Aeth. Arm. Cat.ᵐᵒˢ𐞥·; + και B r¹ vg. (1 MS) Sy.pesh· Cop.ˢᵃ· | ιδε (ειδε אDL) sec. אBDLΨ 28. 892. 1342: ιδου (ειδου W) AWXYΓΔΘΠΣΦ 0116 ϧ Minusc. pler. it. vg. Sy.ˢ· pesh· hl· Cop.ˢᵃ· Aeth.: om. C 63 Cop.ᵇᵒ· Geo. Arm. | μη πιστευετε אABCD EFHLVWYΔΨΩ 22. fam.¹³ (exc. 124) 543. 71*. 108. 131. 157. 240. 474. 692. 697 al. mu.: μη πιστευσητε (~σειτε Θ; + ται 28) GKMSUXΓΘΠ ΣΦ 0116. fam.¹ 124. 28. 565. 579. 700. 1071 al. pler.; μη πιστευητε 242; cf. nolite credere a c d ff k q vg. (1 MS), ne credideritis b i l r¹· ² δ aur. vg. (pler.), ne credidetis sic g²; = + ei Sy.ˢ·

22. γαρ: δε אC | ψευδοχριστοι (ψευδοχ. errore A; ψευδοχρηστοι fam.¹³ 543; πολλοι ψευδοχ. W)

| και: om. D 124 i k | δωσουσιν (δωσωσιν *l*184; δωσιν Φ) Uncs. pler. fam.¹ 22. 157. 579. 700. 892. 1071 al. pler., item dabunt it. (exc. a d) vg. VSS. pler.: ποιησουσιν DΘ fam.¹³ 543. 28. 91. 299. 565, item facient a d Aeth. Cat.ᵐᵒˢ𐞥·, cf. Or.; = fient Geo.² | σημεια (+ μεγαλα 579) και τερατα: > τερατα και σημεια 237, item = portenta et signa Geo. | προς το: εις το Γ; ωστε 1342 | αποπλαναν: πλαναν W 124. 34. 39. 74. 89. 234*. 299. 330; πλανησαι 28; αποπλανησαι 238. 259. 473. 517; cf. ad seducendos homines b | ει δυνατον: nil nisi si b | τους (om. Ψ) εκλεκτους tant. אBD (sed non d) Ψ: και τους εκλεκτους ACLWXYΓΔΘΠΣΦ 0116 ϧ Minusc. omn. VSS omn.

23. υμεις δε βλεπετε, item uos autem uidete k q Sy.ˢ· hl· Geo.²: uos ergo uidete b d l r¹· ² aur. vg.; nil nisi uidete a i ff; cf. = uos autem cauete Sy.pesh· Cop.ˢᵃ· ᵇᵒ· Geo.¹ Cyp.ᵇⁱˢ | προειρηκα tant. BLWΨ 28. 1342 a: ιδου προειρηκα אACDXYΓΔΘΠΣΦ 0116 ϧ Minusc. pler. it. (exc. a) vg. Sy.ˢ· pesh· hl· Geo.² Arm. Aeth. Cyp.ᵇⁱˢ; ιδου γαρ προειρ. 472; > προειρηκα ιδου 237; = quia praedixi Cop.ˢᵃ· ᵇᵒ·, cf. = quia ecce praedixi Geo.¹ | παντα אBCDLW XYΓΔΘΨ 0116 ϧ (exc. KMU) fam.¹ 22. fam.¹³ 543. 28. 157. 565. 579. 700. 892. 1071 al. pler.: απαντα AKMUΠΣΦ 11. 61. 108. 127. 300. 472. 482. *l*184 al. mu.

24. αλλα אBCDWΔΨ 579: αλλ ALXYΓΘΠΣΦ 0116 Minusc. rell.; = autem (post illis) Sy.pesh·; om. k Geo.ᴬ | εν: om. X vg. (2 MSS) | εκεινην (om. k): των ημερων εκεινων Σ 69. 346. 11. 15. 27**. 68. 72. 473. 1071 vg. (1 MS) Arm. (aliq.) | φεγγος (φεγος LΓ): φως 56. 58.

25. πιπτοντες אBCDLΘΠ*Ψ 11. 253. 579. 892. *l*49: εκπιπτοντες AXYΓΔΠ²ΣΦ 0116 ϧ fam.¹ 22. fam.¹³ 543. 28. 157. 1071 al. pler.; επιπιπτοντες 245 | οι αστερες εσονται (om. 579) εκ του ουρανου πι- πτοντες (uel εκπιπ.) אABCUΘΠ*Ψ 72. 108. 127. 482. 517. (579). 892. *l*184 al. pauc. a: οι αστερες (+ εκ fam.¹³ 543. 299. 472. 473. *l*18. *l*19 al. pauc. i Sy.ʰˡ· ᵐᵍ·) του ουρανου εσονται εκπιπτοντες (L)XΓΔΠ²ΣΦ 0116

21. Cat. ᵐᵒˢ𐞥· II. 53. εαν τις υμιν ειπη ιδου ωδε ο Χριστος η ιδου εκει μη πιστευετε.

22. Or. ᴴᵒᵐ· ᴵᵉʳᵉᵐ· ᴵⱽ· και ποιησει σημεια και τερατα ο ελευσομενος ωστε αποπλανασθαι, ει δυνατον, και τους εκλεκτους.

Or. ⁱⁿ ᴹᵃᵗᵗʰ· ᵀᵒᵐ· ˣⱽᴵᴵ· και σημεια και τερατα εν οις καταπλησσεται και αποπλανησει ει δυνατον και τους εκλεκτους.

Cat. ᵐᵒˢ𐞥· II. 53. ποιησουσι γαρ, φησι, σημεια ωστε πλανησαι ει δυνατον και τους εκλεκτους.

23. Cyp. ᵈᵉ ᶜᵃᵗʰ· ᵉᶜᶜˡ· ᵘⁿⁱᵗ· 17. et Epist. LXXIII. 16. uos autem cauete, ecce praedixi uobis omnia.

καὶ αἱ δυνάμεις αἱ ἐν τοῖς οὐρανοῖς σαλευθήσονται.   ²⁶ καὶ τότε ὄψονται τὸν υἱὸν τοῦ (ρνα/β)
ἀνθρώπου ἐρχόμενον ἐν νεφέλαις μετὰ δυνάμεως πολλῆς καὶ δόξης·   ²⁷ καὶ τότε ἀπο-
στελεῖ τοὺς ἀγγέλους καὶ ἐπισυνάξει τοὺς ἐκλεκτοὺς αὐτοῦ ἐκ τῶν τεσσάρων ἀνέμων
ἀπ᾽ ἄκρου γῆς ἕως ἄκρου οὐρανοῦ.   ²⁸ Ἀπὸ δὲ τῆς συκῆς μάθετε τὴν παραβολήν·
ὅταν ἤδη ὁ κλάδος αὐτῆς ἁπαλὸς γένηται καὶ ἐκφύῃ τὰ φύλλα, γινώσκετε ὅτι ἐγγὺς τὸ

ᗺ fam.¹ 22. (fam.¹³ 543). 28. 157. (299). (472). (473). 1071 al. pler. (i) l r² vg. Sy.ʰˡ·; οι αστ. οι εκ του ουρ. εσονται πιπτοντες D, *item* stellae quae sunt in (de d) caelo erunt cadentes (decidentes q) c d ff q; cf. erunt stellae caeli decidentes *aur.*; οι αστ. του ουρανου πεσουνται 131. 258, *item* stellae de caelo cadent e Geo. Arm.; cf. stellae quae sunt in caelo cadent b; οι αστ. πεσουνται εκ (απο 1342) του ουρανου 565. 700. (1342), *item* stellae cadent de caelo g¹·² Sy.ᵖᵉˢʰ· Cop.ˢᵃ· ᵇᵒ· Aeth.; = cadent stellae de caelo Sy.ˢ·; *nil nisi* stellae cadentis *sick* | αι (*om.* W 22. 253 k δ) εν τοις ουρανοις (τω ουρανω W* 38. 700) Uncs. pler. Minusc. pler., *item* b e (k) l(δ) vg. Sy.ʰˡ· Geo.² Arm.: των ουρανων DK 115. 700, *item* caelorum a c ff g¹ i r² Sy.ˢ· ᵖᵉˢʰ· Cop.ˢᵃ· ᵇᵒ· Geo.¹ Aeth., cf. caelestium d aur., caelestes q.

26. εν νεφελαις Uncs. pler. 22. 124. 346. 157. 565. 579. 700. 892. 1071 al. pler., *item* in nubibus c l r² (+ caeli r² 2 MSS) vg. (pler.), cum nubibus a b d ff i q vg. (1 MS), *similiter* = in nubibus Sy.ᵖᵉˢʰ· ʰˡ· Cop.ˢᵃ· ᵇᵒ·: επι των νεφελων D Sy.ˢ·; εν νεφελη WΘ fam.¹ fam.¹³ (*exc.* 124. 346) 543. 28 k Geo.¹; *om.* X e g¹ Geo.² | δυναμεως πολλης και δοξης ℵBC DLWXYΘΣΦΨ 0116 ᗺ (*exc.* M) fam.¹ (*exc.* 118) 22. 565. 1071 al. pler., *item* it. vg., *similiter* Sy.ˢ· ᵖᵉˢʰ· Cop.ˢᵃ· ᵇᵒ· Geo.¹: > δυναμεως και δοξης πολλης ΑΜ ΔΠ 118. fam.¹³ 543. 28. 61. 72. 106. 127. 157. 299. 349. 472. 517. 700. 892. 1342 al. mu. Sy.ʰˡ· Aeth. Arm.; > δυναμεως και πολλης δοξης 248; > δοξης και δυναμεως πολλης 579.

27. και: = *om.* Sy.ᵖᵉˢʰ· Cop.ᵇᵒ· (aliq·) | τοτε: *om.* r² | αποστελει Uncs. pler. fam.¹ 22. fam.¹³ 543. 565. 579. 700. 1071 al. pler., *item* mittet *it.* (*exc.* l) vg. (pler.) VSS rell.: αποστελλει (αποστελ-λεῖ *accent. sic* H 157) ℵHLΔΣ 28. 157. 474. 892, *item* mittit l vg. (1 MS) | τους αγγελους *sine add.* BDLW a b e ff i k q vg. (1 MS): + αυτου ℵAC XYΓ ΔΘΠΣΦΨ 0116 ᗺ Minusc. omn. c l r² aur. vg. (pler.) Sy.ˢ· ᵖᵉˢʰ· ʰˡ· Cop.ˢᵃ· ᵇᵒ· (pler.) Geo. Aeth. Arm. Or.; *praeterea add.* μετα σαλπιγγος φωνης μεγαλης 12. 330. 482. 579 | *om.* και επισυναξει τους εκλεκτους αυτου 71*. 299*. 692 | επισυναξει (συναξει l14) Uncs. pler. Minusc. pler., *item* it. (*exc.* e) vg. (pler.): επισυναξουσιν FLM 245. l9. l12. l19. l251, *item* colligent e, congregabunt g², *similiter* Aeth. Arm.

(aliq·); επισυνστρεψουσιν W 28 | τους εκλεκτους αυτου ℵABCXYΓΔΘΠΣΦᗺ 118. 22. fam.¹³ 543. 157. 579. 700. 1071 al. pler. b c l q r² aur. vg. Sy.ˢ· ᵖᵉˢʰ· ʰˡ· Cop.ˢᵃ· ᵇᵒ· Gec.ᴮ Aeth. Arm.: *om.* αυτου DLWΨ fam.¹ (*exc.* 118) 28. 91. 299. 565. 892. 1342 a e ff i k* Geo.¹ ᵉᵗ ᴬ Or. | απ (απο 892; επ V) ακρου: απ ακρου D 22. 565, *item* ab angulis a b Sy.ˢ· Aeth. | γης Uncs. pler. 22. 157. 892. 1071 al. pler.: της γης UWYΘΦ fam.¹ fam.¹³ 543. 28. 72. 106. 234*. 470. 473. 482. 106. 565. 700. l184 al. | ακρου sec.: ακρων W fam.¹ 22. 697 | ουρανου Uncs. pler. 22. 157. 892. 1071 al. pler.: του ουρανου UYΘΨ fam.¹³ 543. 28. 78. 234². 247. 248. 253. 259. 470. 473. 482. 517. 565. 579. 700. l49. l184. l251. l260, *item* cf. caeli a l q r² vg. Or.; ουρανων W fam.¹, *item* caelorum b c d ff i k aur.

28. δε: *om.* Cop.ᵇᵒ· (3 MSS) | της συκης: arbore g²; fici arbore c vg. (2 MSS) | μαθετε (μανθανετε 487): μαθε V 59. 506. l185 | την παραβολην: = parabolam hanc Geo. | ηδη (ιδη sic 1342) ο κλαδος αυτης ℵBCDLΘΠΣΨ fam.¹³ (*exc.* 124) 543. 72. 125**. 201. 241. 246. 252. 253. 479. 480. 482. 579. 892. 1071. (1342) it. vg. Cop.ᵇᵒ· (rami pro κλαδος) Arm.: > αυτης ηδη ο (*om.* Δ) κλαδος EFG HKVXYΓΔ 0116 fam.¹ 22. 124. 28. 157. 565. 700 al. pler.; ηδη αυτης ο κλαδος M 106; ο κλαδος ηδη αυτης 11. 122. 262; αυτης ο κλαδος ηδη SΩ 44. l49. l251; αυτης ο κλαδος UW 349. 487. 506. 517; ο κλαδος αυτης 259. 472, *similiter sine* ηδη (iam) Cop.ˢᵃ·, *item* = rami eius Sy.ˢ· ᵖᵉˢʰ· Geo. | απαλος γενηται: > γενηται απαλος Σ 28. 72. 108. 127. 253. 299. 349. 474. 517. 579. l49. l184. l251 | εκφυη (εκφυει 56. 131. 157. 258. l184) τα φυλλα: >τα φυλλα εκφυη U 1. 78. 108. 127. 517. 700. 1342; *om.* εκφυη 124; *add.* εν αυτη post τα φυλλα DΘ 124. 28. 91. 299. 565. 700 q Arm.; = folia eius *pro* τα φυλλα Sy.ˢ· ᵖᵉˢʰ·; cf. nata fuerint (+ in ea q) folia (+ in illa d) b (d) i l (q) aur. vg. (pler.), > folia nata fuerint vg. (2 MSS), prodeunt folia c, folia nascuntur ff, folia procreauerit a, germinauerit folia k | γινωσκετε ℵAB*CXYΓΠΣΦΨ 0116 ᗺ Minusc. pler.: γινωσκεται B²DLWΔΘ 13. 346. 28. 66. 201. 479. 480. 692 | οτι: + ηδη D (*sed non* d) | εγγυς: εγγυ C | *om.* εγγυς το 71. 692 | το θερος (τελος K) εστιν: > εστιν το θερος Γ 282, *similiter*

---

27. Or. ⁱⁿᵗ· ⁱⁿ ᴹᵃᵗᵗ· Apud Marcum hoc dicit modo: Et tunc mittet angelos suos, et congregabunt electos a quatuor uentis, a summo terrae usque ad summum caeli.

28. Aug. ᴱᵖⁱˢᵗ· a ficu autem discite parabolam cum iam ramus eius tener fuerit et nata fuerint folia cognoscitis quia in proximo sit aestas.

θέρος ἐστίν· ²⁹ οὕτως καὶ ὑμεῖς, ὅταν ἴδητε ταῦτα γινόμενα, γινώσκετε ὅτι ἐγγύς ἐστιν ἐπὶ θύραις. ³⁰ ἀμὴν λέγω ὑμῖν ὅτι οὐ μὴ παρέλθῃ ἡ γενεὰ αὕτη μέχρις οὗ ταῦτα πάντα γένηται. ³¹ ὁ οὐρανὸς καὶ ἡ γῆ παρελεύσονται, οἱ δὲ λόγοι μου οὐ παρελεύ-
(ρνβ/ϛ) σονται. ³² Περὶ δὲ τῆς ἡμέρας ἐκείνης ἢ τῆς ὥρας οὐδεὶς οἶδεν, οὐδὲ οἱ ἄγγελοι ἐν

---

it. vg. Sy.pesh. hl. Geo. Aug.; *om.* εστιν Y 11. 248. 251. 253. 330. 470. 481. 482. 559. 1342 Sy.ˢ· | *pro* οτι εγγυς *usque ad fin. uers.* 29 hab. *nil nisi* οτι εγγυς εστιν επι θυραις 259, *similiter nil nisi* quod in proximo sit et in osteis *r²*, *ceteris omissis propter homoeot.*

29. *uers. om. l*36* | ουτως Uncs. pler. 22. fam.¹³ 543. 28. 59. 157. 506. 517. 565. 579. 692. 697. 700. 1278. 1342: ουτω MSΩ fam.¹ 892 al. pler. | υμεις: *om.* 142* | ιδητε (ειδητε CD 1071; ιδετε 124) ταυτα (omnia *r¹*; παντα ταυτα D, *item* omnia haec *d i* Sy.hl., = omne hoc Geo.¹; ταυτα παντα 253*. 579, *item* haec omnia *c ff q* vg. 2 MSS Sy.ˢ· pesh. Cop.sa. bo. Aeth. Arm., = hoc omne Geo.²) ℵABCD LUΘΠ*Ψ fam.¹ fam.¹³ 543. 11. 25. 72. 127. 253. 517. 565. (579). 892. 1071. 1342 it. (*exc. a*) vg., *similiter* VSS rell.: ＞ ταυτα (παντα 61. 330) ιδητε (ειδητε W 330) WXYΓΔΠ²ΣΦ 0116 ϧ (*exc.* U) 22. 28. 157. 700 al. pler. *a* | γινομενα: γενομενα 59. 472. 485. 517 Cop.bo· Geo.²; *om.* 38. 253*. 435. 481 *a* Geo.¹ | γινωσκετε: γινωσκεται ADLΔ 28; *om.* 251 | επι θυραις: = ad ianuam Sy.ˢ· pesh. Aeth.; *cf.* et in foreibus est finis *k*; *cf.* regnum dei *l*.

30. αμην (αμην αμην 47. 56. 58): + δε LW 892 | οτι: *om.* 56. 58. 74. 258. 472. 485* *k* Geo.² | μεχρις (⁓ρης Ω) ABCLXYΓΔΠΣΦ 0116 ϧ 22. 157. 579. 700. 892. 1071 al. pler.: μεχρι ℵΨ; εως DWΘ fam.¹ fam.¹³ 543. 28. 39. 40. 53. 56. 57. 58. 259. 299. 565 | ου (οτου B; οπου 1342): αν fam.¹ fam.¹³ 543. 28. 49. 91. 299. 435; *om.* ℵWΘ 565 | *om.* donec (μεχρις ου) *ff* | ταυτα παντα γενηται ℵBCLΔΘΨ fam.¹³ 543. 71. 106. 127. 131. 470. 482. 565. 700. 892. *l*184 al. pauc. *d* Sy.ˢ· pesh. Cop.sa. bo. Aeth. Arm., *similiter* = hoc omne fiat Geo.²: ＞ παντα ταυτα γενηται ADWXYΓΠΣΦ 0116 ϧ fam.¹ 22. 157 al. pler. *ff l q r¹·² aur.* vg. Sy.hl., *similiter* omne hoc fiat Geo.¹; ＞ παντα γενηται ταυτα 28. 59. 251. 697. 1278 *i*; *om.* ταυτα 517. 579. 1071 *a c g¹ k**; = *om.* παντα 1342 Sy.pesh. (1 MS).

31. παρελευσονται *pr.* ℵBDKUΓΘΠΨ fam.¹

fam.¹³ 543. 565. 700. 892. 1071 al. plur., *item* transibunt *it.* (*exc. a k*) vg. (plur. *et* WW) Sy.ˢ· pesh. hl. Cop.sa. bo. Geo. Arm.: παρελευσεται ACuid. LWXYΔΣΦ 0116 ϧ (*exc.* KU) 22. 71. 108**. 127. 131. 157. 240. 300. 349. 470. 471. 579. 692. 1278. 1342. *l*184 al. plur., *item* transiet *a k* vg. (plur. *sed non* WW) Aeth. | οι δε λογοι μου: οι δε εμοι λογοι *l*49 *bis*; *cf.* uerbum autem meum *a* | ου BD*: ου μη Uncs. rell. Minusc. omn. | παρελευσονται *sec.* ℵBL 517. 892 (⁓σωνται) 1342. *l*18 *bis*. *l*36. *l*49 *bis*. *l*50. *l*184. *l*185 *semel. l*251: παρελθωσιν ACDW XYΓΘΠΣΦΨ 0116 ϧ Minusc. rell.; *cf.* transibunt *it.* (*exc. a ff*) vg., praeteribunt *ff*, *similiter* VSS. pler., *sed cf.* praeteribit *a* Aeth.

32. η ABCLXYΓΔΠΣΦΨ 0116 ϧ (*exc.* FS*) 22. 59. 71. 106. 142. 238. 517. 579. 692. 892. 1071. 1278. 1342 al. plur., *item uel cff l* vg. (plur. *et* WW) Sy.hl. Cop.bo. (aliq.) Epiph. *semel*: και ℵDFS* WΘ fam.¹ fam.¹³ 543. 28. 157. 237. 251. 349. 565. 700 al. plur. *a g² i k q r¹·² aur.* vg. (plur. *sed non* WW) Sy.ˢ· pesh. Cop.sa. bo. (aliq.) Geo. Aeth. Arm. Iren. Epiph. *semel* Bas. Aug. Hil. | της ωρας ℵBC DKLMUWYΓΔΘΠΨ fam.¹ 247. 252. 517. 565. 579. 892. *l*49 al. plur. Epiph.: *om.* της AEFGHS VXΣΦΩ 0116. 22. fam.¹³ 543. 28. 71. 106. 131. 157. 330. 569. 692. 700. 1278 al. plur. Bas.; ωρας εκει-νης Σ | οι (*om.* 475) αγγελοι *sine add.* ℵDK*LU ΘΣ 0116. 28. 124. 127. 299. 472. 474. 485. 565. 700. 892. 1071 al. pauc. *it.* vg. Cop.bo· Geo. Aeth. Arm.: + οι ACWXYΓΔΠΦΨ ϧ (*exc.* K* U) fam.¹ 22. fam.¹³ (*exc.* 124) 543. 157. 579 al. pler. Sy.ˢ· hl. Cop.sa· Epiph. Bas. | εν ουρανω: εν τω ουρανω DΨ 71. 74. 131. 349. 473. 485. 565. 575. 1278 al. pauc.; εν ουρανοις 245, *item* in caelis *k*, *cf.* Bas.; των ουρα-νων UΣ 28. 78. 127. 517. 571. 1071. *l*15. *l*36. *l*360, *item* caelorum *a g¹* Aug.; = caeli Sy.pesh. Aeth., *cf.* Hil.) ουδε (ουτε LΨ 517) ο (*om.* 59*. 476. *l*184) υιος (filius hominis vg. 4 MSS., *cf.* Hil.): *om.* X vg. (1 MS) | ει μη: αλλα 892 | ο πατηρ: *praem.* μονος Δ *c* Arm. (ed.); *add.* μονος ΘΦ fam.¹³ (*exc.* 69) 543. 61. 262. 326. 565.

---

32. Iren. int. II. 28. 6.   De die autem illa et hora nemo scit, neque Filius, nisi Pater solus.

Epiph. Ancor. ουδεις οιδε την ημεραν και την ωραν ουδε οι αγγελοι οι εν τω ουρανω.

Epiph. panar. περι δε της ημερας εκεινης η της ωρας ουδεις οιδεν ουτε οι αγγελοι ουτε ο υιος, ει μη ο πατηρ μονος.

Bas. Litt. CCXXXVI. περι δε της ημερας εκεινης και ωρας ουδεις οιδεν ουδε οι αγγελοι οι εν ουρανω, ουδε ο υιος ει μη ο πατηρ.

Hil. de Trinit. Lib. I semel Lib. IX bis.   De die autem illa et hora nemo scit, neque angeli in caelis neque Filius (+ hominis aliq. MSS) nisi Pater solus.

Aug. Serm. neque angeli caelorum neque Filius nisi Pater.

οὐρανῷ οὐδὲ ὁ υἱός, εἰ μὴ ὁ πατήρ.   [33] βλέπετε ἀγρυπνεῖτε, οὐκ οἴδατε γὰρ πότε ὁ (ρνγ/ϛ) καιρός ἐστιν·   [34] ὡς ἄνθρωπος ἀπόδημος ἀφεὶς τὴν οἰκίαν αὐτοῦ καὶ δοὺς τοῖς δούλοις (ρνδ/β) αὐτοῦ τὴν ἐξουσίαν, ἑκάστῳ τὸ ἔργον αὐτοῦ, καὶ τῷ θυρωρῷ ἐνετείλατο ἵνα γρηγορῇ. (ρνε/β) [35] γρηγορεῖτε οὖν, οὐκ οἴδατε γὰρ πότε ὁ κύριος τῆς οἰκίας ἔρχεται, ἢ ὀψὲ ἢ μεσονύκτιον ἢ ἀλεκτοροφωνίας ἢ πρωί,   [36] μὴ ἐλθὼν ἐξέφνης εὕρῃ ὑμᾶς καθεύδοντας·   [37] ὃ δὲ ὑμῖν λέγω πᾶσιν λέγω, γρηγορεῖτε.

1071 *a k δ vg.* (tol.) Cop.[sa. bo.] (1 MS) Geo. Aeth. Arm. (aliq.) Iren. Epiph. Hil. ; *add. μου μονος* 238.

33. βλεπετε (*om.* 56. 58. 131 Sy.[s.]): + δε WΘΣ fam.[13] 543. 28. 91. 299. 565 Geo.[1] (= sed uidete Geo.[2]) Aeth.; + ουν D, *item* + ergo *d f g² i q,* + itaque *c ff* | αγρυπνειτε (και αγρυπ. Θ fam.[13] 543. 28. 91. 299. 565 *c k vg.* 1 MS Cop.[sa.] Geo.) *sine add.* BD 122 *a c k vg.* (tol.*): + και (*om.* 35. 201. 479. 480. 483.* 575 al. pauc. Cop.[bo.]) προσευχεσθε Uncs. rell. Minusc. rell. VSS rell., *cf.* Aug. | ουκ (οτι ουκ 346) οιδατε γαρ: *om.* γαρ 240. 244. 330 *ff* Cop.[sa.] (1 MS) bo. (1 MS) ; *add.* ει μη ο πατηρ και ο υιος W | ποτε (τοτε 64) ο (*om.* Δ) καιρος εστιν (*om.* DW *a*), *item* quando tempus sit (ueniet *e k*) it. (*exc. a c*) *vg.* : = quando erit hora illa Geo.[1 et A]; *nil nisi* tempus *c* Sy.[s.], *similiter* = dies temporis eius Aeth.

34. ως Uncs. pler. 22. 157. 579. 700. 892. 1071 al. pler. : ωσπερ WΘΣ fam.[1] fam.[13] 543. 28. 91. 299. 472. 474. 565 ; *praeterea add.* γαρ WΘΣ fam.[13] 543. 28. 91. 472. 1071 *c* Sy.[s.] pesh. Cop.[sa. bo.] (1 MS) | αποδημος Uncs. pler. Minusc. pler., *item* peregrinus *k*: αποδημων DXΘ fam.[1] 28. 245. 299. 349. 472. 517. 565. 1342, *item* peregre profectus *b d f ff r² vg.,* > profectus peregre *c,* peregre proficiscens *g²,* peregre iturus *a,* qui peregre profectus *l* Aug. | αφεις (αφης 28 | αφετε *sic* 1342): αφιεις 349. 517 ; = et reliquit Sy.[s. pesh.] Cop.[bo. (aliq.)], *cf.* est reliquid *sic ff* | αυτου *pr. et sec.*: εαυτου *bis* B ; *om.* αυτου *pr. b k vg.* (1 MS) | *om.* την *sec.* 259 | > την εξουσιαν τοις δουλοις αυτου 579 | εκαστω (εκαστος 579) *tant.* אBC*[uid.] DLΘΨ 238. 248. 330. 565. (579) *a b c e ff k aur.* Sy.[s.] Cop.[sa. bo.] Aeth. : και εκαστω AC² WXYΓΔΠΣΦ 0116 ϳ fam.[1] 22. fam.[13] 543. 28. 157. 700. 892. 1071 al. pler. *i* Sy.[pesh. hl.] Geo. Arm. ; *cf. pro* εκαστω το εργον αυτου, cuiusque operis (+ sui δ) *d f l q r² δ vg.* Aug. | τω: τη 579 | θυρουρω

sic D* | γρηγορη: γρηγορει HU 13. 346. 28. 59. 248. 472. 1342 ; γρηγορηση 1071 ; αγρυπνη Γ 1424 | γρηγορειν (*pro* ινα γρηγ.) 827. 1542 | + ita erit (*post* uigilet) *g²*.

35. γρηγορειτε (ᔕ ητε *l*184) ουν : > ergo uigilate *c* ; *sic* uigilate *e k* | ουκ οιδατε γαρ : *om.* γαρ 59. 1038. *l*184 vg. (2 MSS) Cop.[sa.] ; οτι ουκ οιδατε 3. 282. 435, *item* quia nescitis *g¹ k* Sy.[pesh.] Geo. Aug. *semel* | ποτε : ποια ωρα 1342 | η οψε אBCLΔΘΨ 517. 892. 1342, *item* utrum uespere *k vg.* (1 MS) Sy.[(s.) hl. mg.] Cop.[sa. bo.] Aeth. : η ADWXYΓΠ ΣΦ 0116 ϳ Minusc. rell. *it.* (*exc. k*) *vg.* (pler.) Sy. pesh. hl. *txt.* Geo. Arm., *cf.* Or. Aug. | μεσονυκτιον (μεσανυκ. BW) אBCLWΔΨ 517. 579. 892. 1342 : μεσονυκτιω Σ 238. 472. 700, *cf.* Or. ; μεσονυκτιου ADXYΓΘΠΦ 0116 ϳ Minusc. rell., *cf.* Or. | αλεκτο- ροφωνιας : αλεκτροφωνιας fam.[13] 543 ; αλεκτρυοφω- νιας 2145, *cf.* Or. ; ᔕ νιου D ; ᔕ νια Δ | η πρωι : *om.* 1574 *i*.

36. μη : et *vg.* (2 MSS) ; = et ne Sy.[s.] | ελθων : εξελθων DΓ 38. 64** | εξεφνης אCDKLWΓΔΘ fam.[13] (*exc.* 69) 543. 28. 59. 66*. 71. 471*. 485. 565. 579 : εξαιφνης ABXYΠΣΦΨ 0116 ϳ (*exc.* K) fam.[1] 22. 69. 157. 700. 892. 1071 al. pler. ; αφνω *l*15 ; *om. vg.* (1 MS) | ευρη : ευρησει 238. 300. 472. 579. 1071 | υμας : ημας fam.[1] | + ad fin. uers. (*post* dormientes) ecce dixi uobis *c*.

37. ο δε אBCKLXYΔΠ*Ψ 11. 68. 72. 248. 253. 482. 517. 579. 892. 1342. *l*49. *l*184 al. pauc., *item* quod autem *c f k lr² aur. vg.* Sy.[pesh.] Cop.[sa. bo.] : α δε AWΓΠ²ΣΦ 0116 ϳ (*exc.* K) fam.[13] 543. 28. 157. 700. 1071 al. pler. *q* Sy.[hl.] Bas. ; = quod (+ hoc Geo.[1]) Geo. ; = et quod Sy.[s.] | υμιν λεγω : > λεγω υμιν D fam.[1] 59. 251. 259. 517. 697. 1278 ; > ειπον υμιν 435 | πασιν λεγω (> λεγω πασι 131) : = uobis omnibus dico Sy.[s. pesh.] | ο δε υμιν *usque ad* γρηγορειτε : hab. (*uerbis* πασιν λεγω *omissis*) εγω

33. Aug.[Epist.] uidete uigilate et orate nescitis enim quando tempus sit.
Aug.[spec.] uidete uigilate orantes nescitis enim *etc.*

34. Aug.[spec.] sicut homo qui peregre profectus reliquit domum suam et dedit seruis suis potestatem cuiusque operis et ianitori praecipiat (M*, *sed* praecepit M³) ut uigilet.

35. Or.[select.] ουκ οιδας γαρ ποτε ο κυριος της οικιας ερχεται οψε η μεσονυκτιου (ᔕ τιω 1 MS) η αλεκτοροφω- νιας (ᔕ τρυοφωνιας 1 MS) η πρωι.
Aug.[Epist.] uigilate ergo quia nescitis quando dominus domus ueniat sero an media nocte an galli cantu an mane.
Aug.[spec.] uigilate ergo nescitis enim quando dominus domus ueniat sero *etc.*

37. Bas.[serm. de renunt.] α δε υμιν λεγω πασι λεγω.
Optat.[3. 9.] quod uni ex uobis dico omnibus dico.

XIV

(ρνϛ/α)
(ρνζ/ϛ)
(ρνη/α)

¹ Ἦν δὲ τὸ πάσχα καὶ τὰ ἄζυμα μετὰ δύο ἡμέρας. Καὶ ἐζήτουν οἱ ἀρχιερεῖς καὶ οἱ γραμματεῖς πῶς αὐτὸν ἐν δόλῳ κρατήσαντες ἀποκτείνωσιν, ² ἔλεγον γάρ Μὴ ἐν τῇ ἑορτῇ, μή ποτε ἔσται θόρυβος τοῦ λαοῦ. ³ Καὶ ὄντος αὐτοῦ ἐν Βηθανίᾳ ἐν τῇ οἰκίᾳ Σίμωνος τοῦ λεπροῦ κατακειμένου αὐτοῦ ἦλθεν γυνὴ ἔχουσα ἀλάβαστρον μύρου νάρδου πιστικῆς πολυτελοῦς· συντρίψασα τὴν ἀλάβαστρον κατέχεεν αὐτοῦ τῆς κεφαλῆς. ⁴ ἦσαν δέ τινες ἀγανακτοῦντες πρὸς ἑαυτούς Εἰς τί ἡ ἀπώλεια αὕτη τοῦ μύρου γέγονεν;

(+ δε D *a d*) λεγω υμιν (> υμιν λεγω 565) γρηγορειτε (D)Θ565(*a*)(*d*); *hab.* ecce autem dico uobis (>uobis dico *i*) uigilate *ff i* ; = et ecce dico uobis omnibus uigilate Aeth. ; *cf.* quod autem uni dixi omnibus uobis dico *k*, *cf.* Optat. ; *etiam om.* λεγω πασιν E Geo.¹ *et* B | γρηγορειτε (γρηγορητε K) : γρηγορησητε 472. 474 ; *om. c k*.

1. το πασχα και τα αζυμα : *om. και τα αζυμα* D *a ff* Geo.¹; pascha azymorum *k r²* Sy.ᵖᵉˢʰ·, *similiter* = passio azymorum Geo.², pascha et azaemorum *vg.* (2 MSS) ; = azuma paschae Sy.ˢ· | μετα δυο ημερας : *cf.* = ante biduum (*et pon. ante* erat) Sy.ˢ· | εζητουν (εζητησαν 240) : +αυτον 235. 245. 1342 | οι (*om.* Δ 330) γραμματεις : οι φαρισαιοι W | πως (το πως Σ) : οπως MX 517 | αυτον (*om.* 122* *i q*) : τον Ιησουν 71. 692 *vg.* (1 MS) | εν δολω (λογω U) : *om.* D *a i r²* ; *om.* εν WΔΣ fam.¹ fam.¹³ (*exc.* 124) 543. 28. 91. 238. 299. *l*19 al. pauc., *item* dolo *it. vg.* | κρατησαντες (⌐σοντες W ; + και D*Δ) αποκτεινωσιν (⌐τενωσιν 579 ; ⌐τεινουσιν 349 ; ⌐τενουσιν 262**) : κρατησωσιν και (*om.* 330) αποκτηνωσιν 28. (330), *item* tenerent (comprehenderent *a*) et occiderent (+ eum *c i q* Sy.ˢ·ᵖᵉˢʰ·) *a* (*c*) *f ff* (*i*) *l* (*q*) *r²* *vg.* Sy.ˢ·ᵖᵉˢʰ·; *nil nisi* κρατησωσι 12. 475 (+αυτον).

2. γαρ ℵBC*DLΨ 892. 1342 *it. vg.* (pler. *et* WW) Sy.ˢ·ʰˡ·ᵐᵍ· Cop.ᵇᵒ· : δε AC²WXYΓΔΘΠΣΦ 0116 ⸆ Minusc. rell. *vg.* (aliq.) Sy.ʰˡ·ᵗˣᵗ· Cop.ˢᵃ· Arm. ; = et (*ante* dicebant) Sy.ᵖᵉˢʰ· Aeth. ; *om.* Cop.ᵇᵒ· (2 MSS) Geo.¹ | μη εν τη εορτη μη ποτε (*uel* μηποτε), *item f l r²* *vg.* : >μηποτε εν τη εορτη D *a ff i q* ; *cf.* ne cum uenerit turba ad (in *c*) diem festum *c k* | μη ποτε : ινα μη 125*. 517. 579 ; μητε *sic* 240 ; και 565. 700 | εσται θορυβος ℵBCDLΘΨ 565. 700. 892 *k* (fiat tumultus) Sy.ˢ·ᵖᵉˢʰ· : > θορυβος εσται AWXYΓΠΣΦ 0116 ⸆ (*exc.* M) fam.¹ 22. fam.¹³ 543. 157. 1071 al. pler., *item* tumultus sit *a* ; θορυβος γενηται M 28. 36. 40. 125*. 258. 259. 470. 482. 517. 579, *cf.* tumultus fieret (⌐ ent *l*) ; oriatur *a*, oreretur *ff*, oreretur *q r¹*, operetur *i*) *it.* (pler.) *vg.* Aug. ; θορυβος οντος *sic* Δ | του λαου : εν τω λαω 125*. 579. 1342, *item* in populo *i f r²* *vg.* (plur. *sed non* WW) Sy.ʰˡ· Cop.ˢᵃ·ᵇᵒ· Arm. (aliq.), in populum *a*, in populos *vg.* (1 MS).

3. αυτου *pr.* : του Ιησου D, *item c f ff g² i q vg.* (plur. *sed non* WW) Cop.ˢᵃ·ᵇᵒ· (3 MSS) Geo.² | εν (+ τη 44) βηθανια (βιθ. Ω) : *om.* 61 | τη : *om.* ℵ* ΘΦ 11. 90. 106. 229. 238. 473. 481. 565. 697. 700. 1278. 1342 al. pauc. | κατακειμενου (και κατακειμ. 14, *similiter k l r²* *vg.* pler.) : ανακειμενου Σ 61. 330 | ηλθεν γυνη : προσηλθεν αυτω γυνη fam.¹³ 543 ; > γυνη προσηλθεν W | > αλαβαστρον εχουσα 565. 700 | εχουσα (φερουσα 245) : *pon. post* μυρου 247. 253. 472 | *om.* μυρου *d* | *om.* ναρδου πιστικης πολυτελους D | *om.* ναρδου πιστικης 248. Sy.ᵖᵉˢʰ· (1 MS) | πολυτελους : πολυτιμου AGMᵐᵍ·WΘ fam.¹ 22². fam.¹³ 543. 28. 59. 91. 108. 299. 435. 565. 697. 1071. 1342. *l*49 al. pauc. | συντριψασα ℵBLΨ : και συντριψασα ACWXYΓΔΠΣΦ 0116 ⸆ Minusc. pler. ; και θραυσασα DΘ 565, *similiter it.* (*exc. k*) *vg.* Sy.ˢ·ʰˡ· Geo.² ; et quassauit *k* ; = et aperuit Sy.ᵖᵉˢʰ· ; = et excitauit Cop.ˢᵃ· ; = cepit Geo.¹ ; *om. c k* ; eo (i.e. fracto eo) *q* | την αλαβαστρον ℵcBCLΔΨ 579. 1342 : τον ℵ* ΑΔΧΥΓΠΣ 0116 ⸆ (*exc.* GM) 124. 3. 28. 39. 64. 127. 258. 435. 482. 565. 892. 1071 al. pauc. ; το GMW ΘΦ fam.¹ 22. fam.¹³ (*exc.* 124) 543. 157. 700 al. pler. | αυτου της κεφαλης ℵBCLWΔ 1. 22. 28. 892. 1342 : αυτου τη κεφαλη Ψ 435 ; αυτου κατα της (*om.* 483) κεφαλης ΑΧΥΓΘΠΣΦ 0116 ⸆ 118. 209. fam.¹³ 543. 157. 565. 579. 700. 1071 al. pler. ; κατα της κεφαλης αυτου 40 ; επι της κεφαλης αυτου D *l*20, *cf.* super (supra *ff r²*) caput eius *it.* (*exc. k*) *vg.* Sy.ˢ·ᵖᵉˢʰ· (iesu *pro* eius) ʰˡ· Cop.ˢᵃ·ᵇᵒ· Aeth. Arm., = in caput eius Geo. (= +accubitu sedentis Geo.ᴮ).

4. ησαν δε τινες Uncs. pler. Minusc. pler., *item* erant (fuerunt *k*) autem quidam (*om. r²*) *f k l q r²* *vg.*, *similiter* Sy.ˢ·ʰˡ· Cop.ˢᵃ·ᵇᵒ· Geo. (= +ibi Geo.¹) : +των μαθητων W fam.¹³ 543 Sy.ᵖᵉˢʰ· ; οι δε μαθηται αυτου DΘ 565, *item a b ff i r¹* ; = et discipuli Arm. ; *cf.* quo uiso quidam *c* | αγανακτουντες (⌐ κτωντες 69), *item* indignantes *k q*, indigne ferentes *f l r²* *vg.* : διεπονουντο DΘ 565, *cf.* indigne ferebant *b d ff i r¹*, indigne tulerunt *c*, fremebant *a* | προς εαυτους (πρ. αυτους ℵ* ; καθ εαυτους 67. 330. 575 ; *pon.* πρ. εαυτ. *ante* αγανακ. 471) *sine add.* ℵBC*LΨ 892*. 1342 : +και λεγοντες AC²WXYΓ

---

2. Aug.ᶜᵒⁿˢ· dicebant enim non in die festo ne forte tumultus fieret populi.

5 ἠδύνατο γὰρ τοῦτο τὸ μύρον πραθῆναι ἐπάνω δηναρίων τριακοσίων καὶ δοθῆναι τοῖς
πτωχοῖς· καὶ ἐνεβριμῶντο αὐτῇ. 6 ὁ δὲ Ἰησοῦς εἶπεν Ἄφετε αὐτήν· τί αὐτῇ κόπους
παρέχετε; καλὸν ἔργον ἠργάσατο ἐν ἐμοί· 7 πάντοτε γὰρ τοὺς πτωχοὺς ἔχετε μεθ'
ἑαυτῶν, καὶ ὅταν θέλητε δύνασθε αὐτοῖς πάντοτε εὖ ποιῆσαι, ἐμὲ δὲ οὐ πάντοτε ἔχετε·
8 ὃ ἔσχεν ἐποίησεν, προέλαβεν μυρίσαι τὸ σῶμά μου εἰς τὸν ἐνταφιασμόν. 9 ἀμὴν δὲ (ρνθ/δ)

ΔΠΣΦ 0116 ל 22. fam.^{13} 543. 157. 579. 700. 892$^{mg.}$ 1071 al. pler. *f l vg.* Sy.$^{s.\ hl.}$; > *και λεγοντες προς εαυτους* fam.^{1} Geo.^{1} (= et dicebant apud sese); + *λεγοντες* (*sine και*) 28. 40. 91. 299. 517. *l*36. *l*184. *l*251 *semel r*^{2} *vg.* (4 MSS) Cop.$^{sa.\ bo.}$; *om. προς εαυτους et add. και ελεγον* DΘ *r*^{1}; *nil nisi* et dicentes *b k*, *nil nisi* et dicebant *r*^{1} Geo.^{2}; = et dixerunt Sy.$^{pesh.}$ | **εις τι**: *τις* U 127 | **του μυρου**: *om.* D fam.^{1} 63. 64 *a l* Sy.$^{s.}$ Geo.^{1} | **γεγονεν**: *om.* D 64 *a ff i* Sy.$^{s.}$

5. **ηδυνατο** ℵABCDXYΓΔΣΦ 0116 ל (*exc.* K) Minusc. pler.: *εδυνατο* KLWΘΠΨ 25. 72. 246. 248. 253. 259. 579. 892. 1342; = oportuit Geo.^{1} | **γαρ**: *om.* D *k* Geo.^{B} Aeth. Arm. | **τουτο το μυρον πραθηναι** ABCKLUΔΘ (> *πραθ. τουτο τ. μυρ.*) fam.^{1} 11. 59. 91. 106. 238. 299. 473. 474. 517. 579. 697. 892. 1071. 1278. 1342 al. pauc.: *το μυρον τουτο πραθηναι* 28. 262. 299. 565, *cf.* unguentum istud uenundari *l r*^{2} *vg.* (pler. *et* WW), istud unguentum uenundari *g*^{2}, unguentum istud (> hoc unguentum *a*) ueniri *a vg.* (aliq.), *similiter* Sy.$^{hl.}$ Cop.$^{sa.}$ Aeth. Arm.; > *πραθηναι το μυρον τουτο* D fam.^{13} 543. 700, *item* uenundari unguentum istud *b f r*^{1}, ueniri unguentum istud *d i q aur.*; *τουτο πραθηναι* XΓל (*exc.* KU) 22. 157 al. pler. Sy.$^{pesh.\ (1\ MS)}$ Cop.$^{bo.}$, *cf. nil nisi* ueniri *k*, *cf.* hoc (enim poterat) uenundari *c*; *το μυρον πραθηναι* ℵ; > *πραθηναι το μυρον* W | **επανω**: *om. c k* Sy.$^{s.}$ Geo.^{1} | **δηναριων τριακοσιων** ℵCDLW ΘΨ 565. 579, *item it.* (*exc. f l r*^{2}): > *τριακ. δην.* ABXYΓΔΠΣΦל fam.^{1} 22. fam.^{13} 543. 28. 157. 700. 892. 1071 al. pler. *f l r*^{2} *vg.* (pler.) Sy.$^{s.\ pesh.\ hl.}$ Cop.$^{sa.\ bo.}$ Geo. Aeth. Arm. | **τοις**: *om.* 11. 244. 472. 482. 579. *l*184 al. pauc. | **ενεβριμωντο**: *ενεβριμουντο* ℵC$^{*uid.}$ W 472. 517. 692; = + inter se Sy.^{s} | **αυτη** (*αυτην* 51. 475. 517. 692; *εν αυτη* D*; *cf.* in eum *sic aur.*): + *πολλα* fam.^{1} 22. 59. 697 Arm.

6. **Ιησους**: *κυριος l*184 | **ειπεν** (*item* dixit *f i l q r*^{2} *vg.* pler., *sed* ait *a b c d ff*, dicit *vg.* 1 MS.) *sine add.* Uncs. pler. Minusc. pler. *b l r*^{2} *vg.* (pler.) Sy.$^{pesh.\ (pler.)}$ Cop.$^{bo.\ (aliq.)}$ Geo.$^{1\ et\ A}$: + *αυτοις* DWΘ 238. 565, *item it.* (*exc. b l r*^{2}) *vg.* (2 MSS) Sy.$^{s.\ pesh.\ (aliq.)}$ Cop.$^{sa.\ bo.\ (pler.)}$ Geo.^{B} Aeth. Arm. | **αυτην**: *αυτη* 13 | **τι αυτη** (*om.* V* 50. 64 *c* Arm.; + *πολλα* 251) **κοπους** (*κοπον* W, *item* taedium *k*) **παρεχετε**: > *τι κοπους παρεχετε αυτη* 13; *om.* 4 | **καλον εργον** Uncs. pler. fam.^{1} 22. 157. 700. 892. 1071 al. pler. *it.* (*exc. c*) *vg.* Sy.$^{pesh.\ (pler.)\ hl.**}$ Cop.$^{sa.\ bo.\ (aliq.)}$ Geo.^{1} Aeth.: *καλον γαρ εργον* ℵGW fam.^{13} 543. 28. 91. 299. 435. 565 *c* Sy.$^{s.\ pesh.\ (1\ MS)\ hl.*}$ Cop.$^{bo.\ (pler.)}$ Geo.^{2} Arm.; > *εργον γαρ καλον* 579 | **ηργασατο** ℵ*B*DWΘ 69. 124. 28. 565. 579: *ειργασατο* ℵ^{c}AB^{2} CLXYΓΔΠΣΦΨ 0116 ל Minusc. rell.$^{uid.}$ | **εν εμοι** Uncs. omn. fam.^{1} 22. fam.^{13} 543. 28. 59. 71. 106. 127. 157. 234. 300. 349. 565. 700. 892. 1071. 1278. 1342 al. mu., *item* in me *it. vg.* Sy.$^{hl.}$ Cop.$^{bo.}$: *εις εμε* 517. 579. *l*251 *semel* al. pauc.$^{uid.}$ Sy.$^{s.\ pesh.}$ Aeth.; *επ εμοι* 330; *cf.* = propter me Geo.

7. **γαρ**: = autem Aeth.; = *om.* Cop.$^{bo.\ (pler.)}$ Arm. | > *τους πτωχους γαρ παντοτε* 157 | > *εχετε τους πτωχους* 300, *item i k q* | **εχετε**, *item* habetis *it.* (pler.) *vg.* (plur. *et* WW): habebitis *g*^{2} *q aur. vg.* (plur.) | **μεθ εαυτων**: *μεθ υμων* D 91. 299, *item* uobiscum *it. vg.* VSS *rell. omn.*; *μεθ εαυτους l*184 | **θελητε**: *θελετε* E*X 346. 28. 258. 472, *item* uultis *c ff* | *om.* **αυτοις παντοτε** ℵ* | **αυτοις** ℵ^{c}BCDLU WΓΔΨ 1. fam.^{13} 543. 12. 38. 50. 300. 349. 435. 475. 565: *αυτους* AXYΘΠΣΦל (*exc.* KU) 118. 209. 1582. 22. 28. 157. 700. 892. 1071 al. pler.; *εαυτους* K | **παντοτε** *sec.* ℵ^{c}BL 892. 1071. 1342 Cop.$^{sa.\ bo.}$: *om.* Uncs. rell. Minusc. rell. *it. vg.* Sy.$^{s.\ pesh.\ hl.}$ Geo. Aeth. Arm. | **ευ ποιησαι**: *pon. ante αυτους* 238; *ευ ποιειν* D*ΔΨΩ 9. 38. *l*49; *cf.* facere (*om.* bene) *g*^{2} Sy.$^{s.}$ | **δε**: *om.* E 474* | **εχετε**: *cf.* habebitis *c f g*^{2} (+ uobiscum) *q aur. vg.* (plur. *sed non* WW).

8. **εσχεν** ℵABCDLXYΓΔΘΠΣΨ 0116 ל (*exc.* Ω) 124. 59. 71. 90. 127. 157. 299. 435. 565. 579. 700. 892. 1071. 1278. 1342 al. plur., *item* habuit *it. vg.*: *ειχεν* WΦΩ fam.^{1} 22. fam.^{13} (*exc.* 124) 543. 28 (*ηχεν*) 251. 517. 1542 al. | **εποιησεν** *tant.* ℵBLWΘΨ 1. 209*. fam.^{13} (*exc.* 124) 543. 28. 565. 579. 1342 *a l*: *praem. αυτη* ACDXYΓΠΣΦ 0116 ל 118. 209^{2}. 22. 124. 157. 700. 892. 1071 al. pler. *it.* (pler.) *vg.*; + *αυτη* Δ; hoc fecit *l vg.* (2 MSS); *hab.* haec *sed om.* fecit *k* | **προελαβεν**: + *γαρ* 157 *f vg.* (2 MSS); *προσελαβεν* L | **το σωμα μου** ℵBDLM^{2}ΘΣΨ 108. 125. 127. 240. 244. 517. 565. 579. 892. 1071. *l*49, *item* corpus meum *it.* (*exc. k*) *vg.*: > *μου το σωμα* ACWXΓΔΠΦ 0116 (*exc.* M^{2}) fam.^{1} 22. fam.^{13} 543. 28. 157. 700 al. pler., *item* meum corpus *k*; *om. το σωμα* 474 | **εις**: *προς* fam.^{1} 59. 238. 251, *cf.* ad (*pro* in) *k vg.* (1 MS) | **ενταφιασμον**: + *μου* 28 | *pro* **προελαβεν** *usque ad* **ενταφιασμον** *cf.* = tamquam ad sepulturam meam ecce fecit et praeuenit unxit corpus meum Sy.$^{s.}$; = et praeuenit tamquam ad sepulturam unxit corpus meum Sy.$^{pesh.}$; = praeuenit unguere corpus meum ad sepulturam Sy.$^{hl.}$; = praeuenit unguere corpus meum unguento ad condiendum me Cop.$^{sa.\ bo.}$; = antea parauit (efficit Geo.^{2}) unctionem unguento carnium mearum ad uestiendum in sepulchrum Geo.

9. *om.* **αμην δε** 237 | **δε** ℵBDEGKLSVYΓΔΠΦ Ω 0116. 22. 71. 157. 235. 435. 472. 475. 692 al. mu.

λέγω ὑμῖν, ὅπου ἐὰν κηρυχθῇ τὸ εὐαγγέλιον εἰς ὅλον τὸν κόσμον, καὶ ὃ ἐποίησεν αὕτη
(ρξ/β) λαληθήσεται εἰς μνημόσυνον αὐτῆς.   ¹⁰ Καὶ Ἰούδας Ἰσκαριὼθ ὁ εἷς τῶν δώδεκα
ἀπῆλθεν πρὸς τοὺς ἀρχιερεῖς ἵνα αὐτὸν παραδοῖ αὐτοῖς.   ¹¹ οἱ δὲ ἀκούσαντες ἐχάρησαν
καὶ ἐπηγγείλαντο αὐτῷ ἀργύριον δοῦναι. καὶ ἐζήτει πῶς αὐτὸν εὐκαίρως παραδοῖ.   ¹² Καὶ τῇ πρώτῃ ἡμέρᾳ τῶν ἀζύμων, ὅτε τὸ πάσχα ἔθυον, λέγουσιν αὐτῷ οἱ μαθηταὶ
αὐτοῦ Ποῦ θέλεις ἀπελθόντες ἑτοιμάσωμεν ἵνα φάγῃς τὸ πάσχα;   ¹³ καὶ ἀποστέλλει

---

a Geo.¹ *et* A : γαρ 9. 28. 127. 299; = et (*ante* amen)
Sy.ᵖᵉˢʰ·; *om.* ACFHMUWXΘΣΨ fam.¹ fam.¹³ 543.
565. 579. 700. 1071 al. pler. it. (*exc. a*) vg. Sy.ˢ· ʰˡ·
Cop.ˢᵃ· ᵇᵒ· Geo.ᴮ Aeth. Arm. | υμιν: + οτι W 124.
346. 543. 700. 892 *a c d f i k* Sy.ᵖᵉˢʰ· ʰˡ· | εαν ℵAB
CL**XΥΓΔΘΣΨ 0116 ┐ fam.¹ 22. 124. 59. 71. 157.
300. 349. 517. 565. 579. 692. 892. 1071. 1342 al.
mu.: αν DL*WΦ fam.¹³ (*exc.* 124) 543. 28. 700.
1278 al. pler. | ευαγγελιον *sine add.* ℵBDLW fam.¹³
(*exc.* 124) 543. 28. 565 *a ff i k*: +τουτο ACXΥΓΔ
ΘΠΣΦΨ 0116 ┐ fam.¹ 22. 124. 157. 579. 700. 892.
1071 al. pler. (b) *c f l q r²* vg. Sy.ʰˡ· Cop.ˢᵃ· ᵇᵒ· Geo.
Aeth. Arm.; = euangelium meum hoc (*om.* Sy.ˢ·)
Sy.⁽ˢ·⁾ ᵖᵉˢʰ· | εις ολον τον (*om.* 485*) κοσμον: εν
ολω τω κοσμω Θ, *item* in uniuerso mundo *a r²* vg.
(pler. *et* WW); *om.* 579; + dicetur *c* | και ο εποιη-
σεν (πεποιηκεν 1342) *usque ad fin. uers.* : = erit ei
memoria huius rei quam fecit Sy.ˢ· | λαληθησεται:
pon. ante και ο εποιησεν 579; *pon. post* μνημοσυνον
αυτης Σ 118. 209. 237.

10. και (= autem *post* iudas Sy.ᵖᵉˢʰ·): +ιδου W
fam.¹³ 543. 63. 64 Geo.ᴬ | ιουδας ℵABCDELMY
ΓΔΘΠΣΦΨ fam.¹ fam.¹³ 543. 11. 28. 71. 122**· 157.
299. 470. 517. 565. 569. 700. 892. 1071. 1278. 1342
al. mu.: ο Ιουδας FGHKSUVWXΩ 22. 579 al. plur.
| ισκαριωθ ℵ*BC*ᵘⁱᵈ· 892, *similiter* ο ισκαριωθ (εισ-
καριωθ 565) ℵᶜLΘΨ (565). 1342: ισκαριωτης (σκαριω-
της D) (D) fam.¹³ (*exc.* 124) 543. 28. 300. 435. 517*.
1071 Or.; ο ισκαριωτης (⁓ριοτης 346. 475. *l*184) A
WXΥΓΔΠΦ┐ fam.¹ 22. 124. 157. 700 al. pler.
Eus., *similiter* Cop.ˢᵃ· ᵇᵒ·; *cf.* scarioth *a b i* aur. Aug.,
scarioht *sic ff*, scariotha *c*, scariothe *f*, *similiter*
Sy.ˢ· ᵖᵉˢʰ· ʰˡ· Geo.; scariotes *k* vg. (1 MS), scario-
this *r²* vg. (4 MSS), scariotis vg. (4 MSS *et* WW),
scariothes *q* vg. (aliq.) | *om.* ο εις των δωδεκα A
| ο εις ℵᶜBC*ᵘⁱᵈ·LMΨ 892: *om.* ο ℵ*C²WXΥΓΔΘΠ
ΣΦ┐ (*exc.* M) Minusc. rell. Or.; εκ D | απηλθεν:
ηλθεν L; *cf.* προσηλθεν Or. | παραδοι (προδοι D) B

C*(D)W 28: παραδω Uncs. rell. Minusc. rell.
| αυτον παραδ. ℵBCLΔΨ (0116) fam.¹³ (*exc.* 124)
543. 579. 892. 1071. 1342, *item f k q* : > παραδ.
(προδοι D) αυτον (τον Ιησουν *l*49, *item* Sy.ᵖᵉˢʰ·) A(D)
WXΥΓΘΠΣΦ┐ fam.¹ 22. 124. 28. 157. 565. 700 al.
pler. it. (*exc. f k q*) vg., *item* Sy.ˢ· ᵖᵉˢʰ· ʰˡ· Cop.ˢᵃ· ᵇᵒ·
Geo. Aeth. Arm. | αυτοις (*pon. ante* παραδ. 0116):
om. DWΘ 28. 91. 299. 565 *a b c ff i k* Sy.ˢ· Geo.¹
Or. Aug.

11. οι δε: και A, *item* = et illi Sy.ˢ· Aeth.; pon-
tifices autem *k*; *om.* Arm. | ακουσαντες: *om.* D
a (b) *c ff i k* Geo.¹ Eus. *semel* | εχαρισαν *sic* 13. 474.
506. *l*184 | επηγγειλαντο (⁓λατο F* 282 Or.?;
επηγγειλαν Ψ): απηγγειλαντο ℵ* 124. 59; συνεθεντο
fam.¹; *om.* Cop.ᵇᵒ· | αυτω: *pon. post* αργυριον fam.¹,
cf. c (pecuniam promiserunt se daturos ei) | αργυ-
ριον ℵBCDLWXΔΘΠ²Φ (*pon. post* δουναι) Ψ┐ (*exc.*
KU) Minusc. pler.: αργυρια AKUΥΓΠ*Σ 59. 71.
90. 127. 131. 229. 349. 517. 697. 1071. 1342 al.
mu. | δουναι: διδοναι Γ (*et pon. ante* αργυρια)
| πως: τω (*pro* το) πως L | αυτον ευκαιρως ℵABC
LMWΔΘΨ 579. 892. 1071. 1342 it. (*exc. l q*) vg.
Eus. : >ευκαιρως αυτον DXΥΠΣΦ┐ (*exc.* M) fam.¹
22. fam.¹³ 543. 28. 157. 565. 700 al. pler. *g¹ l q*
(Arm.) | παραδοι BDW: παραδω Uncs. rell.
Minusc. omn.; +αυτοις Δ 330. 517. 1342 Cop.ˢᵃ·
Aeth. | *pro* πως αυτον ευκαιρως παραδοι *cf.* = op-
portunitatem ut proderet eum Sy.ˢ· ᵖᵉˢʰ· Cop.ˢᵃ·
Aeth.

12. πρωτη: τριτη 46; *om. l*184 | ημερα: *om.*
11. 157. 1342 | εθυον: = praem. iudaei Sy.ᵖᵉˢʰ·;
= immolabatur Sy.ˢ· Or. | λεγουσιν, *item* dicunt it.
(*exc. f*) vg. : dixerunt *f* Sy.ˢ· Cop.ˢᵃ· ᵇᵒ· Geo. | οι
μαθηται αυτου: *om.* αυτου D *a b c ff l r²* vg. Geo.ᴮ
Arm. | θελεις: θελης E*W² 346. 59. 472 | ετοιμασω-
μεν: ετοιμασομεν fam.¹ 69. 11. 40. 106. 157. 349. 482.
517. 1342 al. mu.; +σοι DΔΘΨ 59. 229. 251. 435.
517. 565. 569. 579. 697 it. (*exc. a r²*) vg. Cop.ˢᵃ·

---

10. Or.ⁱⁿ ᴵᵒᵃⁿⁿ· Tom. XXVIII. Ιουδας Ισκαριωτης εις των δωδεκα προσηλθε προς τους αρχιερεις ινα παραδω
αυτον.

Eus.ᵈᵉᵐ· και Ιουδας ο Ισκαριωτης εις των δωδεκα απηλθεν προς τους αρχιερεις ινα αυτον παραδω αυτοις.

Aug.ᶜᵒⁿˢ· et Iudas scarioth unus ex duodecim abiit ad summos sacerdotes ut proderet eum.

11. Or.ⁱⁿ ᴵᵒᵃⁿⁿ· Tom. XXVIII. οι δε ακουσαντες εχαρησαν και επηγγειλαντο (επηγγειλατο 1 MS) αυτω
αργυριον δουναι.

Eus.ᵈᵉᵐ· ᵇⁱˢ· οι δε ακουσαντες (*om. semel*) εχαρησαν και επηγγειλαντο αυτω αργυριον (αργυρια *semel*) δουναι
και εζητει πως αυτον ευκαιρως παραδω.

12. Or.ⁱⁿᵗ· ⁱⁿ ᴹᵃᵗᵗ· Et prima die azymorum quando pascha immolabatur dicunt ei discipuli eius : Quo
uis eamus ut preparemus tibi ut manducemus pascha ?

δύο τῶν μαθητῶν αὐτοῦ καὶ λέγει αὐτοῖς Ὑπάγετε εἰς τὴν πόλιν, καὶ ἀπαντήσει ὑμῖν
ἄνθρωπος κεράμιον ὕδατος βαστάζων· ἀκολουθήσατε αὐτῷ, ¹⁴ καὶ ὅπου ἐὰν εἰσέλθῃ
εἴπατε τῷ οἰκοδεσπότῃ ὅτι Ὁ διδάσκαλος λέγει Ποῦ ἐστιν τὸ κατάλυμά μου ὅπου τὸ
πάσχα μετὰ τῶν μαθητῶν μου φάγω; ¹⁵ καὶ αὐτὸς ὑμῖν δείξει ἀνάγαιον μέγα
ἐστρωμένον ἕτοιμον· καὶ ἐκεῖ ἑτοιμάσατε ἡμῖν. ¹⁶ καὶ ἐξῆλθον οἱ μαθηταὶ καὶ ἦλθον

Geo.² Aeth. Or. | ινα φαγης (φαγεις KL 66. 248.
l184): φαγειν 517. 579 | > το πασχα ινα φαγης 106 k
Sy.ʰˡ· Cop.ˢᵃ·

13. αποστελλει: αποστιλας (et om. και ante λεγει)
W; misit c d f ff i k q aur. Sy.ˢ· ᵖᵉˢʰ· Cop.ˢᵃ· ᵇᵒ· Geo.
Aeth. Arm. (aliq.) Or. | δυο (pon. post των μαθ.
αυτου W 13. 69. 346. 543): + εκ D, item + ex it.
vg. Sy.ˢ· ᵖᵉˢʰ· ʰˡ· Cop.ᵇᵒ· (1 MS) Or. | και (om. W)
λεγει αυτοις (et dixit eis f Sy.ˢ· ᵖᵉˢʰ· Cop.ᵇᵒ· Geo.):
λεγων DΘ 565. 700. 1071, item dicens a ff i r¹ Cop.
ˢᵃ· (+eis) Or. | υπαγετε: υπαγε D* | πολιν: +την
απεναντι υμων 238 | και sec.: = ecce Sy.ˢ·; = et ecce
Sy.ᵖᵉˢʰ· | απαντησει: υπαντησει (⸰τισει 28) 28.
91; occurrit (pro occurret) ff l r² vg. (mu.);
praem. εισελθοντων υμων εις την πολιν (om. εις τ.
πολιν W Cop.ˢᵃ· Or.) (W)ΘΣ fam.¹³ 543. 28. 91.
299. 565 (Cop.ˢᵃ·) Geo.ᴬ Arm. (Or.) | ακολουθη-
σατε αυτω: praem. και fam.¹³ 543. 59** Aeth.; om.
Or.ⁱⁿᵗ·, cf. Or.ᴵᵉʳᵉᵐ·

14. και: om. W 579 ff g² l Sy.ˢ· Aeth. | εαν ℵC
LPXYΘΣΦΨ⸖ Minusc. pler.: αν ABDWΔΠ 11.
229*. 253. 482. 517. 565. 700; om. 579 | εισελθη
(απελθη 229*): εισπορευεται 579; cf. intrauit a
| ειπατε: και ειπατε 579; om. ff | οτι: om. UΣ 11.
40. 59. 106. 517. 579. 697. 700. 1342 al. pauc. it.
(exc. d l q) Sy.ˢ· ᵖᵉˢʰ· ʰˡ·² Cop.ˢᵃ· Geo.² | ο διδασκαλος:
magister noster c i k, item rabban Sy.ˢ· ᵖᵉˢʰ· | μου
pr. ℵBCDLWΔΣΨ 1. 22. fam.¹³ (exc. 124) 543. 7.
28. 59. 1071 l12. l18. l19. l49 a b f l q r¹·² vg. Sy.ˢ·
Cop.ˢᵃ· Geo. Or.: om. ΑΡΧΥΓΘΠΦ o116 ⸖ 118.
209. 124. 157. 565. 579. 700. 892 al. pler. c ff i k
Sy.ᵖᵉˢʰ· ʰˡ· Cop.ᵇᵒ· Aeth. Arm. | το πασχα: pon.
post φαγ. D 565 a b f ff i q Sy.ˢ· ᵖᵉˢʰ· Arm. Or. | φαγω
Uncs. pler. 22. 157. 565. 579. 700. 892. 1071 al.
pler.: φαγομαι DWΘ 543 fam.¹ (exc. 118) fam.¹³ (exc.
346) 543; φαγωμαι G 118. 346. 28.

15. και (om. i Or.) αυτος (ουτος l184): κακεινος
fam.¹, cf. Or.; = et ecce Sy.ˢ· ᵖᵉˢʰ· | υμιν: ημιν
1071 | δειξει (δειξη S*ΦΩ 69. 471*. 474): υποδειξει
68 | αναγαιον ℵAB*CDEFGHKLPVΠ o116.

28. 39. 42. 50. 87. 123. 131. 259. 481. 700. 892.
l63 Or.: ανωγεον Σ 1. 22. 157. 697. 1071 al.;
ανωγεων 118. 209. 70. 122**. 237. 482. 1278 al.
plur.; ανωγαιον B²MSUXΨ 1342. 1582 fam.¹³ (exc.
69) 543. 71. 106. 238. 435. 485. 517. 692. 597. l184
al. plur.; ανογαιον Y 34. 36, ανογεον 45. 475, ανα-
γεον 69. 478, ανογειων 349, αναγειον 565, ανωγειον
299 | μεγα: om. 346. 91. 131. 229*. 299. l150.
l184 | εστρωμμενον sic F l49 | μεγα εστρωμενον:
οικον εστρωμενον μεγαν D | ετοιμον: om. ΑΜ*Δ 8.
89. 106. 237. 478. 485. 565 al. pauc. a f l r¹·² vg.
Geo.² Arm. | pro αναγαιον μεγα εστρ. ετοιμον cf.
locum medianum stratum in superioribus magnum
a, caenaculum grande stratum (+ paratum f) f l
r² vg. (pler.), stratum paratum grande d, locum
(om. b) stratum grande (grandem i) paratum b ff i
q, (superterraneum ?) grande stratum paratum k;
cf. Or. infra | και εκει BCLΘΨ 346. 892. 1071.
1342, similiter κακει ℵD 565 f l r² vg. Cop.ᵇᵒ· Geo.²
Aeth.: om. και ΑΡΧΥΓΔΠΣΦ o116 ⸖ fam.¹ 22.
fam.¹³ (exc. 346) 543. 28. 157. 579. 700 al. pler. a b
c ff k q r¹ Sy.ˢ· ᵖᵉˢʰ· ʰˡ· Cop.ˢᵃ· Geo.¹ Arm.; =pon. illic
ad fin. uers. Cop.ˢᵃ· | ημιν: υμιν Φ 59*. 106. 470
r²; cf. om. Or. (+ το πασχα).

16. εξηλθον (εξελθοντες 472): + ετοιμασαι WΘ
124. 565 Cop.ˢᵃ· Geo. Arm.; + ετοιμασαι αυτω 28.
91. 299. 1071 | om. οι μαθηται και ηλθον 475* | και
εξηλθον οι μαθηται repetit D* (et abierunt discipuli
eius et uenerunt discipuli eius d) | οι μαθηται sine
add. ℵBLΔΨ fam.¹ 28. 349. 517. 579. 892. l63
Cop.ˢᵃ· ᵇᵒ· (aliq.) Geo.: + αυτου ACDPWXYΓΘΠΣΦ
o116 ⸖ 22. fam.¹³ (exc. 124) 543. 157. 565. 700. 1071
al. pler. it. vg. Sy.ˢ· ᵖᵉˢʰ· ʰˡ· Cop.ᵇᵒ· (aliq.); + αυτω
124; etiam = + sicut [dixit] eis Sy.ˢ· | και ηλθον
(εισηλθον 49): et uenit sic d; om. ℵ* Cop.ᵇᵒ· (1 MS)
Aeth. | εις την πολιν, item in ciuitatem it. (pler.)
vg.: in ciuitate a d vg. (2 MSS) | και ευρον (ευρθεν
sic Δ; ηυρον 28), item f l r² vg.: και (= om. Cop.ˢᵃ·)
εποιησαν D, item et fecerunt a c ff i q Arm.: om. k
| ειπεν (ειπον sic l184): ενετειλατο 349 | αυτοις:

---

13. Or. ⁱⁿᵗ· ⁱⁿ ᴹᵃᵗᵗ· et misit duos ex discipulis suis dicens: ite in ciuitatem et ingredientibus uobis,
occurret uobis homo amphoram aquae portans.
    Or. ᴴᵒᵐ· ⁱⁿ ᴵᵉʳᵉᵐ· πορευομενων απαντησει υμιν ανθρωπος κεραμιον υδατος βασταζων εκεινω ακολουθησατε.
14. Or. ⁱⁿᵗ· ⁱⁿ ᴹᵃᵗᵗ· et ubicumque ingressus fuerit, dicite patrifamilias: Magister dicit: Ubi est diuer-
sorium meum ubi cum discipulis meis manducem pascha?
15. Or. ᴴᵒᵐ· ⁱⁿ ᴵᵉʳᵉᵐ· εκεινος υμιν δειξει αναγαιον μεγα εστρωμενον σεσαρωμενον ετοιμον εκει ετοιμασατε
το πασχα.
    Or. ⁱⁿᵗ· ⁱⁿ ᴹᵃᵗᵗ· et ipse uobis ostendet locum in superioribus stratum magnum paratum: illic parate
nobis.

(ρξα/δ) εἰς τὴν πόλιν καὶ εὗρον καθὼς εἶπεν αὐτοῖς, καὶ ἡτοίμασαν τὸ πάσχα. ¹⁷ Καὶ ὀψίας γενομένης ἔρχεται μετὰ τῶν δώδεκα. ¹⁸ καὶ ἀνακειμένων αὐτῶν καὶ ἐσθιόντων ὁ

(ρξβ/α) Ἰησοῦς εἶπεν Ἀμὴν λέγω ὑμῖν ὅτι εἷς ἐξ ὑμῶν παραδώσει με ὁ ἐσθίων μετ' ἐμοῦ.

(ρξγ/β) ¹⁹ ἤρξαντο λυπεῖσθαι καὶ λέγειν αὐτῷ εἷς κατὰ εἷς Μήτι ἐγώ; ²⁰ ὁ δὲ εἶπεν αὐτοῖς Εἷς τῶν δώδεκα, ὁ ἐμβαπτόμενος μετ' ἐμοῦ εἰς τὸ ἓν τρύβλιον· ²¹ ὅτι ὁ μὲν υἱὸς τοῦ ἀνθρώπου ὑπάγει καθὼς γέγραπται περὶ αὐτοῦ, οὐαὶ δὲ τῷ ἀνθρώπῳ ἐκείνῳ δι' οὗ ὁ υἱὸς

+ ο Ιησους 91. 299 | και (= om. Cop.ˢᵃ·) ητοιμασαν το πασχα: om. r².

17. και οψιας: οψιας δε DΘΣ, item uespere autem c f ff i l q r² vg. Cop.ᵇᵒ· (2 MSS) | ερχεται: ηλθε 517, item = uēnit Sy.ˢ· ᵖᵉˢʰ· Cop.ˢᵃ· ᵇᵒ·; ανεκειτο 235 | δωδεκα: duodecim discipulis g² gat. Aeth. (= + eius); = duodecim eius Sy.ˢ· ᵖᵉˢʰ·

18. και pr.: om. 60 | om. και εσθιοντων 53 | ο Ιησους ειπεν אBCLΨ 330. 892: om. ο Ιησους 12. 59. 474. 700 a c ff Cop.ᵇᵒ·; > ειπεν ο Ιησους APW XYΓΔΠΣΦ 0116 ς fam.¹ 22. fam.¹³ 543. 28. 157. 579. 1071 al. pler. k q Sy.ˢ· ᵖᵉˢʰ· ʰˡ· Cop.ˢᵃ· Geo. Aeth. Arm.; > λεγει ο Ιησους DΘ 237. 565 f g² il r² vg.; +αυτοις post ειπεν (λεγει 237) 59. 106. 237. 251. 253. 697. 700. 1278. l14, item = + illis post dixit (ait vg.) vg. (2 MSS) Sy.ˢ· Cop.ᵇᵒ· Geo.¹ Aeth.; + illis post iesus k Cop.ˢᵃ· Arm. | αμην: = amen amen Sy.ˢ· | οτι: om. 68 | εις: om. 258 | παραδωσει με: > με παραδωσει W, item me tradet f i l q r² vg. (exc. 2 MSS) | ο εσθιων μετ εμου: = pon. ante tradet me Sy.ˢ· ᵖᵉˢʰ· Cop.ˢᵃ· ᵇᵒ·; των (αυτων 330) εσθιοντων μετ εμου B (330), similiter Cop.ˢᵃ· ᵇᵒ·; cf. quo mecum manducat k.

19. ηρξαντο tant. אBLΨ Cop.ᵇᵒ· (ᵖˡᵉʳ·): και ηρξ. C 238. 892. 1342 Aeth. Arm.; οι δε και ηρξ. 579; οι δε ηξρ. ADPWXYΓΔΘΠΣΦ 0116 ς Minusc. rell., item at (ad)illi coeperunt it. (exc. c ff k) vg., illi autem coeperunt c ff k Sy.ˢ· ᵖᵉˢʰ· ʰˡ· Cop.ˢᵃ· ᵇᵒ· (2 MSS) Geo. | λυπεισθαι (⌁εισθε 28. 157. 892. 1342): +και αδημονειν 1071 | λεγειν: λεγει 59. 517. 692 | αυτω: om. KΠ 253 c f ff i vg. (plur. sed non WW) | εις κατα εις אBLΔΨ 892. 1342: εις (ο 517) καθεις ADPWX YΓΘΠΣΦ 0116 ς Minusc. pler.: εις παρ εις 244; εις εκαστος C; cf. εις καθ ενα Or.; cf. singillatim (uel singulatim uel sigillatim) g² l r² vg. (pler.), singuli it. (exc. g² l r²) vg. (1 MS); pon. singulis post numquid ego sec. k, pon. hoc singuli coeperunt dicere ad fin. uers. c | μητι εγω sine add. אBCLPWΔΨ 17. 106. 131. 218. 485. 1342. l7. l9. l10. l12. l14. l17. l36 l r² vg. Sy.ˢ· ᵖᵉˢʰ· ʰˡ· txt. Cop.ˢᵃ· ᵇᵒ· Aeth.: + και αλλος

(ο αλλος 579) μητι εγω (om. μητι εγω 579 c) DXYΓ ΘΠΣΦ 0116 ς fam.¹ 22. 157. 565. (579). 700 al. pler. it. (exc. l r²) Sy.ʰˡ· ᵐᵍ· Geo. Arm. Or.; + ειμι (+ ραββει Α; κυριε 517. 892) και αλλος μητι εγω (+ ειμι Σ 346)(A) fam.¹³ 543. 28. 229. (517). (892). 1071.

20. ο δε (+ Ιησους 472) sine add. אBCDLΨ 579. 1342, item quibus ipse c f q, quibus a d ff i l, ille autem k, similiter Sy.ˢ· ᵖᵉˢʰ· Cop.ˢᵃ· ᵇᵒ·: + αποκριθεις APWXYΓΔΠΣΦ 0116 ς Minusc. rell. k Sy.ʰˡ· Geo. Aeth. Arm. | ειπεν: λεγει DΘΨ 565. 579. 700, item dicit k, ait it. rell. vg. | εις των δωδεκα אBCLWΘΨ 38. 60. 78. 122. 330. 472. 892. 1342 Cop.ˢᵃ· ᵇᵒ· (ᵖˡᵉʳ·): εις εκ των δωδεκα ADPXYΓ ΔΠΣΦ 0116 ς (exc. M) fam.¹ 22. fam.¹³ 543. 28. 157. 565. 579. 700. 1071 al. pler., item ex (de c vg. 1 MS) duodecim it. vg. Sy.ˢ· ᵖᵉˢʰ· ʰˡ· Cop.ᵇᵒ· (1 MS) Geo.; om. M k | εμβαπτομενος (ενβ. W): ενβαπτιζομενος D; εμβαψας Σ | μετ εμου: + την χειρα Α 579 a q, item > manum mecum f aur. vg. (plur. sed non WW); = praem. manum eius Sy.ˢ· Cop.ˢᵃ· ᵇᵒ·; manum (pro μετ εμου) c ff | το εν BC*ᵘⁱᵈ· Θ 565: om. εν Uncs. rell. Minusc. rell. Or. | τρυβλιον: τριβλιον 346. 579; τρυβλαιον D* | εν τω τρυβλιω (pro εις το εν τρυβ.) 34*. 63. 121. 131. 569, item in catino (paropside d k, uoletario c, acitabulo q) it. (exc. in catinum a) vg. Const. Apos. | ad fin. uers. add. αυτος με παραδωσει 11. 68. 220. 346. 517 c.

21. οτι אBLΨ 579. 892 Cop.ˢᵃ· ᵇᵒ·: και 291. 544. 1241. 1342, item et it. (exc. a f) vg. Sy.ˢ· ᵖᵉˢʰ· ʰˡ· Aeth.; uerumtamen f Arm.; om. ACDPWXYΓΔ ΘΠΣΦ 0116 ς Minusc. rell. a Cop.ᵇᵒ· (1 MS) | μεν (+ ουν 5. 349. 517. l18): om. f r² vg. (2 MSS) Cop.ˢᵃ· (1 MS) ᵇᵒ· (3 MSS) Sy.ˢ· ᵖᵉˢʰ· ʰˡ· Geo. Aeth. Arm. | υπαγει καθως γεγρ. περι αυτου: κατα το ορισμενον πορευεται 579 | υπαγει: παραδιδοτε sic D, item traditur a, tradetur c d i; παραδιδοτε υπαγει sic W | γεγραπται (εγραπται sic Δ): εστιν γεγραμμενον D | ο υιος του ανθρωπου sec.: om. D 700 a | παραδιδοται: cf. traditur a g¹ i k l aur. vg. (plur. et WW), tradetur c d f ff g² q r² vg. (plur.) Iren.ⁱⁿᵗ· | καλον sine add.

---

19. Or. ⁱⁿ Ioann. Tom. XXXII.   ο δε Μαρκος οτι· ηρξαντο λυπεισθαι και λεγειν αυτω εις καθ ενα μητι εγω; και αλλος, μητι εγω.

20. Or. ⁱⁿ Ioann. Tom. XXXIII.   και το απο του κατα Μαρκον· ο εμβαπτομενος μετ εμου εις το τρυβλιον.

Const. Apos. v. 14.   ο εμβαπτομενος μετ εμου εν τω τρυβλιω.

21. Iren. ⁱⁿᵗ· II. 20. 5.   Uae homini per quem Filius hominis tradetur: et Melius erat ei si non natus fuisset.

Cyr. ᴳˡᵃᵖʰ· I. 6·   καλον ην αυτω ει ουκ εγεννηθη ο ανθρωπος εκεινος.

Bas. Epist. XLVI. 4.   τον υιον του ανθρωπου, φησιν, εδει παραδοθηναι, αλλ ουαι δι ου παρεδοθη.

τοῦ ἀνθρώπου παραδίδοται· καλὸν αὐτῷ εἰ οὐκ ἐγεννήθη ὁ ἄνθρωπος ἐκεῖνος. ²² Καὶ (ρξδ/ς)
ἐσθιόντων αὐτῶν λαβὼν ἄρτον εὐλογήσας ἔκλασεν καὶ ἔδωκεν αὐτοῖς καὶ εἶπεν Λάβετε, (ρξε/α)
τοῦτό ἐστιν τὸ σῶμά μου. ²³ καὶ λαβὼν ποτήριον εὐχαριστήσας ἔδωκεν αὐτοῖς, καὶ (ρξς/β)
ἔπιον ἐξ αὐτοῦ πάντες. ²⁴ καὶ εἶπεν αὐτοῖς Τοῦτό ἐστιν τὸ αἷμά μου τῆς διαθήκης τὸ
ἐκχυννόμενον ὑπὲρ πολλῶν· ²⁵ ἀμὴν λέγω ὑμῖν ὅτι οὐκέτι οὐ μὴ πίω ἐκ τοῦ γενήματος
τῆς ἀμπέλου ἕως τῆς ἡμέρας ἐκείνης ὅταν αὐτὸ πίνω καινὸν ἐν τῇ βασιλείᾳ τοῦ θεοῦ.
(ρξζ/ς)
²⁶ Καὶ ὑμνήσαντες ἐξῆλθον εἰς τὸ Ὄρος τῶν Ἐλαιῶν. ²⁷ Καὶ λέγει αὐτοῖς ὁ Ἰησοῦς (ρξη/δ)

BLW 892 c ff i l q aur. vg. (4 MSS): +ην ℵAC
DPXYΓΔΘΠΣΦΨ 0116 ⸄ Minusc. rell. a b f k vg.
(aliq.) Sy.ˢ· ᵖᵉˢʰ· ʰˡ· Geo. Aeth. Arm. Iren. Cyr. ;
+ est g² r² vg. (plur. et WW) | αυτω : = illi uiro
Sy.ᵖᵉˢʰ· Cop.ˢᵃ· ; om. l | ει : η ALΔ 28 | εγεννηθη :
εγενηθη ALΔΘ 69. 247. 485 | om. ο ανθρωπος
εκεινος Sy.ˢ· ᵖᵉˢʰ· Cop.ˢᵃ· Iren.ˡⁿᵗ·

22. αυτων : om. W | λαβων sine add. BDW
565 a ff i k r² Cop.ˢᵃ· Geo.¹ ᵉᵗ ᴮ : +ο Ιησους ℵACL
PXYΓΔΘΠΣΦΨ 0116 ⸄ Minusc. rell. b c f l q vg. Sy.
ᵖᵉˢʰ· ʰˡ· Cop.ᵇᵒ· Geo.ᴬ Aeth. Arm. ; = om. Sy.ˢ·
| αρτον : τον αρτον ΜΣ 22. 69. 59. 106. 238. 300.
435. 474. 482 al. pauc. | ευλογησας (pon. post
εκλασεν ℵ): ευχαριστησας 579 ; και ευχαριστησας
U ; και ευχαριστησας ευλογησας 517 ; ευλογησεν και
D 50 ; και ευλογησας Σ fam.¹³ (exc. 124) 543. 56.
91. 157. 479. 480. 892. 1071. 1278ᶜᵒʳ· 1342 al.
pauc., similiter it. (exc. a d) vg. Sy.ᵖᵉˢʰ· ʰˡ· Aeth.
| εδωκεν : εδιδου W fam.¹ fam.¹³ 543, item = dabat
Geo.² | αυτοις : τοις μαθηταις αυτου (om. 69) 69.
235 Sy.ˢ· | και ειπεν : om. 64 g² ; ειπων 282 Cop.
ˢᵃ· ; +αυτοις WΔΘ 299. 565, item et dixit illis k,
et ait illis i, similiter Sy.ˢ· ᵖᵉˢʰ· Cop.ᵇᵒ· (2 MSS) Aeth.
| λαβετε sine add. ℵABCDKLM*PUW(Δ) (λαβων
Δᵐᵍ· sed om. Δ*) ΘΠΦΨ fam.¹ (exc. 118) 38*. 42.
67. 114. 115. 229*. 253. 435. 517. 565. 700. 892.
l9. l18. l19. l36 a c f i l q r¹· ² vg. Sy.ˢ· ᵖᵉˢʰ· ʰˡ· Cop.ˢᵃ·
ᵇᵒ· Geo. Aeth. Arm. : +φαγετε EFHM²SVXYΓΣΩ
0116. 118. 22. fam.¹³ 543. 28. 157. 1071 al. pler.,
item ff (et edite) Cop.ᵇᵒ· (1 MS) ; om. Δ* b k Cop.
ᵇᵒ· (3 MSS) | τουτο εστιν : τουτ εστιν D ; om. εστιν
W Sy.ˢ· ; hoc enim est c Cop.ᵇᵒ· (1 MS), hoc est
enim f | το σωμα μου : = caro mea Geo. ; +quod
pro multis confringitur in remissione peccatorum a
| om. και ειπεν λαβετε usque ad εδωκεν αυτοις
(uers. 23) 579 per homoeotel.

23. ποτηριον ℵBCDLXYΔΣΨ 0116 fam.¹ 22.
13. 124. 543. 11. 28. 71. 131. 238. 470. 472. 473.
506. 700. 892. 1342 al. pauc. Cop.ˢᵃ· ᵇᵒ· Arm. : το
ποτηριον APWΓΠΦ⸄ 69. 346. 157. 565. 1071 al.
pler. | ευχαριστησας (pon. post εδωκεν αυτοις P),
item gratias agens (om. r²) f l r² vg. : και ευχαριστ.
247. 282 ; cf. et benedixit ff k Sy.ˢ·, benedixit c q
r¹ ; et gratias egit et benedixit Sy.ᵖᵉˢʰ· | αυτοις :
τοις μαθηταις W | εξ αυτου παντες : > παντες εξ
αυτου 28 Cop.ˢᵃ· ; = om. παντες Sy.ˢ·

24. ειπεν, item dixit a k : ait it. rell. vg. | αυτοις :
om. B | τουτο εστιν : τουτ εστιν D ; = om. εστιν

Sy.ˢ· | το αιμα μου sine add. ℵBCD²ELVXΘΨ
0116. 22. 11. 73. 87. 115. 157. 258. 471. 475. 478.
565. 579 a f l q r² vg. Sy.ˢ· ᵖᵉˢʰ· ʰˡ· Cop.ˢᵃ· ᵇᵒ· Geo. :
+το AD*PWYΓΔΠΣΦ⸄ (exc. EV) fam.¹ fam.¹³
543. 28. 700. 892. 1071 al. pler., item b d i r¹ | της
διαθηκης ℵBCDLWΘΨ 565 k Cop.ˢᵃ· ᵇᵒ· Geo.¹
(=legis) : της καινης διαθηκης APXYΓΔΠΣΦ 0116 ⸄
fam.¹ 22. fam.¹³ 543. 28. 157. 700. 892. 1071 al.
pler. it. (exc. k) vg. Sy.ˢ· ᵖᵉˢʰ· ʰˡ· Geo.² (= legis
nouae) Aeth. Arm. ; om. ff | εκχυννομενον (εχχ.
D) ℵABCDLPUWΔΘΠ* 543. 579. 892 : εκχυνο-
μενον XYΓΠ²ΦΨ 0116 ⸄ (exc. U) Minusc. rell. ᵘⁱᵈ·
| εκχυν. hoc loco ℵBCLΨ 892. 1342 Cop.ˢᵃ· ᵇᵒ·
Aeth.: pon. post πολλων ADPWXYΓΔΘΠΣΦ 0116 ⸄
Minusc. rell. ᵘⁱᵈ· it. vg. Sy.ˢ· ᵖᵉˢʰ· ʰˡ· Geo. Arm. ; cf.
pro το εκχυν. effunditur d k l r² aur. vg. (plur. et
WW), effundetur a b c f ff g² i q r¹ vg. (plur. sed
non WW) | υπερ ℵBCDLWΔΘΨ fam.¹³ 543. 330.
565. 579. 892. 1342. l18 : περι APXYΓΠΣΦ 0116 ⸄
fam.¹ 22. 28. 700. 1071 al. pler. | add. ad fin.
uers. εις αφεσιν αμαρτιων W fam.¹³ 543. 9. 18. 472.
1071. l13 a g² vg. (1 MS) Cop.ᵇᵒ· (ed.).

25. αμην sine add. Uncs. pler. fam.¹ (exc. 118)
22. fam.¹³ (exc. 346) 543. 565. 579. 700. 1071 al.
pler. VSS omn. : + δε FSVΓΔΠ²Ω 118. 346. 28. 71.
91. 131. 238. 349 (post λεγω) 470. 892 al. mu. ;
+γαρ 12. 330. | οτι : om. c g² | ουκετι ABNXY
ΓΔΘΠΣΦΨ 0116 ⸄ Minusc. pler., item cf. iam b ff i l
q r² vg., similiter Sy.ˢ· ᵖᵉˢʰ· ʰˡ· Cop.ˢᵃ· Geo. Arm. :
om. ℵCDLW 471*. 892. 1342 a c f k vg. (1 MS)
Cop.ᵇᵒ· Aeth. | ου μη πιω (+απαρτι 474) : ου
προσθω (∾ θωμεν Θ) πιειν (πειν D) DΘ 565, item a f
Arm. | γενηματος ℵABCLWXYΔΘΠΨ 0116 ⸄
(exc. ΚΩ) fam.¹ 22. fam.¹³ 543. 299. 474. 482. 517.
565. 579. 692. 697. 700. 892. 1278. 1342 al. plur. :
γεννηματος DKNᵘⁱᵈ·ΓΦΩ 28. 157. 1071 al. plur.
| εκ του γεν. : cf. de hoc genimine r² aur. | της
αμπελου : cf. uitis huius c f | αυτο : αντω EFKΓ
ΘΩ 13. 543*. 471*. 475*. 485 ; = +uobiscum vg.
(1 MS) Sy.ˢ· Cop.ˢᵃ· (1 MS) ᵇᵒ· (1 MS) | πινω (πιννω Δ) :
πιω X 579 | καινον (= denuo Sy.ˢ· ᵖᵉˢʰ·) : om. 251 q.

26. υμνησαντες : cf. hymno dicto b c d f ff q vg.,
cum hymnum (heminum k, hymnos a ; laudem i)
dixissent (dixisset k) a (i) (k), similiter Geo.² ;
hymnum dicentes l ; = cum benedixissent Cop.ˢᵃ·
ᵇᵒ· (aliq·), = cum benedixissent Cop.ᵇᵒ· (aliq·) ; = gra-
tias egerunt Geo.¹ Arm. | εξηλθον : εισηλθον
61 | των Ελαιων : eleon k ; oliueti a b c d f ff g¹· ²

ὅτι Πάντες σκανδαλισθήσεσθε, ὅτι γέγραπται Πατάξω τὸν ποιμένα, καὶ τὰ πρόβατα
(ρξθ/ϛ) διασκορπισθήσονται· ²⁸ ἀλλὰ μετὰ τὸ ἐγερθῆναί με προάξω ὑμᾶς εἰς τὴν Γαλιλαίαν.
(ρο/α) ²⁹ ὁ δὲ Πέτρος ἔφη αὐτῷ Εἰ καὶ πάντες σκανδαλισθήσονται, ἀλλ᾽ οὐκ ἐγώ. ³⁰ καὶ
λέγει αὐτῷ ὁ Ἰησοῦς Ἀμὴν λέγω σοι ὅτι σὺ σήμερον ταύτῃ τῇ νυκτὶ πρὶν ἢ δὶς ἀλέκτορα

i q r² vg. (1 MS); oliuarum l vg. (pler. et WW),
similiter Sy.ˢ· ᵖᵉˢʰ· ʰˡ· Cop.ˢᵃ· ᵇᵒ· Geo.

27. και pr.: τοτε D bc ff g²; = om. Sy.ˢ· Cop.
ˢᵃ· | λεγει, item dicit k, ait it. rell. (exc. a) vg.:
dixit a Sy.ᵖᵉˢʰ· Cop.ˢᵃ· ᵇᵒ· Geo. | ο Ιησους: om.
l17 g¹· ² r² | οτι: om. Θ 131. 565. 700 a b c ff l r²
vg. Cop.ˢᵃ· ᵇᵒ· | παντες sine add. Uncs. pler. fam.¹
22. 28. 157. 565. 700. 892. 1071 al. pler. f g¹ vg.
(exc. 1 MS) Cop.ᵇᵒ·: +υμεις D fam.¹³ 543. 38.
274ᵐᵍ· 330. 579. 1342 it. (exc. f g¹) > uos omnes
k) aur. vg. (1 MS) Sy.ˢ· ᵖᵉˢʰ· ʰˡ· Cop.ˢᵃ· Aeth.
| σκανδαλισθησεσθε (∼σεισθαι 28; ∼σονται sic
300) sine add. ℵBC*DHLSVXΓΔΠ²ΨΩ 0116. 71*.
131. 237. 470. 692. 1342 al. mu. b ff q Cop.ˢᵃ· ᵇᵒ·
(pler.): +εν εμοι G 28. 157 a f i k l aur. vg. (2 MS)
Sy.ˢ· Cop.ᵇᵒ· (1 MS); +εν εμοι εν (om. 13. 69. 346.
543) τη νυκτι (νυνυκτι sic Y) ταυτη AC²EFKMNU
WYΘΠ*ΣΦ fam.¹ 22. fam.¹³ 543. 565. 700. 892.
1071 al. pler. c g² vg. (5 MS) Sy.ᵖᵉˢʰ· ʰˡ· Cop.ᵇᵒ·
(1 MS) Geo. Aeth. Arm.; +εν τη νυκτι ταυτη 45. 53.
54. 57. 65 g¹ vg. (pler. et WW) Cop.ᵇᵒ (2 MSS) | οτι
(om. k; +ιδου Δ) γεγραπται: γεγραπται γαρ ΝΣ
k aur. Sy.ˢ· ᵖᵉˢʰ· Geo.; οτι γεγραπται οτι Ψ | τον
ποιμενα: cf. pastorem graegis k | τα προβατα:
+της ποιμνης EFKMYΠ* 38. 91. 121**. 299. 435.
482. 559. 579. 1071. 1342 al. pauc. a c aur. vg.
(2 MSS) Geo.ᴮ (+pecoris mei); = oues eius
Sy.ᵖᵉˢʰ· Aeth. | διασκορπισθησονται ℵABCDFG
KLNΔΘΣΨ fam.¹ 29. 282. 435. 472. 487. 565. 579.
892. 1071. 1342. l18. l19. l49. l251. l260: διασκορ-
πισθησεται (σκορπισθ. W) EHMSUV(W)XYΠΦΩ
0116. 22. fam.¹³ 543. 28. 157. 700 al. pler. | τα
προβατα hoc loco ℵBCDLWΘ fam.¹³ (exc. 124) 543.
115. 127. 517. 565. 892 i k q Cop.ˢᵃ· Geo. Arm.:
pon. post διασκορπισθ. ANXYΓΔΠΣΦΨ 0116 ϛ fam.¹
22. 124. 28. 157. 579. 700. 1071 al. pler. it. (exc.
d i k q) vg. Sy.ˢ· ᵖᵉˢʰ· ʰˡ· Cop.ᵇᵒ· Aeth.

28. αλλα μετα: και μετα C Sy.ˢ· Cop.ᵇᵒ· (2 MSS)
Aeth.; αλλα και μετα 13; μετα δε 10. 12. 34. 59.
66. 201. 235. 241. 258. 480. 483**. 575 | μετα το
εγερθηναι: cf. posteaquam (uel postquam; postea
cum l) resurrexero b c f ff l q r² aur. vg. (plur. sed
non WW), posteaquam (uel postquam) surrexero
a d i k δ vg. (plur. et WW).

29. ο δε: = et Aeth.; = om. δε Sy.ˢ· ᵖᵉˢʰ·
| πετρος (= pon. post αυτω Aeth.): = Kepha Sy.ˢ·
ᵖᵉˢʰ· (pon. post αυτω | εφη sine add. Uncs. pler. 22. 28.
157. 892. 1071 al. pler., item ειπεν tant. 579, simi-
liter Sy.ʰˡ· Cop.ˢᵃ· ᵇᵒ·, similiter λεγει sine add. DΨ,
item ait it. (exc. c k) vg. Sy.ᵖᵉˢʰ·: αποκριθεις λεγει
WΘ fam.¹ fam.¹³ 543. 565. 700, item respondens
ait aur., cf. respondit et dixit c k Sy.ˢ· Geo. Arm.

αυτω: om. Θ vg. (3 MSS); +κυριε 157 | ει και
ℵBCGLWΨ fam.¹ 22. fam.¹³ (exc. 346) 543. 238.
579. 892. 1071. 1342 Arm.: και ει AΧΥΓΔΠΣΦ
0116 ϛ (exc. G) 28. 157 al. pler., similiter και εαν
D, καν Θ 565. 700, item et si it. vg. Sy.ʰˡ· Cop.ᵇᵒ·
Geo.²; nil nisi ει 472 Sy.ˢ· ᵖᵉˢʰ· Cop.ˢᵃ· Aeth.; cf.
= si quidem Geo.¹; και οι 282. 506; ει και οι 346
| σκανδαλισθησονται (∼θησεται sic 346. 349; σκαν-
δαλισθωσιν DΘ 565. 700) sine add. Uncs. pler. 22.
fam.¹³ 543. 28. 157. 579. 892. 1071 al. pler. it. (exc.
b g²) vg. (pler. et WW) Sy.ˢ· ᵖᵉˢʰ· ʰˡ· Cop.ˢᵃ· ᵇᵒ· Geo.¹
et A: +εν σοι EGU fam.¹ 60. 108. 127. 472. 517
b g² vg. (edd. vett.) Geo.ᴮ Aeth. | αλλ ουκ (> ου
και 13) εγω, item sed non ego a l r₂ δ vg., sed ego
non c f i, set non et ego k: +ου (om. D²) σκανδα-
λισθησομαι D, item sed ego non (nunquam b aur.)
scandalizabor (b) ff g¹ q (aur.), = ego autem nun-
quam offendebam Geo.ᴮ.

30. και: om. 330. 472. 579. 700 g² Sy.ˢ· ᵖᵉˢʰ·
Cop.ˢᵃ· Geo.² | λεγει, item ait d f l r² vg., dicit a k
Sy.ˢ· ᵖᵉˢʰ· ʰˡ· Aeth. Arm.: εφη 517, item dixit b c ff
i q Cop.ˢᵃ· ᵇᵒ· Geo. | ο Ιησους: om. X | om.
αμην λεγω σοι 484* | αμην: αμην αμην Θ Sy.ˢ·
Cop.ᵇᵒ· (1 MS) | om. σοι W | οτι: om. i k | συ
ABLNWXYΓΘ(σοι sic)ΠΣΨ 0112. 0116 ϛ fam.¹
fam.¹³ 543. 11. 28. 71. 106. 157. 299. 300. 517. 565.
579. 700. 892. 1071. 1342 al. plur. c k r² vg. Sy.ˢ·
ᵖᵉˢʰ· ʰˡ· Cop.ˢᵃ· ᵇᵒ· Geo.²: om. ℵCDΔΦ 22. 330 al.
it. (exc. c k) Geo.¹ | σημερον (εν σημερον 579; pon.
hodie post in nocte hac l): om. DSΘ 565. 700 a b
f ff i q Arm. | ταυτη τη (om. 0112) νυκτι ℵBCDL
ΘΨ (0112). 115. 565. 700. 892. 1342 it. (exc. c l r²)
Sy.ᵖᵉˢʰ· (1 MS) Geo.² Aeth., similiter τη νυκτι ταυτη
W fam.¹ fam.¹³ (exc. 124) 543 Geo.¹: εν τη νυκτι
ταυτη ANXYΓΔΠΣΦ 0116 ϛ (exc. S) 22. 124. 28. 157.
1071 al. pler. c l r² vg. Sy.ˢ· ᵖᵉˢʰ· Cop.ˢᵃ· ᵇᵒ·, simi-
liter εν ταυτη τη νυκτι 579; om. S | πριν η: om.
η ℵDWΘ 209ᵐᵍ· fam.¹³ (exc. 124) 543. 238. 472.
565. 579. 700. l150 | δις (pon. post φωνησαι C²
209². Sy.ˢ· ᵖᵉˢʰ·; post αλεκτορα Θ 13. 69. 346. 543.
472. 565. 700) ABC²LNXYΓΔΘΠΣΦΨ 0112. 0116 ϛ
Minusc. omn.ᵘⁱᵈ· (exc. 238. l150) f l q r² vg. (pler.
et WW) Sy.ˢ· ᵖᵉˢʰ· ʰˡ· Cop.ˢᵃ· ᵇᵒ· Geo.: om. ℵC*D
W 238. l150 it. (exc. f l q r²) vg. (3 MSS) Aeth.
Arm. | αλεκτορα: αλεκτωρα ΥΘ; αλεκτωρ sic 251,
αλεκτορ sic 349 | τρις (τρεις 28): = pon. post
απαρνηση με Cop.ˢᵃ· ᵇᵒ· Geo.ᴮ; = om. Geo.ᴬ | με
απαρνηση (∼σει ℵ; αρνηση W) ℵBCD(W)Δ 0112.
fam.¹³ (exc. 124) 543. 579. 1342 it. vg.: > απαρνηση
με ANXYΓΠΣΦΨ 0116 ϛ fam.¹ 22. 124. 28. 157. 565.
700. 892. 1071 al. pler. Sy.ˢ· ᵖᵉˢʰ· ʰˡ· Cop.ˢᵃ· ᵇᵒ·
Geo.; om. με LΘ 69*.

φωνῆσαι τρίς με ἀπαρνήσῃ. ^{31} ὁ δὲ ἐκπερισσῶς ἐλάλει Ἐὰν δέῃ με συναποθανεῖν (ροα/ϛ)
σοι, οὐ μή σε ἀπαρνήσομαι. ὡσαύτως δὲ καὶ πάντες ἔλεγον. ^{32} Καὶ ἔρχονται εἰς (ροβ/α)
χωρίον οὗ τὸ ὄνομα Γεθσημανεί, καὶ λέγει τοῖς μαθηταῖς αὐτοῦ Καθίσατε ὧδε ἕως (ρογ/ϛ)
προσεύξωμαι. ^{33} καὶ παραλαμβάνει τὸν Πέτρον καὶ τὸν Ἰάκωβον καὶ τὸν Ἰωάνην μετ᾽
αὐτοῦ, καὶ ἤρξατο ἐκθαμβεῖσθαι καὶ ἀδημονεῖν, ^{34} καὶ λέγει αὐτοῖς Περίλυπός ἐστιν (ροδ/δ)

31. ο δε (et *ff*) *sine add.* ℵBDEFHKLVXYΓΔ
ΠΨ 0112. 0116. 157. 579. 892. 1278 al. plur. *it. vg.*
Sy.ᵖᵉˢʰ· Cop.ˢᵃ· ᵇᵒ·: +πετρος ACGMNSUWΘΣΦΩ
fam.¹ 22. fam.¹³ 543. 28. 108. 127. 349. 472. 517.
565. 697. 700. 1071. *l*49 al. mu. Sy.ʰˡ· Geo. Aeth.
Arm.; = et Simon Sy.ˢ· | εκπερισσως ℵBCDΨ
0112. 56. 58. 61. 579. 1342 : εκ περισσου ANᵘⁱᵈ·
fam.¹ 22. 28. 157. 700. 892. 1071 al. pler.; περισσως
(περησως *sic* Θ) LWΘ fam.¹³ 543. 565; εκπερισιας Δ
| ελαλει ℵBDLΨ 0112. 579. 892. 1342, *item loque-*
batur it. (*exc. a*) *vg.* Cop.ˢᵃ· ᵇᵒ·: ελεγε ACNWXYΓ
ΔΘΠΣΦ🝆 fam.¹ 22. fam.¹³ 543. 28. 157. 565. 700.
1071 al. pler., *item dicebat a* Sy.ᵖᵉˢʰ· ʰˡ· Geo.;
λεγει 61; *eaque sine* μαλλον ℵBCDLΘΨ 0112. 349.
517. 565. 700. 892. 1342 *it.* (*exc. c k*) Sy.ˢ· ᵖᵉˢʰ· Cop.
ˢᵃ· ᵇᵒ· Geo.; +μαλλον (*pon. ante* περισσως W fam.¹³
543, *ante* εκπερισσου fam.¹) ANWXYΓΔΠΣΦ 0116🝆
fam.¹ fam.¹³ 543. 28. 157. 579. 1071 al. pler.
Sy.ʰˡ·; *cf.* +magis dicere *k*, +multa dicens uide-
bitis *c* | εαν (αν 892) : οτι εαν W fam.¹ fam.¹³ 543,
item Sy.ˢ·ᵖᵉˢʰ·ʰˡ· Geo.¹ | δεη με ℵᶜABD²LNΣΨ
0112. 0116. fam.¹ fam.¹³ 543. 106. 349. 472. 517.
579. 697. 700. 892. 1071. 1278. 1342 al. pauc. *it.*
vg.: > με δεη ℵ*ᵘⁱᵈ· CWXYΓΔΘΠΦ🝆 22. 28. 157.
al. pler.; *cf.* μη (*sic*) δεη D* 565 ; *om.* με 90. 481
| συναποθανειν σοι Uncs. pler. 22. fam.¹³ 543. 28.
157. 579. 700. 892 al. pler. : συν σοι αποθανειν L
0112. fam.¹ 565. 115. 218. 349. 472. 477. 517. 565.
1071. 1342, *cf.* mori tecum *a f*, commori (+ simul *c*)
tecum *c g*² *k l q* aur. *vg.* (3 MSS), commori tibi
(*om. d i*) *b* (*d*) (*i*) *ff r²* *vg.* (pler.) | απαρνησομαι
(αρνησομαι H) ABCD(H)LNWYΔΘΠ*ΣΦΨΩ 0116
Minusc. pler. : απαρνησωμαι ℵXYΓ² 0112🝆 (*exc.* H)
346. 106. 299. 349. 471. 517. 569. 697. 892. 1278
al. mu.; = +domine mi Sy.ᵖᵉˢʰ· | ωσαυτως *usque*
ad ελεγον: *om.* Ψ 67. 68 | ωσαυτως: ομοιως ℵ*
506 | δε: *om.* B fam.¹ 251. 253. 330. 579 *a c ff k*
Cop.ˢᵃ· ᵇᵒ· (¹ MS) Geo.¹ Arm. | και: *om.* D 53. *l*260
| παντες (οι παντες 61): + discipuli *a* Sy.ᵖᵉˢʰ· (ᵃˡˡ.ᵈ·)
Cop.ˢᵃ· | ελεγον: *cf.* dixerunt *a k q* Sy.ˢ·ᵖᵉˢʰ·
Cop.ˢᵃ·

32. ερχονται (εξερχονται W), *item* ueniunt *a b d*
*i q r*¹·² *vg.* (pler.) Sy.ʰˡ·, *sed* uenerunt *c f ff k l vg.*
(¹ MS) Sy.ˢ· ᵖᵉˢʰ· Cop.ˢᵃ· ᵇᵒ· Geo.: ερχεται Θ 118².
209. 565 | ου το ονομα: ω ονομα C; ω το ονομα
282, *cf.* cui nomen (+est *d f k*, + erat *c*) *it.* (*exc.*
a q) *vg.*, quod dicitur *q*, cuiusdam *sic a* | γεθση-
μανει (⌒νι KUΓΔΠ 0112. 209. 71. 481 al. pauc.,
⌒νη ΘΦ 118. 22. 28. 157. 700. 892. 1071 al. pler.,
γεθσεμανει 1582, γηθσεμανει 1, γεθσιμανη 127. 237.
247) ℵAB²CKLMSUVΓΔΘΠΦ 0112ᵘⁱᵈ· Minusc.

pler., *cf.* gethsemani *b f l vg.* (pler. *et* WW), *simi-*
liter Sy.ʰˡ· Cop.ˢᵃ· ᵇᵒ·: γεσσημανει (⌒νι Ω ; νιν W ;
⌒νεις X) EFGHNWXYΣΩ, *cf.* gessemani *i q vg.*
(3 MSS), gessamani *c*, *similiter* Geo.¹ ᵉᵗ ᴬ; γετση-
μανει B*, *cf.* getsamani *a*, *similiter* Geo.ᴮ; γεσσι-
μανη Ψ ; γησαμανει D ; γεδσημανι 300, *similiter* =
gedsemane Sy.ˢ·, gedsiman Sy.ᵖᵉˢʰ· | τοις μαθηταις
αυτου: αυτοις D *a*; *om.* αυτου AΦ Arm. | καθι-
σατε (⌒ησατε 346. 28. 59. 71. 238. 251. 349):
καθισαι Δ | ωδε: *om.* B*; αυτου fam.¹ | εως:
+αν 59. 71. 91. 218. 251. 485. 569. 692. 697. 1278 ;
+αν απελθων UΣ fam.¹³ (*exc.* 124) 28. 91. 579. 892
al. pauc.; +ου απελθων 472 ; +απελθων *tant.* MN
118. 3. 61. 77. 116. 127. 235. 248. 330. 517; *simi-*
liter Geo.ᴮ Aeth. | προσευξωμαι (προσευχωμαι N)
ℵABCL(N)WY²ΔΠΣΦ 0112. 0116🝆 (*exc.* H) 1. 22.
69. 543. 28. 157. 565. 579. 892 al. pler. : προσευ-
ξομαι DHXY*ΓΘΨ 118. 209. 13. 346. 11. 238.
349. 472. 700. 1071. 1342 al. mu. | *add.* εκει post
προσευξ. 28.

33. και: = *om.* Cop.ˢᵃ· | παραλαμβανει (παρα-
λαβων 11): adsumpsit (⌒sumsit *f g*¹) *b f g*¹·² *k r*²
vg. (aliq., *sed* adsumit *pler. et* WW), *similiter* Sy.ˢ·
ᵖᵉˢʰ· Cop.ˢᵃ· ᵇᵒ· Geo. | τον πετρον: *om.* τον ℵ* 71.
142**. 244. 248. 569. 692 ; = Kepha Sy.ˢ· ᵖᵉˢʰ·
| τον ιακωβον ABKLWΠ*Ψ fam.¹ 22. fam.¹³ 543.
1071 al. plur. : *om.* τον ℵCDNXYΓΔΘΠ²ΣΦ 0112.
0116🝆 (*exc.* K) 28. 71. 106. 157. 349. 435. 517. 565.
579. 700. 892. 1278. 1342 al. plur. | και τον Ιωανην
(*sic* B 480, *sed* Ιωαννην rell.) ABKWΠ*Ψ fam.¹³
543. 11. 253. 474. 482 : *om.* τον ℵCDLNXYΓΔΘ
Π²ΣΦ 0112. 0116🝆 (*exc.* K) fam.¹ 22. 28. 157. 480.
565. 579. 700. 892. 1071 al. pler.; *om. haec uerba*
282. 1342 | *pro* τον Ιακωβον και τον Ιωανην *hab.*
> Ιωαννην και Ιακωβον 125 | μετ αυτου ℵBCDWΘ
fam.¹³ (*exc.* 124) 543. 57. 565. 892. 1342 : μεθ
εαυτου ALNXYΓΔΠΣΦΨ 0112. (0116) 🝆 fam.¹ 22.
124. 28. 157. 579. 700. 1071 al. pler., *item* secum
it. vg.; = *pon. haec uerba post* παραλαμβ. Sy.ᵖᵉˢʰ·
Cop.ᵇᵒ· Geo.¹; = *om.* Sy.ˢ· Cop.ᵇᵒ· (ᵃˡˡ.ᵈ·) | ηρξατο:
ηρξαντο LS | εκθαμβεισθαι: λυπεισθαι (λυπυσθαι
118) 1. (118). 209 | αδημονειν (ακηδεμονειν D*), *item*
cf. taedere (*uel* tedere) *l vg.* (pler.), taedere et
anxiari *f*, taediari (*uel* tediari) *b c d ff i q*, taedium
pati *k r*¹, cedere *r² vg.* (¹ MS), acediari et deficere
a: ακηδιαν 472.

34. και *pr.*: τοτε DΘ fam.¹³ 543. 565. 700 *a b*
Arm.; και τοτε 472 ; = *om.* Cop.ˢᵃ· | λεγει: λε-
γειν EGHΔΨ 22. 157. 300. 471. 517 al. pauc.
| αυτοις: *om.* 44 | εως θανατου: *om. vg.* (¹ MS)
| γρηγορειτε *sine add.* Uncs. pler. 22. fam.¹³ 543.

(ροε/α) ἡ ψυχή μου ἕως θανάτου· μείνατε ὧδε καὶ γρηγορεῖτε.　³⁵ καὶ προελθὼν μικρὸν
ἔπιπτεν ἐπὶ τῆς γῆς, καὶ προσηύχετο ἵνα εἰ δυνατόν ἐστιν παρέλθῃ ἀπ᾿ αὐτοῦ ἡ ὥρα,
(ροϛ/α) ³⁶ καὶ ἔλεγεν ᾿Αββά ὁ πατήρ, πάντα δυνατά σοι· παρένεγκε τὸ ποτήριον τοῦτο ἀπ᾿ ἐμοῦ·
(ροζ/β) ἀλλ᾿ οὐ τί ἐγὼ θέλω ἀλλὰ τί σύ.　³⁷ καὶ ἔρχεται καὶ εὑρίσκει αὐτοὺς καθεύδοντας, καὶ
λέγει τῷ Πέτρῳ Σίμων, καθεύδεις; οὐκ ἴσχυσας μίαν ὥραν γρηγορῆσαι;　³⁸ γρηγορεῖτε
(ροη/δ) καὶ προσεύχεσθε, ἵνα μὴ ἔλθητε εἰς πειρασμόν· τὸ μὲν πνεῦμα πρόθυμον ἡ δὲ σὰρξ

157. 565. 579. 700. 892. 1071 al. pler. *it.* (*exc.* g² q
r¹) *vg.* (*exc.* gat.) VSS pler.: +μετ εμου G 0112.
fam.¹ 28. 61. 245. 300 g² q r¹ gat. Cop.ˢᵃ·; = *pon.*
mecum *post* manete Sy.ᵖᵉˢʰ· ⁽ᵃˡⁱᑫ·⁾ | = *om.* manete
hic et uigilate Sy.ˢ·

35. και: = *om.* Cop.ˢᵃ· ⁽ᵃˡⁱᑫ·⁾ | προελθων ℵBFK
MNWΘΠ*ΦΩ 0112. 22. 28. 1278 al. plur. *it.* (*exc.*
ff) *vg.* Cop.ˢᵃ· ᵇᵒ·: προσελθων ACDEGHLSUVXY
ΓΔΠ²ΣΨ 0116. fam.¹ fam.¹³ 543. 71. 157. 299. 300.
482. 517. 568. 579. 700. 892. 1071. 1342 al. plur.,
item adcedens ff, *similiter* Sy.ᵖᵉˢʰ· ʰˡ·; = abiit (*uel*
exiit) Sy.ˢ· Geo. | επιπτεν ℵBLΨ 0112 (επιπιπτεν
sic) 892 Cop.ᵇᵒ·: επεσεν (*pon. post* επι της γης 1342)
ACDNWXYΓΔΘΠΣΦϟ Minusc. pler., *item it.* vg.
Sy.ˢ· ᵖᵉˢʰ· ʰˡ· Cop.ˢᵃ· ᵇᵒ· Geo.; *etiam* + επι προσωπον
(〰πω *sic* 565) DGΘΣ fam.¹ fam.¹³ 543. 7. 28.
(+ αυτου) 59. 248. 472. 517. 565. 692. 700, *item it.*
(*exc.* f l r²) *vg.* (1 MS) Sy.ˢ· Arm.; + in faciem
suam *post* terram g² | επι της γης: επι την γην
WΘ fam.¹³ 543. 472. 565. 700. l15, *item* super ter-
ram *it.* (*exc.* c) *vg.*; *om.* 28 c | προσηυχετο (〰ευ-
χετο E*): προσηυξατο fam.¹ l49, *cf.* orauit r², *simi-
liter* Cop.ˢᵃ· Aeth.; + dicens g² k | ινα: *om.* 124*.
435 l; *pon. post* ει δυνατον εστιν DGW fam.¹ fam.¹³
(*exc.* 69. 124*) 543. 38. 472. 565. 700 a ff k q | ει:
η Γ 13. 346. 472 | *pro* ινα ει δυνατον *usque ad* ωρα
hab. ει δυνατον (+ εστιν ℵᶜ ᵐᵍ·) παρελθειν απ αυτου η
ωρα ℵ | παρελθη: παρελθετω 579 | απ αυτου: απ
εμου 259 Cop.ᵇᵒ· (1 MS); *om.* c k Geo. ᴬ | η ωρα:
+ αυτη D, *item* + haec d i, + illa c f ff, *similiter*
Cop.ˢᵃ· Geo., *cf.* Aug.

36. ελεγεν: λεγει 565 Arm.; dixit d f ff l r¹·² vg.
Sy.ˢ· ᵖᵉˢʰ· | αββα (αβα 69): = *om.* Sy.ˢ· | ο
πατηρ: + μου W fam.¹³ 543 Sy.ˢ· ᵖᵉˢʰ· Aeth. | παντα
δυνατα σοι (+ εστιν W), *item cf.* omnia possibilia
tibi sunt (> sunt tibi r²) f q (r²) *vg.* (plur.): > δυ-
νατα παντα σοι εισιν D 565 (*om.* εισιν), *item* possi-
bilia omnia tibi sunt (*om.* a) a ff i, *cf.* Or. Hil.:
> παντα σοι δυνατα εστιν fam.¹³ (*exc.* 124) l *vg.*
(plur. *et* WW) | παρενεγκε BDLNWXYΓΔΠ²ΣΦ
0112 ϟ (*exc.* K) Minusc. pler.: παρενεγκαι ℵACKΘ
Π*Ψ 0116. 66. 241. 246. 247. 349. 892. 1278. 1342;
παρενεγκειν *sic* 517 | το ποτηριον τουτο απ εμου
ℵABCGLUWXΔΘΣΦ 0112. fam.¹³ 543. 71. 108.
127. 131. 238. 300. 517. 565. 579. 692. 700. 892.
1071 al. pauc., *item* f ff l r² vg. (pler.) Cop.ˢᵃ· ᵇᵒ·

Geo.² Arm. Or.: >τουτο το ποτηριον απ εμου
DNΨ fam.¹ a b q Hil.; >απ εμου το ποτ. (+ απ
εμου 1342) τουτ. KMYΠ 11. 72. 472. 474. 482. 559
c vg. (1 MS) Sy.ˢ· ᵖᵉˢʰ· ʰˡ· Geo.¹ Aeth. ; >το ποτ.
απ εμου τουτ. EFHSVΓΩ 0116. 22. 28. 157 al.
pler. | αλλ (αλλα W): πλην αλλ ΝΣ | ου τι
(*om.* 487): ουχ ο D ; ουπω ο 70 ; ου το Σ ; ουχ ως
(ωσσ *sic* Θ) Θ fam.¹³ 543. 238. 565, *item sicut* c d ff
Cop.ˢᵃ· ᵇᵒ· Arm. | αλλα τι: αλλ ο D ; αλλ οτι GΣ
fam.¹ 22. 25. 71. 251. 569. 692. 697. 1071. l7**:
αλλ (αλλα Ψ) ει τι CUΦΨ 157. 579. 892; αλλ ως Θ
fam.¹³ (*exc.* 124) 543. 50. 238. 251. 472. 565, *item
sed sicut* b c d ff Cop.ˢᵃ· ᵇᵒ· Arm. | συ (σοι LX 124.
471. 565): + θελεις DΘ 472 (θελης) 565 *it.* (*exc.* k
l r²) Cop.ˢᵃ· ᵇᵒ· Arm. | *pro* ου τι εγω θελω αλλα τι
συ *hab.* = non uoluntas mea (+ fiat Sy.ˢ·) sed tua
Sy.ˢ· ᵖᵉˢʰ·

37. ερχεται: + προς τους μαθητας 1071, *item* ad
discipulos (+ suos c) c g² aur. | ερχεται και ευρι-
σκει: *cf.* uēnit et (*om.* Sy. ᵖᵉˢʰ·) inuēnit Sy.ˢ· ᵖᵉˢʰ·
Cop.ˢᵃ· ᵇᵒ· Arm., *sed non cert. it. vg.* Geo. | και
tert.: *om.* A Cop.ˢᵃ· ⁽ᵉᵈ·⁾ | λεγει: ειπεν 565, *item*
dixit k Sy.ˢ· ᵖᵉˢʰ· Cop.ˢᵃ· ᵇᵒ· Geo. | τω πετρω: *om.*
τω A ; = Kephae Sy.ˢ· ᵖᵉˢʰ· | ισχυσας (〰σα *sic*
Δ) Uncs. pler. 28. 157. 579. 700. 892. 1071 al.
pler.: ισχυσατε DΘ fam.¹ 22. fam.¹³ 543. 7. 59.
565. l19. l49. l251. l260 al. lectionaria, *item* potuistis
b ff g² k r² vg. (1 MS) | μιαν ωραν: = *pon. post*
uigilare mecum Cop.ᵇᵒ· (〰ρεισαι Y ;
αγρυπνησαι 61. 472): + μετ εμου F 44*. 64. 472.
474. 579. 700 g² q vg. (1 MS) Cop.ᵇᵒ· Geo.²

38. γρηγορειτε (〰ται 28. 565): + ουν 1071 Cop.
ˢᵃ· (1 MS) ᵇᵒ·; *cf.* surgite (*pro* γρηγ.) b c ff k | και:
om. k | προσευχεσθαι *sic* 346. 28 | ινα (*om.* D)
μη ελθητε εις πειρασμον ℵ*B 13. 346. 543, *item* ut
non ueniatis in temtationem q: ινα μη εισελθητε
εις πειρ. Uncs. rell. Minusc. rell., *cf.* ut non in-
tretis in temptationem (*uel* temt.) l r² vg. (pler.
et WW), ne intretis in tempt. a b d f aur. vg. (2
MSS), ut transeat uos temptatio k, ut transeat
a uobis temptatio (〰cio c) c ff | μεν: = *om.* Sy.ˢ·
ᵖᵉˢʰ· Geo. | προθυμον: libens k, = uoluntarius
Sy.ˢ· Aeth. Arm., = uoluntarius et promptus
Sy.ᵖᵉˢʰ·, = alacris Geo., = promptus VSS pler.
| η δε σαρξ (= et caro Aeth.): = sed corpus
Sy.ˢ· ᵖᵉˢʰ·

35. Aug. ᶜᵒⁿˢ· ut si fieri posset transiret ab eo illa hora.
36. Or. ᵉˣʰᵒʳᵗ· ᵃᵈ ᵐᵃʳᵗ· Αββα ο πατηρ δυνατα σοι παντα· παρενεγκε το ποτηριον τουτο απ εμου.
Hil. ᵈᵉ ᵀʳⁱⁿⁱᵗ· ˣ· Abba Pater possibilia tibi omnia sunt transfer hunc calicem a me.

ἀσθενής.   [39] καὶ πάλιν ἀπελθὼν προσηύξατο τὸν αὐτὸν λόγον εἰπών.   [40] καὶ πάλιν (ροθ/ϛ) ἐλθὼν εὗρεν αὐτοὺς καθεύδοντας, ἦσαν γὰρ αὐτῶν οἱ ὀφθαλμοὶ καταβαρυνόμενοι, καὶ οὐκ ᾔδεισαν τί ἀποκριθῶσιν αὐτῷ.   [41] καὶ ἔρχεται τὸ τρίτον καὶ λέγει αὐτοῖς Καθεύδετε (ρπ/δ) τὸ λοιπὸν καὶ ἀναπαύεσθε· ἀπέχει· ἦλθεν ἡ ὥρα, ἰδοὺ παραδίδοται ὁ υἱὸς τοῦ ἀνθρώπου εἰς τὰς χεῖρας τῶν ἁμαρτωλῶν.   [42] ἐγείρεσθε ἄγωμεν· ἰδοὺ ὁ παραδιδούς με ἤγγικεν.   [43] Καὶ εὐθὺς ἔτι αὐτοῦ λαλοῦντος παραγίνεται ὁ Ἰούδας εἷς τῶν δώδεκα καὶ μετ᾽ αὐτοῦ (ρπα/α)

---

39. παλιν απελθων (προσελθων 61): > απελθων παλιν 93. 471 | προσηυξατο (προσευξατο 475): ηυξατο 69; ευξατο 13. 346. 543 | τον αυτον λογον ειπων: *om.* D *a b c ff k.*

40. παλιν (*om.* D *a b c ff k*) ελθων ευρεν αυτους אB(D)LΨ 0112 *uid.* 892. 1342, *similiter* Cop.[sa. bo.], *item cf.* ueniens inuenit illos (*uel* eos ; + iterum *q*) *b c ff q,* uenit et inuenit illos *a k* Sy.[s.] (+ rursus): υποστρεψας παλιν (*om.* *g*²) ευρεν αυτους Θ 565 *f g*² *l vg., similiter* Geo.² ; υποστρεψας ευρεν (ευρισκει 579) αυτους παλιν (*om.* Σ 90*. *l6, similiter* Geo.¹ ; *pon.* παλιν *ante* αυτους 237, *pon.* παλιν *post* καθευδοντας NX) AC(N)W(X)YΓΔΠ(Σ)Φ 0116 ⸆ Minusc. rell. Sy.[pesh. hl.] Geo. Aeth. Arm. | αυτων οι οφθαλμοι אBCLΔΘΦΨ 108. 115. 127. 238. 474. 517. 579. 892. 1071. 1342 : > οι οφθαλμοι αυτων ADNWXΓΠΣ 0116 ⸆ fam.¹ 22. fam.¹³ 543. 28. 157. 565. 700 al. pler., *item it. vg.*; *om.* αυτων 245 | καταβαρυνομενοι אᶜABKLN (∼νομενομενοι *sic errore*) UYΔΠ* ΣΨ fam.¹ (*exc.* 118) 22. fam.¹³ 543. 11. 59. 106. 300. 482. 559. 579. 697. 1278 al. mu. : καταβαρουμενοι DW 238. 253; καταβεβαρημενοι א*, *cf.* degrauati *a,* ingrauati *l vg.* (mu. *et* WW); βαρυνομενοι M 56. 517. 892; βεβαρημενοι (βεβαρυμενοι *sic* 483. 484) CEFGHSVXYΓΘΠ[mg.]ΦΩ 0116. 118. 28. 157. 565. 700. 1071 al. plur., *cf.* grauati *c f ff k r*² *vg.* (plur.); *etiam* + υπνω 61. 248, *item* grauati a somno (*uel* sumno) *d q vg.* (2 MSS) | ηδεισαν (ηδυσαν 346): ηδεισαν το 349; εδυναντο 517 | τι αποκριθωσιν αυτω אABCDLU²ΘΨ 44. 108. 127. 259. 517. 565. 579. 700. 892. 1071. 1342, *item it.* (*exc.* *f k*) *vg., item* Sy.[hl.] Cop.[bo.] Geo., *cf.* = quid dicerent ei Sy.[s. pesh.] Cop.[sa.] (= *om.* ei): > τι αυτω αποκριθωσιν (αντ-αποκριθωσι 11. 15. 473. 482) NWXΓΔΠΣΦ 0116 ⸆ (*exc.* U²) fam.¹ 22. fam.¹³ (*exc.* 69) 543. 28. 157 al. pler. *f* ; > αυτω τι αποκριθωσι 69 ; *om.* αυτω 71. 258. 435. 569. 692, *cf.* Cop.[sa.]; *cf.* illi responderent *k.*

41. το τριτον : *om.* το 122. 235 | το λοιπον (λοιπον *sic* Θ) אBGHKMNUV*YΓΔΘΠΣΦ fam.¹ 22. 69. 124. 346. 543. 157. 565. 579. 700. 1071 al. pler. : *om.* το ACDEFLSV²WXΨΩ 13. 28. 61. 71. 131. 258. 330. 483**. 485*. 569. 575. 892. 1342. *l18* al. plur., *item cf.* iam nunc *k,* iam *it.* rell. *vg.*

Aug.; *om.* Sy.[s.] | και αναπαυεσθε (αναπαεσθαι D); *adpon. signum interrogationis* (;) F 65 ; *om. haec uerba k* | απεχει (απεχε Δ, απεχη Θ; επεχει 106), *item* sufficit *g*[1.2] *l aur. vg.* (pler.), suffecit *r*² (+ et) *vg.* (3 MSS) Aug. : *om.* Ψ 50 *k* Cop.[bo.] ; + το τελος DWΘΦ fam.¹³ 543. 47. 56. 61. 472. 565. 1071, *cf.* adest enim consummacio *c ff,* consummatus est finis *a,* sufficit finis *d q,* adest finis *f r*¹ | ηλθεν (*om.* 157) η (*om.* *l184*) ωρα, *item* uenit (et uenit *ff,* aduenit *a*) hora *a b f ff l r*² *vg.* : και η ωρα D, *item* et hora *c d q* ; iam ora est *k* | *pro* απεχει ηλθεν η ωρα *cf.* = uenit hora, appropinquauit finis Sy.[s.], = appropinquauit finis et uenit hora Sy.[pesh.], = approp. finis uenit hora Sy.[hl.], = opus consummatum est, hora uenit Cop.[sa.], = consummatum est et uenit hora Geo.¹, = aduenit finis et uenit hora Geo.², = hora uenit Cop.[bo.] | ιδου (*pon. ante* ηλθεν W): et ecce *g*² *l r*² Sy.[pesh.] | ιδου usque ad αγωμεν *uers.* 42 : *om. per homoeotel.* 64 | παραδιδοται (∼τε 124. 1342): και παραδ. W ; παραδιδωκαι *sic* 346 ; *cf.* traditur *a d ff k l q vg.* (pler. *et* WW), tradetur *b c r*² *vg.* (plur.) Aug. | *om.* ο υιος του ανθρωπου 1342 | τας אBCDEGHLMSVWXYΓΔ ΦΨΩ 0112. 22. fam.¹³ (*exc.* 69) 543. 28. 157. 565. 892. 1071 al. plur. : *om.* AFKNUΘΠΣ 0116 fam.¹ 69. 11. 72. 131. 142*. 229*. 238. 330. 474. 482. 579. 700. 1342 al. | των : *om.* fam.¹³ (*exc.* 124) 543. 435. 579. 700 | uid. uers. 42 *ordine permixto k.*

42. αγωμεν (αγομεν 22): + εντευθεν 256 | ιδου : iam enim *c* | ο παραδιδους με (μου 1071) ηγγικεν (ηγγισεν אC): > ηγγικεν ο παραδιδους (∼διδων D) με D 330. 472. 517. 565 *a b c f ff* (*k*) *q r*² Sy.[s. pesh.] Cop.[sa. bo.] Aeth. Arm. | *pro uers.* 41 *et* 42 *cf.* > et uenit tertio et ubi adorauit dicit illis dormite iam nunc ecce adpropinquauit qui me tradit et post pusillum excitauit illos et dixit iam ora est ecce traditur filius hominis manu peccatorum surgite eamus *k.*

43. και *pr.* : *om.* Θ | ευθυς אBCLΔΨ 0112. 579. 892. 1342 : ευθεως ANXYΓΠΦ 0116 ⸆ 22. 124. 28. 157. 1071 al. pler., *item* confestim *f, similiter* Sy.[hl.] Cop.[sa. bo. (pler.)] Aeth. ; *om.* DWΣ fam.¹ fam.¹³ (*exc.* 124) 543. 565. 700 *it.* (*exc. f*) *vg.* Sy.[s. pesh.] Cop.[bo.] (1 MS) Geo. Arm. | ετι : *om.* 72 | > λαλουντος

---

41. Aug.[cons.] dormite iam et requiescite . . . sufficit . . uenit hora ecce tradetur filius hominis.

43. Or.[in Ioann. Tom. xxviii.] και μετα ολιγα ετι του Ιησου λαλουντος παραγινεται Ιουδας Ισκαριωτης εις των δωδεκα και μετ αυτου οχλος πολυς μετα μαχαιρων και ξυλων παρα των γραμματεων και των φαρισαιων και πρεσβυτερων.

ὄχλος μετὰ μαχαιρῶν καὶ ξύλων παρὰ τῶν ἀρχιερέων καὶ τῶν γραμματέων καὶ τῶν
(ρπβ/β) πρεσβυτέρων.   44 δεδώκει δὲ ὁ παραδιδοὺς αὐτὸν σύσσημον αὐτοῖς λέγων ⸂Ὃν ἂν φιλήσω
αὐτός ἐστιν· κρατήσατε αὐτὸν καὶ ἀπάγετε ἀσφαλῶς.   45 καὶ ἐλθὼν εὐθὺς προσελθὼν
αὐτῷ λέγει ῾Ραββεί, καὶ κατεφίλησεν αὐτόν.   46 οἱ δὲ ἐπέβαλαν τὰς χεῖρας αὐτῷ καὶ

αυτου 579 | ο (ante Ιουδας) AB : om. Uncs. rell.
Minusc. omn. | Ιουδας sine add. ℵBCEGHLNSV
WXΓΔΣΨ 0112 fam.¹ 22. 13. 69. 543. 28. 157. 892.
700* al. pler. vg. (2 MSS*) Sy.ˢ· Cop.ˢᵃ· ᵇᵒ· Geo.¹ :
+ ο (om. D 124. 346. 565) Ισκαριωτης (σκαριωτης D)
A(D)KMUYΘΠΦ 0116. 124. 346. 11. 106. 218.
252ᵐᵍ· 300. 470. 517. 565. 579. 697. 700ᵐᵍ· 1071.
1278 al. mu., item + scarioth (∼oht ff) a b f ff l
r¹·² vg. (pler.), scariotha c, scariotes d, cariotes k,
iscarioth vg. (1 MS), scariot vg. (2 MSS), similiter
Sy.ᵖᵉˢʰ· ʰˡ· Geo.² Or. | εις sine add. ℵABCDKLN
SUWΘΠΣΦΨ 0112. 0116. 13. 124. 72. 108. 127.
253. 435. 472. 482. 517. 565. 579. 700. 892. 1071.
1342. l18. l19. l49. l184 al. pauc. Cop.ˢᵃ· Or. :
+ ων (pon. post δωδεκα 237) EFGHMVXYΓΩ fam.¹
22. 69. 346. 543. 28. 157 al. pler. ; + εκ Δ 262. 282,
item + ex (uel de b c f ff k q vg. 1 MS) it. vg. Sy.ˢ·
ᵖᵉˢʰ· ʰˡ· Cop.ᵇᵒ· Aeth. Arm. | οχλος sine add. ℵBL
ΘΨ 0112. 13. 69. 543. 565. 1342 a f ff q r¹ vg.
(aliq.) Sy.ʰˡ· Cop.ˢᵃ· ᵇᵒ· Geo.² Arm. : + πολυς ACD
NWXYΓΔΠΣΦ 0116 ℔ fam.¹ 22. 124. 346. 28. 157.
579. 700. 892. 1071 al. pler. b c k l r² Sy.ˢ· ᵖᵉˢʰ· Geo.¹
Aeth. Or. | παρα (απο B) : απεσταλμενοι παρα fam.¹
22. 7. 56. 59. 251. 697. l15. l36. l49. l251, item +
missi (post scribis c ff ; post sacerdotum b) b c ff
g² aur. | των (απο των D) γραμμ. ℵBDEFGHLS
UVXYΓΘΠ²ΣΦ 0116. 22. 124. 28. 157. 579. 892.
1071 al. pler. : om. των ACKMNWΔΠ*ΨΩ 0112.
fam.¹ fam.¹³ (exc. 124) 543. 11. 59. 131. 238. 300.
481. 482. 517. 565. 697. 700. 1342 al. pauc. | των
πρεσβυτερων ℵᶜBCDLNXYΓΔΘΠΣΦΨ 0116 ℔ (exc.
U) 22. 28. 565. 579. 892. 1071 al. pler. : om. των
ℵ*AUW 0112ᵘⁱᵈ· fam.¹ fam.¹³ 543. 59. 131. 157.
251. 282. 517. 700. 697. 1342. l184 | >των πρεσβ.
και των γραμμ. 124. 72. 700 (om. των bis) c Cop.ᵇᵒ·
| om. και των γραμμ. και των πρεσβ. b ff | om.
και των γραμμ. 485 Sy.ᵖᵉˢʰ· (1 MS) Cop.ˢᵃ· (1 MS) | cf.
Or. infra.

44. δεδωκει (δεδοκει 13. 124. 476; δεδωκεν Θ;
εδεδωκει 118. 209. 51. 288) : εδωκεν D, item dedit a
c k r¹ vg. (1 MS) Sy.ˢ· ᵖᵉˢʰ· Cop.ˢᵃ· ᵇᵒ· Geo. | δε :
γαρ 61, item Geo.², cf. Cat. ᵒˣᵒⁿ· ; om. g² Cop.ˢᵃ·
| παραδιδους (∼δηδους 28) : παραδους G | αυτον :
om. 179. 827. 1424 r¹ Sy.ᵖᵉˢʰ· | συσσημον (συνση-
μον ℵΔ; συσημον FLW) Uncs. pler. Minusc. pler. :
σημειον DΘ 61. 235. 472. 485. 565. 1342, cf. signum
eius l, > eius signum aur., cf. Catt. infra | αυτοις
(pon. ante σημειον 472 r¹) λεγων : >λεγων αυτοις
W 124 ; om. αυτοις DN 565. l13. l17 it. (exc. r¹·²)

| ον αν : ον (ο Δ) εαν LNΔΨ ; οτι ον αν 579
| φιλησω : praem. εγω 229 | αυτος : ουτος 569.
692 | κρατησατε αυτον : cf. hunc alligate k | απα-
γετε ℵBDL 0112ᵘⁱᵈ· 69. 28. 40. 579. 700: απαγαγετε
ACNXYΓΔΘΠΣΦΨ 0116 ℔ (exc. F) fam.¹ 22. fam.¹³
(exc. 69) 543. 157. 565. 892. 1071 al. pler. ; αγαγετε
FW 34. 38. 39. 142*. 435. 478. 481. 485. l184 ;
etiam add. αυτον DNΘΣΦ 157. 472. 565. l184 a b vg.
(2 MSS) Sy.ˢ· ᵖᵉˢʰ· ʰˡ·* Cop.ˢᵃ· ᵇᵒ· Geo.ᴬ Aeth. | om.
και απαγ. ασφαλος l | om. ασφαλος aur.

45. ελθων Uncs. pler. fam.¹³ 543. 28. 579. 892.
1071 al. pler. f l r² vg. Sy.ʰˡ· Cop.ˢᵃ· ᵇᵒ· : om. DΘ
fam.¹ 22. 50. 59. 80. 91. 106. 125. 157. 251. 299.
517. 565. 697. 700. 1278 a b c ff k q Sy.ˢ· ᵖᵉˢʰ· Geo.
Aeth. Arm. | ευθυς ℵBCLΔΨ 892. 1342: ευθεως
ANWXYΓΠΣΦ 0116 ℔ fam.¹ 22. fam.¹³ 543. 28.
157. 579. 1071 al. pler. ; om. DΘ 565. 700 a b c ff
k q | προσελθων : και προσελθ. ℵ* 60. 569. 1342;
om. 281 ; προσεκυνησεν 71 | αυτω λεγει ℵABCKL
MUWXΔΠ*Ψ fam.¹ fam.¹³ (exc. 124) 892. 1071 al.
pler. f l vg. (pler.), cf. Geo.¹ (= ad eum et dixit):
om. αυτω 281. 517 ; >λεγει αυτω DFGΘ 565. 700
a b c q r¹ vg. (2 MSS), similiter dixit illi k Sy.(ᵖᵉˢʰ·)
Cop.ᵇᵒ· (aliq.) Geo.² Aeth. ; αυτω (+ και 71) λεγει
αυτω EGHSVYΦΩ 0116. 22. 124. 71. 90. 131. 157.
349. 472. 483. 692 al. mu., cf. Sy.ˢ· (= ad eum et
dixit ei) ; τω Ιησου λεγει αυτω ΝΣ 28. 56. 58 | ραββει
ℵABC²DEHWXY 565 : ραββι FGKLMNSUVΓΔ
ΘΠΣΦΨΩ 0116 Minusc. rell. | ραββ. semel ℵBC*
DLMΔΘΨ 38. 127. 435. 579. 1342 f ff k l q r¹·² vg.
(pler.) Sy.ˢ· Cop.ᵇᵒ· Geo.¹ : ραββ. ραββ. ANXYΓΣ
Π 0116 ℔ (exc. M) 28. 157. 569 (pon. ante λεγει)
700. 1071 al. pler. Sy.ᵖᵉˢʰ· ʰˡ· ᵗˣᵗ· Aeth. Arm.; χαιρε
ραββ. C²WΦ fam.¹ fam.¹³ 543. 59. 61. 517. 565.
697. 892. l7. l10. l12. l17. l18. l19. l36. l184. l251.
l260, item aue (habe sic a b tol.) rabbi a b c aur. vg.
(2 MSS) Sy.ʰˡ· ᵐᵍ· Cop.ˢᵃ· Geo.² ; χαιρε ραββι ραββι
22. 251.

46. uers. om. F* 64. 122*. 579 | οι δε : cf. tunc
illi a q ; = et illi Sy.ˢ· | επεβαλαν ℵB 579: επε-
βαλον Uncs. rell. Minusc. pler. ; επεβαλλον 157;
επεβαλοντες sic 13 | τας χειρας αυτω ℵᶜBDLΘ
fam.¹ (exc. 118) fam.¹³ (exc. 124) 543. 11. 700.
1071. 1342, item manus ei q (pon. ante iniecerunt):
τας χειρας αυτων (αυτον sic Δ) ℵ*CW(Δ) 565. 892,
item = manus eorum Geo.¹ ; αυτω τας χειρας αυτων
ΝΣ ; επ αυτον τας χειρας M*SΘ 28. 40. 57. 235. 330.
472. l36 Sy.ˢ· ᵖᵉˢʰ· ʰˡ· Geo.ᴬ Arm., cf. ei (illi k) ma-
nus a k ; επ αυτον τας χειρας αυτων EF²GHM²UVXΓ

---

44. Cat. ᵐᵒˢq· 2. 91.   δεδωκεν αυτοις συσσημον τουτεστι σημειον.
Cat. ᵒˣᵒⁿ· 428. 43.   δεδωκε γαρ αυτοις σημειον λεγων κτλ.

ἐκράτησαν αὐτόν.   ⁴⁷ εἷς δέ τις τῶν παρεστηκότων σπασάμενος τὴν μάχαιραν ἔπαισεν (ρπγ/α)
τὸν δοῦλον τοῦ ἀρχιερέως καὶ ἀφεῖλεν αὐτοῦ τὸ ὠτάριον.   ⁴⁸ καὶ ἀποκριθεὶς ὁ Ἰησοῦς (ρπδ/α)
εἶπεν αὐτοῖς Ὡς ἐπὶ λῃστὴν ἐξήλθατε μετὰ μαχαιρῶν καὶ ξύλων συλλαβεῖν με;
⁴⁹ καθ' ἡμέραν ἤμην πρὸς ὑμᾶς ἐν τῷ ἱερῷ διδάσκων καὶ οὐκ ἐκρατήσατέ με· ἀλλ' ἵνα (ρπε/ς)
πληρωθῶσιν αἱ γραφαί.   ⁵⁰ καὶ ἀφέντες αὐτὸν ἔφυγον πάντες.   ⁵¹ Καὶ νεανίσκος τις (ρπς/ι)
συνηκολούθει αὐτῷ περιβεβλημένος σινδόνα ἐπὶ γυμνοῦ καὶ κρατοῦσιν αὐτόν,   ⁵² ὁ δὲ

Φ 0116. 118. 22. 124. 157 al. pler.; τας χειρας επ
αυτον Ψ 517, item manus in illum c, similiter Geo.ᴮ;
τας χειρας αυτων (= manum eorum Cop.ˢᵃ·) επ αυτον
ΑΚΥΠ 72. 122**. 220. 253. 300. 482. 559 Cop.⁽ˢᵃ·⁾
ᵇᵒ· Aeth.; nil nisi manus (ante iniecerunt) b aur.;
cf. manus iniecerunt in eum (illum f) f l r² vg.
(pler.) | και εκρατησαν (εκρατουν W) αυτον: om.
Γ r².

47. εις δε τις BCNXYΓΔΘΠΣΦ⸕ (exc. M) 118.
22. fam.¹³ 543. 28. 157. 565. 892. 1071 al. pler. a l
r² vg. Sy.ʰˡ·; om. τις ℵALMΨ 38. 40. 53. 91. 237.
259. 299. 435. 506. 575. 579. 692. 700 f Sy.ᵖᵉˢʰ·
Cop.ˢᵃ· ᵇᵒ· Aeth.; και εις D b c ff k q Sy.ˢ·; και εις τις
W fam.¹ (exc. 118) Geo. Arm. | των παρεστηκοτων
(⤳κωτων Θ; ⤳στικοτων 28. 565): των παρεστωτων
W; om. D a | την: om. DW fam.¹ 124. 241. 247.
349. 435. 1342. l150. l184; gladium suum c Cop.ˢᵃ·
ᵇᵒ· (2 MSS) | επαισεν: επεσεν ℵ (και επεσεν ℵ*, cf. et
percussit a c k Sy.ˢ· ᵖᵉˢʰ· Aeth. Arm.) CDHLWΓΔ
ΘΠ* fam.¹³ (exc. 124) 543. 28. 59. 349. 472. 579.
700. 1342 al. pauc. | ωταριον ℵBDΨ fam.¹ 1342;
ωτιον ACLNWXYΓΔΘΠΣΦ 0116⸕ Minusc. rell.;
cf. auriculam dextram f Goth.

48. και (= om. Sy.ˢ· Cop.ˢᵃ· Geo. Arm.) αποκρι-
θεις ο Ιησους ειπεν αυτοις (om. 63) Uncs. pler.
Minusc. pler., similiter et respondens iesus ait illis
f l vg. (pler.) Sy.⁽ˢ·⁾ ʰˡ· Cop.⁽ˢᵃ·⁾ᵇᵒ· Geo. Aeth. (Arm.):
ο δε Ιησους αποκριθεις ειπεν αυτοις 700, similiter Sy.
ᵖᵉˢʰ·; ο δε αποκριθεις ειπεν αυτοις 565, cf. et respon-
dens ait illis iesus (om. r²) c (r²), respondit autem
et dixit illis iesus k; ο δε Ιησους ειπεν αυτοις D, item
iesus autem dixit illis (eis a) a b ff, iesus autem ait
illis d q | ως: om. D | εξηλθατε ℵABCDEGHL
NWXΔΘΣΨ fam.¹³ 543. 131. 472. 565. 579. l6.
l184: εξηλθετε FKMSUVΓΠΦΩ 0116 fam.¹ 22. 28.
157. 700. 892. 1071 al. pler., item existis c d l vg.,
cf. uenistis it. rell. | συλλαβειν (συνλαβειν DW):
συλλαβειν l184.

49. ημην (ημιν sic ΓΩ) προς υμας, item eram apud
uos it. (pler.) vg. (pler.): cf. > uobiscum fui k,
> apud uos eram b ff vg. (3 MSS), cf. Or. | εν τω
ιερω διδασκων: > διδασκων εν τω ιερω P 262. 435.
472. 474 d f q vg. (1 MS) Sy.ᵖᵉˢʰ· Cop.ᵇᵒ· Aeth.
Arm. | και: = om. Sy.ˢ· | ουκ εκρατησατε (ου
κρατησατε sic L) με: ουκ εκρατει με sic B; cf. non
me tenuistis it. (pler.) vg., non me detinuistis a k

| πληρωθωσιν (πληρωσιν 66) αι γραφαι Uncs. pler.
fam.¹ 22. 28. 157. 700. 892. 1071 al. pler. it. vg.
Sy.ˢ· ᵖᵉˢʰ· ʰˡ· Cop.ˢᵃ· ᵇᵒ· Aeth.: +των προφητων NW
ΘΦ fam.¹³ 543. 3. 106. 115. 247. 472. 565 Sy.ʰˡ·*
Geo. Arm.; πληρωθη η γραφη l184.

50. και: τοτε (οτε sic Σ) οι μαθηται (+ αυτου W
c l vg. Geo.²) NWΘΣ fam.¹³ 543. 3. 106. 472. 565.
1542 c l vg., cf. Geo.² (uid. infra) | αυτον: +οι
μαθηται (+ αυτου 161*) 61. 70. (161*). 1071 | εφυγον
παντες (απαντες 435) ℵBCLΨ 61. 258. 349. 435.
517. 579. 892. 1071. 1342 Cop.ᵇᵒ·; > παντες
(απαντες 69) εφυγον ADPWXYΓΘΠΣΦ 0116⸕ fam.¹
22. 124. 69. 28. 157. 700 al. pler. it. (exc. k) vg.
Sy.ʰˡ· Cop.ˢᵃ·; om. παντες N 13. 346. 543. 52. 485.
565. l7. l9. l10. l12. l18. l19, cf. Sy.ᵖᵉˢʰ· | pro tot.
uers.: cf. et reliquerunt illum omnes et fugerunt k;
= discipuli quum reliquissent eum omnes fugerunt
Sy.ʰˡ·, = et (tunc Sy.ᵖᵉˢʰ· Arm.) deseruerunt eum
omnes (om. Sy.ᵖᵉˢʰ·) discipuli eius (om. Arm.) et
fugerunt Sy.ˢ· Cop.ᵇᵒ· Geo. Aeth. Arm., = et deseruerunt
eum omnes et fugerunt Geo.¹, = tunc discipuli
eius omnes deseruerunt eum et fugerunt Geo.²

51. και νεανισκος τις ℵBCLΨ 892. 1342 a Sy.ˢ·
ᵖᵉˢʰ· Aeth. Arm.: και εις τις νεανισκος ANPWXY
ΓΔΘΠΣΦ 0116⸕ fam.¹ 22. fam.¹³ 543. 28. 157. 565.
579. 700. 1071 al. pler. Sy.ʰˡ· Geo.; και εις νεανισκος
72; νεανισκος δε τις D it. (exc. a) vg., cf. Aug.
| συνηκολουθει ℵBCLΨ 0116ᵘⁱᵈ· 892. 1342: ηκολου-
θει DWΘΦ fam.¹ 565. 700. l47. l48 al., item seque-
batur it. vg. Sy.ˢ· ᵖᵉˢʰ· Cop.ᵇᵒ· Geo. Arm.; συνηκολου-
θησεν Δ 579; ηκολουθησεν ANPXYΓΠΣ⸕ 22. fam.¹³
543. 11. 28. 59. 106. 157. 299. 349. 517. 692. 697.
1071 al. plur., similiter Sy.ʰˡ·; = sequitur Cop.ˢᵃ·
| αυτω: αυτον 28, item it. (exc. ff) vg.; αυτους D
42 ff | σινδονα (σινδωνα 543. 157; συνδονα D*):
σινδονας 13 | επι γυμνου Uncs. pler. 22. 124. 28.
157. 579. 700. 892. 1071 al. pler., item supra nudum
corpus (om. q) a b ff q, super nudo l r² vg., similiter
Sy.ʰˡ· Cop.ᵇᵒ· Arm.; γυμνος Θ fam.¹³ (exc. 124)
543. 565 Sy.ᵖᵉˢʰ· Aeth., cf. nuditatis d, = nude
Geo.; om. W fam.¹ c k Sy.ˢ· Cop.ˢᵃ· | και κρατου-
σιν αυτον sine add. ℵBC*ᵘⁱᵈ·DLΔΨ 892, cf.et tenue-
runt (detinuerunt a k) eum (uel illum) it. (exc. q)
vg. Sy.ᵖᵉˢʰ· Cop.ˢᵃ· ᵇᵒ·: +οι (om. 1342) νεανισκοι A
C²NPXYΓΠΣΦ 0116⸕ 22. 28. 157. 579. 1071. 1342
al. pler., item cf. et tenuerunt eum iuuenes q Sy.ʰˡ·

49. Or.ᶜᵒⁿ· ᶜᵉˡˢ· ᴵᴵ·   καθ ημεραν μεθ υμων ημην εν τω ιερω διδασκων και ουκ εκρατησατε με.
51. Aug.ᶜᵒⁿˢ· sequebatur autem illum unus adulescens amictus sindone.

(ρπζ/α) καταλιπὼν τὴν σινδόνα γυμνὸς ἔφυγεν. ⁵³ Καὶ ἀπήγαγον τὸν Ἰησοῦν πρὸς τὸν
ἀρχιερέα, καὶ συνέρχονται πάντες οἱ ἀρχιερεῖς καὶ οἱ πρεσβύτεροι καὶ οἱ γραμματεῖς.
(ρπη/δ) ⁵⁴ καὶ ὁ Πέτρος ἀπὸ μακρόθεν ἠκολούθησεν αὐτῷ ἕως ἔσω εἰς τὴν αὐλὴν τοῦ ἀρχιερέως,
(ρπθ/β) καὶ ἦν συνκαθήμενος μετὰ τῶν ὑπηρετῶν καὶ θερμαινόμενος πρὸς τὸ φῶς. ⁵⁵ οἱ δὲ
ἀρχιερεῖς καὶ ὅλον τὸ συνέδριον ἐζήτουν κατὰ τοῦ Ἰησοῦ μαρτυρίαν εἰς τὸ θανατῶσαι
αὐτόν, καὶ οὐχ ηὕρισκον· ⁵⁶ πολλοὶ γὰρ ἐψευδομαρτύρουν κατ' αὐτοῦ, καὶ ἴσαι αἱ

Aeth. Arm. ; οι δε νεανισκοι κρατουσιν (εκρατησαν
W fam.¹³ 543) αυτον (W) Θ fam.¹ (fam.¹³ 543) 565.
700 ; = et (alii autem illi Geo.²) iuuenes appre-
henderunt eum Geo., = et uenerunt homines multi
et apprehenderunt eum Sy.ˢ·

52. ο δε: = et ille Sy.ˢ· Arm. | καταλιπων (κατα-
λοιπων sic 13. 66): καταλειπων DKPX 0116. 472.
474. 892. l6, item relinquens a | την σινδονα: cf.
= + εις Cop.ˢᵃ·, = + in manibus eorum Sy.ˢ· | γυμνος
εφυγεν Uncs. pler. Minusc. pler. a b f l r² vg. Sy.ʰˡ·:
> εφυγεν γυμνος LΔΨ 892. 1071. 1342. l184 c d ff
k aur. Sy.ᵖᵉˢʰ· Cop.ˢᵃ· ᵇᵒ· Aeth. ; et haec uerba sine
add. אBCLΨ 892 c k aur. Sy.ᵖᵉˢʰ· Cop.ˢᵃ· ᵇᵒ· Aeth.;
+απ αυτων ADNPRWXYΓΔΘΠΣΦ⸰ fam.¹ 22. fam.¹³
543. 28. 157. 565. 579. 700. 1071 al. pler. it. (exc. c
k) vg. Sy.ˢ· ʰˡ· Geo. Arm. Aug. ; cf. > εφυγεν απ αυ-
των γυμνος 237 q Sy.ˢ·

53. απηγαγον: ηγαγον 565. 1342, item duxerunt
a | τον αρχιερεα sine add. Uncs. pler. 1. 22. 28.
157. 579. 892* al. pler. it. vg. Sy.ˢ· Cop.ˢᵃ·:
+καιαφαν AKMWYΘΠ 118. 209. fam.¹³ 543. 11.
72. 106. 234**. 238. 299. 472. 474. 482. 565. 700.
892ᵐᵍ· 1071 al. pauc. Sy.ʰˡ· Cop.ᵇᵒ· (2 MSS) Geo.
Arm. ; praem. καιαφαν Or., item Sy.ᵖᵉˢʰ· | συνερ-
χονται sine add. אDLΔΘ fam.¹³ (exc. 124ᵐᵍ·) 543.
64. 565. 700. 892. 1342 it. vg., cf. συνπορευονται
sine add. W, similiter Geo.² : +αυτω (αυτων sic N)
AB(N)PRXYΠΣΦΨ⸰ 118. 209. 124ᵐᵍ· 28. 157. 579
al. pler. Sy.ˢ· ᵖᵉˢʰ· ʰˡ· Cop.ˢᵃ· Geo.¹ Arm. ; +προς
αυτον C ; +αυτου 1. 22. 1071 | παντες (απαντες 59.
697. 1278): om. a b ff Geo.¹ | οι πρεσβυτεροι και
οι γραμματεις אBCLNPRWXYΓΔΘΣΦΨ 0116 ⸰
(exc. K) fam.¹ 22. fam.¹³ 543. 28. 157. 579. 892.
1071 al. pler. Sy.ˢ· ʰˡ· Cop.ˢᵃ· ᵇᵒ· Geo.¹ Arm. (aliq.):
> οι (om. D 482 Or.) γραμματεις και οι (om. D Or.)
πρεσβυτεροι ADKΠ 11. 72. 253. 300. 473. 482. 565.
700 it. vg. Sy.ᵖᵉˢʰ· Geo.² Aeth. Arm. (pler.) Or. ;
etiam add. συνετειρουν αυτω X | cf. pro tot. uers. et
adduxerunt iesum ad pontificem et (scri)bas et senio-
res k, similiter cf. = et duxerunt iesum ad principes
sacerdotum et seniores et scribas Cop.ᵇᵒ· (ed.)

54. και ο πετρος: ο δε πετρος 106. 238 cl r² aur.
vg. Cop.ˢᵃ· Geo.² ; = et Kepha Sy.ˢ·, = Simon
autem Sy.ᵖᵉˢʰ· | απο μακροθεν: om. απο Lᵘⁱᵈ·
892 Cop.ˢᵃ· ; om. 1342 a | ηκολουθησεν Uncs.

pler. 22. 28. 157. 579. 892. 1071 al. pler., item
secutus est a l r² vg. Sy.ʰˡ·: ηκολουθει (〜θη Θ 346)
GWΘΨ fam.¹ fam.¹³ 543. 565. 700. l13. l17, item
sequebatur c d ff k q aur. Sy.ˢ· ᵖᵉˢʰ· Cop.ˢᵃ· ᵇᵒ· Geo.
Arm. | αυτω: om. c | εως εσω εις την αυλην
Uncs. pler. Minusc. pler., item usque intus (intro
vg. aliq. g²) in atrium b ff g² q r¹ aur. vg. (aliq.)
Sy.ᵖᵉˢʰ· ʰˡ· Cop.ˢᵃ· ᵇᵒ· Geo., cf. donec uenit in atrium
c: εως εις την αυλην D 13. 435, item usque in atrium
(praetorium k) a k l r² vg. (plur. et WW), cf. = usque
ad domum Sy.ˢ· ; εως (+εσω 237) της αυλης fam.¹
(237). 472. l184 | ην: om. 472 | συνκαθημενος
אAB*CNPRWΔΘΣΨ: συγκαθ. B²LXYΓΠΦ⸰ Mi-
nusc. omn. ; καθημενος D | μετα των (om. 479*)
υπηρετων: pon. post θερμ. NΣ ; +αυτου fam.¹³
543; om. 122*. 330 | και θερμαινομενος (θερμενομ.
CDKLNPRWΔΘΩ 13. 69. 543. 28. 59. 480. 485.
565. l184): om. 122* ; om. και DW fam.¹³ (exc.
124) 543 it. (exc. l r²) Cop.ˢᵃ· ᵇᵒ· (aliq.) Aeth. | προς
το (om. 485 al.ᵘⁱᵈ·) φως Uncs. omn. 118ᵐᵍ· fam.¹³
543. 28. 157. 565. 579. 700. 892. 1071 al. pler. it.
vg. Sy.ᵖᵉˢʰ· ʰˡ· Cop.ˢᵃ· Geo. (= ad foculum illum
Geo.¹, = ante carbonem Geo.ᴮ): om. fam.¹ (exc.
118ᵐᵍ·) 22. 1278*. Sy.ˢ·

55. το συνεδριον: = congregatio eorum Sy.ᵖᵉˢʰ·
| μαρτυριαν: ψευδομαρτυριαν AS* 36. 37. 53. 259.
474 (et pon. ante κατα τ. Ι͞Υ) Cop.ˢᵃ· ᵇᵒ· (3 MSS), cf.
testimonia facta (sic uid.) k | εις το (ωστε pro εις
το 237) θανατωσαι: ινα θανατωσουσιν (〜σωσιν 565)
DΘ 565. 1071, similiter it. vg. Sy.ˢ· ᵖᵉˢʰ· ʰˡ· Geo.
| ουχ: ουκ B*LΔ | ηυρισκον BDLPWΨ fam.¹
(exc. 118²) 259. 474, similiter ηρισκον sic Δ, sed
ευρισκον אACNXYΓΘΠΣΦ 0116 ⸰ 22. fam.¹³ 543.
157. 565. 700. 892. 1071 al. pler., cf. inueniebant it.
(exc. a) vg. Sy.ˢ· ʰˡ· Cop.ᵇᵒ·: ευρον 28. 472, cf. in-
uenerunt a Sy.ᵖᵉˢʰ· Cop.ˢᵃ· Geo.², = poterant in-
uenire Geo.¹

56. πολλοι (πολλα 569. 692) γαρ: = et multi Sy.ˢ·
Aeth. | εψευδομαρτυρουν: κατεμαρτυρουν 517,
similiter Sy.ᵖᵉˢʰ· Geo. (= testati sunt) ; +και (om.
D*) ελεγον D | κατ (om. 61) αυτου: κατα του Ιησου
Ψ ; om. l6 ; +λεγοντες 118. 209. 157 ; +λεγοντες
οτι ηκουσαμεν αυτου λεγοντος 244 | μαρτυριαι:
+αυτων 69. 127. 244. 470, item +eorum a aur. vg.
(1 MS) Sy.ˢ· ᵖᵉˢʰ· Cop.ˢᵃ· ᵇᵒ· Geo. | και ισαι usque

---

52. Aug. ᶜᵒⁿˢ· et cum tenuissent eum reiecta sindone nudus profugit ab eis.
53. Or. ⁱⁿ ᴵᵒᵃⁿⁿ· Tom. XXVIII. απηγαγον τον Ιησουν προς Καιαφαν τον αρχιερεα και συνερχονται παντες οι
αρχιερεις και γραμματεις και πρεσβυτεροι.

μαρτυρίαι οὐκ ἦσαν.   [57] καί τινες ἀναστάντες ἐψευδομαρτύρουν κατ' αὐτοῦ λέγοντες (ρ9/ς)
[58] ὅτι ἡμεῖς ἠκούσαμεν αὐτοῦ λέγοντος ὅτι Ἐγὼ καταλύσω τὸν ναὸν τοῦτον τὸν χειρο-
ποίητον καὶ διὰ τριῶν ἡμερῶν ἄλλον ἀχειροποίητον οἰκοδομήσω·   [59] καὶ οὐδὲ οὕτως ἴση
ἦν ἡ μαρτυρία αὐτῶν.   [60] καὶ ἀναστὰς ὁ ἀρχιερεὺς εἰς μέσον ἐπηρώτησεν τὸν Ἰησοῦν
λέγων Οὐκ ἀποκρίνῃ οὐδέν; τί οὗτοί σου καταμαρτυροῦσιν;   [61] ὁ δὲ ἐσιώπα καὶ οὐκ

ad κατ αυτου uers. 57: om. per homoeotel. W 435.
472.

57. και τινες Uncs. pler. fam.[1] 22. 28. 157. 892.
1071 al. pler., item et quidam l vg. Sy.[hl.] Cop.[bo.],
quidam tant. r[2]: και αλλοι D, item a b ff k q, cf. =
et aliqui Geo.[1], = et alii quidam Geo.[2]; αλλοι δε
Θ fam.[13] 543. 565. 700, item alii autem c aur. Or.[int.], similiter = quidam autem Sy.[s. pesh.] Cop.[sa.]
| εψευδ.: ψευδομαρτυρουν sic Θ; = om. Sy.[s.] | κατ
αυτου λεγοντες: om. 157 k; και ελεγον κατ αυτου
D, cf. dicebant aduersus eum c, et dicebant k | pro
εψευδ. usque ad λεγοντες cf. = contra eum et dice-
bant Sy.[s.], = contra eum testes mendaces et
dixerunt Sy.[pesh.] Aeth., = false (+ et Geo.[2]) testati
sunt de eo et dicebant Geo.

58. οτι ημεις ηκουσαμεν αυτου λεγοντος (λεγοντες
VΓ 13; λαλουντος U): οτι ειπεν ℵ, similiter hic
dixit c k; om. haec uerba per homoeotel. 61 | οτι: om.
b c k l q r[2] vg. | καταλυσω: καταλυω ΑΠ* 2, item
dissoluo vg. (4 MSS), cf. Or.[int.] | τον ναον τουτον:
> τουτον τον ναον (Ψ) 1071; om. τουτον D Sy.[s.];
τον ναον του σωματος 38; cf. templum hoc (siut
errore pro istut k) a c (k) l r[2] vg., hoc (hunc d) tem-
plum (d) q, templum dei b ff | τον (om. 13. 1071)
χειροποιητον (αχειροπ. errore 579. 1071): pon. ante
τον ναον Ψ | δια τριων ημερων (> ημερων τριων
fam.[1]) αλλον (om. 517) αχειροποιητον οικοδομησω
(ποιησω 579 Sy.[s.] Or.[int.]) Uncs. pler. Minusc. pler.
l r[2] vg.: > αλλον αχειροποιητον δια τριων ημερων
οικοδομησω ΝΣ 106; > δια τριων ημερων αλλον
αναστησω αχειροπ. D, similiter aliud suscitabo
(> suscit. aliud ff, aliud excitabo k) non manu-
factum (manibus factum d) a c d ff k | αχειροποιητον:
χειροποιητον errore 471, item Geo.[1] | om. και δια
τριων usque ad fin. uers. l184.

59. ουδε (ουδ Α*ΚΠ* 69. 346. 543. 72; ιδ sic 13),
item nec a d k q: non c ff l r[2] vg. | ουτως (ουτω Δ):
om. c ff l r[2] vg. | ιση (ηση 565, ισση Σ, εισι 472;
αυτη 234) ην (om. 692*. 1071) η μαρτυρια αυτων:
> ην ιση η μαρτυρια αυτων DLW fam.[1], item erat

conueniens (↵entes sic r[2], aequale c) testimonium
(↵nia d) illorum (c) (d) l q (r[2]) vg., erant aequalia
(conuenientes a) testimonia illorum (a) ff; > ην η
μαρτυρια αυτων ιση 124, item fuit testimonium eorum
par k | pro tot. uers. cf. = et itaque nec unum fuit
testimonium illud eorum Geo.[1], = neque ita fuerunt
unum testimonia eorum Geo.[2]

60. και: tum c, tunc aur., item Arm.; = autem
Cop.[sa.] | ο αρχιερευς: αυτων ο αρχιερευς 124;
+ εστη Ψ | εις μεσον Uncs. pler. fam.[13] 543. 28.
71. 131. 157. 229. 349. 517. 579. 892. 1342 al.
plur.: εις το μεσον DGMΘΦΨ fam.[1] 22. 565. 700.
1071 al. mu., item in medium d ff q r[2] vg. (pler.),
sed in medio a b c k l aur. vg. (4 MSS) | επηρωτη-
σεν (και επηρ. Ψ) Uncs. omn. Minusc. pler.:
επηρωτα 38. 435. l7. l9. l10. l12. l13. l17. l251. l260,
item interrogabat b d ff k q aur., coepit interrogare
c | τον Ιησουν: αυτον 61. 330 | λεγων: = et dixit
Sy.[s. pesh.]; et dicebat Aeth. Arm.; = + ei Sy.[s.]
Cop.[sa.] Aeth.; om. a b k | ουκ (om. 28. 579)
αποκρινη (αποκρινει Η 067. l184) ουδεν: > ουδεν
αποκρινη 28. 579 Or. semel; om. W | τι: οτι BW
Ψ | σου: σοι Γ 472 | ουκ αποκρινη ουδεν; τι etc.
cum interpunctione (;), item uid. EKM 0116 al., item
non respondes nihil. quid isti tibi testantur d, simi-
liter Sy.[s. pesh. hl.] Cop.[sa.] Or.[bis]: haec uerba absque
interpunctione (ουδεν τι etc.), item uid. ℵCDLP 067
al., item cf. nihil responde ad haec quae isti ad-
uersus te contestantur a, nihil responde ad haec
que tibi obiciuntur ab eis b, non responder quic-
quam (om. aur.) ad ea quae tibi obiciuntur ab his
aur. vg., non respondis quicquam (om. q) ad ea
quaet ibi obiciuntur ab his (eis r[2]) l q r[2], quare nihil
responder quicquam aduersus accusationes eorum
c, nihil respondistis de his quae aduersum te
dicunt k, non respondens aduersus ea quae tibi
obicietur ab his ff, similiter Cop.[bo.] Geo.

61. ο (os B[2]) δε (εκεινος δε D): = et ille autem
Sy.[s.], = et ille Aeth. Arm.) sine add. Uncs. pler.
Minusc. pler. it. vg. Sy.[s. pesh. (pler.) hl.] Cop.[sa. bo.]

---

57. Or. [int. in Matth.] alii autem exurgentes falsum testimonium dicebant aduersus eum.

58. Or. [in Ioann. Tom. X.] ημεις ηκουσαμεν αυτου λεγοντος οτι εγω καταλυσω τον ναον τουτον τον χειροποιητον
και δια τριων ημερων αλλον αχειροποιητον ανοικοδομησω (οικοδομησω Cod. Reg.).

Or. [int. in Matth.] quoniam nos audiuimus eum dicentem quoniam ego soluo templum hoc manibus
factum et in tribus diebus aliud non manibus factum faciam.

60. Or. [in Ioann. Tom. X.] οτε και ο αρχιερευς αναστας ειπεν αυτω συ ουδεν αποκρινη; τι ουτοι καταμαρ-
τυρουσιν;

Or. [in Ioann. Tom. XXVIII.] αναστας ο αρχιερευς επηρωτησεν τον Ιησουν λεγων ουκ αποκρινη ουδεν; τι ουτοι
σου καταμαρτυρουσιν;

ἀπεκρίνατο οὐδέν. πάλιν ὁ ἀρχιερεὺς ἐπηρώτα αὐτὸν καὶ λέγει αὐτῷ Σὺ εἶ ὁ χριστὸς ὁ
(ρϙα/α) υἱὸς τοῦ εὐλογητοῦ; ⁶² ὁ δὲ Ἰησοῦς εἶπεν Ἐγώ εἰμι, καὶ ὄψεσθε τὸν υἱὸν τοῦ
ἀνθρώπου ἐκ δεξιῶν καθήμενον τῆς δυνάμεως καὶ ἐρχόμενον μετὰ τῶν νεφελῶν τοῦ
(ρϙβ/ϛ) οὐρανοῦ. ⁶³ ὁ δὲ ἀρχιερεὺς διαρήξας τοὺς χιτῶνας αὐτοῦ λέγει Τί ἔτι χρείαν ἔχομεν
(ρϙγ/β) μαρτύρων; ⁶⁴ ἠκούσατε τῆς βλασφημίας; τί ὑμῖν φαίνεται; οἱ δὲ πάντες κατέκριναν

Geo.¹ Arm.: +Ιησους אA 12. 59. 61. 67. 106. 229**.
251. 330. 565. 579 (και ο Ιησους) 697. 1278 Sy.ᵖᵉˢʰ·
(aliq.) Geo.² Aeth. | εσιωπα: εσειγα D | και (om.
579 Cop.ˢᵃ·) ουκ απεκρινατο (∿νετο 470) ουδεν
אBCLΨ 33. 892. 1071. 1342 Cop.ᵇᵒ· Aeth. Or.
semel: και ουδεν απεκρινατο (απεκριθη D) A(D)NPW
XYΓΔΘΠΣΦ 067. 0116 ϩ fam.¹ 22. fam.¹³ 543. 28.
157. 565. 579. 700 al. pler. it. (pler.) vg. Or. semel;
om. k Cop.ᵇᵒ· (1MS) ; = +ei Sy.ᵖᵉˢʰ· Geo.² ; = +eis
Geo.¹ | παλιν sine add. Uncs. pler. 22. 28. 33.
157. 700. 892. 1071 al. pler., item l r² vg. Sy.ʰˡ·
Cop.ᵇᵒ· Geo.¹ Or.: +ουν 067. 579 k ; και παλιν
WΘ fam.¹ fam.¹³ 543. 565 Sy.ˢ· ᵖᵉˢʰ· Geo.² ; = rursus
autem Cop.ˢᵃ· ; om. D a ; et d q ; ad quem iterum
c ; iterato ff | ο αρχιερευς (pon. ο αρχ. post λεγει
αυτω D) επηρωτα (∿τησεν ΘΦ 067. 56. 58. 61. 106.
472. 569. 700 Or.; επερωτα A; ερωτησεν 565) αυτον:
+εκ δευτερου WΘΦ fam.¹³ (pon. post παλιν 124)
543. 472. 700 Sy.ˢ· Geo.¹ et B Arm. Or.; om. D a c
ff k, sed add. pontifex (princeps sacerdos q) ante
dicit illi (ei q) k q | και λεγει: λεγων ΘΦ fam.¹
472. 565. 700. 892. l184 aur. Cop.ˢᵃ· Or.; om. 237
| αυτω: om. 237. 255. 565. 700. 892. l184 c ff aur.
Sy.ᵖᵉˢʰ· Geo.¹ et A Arm. | ο (om. 579) χριστος:
om. ΓΦ 251 k | ο υιος: +του θεου א*AKYΠ 346.
38. 72. 114. 229. 237. 245. 248. 251. 253. 474. 482.
579. 1342². l9. l184, item g² vg. (plur. sed non WW)
Aeth. Arm. | του ευλογητου: του ζωντος 38 ; του
ευλογημενου WΨ 28. 58. 472 ; cf. dei benedicti g² ;
om. א* 579 Aeth.

62. ο δε Ιησους (om. 13. 238. 579. l49) sine add.
Uncs. pler. 22. 28. 33. 157. 579. 700. 892 al. pler.
c f l r² vg. Sy.ᵖᵉˢʰ· ʰˡ· Cop.ᵇᵒ· Geo.ᴮ (Aeth.): +απο-
κριθεις DGWΘ fam.¹ fam.¹³ 543. 565. 1071, item
+ respondens a ff k (respondit) q Cop.ˢᵃ· Geo.¹ et A
Or. Clem.ⁱⁿᵗ·, cf. = respondit iesus et Sy.ˢ· Arm.
| ειπεν Uncs. pler. Minusc. pler. a d f k l q r² vg.
VSS pler.: λεγει DΘ 565 c ff aur. Aeth. Or.;
etiam add. αυτω DGWΘ fam.¹ fam.¹³ 543. 58. 238.
472. 565. 1071. l184 it. (exc. k) vg. Sy.ˢ· ᵖᵉˢʰ· ʰˡ·
Cop.ˢᵃ· (aliq.) bo. (aliq.) Geo.¹ et A Aeth. Arm. Or.

| εγω ειμι: praem. συ ειπας οτι Θ fam.¹³ 543. 472.
565. 700. 1071 Geo. Arm. Or. | οψεσθε: cf. = ab-
hinc uidebitis Sy.ˢ· Cop.ˢᵃ· (1 MS) | om. τον υιον
του ανθρωπου 245 | εκ δεξιων καθημενον Uncs.
pler. 118. 209. 22. fam.¹³ 543. 11. 28. 71. 157. 229.
299. 349. 517. 565. 700. 892. 1278. 1342 al. plur.,
item l q r² vg. Clem.ⁱⁿᵗ·: > καθημ. εκ δεξ. A 067. 1.
33. 579. 1071 al. mu. c f ff k aur. Sy.ˢ· ᵖᵉˢʰ· ʰˡ· Cop.
sa. bo· Geo.ᴮ Aeth. Arm. Or. ; om. καθημενον 121*.
256 ; pon. καθημ. post δυναμεως 255. l184, item a
| της (om. D*) δυναμεως: +του θεου 157 vg. (aliq.
sed non WW) Cop.ˢᵃ· (1 MS) ; dei (pro της δυναμ.) ff
| και ερχομενον: om. D (cf. uenientem sine et d)
| μετα Uncs. pler. fam.¹³ 543. 157. 565. 700. 892.
1071 al. pler., item cum it. (exc. a r²) vg. Sy.ʰˡ·*
Cop.ᵇᵒ· Geo. Aeth. Arm. Or.: επι G fam.¹ 22. 11.
28. 33. 127. 238. 349. 472. 482. 517. 579. l18. l19.
l49 al. pauc., item super a Sy.ˢ· ᵖᵉˢʰ· Cop.ˢᵃ· ; cf. in
r² vg. (1 MS) | του ουρανου: = e caelo Geo.¹

63. ο δε: tunc a, ad haec (adhac q) c q ; = et
Sy.ˢ· Aeth. Arm. ; om. vg. (1 MS) Cop.ᵇᵒ· (2 MSS)
| αρχιερευς: +ευθεως W 124 Cop.ˢᵃ· (aliq.), item add.
ευθεως post διαρηξας 565. 700 a Arm. Or. | διαρη-
ξας B*NWΩ: διαρρηξας אAB²CDLYΓΔΘΠΣΨ 067.
0116 ϩ (exc. Ω) Minusc. pler. (ριξας sic 472); διερρη-
ξεν 60. 517. 700, similiter scidit c d ff q aur. vg.
(2 MSS), conscidit a k Sy.ᵖᵉˢʰ· Cop.ˢᵃ·, = tunc
scidit Sy.ˢ· | τους χιτωνας (κιτωνας B*) αυτου (om.
59): τον χιτωνα αυτου S Sy.ᵖᵉˢʰ· Arm. (aliq.) Geo.;
τα ιματια αυτου 579. 1342 | λεγει, item ait f l r² vg.
(pler.) Aeth.: και λεγει D, item c ff q aur. vg. (1 MS);
και ειπεν 60, item et dixit k Sy.ˢ· ᵖᵉˢʰ· Geo. Arm.,
= dixit Cop.ᵇᵒ· ; λεγων 517. 565 a Cop.ˢᵃ· | εχομεν:
εχωμεν fam.¹³ (exc. 124) 59. 472 | pro χρειαν εχο-
μεν hab. = opus est uobis Sy.ˢ·

64. om. ηκουσατε usque ad φαινεται g² | ηκου-
σατε sine add. Uncs. pler. fam.¹³ (exc. 124) 543·
28. 33. 157. 579. 700. 892. 1071 al. pler. it. (exc. d)
vg. Sy.ʰˡ· Cop.ˢᵃ· bo·: praem. ιδε νυν א, praem. ιδου
122. 252 Aeth. Arm., cf. = praem. ecce ex ore
eius Sy.ᵖᵉˢʰ· ; = praem. ecce enim omnes Sy.ˢ· ;

---

61. Or. ⁱⁿ Ioann. Tom. X.   ο δε εσιωπα και ουκ απεκρινατο ουδεν.
     Or. ⁱⁿ Ioann. Tom. XXVIII.   ο δε εσιωπα και ουδεν απεκρινατο. παλιν ο αρχιερευς επηρωτησεν αυτον εκ δευτερου
λεγων· Συ ει ο χριστος ο υιος του ευλογητου ;
     62. Or. ⁱⁿ Ioann. Tom. XXVIII.   ο δε Ιησους αποκριθεις λεγει αυτω· Συ ειπας οτι εγω ειμι και οψεσθε τον υιον
του ανθρωπου καθημενον εκ δεξιων της δυναμεως και ερχομενον μετα των νεφελων του ουρανου.
     Clem. Alex. ⁱⁿᵗ· (adumb. in Epist. Iudae uers. 24)·   respondens dixit: Ego sum, et uidebitis filium hominis a
dextris sedentem uirtutis.
     63. Or. ⁱⁿ Ioann. Tom. XXVIII.   ο δε αρχιερευς διαρρηξας ευθεως τους χιτωνας αυτου.

αὐτὸν ἔνοχον εἶναι θανάτου.   ⁶⁵ Καὶ ἤρξαντό τινες ἐμπτύειν αὐτῷ καὶ περικαλύπτειν (ρϟδ/α)
αὐτοῦ τὸ πρόσωπον καὶ κολαφίζειν αὐτὸν καὶ λέγειν αὐτῷ Προφήτευσον, καὶ οἱ ὑπηρέται
ῥαπίσμασιν αὐτὸν ἔλαβον.   ⁶⁶ Καὶ ὄντος τοῦ Πέτρου κάτω ἐν τῇ αὐλῇ ἔρχεται μία τῶν (ρϟε/α)
παιδισκῶν τοῦ ἀρχιερέως,   ⁶⁷ καὶ ἰδοῦσα τὸν Πέτρον θερμαινόμενον ἐμβλέψασα αὐτῷ

+ παντες GNWΣ fam.¹ 22. 124. 59. 61. 251. 472.
565. 697. *l*10. *l*13. *l*17, *item* + omnes *d* Geo. Arm. ;
+ παντως *l*7. *l*9. *l*12. *l*19. *l*36. *l*49 | της βλασφημιας
ℵBCLNΓΔΠΣΨ 067. 0116 ʔ (exc. G) 118. 209. 22.
28. 33. 157. 579. 700. 892. 1071 al. pler.: την
βλασφημιαν ADGWΘ 1. fam.¹³ 543. 38. 70. 565.
*l*13. *l*17 ; τας βλασφημιας *l*15 ; *praeterea add.* αυτου
DGNΣ 067. fam.¹ 22. fam.¹³ 543 *q r*² *vg.* (4 MSS)
Sy.ˢ· Geo.¹ Aeth., *add.* αυτου εκ του στοματος αυτου
124. 565, *add.* του στοματος αυτου (αυτος *sic* Θ) WΘ
Sy.ʰˡ· ᵐᵍ· Geo.² (= ab ore eius) | υμιν φαινεται:
> φαινεται υμιν W ; υμιν δοκει DNΘΣ 28. 565. *l*13.
*l*14. *l*17 | οι δε παντες Uncs. pler. 22. 28. 33. 157.
579. 892. 1071 al. pler., *similiter* παντες δε D, *item*
omnes autem *c k aur.* Sy.ᵖᵉˢʰ· ʰˡ· Cop.ˢᵃ· : και παντες
WΘ fam.¹ fam.¹³ 543. 565. 700 *a f ff q* Sy.ˢ· Cop.ᵇᵒ·
Geo.¹, *cf.* qui omnes *l r*² *vg.* ; = tunc omnes Geo.² ;
om. παντες 60 | κατεκριναν: εκριναν 235 | αυτον :
αυτω D* | ενοχον ειναι θαν. ℵBCLΔΨ 33. 579.
892. 1342 *g*¹ *k l q* : > ειναι ενοχον θαν. ANWXΥΓΘ
ΠΣ 0116 ʔ fam.¹ 22. fam.¹³ 543. 28. 157. 565. 700
al. pler. *a c f r*² *vg.* ; > ενοχον θαν. ειναι 1071 ;
om. ειναι D *ff* Geo.¹

65. και: *om.* 157 | τινες: παντες 435 ; *om. vg.*
(1 MS) | εμπτυειν (ενπτ. DWΔΘ): εμπαιζειν 108,
item irridere *c*, *cf.* conspuere et irridere *vg.* (1 MS)
| αυτω *pr.*: αυτον *l*7, *item* eum *ff l q vg.*, illum *k*,
similiter Sy.ˢ· ʰˡ· Cop.ˢᵃ· ᵇᵒ· Aeth. ; τω προσωπω
αυτου D ; αυτου τω προσωπω Θ 565. 700, *item* in
facie eius *f*, in faciem eius *a d* Sy.ᵖᵉˢʰ· Geo. Arm.
| και περικαλυπτειν αυτου το προσωπον: *om.* D
a f Sy.ˢ· ; = et sacco obtegunt uultum eius Geo.
| περικαλυπτειν: *cf.* uelantes *et om. et seq. c ff k*
| αυτου το προσωπον ℵBCLUΔΨ 33. 108. 127. 517.
579. 892. 1342 ʔ > το προσωπον αυτου ANWXΥΓΘ
ΠΣ 067. 0116 ʔ (exc. U) fam.¹ 22. fam.¹³ 543. 28.
157. 565. 700 al. pler. *it. vg.* ; αυτω το προσωπον
1071 | κολαφιζειν: εκολαφιζον D *a c k* | αυτον :
αυτω 244 ; αυτων *sic* 1342 | και λεγειν (λεγη *sic* Θ):
και ελεγον D 565 *c k* | αυτω *sec.*: αυτον 244 ; *om.*
W 067 fam.¹ (exc. 118) fam.¹³ 543. Sy.ˢ· ᵖᵉˢʰ· Arm.
| προφητευσον *sine add.* ℵABCDLΓΠ 0116 ʔ (exc.
GU) 28. 157. 1278 pler. *ff l q vg.* (pler.) Sy.ᵖᵉˢʰ· :
+ νυν G fam.¹ 22 ; + ημιν Ψ 71. 106. 692. *l*14 *c f k*
*r*² ; + ημιν χριστε 472 *aur. vg.* (tol.) ; + νυν (ουν
346 ; + ημιν 1071) χριστε τις εστιν ο παισας σε W
fam.¹³ 543. (1071) ; + ημιν χριστε (*om.* *l*49 *et al.*

lectionaria) τις εστιν ο παισας (πενψας Δ) σε NUX
(Δ)ΘΣ 067. 7. 33. 78. 108. 127. 238. 330. 349. 517.
565. 579. 700. 892 (*et lectionaria multa sine* χριστε)
Sy.ʰˡ·* Cop.ᵇᵒ· Geo. Aeth. Arm. ; = nobis nunc
Sy.ˢ· | οι υπηρεται: *om.* D *c k* | ραπισμασιν (ραπι-
σματι 71. 692), *item* alapis *c k l q vg.*, cum uoluntate
alapis *ff*, libenter alapis *f*; = super maxillas eius
Sy.ˢ· ᵖᵉˢʰ· ; = maxillam eius Geo.¹, = ad aures
Geo.² | αυτον (*pon. post* ελαμβ. D): *om.* 244. 472.
| ελαβον ℵABCKLNSVYΓΔΠΨΩ 067. 11. 36. 63.
65. 73. 87. 256. 1342: ελαμβανον DGWΘ 1. 22*.
fam.¹³ (exc. 124) 543. 12. 50. 53. 61. 64. 71. 565
Sy.ʰˡ· ; εβαλλον (εμβαλλον *sic* 482) ΗΣ 22ᵐᵍ· 124.
28. 569. 575. 1071 al. plur. ; εβαλον EMUX 0116.
118. 209. 12. 33. 157. 235. 238. 330. 472. 481. 692*.
700. 892 al. pauc.: καταβαλον 9 ; *cf.* percutiebant
k, caedebant *it.* (rell.) *vg.*, *similiter* Sy.ˢ· ᵖᵉˢʰ· Geo.

66. και: autem (*post* Petrus) *c aur.* Cop.ˢᵃ· ;
om. L | οντος: οντως 13. 66* | του (*om.* W 700)
πετρου: = Kepha Sy.ˢ·, = Simeon Sy.ᵖᵉˢʰ· | κατω
εν τη αυλη ℵBCLU²ΧΘ 33. 127. 517. 579. 892. 1071
*l*36. *l*49 Sy.ᵖᵉˢʰ· Cop.ˢᵃ· ᵇᵒ· Aeth. Arm.: > εν τη
αυλη κατω ANWYΓΔΠΣ 0116 ʔ (exc. U²) fam.¹ 22.
fam.¹³ (exc. 69) 543. 28. 157. 700 al. pler. *f g² k l r²*
vg. Sy.ʰˡ· Aug. ; *om.* κατω DΨ 067. 69. 78. 472.
565 *a c ff q* Sy.ˢ· (*hab.* = in atrio principis sacer-
dotum) Geo. Eus. | ερχεται (= uenit Sy.ᵖᵉˢʰ· Cop.
ˢᵃ· ᵇᵒ· ; *om.* Sy.ˢ·): + προς αυτον DΘ *a c fff k* (*pon.
post* pontificis) *q* Eus. | μια των παιδισκων: μια
παιδισκη ℵC 1342, *similiter* Sy.ˢ· (*sed pon. post* =
califacientem se *uers.* 67).

67. τον πετρον Uncs. omn. 22. 124. 28. 33. 157.
579. 892. 1071 al. pler. *it.* (exc. *c*) *vg.* Sy.ʰˡ· Cop.
ˢᵃ· ᵇᵒ·: αυτον fam.¹ fam.¹³ (exc. 124) 543. 565. 700
c Sy.ˢ· ᵖᵉˢʰ· Geo. Arm. Eus. ; *om.* 27 | θερμαινο-
μενον ℵBXΥΠΣΨ 067. 0116 ʔ (exc. E*) Minusc.
pler.: θερμεν. ACDE*LNWΓΔΘ 13. 69. 543. 28.
349 ; *om.* 517 | εμβλεψασα (ενβλ. DΣ ; εμβλεψας
ΚΜΔ 33. 59. 282. 435. 579) αυτω (αυτον 66. 282.
579 ; εις αυτον 74. 89. 90. 234. 483*. 484): = *om.*
Sy.ˢ· ; *om.* αυτω D *c ff q* | λεγει (ειπεν 1342):
+ αυτω D *c ff q* Sy.ˢ· ᵖᵉˢʰ· Cop.ˢᵃ· ᵇᵒ· | και συ: *om.*
και D (*sed* et tu *d*) | ναζαρηνου (∼ρινου ΕΧΓ 13.
346. 157. 474. 565): ναζορηνου D 579, ναζωρινου
472, ναζωρηνου 92, *similiter cf.* nazareno *a c f r² vg.*
(pler.), nazareno *d l* Geo., nazorene *k* ; ναζωραιου
ΔΘ 238. 262. *l*14. *l*17. *l*36. *l*251 Eus., ναζοραιου 64,

66. Eus. ᵈᵉᵐ· III. 5. και οντος του πετρου εν τη αυλη ερχεται προς αυτον μια των παιδισκων του αρχιερεως.
Aug. ᶜᵒⁿˢ· et cum esset petrus in atrio deorsum.

67. Eus. ᵈᵉᵐ· III. 5. και ιδουσα αυτον θερμαινομενον εμβλεψασα αυτω λεγει και συ μετα Ιησου του ναζω-
ραιου ης.

(ρϟϛ/a) λέγει καὶ σὺ μετὰ τοῦ Ναζαρηνοῦ ἦσθα τοῦ Ἰησοῦ· ⁶⁸ ὁ δὲ ἠρνήσατο λέγων Οὔτε οἶδα οὔτε ἐπίσταμαι σὺ τί λέγεις, καὶ ἐξῆλθεν ἔξω εἰς τὸ προαύλιον. ⁶⁹ καὶ ἡ παιδίσκη ἰδοῦσα αὐτὸν ἤρξατο πάλιν λέγειν τοῖς παρεστῶσιν ὅτι Οὗτος ἐξ αὐτῶν ἐστιν. ⁷⁰ ὁ δὲ πάλιν ἠρνεῖτο. καὶ μετὰ μικρὸν πάλιν οἱ παρεστῶτες ἔλεγον τῷ Πέτρῳ Ἀληθῶς ἐξ

ναζαραιου 282, similiter cf. nazoreo ff vg. (1 MS), similiter Sy.ˢ·ᵖᵉˢʰ·ʰˡ· Cop.ˢᵃ·ᵇᵒ· | μετα του ναζ. ησθα του (om. 1342) ιυ BCLΘΨ 892. 1342: μετα του ναζ. (+ του 245) ιυ ησθα (ης 1. 209. 13. 543. 565. 700; εις 69. 346) ANWXYΓΠΣ⸍ fam.¹ 22. fam.¹³ 543. 28. 157. 565. 700. 1071 al. pler. Geo.¹; μετα του ιυ ησθα του ναζ. א Sy.ˢ·ᵖᵉˢʰ·; μετα του (om. 238. 262. 579. l14. l17. l36. l251) ιυ του ναζ. ησθα (ης Eus.) DΔ 44*. (238). (262). (579). (l14). (l17). (l36). l49. (l251) it. vg. Sy.ʰˡ· Aeth. Arm. (Eus.); ησθα μετα ιυ του ναζ. 33 Cop.ˢᵃ·ᵇᵒ· Geo.²; μετα του ναζ. ησθα 54. 57. 61. 86. 569. l19.

68. ο δε: = om. Arm. | ηρνησατο: + αυτον MY 15. 72. 248. 253. 473. 474 | λεγων, item it. vg.: = et dixit Sy.ˢ·ᵖᵉˢʰ· Geo. (+ ei Geo.¹) | ουτε pr. אBDLWΘΨ 118. 209. 1582. 565. 700. 892. 1071. 1342, item neque it. (exc. nescio pro ουτε οιδα a k vg. 2 MSS) vg. (pler.) Cop.ˢᵃ·ᵇᵒ· Geo.¹ Eus.: ουκ ACNXYΓΔΠΣ⸍ 1. 22. fam.¹³ 543. 28. 33. 157. 579 al. pler., item = non Sy.ˢ·ᵖᵉˢʰ·ʰˡ· Geo.² Aeth. Arm. | οιδα: + αυτον 42 | ουτε sec. אBCDEGHLSVW ΘΨ fam.¹ 22. fam.¹³ 543. 28. 106. 157. 234. 300. 472. 565. 700. 892. 1071. 1342 al. mu. Eus.: ουδε AKNMUXYΓΠΣΩ 33. 579. 1278 al. pler. | om. ουτε επισταμαι k Sy.ᵖᵉˢʰ· | συ (σοι 517) τι אBCL NUWΔΣΨ fam.¹ 33. 108. 565. 579. 892. 1071. 1342: τι συ AXYΓΘΠ 067 ⸍ (exc. U) 22. fam.¹³ 543. 28. 157. 700 al. pler. Cop.ᵇᵒ· Arm. Eus.; om. συ D 2, item non express. it. vg.; = pon. tu post dicis Sy.ᵖᵉˢʰ·ʰˡ· Geo.² | και εξηλθεν (εισηλθεν 346): om. και D (sed et exiit d) | εξω (om. 240. 244) εις το προαυλιον (προπυλον 73) Uncs. pler. 28. 33. 157. 579. 892. 1071 al. pler.: εξω εις την προσαυλην D; > εις την (το 565) εξω αυλην (προαυλην Θ; προαυλιον fam.¹³ 543. 565. 700; προσαυλιν Eus.) WΘ fam.¹ 22. fam.¹³ 543. 565. 700 Eus., item in exteriorem atri locum k | sine add. ad fin. uers. אBLW Ψ 579. 892. l17 c Sy.ˢ· Cop.ˢᵃ·ᵇᵒ· Geo.¹: add. και (+ ευθεως 218. 517 Cop.ᵇᵒ·¹ᴹˢ Geo.ᴮ) αλεκτωρ (ο αλεκτωρ 238) εφωνησεν ACDNXYΓΔΘΠΣ 067 ⸍ fam.¹ 22. fam.¹³ 543. 28. 33. 157. 565. 700. 1071 al. pler. it. (exc. c) vg. Sy.ᵖᵉˢʰ·ʰˡ· Geo.² Aeth. Arm. Eus.

69. και η (om. 474) παιδισκη ιδουσα αυτον ηρξατο παλιν λεγειν אCLΔΨ 108. 127. 517. 892: > pon.

παλιν post αυτον ANXYΓΠΣ 067 ⸍ (exc. M) fam.¹ 22. fam.¹³ 543. 22. 33. 1071 al. pler., similiter Sy.ᵖᵉˢʰ· ʰˡ·; > pon. παλιν post ιδουσα 157. 245; > pon. παλιν post λεγειν 131; om. παλιν BMWΘ 50. 579. Cop.ˢᵃ·ᵇᵒ· Geo., etiam ειπεν pro ηρξατο λεγειν B Cop.ˢᵃ·ᵇᵒ·; > και ηρξατο παλιν η παιδισκη ιδουσα αυτον λεγειν 1342; παλιν δε ιδουσα αυτον η παιδισκη ηρξατο λεγειν Θ 565. 700 Eus., cf. rursus (iterum q) autem (= et rursus Sy.ˢ·) cum uidisset (uideret k) illum ancilla (altera ancilla c, cf. Cop.ᵇᵒ·ᵃˡⁱᑫ·; illa ancilla k) coepit dicere (dicens c) (c) f k l q vg., similiter Sy.ˢ·, iterum autem cum audisset (sic) illum etc. ff, rursus autem cum uidisset ancilla illum coepit et dicere r²; et cum eum uidisset iterum puella coepit dicere a | pro uers. 69 usque ad ηρνειτο uers. 70 hab. παλιν δε ειδουσα αυτον η παιδισκη ο δε παλιν ηρνησατο και ηρξατο λεγειν τοις παρεστηκοσιν οτι και αυτος εξ αυτων εστιν D, similiter d | τοις: αυτοις 1 | παρεστωσιν (⌣στοσιν Θ) אBCKLΔΘΠ*Ψ 067. 11. 15. 72. 253. 473. 482. 517. 565. 579. 892. 1071. 1342: παρεστηκοσιν (⌣κωσιν 346. 543) ADNWXYΓΠ²Σ⸍ (exc. K) fam.¹ 22. fam.¹³ 543. 28. 33. 157. 700 al. pler. | οτι: om. 579 Eus. | ουτος (ουτως 13. 543): και ουτος Θ fam.¹³ 543. 59. 106. 251. 349. 565. 579. 697. 700; και αυτος D, item cf. et hic a c ff aur. vg. (1 MS) Sy.ˢ·ᵖᵉˢʰ· Aeth. Arm.; = hic quoque Geo.² (= add. quoque post de illis Geo.¹) | εξ αυτων εστιν: μετ αυτου ην 579.

70. παλιν pr.: = om. Cop.ˢᵃ· (3 MSS) bo. (4 MSS) Geo.¹ | ηρνειτο (⌣νητο Θ) אABCLYΓΘΠΨ 067 ⸍ (exc. GM) 22. 28. 33. 157. 892. 1071 al. pler. Sy.ʰˡ·: ηρνησατο DGMNWXΔΣ fam.¹ fam.¹³ 543. 37. 39. 245. 282. 300. 565. 579. 700. 1342. l7. l13. l17. l49 Eus., item negauit (negabit sic k tol.) it. vg. Sy.ˢ·ᵖᵉˢʰ·ᵇᵒ· Geo. Aeth. Arm. | και μετα: om. και א*; + δε 245 | παλιν sec. (= pon. ante post pusillum Sy.ˢ·): = om. Cop.ˢᵃ· Geo.¹ Aug. | παρεστωτες: περιεστωτες G 1; παρεστηκοτες D 124; περιεστηκοτες W | ελεγον: ειπον L 17, item dixerunt c ff q aur. Sy.ˢ·ᵖᵉˢʰ· Cop.ˢᵃ·; cf. dicunt k | τω πετρω (= Kephae Sy.ˢ·ᵖᵉˢʰ·): αυτω τω πετρω 106; αυτω l13. l17; om. D a | αληθως: + και συ M; et tu (pro αληθως) a | και γαρ Γαλιλαιος ει:

68. Eus.ᵈᵉᵐ· ᴵᴵᴵ· ⁵· ο δε ηρνησατο λεγων· ουτε οιδα ουτε επισταμαι τι συ λεγεις. και εξηλθεν εις την εξω προσαυλιν, και αλεκτωρ εφωνησεν.

69. Eus. ib. παλιν δε ιδουσα αυτον η παιδισκη ηρξατο λεγειν τοις παρεστωσιν· ουτος εξ αυτων εστιν.

70. Eus. ib. ο δε παλιν ηρνησατο. και μετα μικρον παλιν οι παρεστωτες ελεγον τω πετρω· αληθως εξ αυτων ει, και γαρ γαλιλαιος ει.

Aug.ᶜᵒⁿˢ· et post pusillum qui adstabant etc.

αὐτῶν εἶ, καὶ γὰρ Γαλιλαῖος εἶ.   ⁷¹ ὁ δὲ ἤρξατο ἀναθεματίζειν καὶ ὀμνύναι ὅτι Οὐκ οἶδα τὸν ἄνθρωπον τοῦτον ὃν λέγετε.   ⁷² καὶ εὐθὺς ἐκ δευτέρου ἀλέκτωρ ἐφώνησεν· καὶ ἀνεμνήσθη ὁ Πέτρος τὸ ῥῆμα ὡς εἶπεν αὐτῷ ὁ Ἰησοῦς ὅτι Πρὶν ἀλέκτορα δὶς (ρ̄ϟ̄ζ̄/β) φωνῆσαι τρίς με ἀπαρνήσῃ, καὶ ἐπιβαλὼν ἔκλαιεν.

XV

¹ Καὶ εὐθὺς πρωὶ συμβούλιον ποιήσαντες οἱ ἀρχιερεῖς μετὰ τῶν πρεσβυτέρων καὶ (ρ̄ϟ̄η̄/β)

om. W 543. 73. 131. 142*. 579. 1675 *a* ; *haec uerba sine add.* אBCDLΨ fam.¹ 565. 700. 1342 *it.* (*exc. q*) Sy.ˢ Cop.ˢᵃ·ᵇᵒ·⁽ᵖˡᵉʳ·⁾ Geo. Eus. ; *add.* και (+γαρ 472. 579) η λαλια σου ομοιαζει (ομοιει 300 ; δηλοι ΝΣ ; δηλον σε ποιει 579 ; δηλον σε ο̄μοιαζει *sic* 33) ΑΝΧΥΓΔΘΠΣ♭ 22. fam.¹³ 543. 28. 33. 157. 579. 892. 1071 al. pler., *item* +et loquella tua similis est *q, similiter* Sy.ᵖᵉˢʰ·ʰˡ· Cop.ᵇᵒ·⁽³ ᴹˢˢ⁾ Aeth. Arm. ; > και η λαλια σου ομοιαζει και γαρ Γαλιλαιος ει 116.

71. ο δε : *et a* Sy.ˢ Aeth. Arm. | αναθεματιζειν : καταθεματιζειν 11. 45. 495. 565. 1093. 1223. 1402 | και ομνυναι BEHLSUVXYΓΩ 71. 108. 131. 300. 481. 692. 700. 892 al. plur. : και ομνυειν אACGK MNWΔΘΠΣΨ fam.¹ 22. fam.¹³ 543. 28. 33. 157. 565. 579. 1071 al. plur. Eus., *cf.* et iurare *it.* (*exc. a d q*) *vg.* (pler.) ; και λεγειν D *q vg.* (1 MS), *cf.* dicens *a* ; = iurare et dicere Arm. | τουτον ον λεγετε : *om.* א ; *om.* τουτον DKNΣ 118*. 209. 27. 57. 64 *r²* ; *om.* ον λεγετε *k* ; *cf.* istum quem dicis (*pro* dicitis) *c vg.* (1 MS).

72. ευθυς אBL : ενθεως DGWΘ fam.¹³ 543. 472. 495. 565. 579. 700. 1342 al., *item* continuo *c k ff aur.*, protinus *a*, statim *d l q r² vg., similiter* Sy.ᵖᵉˢʰ· Cop.ᵇᵒ·⁽¹ ᴹˢ⁾ Geo. Aeth. Arm. Eus. Aug. ; *om.* ΑCΝΧΥΓΔΠΣΨ♭ (*exc.* G) fam.¹ 22. 28. 33. 157. 892. 1071 al. pler. Sy.ˢ·ʰˡ· Cop.ˢᵃ·ᵇᵒ· | εκ δευτερου : δευτερον 61 ; δις 1342 ; *om.* אL 579 *c vg.* (1 MS) | και *sec.* : tunc *c q* ; autem (*post* remoratus est) *k* | ανεμνησθη (ενεμν- 234. *l*36) Uncs. pler. 22. 28. 33. 157. 565. (579). 700. 892 al. pler. : εμνησθη 74. 89. 90. 247. 248. 349. 435. 483*. 484. 579. *l*251 ; αναμνησθεις (*et om.* και ante επιβαλων fam.¹) GW fam.¹ fam.¹³ 543. 495 | ο Πετρος : = Kepha Sy.ˢ·, Simeon Sy.ᵖᵉˢʰ· | το ρημα Uncs. (*exc.* MW) 22. 33. 71. 131. 157. 238. 565. 892. 1278. 1342 al. plur., *cf.* uerbum *it.* (*exc. d*) : του ρηματος MW fam.¹

fam.¹³ 543. 28. 579. 700. 1071 al. plur., *cf.* uerbi *vg.* Aug., uerborum *d* | ως ειπεν αυτω ο (*om.* Ψ) Ιησους אABCLΔΨ 33. 42. 72. 106. 114. 253. 300. 892. 1342 : ο ειπεν (ελαλησεν *l*15) αυτω (*om.* DΘ) ο Ιησους (Ιην *sic* D) (D)ΝΧΥΓΘΠΣ♭ (*exc.* CM) 22. 71. 131. 157. 565. 1278 al. pler., *item* quod dixit illi iesus *c ff k,* quod (quem *a*) dixerat illi (ei *q vg.*) iesus *a d l q r² vg., similiter* Sy.ˢ·ʰˡ· Geo. ; ου ειπεν αυτω ο Ιησους MW fam.¹³ 543. 700. 1071 al. plur. ; Ιησου ο ειπεν αυτω 28, *similiter* Sy.ᵖᵉˢʰ· Aeth. Arm. (pler.) ; του Ιησου ειπουντος fam.¹ ; *nil nisi* του Ιησου 579 | *om.* οτι πριν *usque ad* απαρνηση D 142* *a* | αλεκτορα : αλεκτωρα ΝΥΘ 13. 346 | δις φωνησαι ΒΘ 565. 700. 1342 *k* Arm. ; > φωνησαι δις AC²LN ΧΥΓΠΨ♭ fam.¹ 22. fam.¹³ 543. 28. 33. 157. 892. 1071 al. pler. *r² vg.* Sy.ˢ·ᵖᵉˢʰ·ʰˡ· Cop.ˢᵃ·ᵇᵒ· ; *om.* δις אC*ᵘⁱᵈ· WΔΣ 251. 579 *c ff g¹ l q* Geo. Aeth. | τρις με απαρνηση אBC*LWΔΨ 892 *c ff k l q r² vg.* Sy.ˢ·ᵖᵉˢʰ· Aeth. Arm. Aug. : > απαρνηση (∼σει 59. 472. 517) με τρις ΑΝΧΥΓΘΠΣ♭ fam.¹ 22. fam.¹³ 543. 28. 33. 157. 565. 700. 1071 al. pler. Sy.ʰˡ· Cop.ˢᵃ·ᵇᵒ· ; > τρις απαρνηση με 579. 1342 Geo.¹ ; *om.* τρις *l*36 Geo.² | και (*om.* fam.¹) επιβαλων (επιλαβων Δ 247, επιλαβομενος 472) εκλαιεν (εκλαυσεν א*C ; εκλασεν 1342) Uncs. pler. Minusc. pler. : και ηρξατο κλαιειν DΘ 565 *it. vg.* Sy.ˢ·ᵖᵉˢʰ·ʰˡ· Cop.ˢᵃ·ᵇᵒ· Geo. Arm. Aug. ; και εξελθων εξω εκλαυσεν πικρος (*sic*) 579, *cf.* Matt. xxvi. 75 ; = et fleuit Aeth. ; *om.* 37.

1. ευθυς אBCLΔΨ 892. 1342 : ενθεως ADNWX ΥΓΘΠΣ♭ Minusc. rell. ; *om. a c* Sy.ˢ· Cop.ˢᵃ· Aeth. | πρωι אBCDLΘΨ 46. 565. 892. 1342, *item* primaluce *a*, mane *d ff l q r² vg.*, e mane *k*, cum autem mane factum esset *c, similiter* Cop.ˢᵃ·ᵇᵒ· Geo. Or. Aug. : επι το (τω ESΩ 346. 543*. 28. 330. 472. 700 al. pauc.) πρωι ANWXΥΓΔΠΣ♭ fam.¹ 22. fam.¹³ 543. 28. 33. 157. 579. 700. 1071 al. pler., *similiter*

---

71. Eus. *ib.* ο δε ηρξατο αναθεματιζειν και ομνυειν οτι ουκ οιδα τον ανθρωπον τουτον ον λεγετε.

72. Eus. *ib.* και ευθεως εκ δευτερου αλεκτωρ εφωνησεν.

Aug. ᶜᵒⁿˢ· et statim iterum gallus cantauit, recordatus est petrus uerbi quod dixerat ei iesus priusquam gallus cantet bis ter me negabis et coepit flere.

1. Or. ⁱⁿ Ioann. Tom. XXVIII. πρωι συμβουλιον εποιησαν οι αρχιερεις μετα των πρεσβυτερων και των γραμματεων και ολον το συνεδριον, και δησαντες τον Ιησουν απηγαγον εις την αυλην και παρεδωκαν πιλατω.

Aug. ᶜᵒⁿˢ· et confestim mane . . . consilium facientes summi sacerdotes cum senioribus et scribis et uniuerso concilio uincientes iesum duxerunt et tradiderunt Pilato.

(ρ৭θ/α) γραμματέων καὶ ὅλον τὸ συνέδριον δήσαντες τὸν Ἰησοῦν ἀπήνεγκαν καὶ παρέδωκαι
(σ/α) Πειλάτῳ. ² καὶ ἐπηρώτησεν αὐτὸν ὁ Πειλᾶτος Σὺ εἶ ὁ βασιλεὺς τῶν Ἰουδαίων; ὁ δὲ
(σα/δ) ἀποκριθεὶς αὐτῷ λέγει Σὺ λέγεις. ³ καὶ κατηγόρουν αὐτοῦ οἱ ἀρχιερεῖς πολλά. ⁴ ὁ
δὲ Πειλᾶτος πάλιν ἐπηρώτα αὐτὸν λέγων Οὐκ ἀποκρίνῃ οὐδέν; ἴδε πόσα σου κατηγο-
ροῦσιν. ⁵ ὁ δὲ Ἰησοῦς οὐκέτι οὐδὲν ἀπεκρίθη, ὥστε θαυμάζειν τὸν Πειλᾶτον.
(σβ/β) ⁶ Κατὰ δὲ ἑορτὴν ἀπέλυεν αὐτοῖς ἕνα δέσμιον ὃν παρῃτοῦντο. ⁷ ἦν δὲ ὁ λεγόμενος

[critical apparatus in two columns]

Sy.ˢ·ᵖᵉˢʰ·ʰˡ·Arm. | ποιησαντες ΑΒΝΩΧΥΓΔΠΣΨϧ Minusc. pler., item l r² vg. Arm. Aug.: ετοιμα-σαντες אCL 892. 1342; λαβοντες l13; εποιησαν (et praem. και ante δησαντες) DΘ 245. 565. l7. l9. l10. l14 a c ff k q Sy.ˢ·ᵖᵉˢʰ·ʰˡ· Cop.ˢᵃ· ᵇᵒ· Geo. Aeth. Or. | οι αρχιερεις: om. A* (add. in mg.) | μετα των πρεσβυτερων και γραμματεων (των γραμμ. אDWΘ 565 Cop.ˢᵃ· ᵇᵒ· Or.; +του λαου 579): = et seniores et scribae Sy.ˢ· Cop.ˢᵃ·; > και οι γραμματεις μετα των πρεσβυτερων 1342; >των γραμματεων και πρεσβυτερων C l47 aur. Sy.ᵖᵉˢʰ· (1 MS) Cop.ˢᵃ· (1 MS) | ολον το συνεδριον: = omnis populus Sy.ˢ· | δη-σαντες τον Ιησουν: κατα του Ιησου και δησαντες αυτον l7. l9. l12. l14 | απηνεγκαν אΑΒΛΓΔΠΨϧ (exc. G) 22. fam.¹³ (exc. 124) 543. 28. 33. 157. 579. 1071 al. pler.: απηγαγον CDGNWΘΣ fam.¹ 124. 258. 517. 565. 700. 892. l13. l17 Or.; etiam add. εις την αυλην D 872 Or., item add. in atrium c ff q, in atrio a, in praetorium k | και παρεδωκαν: om. l7; +αυτον W fam.¹³ (exc. 124) 543. 56. 58. 157. 179. 273. 345. 569. 945 Sy.ˢ· ᵖᵉˢʰ· Cop.ˢᵃ· ᵇᵒ· Aeth.; +αυτω 472 | Πειλατω (item אΑΒDΘ 579, sed Πιλατω Uncs. rell. Minusc. rell.) sine add. אBCD LΔΘΨ fam.¹ 22. 472. 517. 565. 700. 892. 1342: praem. τω ΑΝΩΥΓΠΣϧ fam.¹³ 543. 28. 33. 157. 579. 1071 al. pler.; ποντιω πιλατω 495. 1047.

2. επηρωτησεν: ηρωτησεν 60 | αυτον: om. 59 | Πειλατος (uel Πιλατος uid. uers. 1): +λεγων WΘ fam.¹³ 543. 565. 579. 700, item +dicens c k aur. Cop.ˢᵃ· (2 MSS), = +et dixit Geo., = +et dicit Aeth. (+ei) Arm. | ο δε: και D a aur. Aeth.; om. 58; +Ιησους ΝΣ 67. 483*. Geo. Aeth. | αποκριθεις: om. 56 c; respondit ei a | αυτω λεγει אBCᵘⁱᵈ· DΘΨ 892. 1342, item ei ait vg. (2 MSS): > λεγει αυτω V fam.¹ 127. 246ᵐᵍ· 258, item ait illi l r² vg.; ειπεν αυτω ΑΝΧᵘⁱᵈ·ΥΓΔΠΣϧ (exc. V) 22. fam.¹³ 543. 28. 33. 157. 579. 700. 1071 al. pler., item dixit illi d Sy.ˢ· ᵖᵉˢʰ· ʰˡ· Cop.ᵇᵒ· Geo. Aeth.; λεγει tant. 565, item ait c ff q Aug.; ειπεν tant. W 71. 569 k; =ei dicens Cop.ˢᵃ·; om. a.

3. κατηγορουν: κατηγορουσιν D (sed accusabant d) | αυτου Uncs. omn. fam.¹ 22. 33. 157. 565. 700. 892. 1071 al. pler.: αυτω fam.¹³ 543. 435. l6; αυτον 16. 28. 245. 579. l184 | πολλα sine add. אΑΒCD ΧΥΓΠϧ (exc. U) fam.¹ 22. 28. 157. 700. 892 al. pler. it. (exc. a c) vg. (pler.) Sy.ᵖᵉˢʰ· Cop.ˢᵃ· ᵇᵒ·:

+ αυτος δε ουδεν απεκρινατο ΝUWΔΘΣΨ fam.¹³ 543. 33. 106. 108. 127. 238. 247. 472. 483*. 484. 517. 565. 579. 1071. l48. l49 al. pauc., item +ipse uero nihil respondit vg. (2 MSS), +ipse autem nihil respondebat (= +eis Sy.ˢ·) a c, similiter Sy.ˢ· ʰˡ· Geo. Aeth. Arm.; cf. +ipse autem rursus interrogabat δ.

4. ο δε: = et Sy.ˢ· Aeth.; om. c | Πειλατος uel Πιλατος uid. uers. 1 | παλιν: om. U 60. 127. 131. 238. 517 vg. (1 MS); pon. post επηρωτ. αυτον CD 1342 k q Aeth.; pon. ante Pilatus c aur. | επηρωτα ΒUWΨ fam.¹³ 543. 33. 60. 76. 127. 131. 517. 565. 892, item interrogabat a k vg. (aliq. sed non WW) Sy.ʰˡ· ᵐᵍ· Cop.ᵇᵒ· Arm.: επηρωτησεν אΑCDNΧΥΓΔΘΠΣϧ (exc. U) fam.¹ 22. 28. 157. 579. 700. 1071. 1342 al. pler. it. (pler.) vg. (pler.) Sy.ᵖᵉˢʰ· ʰˡ· txt. Cop.ˢᵃ· Geo.; ηρωτησεν 300 | λεγων: om. א* 209. 565. 1582 a Cop.ˢᵃ· Arm. | pro ο δε Π. usque ad λεγων cf. = et iterum dicit ei Pilatus Sy.ˢ· | αποκρινη: αποκρινει 118². 28. 472. l184; +eis c Sy.ˢ· | ουδεν (= uerbum Sy.ˢ·): om. B* 579. 1070 | ιδε (ειδε NWΣ), item uide k ff r² vg. (pler.), uides dl q vg. (2 MSS), = non uides Sy.ˢ·: ιδοι sic Δ, cf. ecce a c | ποσα σου: > σου ποσα W | κατηγορουσιν אBCDWΨ fam.¹ 22. 697. 700. 892. 1278ᵏᵘⁱᵈ· l48 it. vg. Cop.ᵇᵒ· Geo.¹ ᵉᵗ ᴮ Aeth.: κατα-μαρτυρουσιν (μαρτυρουσιν 40. 259) ΑΝΧΥΓΔΘΠΣϧ fam.¹³ 543. 28. 33. 157. 565. 579. 1071. 1278ᶜᵒʳ· al. pler. Sy.ˢ· ᵖᵉˢʰ· ʰˡ· Cop.ˢᵃ· Geo.ᴬ Arm.

5. ουκετι ουδεν, item amplius nihil a l r² vg., > nihil amplius c d q; cf. postea nihil k; om. ουκετι 106. 330. l184 ff Sy.ˢ· ᵖᵉˢʰ· Cop.ˢᵃ· ᵇᵒ· (aliq.) Aeth. Arm. | απεκριθη: απεκρινατο G fam.¹ fam.¹³ (exc. 124) 543 | θαυμαζειν: θαυμασαι 517. 579; = praem. multum Arm.; = +multum post Pilatus Geo. | Πειλατον uel Πιλατον uid. uers. 1.

6. κατα δε (+την D) εορτην: = omni festo autem Sy.ᵖᵉˢʰ·, = et omni festo Geo. | απελυεν Uncs. pler. Minusc. pler., item a Sy.ˢ· ʰˡ· Cop.ᵇᵒ· Geo. Aeth. Arm.: ειωθει (ιωθει W; ειωθη 13. 346. 543) ο ηγεμων απολυειν W fam.¹³ 543, item con-sueuerat praeses dimittere aur. Cop.ˢᵃ·; cf. dimit-tere solebat c d l r² vg. (pler.), > solebat dimittere ff vg. (1 MS), consueuerat remittere k, similiter Sy.ᵖᵉˢʰ· | αυτοις: om. aᵘⁱᵈ· | ον א*ΑΒ*W 1. 237. l47, item quem k aur.: ονπερ אᶜB²CNΧΥΓΔΠΣΨϧ (exc. G) 118. 209. 22. 28. 33. 157. 579. 700. 892.

2. Aug. ᶜᵒⁿˢ· at ille respondens ait tu dicis.
3. Or. ⁱⁿ ᴵᵒᵃⁿⁿ· ᵀᵒᵐ· ˣˣᵛⁱⁱⁱ· κατηγορουν αυτου οι αρχιερεις πολλα, αυτος δε ουδεν απεκρινατο.

Βαραββᾶς μετὰ τῶν στασιαστῶν δεδεμένος οἵτινες ἐν τῇ στάσει φόνον πεποιήκεισαν. (σγ/δ)
⁸ καὶ ἀναβὰς ὁ ὄχλος ἤρξατο αἰτεῖσθαι καθὼς ἐποίει αὐτοῖς. ⁹ ὁ δὲ Πειλᾶτος ἀπεκρίθη
αὐτοῖς λέγων θέλετε ἀπολύσω ὑμῖν τὸν βασιλέα τῶν Ἰουδαίων; ¹⁰ ἐγίνωσκεν γὰρ ὅτι
διὰ φθόνον παραδεδώκεισαν αὐτὸν οἱ ἀρχιερεῖς. ¹¹ οἱ δὲ ἀρχιερεῖς ἀνέσεισαν τὸν (σδ/α)
ὄχλον ἵνα μᾶλλον τὸν Βαραββᾶν ἀπολύσῃ αὐτοῖς. ¹² ὁ δὲ Πειλᾶτος πάλιν ἀποκριθεὶς (σε/α)

1071 al. pler. ; ονπερ αν Θ ; ον αν DG fam.¹³ 543. 565, cf. quemcumque it. (exc. k) vg. | παρητουντο ℵ* AB*Δ : ητουντο ℵᶜB²CDNWXYΓΘΠΣΨⅬ Minusc. pler., cf. petissent it. (exc. a k) vg., postulassent a, postularent k ; ηθελον Ⅼ47, cf. uoluissent aur.

7. ην (εἶς 478**) δε (om. 700) : +τοτε W fam.¹³ 543 ; erat autem in carcerem c ; +in carcere k (et = om. δεδεμενος postea) vg. (1 MS) | o: om. 245. 475 | om. λεγομενος 471* | βαραββας : βαραβας 247. 472. 482. 485, βαρραββας Θ, βαβαρραβας Δ ; βαρναβας W | στασιαστων ℵBCDKNW Ψ 1. 22. fam.¹³ (exc. 124) 34. 39. 56. 58. 565. 579. 1342. Ⅼ13 ; στασιασαντων Θ ; συστασιαστων EMSU XYΓΠΩ 118. 209. 124. 28. 33. 157. 700. 892. 1071 al. pler. ; συνστασιαστων AGHVΔΣ 569. Ⅼ251 | δεδεμενος : = pon. ante ο λεγομενος Cop.ˢᵃ· | οιτινες : qui it. vg. | στασει : +αυτων 349 | φονον : +τινα ℵΘ 1342 | φονου πεποιηκ., cf. homicidium fecerat a : >πεποιηκ. φονον D 565, cf. fecerat (fecerunt k) homicidium it. (exc. a) vg. | πεποιηκεισαν (πεποιηκεσαν 74. 483*. 484. Ⅼ17 ; πεποιηκησαν 251. Ⅼ47 ; πεποιεικεισαν Ⅼ183) Uncs. pler. Minusc. pler. : επεποιηκεισαν F 61 ; πεποιηκασιν ΓΨ 71. 258. 282. 692. Ⅼ13 ; ποιηκασιν Θ ; πεποιηκαν 28 ; εποιησησαν (∽κισαν C²) C² 472 | tot. uers. : = et uinctus est uir malefactor qui uocabatur Barabba, et erat uir qui malefaciebat et caedem caedebat Sy.ˢ·

8. αναβας ℵ*BD 892 it. (accensa sic a) vg. Cop.ˢᵃ· ᵇᵒ· : αναβοησας ℵᶜ ᵐᵍ· ACNWXYΓΔΘΠΣΨⅬ Minusc. pler. Sy.ˢ· ᵖᵉˢʰ· ʰˡ· Geo. Arm. ; ανασησας sic 543 ; = ascendit et clamauit Aeth. | o (om. 474*) οχλος : ολος ο οχλος D 229**, item a k | ηρξατο : ηρξαντο 124. 262. 330. 506. Ⅼ47 | αιτεισθαι : +αυτον D k, +Pilatum c | εποιει αυτοις ℵBWΔ Ψ 517. 579. 892. 1278*. 1342, item Sy.ˢ· Cop.ᵇᵒ· ; similiter consueuerat facere illis aur., similiter Sy. ᵖᵉˢʰ· Cop.ˢᵃ· : αει (α 346) εποιει αυτοις (αυτος Ⅼ184) ACDNXYΠΣΨⅬ fam.¹ 22. fam.¹³ 543. 28. 33. 157. 1071 al. pler. it. (exc. c k) vg. (pler.) Sy.ʰˡ· Arm. ; cf. = solitus est gratiari eis semper Geo. ; = faceret illis quemadmodum solebat Aeth. ; εποιησαν Ⅼ47 ; εθος (εθοσιν Θ) ην (om. Θ ; +αυτοις 700) ινα τον βαραββαν (βαρραββαν Θ) απολυση αυτοις Θ 565. 700 ; faciebat in singulis diebus festis ut dimitteret unum custodiam k, consueuerat per diem festum dimitteret illis unum uinctum c, cf. semper faciebat illis per diem sollemnem ut dimitteret (+eis tol.) unum uinctum (om. 1 MS) vg. (3 MSS).

9. πειλατος uel πιλατος cf. uers. 1 | απεκριθη (απεκρινατο 33. 579) αυτοις λεγων (om. M) Uncs. pler. Minusc. pler., item c aur. Sy.ʰˡ· Cop.ˢᵃ· ᵇᵒ·, cf. respondit eis et dixit Ⅼ r² vg. Aug., respondit et dixit illis (= om. Sy.ᵖᵉˢʰ·) k Sy.ˢ· ⁽ᵖᵉˢʰ·⁾ Geo. Aeth. Arm. : απεκριθεις λεγει αυτοις (>αυτοις λεγει 565) D 565, cf. respondens illis (om. a) dixit (a) ff | om. θελετε Ⅼ47 | υμιν: om. D.

10. uers. om. Ⅼ47 | εγινωσκεν ℵᶜBCNXΓΔΣΨⅬ (exc. K) 118. 209. 22. 124. 28. 33. 157. 579. 892. 1071 al. pler. : εγνωκει ℵ*; επεγινωσκεν AKYΠ 42. 54. 229. 482, item = sciebat VSS ; ηδει DWΘ 1. fam.¹³ (exc. 124) 543. 700 ; ηδε sic 565 ; = +Pilatus Sy.ˢ· ᵖᵉˢʰ· | οτι : om. 245 | παραδεδωκεισαν (∽κεσαν 692) ℵBCKMUΓΠΨΩ (∽δοκεισαν) 22. 28. 33. 892. 1071 al. pler. : παρεδεδωκεισαν 118. 209. 3. 72. 78. 237. 482. 485 ; παρεδωκεισαν (∽δο κεισαν EN) AEGNVXΔΣ 9. 253. 258. 475. 579. Ⅼ184 ; παραδεδωκασιν 157. 476 ; παρεδωδεσαν sic 71 ; παρεδωκαν DHSWΘ 1. fam.¹³ 543. 435. 472. 517. 565. 700. Ⅼ47, cf. tradiderunt a c vg. (1 MS), tradiderant ff, tradebant k, tradidissent d l r¹ aur. vg., tradissent sic r² | οι αρχιερεις : om. B 1. 579. Ⅼ13. Ⅼ47 Sy.ˢ· Cop.ᵇᵒ·

11. οι δε αρχιερεις : ουτοι δε 118. 209 Geo. ; οιτινες και Θ 565. 700 Arm. ; sacerdotes autem et scribae k, scribae autem aur. ; om. Ⅼ17 | ανεσεισαν, item concitauerunt l r² vg., similiter Sy.ᵖᵉˢʰ· ʰˡ· Cop. ᵇᵒ· Geo. Aeth. Aug. : ανεπεισαν Γ 3. 9. 12. 57. 70. 73. 131. 235. 238. 248. 475. 478**. Ⅼ18. Ⅼ48 ; επεισαν D 565, cf. persuaserunt c ff k aur., suaserunt a d r¹, similiter Sy.ˢ· Cop.ˢᵃ· Arm. | τον οχλον (τω οχλω D*, turbae ff, populo k ; turbas d, turbis c) : om. 61 ; pon. ante ανεσεισαν 700 ; pon. ante επεισαν 565 | pro ανεσεισαν τον οχλον cf. τον οχλον εποιησαν Θ | μαλλον : om. Θ 565 | τον sec. : om. D | βαραβ βαν (βαρραββαν Θ ; βαραβαν 69. 71*. 122*. 247. 692) : βαρναβαν W | απολυση : απολυσει (απολυσι 472) HΞΓ 13. 124. 543. 28. 59*. (472). 474. 483. 484. 579 | αυτοις : cf. nobis k | cf. pro απολυση αυτοις, dicerent ff

12. δε: om. Sy.ˢ· Cop.ᵇᵒ· ⁽²ᴹˢˢ⁾ Arm. | πειλατος uel πιλατος uid. uers. 1 | παλιν αποκριθεις ℵBCΨ 33. 115. 258. 259. 300. 579. 892. 1071. 1342, item iterum respondens l r¹·² vg. (pler.) Aug., iterum respondit c : >αποκριθεις παλιν ANXYΔΠΣⅬ fam.¹ 22. fam.¹³ (exc. 13) 543. 28. 157 al. pler. aur. ; om. παλιν DWΓ 13. 27. 34. 39. 40. 53. 57. 474. 478. 485.

9. Aug. ᶜᵒⁿˢ· pilatus autem respondit eis et dixit etc.
12. Aug. ᶜᵒⁿˢ· pilatus autem iterum respondens ait illis quid ergo uultis faciam regi iudaeorum.

ἔλεγεν αὐτοῖς Τί οὖν ποιήσω ὃν λέγετε τὸν βασιλέα τῶν Ἰουδαίων; ¹³ οἱ δὲ πάλιν
ἔκραξαν Σταύρωσον αὐτόν. ¹⁴ ὁ δὲ Πειλᾶτος ἔλεγεν αὐτοῖς Τί γὰρ ἐποίησεν κακόν;
(σϛ/α) οἱ δὲ περισσῶς ἔκραξαν Σταύρωσον αὐτόν. ¹⁵ ὁ δὲ Πειλᾶτος βουλόμενος τῷ ὄχλῳ τὸ
ἱκανὸν ποιῆσαι ἀπέλυσεν αὐτοῖς τὸν Βαραββᾶν, καὶ παρέδωκεν τὸν Ἰησοῦν φραγελλώσας
(σζ/δ) ἵνα σταυρωθῇ. ¹⁶ Οἱ δὲ στρατιῶται ἀπήγαγον αὐτὸν ἔσω τῆς αὐλῆς, ὅ ἐστιν πραιτώ-

517 ff k vg. (2 MSS) Cop.ᵇᵒ·; παλιν απεκριθη Θ 565.
700 c Geo.; = om. Sy.ᵖᵉˢʰ· | ελεγεν αυτοις אBC 115.
1342 Sy.ʰˡ·: ειπεν αυτοις ADNWXVΔΠΣΨ⸆ fam.¹
22. fam.¹³ 543. 28. 33. 157. 579. 892. 1071 al. pler.,
item dixit illis k, cf. ait illis a d l r¹·² vg. Aug.; om.
ελεγεν 565. 700; αυτοις λεγει Γ; cf. eis dicens c
| τι ουν: = et quid Geo.; nil nisi quid g² Cop.ᵇᵒ·
(5 MSS) | ποιησω tant. אBCWΔΨ 1. 13. 69. 543.
33. 40. 892. 1342 Cop.ˢᵃ· ᵇᵒ· Geo.: θελετε (+ ινα
517. l15, item vg. 5 MSS) ποιησω ADNXYΓΘΠΣ⸆
118. 209. 22. 124. 346. 28. 33. 157. 579. 892.
1071 al. pler. it. vg. (pler.) Sy.ˢ·ᵖᵉˢʰ·ʰˡ· Aeth. Arm.
| ον (om. B) λεγετε א(B)CNXYΓΔΠΣΨ⸆ 22. 124.
346. 28. 33. 157. 579. 892. 1071 al. pler. Sy.ᵖᵉˢʰ·ʰˡ·
Cop.ᵇᵒ·Aeth.: om. ADWΘ fam.¹ 13. 69. 543. 474.
565. 700. l13 it. vg. Sy.ˢ· Cop.ˢᵃ· Geo. Arm. | τον
βασιλεα אABCWΔΘ fam.¹ fam.¹³ (exc. 124) 543.
61. 229**. 472. 474. 565. 700. 892. 1071. l13. l49.
l251. l260; om. τον NXYΠΣ⸆ 22. 124. 28. 33.
157. 579 al. pler., similiter regem a d g¹ l r² ; τω
(om. D*) βασιλει D, cf. regi c ff k aur. vg. Aug.

13. οι δε: = et illi Sy.ˢ· Aeth. Arm. | παλιν:
om. a c ff aur. Cop.ᵇᵒ· (3 MSS) ; pon. post εκραξαν D
| εκραξαν (pon. post σταυρ. αυτον 90*): εκραζον G
1. fam.¹³ 543. 73. l15, item clamabant vg. (3 MSS)
Sy.ˢ·ʰˡ· Geo. Arm.; ανεκραξαν 40; εκραυγαζον 472.
565. 1071; εκραυγασαν 700; idque sine add. אBC
EHNPUVXΓΔΘΣΨΩ fam.¹ 22. 28. 33. 157. 579.
892. 1071 al. pler. k l r² vg. Sy.ˢ· ᵖᵉˢʰ· ʰˡ· txt· Cop.ᵇᵒ·
Geo. Aug.; +λεγοντες ADKMYΠ 15. 248. 252**.
253. 473. 482. 559. 565. 700. l48. l49 al. pauc. a c
ff r¹ aur. vg. (2 MSS) Cop.ˢᵃ· Aeth.; +ανασειομενοι
υπο των αρχιερεων και ελεγον G fam.¹³ 543. 472 Sy.
ʰˡ·ᵐᵍ· Arm. (sed = om. και ελεγον) | σταυρωσον
σταυρωσον 28. 47. 64. 235 | αυτον: om. 700.

14. uers. om. (per homoeot.) 157 g¹* vg. (1 MS)
Cop.ˢᵃ· (1 MS) ᵇᵒ· (1 MS) | πειλατος uel πιλατος uid.
uers. 1 | ελεγεν (praem. παλιν 1342): λεγει N 330.
565 Arm.; dixit a k Sy.ˢ·ᵖᵉˢʰ· Cop.ˢᵃ· Geo. | αυτοις:
om. א* (suppl. אᶜ) Ψ | γαρ: = om. N Geo. Arm.
| εποιησεν κακον BCΔΘΨ 517. 565. 569. 575. 892.
1342. l49: > κακον εποιησεν אADNPXYΠΣ⸆
fam.¹ 22. fam.¹³ 543. 28. 33. 579. 700. 1071 al.
pler. | περισσως (∼σος 472) אABCDGHKMYΔ

ΘΠ*Ψ fam.¹ fam.¹³ (exc. 124) 543. 33. 108. 248.
253. 473. 482. 559. 565. 579. 697. 700. 1071. 1342
al. mu., item magis it. (exc. a) vg.: περισσοτερως
(∼σοτερον 476. 485; ∼σωτερως l184; ∼σοτερος
l183) ENPSUVXΓΠᵐᵍ·ΣΩ 22. 124. 28. 1071 al.
pler., item tantomagis a | εκραξαν אBCEHNSUV
XΓΔΘΠ²ΣΨΩ 22. 124. 28. 33. 579. 700. 892 al.
pler. vg. (1 MS) Sy.ʰˡ· Cop.ˢᵃ·: εκραζον ADGKMP
YΠ* fam.¹ fam.¹³ (exc. 124) 543. 11. 108. 248. 300.
472. 482. 1342 al. pauc. it. vg. (pler.) Sy.ˢ· ᵖᵉˢʰ·
Cop.ᵇᵒ· Geo. Arm. Aeth.; εκραζον 565. 1071;
et + λεγοντες א 565, cf. = + et dicebant Geo.,
+ dicens sic c | σταυρωσον σταυρωσον 1071. l48
| om. οι δε περισσως usque ad αυτον 517.

15. ο δε: tunc c | πειλατος (uel πιλατος uid.
uers. 1): + ελεγεν αυτοις 69² (recenti manu) | βου-
λομενος τω οχλω (λαω 1278) το ικανον ποιησαι
(ποιειν B 1071) A(B)NPXYΓΔΠΣΨ⸆ Minusc. pler.
c l r² aur. vg. Sy.ʰˡ· Aug.: > βουλ. ποιησαι το
ικανον τω οχλω אCΘ 1342 Sy.ˢ·ᵖᵉˢʰ· (= populis pro το
οχλω) Cop.ˢᵃ·ᵇᵒ· Geo. Arm. Aug., similiter βουλ. το ικανον
ποιησαι τω οχλω 484; om. D ff k | τον βαραββαν
(βαρραββαν Θ; βαραβαν 247): om. 244 | και παρεδω-
κεν (παρεδωκε δε B; + αυτοις F 54. 282 c vg. 2 MSS
Sy.ˢ·ᵖᵉˢʰ·ʰˡ· Geo.) τον Ιησουν φραγελλωσας (φραγε-
λωσας UXΓ 59. 237. 251. 349. 472. 474 al. pauc.;
φραγελλ. Ω) Uncs. pler. Minusc. pler., similiter
c ff l r¹·² aur. vg. Sy.ˢ· ᵖᵉˢʰ· ʰˡ· Cop.ᵇᵒ· Aug.: τον δε
(om. k) Ιησουν φραγελλωσας (φλαγ. D*) παρεδωκεν D
565 k, similiter και τον Ιησουν φραγελλωσας παρεδωκεν
700 Cop.ˢᵃ· Geo. Aeth. Arm.

16. οι δε: = et Sy.ˢ· Aeth. Arm. | απηγαγον:
απηνεγκαν l260 | αυτον: τον Ιησουν C³ 213. 1093.
l63. l183 semel c (acceptum iesum) vg. (gat.) Cop.ᵇᵒ·
(1 MS); om. 330. l251 | εσω (εως 91. 157. 299. l15.
l32 semel l251 semel) της αυλης (+ του Καιαφα 237.
482) אABC*NXYΓΠΣΨ⸆ 124. 28. 33. (157). 579
al. pler., similiter Sy.ˢ· ᵖᵉˢʰ· ʰˡ· ʰˡᵉʳ· Aeth.: εσω εις
την αυλην (+ του Καιαφα Θ) DP(Θ) fam.¹ 22. fam.¹³
(exc. 124) 543. 59. 506. 565. 697. 700. 1278, item
intro (intus d) in atrium d vg. (plur. sed non WW)
Geo. Arm. Aug.; εις την αυλην (+ του Καιαφα M 10.
237. l63. l67. l183 semel l184 al. lectionaria) C³M
(10). (237). 251. l31. l47 al. lectionaria mu., item in

---

13. Aug. ᶜᵒⁿˢ· at illi iterum clamauerunt crucifige eum.

14. Aug. ib. pilatus uero dicebat eis quid enim mali fecit at illi magis clamabant crucifige eum.

15. Aug. ib. pilatus autem . . . uolens populo satisfacere dimisit illis barabban et tradidit iesum
flagellis caesum ut crucifigeretur.

16. Aug. ib. milites autem duxerunt eum intro in atrium praetorii et conuocant totam cohortem.

ριον, καὶ συνκαλοῦσιν ὅλην τὴν σπεῖραν. ¹⁷ καὶ ἐνδιδύσκουσιν αὐτὸν πορφύραν καὶ
περιτιθέασιν αὐτῷ πλέξαντες ἀκάνθινον στέφανον· ¹⁸ καὶ ἤρξαντο ἀσπάζεσθαι αὐτόν
Χαῖρε, βασιλεῦ τῶν Ἰουδαίων· ¹⁹ καὶ ἔτυπτον αὐτοῦ τὴν κεφαλὴν καλάμῳ καὶ ἐνέπτυον
αὐτῷ, καὶ τιθέντες τὰ γόνατα προσεκύνουν αὐτῷ. ²⁰ καὶ ὅτε ἐνέπαιξαν αὐτῷ, ἐξέδυσαν (ση/϶)
αὐτὸν τὴν πορφύραν καὶ ἐνέδυσαν αὐτὸν τὰ ἱμάτια αὐτοῦ. Καὶ ἐξάγουσιν αὐτὸν ἵνα

atrium c ff r¹·² vg. (pler.) Cop.ˢᵃ·ᵇᵒ·; in atrio l; εξω
της αυλης Δ (item δ) 892. 1071; om. k | ο εστιν
πραιτωριον (το πραιτωρ. U 127): praetorii c ff l r¹·²
vg. Aug.; in praetorium k; nil nisi praetorium g²
| συνκαλουσιν ℵABCNPΔΘΣΨ 579 uel συγκαλουσιν
ΧΥΓΠϷ Minusc. pler., item conuocant l r² vg. Sy.
ʰˡ· Arm. Aug.: καλουσιν D, similiter Sy.ʰⁱᵉʳ·; συγ-
καλουμενοι l253; conuocauerunt c d (ff) aur., simi-
liter Sy.ˢ·ᵖᵉˢʰ· Cop.ᵇᵒ· Aeth.; συναγουσιν l13. l19
Cop.ˢᵃ·ᵇᵒ· (aliq.) Geo. | om. ολην 106 c | ολην την
σπειραν: = omnia illa semina Geo.

17. και: om. Cop.ˢᵃ· | ενδιδυσκουσιν (ενδυδι-
σκουσιν sic D) ℵBCDFΔΘΨ fam.¹ fam.¹³ (exc. 124)
543. 218. 220. 892. 1342: ενδυουσιν ΑΝΡΧΥΓΠΣϷ
(exc. F) 22. 124. 28. 33. 157. 565. 579. 700. 1071
al. pler., item induunt l vg. Sy.ʰˡ· Aug.; induerunt
d aur. Sy.ˢ·ᵖᵉˢʰ· Cop.ˢᵃ·ᵇᵒ· Geo., similiter uestierunt
c ff k; περιτιθεασιν 517 | αυτον: αυτω 11. 15. 259.
472. 517. l16. l49 | πορφυραν (την πορφ. 506) tant.
Uncs. pler. fam.¹ 22. 28. 33. 157. 579. 892 al. pler.
it. vg. Sy.ˢ·ᵖᵉˢʰ· Geo. Aeth.: χλαμυδα κοκκινην
(21). 61. 262, similiter Cop.ˢᵃ·ᵇᵒ·; χλαμυδα κοκκινην
και πορφυραν Θ fam.¹³ 543. 330. 565. 700. 1071. l251
semel, similiter Sy.ʰⁱᵉʳ· Arm. | περιτιθεασιν (περι-
τεθεασιν sic 475; περιτιθησιν 579; περιτιθουσιν
fam.¹³ 543): επιτιθεασιν D, item imponunt (uel inp.)
l vg. Aug., superponunt k; cf. imposuerunt (uel
inp.) c d ff | αυτω: αυτον 131. 244. 349 | πλε-
ξαντες: om. D, cf. ornantes k, factam c d ff | ακαν-
θινον στεφανον Uncs. pler. Minusc. pler., item
spineam coronam c ff l vg. Aug.: > στεφανον ακαν-
θινον 244. l184; στεφανον εξ ακανθων Θ 1. 872. 1342.
1542. l49, item coronam ex (de d) spinis d k.

18. ηρξαντο ασπαζεσθαι αυτον (> ηρξ. αυτον
ασπαζ. ΔΨ 892; salutabant eum c ff k aur.) sine add.
ABC*DPΧΥΓΔΘΠΨϷ (exc. MU) 1. 22. fam.¹³ (exc.
346) 543. 28. 565. 700. 892. 1071 ff k l aur. vg.
(pler.) Sy.ˢ·ᵖᵉˢʰ·ʰˡ· Cop.ˢᵃ·ᵇᵒ·: + και λεγειν ℵC²N
UΣ 118. 209. 346. 11. 33. 108. 127. 479. 480. 483.
484. 579. 697. 1278 al. Geo. Arm.; + λεγοντες M
74**. 91. 157. 282. 299. 485**. l67, item + dicentes
c aur. vg. (1 MS) Sy.ʰⁱᵉʳ· (= et dicentes) Aeth.
| βασιλευ ℵBDMPSVXΘΨ fam.¹ 22. 28. 565. 700
al. plur.: ο (om. 2) βασιλευς AC² (C* latet) EFGH
ΚΝUΥΓΔΠΣΩ fam.¹³ 543. 33. 71. 108. 127. 131.

157. 229. 300. 435. 517. 579. 692. 697. 892. 1071.
1278 al. plur. | των: αυτων 69*.

19. ετυπτον: = percusserunt Cop.ˢᵃ·ᵇᵒ· | αυτου
την κεφαλην (> την κεφ. αυτου CΣ 74. 127. 241.
473. 482. 892 al. pauc. l aur. vg.) καλαμω Uncs.
pler. Minusc. pler. l aur. vg. Cop.ᵇᵒ· (Arm.)
Aug.: αυτον καλαμω εις την κεφαλην D 565, item
eum (illum c ff) harundine (de harund. c ff) in
caput c ff k Cop.ˢᵃ· (Aeth.), similiter = eum super
caput eius (om. Geo.) arundine Sy.ˢ·ᵖᵉˢʰ·ʰˡ· Geo.
| και ενεπτυον (ενεπτυον M² l50.) αυτω (αυτον M²l50.
l183 semel, item eum d l vg.) Aug.; = in faciem eius
Sy.ˢ·ᵖᵉˢʰ· Cop.ᵇᵒ·): om. U k | και τιθεντες τα
γονατα προσεκυνουν αυτω (αυτον 472. 579, item
eum it. vg. Aug.): om. D 71*. 253. 692. l32 k.

20. και οτε: = cum autem Cop.ˢᵃ·; om. και 69
| ενεπαιξαν (ενεπεξαν ΑCMNΧΔΘ 59. l183; ενεπαι-
ξον sic l54) αυτω (αυτον 157. 569. l184. l253): om.
D; = desierunt illudere ei Cop.ˢᵃ· Geo.¹ | εξεδυσαν:
επεδυσαν 73 | αυτον pr.: αυτω 59. 565. om. l47
| την πορφυραν (= + eius Sy.ˢ·) tant. Uncs. pler.
118. 209. 28. 33. 157. 579. 892 al. pler. it. vg.
Sy.ˢ·ᵖᵉˢʰ·ʰˡ· Geo. Aeth., similiter = purpuram
stolam Cop.ˢᵃ·ᵇᵒ·: την χλαμυδα (pro την πορφυραν)
1. 22. 59. 61. 251. 697; την χλαμυδα και την πορφυραν
Θ fam.¹³ 543. 12. 330. 565. 700. 1071, item Sy.ʰⁱᵉʳ·
Arm. | τα ιματια αυτου BCΔΨ 1342, item Sy.ᵖᵉˢʰ·
Cop.ˢᵃ·ᵇᵒ·: τα (om. 565) ιματια (+ αυτου 59) τα ιδια
ΑΝΡΧΥΓΠΣϷ fam.¹ 22. fam.¹³ 543. 28. 33. 157.
(565). 579. 700. 1071 al. pler., item uestimentis
suis (uel uestimenta sua c ff k aur.) it. vg. Sy.ˢ·ʰˡ·
Geo.¹ (= uestem suam) Aug.; τα ιδια ιματια
(+ αυτου ℵ 472) (ℵ)Θ 115. 282. (472); τα ιματια D
| εξαγουσιν (εξαγωσιν 118), item educunt vg. (pler.)
Sy.ʰˡ· Aug.: αγουσιν A 240. 244, item ducunt l vg.
(1 MS); abduxerunt k, similiter = eduxerunt Sy.ˢ·
ᵖᵉˢʰ· Cop.ˢᵃ·ᵇᵒ· (pler.) Geo. Arm., duxerunt c d ff r¹
aur. Cop.ᵇᵒ· (1 MS) | αυτον tert.: + εξω Ψ | σταυ-
ρωσωσιν ℵBΧΥΓϷ Minusc. pler.: σταυρωσουσιν
ACDLNPΔΘΣ 69. 33. 122**. 245. 253. 569. l47
| ινα σταυρωσ. αυτον ABCLNPΧΥΓΔΘΠΣϷ 118.
209. 22. fam.¹³ 543. 33. 157. 565. 579. 892. 1071
al. pler., item c l r¹ vg.: om. αυτον ℵD 122**. 517.
700. l47 c ff; ινα σταυρωθη 28. 131; ωστε σταυρωσαι
(+ αυτον 72) 1. (72), cf. ad figendum k.

17. Aug.ᶜᵒⁿˢ· et induunt purpuram et imponunt ei plectentes spineam coronam.

19. Aug. ib. et percutiebant caput eius harundine et conspuebant eum et ponentes genua adorabant
eum.

20. Aug. ib. et postquam inluserunt ei exuerunt illum purpura et induerunt eum uestimentis suis et
educunt illum ut crucifigerent eum.

(σθ/α) σταυρώσωσιν αὐτόν. ²¹ καὶ ἀγγαρεύουσιν παράγοντά τινα Σίμωνα Κυρηναῖον ἐρχό-
μενον ἀπ᾽ ἀγροῦ, τὸν πατέρα Ἀλεξάνδρου καὶ Ῥούφου, ἵνα ἄρῃ τὸν σταυρὸν αὐτοῦ
(σι/α) ²² καὶ φέρουσιν αὐτὸν ἐπὶ τὸν Γολγοθᾶν τόπον, ὅ ἐστιν μεθερμηνευόμενος κρανίου τόπος.
(σια/δ) ²³ καὶ ἐδίδουν αὐτῷ ἐσμυρνισμένον οἶνον, ὃς δὲ οὐκ ἔλαβεν. ²⁴ καὶ σταυροῦσιν αὐτὸν
(σιβ/α) καὶ διαμερίζονται τὰ ἱμάτια αὐτοῦ, βάλλοντες κλῆρον ἐπ᾽ αὐτὰ τίς τί ἄρῃ. ²⁵ ἦν δὲ
(σιγ/ι)

21. αγγαρευουσιν (αγγαρ. D; αγκαρ. 484): εγγα-
ρευουσιν ℵ*B*; cf. angariauerunt d ff l (r¹) aur. vg.
Aug., similiter Sy.ʰⁱᵉʳ· Geo.; adpraehendunt k,
apprehenderunt c; = adegerunt Sy.ˢ· ᵖᵉˢʰ· Cop.ˢᵃ·
ᵇᵒ· | παραγοντα τινα (> τινα παραγ. 238 Sy.ᵖᵉˢʰ· ʰˡ·)
σιμωνα κυρηναιον (κηρυν. A* 66. 692; κυριν. FG
fam.¹³ 543. 28. 565 al. pauc.) Uncs. pler. 118. 22.
fam.¹³ 543. 28. 33. 157. 700. 892. 1071 al. pler.,
item praetereuntem quempiam (quendam vg. al.)
Simonem cyreneum l vg., similiter Sy.ᵖᵉˢʰ· ʰˡ· Cop.
ˢᵃ· ᵇᵒ· Geo. (Aug.): om. παραγοντα Nℤ 1342 Sy.ˢ·;
τον σιμωνα παραγοντα τον κυρηνεον D; σιμωνα τον
κυριναιον παραγοντα 565, item symonem cyrineum
transeuntem ff Arm.; παραγ. σιμωνα τινα κυρηναιον
(κηρυνεων sic 579) fam.¹ (exc. 118) 579; cf. trans-
euntem quendam Cyrineum cui fuit nomen Simon
k; quemdam Cyrenaeum transeuntem cui nomen
erat Simon c | απ ℵABCLPΥΓΔΠΨ 0153 ♭ Minusc.
pler.: απο DNΧΘΣ fam.¹ 13 | αγρου: ακρου sic A
| ρουφου (ρουφι 0153): του ρουφου 47; om. ff
| ινα αρη (αρει H l183. l184) τον (om. 0153ᵘⁱᵈ)
σταυρον αυτου, item ff (l) r¹ vg.: om. M* l253;
cf. fecerunt illum portare crucem eius c, et faciunt
eum crucem baiulare (cruce ambulare?) kᵘⁱᵈ· (sed
MS mutil.).

22. φερουσιν Uncs. pler. Minusc. pler., item
ferunt k Arm.: αγουσιν D fam.¹³ (exc. 124) 543.
565, cf. perducunt l vg., adducunt ff Sy.ʰˡ·; cf. per-
duxerunt d, duxerunt c, similiter = adduxerunt Sy.
ˢ· ᵖᵉˢʰ· Cop.ˢᵃ· ᵇᵒ· Geo.² (= eduxerunt), = accepe-
runt Geo.¹ | αυτον: αυτω 435 | επι: εις fam.¹³
543 | τον ℵBC²FLNΔΘΣΨ fam.¹³ 543. 33. 127. 131.
142**. 245. 259. 472. 517. 565. 579. 892. 1071.
1342 al. pauc.: om. AC*DPΧΥΓΠ♭ (exc. F) fam.¹
22. 28. 157. 700 al. pler. | γολγοθαν (γοθαν sic L)
ℵB(L)ΝΥΓΔΘΣΨ♭ (exc. EH) 4. 5. 240. 244. 300.
473. 482. 559. 697. 700 al. mu., cf. culgotham k:
γολγοθα (~γωθα 579) ACDEHPΧΠ fam.¹ 22. fam.¹³
543. 28. 33. 157. 565. 579. 892. 1071 al. pler., simi-
liter it. (rell.) vg. VSS (rell.) | τοπον (pon. ante γολγ.
D): om. ℵ* c g¹ vg. (1 MS) | ο: οπερ ℵΘ; οσπερ
1342 | μεθερμηνευομενος ABNΣ 106. 892. 2145:
μεθερμηνευομενον ℵCDLPΧΥΓΔΘΠΨ♭ Minusc.
rell. | κρανιου τοπος: = cranium Sy.ˢ· ᵖᵉˢʰ·

23. εδιδουν (εδιδον E 118. 209*. 506. 579. l184;
εδιδων M*) Uncs. pler. Minusc. pler. it. (exc. c) vg.
Sy.ʰˡ· Geo.² Arm.: διδουσι (διδωσι Ψ) (Ψ) 565.
1071; dederunt c Sy.ˢ· ᵖᵉˢʰ· Cop.ˢᵃ· ᵇᵒ· Geo.¹ Aeth.
| αυτω sine add. ℵBC*LΔΨ 700. 1342 n Sy.ˢ· Cop.ᵇᵒ·
Geo.¹ Arm.: + πιειν (πειειν Χ; πειν D; ποιειν 346.
59. 330. l253) AC²DPΧΥΓΘΣΠ♭ Minusc. rell. it.
(exc. n) vg. Sy.ᵖᵉˢʰ· ʰˡ· ʰⁱᵉʳ· Cop.ˢᵃ· Geo.² Aeth.
Aug. | εσμυρνισμενον: εσλαψινισμενον 1071 | οινον
(= acetum Sy.ʰˡ·): om. 435 | ος δε ℵBΓ* ᵘⁱᵈ·Σ 33.
517. 579. 892*: ο δε ACLPΧΥΓ²ΔΘΠΨ♭ 22. fam.¹³
543. 28. 157. 565. 700. 892². 1071 al. pler. Sy.ᵖᵉˢʰ·
ʰˡ· ʰⁱᵉʳ· Cop.ˢᵃ· ᵇᵒ· Geo.²; και D fam.¹ it. vg. Sy.ˢ· Aug.;
praeterea add. γευσαμενος G fam.¹ | ελαβεν: ηθελεν
213. 1342.

24. και σταυρουσιν αυτον και (om. L) B(L)Ψ
892, item cf. et (= om. Cop.ˢᵃ·) crucifixerunt eum
(cruci eum fixerunt k) et c ff k Sy.ˢ· Cop.(ˢᵃ·) ᵇᵒ· Geo.,
similiter et cruci adfixerunt eum et (om. d) (d) r¹:
και σταυρωσαντες αυτον ℵACDPΧΥΓΔΘΠΣ♭ Minusc.
rell., item et crucifigentes (cum crucifixerunt n Sy.
ᵖᵉˢʰ·) eum l n aur. vg. Sy.ʰˡ· ᵐᵍ· (sed = et cum cruci-
fixissent eum Sy.ʰˡ· ᵗˣᵗ·) Aug.; και σταυρωσαντες δε
αυτον 1071 | διαμεριζονται Uncs. pler. fam.¹ 22.
28. 33. 108. 127. 157. 300. 349. 517. 565. 692. 892.
1278. 1342 al. mu.: διεμεριζοντο (διαμεριζοντο sic
Σ; ~ζωντω 13) Σ fam.¹³ 543. 72. 470. 472. 579. 700.
l183 semel al. pauc.; διεμεριζον l184 al. pauc., simi-
liter = diuidebant Sy.ʰˡ· Geo.²; διεμερισαν 1071,
item diuiserunt it. vg. Sy.ˢ· ᵖᵉˢʰ· ʰⁱᵉʳ· Cop.ˢᵃ· ᵇᵒ· Geo.¹;
διαμεριζοντες 11; διαμεριζομενοι 52; διεμερισαντο
238. 258. l13. l44. l253; διαμεριουνται 86. 569;
εκαθηντο διαμεριζοντες 473 | ιματια αυτου (εαυτου
ℵ*): = uestem eius Geo.; = + inter se Sy.ˢ· | βαλ-
λοντες (βαλοντες KLMVΘ 253. 300. 474. 517 al.
pauc.) κληρον (κληρους 13. 346. 543) επ αυτα: και
επι τον ιματισμον αυτου βαλλοντες κληρον 157; om.
επ αυτα ff k n; om. omnia haec uerba 349 | τις τι
(om. 50. 63. l21) αρη (αρει HΧΥ 517. l183. l184):
om. D 157. l185 semel ff k n Sy.ˢ·

25. δε: om. F l45 Cop.ᵇᵒ· (ᵃˡ·) | ωρα τριτη ℵB
C³DLPΧΥΓΔΠ²ΣΨ♭ (exc. K) Minusc. pler. it. vg.
Sy.ˢ· ᵖᵉˢʰ· ʰˡ· ᵗˣᵗ· Cop.ˢᵃ· ᵇᵒ· Geo., cf. Aug.: > τριτη
ωρα AC*KΠ* 229. 248. 253. 482; ωρα εκτη Θ 478**

---

21. Aug.ᶜᵒⁿˢ· et angariauerunt praetereuntem simonem cyreneum uenientem de uilla patrem alexandri
et rufi ut tolleret crucem eius.

23. Aug. ib. et dabant ei bibere murratum uinum et non accepit.

24. Aug. ib. et crucifigentes eum diuiserunt uestimenta eius mittentes sortem super eis quis quid
tolleret.

ὥρα τρίτη καὶ ἐσταύρωσαν αὐτόν. ²⁶ καὶ ἦν ἡ ἐπιγραφὴ τῆς αἰτίας αὐτοῦ ἐπιγεγραμ- (σιδ/α)
μένη Ὁ Βασιλεὺς τῶν Ἰουδαίων. ²⁷ Καὶ σὺν αὐτῷ σταυροῦσιν δύο λῃστάς, ἕνα ἐκ (σιε/α)
δεξιῶν καὶ ἕνα ἐξ εὐωνύμων αὐτοῦ. [28] ²⁹ καὶ οἱ παραπορευόμενοι ἐβλασφήμουν (σιζ/ϛ)
αὐτὸν κινοῦντες τὰς κεφαλὰς αὐτῶν καὶ λέγοντες Οὐὰ ὁ καταλύων τὸν ναὸν καὶ οἰκοδομῶν

Sy.ʰˡ· ᵐᵍ· Aeth., cf. Hier. Act. Pil. Catt. ᵐᵒˢq· ᵉᵗ ᵒˣᵒⁿ·
| και: οτε fam.¹³ 543. 544. 1071, item cum (quando
aur.) (aur.) vg. (1 MS*) Sy.ᵖᵉˢʰ· Aeth. ; = om.
Cop.ˢᵃ· | εσταυρωσαν αυτον: εφυλασσον αυτον (pro
εσταυρ. αυτ.) D ff k n r¹; = + et custodiebant eum
Cop.ˢᵃ·

26. και ην η (om. Δ 13): ην δε D* (η δε D²),
item k r¹ vg. (2 MSS) Cop.ˢᵃ· | επιγραφη της αιτιας
αυτου: αιτια της επιγραφης αυτου 50; = causa
mortis eius inscriptione Sy.ᵖᵉˢʰ·; = nil nisi accu-
satio eius Sy.ˢ· Cop.ˢᵃ· Arm. | επιγεγραμμενη
(∼νην sic 346), item inscriptus (uel inscrib.) l vg.,
inscripta n: γεγραμμενη Ψ 50. 63. 122. 242. 348.
1342. l44. l48. l184. l253. l260 al. pauc., item
scriptus (uel scrib.) g¹ aur., scribta ff; om. 40.
213. 476*. 477 c k | cf. nil nisi και ην γεγραμμενον
l183 pro και ην usque ad επιγεγ. | ο βασιλευς:
praem. ουτος εστιν D, item hic est d r¹ aur. Sy.ᵖᵉˢʰ·
Geo.², similiter = praem. hic Sy.ˢ· Geo.¹ | praem.
Χαιρε 76. 1108; praem. iesus c | Ιουδαιων: + ουτος
33. 1071.

27. συσταυρουσι αυτω (pro συν αυτω σταυρ.) 61
| συν αυτω: om. Δ Cop.ˢᵃ· | σταυρουσιν (σταυρουν-
ται D; συνσταυρουσιν Δ) Uncs. pler. Minusc. pler.,
item l vg. (pler.) Sy.ʰˡ·: εσταυρωσαν B 565. 1342
it. (exc. l) vg. (2 MSS) Sy.ᵖᵉˢʰ· ʰⁱᵉʳ· Cop.ˢᵃ· ᵇᵒ· Geo.;
= crucifixi sunt Sy.ˢ· ᵖᵉˢʰ· (1 MS*) | λῃστας: λῃσται
D* (sed postea corr. λῃστας) | εκ δεξιων: + eius g¹
Sy.ˢ· ᵖᵉˢʰ· Cop.ˢᵃ· ᵇᵒ· Geo.¹ Aeth. ; add. nomine
Zoathan c | ενα sec.: alium (pro unum) c ff l r¹
aur. vg. | αυτου Uncs. pler. Minusc. pler. l vg.
(pler.) Sy.ˢ· ᵖᵉˢʰ· ʰˡ· Cop.ˢᵃ· ᵇᵒ· (ᵖˡᵉʳ·): om. C³DΘ
fam.¹ 29. 67. 71. 80. 349. 565. 569. 692. l36 it. (exc.

l) vg. (1 MS) Sy.ʰⁱᵉʳ· Cop.ᵇᵒ· (2 MSS) ; add. nomine
Chammatha a ; cf. infra Act. Pil.

28. uers. om. ℵABCDXYᵗˣᵗ·Ψ 27. 71*. 127*.
157. 471. 474. 476. 478**. 692. l48. l184 al. mu.
codd. et lectionar., item k Sy.ˢ· Cop.ˢᵃ· ᵇᵒ· (ᵉᵈ·): hab. (σιϛ/η)
και (η sic Δ) επληρωθη η γραφη (φωνη Η) η λεγουσα
(+ το V 76) και (om. 71ᵐᵍ·) μετα ανομων ελογισθη
(ελογισθης sic 579) LPYᵐᵍ·ΓΔΘΠΣ 0112 b fam.¹ 22.
fam.¹³ 543. 28. 33. 565. 579. 700. 892. 1071 al.
pler. it. (exc. d k) vg. Sy.ᵖᵉˢʰ· ʰˡ· ʰⁱᵉʳ· Cop.ᵇᵒ· (ᵃˡⁱq·)
Geo. Aeth. Arm., cf. Or. Eus.ᶜᵃⁿᵒⁿ· incert.

29. οι παραπορευομενοι: οι παραγοντες D 565
Eus., item praetereuntes it. (exc. n) vg., cf. qui
transiebant n; = om. Sy.ˢ· | κινουντες: et mouentes
k | om. κινουντες τας κεφ. αυτων l54 | αυτων:
om. D 346. 59 k n; pon. ante τας κεφ. 543 | και
(= om. Cop.ˢᵃ·) λεγοντες (λεγοντας sic 059. 0192):
= et dicebant Geo.; nil nisi dicebant k | ουα (ουαι
Ω 56. 58. 960 al. pauc.): om. ℵᶜL*ΔΨ 59. 517.
892*. l50 d k (hab. hic est) Cop.ᵇᵒ· | τον ναον:
+ του θεου 247 vg. (1 MS) | οικοδομων hoc loco BD
LΨ 059. 0112. 0192. 565 it. (exc. l) Sy.ˢ· ᵖᵉˢʰ· Cop.
ˢᵃ· ᵇᵒ·: pon. post ημεραις ℵACPXΓΔΘΠΣb Minusc.
rell. l Sy.ʰˡ· Geo. Aeth. Arm. Eus. | pro οικοδομων
hab. aedificat (aedificas n) d k l (n) vg. (pler.), hab.
reaedificas c aur. vg. (pauc.) | add. αυτον post
οικοδομων Cop.ˢᵃ· ᵇᵒ· Eus. : + εν ℵBCLXΓΔΠΣΨ 059.
0112. 0192 b Minusc. pler. d ff l n aur. vg. Sy.ʰˡ·
Cop.ˢᵃ· ᵇᵒ· (ᵃˡⁱq·) Sy.ʰˡ· Eus.: om. ADPVYΘ 27. 28.
44. 57. 122. 471. 478. 481. 565. l48 c k Cop.ᵇᵒ· (ᵃˡⁱq·)
Geo. | τρισιν ημεραις: cf. triduo k n, item = tertio
die Geo.

25. Hier. ᵇʳᵉᵘ· ᴾˢᵃˡ· ⁷⁷· Rursum scriptum est in Marco quia hora tertia crucifixus est—Error scriptorum
fuit; et in Marco hora sexta scriptum fuit, sed multi episemum Graecum ϛ putauerunt esse Γ.
Act. Pil. ᴮ· ˣ· και ελαβον τα ιματια αυτου . . . και ανεβιβασαν αυτον και εκαρφωσαν εν τω σταυρω ωρα εκτη
της ημερας.
Cat. ᵐᵒˢq· ²· ¹⁰⁵· τινες δε φασιν, οτι ο μαρκος μεν της του λαου αποφασεως επιμνησθεις, ειπε τριτην ωραν αυτον
εσταυρωσθαι υπο του λαου. τριτη γαρ ωρα ην, οτε αυτον ο ιουδαιων λαος κατεκρινε σταυρωθηναι. οι δε λοιποι
της εκτης εμνησθησαν ωρας, εν η την υπο πιλατον αποφασιν λαβων, σταυρωσαι παρα των στρατιωτων.
Cat. ᵒˣᵒⁿ· ᵖ· ⁴³⁸· uerba similia Cat. ᵐᵒˢq· et add. ω και συμφωνως οι λοιποι των Ευαγγελιστων εφασαν.
Aug. ᶜᵒⁿˢ· ᵇⁱˢ· erat autem hora tertia et crucifixerunt eum sed cf. explic. seq. Edit. Uindob. Uol. 43
pp. 323-327.
27. Act. Pil. ᴬ· ⁱˣ· και Δυσμας και Γεστας οι δυο κακουργοι συσταυρωθητωσαν σοι.
ib. B. x. ωσαυτως και ο εν τω αριστερω . . . ονομα αυτω Γιστας ο δε εκ δεξιων εσταυρωμενος ονοματι
Δυσμας.
28. Or. ᶜᵉˡˢ· ᴵᴵ· ⁴⁴· δευτερον δε και ταυτα λεγομεν εν τοις ευαγγελιοις προειρησθαι πως, επει μετα ανομων
ελογισθη ο θεος παρα τοις ανομοις λῃστων μαλλον τον δια στασιν και φονον βληθεντα εις φυλακην βουλομενοις
απολυθηναι τον δ Ιησουν σταυρωσαι και σταυρωσασιν αυτον μεταξυ λῃστων δυο.
29. Eus. ᵈᵉᵐ· ˣ· και οι παραγοντες εβλασφημουν αυτον κινουντες τας κεφαλας αυτων και λεγοντες· ουα ο
καταλυων τον ναον και εν τρισιν ημεραις οικοδομων αυτον.

(σιη/β) ἐν τρισὶν ἡμέραις, ³⁰ σῶσον σεαυτὸν καταβὰς ἀπὸ τοῦ σταυροῦ. ³¹ ὁμοίως καὶ οἱ ἀρχιερεῖς ἐμπαίζοντες πρὸς ἀλλήλους μετὰ τῶν γραμματέων ἔλεγον Ἄλλους ἔσωσεν, ἑαυτὸν οὐ δύναται σῶσαι· ³² ὁ Χριστὸς ὁ βασιλεὺς Ἰσραὴλ καταβάτω νῦν ἀπὸ τοῦ (σιθ/β) σταυροῦ, ἵνα ἴδωμεν καὶ πιστεύσωμεν. καὶ οἱ συνεσταυρωμένοι σὺν αὐτῷ ὠνείδιζον (σκ/β) αὐτόν. ³³ Καὶ γενομένης ὥρας ἕκτης σκότος ἐγένετο ἐφ᾽ ὅλην τὴν γῆν ἕως ὥρας (σκα/ϛ) ἐνάτης. ³⁴ καὶ τῇ ἐνάτῃ ὥρᾳ ἐβόησεν ὁ Ἰησοῦς φωνῇ μεγάλῃ Ἐλωΐ ἐλωΐ λαμὰ

---

30. καταβας אBDLΔΘΨ 059. 0112. 0192. 1342 k l n aur. vg. Cop.ᵇᵒ·: και καταβα (καταβηθι P fam.¹ 90. 240. 483*. 484. 517. 569. 579. 1071 al. pauc. Eus.) ACPXΥΓΠΣϦ fam.¹ 22. fam.¹³ 543. 28. 33. 157. 565. 700. 892. 1071 al. pler. c d ff Sy.ˢ·ᵖᵉˢʰ·ʰˡ· Geo. Aeth. Arm. Eus. | tot. uers.: = ˃ descende de cruce et salua teipsum Cop.ˢᵃ·

31. ομοιως και אABC*LPXΥΓΔΘΠΨ 059. 0112. 0192 Ϧ (exc. M²Ω) fam.¹ fam.¹³ 543. 11. 28. 71. 131. 157. 435. 517. 565. 579. 692. 700. 892. 1278. 1342 al. plur. l aur. vg. Sy.ᵖᵉˢʰ· ⁽¹ ᴹˢ⁾ ʰˡ· Cop.ᵇᵒ· Arm. Eus.: ομοιως δε και C³M²ΣΩ 22. 33. 330. 575. 1071 al. plur. ; = et rursus quoque Sy.ˢ· ; = et sic quoque Sy.ᵖᵉˢʰ· ⁽ᵖˡᵉʳ·⁾ Geo.² ; = sic quoque Geo.¹ ; = similiter autem Cop.ˢᵃ· ; και tant. D c ff k n ; οι δε (pro ομοιως και οι) 238 | εμπεζοντες sic l183. l184 | προς (εις DΘ 565. 1542 Eus.) αλληλων: μετ αλληλων 827 ; om. 13. 69. 543. 28. 435. 485. l36 ; om. et add. eum c k Cop.ˢᵃ· | μετα των γραμματεων: pon. post αρχιερεις k ; = et scribae Sy.ᵖᵉˢʰ· ; om. 1342 Cop.ᵇᵒ· ; cf. et scribae cum principibus sacerdotum (ante irridentes eum) c | ελεγον (λεγοντες l6, item dicentes k vg. 1 MS Cop.ˢᵃ·): +προς αλληλους Θ 565 Cop.ˢᵃ· | εαυτον: και εαυτον 157 | σωσαι: punct. cum interrog. σωσαι; 13*. 71. 157. 475. 478. 700. 892 al. pauc.

32. ο Χριστος ο (om. 13. 346. 122*) βασιλευς Ισραηλ: ει (om. 544) ο χριστος εστι (pon. post Ισραηλ 1071) ο βασιλευς Ισραηλ (uel του Ισρ. uid. infra) 61. 348. (544). (1071) 1216, similiter Cop.ᵇᵒ· ⁽ᵃˡⁱᑫ·⁾; ει βασιλευς Ισραηλ εστι l253 ; cf. si Christus es rex Israel c, si Christus rex Hisrael est vg. (1 MS) | Ισραηλ אBDKLΔΠΨ 0112. fam.¹ (exc. 118) fam.¹³ (exc. 124) 543. 72. 229*. 253. 481. 482. 892. 1342: του Ισραηλ ACPRXΥΓΘΣ 0192 ᵘⁱᵈ· Ϧ (exc. K) 118. 22. 124. 28. 33. 157. 565. 579. 700. 1071 al. pler. Cop.

sa. bo. Eus. ; των Ιουδαιων 66 | καταβατω (καταβητω sic 1342): καταβα L | νυν: om. L 569 Sy.ˢ· ; cf. καταβατω ουν (pro καταβατω νυν) sic 346 | ινα ιδωμεν: om. l253 c k | πιστευσωμεν (ˏσομεν 472) sine add. אABC*EKLM²SUV*XΥΔΠ*ΨΩ 059 ᵘⁱᵈ· 0112. 0192. 28. 33. 579. 892 al. mu. vg. (pler. et WW) Sy.ˢ· ʰˡ· ʰⁱᵉʳ· Cop.ᵇᵒ· Geo. Aeth. Arm. Eus. ; +εις αυτον 52. 67. 68. l49 semel ; +επ αυτω 90. 483. l184 ; +αυτον l26. l49 semel ; et credimus ei (illi k) c k | οι συνσταυρ. συν αυτω: illi qui cum eo fixi erant latrones k, similiter Cop.ˢᵃ· | συν αυτω אBLΘ 0112. 0192². 517. 579. 892: om. συν ACPXΥΓΔΠΣ 059 ᵘⁱᵈ· 0192* Ϧ fam.¹ 22. fam.¹³ 543. 28. 33. 157. 565. 700. 1071 al. pler. ; μετ αυτου Ψ ; om. D | ωνειδιζον: ονειδ. ΣΩ 13. 346. 28. 470. 472. 482. 692. al. pauc. | αυτον: αυτω 1. 44. 472 ; om. d ff

33. και γενομενης אBDGLMSΔΨΩ 0112. 1. fam.¹³ 543. 28. 29. 33. 44. 57. 122. 435. 892. 1071. 1342 it. vg. Sy.ˢ· ᵖᵉˢʰ· Cop.ᵇᵒ· Geo. Arm.: γενομενης δε ACEFHKRPUVXΥΓΘΠΣ 118. 209. 22. 157. 565. 579. 700 al. pler. Cop.ˢᵃ· Aeth. Eus. ; γενομεν. tant. 059 ᵘⁱᵈ· 0192 ᵘⁱᵈ·, item Sy.ʰˡ· | εκτης (ϛ D): εξα εκτης Δ (sexta super εξα δ) | εφ ολην την γην: εφ ολης της γης DΘ 18. 29. Eus. semel ; επι πασαν την γην l183 ; εν παση τη γη 238 ; om. Sy.ˢ· | ενατης Uncs. pler. 1. 22. fam.¹³ 543. 28. 33. 238. 565. 579. 700. 892. 1278 al. mu. Eus. : εννατης Γ 118. 209. 157. 1071 al. mu.

34. τη ενατη (εννατη 118. 209. 115. 517. 1071. 1342) ωρα אBDFLΘΨ 059. 0112. 0192. fam.¹ 22. fam.¹³ (exc. 124) 543. 115. 517. 579. 892. 1071. 1342 c Sy.ˢ· ᵖᵉˢʰ· Geo. Aeth. Arm. Eus. : τη ωρα τη ενατη (εννατη ΧΓ 157 Minusc. pler.) ACNRPXΥΓΔ ΠΣϦ (exc. F) 124. 28. 33. 157. 700 al. pler. it. (exc.

---

30. Eus. ᵈᵉᵐ· ˣ· σωσον σεαυτον και καταβηθι απο του σταυρου.

31. Eus. ib. ομοιως και οι αρχιερεις εμπαιζοντες εις αλληλους μετα των γραμματεων ελεγον· αλλους εσωσεν εαυτον ου δυναται σωσαι.

32. Eus. ib. ο Χριστος ο βασιλευς του Ισραηλ καταβατω νυν απο του σταυρου ινα ιδωμεν και πιστευσωμεν αυτω.

33. Eus. ib. ᵇⁱˢ· γενομενης δε ωρας εκτης σκοτος εγενετο εφ ολην την γην (εφ ολης της γης semel) εως ωρας ενατης.

34. Iren. ⁱⁿᵗ· ᴵ· ᵛⁱⁱⁱ· ²· Cum dicit in cruce: Deus meus Deus meus, ut quid me dereliquisti?
Epiph. ᵖᵃⁿ· ⁶⁹ ᵇⁱˢ· ηλι ηλι λημα σαβαχθανι τουτεστι θεε μου, θεε μου ινα τι με εγκατελιπες;
Epiph. ᵖᵃⁿ· ³¹· ο θεος μου εις τι εγκατελιπες με ;
Eus. ᵈᵉᵐ· ˣ· και τη ενατη ωρα εβοησεν Ιησους φωνη μεγαλη ελωειμ ελωειμ λεμα σαβαχθανι ο εστι μεθερμηνευομενον ο θεος ο θεος μου ινατι εγκατελιπες με ;

σαβαχθανεί; ὅ ἐστιν μεθερμηνευόμενον ὁ θεός μου ὁ θεός μου, εἰς τί ἐγκατέλιπές με;
³⁵ καί τινες τῶν παρεστηκότων ἀκούσαντες ἔλεγον Ἴδε Ἠλείαν φωνεῖ.   ³⁶ δραμὼν δέ (σκβ/β)
τις γεμίσας σπόγγον ὄξους περιθεὶς καλάμῳ ἐπότιζεν αὐτόν, λέγων Ἄφετε ἴδωμεν εἰ

c k) vg. Sy.ʰˡ·; εν τη ενατη 472; τη ενατη 258.
565; om. k | εβοησεν: ανεβοησεν MN 118. 209.
64. 487. 1342; εφωνησεν D, cf. exclamauit it. (exc.
d), clamauit d | ο Ιησους: om. DΘ 349 k Sy.ˢ·
Cop.ᵇᵒ·(aliq.) | φωνη μεγαλη (φωνην μεγαλην 472)
sine add. אBDLΘΨ 059. 0112. 0192. 56. 58. 474.
565. 700. 892 ff ı k n Sy.ˢ· Cop.ˢᵃ· ᵇᵒ·: + λεγων
ACNPRXYΓΔΠΣ⟩ fam.¹ 22. fam.¹³ 543. 28. 33. 157.
1071 al. pler. cl aur. vg. Sy.ʰˡ·; + και ειπεν 579
Sy.ᵖᵉˢʰ· Geo. | ελωι ελωι Uncs. pler. Minusc. pler.,
item heloi heloi l aur. vg. (pler. et WW), similiter
Sy.ˢ· ʰˡ· Cop.ˢᵃ· ᵇᵒ· Geo. Aeth. (= elohe elohe), cf.
ελωειμ ελωειμ Eus.: ηλει ηλει DΘ 059. 0192. 565,
item ηλι ηλι 131, item heli heli c ff (i) k n vg. (2
MSS), similiter Sy.ᵖᵉˢʰ· (= il il) Arm. (= eli eli)
Epiph. | λαμα BDNΘΣ 059. 0192. 1. 22. 565.
1295. 1582 (i) n vg. (pler. et WW) Geo.² Aeth.
Arm., cf. λαμμα 474. 1071 vg. (aliq.): λεμα אCL
ΔΨ 059. 72. 517. (892). 1342 c g² l Cop.ᵇᵒ·; λιμα
AKMPUXΓΠ 118. 209. fam.¹³ 543. 33. 106. 131.
300. 697. 700. 1270 al. mu. Sy.ʰˡ·; λειμα EFGHS
VYΩ 28. 71. 127. 299. 435. 544. 579. 692. l183 al.;
= elema Cop.ˢᵃ·; = elmana Geo.¹; = lamana
Sy.ˢ· ᵖᵉˢʰ· | σαβαχθανει (∼θανη 238. 247. 248.
259. 471**. 565. 579) אᶜCGHNΣ 059ᵘⁱᵈ· 1. 565.
579 al., cf. σαβαχθανι EKLMSUVYΓΔΘΠΨΩ 22.
28. 33. 700. 1071 al. pler., item c l (aur.) vg. (plur.
et WW) Sy.ˢ· ᵖᵉˢʰ· ʰˡ· Cop.ᵇᵒ· Geo. Aeth. Arm.:
σαβαχθαχθανι F; σαβαχνανι P; σιβακθανει A 9;
ζαβαφθανει B 0112ᵘᵗᵈ·; ζαφθανει D (zaphtani d);
σαβακθανει 472; σαβακτα 474; σαβακτανι 1342 | cf.
uerbis confusis λιμας αβαχθανι Γ; λεμασα βακχθανι
892; λιμας (λειμας 124. 157) αβαχθανι (uel∼η) 118.
209. fam.¹³ 543. 157. 475*. l184 | ο εστιν μεθερ. usque
ad με: = om. Sy.ˢ·; = om. μεθερμ. tant. 1342
Sy.ᵖᵉˢʰ·; om. μεθερμηνευομενον usque ad εις τι 517
| ο θεος μου ο θεος μου אCDHLMNSUVYΣΨΩ
22. 124. 28. 33. 157. 700. 892. 1071 al. pler. it.
(exc. i) vg. (pler.) Sy.ᵖᵉˢʰ· ʰˡ· Cop.ᵇᵒ· Geo. Aeth.
Arm. Iren.ⁱⁿᵗ·: om. μου pr. AEFGKPΓΔΘΠ
059. 0112. 0192. fam.¹ fam.¹³ (exc. 124) 543. 106.
235. 300. 330. 349. 697. 1278 al. mu., item i vg.
(2 MSS) Cop.ˢᵃ·; nil nisi ο θεος μου B Cop.ᵇᵒ·(1 MS)
Epiph. semel | εις τι: ινατι 237. 349. 713. 1424.
l4 Eus. | εγκατελιπες (ενκ. PΔΣ) אBCFHMNPS
UVYΓΔΘΠ²ΣΨΩ 059. 0192. fam.¹ 22. fam.¹³ (exc.
124) 543. 28. 157. 579. 700. 1071 al. pler.: εγκατε-
λειπες (ενκ. A) AEGLΠ* 0112. 330. 474. 475*. 565.
892; εγκατελειπας K 472; εγκατελιπας 33. 235;

κατελιπες 124 | με hoc loco אBLΨ 059. 0112. 0192.
124. 330. 517. 565. 697. 892, item vg. (plur. et WW)
Cop.ˢᵃ· ᵇᵒ· Geo. Arm. Eus. Epiph. semel: pon. ante
εγκατ. ACNPRXYΓΔΠΣ⟩ fam.¹ 22. fam.¹³ (exc.
124) 543. 28. 33. 157. 579. 700. 1071 al. pler. it.
(exc. c) aur. vg. (aliq.) Iren.ⁱⁿᵗ·; ωνιδισας με (pro
εγκατ. με) D, item exprobasti me c, cf. me in oppro-
brium dedisti i.

35. και τινες usque ad ακουσαντες: om. Δ; cf.
Eus. infra | παρεστηκοτων CLNPΓΠΣΨ 059ᵘⁱᵈ·
0112. 0192 ⟩ (exc. U) Minusc. pler.: παρεστωτων אD
UΘ 33. 68. 517. 565. 569. l18. l19. l49 al. pauc.; εστη-
κοτων B; εκει εστηκοτων A, similiter Cop.ˢᵃ· Aeth.
| ακουσαντες (+ αυτον l6): om. C 124. 258. 579 | ιδε
(ειδε 472. 1071) אBFLUΔΨ 1. fam.¹³ 543. 33. 78.
127. (472). 517. 579. 892. (1071): ιδου AEGHMN
PSVYΓΩ 118. 209. 22. 28. 157 al. plur., item
ecce il aur. vg. (pler. et WW) Sy.ʰˡ· Geo.; οτι
ιδου KYΠ 11. 76. 122**. 470. 473. 481. 482 Cop.ᵇᵒ·
(aliq.); οτι tant. C 72. 565. 1342. l13. l17 Sy.ˢ·;
om. DΘ 700 c ff k n Sy.ᵖᵉˢʰ· Cop.ˢᵃ· Aeth. Eus.
| ηλειαν אAB*Θ 579: ηλιαν (ηλιαν sic aspir. fam.¹
22. fam.¹³ 543. 28. 33. 157. 565. 700. 892 al.) B²C
DLNPRYΓΔΠΣΨ 0112 ⟩ Minusc. pler. | φωνει
(φωνη 13. 475*. l183): + ουτος D c ff vg. (3 MSS).

36. δραμων δε Uncs. pler. 118. 209. 22. 28. 33.
157. 579. 892. 1071 al. pler. l aur. vg. Sy.ᵖᵉˢʰ· ʰˡ·
Cop.ˢᵃ· ᵇᵒ· Aug.: και δραμων DΘ 1. 72. 565. 700 it.
(exc. l) vg. (1 MS) Sy.ˢ· Geo. Aeth. Arm. | pro
δραμων δε usque ad λεγων hab. και δραμοντες εγε-
μισαν (∼μησαν 13. 346) σπογγον (om. 346) οξους
και περιτιθεντες καλαμω εποτιζον αυτον λεγοντες
fam.¹³ 543, cf. = et concurrerunt et impleuerunt
spongiam aceto, et imposuerunt in arundine et
potarunt eum et dixerunt (dicebant Geo.²) Geo.
| τις אBLΔΨ 0112. 579. 892 Arm.: εις ACDNPY
ΓΘΠΣ⟩ fam.¹ 22. 28. 33. 157. 565. 700. 1071 al.
pler. it. vg. Sy.ˢ· ᵖᵉˢʰ· ʰˡ· Cop.ˢᵃ· ᵇᵒ· Aeth. Aug.;
εις εξ αυτων 74**, item unus ex eis vg. (1 MS)
| γεμισας tant. BLΨ, item c ff i g¹ vg. (1 MS) Sy.ˢ·
ʰˡ· Cop.ˢᵃ· ᵇᵒ· Arm.: και γεμισας (γεμησας 28. 474
al. pauc.) אACNPRYΓΔΠΣ 0112 ⟩ fam.¹ 22. 28. 33.
157. 565. 579. 700. 892. 1071 al. pler. k l n vg.
(pler.) Sy.ᵖᵉˢʰ· Geo. Aeth. Aug.; και πλησας DΘ
565. 700 | σπογγον (σπονγ. Δ): σφογγον D; om.
346 | om. οξους 124 | περιθεις (επιθεις D) sine
add. אBDLNΨ 0112. 33. 67. 237. 517. 565. 1071.
l13. l17 c in d vg. (1 MS) Cop.ˢᵃ· ᵇᵒ·: και περιθεις
Θ 1. 27. 38. 66. 435 ff k vg. (3 MSS) Sy.ˢ· ᵖᵉˢʰ· ʰˡ·

---

35. Eus. ᵈᵉᵐ· και τινες των ακουσαντων ελεγον Ηλιαν φωνει.

36. Aug. ᶜᵒⁿˢ· currens autem unus et implens spongeam aceto circumponensque calamo potum dabat
ei dicens sinite uideamus si ueniat helias ad deponendum eum.

(σκγ/α) ἔρχεται Ἠλείας καθελεῖν αὐτόν.   ³⁷ ὁ δὲ Ἰησοῦς ἀφεὶς φωνὴν μεγάλην ἐξέπνευσεν.
(σκδ/β) ³⁸ Καὶ τὸ καταπέτασμα τοῦ ναοῦ ἐσχίσθη εἰς δύο ἀπ' ἄνωθεν ἕως κάτω.   ³⁹ Ἰδὼν δὲ ὁ
(σκε/β) κεντυρίων ὁ παρεστηκὼς ἐξ ἐναντίας αὐτοῦ ὅτι οὕτως ἐξέπνευσεν εἶπεν Ἀληθῶς οὗτος
(σκϛ/ϛ) ὁ ἄνθρωπος υἱὸς θεοῦ ἦν.   ⁴⁰ ⁹Ἦσαν δὲ καὶ γυναῖκες ἀπὸ μακρόθεν θεωροῦσαι, ἐν αἷς
καὶ Μαριὰμ ἡ Μαγδαληνὴ καὶ Μαρία ἡ Ἰακώβου τοῦ μικροῦ καὶ Ἰωσῆτος μήτηρ καὶ

Geo. Aeth. Arm. ; περιθεις τε ΑΓΡΧΥΓΔΠΣ uid. ☧
(exc. V) 118. 209. 22. 28. 157. 579 al. pler., item
circumponensque l vg. (pler.) Aug. ; και περιθεις
τε V | om. περιθεις καλαμω d | καλαμω : τω
καλαμω 237. l13. l17 | εποτιζεν αυτον λεγων : om.
D | λεγων : om. 28 ; = et dicunt Sy.ˢ, = et dixe-
runt Sy.ᵖᵉˢʰ· | αφετε ABCLNPRΧΥΓΔΠΣΨ 0112 ☧
(exc. VΩ) 118. 209. 22. 33. 157. 892. 1071 al. pler.,
item sinite c l vg. Aug. ; αφες ℵDVΘΩ 1 fam.¹³ 543.
28 (praem. οι δε λοιποι) 59. 61. 258. 565. 579. 697.
700. l49 al. pauc., item sine i k n aur. ; si sic ff
| ιδωμεν (ιδομεν Γ ; ειδωμεν 565) : ημων 1342 | ηλειας
uel ηλιας uid. uers. 35 | καθελειν : σωσον και καθε-
λειν 69, cf. = saluare eum et deponere Cop.ˢᵃ·

37. ο δε Ιησους : = et iesus Sy.ˢ Aeth. Arm.
| αφεις (αφης 59) : om. 579 ; αφηκεν et add. και
ante εξεπν. 047, item k, similiter Sy.ᵖᵉˢʰ· Geo.
| >φωνην αφεις μεγαλην 474 | φωνην μεγαλην, item
c i ; φωνη μεγαλη 435 it. (exc. c i) vg. ; φωνη μεγαλην
sic 579 ; om. φωνην 892 ᵗˣᵗ· (sed add. mg.*).

38. και : και τοτε 1342, cf. et continuo k ; και ιδου
ΝΣ, item et ecce n vg. (1 MS) | εσχισθη : ερραγη
495* (cor. in mg. εσχισθη) | εις δυο, item in duo
l vg. (pler.) : om. 40. 259. 273 ; +μερη D, item in
duas partes c ff i k n aur. vg. (3 MSS), in duabus
partibus q | απ BDLWYΨ 0112 fam.¹³ (exc. 124)
543. 892. l48 : απο ℵACNΓΔΘΠΣ☧ Minusc. rell.
| ανωθεν : ανω 13 | κατω (κατωι sic 124) : κατωθεν
69*. 179.

39. δε : = om. Cop.ˢᵃ· Or.ⁱⁿᵗ· ; = et (ante uidens)
Arm. | ο pr. : om. 69* | κεντυριων (↷ριον 28. 349.
700 al. pauc.) : κεντηριων 69. 346 | ο παρεστηκως :
παρεστως W ; παρεστηκεν 0112 (uerba anteced.
desunt) | εξ εναντιας (om. εξ εναν. 1278*) αυτου
Uncs. pler. Minusc. pler. Sy.ʰˡ· Cop.ᵇᵒ· Geo. ;
αυτω W 1. 22. 59 Sy.ˢ· ᵖᵉˢʰ· Cop.ˢᵃ· Aeth. ; om. 72.
251 ; εκει DΘ 565 i n q Arm. Or. ⁱⁿᵗ· ; cf. contra
eum c ff ; contra k ; ex aduerso (et pon. ante
stabat) l aur. vg. Aug. | ουτως (ουτω Ω 69. 700
al. plur. ; ουτος K 157) sine add. ℵBL 892 Cop.ˢᵃ· :
+κραξας ACNΧΥΓΔΠΣ☧ Minusc. pler. it. vg.
Sy.ᵖᵉˢʰ· ʰˡ· Aeth. Aug. ; + αυτον κραξοντα και D ;
κραξας tant. (om. ουτως) WΘ 565. Sy.ˢ· (= et

cum clamasset) Geo. Arm. Or.ⁱⁿᵗ· ; +εκραξεν
0112 k ; = om. Cop.ᵇᵒ· | εξεπνευσεν : om. 0112
k | ειπεν : om. D ; cf. ait (pro dixit) i l aur. vg.
| αληθως sic Θ | ουτος ο ανθρωπος ℵBDLΔΘΨ 33.
282. 517. 565. 700. 892. 1342 it. vg. (pauc.) Sy.ᵖᵉˢʰ·
Cop.ˢᵃ· ᵇᵒ· Or.ⁱⁿᵗ· ; >ο ανθρωπος ουτος (ουτως sic Y)
ACNWΧΥΓΠΣ☧ Minusc. pler. (pon. post θεου ην
1071) vg. (pler. et WW) Sy.ʰˡ· Geo. Aug. ; om.
ο ανθρωπος 0112 Sy.ˢ· | υιος θεου ην ℵBLΓΔΘΨ 59.
252. 259. 482. 517. 892. 1071. 1342 l n aur. (pler.)
Cop.ˢᵃ· ᵇᵒ· Geo. Aeth. Arm. Aug. : >υιος ην θεου
(του θεου Y* 69. 124. 127) ACNWYΠΣ☧ fam.¹ 22.
fam.¹³ 543. 28. 33. 157. 700 al. pler. vg. (1 MS)
Sy.ˢ· ᵖᵉˢʰ· ʰˡ· Or.ⁱⁿᵗ· ; θεου υιος ην D 565 ff i k q ;
υιος θεου εστιν 579.

40. ησαν δε (= et fuerunt Sy.ˢ· Geo.¹ ᵉᵗ ᴮ) :
+ εκει C Geo.¹ | και pr. : om. 506 c n vg. (1 MS)
Sy.ˢ· Geo. | γυναικες : multae mulieres c ; =quae-
dam mulieres Geo.² ; = quaedam stantes Cop.ˢᵃ·
| θεωρουσαι : εστωσαι και θεωρουσαι 127 ; nil nisi
stantes ff | εν αις sine add. ℵBL 0112. 482. 892.
1342 vg. (pler. et WW) : +ην ACDNWYΓΔΘΠΣΨ
☧ Minusc. rell. it. aur. vg. (plur.) Sy.ʰˡ· Cop.ˢᵃ·
(=+est) ᵇᵒ· ; = et quae (quibuscum Geo.²) fuit Geo.;
=om. εν αις και Sy.ˢ· ᵖᵉˢʰ· | και sec. ℵABC*LNΔΠ
Ψ☧ (exc. GU) 346. 28 al. plur.ᵘⁱᵈ· vg. (plur. et
WW): om. C³DGUWΓΘΣ fam.¹ 22. fam.¹³(exc. 346)
543. 33. 157. 349. 472. 482. 517. 565. 579. 700.
1071 al. mu. it. vg. (plur.) Sy.ʰˡ· Cop.ˢᵃ· ᵇᵒ· Geo.
| μαριαμ η μαγδαληνην BCWΘΨ fam.¹ Sy.ˢ· ᵖᵉˢʰ· ʰˡ·
Geo. Aeth. Arm. : μαρια (μακαρια L) η (om. D)
μαγδαληνη (↷λινη 13. 543. 28) ℵA(D)(L)NΧΥΓΔ
ΠΣ 0112 ☧ Minusc. rell. it. vg. Cop.ˢᵃ· ᵇᵒ· | μαρια :
μαριαμ Θ Sy.ˢ· ᵖᵉˢʰ· ʰˡ· Geo. Aeth. Arm. | η Ιακωβου
ℵBCKNUWΔΠΣΨ 0112. fam.¹ 11. 72. 90. 108.
114. 253. 481. 892. 1342 : η του Ιακωβου ΑΧΥΓΠ²☧
(exc. KU) 22. 157. 700. 1278 al. pler. ; ιακωβου DL
Θ fam.¹³ 543. 28. 33. 59. 78. 127*· 229. 473. 482.
517. 565. 579. 1071 al. ; του Ιακωβου 90, item
iacobi it. vg. ; = filia iacobi Sy.ˢ· ; = mater iacobi
Sy.ᵖᵉˢʰ· ʰˡ· | και (ante ιωσ.) : = om. Sy.ˢ· ; +η B
Ψ 131 | ιωσητος ℵᶜBDLΔ (ιωσηβτος Δ*) Θ 0112
fam.¹³ (exc. 124) 543. 565, item iosetis k, = iosey-

---

39. Or.ⁱⁿᵗ· ⁱⁿ Matt. Al. Tract. xxxv.   Uidens centurio qui astabat ibi, quoniam clamans exspirauit, dixit :
Uere hic homo filius erat Dei.
    Aug. ᶜᵒⁿˢ·   Uidens autem centurio qui ex aduerso stabat quia sic clamans expirasset ait : Uere homo
hic filius Dei erat.
    40. Aug. ib.   erant autem et mulieres de longe aspicientes inter quas erat maria magdalene et maria
iacobi minoris et ioseph mater et salome.

Σαλώμη, ^{41} αἲ ὅτε ἦν ἐν τῇ Γαλιλαίᾳ ἠκολούθουν αὐτῷ καὶ διηκόνουν αὐτῷ, καὶ ἄλλαι
πολλαὶ αἱ συναναβᾶσαι αὐτῷ εἰς Ἱεροσόλυμα. ^{42} Καὶ ἤδη ὀψίας γενομένης, ἐπεὶ ἦν (σκζ/α)
παρασκευή, ὅ ἐστιν προσάββατον, ^{43} ἐλθὼν Ἰωσὴφ ἀπὸ Ἀριμαθαίας εὐσχήμων βου-
λευτής, ὃς καὶ αὐτὸς ἦν προσδεχόμενος τὴν βασιλείαν τοῦ θεοῦ, τολμήσας εἰσῆλθεν
πρὸς τὸν Πειλᾶτον καὶ ᾐτήσατο τὸ σῶμα τοῦ Ἰησοῦ. ^{44} ὁ δὲ Πειλᾶτος ἐθαύμασεν εἰ
ἤδη τέθνηκεν, καὶ προσκαλεσάμενος τὸν κεντυρίωνα ἐπηρώτησεν αὐτὸν εἰ ἤδη ἀπέθανεν·
^{45} καὶ γνοὺς ἀπὸ τοῦ κεντυρίωνος ἐδωρήσατο τὸ πτῶμα τῷ Ἰωσήφ. ^{46} καὶ ἀγοράσας (σκη/α)

tis Geo.², *similiter* Cop.ᵇᵒ·: ιωση ℵ*ACNW(ωση
W*)ΓΠΣΨↃ 118. 209. 22. 124. 28 (ιοση) 33. 157.
579. 700. 892. 1071 al. pler., *similiter* Sy.ᵖᵉˢʰ· ʰˡ·
Cop.ˢᵃ· Geo.¹; *cf.* ioseph *it.* (*exc. k*) *vg.* Sy.ˢ· Aug.
| σαλωμη: η σαλωμη 238.

41. αι *sine add.* ℵBΨ 0112. 33. 131. 517. 892.
1071 *c d ff k q aur.* Sy.ˢ· ᵖᵉˢʰ· Cop.ˢᵃ· ᵇᵒ· Geo.: + και
DNXΥΓΘΠΣↃ fam.¹ 22. fam.¹³ 543. 28. 565. 700 al.
pler. *n* Sy.ʰˡ·; και *tant.* ACLWΔ 67. 92. 127*.
142*. 157. 299. 472. 478. 485. 579 *l vg.* Aug. | ην:
pon. post γαλιλαια *l6* | *hab.* = e Galilaea, *et pon. post*
sequebantur eum (*pro* ε ην εν τη γαλιλ.), Sy.ˢ· Cop.
ˢᵃ· Aeth. | ηκολουθουν: ηκολουθησαν DΣ 59. 245.
440. 1279. 1575 | αυτω: *om.* Ψ *k* | και διηκονουν
(διηκονουσαν *sic* W) αυτω (*om.* ℵΣ): διακονουσαι
αυτω 28; *om.* CDΔ 2. 17*. 38. 51. 435. 579. *l13 n*
| αλλαι: αιτεραι *sic* A | πολλαι αι: *om.* αι LWΘΨ
892* Cop.ˢᵃ·; = *pon. ante* ministrabant ei Sy.ˢ·
| συναναβασαι: συναναβαινουσαι 209; + ηκολουθησαν
238 | *om.* και αλλαι *usque ad* αυτω 349 | ιερο-
σολυμα: ιερουσαλημ Θ 565, *similiter* = Urishlêm
Sy.ˢ· ᵖᵉˢʰ· ʰˡ·

42. *Tot. uers.* = et fuit in Sabbato Sy.ˢ· | ηδη:
om. *c g² k* Sy.ᵖᵉˢʰ· Aeth. | οψιας: εσπερας 255
| γεναμενης *sic* Δ | επει (επειδη A) ην παρασκευη:
>επει παρασκευη ην 18. 66. 201. 235. 241. 243. 252.
474. 479. 480, *cf.* quia cena pura erat *n*; nil nisi
cene pure *k*; = parasceue *tant.* Sy.ᵖᵉˢʰ· | ο εστιν:
οπερ εστιν 237 | προσαββατον ℵB*CKMWΔΘΠ*ΨΩ
0112. fam.¹ 22. 69. 28. 33. 579. 1071 al. pler.: προσ-
σαββατον AB²LTΥΠ²ΣↃ (*exc.* KMΩ) fam.¹³ (*exc.* 69)
157. 238. 472. 517. 565. 700. 892 al. mu.; πριν
σαββατον D | nil nisi Sabbati (*pro* ο εστιν προσαβ.)
c k | *om.* επει ην *usque ad* προσαββ. 472.

43. ελθων ℵABCKLMUWYΓΔΠΣΨ 0112. fam.¹
22. fam.¹³ (*exc.* 124) 543. 11. 33. 127. 238. 349. 482.
517. 579. 892. 1071. 1278. 1342 al. mu. Cop.ᵇᵒ·
Arm.: ηλθεν DΘↃ (*exc.* KMU) 124. 28. 157. 565.
700 al. mu. *it. vg.* Sy.ᵖᵉˢʰ· ʰˡ· Cop.ˢᵃ· ᵇᵒ· Geo. Aeth·
Aug.; = et uenerat Sy.ˢ· | Ιωσηφ (ιωσης W): ο
ιωσηφ *l184 semel l253* | απο *tant.* BDW** 0112. 13.

28. 219. 220. 472. 484. 517. 579. *l49 it. vg.* Sy.ˢ· Cop.
ᵇᵒ· (aliq.) Aeth. Aug.: ο απο ℵACLW*ΓΔΘΠΣΨↃ
fam.¹ 22. fam.¹³ (*exc.* 13) 543. 33. 157. 565. 700. 892.
1071 al. pler. Sy.ᵖᵉˢʰ· ʰˡ· ʰⁱᵉʳ· (*bis*) Arm. | αριμαθαιας
(αρειμ. ℵB*; αριμαθιας ℵᶜD *l184*; αρημαθιας 565;
αριμαθεας 346. 258; αριμαθαιας 118. 238; *cf.*
= Ramtha Sy.ˢ·ʰˡ·; = Ramthis Sy.ʰⁱᵉʳ· *bis*): +πο-
λεως 282 | ευσχημωνος *sic* L | ος: *om.* ℵ* 157 | και
αυτος ην Uncs. pler. Minusc. pler., *item ff l r² aur.*
vg., *similiter* Sy.ˢ· ᵖᵉˢʰ· ʰˡ· Geo. (=ille enim quoque)
Aug.: >ην και αυτος DΘ 565 *c k n q* | του θεου:
=caeli Sy.ˢ· | τολμησας (= *om.* Sy.ʰˡ·) εις τολμ.
38**. 51. 63. 64. 240. 244 Sy.ʰˡ·, *similiter* = et
ausus est Sy.ˢ·; et constanter *l q*, et audaciter (*uel*
audacter *aliq.*) *r² vg.* Aug.; hic constanter (auden-
ter *n*) *c ff n* | εισηλθεν: ηλθεν D *l26* | τον ℵBL
WΔΨ 33: *om.* ACDΥΓΘΠΣ 0112 Ↄ Minusc. rell.
| πειλατον *uel* πιλατον uid. uers. I | ητησατο (ητι-
σατο 13. 543. 28. 700): ετησατο D* | σωμα: πτωμα
D (*sed corpus d*), *item* cadauer *k* Sy.ˢ· Geo.² | του
om. 1346.

44. πειλατος *uel* πιλατος uid. uers. I | εθαυμα-
σεν: εθαυμαζεν ℵD *it.* (*exc. n*) *vg.* Sy.ˢ· Aug. | ει
ηδη *pr.*: ει δη *sic* Θ; = quoniam iam Sy.ˢ· Geo.¹
Arm.; = quomodo Aeth. | τεθνηκεν: ει τεθνηκει
D* (τεθνηκει Dᶜᵒʳ·); ετεθνηκει 49; *cf.* mortuus
esset *k n q vg.* (pler.), obisset (+ iesus *c*) *c d ff l r²*
aur. vg. (pauc.) | *om.* και προσκαλεσαμενος *usque*
ad απεθανεν 565. *l54 n* | κεντηριωνα *sic* 69. 346.
59; *cf.* = carnificem Geo.¹ | επηρωτησεν (επερωτη-
σεν Δ 69. 346. *l48*): *cf.* interrogabat (*pro* interroga-
uit) *c d ff aur. vg.* (3 MSS); +και ειπεν Δ (+ et
dixit δ), = + et dicit Aeth. | αυτον: *om.* fam.¹
476* *k* | ει ηδη *sec.* BDWΘ 472. 1342 *it. vg.* Sy.
ʰⁱᵉʳ· Cop.ᵇᵒ· Geo.: *om.* Δ Aeth.; = *om.* ηδη Sy.ˢ·;
= si ante tempus Sy.ᵖᵉˢʰ· ʰˡ· Cop.ˢᵃ·; ει παλαι ℵAC
LXᵘⁱᵈ· ΥΓΠΣΨↃ Minusc. rell. *it. vg.* | απεθανεν:
τεθνηκεν WΘ 472. 1342; τεθνηκει D *l253*.

45. απο (παρα DWΘ I. 124. 72. 565) του κεντυ-
ριωνος (κεντουρ. D; κεντουριονος *l47 bis*; κεντηρ.
69): *om.* *k* Sy.ᵖᵉˢʰ·; = a carnifice Geo.¹ | εδωρισατο

---

41. Aug. ᶜᵒⁿˢ· et cum esset in galilaea sequebantur eum et ministrabant ei et aliae multae quae
simul cum eo ascenderunt hierosolymam.

43. Aug. *ib.* uenit ioseph ab arimathia nobilis decurio qui et ipse erat expectans regnum dei et
audacter introit ad pilatum et petiuit corpus iesu.

44. Aug. *ib.* pilatus autem mirabatur si iam obisset et arcessito centurione interrogauit eum si iam
mortuus esset.

(σκθ/ς) σινδόνα καθελὼν αὐτὸν ἐνείλησεν τῇ σινδόνι καὶ ἔθηκεν αὐτὸν ἐν μνήματι ὃ ἦν λελατο-
μημένον ἐκ πέτρας, καὶ προσεκύλισεν λίθον ἐπὶ τὴν θύραν τοῦ μνημείου.   [47] Ἡ δὲ
Μαρία ἡ Μαγδαληνὴ καὶ Μαρία ἡ Ἰωσῆτος ἐθεώρουν ποῦ τέθειται.

XVI

(σλ/η) [1] Καὶ διαγενομένου τοῦ σαββάτου ἡ Μαρία ἡ Μαγδαληνὴ καὶ Μαρία ἡ τοῦ Ἰακώβου

sic *l*183 semel | πτωμα אBDLΘ 565 Sy.ˢ· Geo.²
Aeth. : σωμα ACWXYΓΔΠΣΨ 0121 ♭ Minusc.
rell. it. vg. Sy.ᵖᵉˢʰ· ʰˡ· ʰⁱᵉʳ· Cop.ˢᵃ· ᵇᵒ· Geo.¹ ; *prae-
terea add.* αυτου D *q aur.* Sy.ˢ· ᵖᵉˢʰ· Geo.² ; *add.*
iesu *vg.* (3 MSS) Cop.ᵇᵒ· | ιωσηφ : ιωση BW ;
ισηφ 28.
46. και Uncs. pler. Minusc. pler. Sy.ˢ· Cop.ˢᵃ· ᵇᵒ·
Geo. (= +statim Geo.¹) Aeth. Arm. : et ioseph *n*
Sy.ᵖᵉˢʰ· ; ο δε Ιωσηφ DΘΣ 38. 106. 435. 565, *item*
ioseph (ioses *k*) *autem* it. (*exc. n*) vg. Sy.ʰˡ· Aug.
| σιδωνα sic 157 | καθελων (λαβων D, *item* accipiens
d, acceptum *n*) *tant.* אBDLΨ 0112. 1342, *similiter*
c (*d*) *ff k* (*n*) *vg.* (1 MS) Cop.ˢᵃ· ᵇᵒ· : *praem.* και A
CYΓΔΘΠΣ♭ Minusc. omn. ᵘⁱᵈ· *l r²aur. vg.* (pler.)
Sy.ᵖᵉˢʰ· ʰˡ· ʰⁱᵉʳ· (*bis*) Geo.² Aug. ; ευθεως ηνεγκεν και
καθελων W ; = et tulit Sy.ˢ· | αυτον *pr.* : αυτο 10.
*l*14 ; αυτω sic *l*183 semel | ενειλησεν : ενειλισεν
209. 346. 543. 28. 349 al. pauc. ; ενελισσε 118.
157. 238. 471**. 517. 692 ; ενηλησε *l*183 ; ενηλισε
*l*184 ; ενειλυσε 69 ; ειλησεν 565 | = *om.* καθελων
usque ad σινδονι Geo.¹ | *om.* ενειλ. τη σινδονι και
εθηκ. αυτον Δ | τη σινδονι, *item* sindone *l q vg.*
(plur. *et* WW) : εν τη σινδ. fam.¹ 22. 34. 39. 72.
1342. *l*50, *item* in palla *k*, in sindone *g² n r² aur. vg.*
(aliq.) ; εις την σινδονα DW 53, *item* in sindonem
d ff ; σινδονα 565, *item* sindonem *vg.* (3 MSS) ;
cf. in ea corpus iesu *c* ; = in eo Sy.ᵖᵉˢʰ· | εθηκεν
אBC²DLWΣΨ 0112. fam.¹ fam.¹³ 543. 29. 33. 71.
86. 517. 565. 692. 1342. *l*184, *item* posuit it.
(*exc. n*) vg. (pler.) Aug. : κατεθηκεν (‿καν Κ) C*X
YΠ♭ 22. 28. 157. 579. 700. 1071 al. pler., *cf.* impo-
suit *n*, adposuit *vg.* (3 MSS) ; κατεθεικεν Γ 229 ;
καθηκεν A | αυτον *sec.* : αυτο AM 435. 659. 872.
1342 | εν μνηματι אB 1342 : εν (+τω D 569) μνη-
μειω Uncs. rell. Minusc. pler. ; εν τω καινω αυτου
μνημειω *l*253 ; εις μνημειον *l*184 semel | ο : ω 473
| εκ πετρας (της πετρας DWΘ 1. 300. 565. *l*253),
item n r² vg. Sy.ʰˡ· Cop.ᵇᵒ· Geo. Aug. : εν τη πετρα
fam.¹³ 543, *item c d g² k l aur. vg.* (2 MSS) Sy.ˢ·
ᵖᵉˢʰ· ʰⁱᵉʳ· (*bis*) Cop.ˢᵃ· Aeth. | προσεκυλισεν (‿λησε
28. 157. 474. 475. *l*183) : προσκυλισας D fam.¹ 22.
59. 697 | λιθον : +μεγαν א Geo.¹ ; = +posuit
Sy.ˢ· | επι (εις Δ 1071) την θυραν : επι τη θυρα 66.
244 ; εν τη θυρα 565 | μνημειου : +απηλθεν G
fam.¹ 22. 59. 697 ; +και απηλθεν D (et abiit *d*).

47. μαρια η μαγδ. *usque ad* σαββατου xvi. 1 :
om. א* (*sed suppl. ad ped. pagin.*) | μαρια bis : μα-
ριαμ *bis* Θ fam.¹ (*exc.* 118) Sy.ˢ· ᵖᵉˢʰ· ʰˡ· ʰⁱᵉʳ· (*bis*) Geo.
Aeth. Arm.; μαριαμ *pr. et* μαρια *sec.* 33 | η μαγδαληνη
(‿ινη Δ 118. 13. 543. 28. 71. 471*. 474. *l*184) : *om.*
η D | η *tert.* א°ABCGWΔΘΣΨ 0112. 33. 44. 131.
142**. 240. 244. 247. 258. 476**. *l*253 : *om.* DEKLM
SU*VYΓΠΩ fam.¹ 22. fam.¹³ 543. 28. 157. 565. 579.
700. 892. 1071 al. pler. | ιωσητος א°BLΔΨ 0112.
fam.¹ (*exc.* 118) fam.¹³ (*exc.* 124) 543. 565 *k* Cop.ᵇᵒ·
Geo.² : ιωση CWΓΠ♭ 118. 22. 124. 28. 33. 157. 579.
700. 892. 1071 al. pler. Sy.ᵖᵉˢʰ· ʰˡ· Cop.ˢᵃ· Aeth. ;
ιακωβου D 472. 1342 *ff n q vg.* (2 MSS) Sy.ˢ· Arm. ;
ιακωβου και ιωσητος Θ, *cf.* iacobi et ioseph *c* ; ιωσηφ
AΣ 258 *l aur. vg.* (pler.) Aug. ; *praeterea praem.*
του 142**. 240. 244 ; +μητηρ W fam.¹³ 543 ;
+και σαλωμη 472 ; = filia iacobi Sy.ˢ· ; maria
iacobi et maria ioseph *g²vg.* (2 MSS) | εθεωρουν,
item aspiciebant *l r² vg.* Sy.ʰˡ· Cop.ˢᵃ· ᵇᵒ· Geo. Aug.:
εθεασαντο DΘ 565, *similiter* notauerunt *c d ff q aur.*,
uiderunt *k n* Sy.ᵖᵉˢʰ· ʰⁱᵉʳ· (*bis*) Aeth. Arm. ; = uide-
rant Sy.ˢ· | που : τον τοπον οπου D, *item c ff q aur.*
Cop.ˢᵃ· Arm. | τεθειται (τεθηται L 0112. 13. 346. 472.
579 ; τεθυτα sic Δ) א°ABCD(L)(Δ)ΠΣΨ (0112). fam.¹³
(*exc.* 124) 33. 131. 238. (472). (579), *item* positus
est *k, similiter* Sy.ˢ· ᵖᵉˢʰ· ʰˡ· ʰⁱᵉʳ· (*bis*) Aeth. Arm. : τι-
θεται (τηθεται *l*183) WYΓΘ♭ fam.¹ 22. 124. 543. 28.
157. 565. 892. 1071 al. pler. ; *cf.* poneretur *c d l n*
r² aur. vg. Aug., ponebatur *ff q* ; = posuerunt
eum Cop.ˢᵃ· ᵇᵒ· ; = ponebant eum (*om.* Geo.¹)
Geo.

1. και διαγενομενου *usque ad* σαλωμη : *om.* D *d*
n ; *om.* και διαγεν. . . . μαγδαληνη *l*54 ; *om.* η
μαρια . . . σαλωμη *k* ; *praem.* (*sed pon. ad finem*
Cap. xv) et abeuntes emerunt aromata ut eum
unguerent *q* | μαγδαλινη sic 13. 543. 118. 28 al.
| του *pr.* : *om.* C² 33 | η μαρια B*L : *om.* η Uncs.
rell. Minusc. omn. ; *praem.* abeuntes *c ff* | μαρια
bis : μαριαμ bis 1 Sy.ˢ· ᵖᵉˢʰ· ʰⁱᵉʳ· Geo. ; μαριαμ *pr.* Θ
33 | η του Ιακωβου א°ABKΔΠΣ 118. 209. 33.
571. 575 al. : *om.* η του ΕΩ 1. 22. fam.¹³ 543. 28.
157. 565. 579. 892. 1071. 1342 al. mu. ; *om.* η
tant. L *l*253 ; *om.* του *tant.* א*CGMSUVWXΓΘΨ
700 al. mu. | και σαλωμη : *om. c* | ηγορασαν
αρωματα (unguenta *n* ; = unguentum et aromata

---

46. Aug. ᶜᵒⁿˢ· ioseph autem mercatus sindonem et deponens eum inuoluit sindone et posuit eum in
monumento quod erat excisum de petra et aduoluit lapidem ad ostium monumenti.
47. Aug. *ib.*   maria autem magdalene et maria ioseph aspiciebant ubi poneretur.

καὶ Σαλώμη ἠγόρασαν ἀρώματα ἵνα ἐλθοῦσαι ἀλείψωσιν αὐτόν. ² καὶ λίαν πρωὶ τῇ (σλα/α)
μιᾷ τῶν σαββάτων ἔρχονται ἐπὶ τὸ μνημεῖον ἀνατείλαντος τοῦ ἡλίου. ³ καὶ ἔλεγον
πρὸς ἑαυτάς Τίς ἀποκυλίσει ἡμῖν τὸν λίθον ἐκ τῆς θύρας τοῦ μνημείου; ⁴ καὶ ἀναβλέ-
ψασαι θεωροῦσιν ὅτι ἀνακεκύλισται ὁ λίθος, ἦν γὰρ μέγας σφόδρα. ⁵ καὶ εἰσελθοῦσαι
εἰς τὸ μνημεῖον εἶδον νεανίσκον καθήμενον ἐν τοῖς δεξιοῖς περιβεβλημένον στολὴν

Sy.ˢ·): =pon. ante η μαριαμ Sy.ˢ· ; praem. και πορευ-
θεισαι D ; πορευθησαι ητοιμασαν αρωματα Θ 565 ;
praem. et abeuntes d n (et euntes) ; attulerunt
aromata c ; abierunt et adtulerunt aromata k
| ελθουσαι : εισελθουσαι W; om. D c ff k n | αληψω-
σιν 13. 474. l183. l184 | αυτον (pon. ante αλειψ. D
c ff k n): τον Ιησουν K² (τον tant. K*) MX 118.
fam.¹³ 543. 1071. 1278² al. plur. et lectionaria multa
g² vg. (edd. sed non WW) ; το σωμα του Ιησου 61 ;
= eius corpus Aeth.

2. και: om. W | λιαν πρωι (pon. post sabbati
Or.ⁱⁿᵗ· semel): om. c ; om. λιαν DW k n Sy.ˢ· pesh·
hier· Arm. ; pon. πρωι post σαββ. k ; om. πρωι q
| τη (om. BW I) μια ℵ(B)L(W)ΔΘΨ 0112 uid· (I).
22. 33. 565. 892. 1071. 1278*. 1342 al. Eus.ᵈᵉᵐ·: της
(om. D) μιας AC(D)XΓΠΣⅤ 118. 209. fam.¹³ 543.
28. 157. 579. 700. 1278² al. plur. Dion. Alex. Greg.
Nyss.; una c ff l Aug.ᶜᵒⁿˢ·, prima k q Or.ⁱⁿᵗ· ; postera
die n | των σαββατων ℵBKLWΔ²ΘΨ fam.¹³ 543.
33. 157. 565. 892. 1071 al. Eus.ᵈᵉᵐ·: om. των ACX
uid· ΓΔ*ΠΣⅤ (exc. K) fam.¹ 22. 28. 579. 700.
1278 al. plur. ; σαββατου D 36 c ff k q Or.ⁱⁿᵗ· ᵇⁱˢ
| ερχονται : pon. post και D c (uenientes) ff k q ;
uenerunt ff k q Sy.ˢ· pesh· hier· ˢᵉᵐᵉˡ Cop.ᵇᵒ· Geo. ;
uenit l | επι το μνημειον ℵᶜABC³DLXΓΔΠΣΨ
0112 Ⅴ Minusc. plur. : επι το μνημα ℵ*C*WΘ 565 ;
om. k ; + γυναικες 579 | ανατειλαντες (ανατελλον-
τος D c ff n q Aug.ᶜᵒⁿˢ· Tich.ʳᵉᵍ·) του (om. 474)
ηλιου : om. k ; praem. ετι KWΥΘΠ* I. 248. 565
al. Geo.² Eus.ᵈᵉᵐ· Greg. Nyss. ; =circa exortum
solis Geo. ; orto iam sole l δ vg.

3. και: om. c k q | ελεγον: dicentes k | εαυτας
(αυτας L* 579): εαυτους D | τις: = + autem Sy.ˢ·
pesh· ; = + nam Geo.¹ | αποκυλισει (⁓ιση W 483.
1342 Eus.ᵈᵉᵐ·; ⁓ηση l183 semel; ⁓ησει 118. 28 ;
⁓υσει 69; αποκαλυψει D* sed ipse cor.**) ; reuoluit

d l q vg. (aliq.) Sy.ˢ· pesh·) ημιν : >ημιν αποκυλισει
D 565 c ff k n q | εκ ℵABLXΓΔΠΣⅤ Minusc.
pler.: απο CDWΘΨ fam.¹³ (exc. 124) 543. 157*
(cor.**) 14. 472. 517. l54 semel l260 Eus.ᵈᵉᵐ·, item
ab it. vg. Greg. Nyss. | = om. εκ της θυρας Sy.ˢ·
| του μνημειου : om. k ; + ην γαρ μεγας σφοδρα DΘ
565 c ff n vg. (2 MSS) Sy.ˢ·ʰⁱᵉʳ· ᵇⁱˢ Eus.ᵈᵉᵐ·, sed
haec uerba om. in uers. 4 in omn. praeced. MSS et
VSS exc. vg. (2 MSS), uide uers. 4.

4. και αναβλεψ. θεωρ.: και ερχονται και ευρισκου-
σι DΘ 565 c n Eus.ᵈᵉᵐ·, similiter et uenerunt et
inuenerunt ff Sy.ʰⁱᵉʳ· ᵇⁱˢ, = et uenerunt et uiderunt
Sy.ˢ·; et respicientes (aspicientes q) uiderunt q δ ;
= et intuitae sunt et (om. Sy.ᵖᵉˢʰ·) uiderunt Sy.
pesh· Geo. ; (post insert. uid. postea) tunc illae acces-
serunt ad monumentum et uident k | οτι ανακεκυ-
λισται (BL) αποκεκυλισται Uncs. pler. Minusc.
omn. Greg. Nyss.) ο λιθος: ανακεκυλισμενον τον
λιθον ℵ, item reuolutum lapidem c d ff l q vg. ;
αποκεκυλισμενον τον λιθον DΘ 565, item amotum
lapidem n ; αυτον αποκεκυλισμενον Eus.ᵈᵉᵐ· | ην
γαρ (quippe l) μεγας σφοδρα (>σφοδρα μεγας W):
om. hoc loco sed cf. ad fin. uers. 3 DΘ 565 c d ff n
Sy.ˢ· ʰⁱᵉʳ· ᵇⁱˢ Eus.ᵈᵉᵐ· | cf. praem. ad init. uers.
subito autem ad horam tertiam diei tenebrae factae
sunt per totum orbem terrae, et descenderunt de
caelis angeli et surgentes in claritate uiui dei simul
ascenderunt cum eo, et continuo lux facta est k.

5. εισελθουσαι: ελθουσαι B 127 | εις το μνη-
μειον: om. k ; in monumento n q vg. (plur. sed
non WW) | ειδον (uel ιδον ACGKLMVXΔΘΠ*ΣΨ
Minusc. plur.): θεωρουσιν W | νεανισκον : pon.
ante ειδον D 565 | καθημενον: om. q | εν τοις
δεξιοις: om. Sy.ʰⁱᵉʳ· ; et ad dextram n ; ad dex-
tram (uel dexteram) d ff q; pon. ante καθημ. k | περι-
βεβλημενον: = praem. et Sy.ˢ· pesh· | εξεθαμβηθησαν

---

2. Or.ⁱⁿᵗ· exod. 213. 25. Uespere sabbati quae lucescit in primam sabbati uenit maria magdalene et
maria iacobi ad sepulchrum.

Or.ⁱⁿᵗ· 214. 3· prima sabbati mane ualde.

Greg. Nyss. Resurr. Or. 2· το δε λιαν πρωι σαφηνιζων ο μαρκος ανατειλαντος του ηλιου προσεθηκεν.

id. ετι τοις ακριβεστεροις των αντιγραφων εμφερεται.

Eus. ᵈᵉᵐ· (Berlin Corp. 474. 31 κτλ.) και λιαν πρωι τη μια των σαββατων ερχονται επι το μνημειον ετι
ανατειλαντος του ηλιου.

Aug. ᶜᵒⁿˢ· ᵇⁱˢ· oriente iam sole. et semel una sabbatorum, et semel una sabbati.

Tich. ʳᵉᵍ· ⁵· ⁶¹· Marcus dicit oriente sole non orto.

3. Eus. ᵈᵉᵐ· και ελεγον προς εαυτας· τις αποκυλιση ημιν τον λιθον απο της θυρας του μνημειου ; ην γαρ μεγας
σφοδρα.

4. Eus. ᵈᵉᵐ· και ερχονται και ευρισκουσιν αυτον αποκεκυλισμενον. cf. Hier.ᴱᵖⁱˢᵗ· (uol. 55. 315. 8) ingressa
sepulchrum resurrectionis osculabatur lapidem quem ab ostio sepulchri amouerat angelus.

(σλβ/β) λευκήν, καὶ ἐξεθαμβήθησαν.   [6] ὁ δὲ λέγει αὐταῖς Μὴ ἐκθαμβεῖσθε· Ἰησοῦν ζητεῖτε τὸν Ναζαρηνὸν τὸν ἐσταυρωμένον· ἠγέρθη, οὐκ ἔστιν ὧδε· ἴδε ὁ τόπος ὅπου ἔθηκαν αὐτόν. [7] ἀλλὰ ὑπάγετε εἴπατε τοῖς μαθηταῖς αὐτοῦ καὶ τῷ Πέτρῳ ὅτι Προάγει ὑμᾶς εἰς τὴν
(σλγ/β) Γαλιλαίαν· ἐκεῖ αὐτὸν ὄψεσθε, καθὼς εἶπεν ὑμῖν.   [8] καὶ ἐξελθοῦσαι ἔφυγον ἀπὸ τοῦ μνημείου, εἶχεν γὰρ αὐτὰς τρόμος καὶ ἔκστασις· καὶ οὐδενὶ οὐδὲν εἶπαν, ἐφοβοῦντο γάρ.

9-20 (1) om. אB k Sy.ˢ· Geo.¹ et A Aeth.(3 cdd.) Arm.(8 cdd.)

(2) notant asterisco 137. 138

(3) in loco pericopae hab. Omnia autem quaecumque praecepta erant et qui cum puero (sic, sed uidetur = petro) erant breuiter exposuerunt post haec et ipse Iesus adparuit et ab orientē (sic) usque usque in orientem (sic, sed uidetur errore pro occidentem) misit per illos sanctam et incorruptam [suppl. praedicationem] salutis aeternae. amen. k.

(4) Breuiorem pericopam interpol. post u. 8 et ante uu. 9-20. i.e. φερετε που και ταυτα (haec 4 uerba tantum habet L) παντα δε (+ τα 099) παρηγγελμενα τοις περι τον πετρον συντομως εξηγγιλαν μετα δε (omn. uerb. praeced. absunt 0112 sed spatium relict. est) ταυτα και αυτος ο (om. Ψ 0112) ι̅σ̅ (+ εφανη Ψ; + εφανη αυτοις 099) απο (απ 099. 274ᵐᵍ· 579) ανατολης (⁓ λων 274ᵐᵍ·; + του ηλιου 099) και (om. 0112) αχρι (μεχρι Ψ) δυσεως εξαπεστιλεν δι αυτων το ιερον και αφθαρτον κηρυγμα της αιωνιου σωτηριας (+ αμην Ψ 099. 0112. 274ᵐᵍ· 579) L Ψ 099. 0112. 274ᵐᵍ· 579,

item cf. uersiones sequentes

= Adduntur alicubi et haec: Omnia autem quae imperata fuerant illis qui erant cum Petro breuiter annunciauerunt: postea autem ipse Iesus ab Oriente usque ad Occidentem promulgauit per eos praeconium sacrum et incorruptum salutis aeternae. Amen. Sy.ʰˡ· ᵐᵍ·;

= Omnia autem quae imperata fuerant illis qui erant cum Petro breuiter nunciauerunt: post haec etiam iterum Iesus eis manifestus est ab loco ortus solis usque ad locum occidentis promulgauit per eos praeconium sacrum et incorruptum salutis aeternae. Amen. haec etiam numerantur iis et tenebat eas tremor et stupor et nemini quicquam dixerunt timebant enim. Cop.ˢᵃ· (1 MS, et similiter 2 fragmenta);

(εθανβησαν D) : hebetes factae sunt k, obstipuerunt δ vg. (uel obstup.), expauerunt c d ff n q, item = timuerunt Sy.ˢ· ʰⁱᵉʳ· bis Cop.ᵇᵒ·

6. ο δε (item ille autem k q) : και D c ff n Sy.ˢ·; qui l δ vg. | λεγει : dixit c d ff n q Sy.ˢ· ᵖᵉˢʰ· ʰˡ· ʰⁱᵉʳ· Cop.ˢᵃ· ᵇᵒ· Geo.; didit sic k | αυταις (αυτοις D) : +ο αγγελος D ff | μη εκθαμβεισθε (⁓ησθε 700. 1342 al.) : nolite expauescere c ff l q δ vg. ; μη φοβεισθε DWΘ 565 Sy.ˢ· ᵖᵉˢʰ· ʰⁱᵉʳ· Cop.ˢᵃ· ᵇᵒ· Geo.¹ Eus.ᵐᵃʳⁱⁿ· semel, item nolite timere d n ; = ne obstupueritis Geo.²; quit (sic) stupetis k | Ιησουν (praem. τον D) : praem. οιδα γαρ οτι W | ζητειτε τον ναζαρηνον (uel ⁓ ινον al. ; ναζωραιον LΔ k Sy.ᵒᵐⁿ·) : om. א* (suppl. in mg. אᵃ) D ; >τον ναζ. ζητειτε W | ουκ εστιν ωδε : om. c k | ιδε (praem. et k) : ειδετε D W c; uidete ecce ff n q ; +εκει DWΘ 565 | ο τοπος : +αυτου WΘ 565 k n q Sy.ˢ·; τον (om. D*) τοπον αυτου D c ff | εθηκαν αυτον : fuit positus k n ; positus erat c ff q, item Sy.ˢ· ᵖᵉˢʰ·

7. αλλα אAB*CDGKLWΔΠΣΨ 0112. 124. 33. 579 : αλλ B²XΓΘ϶ (exc. GK) fam.¹ 22. fam.¹³ (exc. 124) 543. 28. 157. 565. 700. 892. 1071 al. pler. | ειπατε : praem. και C*DWΘ 33. 300. 517. 565 k vg. (plur. sed non WW) Geo. | τοις μαθηταις αυτου (om. 251. l253 k) και τω πετρω : >τω

πετρω και τ. μαθ. αυτ. 244 | οτι προαγει (quia praecedet q δ vg. 3 MSS Cop.ᵇᵒ·) : ιδου προαγει Θ ff ; οτι ιδου προαγει 565 n Sy.ˢ· ᵖᵉˢʰ· ; οτι ηγερθη απο των νεκρων και ιδου (om. 697) προαγει fam.¹ 22. 59. 697. 1278 Geo.ᴬ (= quoniam surrexit et ecce praecedit) ; οτι ιδου προαγω DW Sy.ʰⁱᵉʳ· bis, item praecedo tant. k | αυτον : με D k, item cf. Eugip. | καθως ειπεν (ειρηκεν Δ) υμιν : om. Cop.ᵇᵒ·; καθως ειπον (ειρηκα D) υμιν D 40. 72 a ff q, item >sicut uobis dixi k.

8. εξελθουσαι אABCDLXΓΔΠΣΨ 0112 ϶ Minusc. pler. VSS omn. : +ταχυ E 238. 239. 475². 477. 486. 488. 489 ; ακουσασαι Θ ; ακουσαντες 565 ; ακουσασαι εξηλθον και W Sy.ˢ· Cop.ˢᵃ· Geo. | εξελθ. εφυγον : = quum audiuissent fugerunt et egressae sunt Sy.ᵖᵉˢʰ· Arm. | απο του μνημειου : om. Sy.ˢ·; trans. post εξελθ. (uel post εξηλθον) k q Sy.ʰⁱᵉʳ· bis Cop.ˢᵃ· | ειχεν : εσχεν W | γαρ אBDWΨ it. vg. Sy.ᵖᵉˢʰ· ʰˡ· ʰⁱᵉʳ· Cop.ˢᵃ· ᵇᵒ· Aeth. Arm. : δε ACLΓΔΘ ΠΣ϶ Minusc. omn.ᵘⁱᵈ· | τρομος (tremor k l δ vg.): φοβος DWΠ*ᵘⁱᵈ·, item timor c ff n q | εκστασις : +propter timorem k | ειχεν γαρ . . . . εκστασις : om. Sy.ˢ· ; = territae enim sunt et stupefactae Geo. | και ουδενι . . . . εφοβουντο γαρ : deest k | ειπαν D : ειπον Uncs. rell. Minusc. omn. ; audebant dicere q | εφοβουντο γαρ : qūm timebant q.

---

6. Eus.ᵐᵃʳⁱⁿ· quaes. 1 a. περιγραφει της κατα τον Μαρκον ιστοριας εν τοις λογοις του οφθεντος νεανισκου ταις γυναιξι και ειρηκοτος αυταις μη φοβεισθε Ιησουν κτλ.

Eus.ᵐᵃʳⁱⁿ· quaes. 4 β. αι μετ αρωματων ελθουσαι ηκουσαν μη εκθαμβεισθε Ιησουν κτλ.

7. Eugip. I. 580. 23. ibi me uidebitis.

= Et omnia quae praecepit eis qui ierunt post Petrum et in aperto dixerunt ea : et post haec quidem iterum Iesus apparuit iis ab ortibus solis usque ad occasus eius et dimisit eos ut praedicarent euangelium sanctum incorruptum uitae aeternae. Amen. Haec ipsa numerantur illis et post haec labores et afflictiones eos apprehenderunt et dixerunt ne uerbum quidem cuiquam ; timebant enim. Cop.[bo. A mg.] ;

= In alia scriptura Omnia autem quae mandauerunt Petro haec fecit in compendium : post haec autem Iesus apparuit iis ab ortibus solis usque ad occasus eius : per eos promulgauit praeconium sacrum incorruptum in salutem aeternam. Cop.[bo. E₁ mg.] ;

= et omne quod imperauit Petro et eis qui eius erant perfecte narrauit et posthac apparuit iis dominus Iesus ab ortu solis ad occasum et misit eos ad praedicatum euangelium sacrum incorruptibile ad salutem aeternam. Amen. Amen. Aeth. (7 cdd.)

item codices sequentes add. scholia quae testantur euangelium exemplaribus aliquibus uerss. 9-20 non habuisse :—

+ εν τισι μεν των αντιγραφων εως ωδε πληρουται ο ευαγγελιστης εως ου και Ευσεβιος ο Παμφιλου εκανονισεν· εν πολλοις δε και ταυτα φερεται *et add. uerss.* 9-20. 1. 209[mg.] (*pr. man. litt. rubr.*), 1582 ;

+ τελος * εν τισι των αντιγραφων εως ωδε πληρουται ο ευαγγελιστης εν πολλοις δε και ταυτα *et add. uerss.* 9-20. 22 ;

+ εντευθεν εως του τελους εν τισι των αντιγραφων ου κειται. εν δε τοις αρχαιοις παντα απαραλειπτα κειται *et add. uerss.* 9-20. 20 ;

cf. scholion cdd. 237. 239. 259 *ad Ioann.* xxi. 12 *quod ultima uerba sequitur* ως εκ τουτου περιστασθαι ζ̄ ειναι τας εις τους μαθητας μετα την αναστασιν γεγονυιας οπτασιας του σωτηρος ημων Ιησου Χριστου· μιαν μεν παρα τω ματθαιω· τρεις δε παρα τω Ιωαννη, και τρεις παρα τω λουκα ομοιως : *Marcus igitur praeteritur.*

Secundum Conybeare, 1 Arm. Cod. *habet in rubrico prim. man. ante uers.* 9 = Αριστωνος του πρεσβυτερου.

(5) *Testimonia patrum :—*

Severus[ant.] *in excerptis cod. Coisl.* 23. *cf.* Galland. xi. 226.

εν μεν ουν τοις ακριβεστεροις των αντιγραφων το κατα μαρκον ευαγγ. μεχρι του εφοβουντο γαρ εχει το τελος· εν δε τισι προσκειται και ταυτα· αναστας κτλ.

Eadem uerba in Orat. II *in resurr. Christi Greg. Nyssen. ed.* Paris 1638, Vol. III 411. *Haec uerba nunc adscribuntur Hesychio.*

Hesychius quaest. 52 (Cotel. 3, 45)

μαρκος μεν εν επιτομω το μεχρι του ενος αγγελου διελθων τον λογον κατεπαυσεν.

Victor[ant.] *in catenis* [mosq. et poss.]

επειδη εν τισι των αντιγραφων προσκειται τω κατα μαρκον ευαγγελιω αναστας δε τη μια του σαββατου πρωι εφανη μαρια τη μαγδαληνη και τα εξης, δοκει δε τουτο διαφωνειν τω υπο του ματθαιου ειρημενω ερουμεν ως δυνατον ην ειπειν, οτι νενοθευται το παρα μαρκω τελευταιον εν τισι φερομενον. πλην ινα μη δοξωμεν επι το ετοιμον καταφευγειν, ουτως αναγνωσομεθα. αναστας δε, και υποστιξαντες επαγομεν πρωι τη μια του σαββατου εφανη τη μαγδαληνη, ... παρα πλειστοις αντιγραφοις ουκ ην δε ταυτα τα επιφερομενα εν τω κατα μαρκον ευαγγελιω. ως νοθα γαρ ενομισαν αυτα τινες ειναι. ημεις δε εξ ακριβων αντιγραφων, ως εν πλειστοις ευροντες αυτα, κατα το παλαιστιναιον ευαγγελιον μαρκου, ως εχει η αληθεια, συντεθεικαμεν, και την εν αυτω επιφερομενην δεσποτικην αναστασιν μετα το, εφοβουντο γαρ.

Euthymius Zigabeni Catena ad xvi. 8.

φασι δε τινες των εξηγητων ενταυθα συμπληρουσθαι το κατα μαρκον ευαγγελιον· τα δε εφεξης προσθηκην ειναι μεταγενεστερα. χρη δε και ταυτην ερμηνευσαι μηδεν τη αληθεια λυμαινομενην.

Eusebius[marin.] *cf. Mai Nova patrum bibliotheca* Vol. IV, p. 255 quaest. I a. *proposita quaestione* Πως παρα μεν τω ματθαιω οψε σαββατων φαινεται εγηγερμενος ο σωτηρ, παρα δε τω μαρκω πρωι τη μια των σαββατων ;

respondit Euseb. τουτου διττη αν ειη η λυσις· ο μεν γαρ το κεφαλαιον αυτο την τουτο φασκουσαν περικοπην αθετει, ειποι αν μη εν απασιν αυτην φερεσθαι τοις αντιγραφοις του κατα μαρκον ευαγγελιου· τα γουν ακριβη των αντιγραφων το τελος περιγραφει της κατα τον μαρκον ιστοριας εν τοις λογοις του οφθεντος νεανισκου ταις γυναιξι και ειρηκοτος αυταις μη φοβεισθε Ιησουν ζητειτε . . . . εφοβουντο γαρ. εν τουτω γαρ σχεδον εν απασι τοις αντιγραφοις του κατα μαρκον ευαγγελιου περιγεγραπται το τελος. τα δε εξης σπανιως εν τισι αλλ ουκ εν πασι φερομενα περιττα αν ειη και μαλιστα ειπερ εχοιεν αντιλογιαν τη των λοιπων ευαγγελιστων μαρτυρια· ταυτα μεν ουν ειποι αν τις παραιτουμενος και παντη αναιρων περιττον ερωτημα.

cf. Scholion olim adscriptum Eusebio, sed incertum est.

i.e. *Schol. Cod.* 255 κατα μαρκον μετα την αναστασιν ου λεγεται οφθαι τοις μαθηταις.

Hieronymus Epistulae cxx *ad Hedibiam* 3, *cf. Corpus Script. Lat. Vol. 55 p. 481. Post quaestionem de causa* ut de resurrectione et apparitione domini euangelistae (Matt. et Marc.) *diuersa narrauerint* . . . .
respondit, aut enim non recipimus Marci testimonium quod in raris fertur euangeliis omnibus Graeciae

⁹ [Ἀναστὰς δὲ πρωὶ πρώτῃ σαββάτου ἐφάνη πρῶτον Μαρίᾳ τῇ Μαγδαληνῇ, παρ' ἧς ἐκβεβλήκει ἑπτὰ δαιμόνια. ¹⁰ ἐκείνη πορευθεῖσα ἀπήγγειλεν τοῖς μετ' αὐτοῦ γενομένοις πενθοῦσι καὶ κλαίουσιν· ¹¹ κἀκεῖνοι ἀκούσαντες ὅτι ζῇ καὶ ἐθεάθη ὑπ'

libris paene hoc capitulum in fine non habentibus, praesertim cum diuersa atque contraria euangelistis ceteris narrare uideatur, aut hoc respondendum quod uterque uerum dixerit.

Hieronymus contra Pelagian. *cf. Uallarsi Uerona 1735 Opera Hier. Vol. II. 744-5.*

In quibusdam exemplaribus et maxime in Graecis codicibus iuxta Marcum in fine eius Euangelii scribitur : Postea quum accubuissent undecim apparuit eis Iesus et exprobauit incredulitatem et duritiam cordis eorum quia his qui uiderant eum resurgentem non crediderunt. *Etiam uide ad u. 14.*

(6) *Testimonia section. Ammonii et canon. Eusebii.*

hab. ultimos numeros $\left(\frac{\sigma\lambda\beta}{\beta}\right)$ ad uers. 6.   AU 286 ;

hab. ult. num. $\left(\frac{\sigma\lambda\gamma}{\beta}\right)$ ad uers. 8.   ℵLS 896, *item* Cod. Amiatinus et cdd. Lat. alii ;

hab. ult. num. $\left(\frac{\sigma\lambda\delta}{\eta}\right)$ ad uers. 9.   Π, *item* hab. σλδ *tant.* Θ ;

alii cdd. hab. numeros recentioribus manibus ad uersus diuersos suppletos,

e.g. hab. ult. num. $\frac{\sigma\lambda\delta}{\iota}$ ad uers. 13 Δ, *cf.* ad uers. 11 $\left(\frac{\sigma\lambda\delta}{\iota}\right)$, ad uers. 12 $\left(\frac{\sigma\lambda\epsilon}{\eta}\right)$, ad uers. 14 $\left(\frac{\sigma\lambda\varsigma}{\iota\ uel\ \eta}\right)$

sic cdd. permu., et al. pauc. usque ad numerum (σμβ), *cf.* ad uers. 20 cod. 31 ; *cf.* τεσσαρα εισιν ευαγγελια κεφαλαιων χιλιων εκατον εξηκοντα δυο Epiph. ᴬⁿᶜᵒʳ·⁵⁰, τεσσαρα ημιν υπαρχει ευαγγελια κεφαλαιων χιλιων εκατον εξηκοντα δυο Pseudo-Caesar. Dial. 1. 39. *Quippe enim summam capitulorum in 4 euang.* 1162 *dicentes, Marco non possunt plus* 233 *tribuere* (Matt. 355, Luc. 342, Ioh. 232):

Codd. Uncs. pler. et Minusc. omn. 9-20 *hab., exceptis supra annotatis, item* it. (exc. *k*) vg. Sy.ᶜ (*sed incip. ad uers.* 17) ᵖᵉˢʰ· ʰˡ· *txt.* Cop.ˢᵃ· ᵇᵒ· ⁽ᵉᵈ·⁾ Arm. ⁽ᵉᵈ·⁾ Aeth.⁽ᵉᵈ·⁾ Geo.ᴮ, *et testimonia patrum sequentia :*

uers. 16 *citatur in* Const. Apost. vi. 15 de baptismo. *cf.* Galland. iii. 153.

idem citatur in Pseudo-Caesar. Dial. 4. 193. *cf.* Galland. vi. 147.

uers. 17. 18 citantur in Hippolyto περι χαρισματων. *cf.* Galland. ii. 500.

eadem citantur in Const. Apost. viii. 1. *cf.* Galland. iii. 155.

uers. 19 *citatur in* Irenaeo adv. haer. int. iii. 10. 6. *cf.* Sanday and Turner, Old Lat. Texts, Vol. VII. 47. In fine autem Euangelii ait Marcus Et quidem Dominus Iesus posteaquam locutus est eis, receptus est in caelos, et sedet ad dexteram Dei.

uers. 20 Iustin. Apol. i. 45 *allusisse uidetur* ον απο Ιερουσαλημ οι αποστολοι αυτου εξελθοντες πανταχου εκηρυξαν.

---

9. αναστας δε (και αναστ. C* ᵘⁱᵈ· Cop.ᵇᵒ· ᵃˡⁱq· Aeth.): *om.* δε fam.¹³ (*exc.* 346) 543. 1278* *l* Arm.; + ο Ιησους F 118. 209. fam.¹³ 543. 28. 697. 1071. 1278 al. plur. *c ff g r² vg.* (plur. *sed non* WW) | πρωτη: πρωτον 34. 38. 238 al. ; πρωτης 28. *l*183 al. ; τη μια Euseb.ᵐᵃʳⁱⁿ· ²⁵⁵ ᵉᵗ ˢᵘᵖᵖˡ· qᵘᵃᵉˢ· ³⁰¹, *item* una Hier. 55. 481 | σαββατου: σαββατων ΚΥΠ fam.¹ 22. 28. 700 al. plur. Cop.ᵇᵒ· Euseb. Pseud.-Nyss. | εφανη πρωτον: *om.* πρωτον W Euseb.ᵐᵃʳⁱⁿ· ²⁵⁵·²⁵⁶ (sed pon. post μαρια 301) ; εφανερωσεν πρωτον D | μαρια: μαριαμ C Sy.ᵖᵉˢʰ· ʰˡ· ʰⁱᵉʳ· Geo.² Aeth. Arm. | μαγδαληνη: ᜸ινη ΔΣ 118. 13. 543. 28. 565 al. | παρ ης C*DLWΨ 0112. 33. 579. 892 al.: αφ ης AC³ΧΓΔΘΠΣᵇ fam.¹ 22. fam.¹³ 543. 28. 157.

565. 700. 1071. 1278 al. plur. *n* Cop.ᵇᵒ·, *item* Hier. ᴱᵖⁱˢᵗ·⁵⁴·⁵⁴⁵ | εκβεβληκει: = exierant Geo.²

10. εκεινη: + δε C* ᵘⁱᵈ· 64 *c ff* ; + ουν 282 ; = *praem.* et Sy.ᵖᵉˢʰ· ʰⁱᵉʳ· Aeth. ; at illa *g² l q* Hier. ᴱᵖⁱˢᵗ·⁵⁵·⁴⁸¹ | πορευθεισα (᜸ησα 13. 346. 471* al.): απελθουσα ΚΠ 42. 131. 229. 253. 481. 517. 579. 892 | τοις: *praem.* αυτοις D, *cf.* iis (eis *c*) qui *c n*, his qui *a l* vg., illis qui *q* | μετ αυτου: μαθηταις αυτου Θ ; = cum ipsa *et pon. post* κλαιουσιν Sy.ʰⁱᵉʳ· Cop.ᵇᵒ· (2 MSS), = cum illis *et pon. post* κλαι. Cop.ᵇᵒ· (1 MS) | γενομενοις (γινομ. 69): *om.* 36. 40 | και κλαιουσιν: *om.* W.

11. κακεινοι: εκεινοι δε C* Cop.ᵇᵒ·, *cf.* at illi *c ff q* δ ; εκεινοι *tant.* LUΨ 127. 472. 892. 1071 *vg.*

---

11. Hier. Epist. cxx. 3. illique audientes quod uiueret et quod uidisset eum, crediderunt (non crediderunt ei MS. C).

αὐτῆς ἠπίστησαν.   ¹² Μετὰ δὲ ταῦτα δυσὶν ἐξ αὐτῶν περιπατοῦσιν ἐφανερώθη ἐν
ἑτέρᾳ μορφῇ πορευομένοις εἰς ἀγρόν·   ¹³ κἀκεῖνοι ἀπελθόντες ἀπήγγειλαν τοῖς λοι-
ποῖς· οὐδὲ ἐκείνοις ἐπίστευσαν.   ¹⁴ ὕστερον δὲ ἀνακειμένοις αὐτοῖς τοῖς ἕνδεκα
ἐφανερώθη, καὶ ὠνείδισεν τὴν ἀπιστίαν αὐτῶν καὶ σκληροκαρδίαν ὅτι τοῖς θεασαμένοις
αὐτὸν ἐγηγερμένον ἐκ νεκρῶν οὐκ ἐπίστευσαν.   ¹⁵ καὶ εἶπεν αὐτοῖς Πορευθέντες εἰς
τὸν κόσμον ἅπαντα κηρύξατε τὸ εὐαγγέλιον πάσῃ τῇ κτίσει.   ¹⁶ ὁ πιστεύσας καὶ

(3 MSS) Sy.ᵖᵉˢʰ· (1 MS) Arm. | ακουσαντες: = +
quod dicerent Sy.ᵖᵉˢʰ· | εθεαθη υπ αυτης (αυτοις Θ
209. 346; =αυταις Sy.ᵖᵉˢʰ·): > υπ αυτης εθεαθη Δ
| ηπιστησαν (∼τεισαν 69): +eis vg. (1 MS) Sy.
ᵖᵉˢʰ·; = +ei Geo.²; και ουκ επιστευσαν αυτη (αυτω
D*) D; cf. Hier. infra.

12. μετα δε: praem. και D*; = et post Sy.ʰⁱᵉʳ·;
om. δε g² Sy.ᵖᵉˢʰ· Geo.² Arm. | περιπατουσιν: om.
1 Arm. (1 MS); = pon. post μορφη et +και ante
πορευομενοις Sy.ᵖᵉˢʰ· ʰⁱᵉʳ· Arm. | εφανερωθη: εφανη
Θ. cf. apparuit eis Aug. ᴱᵖⁱˢᵗ·, apparuit Eugip.
ter | εις αγρον: om. vg. (1 MS).

13. Tot. uers. deest Cop.ˢᵃ· | απελθοντες:
πορευθεντες Θ, item euntes it. (exc. audientes r²) vg.
| απηγγειλαν (απειγγ. 13): απηγγελον W | λοιποις:
λυποις sic Ω 474; ποις sic Θ | ουδε: ουτε l184
| εκεινοις: praem. εν 244; εκεινοι L ff.

14. υστερον δε ADΘΣ 1. 244. 472. 565. 892 al.
c ff o q vg. (aliq.) Sy.ᵖᵉˢʰ· ʰˡ· ʰⁱᵉʳ· Cop.ˢᵃ· ᵇᵒ·: om. δε
CLWXΓΔΠΨϽ 118. 209. 22. fam.¹³ 543. 28. 33.
157. 700. 1071 al. a l vg. (plur. et WW) Geo.²
| αυτοις: om. LW 13 | ωνειδισεν: ωνειδησε 346.
892, ονειδησεν 28 | απιστιαν: απιστειαν AEXΔ 13
| εγηγερμενον (εγειγ. ΕΗΚΜΩ 69. 124. 28. 565.
471. 2358) εγερθομενον 346; om. X) εκ (+των
1071) νεκρων AC*(X)Δ 1. 22. fam.¹³ 543. 28. 33.
349. 565. 579. 892. 1071 al. Sy.ʰˡ·; om. εκ νεκρων
C³DLWΓΘΠΨϽ 118. 209. 157. 700 al. it. vg. Sy.

pesh. hier. Cop.ˢᵃ· ᵇᵒ· Geo.² | ουκ επιστευσαν: praem.
et (om. o vg. 1 MS) nuntiantibus illis (om. o q) o q
vg. (4 MSS); +nuntiantibus (uel ∼entibus) vg.
(2 MSS); +κακεινοι απελογουντε (sic) λεγοντες οτι ο
αιων ουτος της ανομιας και της απιστιας υπο τον σαταναν
εστιν ο μη εων τα υπο των πνευματων ακαθαρτα την
αληθειαν του θεου καταλαβεσθαι δυναμιν δια τουτο
αποκαλυψον σου την δικαιοσυνην ηδη εκεινοι ελεγον τω
χριστω και ο χριστος εκεινοις προσελεγεν οτι πεπληρω-
ται ο ορος των ετων της εξουσιας του σατανα αλλα
εγγιζει αλλα δινα και υπερ ων εγω αμαρτησαντων
παρεδοθην εις θανατον ινα υποστρεψωσιν εις την αλη-
θειαν και μηκετι αμαρτωσιν· ινα την εν τω ουρανω
πνευματικην και αφθαρτον της δικαιοσυνης δοξαν κληρο-
νομησωσιν W, item cf. Hier. infra.

15. και ειπεν (dicit c o) αυτοις (προς αυτους D;
+Iesus O² vg. aliq. sed non WW): αλλα W |
απαντα (pon. ante κοσμον c q vg. 3 MSS): om. D
225 vg. (1 MS) Cop.ᵇᵒ· | κηρυξατε: praem. και
D, item (sed hab. ite pro πορευθ.) c ff q Sy. ᵖᵉˢʰ· ʰˡ·*
Aeth. Ambr. Expos. | το ευαγγελιον: = euan-
gelium meum Sy.ᵖᵉˢʰ·; = euangelium hoc Geo.²;
om. Acta Pil. (3 MSS); +μου Acta Pil. (MS E)
| παση: πασι 700 | κτισει: κτησει 13. 28.

16. ο (et qui ff q Ambr. Lib. de uoc. gent. Acta
Pil.; qui autem c) πιστευσας (πιστευων 1071;
πιστευσασας sic Θ): praem. οτι Dˢᵘᵖᵖˡ· 565. l253

14. Hier. ᶜᵒⁿᵗʳᵃ Pelag. ii. 15. In quibusdam exemplaribus et maxime in Graecis codicibus iuxta Marcum in
fine eius Euangelii scribitur : Postea quum accubuissent undecim apparuit eis Iesus et exprobauit incredu-
litatem et duritiam cordis eorum quia his qui uiderant eum resurgentem non crediderunt.   Et illi satis-
faciebant dicentes saeculum istud iniquitatis et incredulitatis substantia (Vat. 1 MS = sub satana) est
quae non sinit per immundos spiritus ueram Dei apprehendi uirtutem idcirco iam nunc reuela iustitiam
tuam.

15. Ambr. Expos. euang. Luc. 32. 86. 8 et 315. 11. ite in orbem uniuersum et praedicate euangelium.
Expos. Ps. xii.   ite per orbem uniuersum et praedicate euangelium uniuersae creaturae.

uerss. 15-19. cf. Acta Pilati A. xiv. Tisch. alt. editio 1872.

ειδομεν τον Ιησουν και τους (add. ενδεκα BG et 3 Lat. edd.) μαθητας αυτου καθεζομενον (∼μενους CG)
εις (επι ΒΕ) το ορος το καλουμενον Μαμιλχ (Μαμβηχ Β; Μαληκ Ε; Μοψηκ G; Μομφη C; Mambre siue
Malech Vat.ᵃ) και ελεγεν τοις μαθηταις αυτου πορευθεντες εις τον κοσμον απαντα κηρυξατε παση τη κτισει (BCG;
item E add. το ευαγγελιον μου; πορευεσθε και διδαξατε το ευαγγελιον παση τη κτισει A)· ο πιστευσας (οτι ο
πιστ. CE; = et qui cred. Lat. 3 MSS) και βαπτισθεις σωθησεται, ο δε απιστησας κατακριθησεται. σημεια δε
τοις πιστευσασιν ταυτα παρακολουθησουσιν (∼σει G; >ακολουθησει ταυτα C)· εν τω ονοματι μου δαιμονια
εκβαλουσιν (∼βαλλ∼ BCG), γλωσσαις λαλησουσιν καιναις, οφεις (praem. και εν ταις χερσιν αυτων C) αρουσιν
καν θανασιμον τι πιωσιν ου μη αυτους βλαψει (∼ψη G), επι αρρωστους χειρας (τας χειρ. C) επιθησουσιν και καλως
εξουσιν (pro χειρας . . . εξουσιν A hab. οτι οι πιστοι πολλα σημεια ποιησουσιν και πολλους ασθενουντας ιασονται ;
om. haec uerba E et 3 Lat. edd.). ετι του Ιησου λαλουντος προς τους μαθητας αυτου ειδομεν αυτον αναληφθεντα
εις τον ουρανον (pro ειδομεν . . . ουρανον A hab. ειτα ειδομεν αυτον μετελθοντα εις το ορος των ελαιων και
αναληφθεντα εις τον ουρανον).

βαπτισθεὶς σωθήσεται, ὁ δὲ ἀπιστήσας κατακριθήσεται. ¹⁷ σημεῖα δὲ τοῖς πιστεύσασιν ἀκολουθήσει ταῦτα, ἐν τῷ ὀνόματί μου δαιμόνια ἐκβαλοῦσιν, γλώσσαις λαλήσουσιν, ¹⁸ καὶ ἐν ταῖς χερσὶν ὄφεις ἀροῦσιν κἂν θανάσιμόν τι πίωσιν οὐ μὴ αὐτοὺς βλάψῃ, ἐπὶ ἀρρώστους χεῖρας ἐπιθήσουσιν καὶ καλῶς ἕξουσιν. ¹⁹ Ὁ μὲν οὖν κύριος Ἰησοῦς μετὰ τὸ λαλῆσαι αὐτοῖς ἀνελήμφθη εἰς τὸν οὐρανὸν καὶ ἐκάθισεν ἐκ δεξιῶν τοῦ θεοῦ. ²⁰ ἐκεῖνοι δὲ ἐξελθόντες ἐκήρυξαν πανταχοῦ, τοῦ κυρίου συνεργοῦντος καὶ τὸν λόγον βεβαιοῦντος διὰ τῶν ἐπακολουθούντων σημείων.]

Acta Pil. | βαπτισθεις: praem. o LΔ | απιστησας: απιστισας 28 | κατακριθησεται: κατακριθεις ου σωθησεται W.

17. σημεια: = miraculum Geo.² | ακολουθησει ταυτα C*LΨ 579. 892 Acta Pil. MSC: παρακολουθησει ταυτα AC² 33 ; > ταυτα παρακολουθ. (ρακολουθησει Δ) C³Dˢᵘᵖᵖˡ·WXΓ(Δ)ΘΠ♭ fam.¹·22. fam.¹³ 543. 28. 157. 565. 700. 1071 al. pler. Sy.ᵖᵉˢʰ· ʰˡ· Cop.ˢᵃ· ᵇᵒ· Constit. Apos. viii. 1. Acta Pil. (G*; παρακολουθησουσι B), item haec sequentur it. (exc. > haec credentibus subsequentur q) vg. ; > haec signa sequentur Pelag. Ep. Paul. 424. 2; = in hoc sequetur Geo.² | εν: επι L | εκβαλουσιν: εκβαλλ. Dˢᵘᵖᵖˡ· 579. 697 Acta Pil. (BCG) | λαλησουσι (⁓σωσιν Dˢᵘᵖᵖˡ·Θ) tant. C*LΔΨ Cop.ˢᵃ· ᵇᵒ· Arm. : + καιναις AC²Dˢᵘᵖᵖˡ·WXΓΘΠ♭ Minusc. omn.ᵘⁱᵈ· it. (pon. ante λαλησ. o, item Sy.ᵘˢˢ· Constit. Apos. Iac. Nisib· Hipp.) vg. Sy.ᶜ· ᵖᵉˢʰ· ʰˡ· ʰⁱᵉʳ· Geo.² Ambr.ᵈᵉ ⁱⁿᵗᵉʳᵖ· ᴵᵒᵇ Aug.ᶜᵒⁿˢ·

18. και εν ταις χερσιν (= + αυτων Sy.ᶜ· Cop.ˢᵃ·ᵇᵒ·) CLMᵐᵍ·XΔΨ 1. 22. 33. 517. 565. 579. 892. l253 al. Sy.ᶜ· ʰˡ·* Cop.ˢᵃ· ᵇᵒ· Geo.² (= manu) Acta Pil. (C): om. ADˢᵘᵖᵖˡ·WΓΘΠ♭ (exc. Mᵐᵍ·) 118. 209. fam.¹³ 543. 28. 157. 700. 1071 al. plur. it. vg. Sy.ᵖᵉˢʰ· ʰⁱᵉʳ· Hipp. Acta Pil. (pler.) | αρουσιν: non timebunt o | πιωσιν (ποιωσιν Dˢᵘᵖᵖˡ· 69): quis biberint sic o ; cf. φαγωσιν Philostorg. | ου μη: ουδεν C* | αυτους (αυτοις Δ 13) βλαψη (βλαψει Ψ 28. 157 al. plur. Constit. Apos. Acta Pil.(BC): > βλαψη αυτους 579; cf. Philostorg. | επι: επ Dˢᵘᵖᵖˡ· | αρρωστους: αρωστους sic L | επιθησουσιν: επιθησωσιν 472. l184.

19. μεν ουν: om. ουν C*LW 90*; om. Sy.ʰⁱᵉʳ·; = et o Arm. Aeth. ; = autem (post dominus) Sy.ᶜ·

pesh. (post Iesus) Cop.ˢᵃ· Geo.², cf. caten. Iren. in cod. 72 | κυριος Ιησους C*KLΔ 1. 22. 124. 33. 253. 565. 579. 892*. 1071 al. Sy.ᶜ· ᵖᵉˢʰ· (= > Iesus Dominus) hl. Cop.ˢᵃ· ᵇᵒ·: om. Ιησους AC³Dˢᵘᵖᵖˡ·XΓΘΠΨ♭ (exc. H K) 118. 209. l582. fam.¹³ (exc. 124) 543. 28. 157. 700. 892² ⁽ˢᵘᵖ· ˡⁱⁿ·⁾ al. plur. Geo.²; om. κυριος H 474 ; + χριστος W | ο μεν ουν κυριος Ιησους: et dominus quidem Iesus a c ff g² q vg. (aliq. sed non WW); et dominus quidem l vg. (pler.) Eugip.; et dominus Iesus Christus o Arm. Aeth.; et quidem dominus Iesus δ Iren.ⁱⁿᵗ· | αυτοις: = discipulis suis Sy.ᶜ· | ανελημφθη ACDˢᵘᵖᵖˡ·WΔΘ: ανεληφθη LXΓΠΨ♭ Minusc. omn.; ανεφερετο (praem. και 68) 36. 40. 68 | εις τον ουρανον: εις τους ουρανους fam.¹³ 543. Iren.ⁱⁿᵗ·; in coelis c o q | εκαθισεν: εκαθησεν ΕΗΚLΘΩ 346. 28. 238. 474. 475 al. | εκ (εν D ˢᵘᵖᵖˡ· 485) δεξιων: εν δεξια CΔ 473. 482 ; cf. ad dexteram c o q Iren.ⁱⁿᵗ·, ad (sic) dextris l | θεου: πατρος 1. 472 Cop.ᵇᵒ· Arm. Aug.ᴱᵖⁱˢᵗ· ᵇⁱˢ Tert.ᵈᵉ ᶜᵃʳⁿ· ʳᵉˢᵘʳ· ⁴⁷·¹⁰⁵· ⁴ ; = domini patris eius Aeth.

20. εξελθοντες: ακουσαντες 6 | εκηρυξαν: εκηρυσσων sic 579 ; praedicauerunt et docuerunt o | πανταχου: παντα χν̄ 69 | βεβαιουντος (βεβαιοτος sic errore Θ): βεβαιουντες 474 | τον λογον: = sermonem (= sermones Sy.ᵖᵉˢʰ·) eorum Sy.ᶜ· ᵖᵉˢʰ· | δια: om. L Cop.ˢᵃ·, item non express. it. vg. | δια των επακολ. σημειων: = per signa quae faciebant Sy.ᶜ· ᵖᵉˢʰ· Geo.² | σημειων (praem. των 13) sine add. AC² 1. 33. 477. 486. 487 al. a g² q vg. (aliq.) Sy.ᶜ· ᵖᵉˢʰ· ʰˡ· Cop.ˢᵃ· Geo.² Arm.: + τελος 22 ; + αμην C* ᵘⁱᵈ· Dˢᵘᵖᵖˡ· LWXΓΔΘΠˢᵘᵖᵖˡ·Ψ♭ 118. 209. fam.¹³ 543. 28. 157. 565. 579. 700. 892. 1071 al. pler. c o vg. (plur. et WW) Aeth. ; = + ad aetatem omnium (om. codd. plur.) aetatum Cop.ᵇᵒ·

---

16. Ambr. Expos. euang. Luc. 32. (iv) 315. 11 et saepe. Et qui crediderit et baptizatus fuerit hic saluus erit.

Aug. serm. et epist. qui crediderit et baptizatus fuerit saluus erit. item etiam Eugip. 1. 408. 6 et 11.

17. Iac.ᴺⁱˢⁱᵇ· ᴵᴵ· ¹³ libere citat :—Hoc signum erit credentibus : linguis nouis loquentur, daemonia eiicient, super aegros manus suas imponent et bene habebunt.

18. Philostorg. 215. 19. και εν τοις χερσιν αυτων οφεις αρουσιν καν θανασιμον τι φαγωσιν ου μη αυτοις αδικησει.

19. Caten. Iren. in cod. 72. ειρηναιος ο των αποστολων πλησιον εν τω προς τας αιρεσις Γ̄ λογω τουτο ανηνεγκεν το ρητον ως μαρκω ειρημενον : ανεληφθη χ̄ϲ ῑϲ προς τον εν ο̄ν̄οῑϲ αυτου π̄ρ̄α και θ̄ν̄.

Iren.ⁱⁿᵗ· ᴵᴵᴵ· ˣ· ⁶· In fine euangelii ait Marcus : Et quidem Dominus Iesus, postquam locutus est eis, receptus est in caelos, et sedet (sedit MS. C) ad dexteram Dei.

Aug. Epp. Ascendit in caelum, sedet ad dexteram patris.

Eugip. 1. 578. 17. et dominus quidem postquam locutus est eis assumtus est in caelum.

ΚΑΤΑ ΜΑΡΚΟΝ

Subscriptiones κατα μαρκον B ; ευαγγελιον κατα μαρκον אACEHKLUWΓΔΨ 33. 471. 700 al. ; ευαγ-
γελιον κατα μαρκον ετελεσθη· αρχεται πραξις αποστολων D^suppl. ; τελος του κατα μαρκον (+ αγιου aliq.)
ευαγγελιου 71. 251. 470 al. plur. ; το κατα μαρκον (+ αγιον G al.) ευαγγελιον εξεδοθη (∽δωθη G) μετα χρονους
ῑ (ῑβ̄ aliq.) της του Χριστου (κυριου G) αναληψεως GS 28. 128. 131. 133. 167. 242, *similiter cum paucis uaria-*
tionibus 237. 241. 246. 472. 483. 484 al. plur., *et add.* διηγορευθη δε υπο Πετρου εκ Ρωμης 483. 484 ; ευαγγελιον
κατα μαρκον εγραφη και αντεβληθη ομοιως εκ των σπουδασμενων στιχοις (*praem.* εν Λ) α̅φ̅ς̅ κεφαλαιοις σ̅λ̅ζ̅ (+
αμην 262) Λ 20. 262. 300 ; εγραφη και αντεβληθη ομοιως εκ των Ιεροσολυμων παλαιων αντιγραφων 565 ; ευαγ-
γελιον κατα μαρκον :—*τελος του κατα μαρκον ευαγγελιου. οσσα περι Χριστοιο θεηγορος ενθεα πετρος κηρυσσων
εδιδασκεν απο στοματων ερετιμων. ενθα δε μαρκος αγειρε και εν σελιδεσσιν εθηκε· τουνεκα και μεροπεσσιν ευαγγε-
λος αλλος εδειχθη. 892. ; τελος του μαρκου αγιου ευαγγελιου 1278 [2] ; ιστεον οτι μετα χρονους δεκα της του κ̅υ̅
ημων και θ̅υ̅ ι̅υ̅ χ̅υ̅ εκ νεκρων αναστασεως και εις ο̅υ̅ν̅ο̅υ̅ς̅ αναληψεως εγραφη το κατα μαρκον αγιον ευαγγελιον
209[2] ; ευαγγελιον κατα μαρκον εγραφη ρωμαιστη εν ρωμη μετα ῑβ̄ ετη της αναληψεως του Κυριου 13. 124. 346.
543. 160. 161 al. ; εγραφη ιδεωχειρως αυτου του αγιου μαρκου εν τη πρεσβυτερα ρωμη μετα χρονους δεκα της
του Χριστου και του θεου ημων αναληψεως και εξεδοθη παρα πετρου του πρωτοκορυφαιου των αποστολων τοις εν
ρωμη ουσι πιστοις αδελφοις 293 ; *praeterea uersuum numerum notatum hab.* εχει δε ρηματα α̅χ̅′ (*uel* α̅χ̅ο̅ε̅,
α̅ψ̅′, α̅χ̅ς̅) στιχους α̅χ̅ι̅ς̅ GHKS 13. 124. 543 al., *cf.* = et uoces eius 1700 Aeth. ; *cf.* = perfectum est euan-
gelium sanctum praedicatio (*om.* Sy.^hl.) Marci quod locutus est latine Romae Sy.^pesh. hl. ; = finitum
est Sy.^hier (cod. A) ; = finitum est euangelium Marci Sy.^c. ; = apud Marcum finitum est Cop.^sa. ; =
euangelium uitae apud marcum in pace domini—Amen Cop.^bo. ; *cf.* explicit euangelium secundum
Marcum *ff* o (+ amen) *vg.* (plur.), euangelium cata marcum exp. incip. cata mattheum feliciter (*sic*) *k* ;
euangelium secund. marc. εξπλικητ. φελικιτερ AMEN *q* : *sine subscriptione* MSXΘΠ^suppl. 69. 476. 481 al.
it. (plur.) *vg.* (plur.) Geo.[2]

APPENDIX

Lectiones codicis 1342 *ad apparatum criticum addendae*

Cap. I.   4. lin. 3 *post* 892*.   5. lin. 8 *post* 1278*.   lin. 13 *post* 1071.   8. lin. 19 *post* 106.   9. lin. 21 *post* 892.   10. lin. 3 *post* 579.   11. lin. 5 *ad fin. add. pon.* εγεν. λεγουσα *post* ουρανων.   12. lin. 8 *post* 892.   13. lin. 2 *post* 892.   14. lin. 20 *post* 892.   16. lin. 2 *post* 892.   lin. 22 *post* 700.   17. lin. 5 *post* Aeth. *pon. post* αλεεις.   18. lin. 5 *post* 892.   19. lin. 10 *ad init. add. om.* και αυτους.   20. lin. 3 *post* 700.   lin. 5 *post* 700.   lin. 10 *add.* +αυτων *post* 543.   21. lin. 9 *post* 892.   lin. 10 *post* 1071.   lin. 17 *post* 700.   22. lin. 6 *post* 1241.   23. lin. 3 *post* 579.   24. lin. 6 *post* 837.   26. lin. 10 *post* (1071).   27. lin. 9 *post* pler. *add.* εαυτους (*pro* απαντες). lin. 23 *post* 36.   28. lin. 2 *post* 892.   lin. 7 *post* 892.   29. lin. 2 *post* 892.   lin. 12 *post* 1278.   lin. 20 *post* 579.   30. lin. 5 *post* 892.   31. lin. 11 *post* 892.   33. lin. 3 *post* 1071.   34. lin. 22 *post* 700.   36. lin. 11 *post* 1071.   37. lin. 1 *post* λεγουσιν *add.* (ειπον).   38. lin. 2 *post* 517.   lin. 19 *post* 1071.   39. lin. 7 *post* 892.   lin. 11 *post* εις *add.* (και εις).   40. lin. 16 *post* 892.   41. lin. 17 *post* W *pr. et post* 565.   42. lin. 8 *post* 164.   43. lin. 6 *post* 892.   44. lin. 6 *post* 892.   lin. 21 *post* 33.   45. lin. 6 *post* 1071.   lin. 17 *post* 892.   lin. 24 *post* 1071.

Cap. II.   1. lin. 9 *post* 1071.   lin. 27 *post* 892.   2. lin. 2 *post* 892.   3. lin. 10 *post* 700.   4. lin. 27 *post* 565.   5. lin. 2 *post* 892.   lin. 8 *post* 248.   lin. 9 *post* 565.   lin. 16 *post* 892.   8. lin. 2 *post* 700.   lin. 15 *post* 892.   9. lin. 7 *post* 565.   lin. 13 *post* 892.   lin. 22 *post* 700.   lin. 26 *post* 1071.   10. lin. 8 *post* 1071.   11. lin. 5 *post* 1071.   lin. 8 *post* 1071.   lin. 17 *post* περιπατει.   12. lin. 9 *post* και).   lin. 28 *add.* (οιδαμεν) *post* ειδαμεν.   14. lin. 19 *add. post* Geo. | αυτω: +Ιησους.   15. lin. 1 *post* 892*.   lin. 3 *post* 892^{txt.}.   16. lin. 13 *post pr.*).   lin. 37 *post* (*om.* υμων).   17. lin. 10 *post* 1071.   lin. 14 *post* 892.   18. lin. 6 *post* 579.   19. lin. 11 *post* L.   lin. 12 *post* 892.   20. lin. 4 *add. post* 892 | *om.* και *ante* τοτε.   lin. 5 *post* Φ.   lin. 8 *post* 892.   21. lin. 21 *post* 892.   lin. 28 *post* 700.   lin. 31 *post* f *add.* ; ρησσει.   lin. 33 *post* 1278.   22. lin. 3 *post* 579.   lin. 5 *post* a *add.* ; ρηγνυνται οι ασκοι.   23. lin. 8 *post* 1071.   lin. 10 *post* 892.   lin. 14 *post* D.   lin. 22 *post* 1071.   24. lin. 11 *post* 892.   25. lin. 6 *add.* (ο Ιησους) *post* αποκριθεις.   *et add. post* Θ.

Cap. III.   1. lin. 11 *post* 565.   2. lin. 3 *post* 700.   3. lin. 8 *post* 33.   lin. 10 *post* 1071.   lin. 15 *post* 892.   4. lin. 18 *post* 892.   5. lin. 9 *post* Γ.   lin. 20 *post* 346.   lin. 23 *post* 579.   6. lin. 4 *post* 579.   7. lin. 4 *post* 892.   lin. 27 *post* 1071.   11. lin. 6 *post* 1071.   lin. 11 *post* 1071.   lin. 15 *post* 1071.   12. lin. 8 *post* 579.   lin. 9 *post* 700.   13. lin. 10 *post* Δ.   14. lin. 15 *post* 565.   16. lin. 1 *post* 579 (*et om.* τους).   lin. 5 *post* 1071.   17. lin. 10 *post* 579.   18. lin. 8 *post* 579.   19. lin. 4 *post* 892.   lin. 11 *post* Γ.   25. lin. 4 *add.* | η οικια *pro* οικια *post* 271.   lin. 5 *post* 892.   lin. 9 *post* 28.   lin. 10 *post* 1071.   26. lin. 8 *post* 892.   27. lin. 2 *post* 1071.   lin. 19 *post* ff; *add.* εισελθειν εις την οικιαν του ισχυρου και τα σκευη αυτου.   28. lin. 5 *post* 1071.   29. lin. 3 *post* 126.   lin. 12 *post* 892.   31. lin. 2 *post* 1071.   lin. 9 *post* 565.   lin. 11 *post* 1071.   lin. 20 *post* 892.   lin. 22 *post* 892.   32. lin. 6 *add.* (αυτων) *post* αυτον.   lin. 13 *post* 1071.   33. lin. 3 *post* 1071.   lin. 23 *add. ante* qui, τινες εισιν οι αδελφοι μου, *item.*   35. lin. 8 *post* 271 *add.* | του πατρος μου *pro* του θεου.   lin. 12 *post* 1278.

APPENDIX

Cap. IV. 1. lin. 21 *post* 892. lin. 40 *post* 892. 4. lin. 10 *post* 1071. 5. lin. 1 *post* 1071. lin. 13 *post* 569. lin. 20 *post* 892. 6. lin. 2 *post* 1071. 7. lin. 12 *post* 892. 8. lin. 21 *post* 892. 10. lin. 2 *post* 1071. lin. 7 *post* 1071. 11. lin. 5 *post* W. lin. 8 *post* 892. *et add.* (+γνωναι). lin. 16 *post ff add.* | των ουρανων *pro* του θεου. 15. lin. 17 *post* Δ. 16. lin. 4 *post* 1071. 18. lin. 14 *post* 1278. lin. 17 *post* 1071. 19. lin. 1 *add.* η μεριμνα, *item ante* = sollicitudo. lin. 6 *post* 1071. 20. lin. 14 *post* 22. 21. lin. 22 *post* 1071. 22. lin. 9 *post* 700. 23. *add. ad fin.* | *om.* ακουειν. 26. lin. 10 *post* 700. lin. 18 *post* 579. 29. lin. 9 *post* 892. 30. lin. 15 *post* 892. lin. 31 *ante* = ponam *add.* αυτην θωμεν, *item cf.* 31. lin. 8 *post* 1071. lin. 19 *post* 1071. 33. lin. 6 *post* 892. lin. 14 *post* 892. 34. lin. 2 *post* 700. lin. 4 *post* Orig. *add.* | ουδεν *pro* ουκ. lin. 7 *post* 1071. 35. lin. 10 *post* 371 *add.* ; *om.* λεγει αυτοις. 36. lin. 11 *post* 892. 37. lin. 6 *post* 700. lin. 20 *post* 248. lin. 24 *post* 892. 38. lin. 1 *post* 1071. lin. 8 *post* 1071. lin. 31 *post* 1278. 40. lin. 12 *post* 892. 41. lin. 13 *post* 1071. lin. 21 *post* 131? *et post* 28) *add.* (1342).

Cap. V. 1. lin. 6 *post* 1278². 2. lin. 10 *post* 892. lin. 16 *post* 1071. 3. lin. 7 *post* 1071. lin. 9 *post* 892. 4. lin. 2 *post* πολλακις, *add.* (*om.*). lin. 4 *post* 301. lin. 9. *post* 1071. lin. 41 *post* 892. 5. lin. 11 *post* 1071. 6. lin. 14 *post* 892. 7. lin. 2 *post* 1071. 9. lin. 7 *post* 892. lin. 12 *post* 892. 10. lin. 12 *post* 1012. lin. 19 *post* 258. 12. lin. 9 *post* 1278*. lin. 20 *post* K. 13. lin. 2 *post* 892*. 14. lin. 7 *post* 472. lin. 11 *post* 892. lin. 18 *post* 892. 18. lin. 20 *post* 1278. *et add.* (ει *sic pro* η). 19. lin. 2 *post* 892. lin. 9 *post* bo. *add.* | προς *pro* εις. lin. 11 *post* 579. lin. 15 *post* 448. lin. 22 *post* 1278. 20. lin. 6 *post* 259 *add.* | ο Κυριος πεποιηκεν αυτω *pro* εποιησ. αυτω ο Ιησους. 21. lin. 4 *post* Arm. *add.* ; εις γεννησαρετ. 22. lin. 1 *post* 892. 23. lin. 15 *add.* (*om.*) *post* ελθων. lin. 16 *post* 475. lin. 19 *post* 1071. lin. 39 *post* 892. 24. lin. 7 *post* 892. 25. lin. 3 *post* 892. lin. 7 *post* 892. 26. lin. 12 *post* 1278. 28. lin. 9 *add. post* B; *om.* lin. 10 *post* 892. 29. lin. 1 *post* 892. 30. lin. 1 *post* 892. lin. 13 *post* 237 *add.* ; εξεληλυθυιαν. 33. lin. 9 *post* 892. 34. lin. 13 *post* 700. 36. lin. 3 *post* 892. 37. lin. 2 *post* 892. lin. 21 *post* 565. 38. lin. 2 *post* 579. lin. 14 *post* 892. 40. lin. 5 *post* 892. 41. lin. 6 *add.* (θαλιθα) *post* ταλειθα. lin. 16 *post* 892. lin. 27 *post* 54. 42. lin. 1 *post* 892. lin. 9 *post* 1582.

Cap. VI. 1. lin. 3 *post* 892. 2. lin. 9 *post* 892. lin. 20 *post* 565. lin. 30 *post* C. lin. 31 *post* 892. lin. 33 *post* 892. lin. 40 *add. post* γινομεναι (γενομεναι). lin. 41 *post* 892 *add.* (1342). 3. lin. 9 *post* 892. lin. 16 *post* 892*. 4. lin. 1 *post* 892. lin. 15 *post* 1278. lin. 18 *post* 1071. 5. lin. 2 *post* 892. lin. 12. *post* 700. 7. lin. 19 *post* 579. 8. lin. 18 *post* 892. 10. lin. 11 *post* Θ. 11. lin. 5 *add.* καν; *ante om.* Θ. lin. 8 *post* 892. lin. 12 *add.* +του λογου; *ante* τους λογους. lin. 25 *post* 892*. 12. lin. 3 *post* 892. 13. lin. 8 *post* 1071. 14. lin. 25 *post* 892. lin. 34 *post* 1071. 15. lin. 6 *post* 1071. lin. 15 *post* 565. lin. 20 *post* 1071. 16. lin. 4 *post* 1278. lin. 5 *post* 892. lin. 16 *post* 892. lin. 23 *post* 892*. 17. lin. 7 *post* 1071. lin. 30 *post* 473. 19. lin. 14 *post* 517. 22. lin. 13 *post* 33. lin. 17 *post* 33. lin. 25 *post* Σ. 23. lin. 7 *post* 245. 24. lin. 1 *post* 892. 25. lin. 8 *post* 892. lin. 16 *post* 565 *bis*. 26. lin. 14 *post* 892. 27. lin. 2 *post* 892. lin. 12 *post* 1278*. lin. 17 *post* 892. 29. lin. 15 *post* 1278. 30. lin. 5 *post* 1278. 31. lin. 1 *post* 892. lin. 9 *post* αυτοι *add.* (*om.*). lin. 18 *post* 579. lin. 25 *post* 28. lin. 30 *post* 1278. 32. lin. 6 *post* 700. lin. 9 *post* 892. 33. lin. 4 *post* 565. lin. 13 *post* 1278. lin. 26 *post* 892. 34. lin. 3 *post* 1071. lin. 12 *post* 579. 35. lin. 8 *post* 1071. lin. 14 *post* 892. lin. 20 *post* 1071. 37. lin. 22

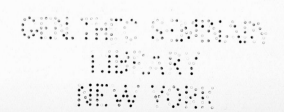

post 892.   38. lin. 7 *post* 0149.   39. lin. 5 *post* 1071.   40. lin. 12 *post* 485.
41. lin. 12 *post* 892.   lin. 17 *post* 892.   43. lin. 8 *post* 892.   44. lin. 8 *post* 1071.
45. lin. 1 *post* 892.   48. lin. 1 *post* 892.   lin. 15 *post* 569.   lin. 21 *post* 700.   49. lin. 4
post 892.   lin. 9 *post* 892.   lin. 16 *post* Γ *add.*; *praem.* απο του φοβου.   50. lin. 8 *post*
892.   51. lin. 19 *post* 892.   52. lin. 7 *post* 892.   lin. 13 *post* 1071.   53. lin. 3
post 892.   lin. 11 *post* 892.   lin. 15 *post* 1071.   54. lin. 6 *post* 892.   lin. 16 *post* 700.
55. lin. 2 *post* 892.   lin. 12 *post* 892.   lin. 16 *post* 892.   56. lin. 14 *post* 482.   lin. 24
post ℵ.   lin. 27 *post* 892.   lin. 36 *post* 579.   lin. 38 *post* 892.

CAP. VII.   2. lin. 5 *post* 892.   lin. 11 *post* 892.   lin. 20 *post* 692.   lin. 25 *post* 892.
4. lin. 15 *post* 506.   lin. 24 *post* 𝔓⁴⁵ *uid.*.   5. lin. 1 *post* 892.   lin. 16 *post* 892.   lin. 23
post 700.   6. lin. 2 *post* 892.   lin. 6 *post* 1071.   lin. 23 *post* 1071.   9. lin. 1 *add.*
post ελεγεν (λεγει).   10. lin. 8 *post* 485**.   11. lin. 8 *post* 700.   12. lin. 9 *add.*
post Sy.ˢ·; *pon. post* μητρι.   13. lin. 6 *post* fam.¹   14. lin. 3 *post* 892.   15. lin. 6
post 892.   lin. 10 *post* 892.   16. lin. 1 *post* 28.   17. lin. 17 *post* 892.   18. lin. 4
post 1278.   lin. 5 *add. post* 28. | *om.* και υμεις.   lin. 9 *post* 892.   lin. 14 *post* Δ.   *et post*
τον ανθρωπον *add.* (το στομα).   19. lin. 10 *post* 700.   lin. 18 *post* 1071.   21 *et* 22.
lin. 8 *add. post* μοιχ. (*pon. ante* κλοπαι).   23. lin. 3 *post* 517.   24. lin. 2 *post* 892.
lin. 10 *post* 700.   lin. 12 *post* 892.   25. lin. 1 *add.* και, *ante* = et Cop.   lin. 18 *post* 700.
lin. 23 *post* 892.   26. lin. 2 *post* 892.   lin. 13 *post* 1071.   lin. 29 *post* 474.   27. lin. 1.
post 892.   lin. 12 *post* 892.   28. lin. 23 *post* ℵᶜ *et post* ℵ.   29. lin. 12 *post* 1071.
30. lin. 1 *post* L.   lin. 9 *post* 579.   lin. 10 *post* 700.   31. lin. 9 *post* 892.   lin. 14 *post*
892.   32. lin. 11 *post* 892.   lin. 21 *post* 579.   33. lin. 8 *post* 482.   35. lin. 2 *post*
892.   lin. 6 *post* 892.   lin. 12 *post* L *et post* Δ.   lin. 17 *post* 472.   36. lin. 6 *post* 892.
lin. 15 *post* 892.   lin. 20 *post* 1071.

Post capitulum VII *lectiones cod.* 1342 *ad apparatum criticum additae sunt.*

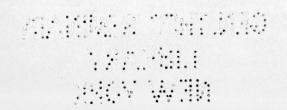